Vos ressources numériques en ligne!

Pour faciliter votre enseignement,
découvrez des outils liés à

QUAND REVIENT SEPTEMBRE

2e édition

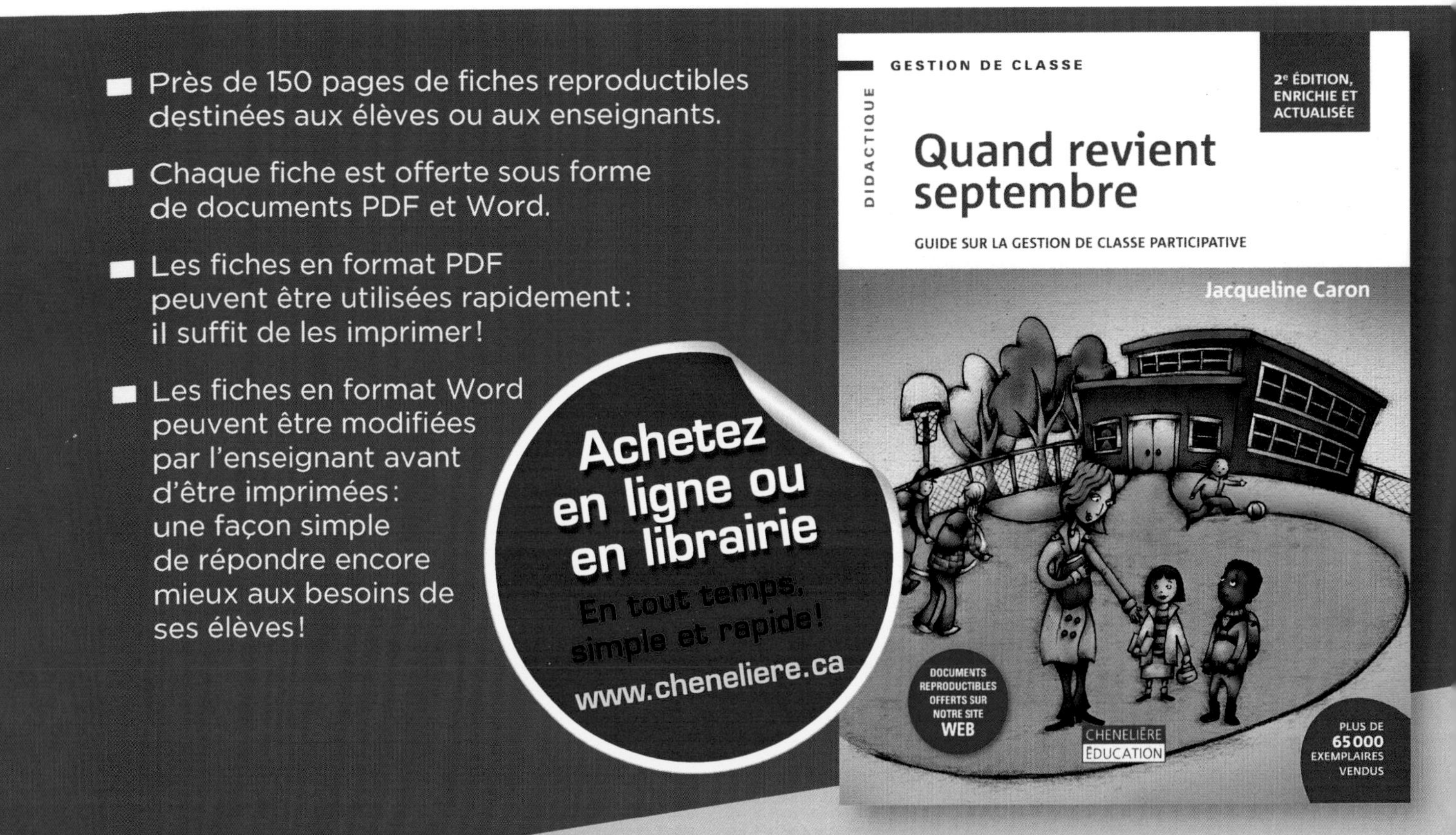

Accédez à ces outils en un clic!

http://quand-revient-septembre2.cheneliere.ca

Quand revient septembre

GUIDE SUR LA GESTION DE CLASSE PARTICIPATIVE

Jacqueline Caron

CHENELIÈRE ÉDUCATION

Quand revient septembre
2e édition

Jacqueline Caron

Édition: Marie-Hélène Ferland
Coordination: Josée Beauchamp, Magali Blein, avec la collaboration de Nadine Fortier
Révision linguistique: Jean-Pierre Leroux
Correction d'épreuves: Anne-Marie Théorêt, avec la collaboration de Marie Le Toullec
Recherche iconographique: Marie-Chantal Laforge et Stéphanie Colvey
Conception graphique: Micheline Roy
Illustrations: Stéphane Morin et Sophie Bédard
Conception de la couverture: Micheline Roy
Illustration de la couverture: Pierre Dutil
Impression: TC Imprimeries Transcontinental

Catalogage avant publication de Bibliothèque et Archives nationales du Québec et Bibliothèque et Archives Canada

Caron, Jacqueline, 1944-

Quand revient septembre
2e éd.

(Chenelière/Didactique. Gestion de classe)
Comprend des réf. bibliogr. et un index.

ISBN 978-2-7650-3361-5

1. Classes (Éducation) – Conduite. 2. Interaction en éducation. 3. Motivation en éducation. 4. Élèves – Participation à l'administration. 5. Enseignement – Méthodes actives. I. Titre. II. Collection: Chenelière/Didactique. Gestion de classe.

LB3013.C37 2012 371.102'4 C2012-940740-2

CHENELIÈRE ÉDUCATION

5800, rue Saint-Denis, bureau 900
Montréal (Québec) H2S 3L5 Canada
Téléphone : 514 273-1066
Télécopieur : 514 276-0324 ou 1 888 460-3834
info@cheneliere.ca

ISBN 978-2-7650-3361-5

Dépôt légal: 2e trimestre 2012
Bibliothèque et Archives nationales du Québec
Bibliothèque et Archives Canada

Imprimé au Canada

1 2 3 4 5 ITIB 16 15 14 13 12

Nous reconnaissons l'aide financière du gouvernement du Canada par l'entremise du Fonds du livre du Canada (FLC) pour nos activités d'édition.

Gouvernement du Québec – Programme de crédit d'impôt pour l'édition de livres – Gestion SODEC.

Sources iconographiques

P. iii: Smileus/Shutterstock; **p. 38:** Grady Reese/iStockphoto; **p. 39:** Monkey Business Images/Shutterstock; **p. 72:** Dawn Shearer-Simonetti/Shutterstock; **p. 124:** Jonathan Ross/Dreamstime.com; **p. 172:** Ellen Senisi Education Photography; **p. 282:** Mark Bowden/iStockphoto; **p. 366:** Monkey Business Images Ltd/Dreamstime.com; **p. 367:** Photo: Miller Photography. Reprint with the permission of NYSUT; **p. 489:** Darko Sreckovic/Dreamstime.com; **horloge (rubrique « L'heure juste »):** Sparkia/Big Stock Photo; **mécanisme (rubrique « Remettre les pendules à l'heure »):** mashe/Shutterstock; **phylactères (rubrique « Zone de discussion »):** Hiob/iStockphoto; **crochet (rubrique « Je retiens »):** B Calkins/Shutterstock; **silhouette d'enseignant:** A-Digit/iStockphoto; **silhouette d'élèves:** glossygirl21/Shutterstock; **feuilles (haut des pages paires):** Olivier Le Moal/Shutterstock; **feuilles (encadrés):** Regien Paassen/Shutterstock.

Dans cet ouvrage, le masculin est utilisé comme représentant des deux sexes, sans discrimination à l'égard des hommes et des femmes, et dans le seul but d'alléger le texte.

Tous les sites Internet présentés sont étroitement liés au contenu abordé. Après la parution de l'ouvrage, il pourrait cependant arriver que l'adresse ou le contenu de certains de ces sites soient modifiés par leur propriétaire, ou encore par d'autres personnes. Pour cette raison, nous vous recommandons de vous assurer de la pertinence de ces sites avant de les suggérer aux élèves.

L'achat en ligne est réservé aux résidants du Canada.

Je dédie cet ouvrage à ceux et celles qui sont une source d'inspiration pour leurs élèves, grâce à leur passion, à leur dynamisme et à leur engagement...

Que ce guide aide chacun et chacune de vous à donner vie aux valeurs d'autonomie, de coopération et de responsabilisation dans votre quotidien !

Tant de choses à raconter...

Je me suis vêtu de mes plus beaux habits pour ce grand jour. Je suis vraiment heureux que vous soyez au rendez-vous, chers membres de mon club de lecture et d'entraide ! Je n'ai pas besoin de vous dire que vous êtes nombreux à faire partie de ce club, nouveaux adeptes tout aussi bien que complices des premiers jours. J'ai connu tellement d'enseignants depuis ma première parution : plus de 65 000 ! J'ai vu le jour en novembre 1994, à Québec. Depuis ce temps, je n'ai jamais cessé de travailler, parfois même durant les vacances scolaires. Dès mes débuts, mon mentor, Jacqueline, a tenu à me faire connaître jusqu'en Europe, avec un premier voyage estival en Suisse. C'était un gros défi pour moi, qui venais à peine de faire mes premiers pas…

Ensuite, chaque semaine, chaque mois, chaque année, mon agenda était complet. J'avais toujours des rendez-vous avec des enseignants. Qu'ils soient novices ou expérimentés, ils souhaitaient apprivoiser ma démarche pour tenter de réaliser le rêve d'une meilleure gestion de classe. J'étais un peu anxieux à l'idée que je puisse les décevoir, car chacun plaçait en moi sa confiance. J'ai donc pris mes pages à deux mains et je suis parti sillonner les routes du Québec, de tout le Canada et celles bien au-delà de nos frontières aussi. Je prenais ma place dans les divers milieux scolaires. Jacqueline pouvait désormais me laisser vivre par moi-même : en me lisant, on pouvait presque l'entendre discourir. Au fil du temps, j'étais devenu son alter ego d'encre et de papier, porteur d'espoir pour de nombreux enseignants.

Certains me demandaient des conseils au sujet de la motivation des élèves et de la discipline. D'autres avaient des problèmes à régler avec le climat de leur classe ou attendaient un coup de pouce pour responsabiliser les élèves dans leurs apprentissages. Plusieurs étaient stressés par le contenu des programmes. Des enseignants voulaient avoir des stratégies pour mieux gérer les équipes de travail, le tableau d'enrichissement et l'aménagement d'une classe. De mon mieux, je leur proposais des solutions, qu'ils pouvaient adapter à leurs besoins. Ce cheminement m'a naturellement mené à me bâtir un bon réseau de communication dans les commissions scolaires et les universités. Jacqueline était fière de moi. Je la connais, vous savez… Jamais elle n'aurait pensé que je deviendrais un jour aussi autonome et responsable !

Puis vint le temps où j'ai commencé à éprouver des difficultés à arrimer parfaitement mon message aux attentes des enseignants que je côtoyais. Ils utilisaient un vocabulaire qui m'était moins familier. Ils parlaient de compétences transversales, de domaines généraux de formation, d'intelligences multiples, de préférences cérébrales et même de régulation... Leur discours trouvait pourtant encore un écho en moi. À mon tour, il me fallait vivre une cure de rajeunissement pour arriver à poursuivre ma route à leurs côtés, dans un monde qui avait changé.

Jacqueline a donc accepté de m'entourer d'attention, de revoir ma formule tout en respectant l'essentiel de mes fondements. Du bout de sa plume, mon mentor a fait glisser sur mes pages tout le savoir et l'expérience que le nombre d'années a ajoutés à son bagage pédagogique. Désormais bonifié, plus beau, je suis pourtant toujours le même : heureux de partager mes idées et mes solutions avec les enseignants afin de favoriser les apprentissages et l'épanouissement du plus grand nombre d'élèves.

Maintenant que j'ai pris conscience de mes forces, pallié mes lacunes et enrichi mon parcours, je suis prêt à entreprendre un nouveau bout de chemin avec vous !

Si vous me voyez passer sur votre route, n'hésitez pas à me faire signe, à prendre un temps d'arrêt avec moi. Comme j'ai du temps à vous consacrer, il me fera grand plaisir de vous prendre à mon bord pour aller plus loin...

Professionnellement et très affectueusement,

Votre guide Quand revient septembre,
2e édition

Avant-propos

> *Le plus long des voyages commence par un petit pas.*
>
> *Proverbe ancien*

Faire des choix pédagogiques et les assumer

Au cours de mes 10 premières années d'enseignement, j'ai fait face à des réalités qui provoquaient en moi de la déception, de la frustration, de la culpabilité et, surtout, plusieurs remises en question.

Avec l'expérience, je me suis rendu compte que je n'étais pas la seule enseignante à réfléchir ainsi sur ses pratiques. Ayant été consultante en gestion de classe participative et en différenciation pendant plus de 20 ans, j'ai eu l'occasion de rencontrer de nombreux praticiens qui faisaient les mêmes constats que moi. « Nos élèves n'avaient pas suffisamment le sens de l'effort, ils manquaient d'autonomie, ils nous obligeaient à jouer le rôle d'agent de police auprès d'eux, et le pire, ils oubliaient facilement ce qu'ils avaient appris. »

Combien de fois nous nous sommes arrêtés pour nous interroger. Nous voulions saisir ce qui n'allait pas. Malgré le fait que nous étions tous des enseignants bien formés et très engagés dans l'enseignement, certains éléments échappaient à notre compréhension. Nous n'arrivions pas à contrôler toutes les données pour conduire nos élèves sur le territoire des apprentissages signifiants, durables et transférables. Au fil du temps, nos « pourquoi ? » se sont précisés :

- Pourquoi les élèves perdent-ils du temps en classe ?

  Pourtant, les tâches que nous leur proposons sont intéressantes. Nous faisons des efforts pour varier les activités et nous nous préoccupons d'eux pour qu'ils ne manquent jamais de travail.
- Pourquoi les élèves oublient-ils si vite et si facilement ce qu'ils ont appris ?

  Pourtant, nous passons des heures à expliquer, à manipuler avec eux, à donner des exemples, à suggérer des modèles et à proposer des techniques. Nous sommes forcés d'admettre que notre enthousiasme n'est pas contagieux.
- Pourquoi certains élèves sont-ils si peu motivés face aux tâches d'apprentissage ?

  Pourtant, lorsque nous leur annonçons qu'ils vont apprendre quelque chose de nouveau, ils paraissent si emballés. Ils cheminent un bout de temps et, brusquement, nous nous rendons compte que plus rien ne va, nous les perdons dans le brouillard…
- Pourquoi certains élèves n'arrivent-ils pas à saisir un contenu notionnel, même si celui-ci a été mâché et remâché ? Nous le décortiquons, nous le répétons et, en plus, nous leur demandons de l'appliquer dans des exercices appropriés.

  Pourtant, après tout ce que nous avons fait pour eux, ils devraient finir par saisir et comprendre les notions qui ont largement été expliquées. Nous n'abordons qu'une difficulté à la fois, et nous nous soucions également de la progression des étapes.

- Pourquoi la reprise des explications et les fréquentes révisions avec nos élèves engendrent-elles en eux de la démotivation et de l'indiscipline alors que notre intention première est de les aider ?

  Pourtant, ceux-ci devraient comprendre qu'il s'agit d'une seconde chance, et qu'ils ont intérêt à la saisir avant que le groupe-classe ne passe à un autre objet d'apprentissage.

Malgré toutes ces interrogations qui nous habitaient, nous avons vu notre liste de « pourquoi ? » s'allonger et le désarroi nous envahir de plus en plus. Nous étions tous à la recherche de la lanterne qui viendrait éclairer nos pratiques.

Personnellement, j'aimerais vous décrire le moment salutaire que j'ai vécu… Un jour, un ouragan est venu bouleverser mon paysage pédagogique. Dans une conférence un peu provocatrice pour l'époque, Claude Paquette présentait son concept de pédagogie ouverte à un groupe d'enseignants, et je faisais partie de cet auditoire. Pour nous convaincre de l'importance de nos interventions à l'égard de la construction des apprentissages, il avait employé une comparaison très imagée : les enfants entraient à la maternelle avec un potentiel de créativité, comparable à un bloc de glace, et malheureusement ils en ressortaient à la fin du primaire avec quelques gouttes d'eau dans le fond d'un verre. Que s'était-il donc passé ? La glace avait fondu sous l'influence d'enseignants trop fermés et trop directifs. Pour moi, le choc culturel fut assez fort, puisque j'enseignais en 6e année. « Ce n'est pas possible, me dis-je. Avec tous les efforts que je fais pour améliorer la qualité de mes interventions en classe, j'en perds mon latin. »

Avant de rencontrer le conférencier dont je viens de vous parler, j'avais commencé à m'intéresser aux méthodes actives de Célestin Freinet. Cet instituteur français me fascinait et je dévorais tous les écrits qui me permettaient de mieux comprendre son approche. Pour moi, il incarnait une nouvelle façon d'enseigner, et je caressais le rêve de mettre au point un modèle pédagogique qui s'inspirerait du sien. Il faut croire que, pour l'instant, j'avais saisi sa philosophie, mais rien de plus… Je dus m'avouer qu'il me restait bien des croûtes à manger pour appliquer dans ma classe tous les beaux principes de Freinet et de Paquette qui me faisaient tant vibrer.

Parallèlement à ce cheminement que j'avais entrepris, de nombreux praticiens étaient hantés aussi par l'ambition de devenir, de jour en jour, de meilleurs enseignants… Nous étions tous en quête d'une transformation profonde : celle de concevoir l'apprentissage et l'intervention pédagogique autrement. Nous étions à l'affût de tout ce qui serait de nature à nous aider. C'est là que nous avons savouré les propos de Philippe Meirieu, de Jacques Tardif, de Britt-Mari Barth, de Philippe Perrenoud, de Roland Viau et, plus tard, de Carol Ann Tomlinson. Tous ces chercheurs et auteurs ont contribué à redéfinir nos conceptions de l'apprentissage et de l'enseignement. Quant au raffinement des structures organisationnelles à élaborer dans la classe, qui se devaient d'être cohérentes avec ces données théoriques, nous étions toujours laissés à nous-mêmes, sur un appétit inassouvi…

Je compris alors qu'il me fallait cheminer par moi-même et que les réponses viendraient au fur et à mesure que les problèmes se poseraient. Permettez-moi, à ce moment-ci, de vous illustrer sommairement mon cheminement pédagogique à l'aide de deux schémas. Placés l'un en regard de l'autre dans la figure A, à la page suivante, ils montrent les déplacements de priorités qui se sont produits lorsque j'ai décidé pour de bon de placer *l'élève et sa démarche d'apprentissage* au cœur de ma pratique et de ma réflexion.

Cette figure démontre bien ce qui s'est passé en moi quand j'ai accepté de voir l'élève comme le véritable responsable de son apprentissage. Il m'a fallu remettre en question mon «comment faire?». Il m'a fallu élaborer des démarches et des stratégies organisationnelles pour donner à l'apprenant sa véritable place dans son processus de croissance. Ce changement de cap s'est traduit par la mise en place d'une nouvelle gestion de classe où chacun, enseignant et élève, «participait» à l'apprentissage. Au fil des ans, plusieurs facteurs sont venus consolider mon option pour la «gestion de classe participative»:

- Sur le terrain d'abord, j'ai vu *se modifier la clientèle* des élèves, et mes collègues enseignants l'ont vu aussi... Dans les classes, les différences sont de plus en plus marquées. Aux côtés d'élèves singulièrement doués se retrouvent des élèves dont les lacunes physiques, intellectuelles et psychologiques entravent le processus de développement autant pour eux-mêmes que pour les autres. Comment tenir compte de telles différences, sinon en exerçant une gestion de classe participative, où chacun peut prendre en main son développement selon ses capacités? Le but ultime n'est pas de niveler les résultats par la base, mais d'amener chaque apprenant aussi loin qu'il peut aller.
- De la même manière, comment répondre efficacement aux *besoins* d'enfants ou d'adolescents d'âges différents qui se retrouvent dans *une classe à double et à triple niveau*, sinon en faisant d'eux les artisans de leurs apprentissages? L'idée n'est pas de laisser ces élèves-là à eux-mêmes, mais de leur offrir d'autres formes de guidance que celle de l'adulte qui intervient directement auprès d'eux.
- À long terme, nous nous sommes aperçus que la gestion de classe participative était un précieux atout pour contrer le *décrochage scolaire*. Nous savons tous qu'il n'y a pas de meilleure manière de motiver un travailleur dans une entreprise que de l'associer à sa réussite en lui proposant des voies d'engagement aux orientations et à la prise de décisions. L'élève n'échappe pas à cette règle, puisque les facteurs de motivation sont les mêmes, que l'on soit un enfant, un adolescent ou un adulte. Quand le style de gestion de classe de l'enseignant favorise chez les apprenants l'émergence de projets communs, une réelle participation et une volonté de contrer tous les obstacles pour atteindre le but qu'ils se sont fixé, on peut alors parler d'une gestion de classe motivante et efficace. C'est là d'ailleurs l'une des caractéristiques de la gestion de classe participative.

FIGURE A | MON CHEMINEMENT PÉDAGOGIQUE D'HIER À AUJOURD'HUI

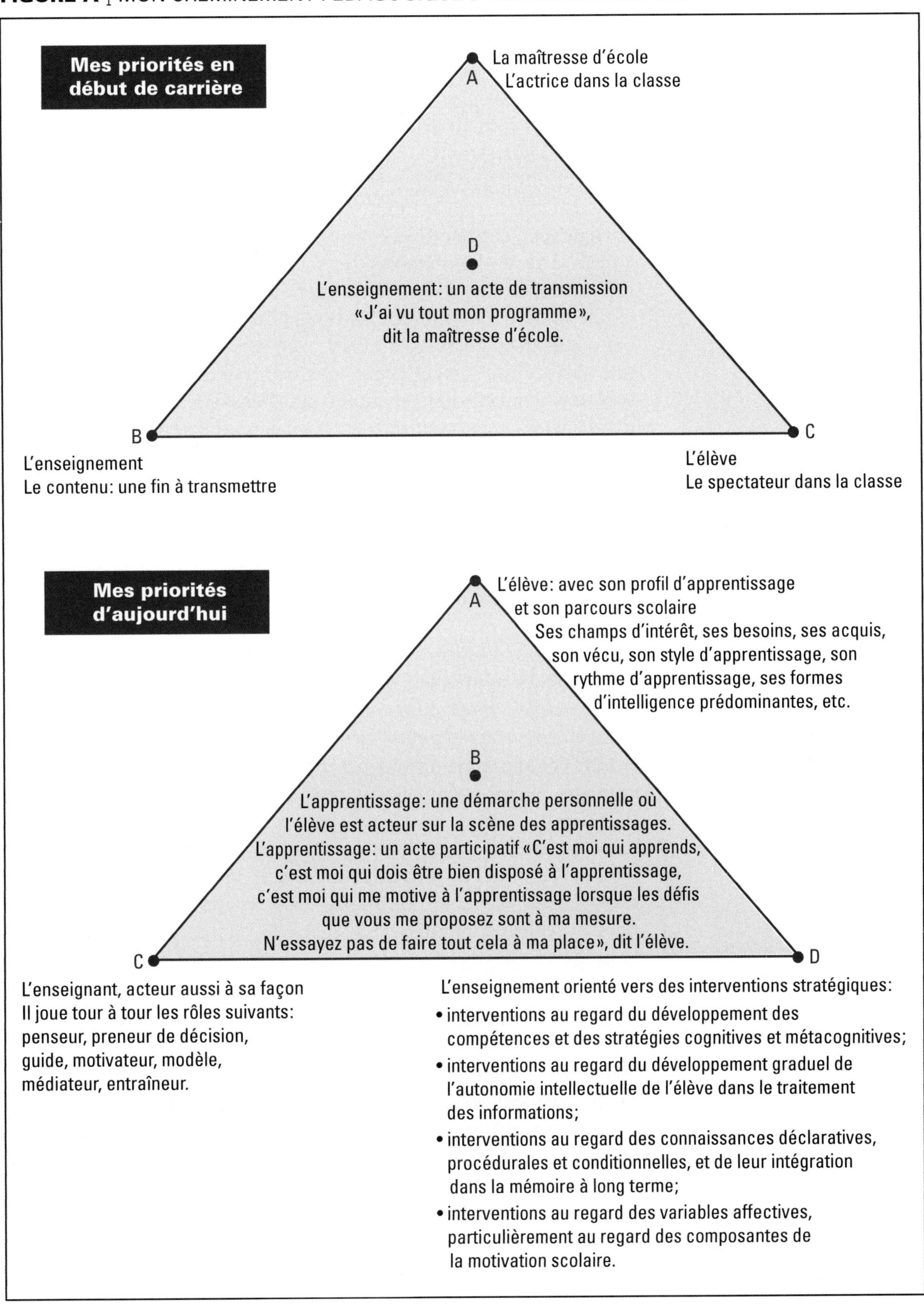

- Mes collègues enseignants et moi-même retrouvons dans la *philosophie du programme* de formation de l'école québécoise des *fondements* qui collent bien à la peau de la gestion de classe participative. Pour ceux et celles qui travaillent avec des programmes différents de celui-ci, ils sont également rejoints par des orientations éducatives qui prônent elles aussi la mise en valeur d'une approche centrée sur l'élève. Manifestement, la pédagogie a pris un tournant… Autant les théoriciens que les praticiens s'accordent à dire que l'apprenant n'est pas une outre à remplir, mais un être en constant processus de changement, et ce processus ne peut se dérouler à son insu, puisqu'il en est l'artisan. L'adulte peut le soutenir, l'orienter, lui fournir des instruments, mais il ne peut apprendre à sa place. C'est pourquoi la très grande majorité des nouveaux curriculums préconisent que l'enseignant établisse une alliance de travail AVEC l'élève. Dans une alliance qui se veut honnête et transparente, tous les membres sont mis à profit, l'élève autant que l'enseignant. Et pour l'élève d'aujourd'hui, cela veut dire qu'étant acteur, il augmente sa contribution à l'apprentissage.
- Si la philosophie des programmes a changé depuis les 20 dernières années, c'est que les concepteurs ont été fortement influencés par les recherches et les développements de la psychologie cognitive, au moment où ils définissaient leurs nouvelles orientations. Les divers milieux éducatifs ont prêté une oreille attentive aux propos de la *psychologie cognitive* parce qu'elle permettait aux praticiens de mettre des mots scientifiques sur ce qu'ils avaient pressenti intuitivement. De nouvelles approches, comme la gestion mentale, l'actualisation du potentiel intellectuel, la programmation neurolinguistique, l'enseignement stratégique, la thérapie de la réalité, l'approche par projets et l'apprentissage coopératif, se sont fait des adeptes chez les enseignants qui avaient déjà entrepris une mutation de leur métier et de celui de l'élève. Toutes ces approches visent une amélioration du «comment faire?». Elles interrogent la participation de l'élève dans le quotidien et, plus largement, le style de gestion de classe de l'enseignant, car la gestion d'une classe est un véhicule qui se doit de bien servir l'apprentissage.
- Plus récemment, l'arrivée de *nouvelles recherches* est venue alimenter le processus d'amélioration continue des enseignants qui se donnaient annuellement un plan de développement professionnel. Que l'on parle de la théorie des intelligences multiples, de la différenciation pédagogique, de la pyramide des interventions, des communautés d'apprentissage jeunes ou adultes, ou encore du travail en collégialité, le concept de «participation» est omniprésent. Encore plus convaincue de mon choix qu'il y a 18 ans, je redis à qui veut l'entendre que tous les mouvements pédagogiques actuels conduisent à un nouveau «comment faire», et celui-ci ne peut être que participatif. Pour moi, la participation est le carrefour où les différents mouvements pédagogiques se rencontrent, peu importe de quel horizon ils viennent.

- Enfin, il est indéniable que les enfants et les adolescents d'aujourd'hui seront les *citoyens de demain*. De quelles connaissances auront-ils besoin pour vivre dans la société ? dans un monde de plus en plus virtuel ? dans un univers presque sans frontières ? Il est difficile de le prévoir ; le monde des sciences et des technologies évolue à une telle vitesse qu'il est impossible d'émettre des prédictions exactes, mais seulement des opinions générales. Malgré le fait qu'on ne connaisse pas présentement toutes les issues possibles, s'intéresser au développement des compétences transversales m'apparaît proactif. Développer de telles capacités ne sera jamais perdu : la curiosité intellectuelle, l'ouverture sur le monde, le sens des responsabilités, la rigueur, la créativité, la capacité d'adaptation, l'esprit d'équipe, le sens de l'entrepreneuriat et la capacité de gérer des projets : tout ce potentiel, l'enfant le porte en germe au moment de son entrée à l'école. Il appartient donc aux intervenants du monde scolaire de faire en sorte que ce potentiel ne s'atrophie pas en cours de route ; il faut solliciter ces attitudes et ces habiletés dans le cadre d'une gestion de classe participative.

La gestion de classe participative : une façon d'assumer ses choix

Au cours des 50 années que j'ai consacrées à l'éducation, j'ai dû exercer des choix et les assumer par la suite : comme enseignante, comme directrice d'école, comme consultante et comme auteure. Peu importe les fonctions que j'ai exercées, le modèle participatif et responsabilisant m'a toujours inspirée.

La mise à jour de *Quand revient septembre*

La deuxième édition de *Quand revient septembre* se veut une nouvelle occasion pour moi de vous faire part de plusieurs propositions en matière de gestion de classe participative. Lors de ce travail de mise à jour, je me suis souciée de penser aux adaptations possibles requises par la clientèle du préscolaire, du primaire et du 1er cycle du secondaire. J'ai fait l'ajout de matériel nouveau pour les adolescents de 1re et 2e secondaire. Pour avoir eu l'occasion de côtoyer les enseignants du secondaire depuis que le programme de formation de l'école québécoise ainsi que les nouveaux programmes d'études sont en vigueur, je sais que les besoins sont grands en matière de gestion de classe et que les attentes dans ce domaine sont élevées.

Par ailleurs, j'ai cru bon de réorganiser l'ordre et la présentation des chapitres : tous les contenus de base sont demeurés, mais dans un découpage organisationnel que j'ai voulu plus cohérent et facile à consulter. J'aimerais attirer votre attention sur le nouveau chapitre 6, qui porte sur des contextes particuliers de vie de classe. J'ai eu l'idée d'ajouter ce chapitre en constatant que la première version de *Quand revient septembre* ne tenait pas assez compte des besoins des enseignants qui œuvrent dans des contextes particuliers de vie de classe. Comme je souhaite répondre aux attentes de cette clientèle et l'épauler dans l'action, j'ai choisi de traiter des sujets suivants :

- la suppléance à court terme ;
- la suppléance à long terme ;
- la formule de temps partagé ;
- le partenariat avec une personne-ressource pour intervenir dans un groupe de base ;
- le titulariat au secondaire ;
- le partenariat et le décloisonnement avec d'autres collègues pour différencier au sein de groupes reconstitués.

Voir aussi le contexte des classes multiâges et multiprogrammes dans *Quand revient septembre*, volume 2, pages 423 à 430, et dans *Apprivoiser les différences*, pages 439 à 443. De même, voir le thème de la gestion des groupes de base comme enseignant-spécialiste dans *Quand revient septembre*, volume 2, pages 418 à 422.

En outre, il m'apparaît essentiel de vous rappeler que les outils contenus dans ce guide ne sont que des exemples afin de faciliter la démarche de développement de l'enseignant. En aucun cas ils ne sont prescriptifs. Chacun des outils est perfectible, et doit s'adapter au contexte d'apprentissage dans lequel se trouvent les élèves. Utilisés à la lettre, sans aucun effort d'appropriation autant pour l'enseignant que pour l'élève, ces outils s'avéreront inefficaces et non signifiants, puisqu'ils n'auront pas été construits AVEC les élèves.

Je vous invite donc à relever le défi de les moduler à votre cheminement pédagogique et aux besoins de vos élèves. Si vous respectez l'intention pédagogique pour laquelle j'ai créé toute cette instrumentation, elle jouera vraiment le rôle que je lui ai assigné. Sinon, elle correspondra au cliché des trucs et des recettes, incapables de vous aider à transformer la réalité de votre classe.

Le remodelage de cet ouvrage a été pour moi une occasion idéale de partager avec vous la synthèse de mes apprentissages. Si j'applique la philosophie qui sous-tend mon orientation à l'intérieur du cheminement de lecture que je vous propose, je sais que je suis là pour vous alimenter sur le plan de la pédagogie et sur celui de l'organisation, vous aider à objectiver vos pratiques, vous permettre de clarifier certains concepts, vous guider dans le choix de vos expérimentations, vous suggérer des avenues possibles. Mais je sais également que vous, cher lecteur, allez jouer le rôle principal dans l'aventure qui s'offre à vous.

Si vous désirez que ce guide sur la gestion de classe participative vous appartienne réellement, vous devez vous placer en projet d'appropriation à la lumière de la démarche de lecture que je vous propose. L'introduction qui suit précisera davantage cette approche d'autodéveloppement de vos pratiques pédagogiques.

Je souhaite que ce guide vous facilite la tâche dans le quotidien. Qu'il vous permette de placer la participation, la responsabilisation et, pourquoi pas, la prise en compte des différences au cœur de vos interventions. J'espère surtout que cet ouvrage contribuera à renouveler votre enthousiasme chaque fois que *septembre reviendra*...

Jacqueline Caron

Caractéristiques de l'ouvrage

Les explications qui suivent vous aideront à repérer rapidement les particularités de cet ouvrage, afin de tirer profit au maximum de sa lecture.

Les ouvertures de chapitre

Une photographie illustre le sujet traité.

Une citation liée au contenu du chapitre suscite la réflexion.

Des couleurs attrayantes dynamisent la mise en pages de chaque chapitre et en font ressortir les divers éléments. Le choix de ces couleurs est fondé sur la symbolique suivante :

Chapitre 1 : violet pour la préoccupation de l'humain, l'intériorité ;

Chapitre 2 : rose pour l'harmonie, la douceur de vivre ;

Chapitre 3 : bleu pour la fidélité, l'engagement ;

Chapitre 4 : vert pour l'environnement, l'importance et l'économie des ressources ;

Chapitre 5 : jaune pour la lumière, la clarté ;

Chapitre 6 : orangé pour la créativité, l'initiative.

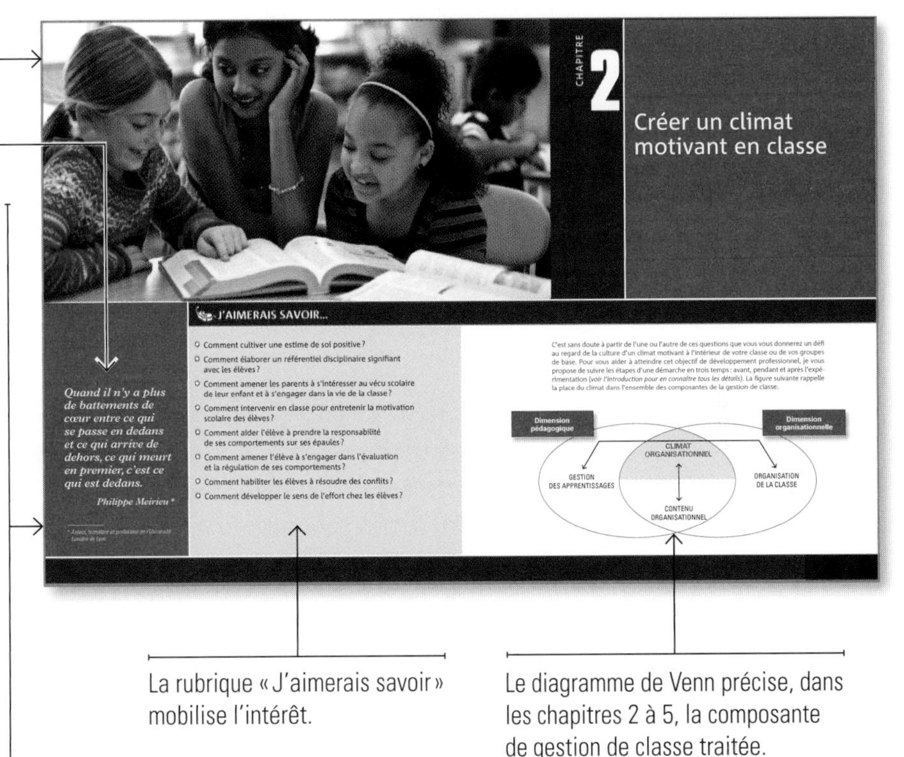

CHAPITRE 2

Créer un climat motivant en classe

Quand il n'y a plus de battements de cœur entre ce qui se passe en dedans et ce qui arrive de dehors, ce qui meurt en premier, c'est ce qui est dedans.

*Philippe Meirieu**

J'AIMERAIS SAVOIR...

- Comment cultiver une estime de soi positive ?
- Comment élaborer un référentiel disciplinaire signifiant avec les élèves ?
- Comment amener les parents à s'intéresser au vécu scolaire de leur enfant et à s'engager dans la vie de la classe ?
- Comment intervenir en classe pour entretenir la motivation scolaire des élèves ?
- Comment aider l'élève à prendre la responsabilité de ses comportements sur ses épaules ?
- Comment amener l'élève à s'engager dans l'évaluation et la régulation de ses comportements ?
- Comment habiliter les élèves à résoudre des conflits ?
- Comment développer le sens de l'effort chez les élèves ?

C'est sans doute à partir de l'une ou l'autre de ces questions que vous vous donnerez un défi au regard de la culture d'un climat motivant à l'intérieur de votre classe ou de vos groupes de base. Pour vous aider à atteindre cet objectif de développement professionnel, je vous propose de suivre les étapes d'une démarche en trois temps : avant, pendant et après l'expérimentation (*voir l'introduction pour en connaître tous les détails*). La figure suivante rappelle la place du climat dans l'ensemble des composantes de la gestion de classe.

La rubrique « J'aimerais savoir » mobilise l'intérêt.

Le diagramme de Venn précise, dans les chapitres 2 à 5, la composante de gestion de classe traitée.

La démarche proposée dans les chapitres 2 à 5

La clarté de la présentation graphique fait ressortir chacune des composantes de la démarche. Pour plus d'information à ce sujet, veuillez consulter les pages 28 à 32 de l'introduction.

La démarche d'expérimentation compte huit étapes, dont chacune se distingue aisément à l'aide d'un bloc de couleur qui met l'accent sur son numéro.

Les grilles d'auto-analyse constituent des indicateurs d'attitudes, de connaissances et de niveaux d'interventions au regard de chaque composante de la gestion de classe.

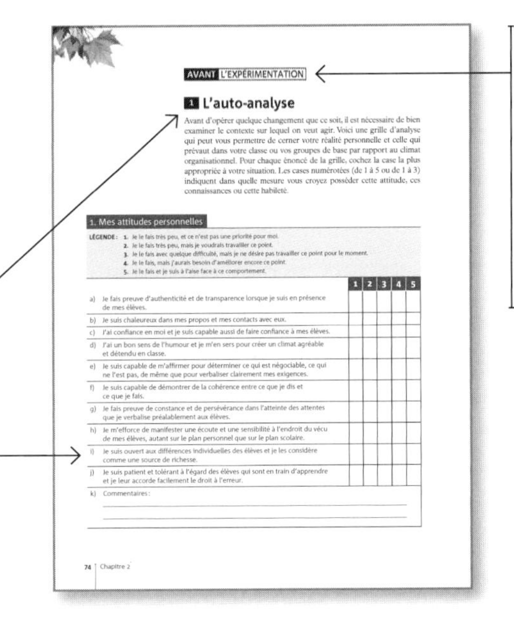

AVANT L'EXPÉRIMENTATION

1 L'auto-analyse

Avant d'opérer quelque changement que ce soit, il est nécessaire de bien examiner le contexte sur lequel on veut agir. Voici une grille d'analyse qui peut vous permettre de cerner votre réalité personnelle et celle qui prévaut dans votre classe ou vos groupes de base par rapport au climat organisationnel. Pour chaque énoncé de la grille, cochez la case la plus appropriée à votre situation. Les cases numérotées (de 1 à 5 ou de 1 à 3) indiquent dans quelle mesure vous croyez posséder cette attitude, ces connaissances ou cette habileté.

1. Mes attitudes personnelles

LÉGENDE :
1. Je le fais très peu, et ce n'est pas une priorité pour moi.
2. Je le fais très peu, mais je voudrais travailler ce point.
3. Je le fais avec quelque difficulté, mais je ne désire pas travailler ce point pour le moment.
4. Je le fais, mais j'aurais besoin d'améliorer encore ce point.
5. Je le fais et je suis à l'aise face à ce comportement.

	1	2	3	4	5
a) Je fais preuve d'authenticité et de transparence lorsque je suis en présence de mes élèves.					
b) Je suis chaleureux dans mes propos et mes contacts avec eux.					
c) J'ai confiance en moi et je suis capable aussi de faire confiance à mes élèves.					
d) J'ai un bon sens de l'humour et je m'en sers pour créer un climat agréable et détendu en classe.					
e) Je suis capable de m'affirmer pour déterminer ce qui est négociable, ce qui ne l'est pas, de même que pour verbaliser clairement mes exigences.					
f) Je suis capable de démontrer de la cohérence entre ce que je dis et ce que je fais.					
g) Je fais preuve de constance et de persévérance dans l'atteinte des attentes que je verbalise préalablement aux élèves.					
h) Je m'efforce de manifester une écoute et une sensibilité à l'endroit du vécu de mes élèves, autant sur le plan personnel que sur le plan scolaire.					
i) Je suis ouvert aux différences individuelles des élèves et je les considère comme une source de richesse.					
j) Je suis patient et tolérant à l'égard des élèves qui sont en train d'apprendre et je leur accorde facilement le droit à l'erreur.					

k) Commentaires :

74 | Chapitre 2

Le plan de développement professionnel comprend trois temps, qu'on repère vite dans la mise en pages grâce au graphisme retenu.

Les notes en marge

Des références aux autres ouvrages de l'auteure, soit *Quand revient septembre*, volume 2, *Apprivoiser les différences* et *Différencier au quotidien*, permettent au lecteur de trouver un complément d'information sur un sujet spécifique.

Les notes liées à la rubrique « J'aimerais savoir » sont facilement reconnaissables grâce à un rappel du pictogramme utilisé dans la rubrique d'ouverture de chapitre. Ces notes reprennent certains des questionnements de la rubrique « J'aimerais savoir » et sont positionnées vis-à-vis des passages qui offrent des éléments de réponse. Elles constituent ainsi une stratégie visuelle pour soutenir l'enseignant dans sa lecture et dans son appropriation du contenu.

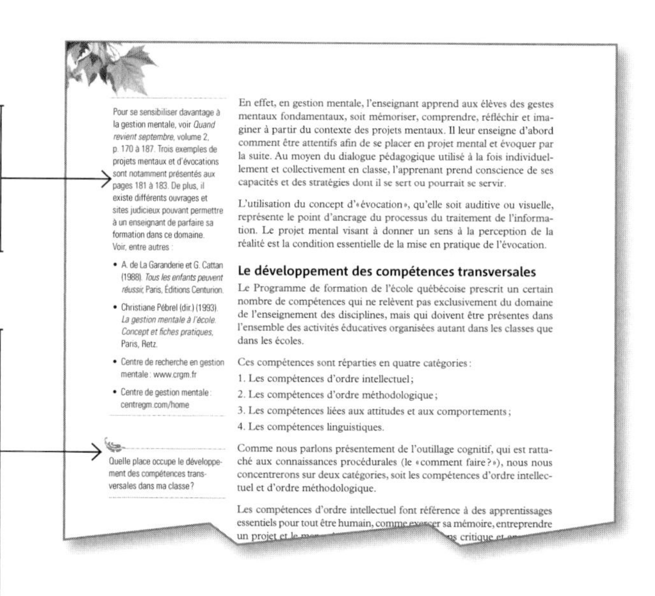

Pour se sensibiliser davantage à la gestion mentale, voir *Quand revient septembre*, volume 2, p. 170 à 187. Trois exemples de projets mentaux et d'évocations sont notamment présentés aux pages 181 à 183. De plus, il existe différents ouvrages et sites judicieux pouvant permettre à un enseignant de parfaire sa formation dans ce domaine. Voir, entre autres :

- A. de La Garanderie et G. Cattan (1988). *Tous les enfants peuvent réussir*, Paris, Éditions Centurion.
- Christiane Pébrel (dir.) (1993). *La gestion mentale à l'école. Concept et fiches pratiques*, Paris, Retz.
- Centre de recherche en gestion mentale : www.crgm.fr
- Centre de gestion mentale : centregm.com/home

Quelle place occupe le développement des compétences transversales dans ma classe ?

En effet, en gestion mentale, l'enseignant apprend aux élèves des gestes mentaux fondamentaux, soit mémoriser, comprendre, réfléchir et imaginer à partir du contexte des projets mentaux. Il leur enseigne d'abord comment être attentifs afin de se placer en projet mental et évoquer par la suite. Au moyen du dialogue pédagogique utilisé à la fois individuellement et collectivement en classe, l'apprenant prend conscience de ses capacités et des stratégies dont il se sert ou pourrait se servir.

L'utilisation du concept d'« évocation », qu'elle soit auditive ou visuelle, représente le point d'ancrage du processus du traitement de l'information. Le projet mental visant à donner un sens à la perception de la réalité est la condition essentielle de la mise en pratique de l'évocation.

Le développement des compétences transversales

Le Programme de formation de l'école québécoise prescrit un certain nombre de compétences qui ne relèvent pas exclusivement du domaine de l'enseignement des disciplines, mais qui doivent être présentes dans l'ensemble des activités éducatives organisées autant dans les classes que dans les écoles.

Ces compétences sont réparties en quatre catégories :

1. Les compétences d'ordre intellectuel ;
2. Les compétences d'ordre méthodologique ;
3. Les compétences liées aux attitudes et aux comportements ;
4. Les compétences linguistiques.

Comme nous parlons présentement de l'outillage cognitif, qui est rattaché aux connaissances procédurales (le « comment faire ? »), nous nous concentrerons sur deux catégories, soit les compétences d'ordre intellectuel et d'ordre méthodologique.

Les compétences d'ordre intellectuel font référence à des apprentissages essentiels pour tout être humain, comme exercer sa mémoire, entreprendre

Les tableaux et les figures

Ils ponctuent le texte pour faciliter la compréhension des concepts, allègent la présentation et permettent d'aller rapidement à l'essentiel de l'information.

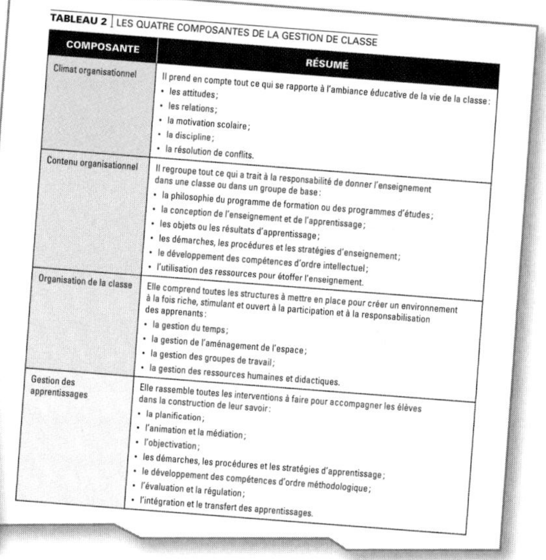

TABLEAU 2 | LES QUATRE COMPOSANTES DE LA GESTION DE CLASSE

COMPOSANTE	RÉSUMÉ
Climat organisationnel	Il prend en compte tout ce qui se rapporte à l'ambiance éducative de la vie de la classe : • les attitudes ; • les relations ; • la motivation scolaire ; • la discipline ; • la résolution de conflits.
Contenu organisationnel	Il regroupe tout ce qui a trait à la responsabilité de donner l'enseignement dans une classe ou dans un groupe de base : • la philosophie du programme de formation ou des programmes d'études ; • la conception de l'enseignement et de l'apprentissage ; • les objets ou les résultats d'apprentissage ; • les démarches, les procédures et les stratégies d'enseignement ; • le développement des compétences d'ordre intellectuel ; • l'utilisation des ressources pour étoffer l'enseignement.
Organisation de la classe	Elle comprend toutes les structures à mettre en place pour créer un environnement à la fois riche, stimulant et ouvert à la participation et à la responsabilisation des apprenants : • la gestion du temps ; • la gestion de l'aménagement de l'espace ; • la gestion des groupes de travail ; • la gestion des ressources humaines et didactiques.
Gestion des apprentissages	Elle rassemble toutes les interventions à faire pour accompagner les élèves dans la construction de leur savoir : • la planification ; • l'animation et la médiation ; • l'objectivation ; • les démarches, les procédures et les stratégies d'apprentissage ; • le développement des compétences d'ordre méthodologique ; • l'évaluation et la régulation ; • l'intégration et le transfert des apprentissages.

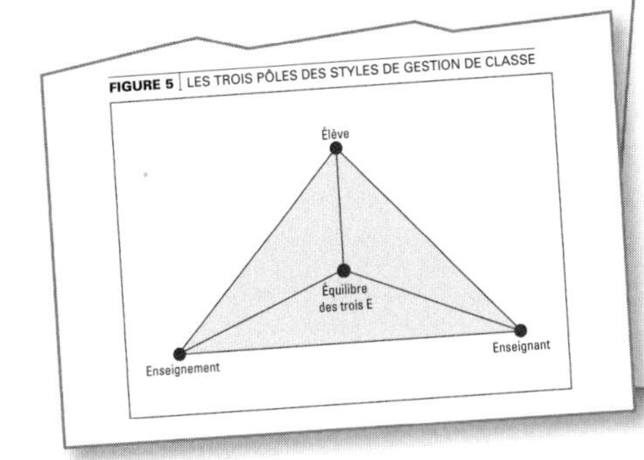

FIGURE 5 | LES TROIS PÔLES DES STYLES DE GESTION DE CLASSE

Les encadrés

La présence d'encadrés permet de préciser un élément, de souligner un concept ou d'apporter des nuances entre des idées.

Définir sa propre conception de l'apprentissage

Si l'on veut parvenir à mettre des mots sur sa conception de l'apprentissage, il faut nécessairement s'engager dans un processus de réflexion et d'analyse. Cela suppose que l'enseignant fait les gestes suivants :

- Il s'informe sur les différentes théories concernant l'apprentissage et il objective ses lectures à l'aide du questionnement suivant : quelles sont les théories qui me plaisent davantage ? Quelles sont celles qui me dérangent ? Pourquoi ?
- Il essaie de découvrir sa propre façon d'apprendre lorsqu'il est placé devant des situations de la vie quotidienne. Se peut-il qu'il y ait un lien très étroit entre sa propre façon d'apprendre et celle qu'il privilégie en classe ?
- Il se donne une grille d'analyse simple et signifiante présentant les différentes façons d'apprendre afin de se servir d'un modèle théorique pour cadrer ses interventions auprès de ses élèves.
- Il s'observe en train d'enseigner pendant un certain temps afin d'inventorier les processus de découverte qu'il a proposés aux élèves. Y a-t-il des constantes à dégager ?
- Il se penche sur la conception de l'apprentissage présentée dans la philosophie du programme de formation afin d'évaluer s'il existe des écarts entre sa propre conception et celle qu'on lui demande d'appliquer.
- Il fait les efforts nécessaires pour rédiger une définition de sa conception de l'apprentissage qu'il présentera à ses élèves et à leurs parents en début d'année.

Nous venons de franchir une étape importante, celle où nous avons tenté de pénétrer de l'intérieur le processus d'apprentissage. Comme ce dernier ne peut se dissocier du concept de l'enseignement, nous devrons suivre le même cheminement pour l'acte d'enseigner. S'il existe différentes conceptions de l'apprentissage, il est fort probable qu'il y aura aussi différentes préférences pour les styles d'enseignement.

Les rubriques

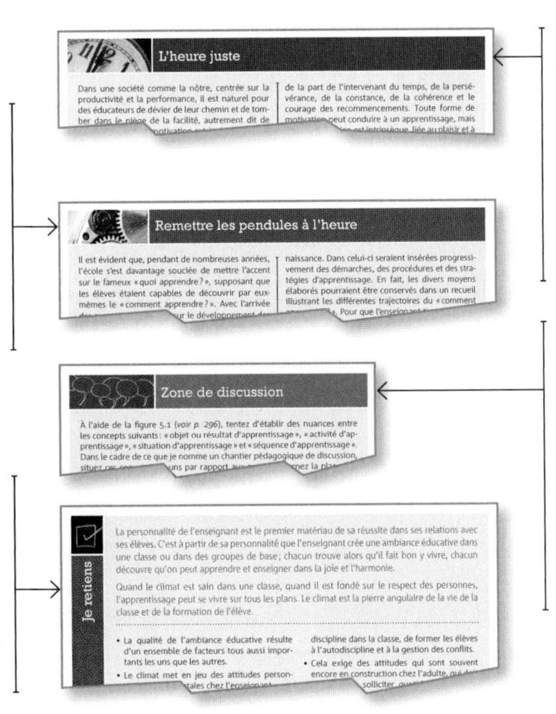

La rubrique « Remettre les pendules à l'heure » met en lumière une polémique soulevée par l'auteure pour recadrer l'utilisation d'outils pédagogiques et organisationnels que l'on a tendance à ne pas employer à bon escient.

La rubrique « Je retiens » vient clore chaque chapitre. Elle rappelle l'élément majeur qui se dégage du chapitre et suggère un résumé clair et concis des points importants à intégrer dans son parcours professionnel.

La rubrique « L'heure juste » fait ressortir des propos que l'auteure veut mettre en évidence afin de pallier les dérives, les faux pas pédagogiques ancrés dans le quotidien et de prévenir des dérapages importants dans de futures expérimentations.

La rubrique « Zone de discussion » propose des concepts fondamentaux qui mériteraient d'être débattus dans le cadre de chantiers de discussion pour qu'une équipe d'enseignants parvienne à parler le même langage et à s'entendre sur des principes de base avant d'agir.

Le répertoire d'outils

Cette section propose une liste des démarches et des stratégies pédagogiques en lien avec chacun des chapitres et présentées sous forme d'exemples, de modèles, de cadres de référence, de banques d'idées, de fiches reproductibles, etc.

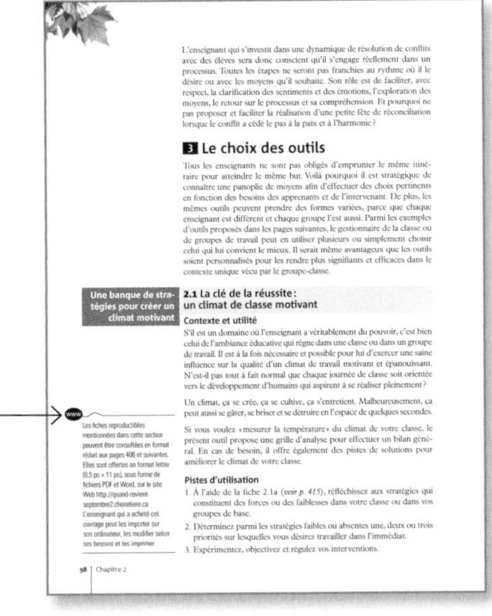

Une « souris WWW » rappelle que les fiches reproductibles peuvent être modifiées et imprimées à partir du site Web dédié à cet ouvrage.

Les fiches reproductibles

À des fins de consultation rapide avant l'impression, la section « Les fiches reproductibles en format réduit » (*p. 406 à 483*) présente la première page de chacune des fiches. Chaque fiche peut être modifiée et imprimée en format 8,5 po x 11 po à partir du site Web http://quand-revient-septembre2.cheneliere.ca. Un code d'activation confidentiel est fourni à l'acheteur du présent ouvrage pour qu'il puisse s'y inscrire.

Deux pictogrammes permettent de distinguer en un clin d'œil le destinataire : l'enseignant et l'élève.

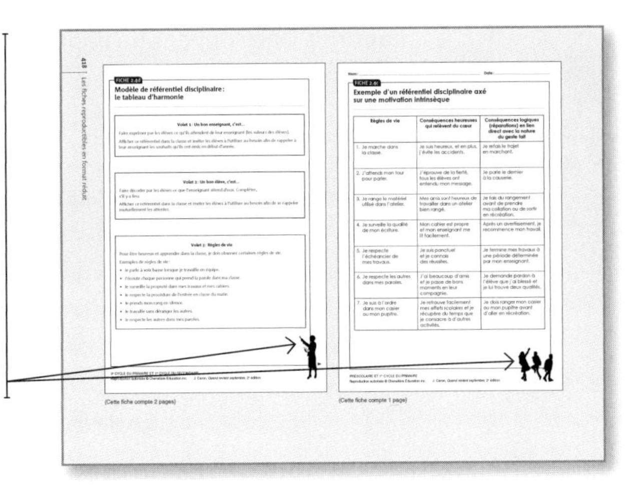

Table des matières

Introduction
Interroger son « comment faire ? »

Si les enfants ne peuvent apprendre de la façon dont nous enseignons, enseignons-leur la façon dont ils peuvent apprendre.

Auteur inconnu

Le concept de « gestion de classe »

Depuis l'invention de l'école, sous Charlemagne, la personne qui prend la responsabilité d'élèves doit relever les défis relatifs à la gestion d'un groupe en apprentissage. Elle s'interroge sur des sujets tels que la motivation des élèves, la discipline, les contenus des programmes, l'apprentissage, l'organisation de la classe, ou encore les relations avec les parents. Elle souhaite maîtriser le mieux possible chacune des dimensions de la vie de sa classe ou de ses groupes d'élèves. Même si les années passent et que la société change, cette préoccupation demeure au cœur de la vie professionnelle des enseignants.

Dès les années 1960, les Américains ont été les premiers à explorer la gestion de classe, qu'ils appelaient *management classroom*. C'est seulement en 1993 que j'ai pris connaissance d'un rapport américain qui est venu confirmer ce que j'avais pour ma part mis en place par intuition dans mon propre parcours d'enseignante. Selon une analyse couvrant 50 années de recherches aux États-Unis, les influences relatives directes, comme la gestion de classe, ont plus d'effet sur l'apprentissage que les influences relatives indirectes, comme les modèles organisationnels ou les politiques d'une institution scolaire. La figure 1, à la page suivante, présente le résultat de cette analyse, du facteur le plus influent au facteur le moins déterminant.

De nos jours, la grande majorité des gens s'accorde à reconnaître l'importance des divers aspects de la gestion de classe et leur incidence sur le quotidien en milieu scolaire. En fait, on considère ces aspects comme des préalables essentiels à l'enseignement et à la réussite des élèves. Et aucun enseignant ne pourrait prétendre le contraire…

Lorsque j'ai présenté mon premier atelier sur la gestion de classe, j'étais loin de me douter que ce concept allait un jour être inscrit au programme de formation initiale des enseignants du Québec. C'était en novembre 1988, au Congrès des enseignants du primaire à Montréal. Pendant près de 25 ans, j'ai offert des ateliers sur cette thématique. Cela m'a permis de raffiner mon cadre théorique et de peaufiner un répertoire d'outils pédagogiques et organisationnels susceptibles d'épauler les praticiens dans la mise au point d'un modèle participatif, responsabilisant

FIGURE 1 LES INFLUENCES RELATIVES DE 28 VARIABLES SUR L'APPRENTISSAGE

Variable	Influence	Variable	Influence
Gestion de classe	64,8	Contrôles de connaissances	50,4
Processus métacognitifs	63,0	Influences du milieu	49,0
Processus cognitifs	61,3	Habiletés psychomotrices	48,9
Milieu familial et soutien parental	58,4	Prise de décisions des enseignants et des administrateurs	48,4
Interactions sociales entre les élèves et l'enseignant	56,7	Contenu du programme scolaire et façon d'enseigner	47,7
Attributs sociaux et comportementaux	55,2	Politique de participation parentale	45,8
Motivation et attributs affectifs	54,8	Conduite de la classe et soutien pédagogique	45,7
Autres élèves	53,9	Démographie de la population scolaire	44,8
Nombre d'heures d'enseignement	53,7	Activités extrascolaires	44,3
Culture de l'école	53,3	Traits démographiques du programme	42,8
Climat de la classe	52,3	Traits démographiques de l'école	41,4
Façon d'enseigner en classe	52,1	Politique éducative de l'État	37,0
Caractéristiques du programme scolaire	51,3	Politique de l'école	36,5
Interactions pédagogiques	50,9	Traits démographiques du district	32,9

Source : Margaret Wang, Geneva Haertel et Herbert Walberg (septembre-octobre 1994). « Qu'est-ce qui aide l'élève à apprendre ? », *Vie pédagogique*, n° 90, p. 47.

et différencié dans les classes. En me penchant sur la deuxième édition de *Quand revient septembre*, j'ai travaillé sur l'élaboration d'une instrumentation susceptible d'aider autant les enseignants du préscolaire, du primaire que ceux du premier cycle du secondaire.

Avant d'explorer plus à fond les grilles d'analyse, la théorie et les outils que proposent les six chapitres de cet ouvrage pour faire face aux enjeux de la gestion de classe, je propose qu'on s'attarde à la définition même du concept. Qu'en ont dit les didacticiens et praticiens au fil du temps ? La section suivante présente une rétrospective des divers points de vue.

Définir le concept

L'éclairage qu'offre cette section est intéressant pour circonscrire le sujet, mieux se l'approprier et, enfin, s'interroger sur ses propres pratiques. Je vous invite d'abord à consulter le tableau 1, ci-après, qui met en lumière les réflexions de pédagogues, pour la plupart Québécois. Mes propres conclusions viennent ensuite.

TABLEAU 1 | DES DÉFINITIONS DU CONCEPT DE « GESTION DE CLASSE »

ANNÉE	AUTEURS	DÉFINITION ET PRÉCISIONS
1983	Julie P. Sanford, Edmund T. Emmer et B.S. Clements	Ces auteurs font une distinction claire entre le concept de « gestion de classe » et la notion de « discipline ». La gestion de classe inclut toutes les actions effectuées par l'enseignant dans le but de favoriser l'engagement de l'élève dans la tâche, sa coopération aux activités de la classe et d'assurer un climat propice à l'apprentissage. Quant à la discipline, elle se réfère à la conduite de l'élève, au respect des règles établies et aux interventions de l'enseignant pour corriger l'inconduite (Sanford, Emmer et Clements, 1983, p. 56 à 60).
1986	Walter Doyle	Selon lui, l'enseignant accomplit principalement deux fonctions dans l'exercice de sa profession. La première fonction : enseigner. Elle consiste à développer des attitudes favorables face au contenu. La qualité de l'enseignement devrait influencer l'engagement de l'élève dans la tâche. La seconde fonction : gérer une classe. Cette fonction vise l'organisation du groupe-classe, l'établissement des règles et les interventions correctives. Une bonne gestion de classe devrait, selon cet auteur, assurer la coopération entre les élèves et l'enseignant, et entre les élèves. Dans cette perspective, enseignement et gestion de classe sont indissociables (Doyle, 1986, p. 392 à 431).
1993	Renald Legendre	Dans les éditions de 1993 et 2005 de son dictionnaire, cet auteur définit ainsi le concept : « Fonction de l'enseignant qui consiste à orienter et à maintenir les élèves en contact avec les tâches d'apprentissage. » Selon Legendre, la gestion de classe porte sur « le temps, l'espace, le programme d'activités, les codes, les règles et les procédures, le système de responsabilités, le système de relations, le système d'évaluation et de reconnaissance, les ressources humaines et matérielles ». (Legendre, 2005, p. 713)
1993	Jean-Pierre Legault	Cet auteur souligne que les mesures prises par l'enseignant en matière de gestion de classe peuvent avoir une portée à court terme (la tâche à réaliser par l'élève) et une portée à long terme (la formation du sens des responsabilités, l'éducation de l'autonomie, etc.). D'une part, l'enseignant est appelé à établir et à maintenir l'ordre, à prévoir les problèmes de discipline et à contrer l'inconduite, s'il veut protéger le processus d'enseignement-apprentissage. D'autre part, il doit favoriser l'adoption de comportements sociaux acceptables et l'acquisition du sens des responsabilités et même de l'autodiscipline s'il veut contribuer au développement social de l'enfant. Ses actions, centrées tantôt sur le groupe, tantôt sur l'élève, auront des effets positifs ou négatifs sur la conduite immédiate des élèves et sur leur développement (Legault, 1993, p. 13 et 14).
1994	Thérèse Nault	« [...] la gestion de classe représente l'ensemble des actes réfléchis et séquentiels que pose un enseignant pour produire des apprentissages. Cette habileté à gérer les situations d'enseignement-apprentissage en salle de classe est la conséquence directe d'un bon système de planification qui sera traduit dans une organisation consciente des réalités de l'action. » (Nault, 1994, p. 15)
1995	Conseil supérieur de l'éducation du Québec	« [...] l'ensemble des actions — des interactions et des rétroactions qu'elles suscitent — qu'un enseignant ou une enseignante conçoit, organise et réalise pour et avec les élèves d'une classe afin de les engager, les soutenir, les guider et les faire progresser dans leur apprentissage et leur développement. » (Conseil supérieur de l'éducation, 1995, p. 7)

...>

TABLEAU 1 | DES DÉFINITIONS DU CONCEPT DE « GESTION DE CLASSE » (*SUITE*)

ANNÉE	AUTEURS	DÉFINITION ET PRÉCISIONS
1996	Jean Archambault et Roch Chouinard	La gestion de classe doit être définie comme « l'ensemble des pratiques utilisées par l'enseignant afin d'encourager chez ses élèves le développement de l'apprentissage autonome et de l'autocontrôle. Selon cette définition, la gestion de la classe ne se limite pas à l'acquisition de compétences sociales, d'habiletés dans la communication interpersonnelle et de la capacité à gérer les conflits ; la gestion de la classe devient surtout une façon de favoriser l'apprentissage dans ce contexte particulier qu'est la classe. » (Archambault et Chouinard, 1996, p. xvi)
1998	Bernard Rey	Titulaire de la Chaire internationale en éducation à l'Université libre de Bruxelles, Rey amène les enseignants sur le terrain de la gestion de classe sans pour autant utiliser le terme. Comment mettre les élèves au travail ? Comment préparer la classe ? Comment ramener à la tâche des élèves distraits ou agités ? Comment mettre en place des activités qui fassent réellement apprendre ? Comment réagir à l'agressivité ou à l'insolence de tel ou tel élève ? Comment aider les élèves en difficulté ? Comment et quand faire une évaluation ? Ces différentes problématiques relèvent soit de la gestion du climat, de l'organisation de la classe, du contenu ou des apprentissages (notamment, Rey, 1998, pages descriptives de l'ouvrage).
1999	Philippe Meirieu et Philippe Perrenoud	Deux autres grands pédagogues européens se sont aussi penchés sur le concept de gestion de classe dès la fin des années 1990 : Philippe Meirieu et Philippe Perrenoud. Respectivement de l'Université de Lyon et de l'Université de Genève, ces deux formateurs n'ont pas rédigé d'ouvrages sur le sujet, mais ils l'ont abordé à plusieurs reprises de manière informelle dans leurs écrits ou leurs conférences (voir entre autres Perrenoud, 1999, 2003 ; Meirieu, 2004, 2012). Ils mentionnent notamment l'importance de mettre en place une gestion de classe appropriée au contexte qui se présente. Ils affirment qu'il est impérieux de tenir compte des différences entre les apprenants. Ils insistent pour rappeler aux enseignants qu'il faut se préoccuper de cela par souci d'équité sociale. Pour amener chaque élève aussi loin ou aussi haut qu'il peut aller, disent-ils, les périodes d'enseignement frontal et collectif doivent céder la place à des structures orientées vers la participation et la responsabilisation des élèves. N'est-ce pas l'apanage d'une gestion de classe dynamique orientée vers les profils et les parcours des élèves ?Perrenoud va même jusqu'à parler de gestion interclasses lorsqu'il fait référence au décloisonnement de groupes d'élèves pour faire de la différenciation à l'extérieur d'un groupe de base quand les écarts de parcours sont trop grands.
2009	Jean Archambault et Roch Chouinard	Les deux auteurs affirment que la gestion de classe devrait être dorénavant définie comme « l'ensemble des pratiques éducatives auxquelles les enseignants d'une équipe-cycle ont recours afin d'établir, de maintenir et, au besoin, de restaurer dans la classe des conditions propices au développement des compétences des élèves ». (Archambault et Chouinard, 2009, p. 15)

En quête de ma propre définition

Vers 1995, je me suis sentie suffisamment à l'aise avec le concept pour tenter de définir la gestion de classe : « l'ensemble des interventions à poser, d'une part, pour créer un climat propice à l'apprentissage afin d'être capable d'enseigner le contenu des programmes de manière stratégique et, d'autre part, pour développer une organisation de classe qui permettra à l'enseignant de gérer les apprentissages AVEC les élèves». Je dois préciser qu'auparavant je m'étais contentée de décrire visuellement la gestion de classe par des schémas organisateurs sans nécessairement éprouver l'obligation d'arrêter une définition qui lui rendrait justice... étant moi-même en phase de recherche et d'appropriation.

Maintenant, je dirais que je perçois la gestion de classe comme l'ensemble des interventions qu'un enseignant doit faire pour créer un climat propice à l'apprentissage, pour organiser la classe de façon à permettre à chaque élève d'être actif dans la construction de ses apprentissages dans le but de développer autant ses compétences transversales que ses compétences disciplinaires.

J'établis une distinction très nette entre la **gestion de classe** et la **gestion interclasses.** Je serais tentée de définir cette dernière comme étant l'ensemble des actes pédagogiques qu'accomplit une équipe d'enseignants pour assurer la continuité dans les apprentissages de leurs élèves de même que la cohérence dans les interventions qu'ils font auprès d'eux. La présence d'une gestion interclasses au sein d'une communauté d'apprenants professionnels amène ceux-ci à faire preuve de cohésion dans la vision commune qu'ils entretiennent au sein de leur cycle, soit celle de permettre aux élèves qui sont sous leur responsabilité de se développer de façon maximale.

Pour en savoir davantage sur les décloisonnements à l'extérieur de la classe, voir chapitre 6, p. 396.

Pour moi, ces deux domaines de gestion sont des champs d'intervention indissociables, voire complémentaires, mais qui s'exercent dans des contextes éducatifs différents. La gestion de classe s'enracine dans le terreau de la conduite d'une classe ou d'un groupe de base, tandis que la gestion interclasses se vit dans l'émergence de groupes reconstitués, l'échange de compétences entre professionnels et le partage de responsabilités à l'égard de divers regroupements d'apprenants qui sont engagés dans la construction de leur savoir.

Assurément, ces deux dimensions de gestion requièrent un certain nombre d'outils communs, mais d'une certaine manière la gestion interclasses s'insère plutôt dans une perspective élargie, celle du travail collégial autour d'un défi partagé. Ainsi, un enseignant novice pourrait consacrer des énergies à mettre en place une gestion de classe efficace dans sa propre classe pendant qu'un collègue d'un autre cycle participerait à un projet de décloisonnement. Nul besoin d'ajouter que des compétences professionnelles en gestion sont indispensables autant dans un domaine que dans l'autre. D'ailleurs, dans le chapitre 6, je serai plus explicite sur la gestion interclasses lorsque je traiterai du contexte des décloisonnements à l'extérieur de la classe.

Un concept d'envergure internationale

Tous ces essais de définitions s'apparentent à un concept à la fois complexe et porteur de plusieurs sens. Quelle que soit l'orientation prise, ils viennent appuyer l'affirmation selon laquelle tout enseignant doit faire de la gestion de classe, quels que soient son niveau de compétence, l'ampleur de son expérience ou même son degré de conscience ou de connaissance du concept de «gestion de classe». La plupart du temps, l'enseignant fait de la gestion de classe comme Monsieur Jourdain[1] faisait de la prose, *sans le savoir.*

En même temps, toutes ces perspectives sur la gestion de classe montrent des tendances communes par-delà les frontières du temps et de l'espace tout en la présentant comme un processus à saisir, à vivre, à évaluer, à réguler et à perfectionner.

Au fil du temps, des données importantes sont venues mettre en question les styles de gestion de classe déjà en place. Au Québec, on n'a qu'à penser à l'arrivée, en 2000, du nouveau programme de formation, à l'apparition des cycles d'apprentissage, à la nécessité d'amener les élèves à développer des compétences, à l'orientation consistant à intégrer l'évaluation régulatrice au processus d'apprentissage, à la promotion des communautés d'apprenants professionnels, à la référence au développement des compétences professionnelles, incluant, bien sûr, celles qui relèvent du domaine de la gestion de classe.

Ces facteurs influant sur la transformation des pratiques pédagogiques et de la gestion de classe ne se limitent pas au milieu québécois. Parallèlement, les populations francophones du Canada de même que celles de certains pays où j'ai eu le privilège de travailler, tels la France, la Suisse, la Belgique et le Luxembourg, se sont intéressées à ce concept nord-américain qui a su traverser l'océan tant les besoins de formation et d'accompagnement dans ce domaine étaient de plus en plus grands.

À travers toutes ces considérations, un élément signifiant se dégage, celui de considérer la gestion de classe dans une perspective évolutive. Autant du côté de l'avancement théorique qu'a connu ce concept au cours des dernières décennies que du côté de la mutation du métier d'enseignant et de celui d'élève. Ne fait-on pas face à de nouvelles recherches en éducation, à de nouvelles orientations dans les programmes de formation ainsi qu'à la présence d'une clientèle scolaire très hétéroclite ?

Pour toutes ces raisons, on peut affirmer que chaque enseignant est un éternel apprenant lorsqu'il se trouve à la conduite d'une classe. Bien sûr que, l'expérience aidant, il peut éprouver une certaine forme de sécurité. Mais celui-ci n'est jamais à l'abri de l'imprévu, de la nouveauté, du changement et de l'inattendu. À l'intérieur d'un modèle centré sur l'évolution

1. Tiré de la comédie *Le Bourgeois gentilhomme* de Molière, ce personnage apprend avec bonheur qu'il dit de la prose depuis longtemps, sans le savoir. Par extension, *Monsieur Jourdain* désigne quelqu'un pratiquant une activité sans même avoir connaissance de son existence.

d'êtres humains où le constructivisme est au premier plan, rien n'est jamais acquis... mais en perpétuel devenir.

Vers la gestion de classe participative

Comme je l'ai mentionné précédemment, ma définition de la gestion de classe s'est articulée progressivement. En 1988, je parlais uniquement d'« organisation de la classe », soit la composante où j'avais acquis le plus d'expertise et d'instrumentation. Je me suis vite rendu compte que cette expression était limitative. Elle ne prenait en compte qu'une des dimensions de la vie de la classe, si importante soit-elle.

Lorsque j'étais directrice d'école et que je participais à des sessions de perfectionnement, j'ai eu l'occasion, à quelques reprises, de travailler sur le concept de « gestion d'une école ». Après réflexion, je me suis dit que celui-ci était sûrement transférable dans la vie d'une classe. Voilà pourquoi j'ai adopté cette appellation qui déplaisait au point de départ aux enseignants qui participaient à mes ateliers ! Il me semblait que ce concept me permettait d'intégrer toutes les interventions nécessaires pour gérer les apprentissages, d'une part, et pour organiser la classe, d'autre part, avec une double préoccupation préventive : créer un climat motivant pour les élèves et avoir la mainmise sur la philosophie et le contenu du programme de formation et des programmes d'études.

Un premier pas était franchi : j'avais des représentations mentales de plus en plus précises de la gestion de classe. Mais cela ne me satisfaisait pas complètement, je voulais lui donner une couleur particulière. Et pourquoi pas celle qui avait bien servi les 15 dernières années de mon parcours d'enseignante ? Pour y parvenir, il me manquait un déclic...

Le second pas tant espéré s'est produit quand j'ai extrapolé la gestion de classe « participative » à partir de l'un des quadrants des courants pédagogiques, proposé par Claude Paquette, le père de la pédagogie ouverte au Québec (Paquette, 1992, p. 46).

Cette approche plus ouverte, que l'on pourrait qualifier aussi de « démocratique », me semblait, et me semble encore, le style de gestion le plus apte à faire de l'élève l'artisan de ses propres apprentissages. **Ce style de gestion de classe, fondé non seulement sur la contribution de l'enseignant en classe, mais aussi sur celle de l'élève, est un atout important pour un enseignant qui désire construire un modèle responsabilisant et différencié dans sa classe.**

Pourquoi, alors, monter en épingle une réalité que tout le monde connaît ? Pourquoi parler du concept de « gestion de classe » maintenant ? Simplement pour se procurer des outils d'analyse. Parler de gestion de classe, c'est se donner un cadre de réflexion, d'objectivation et de régulation. Parler de gestion de classe, c'est aussi se donner des mots pour nommer une réalité qui, autrement, resterait dans le flou. Une réalité qui ne pourrait jamais être observée, interrogée, supervisée et donc transformée.

Le concept de «gestion de classe» est un cadre de référence qui permet à l'enseignant d'analyser sa réalité quotidienne: «Qu'est-ce que je privilégie dans une classe ou un groupe de base? Le climat? Le contenu? La gestion des apprentissages? L'organisation de la classe? Quel est mon style de gestion? Existe-t-il des styles plus efficaces que d'autres? Comment puis-je améliorer ma façon de gérer la classe? Mon style de gestion prend-il en compte les différences de profils et de parcours d'apprentissage de plus en plus nombreuses dans mon quotidien? Permet-il de responsabiliser l'apprenant, autant sur le plan de ses comportements que sur celui de ses apprentissages?»

Toutes ces questions, et bien d'autres, qui manifestent l'intelligence et le sens des responsabilités de l'enseignant, ont désormais un cadre pour se poser, provoquer une réflexion, amener des pistes d'expérimentation et de solution: c'est le concept de «gestion de classe».

Un même concept, des perceptions différentes

Comme tout concept nouveau, la gestion de classe a été perçue et comprise différemment par le monde de l'éducation. Je peux en témoigner... Pendant plus de 20 ans, j'ai à de nombreuses occasions pu accompagner professionnellement des enseignants dans le domaine de la gestion de classe et de la différenciation pédagogique. J'ai donc été en mesure de voir des centaines de praticiens à l'œuvre. J'ai été attentive à leurs propos, j'ai entendu leurs doléances, j'ai accueilli leurs inquiétudes, j'ai partagé leurs réussites et j'ai saisi leurs besoins de formation.

Au fil de toutes ces années, je dirais que certains mythes concernant la gestion de classe se sont profilés; ceux-ci risquent même de s'enraciner comme des croyances profondes ou des axes de résistance si l'on ne réagit pas (*voir encadré, p. 9 à 11*). Ces mythes sont souvent issus de questions qui sont demeurées sans réponses parce qu'on n'a pas trouvé le temps ni les moyens de se renseigner davantage sur le sujet, d'y réfléchir plus en profondeur ou d'en discuter avec des collègues ou des personnes-ressources compétentes.

Dans cette perspective, je veux saisir l'occasion que me procure la deuxième édition de *Quand revient septembre* pour soutenir la réflexion et l'échange de points de vue sur ce thème, et surtout pour apporter des éléments de réponse à des questions qui, pour de multiples raisons, sont demeurées lettres mortes...

Déterminer les composantes de la vie de la classe

Pour saisir la complexité du concept de «gestion de classe», il peut être utile de prendre la mesure de tout ce qu'il englobe. La figure 2, page 12, illustre des éléments sur lesquels l'enseignant doit intervenir, de manière séquentielle ou simultanée. Bien sûr, ces éléments ne se présentent pas tous en même temps dans une journée ou une période d'enseignement; cette carte d'exploration donne une idée des problèmes de gestion qui se posent quand cinq ou six de ces éléments doivent être gérés simultanément.

Cinq croyances à démystifier au sujet de la gestion de classe

Mythe 1: Gérer une classe avec efficacité n'est pas si compliqué. Il faut surtout être capable de gérer les problèmes de comportement.

Il s'agit d'une croyance fort répandue que j'ai entendue à de nombreuses reprises dans les écoles, surtout de la part de membres de la direction d'école. Dès qu'un gestionnaire détectait la problématique d'un enseignant qui éprouvait des difficultés à gérer les problèmes de comportement dans sa classe ou dans son groupe de base, il généralisait et déduisait que celui-ci était faible en matière de gestion de classe.

Comme le disent Sanford, Emmer et Clement (1983), le concept de « gestion de classe » a un sens beaucoup plus large que la simple notion de « discipline ». Se confiner dans cette zone, c'est reconnaître à la gestion de classe des propriétés uniquement curatives ou thérapeutiques. Se ranger du côté d'une vision holistique de toutes les autres composantes qui gravitent autour de la discipline, c'est s'ouvrir à une dimension constructive et préventive. Et justement, c'est ce qui caractérise, à mon point de vue, une saine gestion de classe.

Comment expliquer cette confusion? Pour plusieurs enseignants, créer un environnement sécuritaire et ordonné dans la classe semble dépasser largement la pertinence de l'objet ou du résultat d'apprentissage proposé aux élèves. Ce geste de l'encadrement disciplinaire est même en train de devenir un acte de survie pour les enseignants travaillant dans des milieux plus difficiles. Dans ce sens, la gestion de classe recouvre un ensemble de paroles, de gestes et de moyens qui s'imposent à l'enseignant par la force des choses s'il veut se donner la liberté d'enseigner.

Sous un autre angle, si l'enseignant acceptait de remettre en question l'engagement de l'élève dans ses apprentissages, s'il acceptait également de modifier l'organisation de la classe, il verrait forcément des résultats intéressants au regard de l'autodiscipline et de la motivation scolaire. Cette démarche serait alors orientée vers une dynamique positive, soit l'apprentissage de bons comportements de la part de l'élève, plutôt que d'avoir à sévir contre le manquement aux règles établies.

Mythe 2: Plus ça fait d'années qu'on enseigne, plus on sait gérer une classe.

La gestion de classe n'est pas un concept figé en soi, un acquis définitif qui peut être le gage d'une carrière réussie. La compétence à gérer une classe avec efficacité n'est pas uniquement l'apanage des gens expérimentés. Bien sûr, on peut développer sa compétence à gérer une classe au fil des ans. Encore faut-il que la gestion de classe soit perçue comme une démarche idéale visant l'évolution positive de chaque élève grâce à la régulation des conditions de travail en classe.

Autrement dit, on ne peut pas gérer sa classe ou ses groupes de la même façon chaque année parce que le vécu de chaque groupe-classe est différent d'une année à l'autre. Cela pousse le pédagogue à revoir constamment sa conception de l'éducation, de l'enseignement et de l'apprentissage. Pour chaque contexte d'enseignement-apprentissage, il y a un choix à faire parmi les dispositifs existants: démarches, procédures, stratégies, moyens d'enseignement. La gestion de classe doit être en constante évolution, sinon elle ne joue plus son rôle premier: arriver à maximiser les apprentissages de chacun des élèves.

Mythe 3: La gestion de classe, c'est uniquement l'affaire des titulaires de classe. Les spécialistes ont bien d'autres chats à fouetter.

Dès qu'un groupe d'élèves est confié à un enseignant, celui-ci doit gérer le groupe-classe, qu'il en soit titulaire ou non.

Je dirais même que, pour un spécialiste, il est encore plus difficile de changer de groupe d'élèves constamment, puisque des problèmes de gestion émergent à chaque période d'enseignement qu'il vit: accueil des élèves dans le local, mise en place de routines, établissement de relations harmonieuses, création d'un climat sain, gestion des groupes de travail, prise en compte des rythmes et des styles d'apprentissage, évaluation des progrès réalisés. Et j'en passe...

Il est sûr que, dans le contexte de l'enseignement d'une spécialité, il y a, en matière de gestion de classe, des moyens à adapter, des interventions

...>

à privilégier et des dispositifs nouveaux à créer. Le spécialiste ne peut pas demeurer enfermé dans sa bulle et faire fi des responsabilités qui lui incombent. Il ne doit pas tomber dans le piège de recourir uniquement aux ressources du titulaire pour régler la plupart de ses problèmes de gestion. Une vision de généraliste pourrait faciliter les liens à faire si l'on veut favoriser chez les élèves l'apprentissage des bons comportements et le transfert des apprentissages. Voilà pourquoi il est capital que la gestion de classe devienne pour les spécialistes non seulement une préoccupation, mais aussi un objet de formation initiale et continue !

Mythe 4 : La gestion de classe, c'est surtout une préoccupation du primaire. Au secondaire, on n'a pas de temps à perdre avec tous ces détails-là. On est là pour passer le contenu de nos programmes.

Et si la qualité de la gestion de classe contribuait à mieux voir son programme… Et si la présence d'une gestion de classe saine et efficace venait bonifier tout le processus de l'encadrement des élèves qui gruge plusieurs minutes aux périodes d'enseignement…

Depuis plusieurs années, on considère les enseignants du secondaire comme des spécialistes de matières. Leur formation, tant initiale que continue, s'inscrit dans cette ligne de pensée. Le curriculum du baccalauréat est surtout axé sur des contenus à enseigner ; cette vision contribue à enfermer chaque spécialiste dans les limites de son champ respectif. On accorde beaucoup d'importance au « quoi enseigner », mais qu'en est-il, au juste, du « comment enseigner » ?

Pourtant, avec l'arrivée des nouvelles approches éducatives et la mise en œuvre des récentes orientations du programme de formation, on a jugé bon d'amener les enseignants du secondaire sur un autre terrain, celui des apprentissages et de la gestion de classe.

La première réaction des enseignants n'est pas nécessairement celle qu'on attendait d'eux : ils ont de la difficulté à reconnaître l'importance ou le besoin d'une référence à la gestion de groupes de base, avec tout ce que cela suppose. Les praticiens associent souvent le temps accordé à établir une saine gestion de classe aux craintes suivantes : la peur de gaspiller du temps avec les élèves au détriment d'un enseignement formel, la hantise de perdre le contrôle du groupe s'ils osent faire différemment, l'insécurité quant au fait que les élèves ne soient pas prêts pour les examens, l'incapacité de trouver des options pour remplacer des pratiques stériles qui sont maintenues faute de solutions de rechange. Devant ce monde inconnu, mieux vaut se retrancher alors derrière les pratiques habituelles du métier…

Comme les enseignants du secondaire ne sont pas tout à fait conscients des avantages qu'ils pourraient retirer d'une gestion de classe plus participative, la plupart d'entre eux se rangent habituellement du côté du refus. Toutefois, un certain nombre d'enseignants désireux d'actualiser le nouveau programme de formation au secondaire réclament de plus en plus un éveil à la gestion de classe et à la différenciation pédagogique.

Mythe 5 : Quelle chance pour nos commissions scolaires que les futurs enseignants reçoivent une formation en gestion de classe à l'université ! Une fois engagés au sein de nos écoles, ils vont être en mesure de faire face à la musique, puisqu'ils sauront déjà gérer une classe.

Il est vrai que le milieu éducatif peut se réjouir de deux gains importants : le premier étant que la capacité de gérer une classe figure maintenant au répertoire des compétences professionnelles à développer, et le second étant que le domaine de la gestion de classe a été intégré au curriculum de la formation initiale.

Si c'est chose courante pour la formation des enseignants titulaires du primaire, on ne peut pas dire que la situation est aussi reluisante du côté de la formation des spécialistes qui travaillent au secondaire. Pourtant, les difficultés de gestion pour eux sont tout aussi omniprésentes. C'est ce qui rebute d'ailleurs un certain nombre d'enseignants novices qui quittent la profession après quelques années de pratique. Ils abandonnent leur parcours professionnel, prétextant qu'ils n'ont pas la vocation, que la tâche est trop lourde ou que les adolescents n'ont pas beaucoup d'intérêt pour l'école.

Au fait, que se cache-t-il derrière toutes ces raisons invoquées pour justifier un tel décrochage chez les enseignants ? Et si le manque de connaissances en gestion de classe et l'absence d'accompagnement sur le terrain expliquaient leur désengagement ? Différentes recherches révèlent que la conduite d'une classe ou l'encadrement de groupes d'élèves constitue assez souvent une préoccupation majeure pour un enseignant expérimenté ; imaginons ce que cela peut représenter pour un débutant qui se voit projeter dans l'arène scolaire, sans munitions, ne pouvant compter que sur ses ressources personnelles…

Il n'est pas suffisant de maîtriser un contenu spécifique ou d'être un expert dans une discipline pour devenir un bon enseignant. Les élèves attendent beaucoup plus que cela. L'équilibre des forces entre un climat de classe harmonieux et une organisation stimulante pour rejoindre chaque apprenant est constamment en péril. Lorsque ces acquis de base sont présents dans un groupe d'apprenants, l'enseignant peut parler de contenus et d'apprentissages. Autrement, c'est peine perdue...

Si l'on veut faire un tour d'horizon complet du problème, il nous faut remettre en cause également les us et coutumes qui se sont installés dans les milieux responsables de la formation des enseignants. Le cours de gestion de classe est-il traité comme un cours indépendant des autres? Comprend-il un certain nombre d'heures d'enseignement en relation directe avec les autres cours de didactique? La formation donnée sur la gestion de classe est-elle vécue dans un seul bloc ou est-elle étalée dans le temps afin d'être intégrée progressivement au contenu des rencontres entourant les stages de prise en charge pour qu'il y ait constamment des liens entre la pratique, l'objectivation et la régulation? Les cours de gestion de classe sollicitent-ils le savoir d'expérience des personnes qui en assument la charge?

Dans un ordre d'idées complémentaire au modèle participatif et responsabilisant, la différenciation pédagogique est-elle abordée dans ce cours de gestion de classe ou, mieux encore, est-elle modélisée devant les étudiants pour qu'ils puissent la visualiser et la vivre eux-mêmes? C'est un secret de Polichinelle que les jeunes enseignants héritent souvent de groupes multiâges et de classes multiprogrammes au début de leur carrière. Peut-on affirmer qu'ils ont été préparés convenablement à ce défi qui effraie même des personnes expérimentées?

Les commissions scolaires ont-elles prévu des mesures d'insertion professionnelle pour épauler les débutants pendant les deux premières années de leur carrière? Trouve-t-on dans les milieux scolaires la mise en place du mentorat ou d'un accompagnement soutenu sur la gestion de classe et la différenciation pédagogique? C'est par la pratique réflexive qu'un enseignant réussira à faire des liens entre les différents morceaux du casse-tête de la pédagogie qu'il doit assembler harmonieusement... C'est aussi par la pratique réflexive qu'il parviendra à mettre au point son propre modèle de gestion de classe.

J'ai tenté de recadrer la réalité de la gestion de classe à travers les messages véhiculés par différents mythes qui circulent à son sujet. En fait, si l'on ne fait pas preuve de vigilance et de discernement, ceux-ci peuvent contribuer à nous éloigner de la préoccupation première de tout enseignant: la conduite efficace d'une classe en vue du développement maximal des élèves.

La figure 3, page 13, suggère la synthèse de ces éléments dans une carte d'organisation d'idées. Celle-ci fait apparaître le mouvement systémique et interactionnel qui existe entre les diverses composantes de la vie d'une classe.

Il est possible de diminuer le nombre de données de l'inventaire précédent afin de se représenter plus simplement l'ensemble des éléments que l'on trouve dans la vie d'une classe. La figure 4, page 14, regroupe ces données en deux dimensions, soit les dimensions pédagogique et organisationnelle, et en quatre composantes, à savoir le climat organisationnel, le contenu organisationnel, l'organisation de la classe et la gestion des apprentissages. Le tableau 2, page 15, résume l'objet de chacune des composantes.

Quand revient septembre est construit sur cette représentation de la gestion de classe. Les chapitres 2 à 5 traiteront chacun de l'une de ces quatre composantes. Le chapitre 1 portera pour sa part sur l'itinéraire à parcourir pour articuler une approche centrée sur l'élève, tandis que le chapitre 6 abordera la gestion de six contextes particuliers de vie de classe, en gardant toujours en tête ces quatre composantes.

FIGURE 2 DES EXEMPLES D'ÉLÉMENTS DE LA VIE DE LA CLASSE SUR LESQUELS L'ENSEIGNANT DOIT INTERVENIR

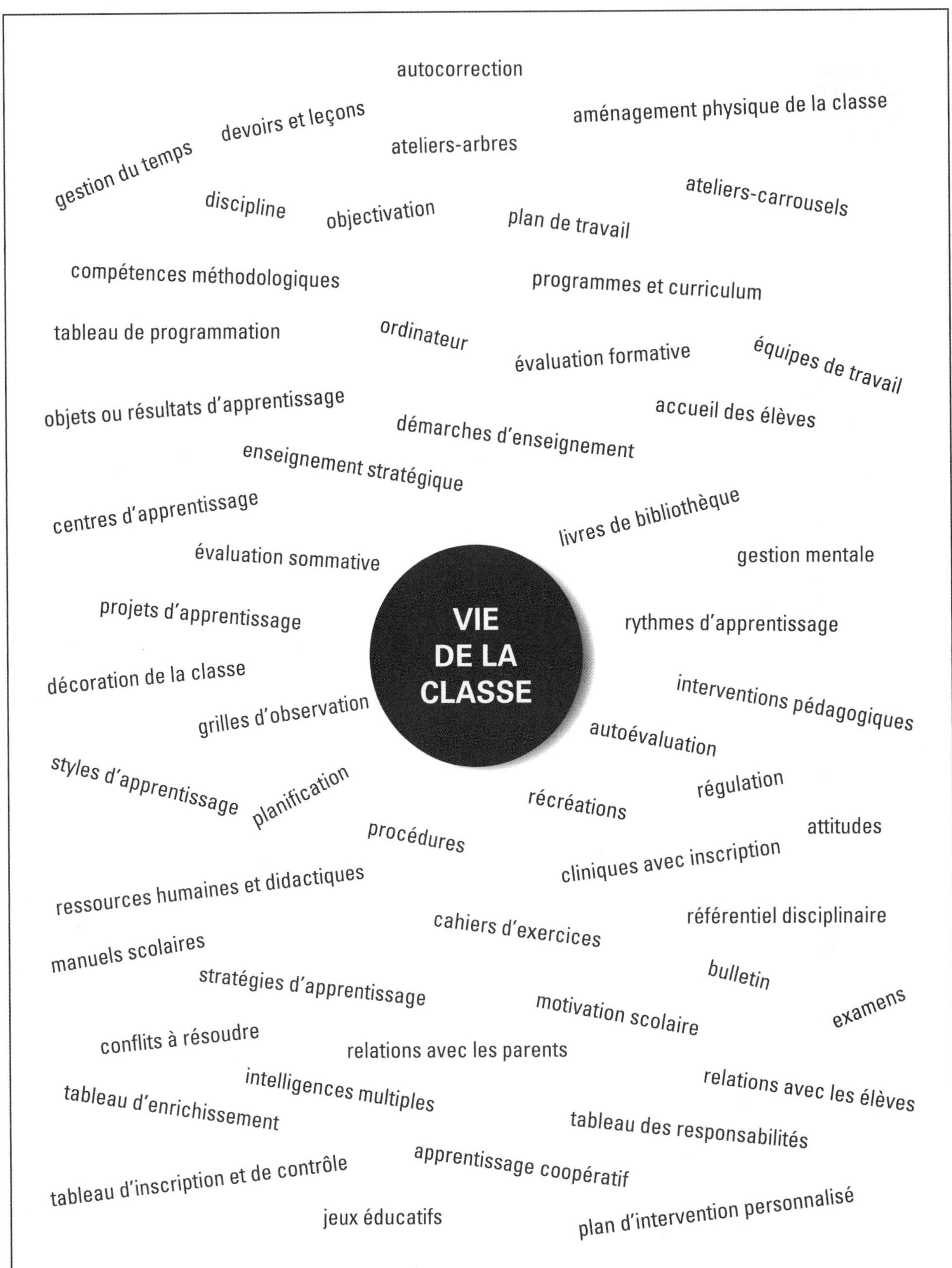

FIGURE 3 | UNE CARTE D'ORGANISATION SUR LES COMPOSANTES DE LA VIE DE LA CLASSE

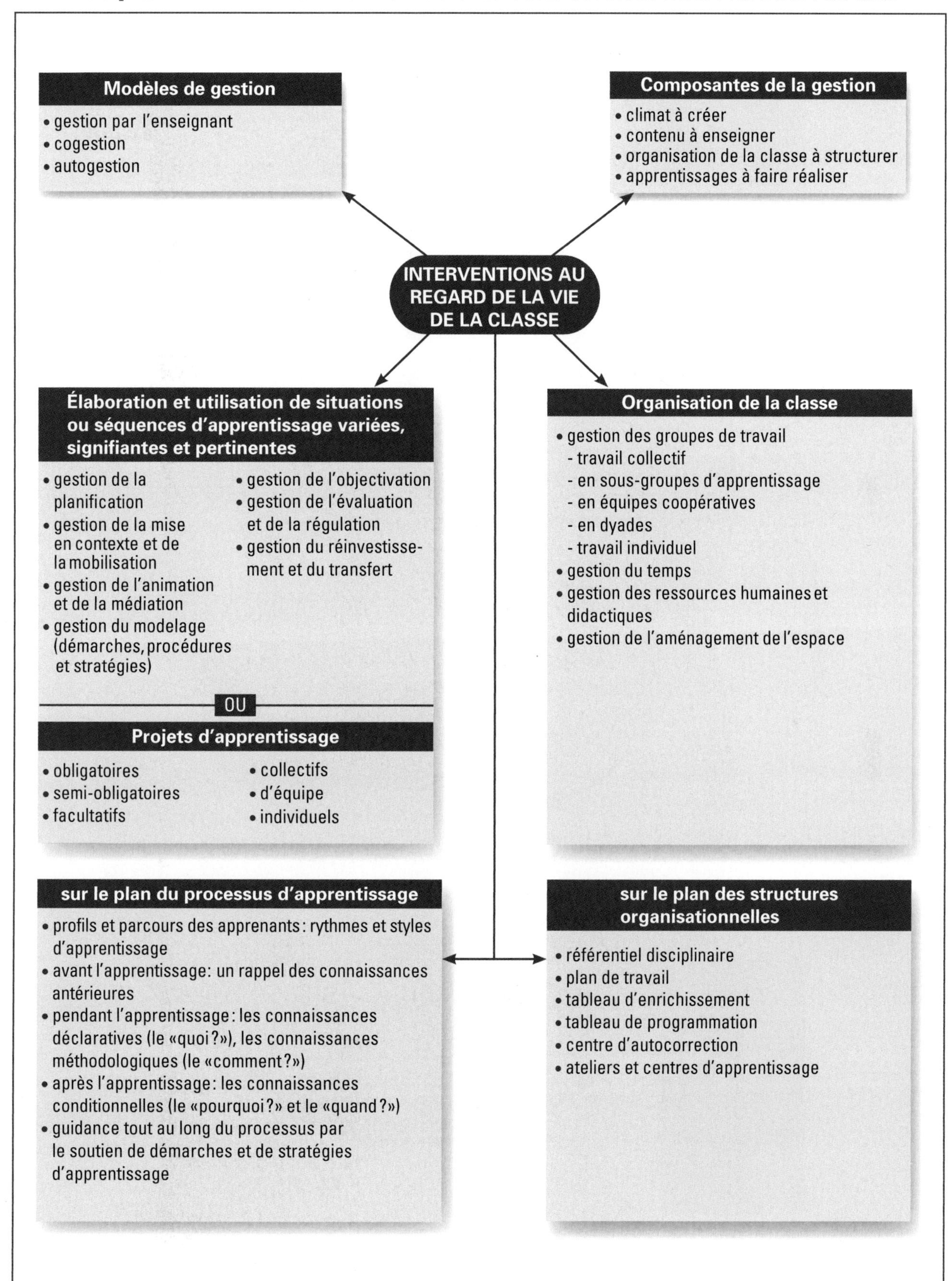

FIGURE 4 L'ORGANISATION DES COMPOSANTES DE LA VIE D'UNE CLASSE : VERS LA GESTION DE CLASSE

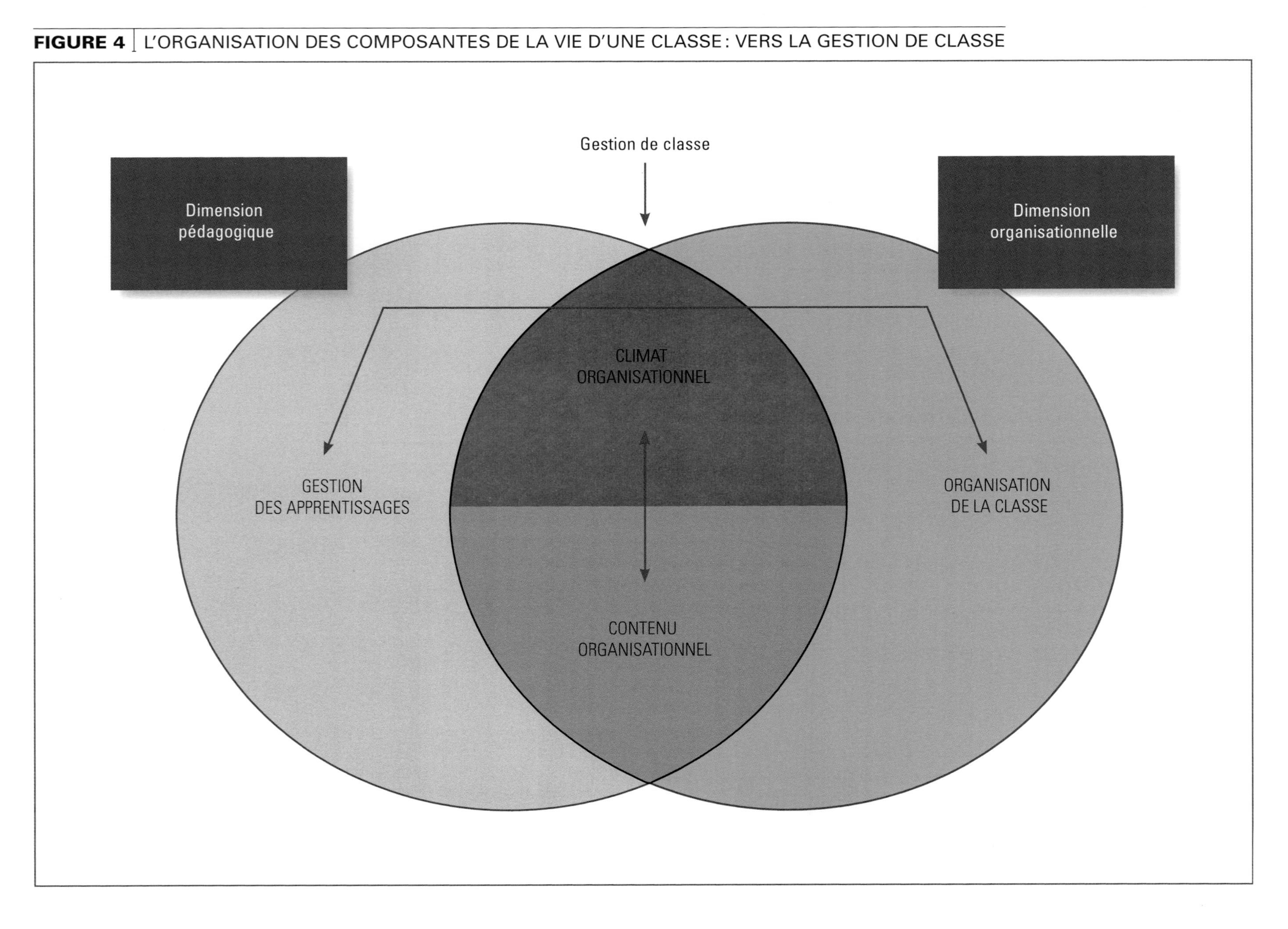

TABLEAU 2 | LES QUATRE COMPOSANTES DE LA GESTION DE CLASSE

COMPOSANTE	RÉSUMÉ
Climat organisationnel	Il prend en compte tout ce qui se rapporte à l'ambiance éducative de la vie de la classe : • les attitudes ; • les relations ; • la motivation scolaire ; • la discipline ; • la résolution de conflits.
Contenu organisationnel	Il regroupe tout ce qui a trait à la responsabilité de donner l'enseignement dans une classe ou dans un groupe de base : • la philosophie du programme de formation ou des programmes d'études ; • la conception de l'enseignement et de l'apprentissage ; • les objets ou les résultats d'apprentissage ; • les démarches, les procédures et les stratégies d'enseignement ; • le développement des compétences d'ordre intellectuel ; • l'utilisation des ressources pour étoffer l'enseignement.
Organisation de la classe	Elle comprend toutes les structures à mettre en place pour créer un environnement à la fois riche, stimulant et ouvert à la participation et à la responsabilisation des apprenants : • la gestion du temps ; • la gestion de l'aménagement de l'espace ; • la gestion des groupes de travail ; • la gestion des ressources humaines et didactiques.
Gestion des apprentissages	Elle rassemble toutes les interventions à faire pour accompagner les élèves dans la construction de leur savoir : • la planification ; • l'animation et la médiation ; • l'objectivation ; • les démarches, les procédures et les stratégies d'apprentissage ; • le développement des compétences d'ordre méthodologique ; • l'évaluation et la régulation ; • l'intégration et le transfert des apprentissages.

Distinguer les styles de gestion de classe

Si tous les enseignants font de la gestion de classe, chacun le fait selon ses valeurs, ses croyances, sa philosophie de l'éducation et de l'enseignement, sa conception de l'apprentissage, sa personnalité et son tempérament. On peut donc parler de différents styles de gestion de classe. Ces styles sont le résultat de l'accent mis par l'enseignant sur l'un ou l'autre des éléments interactifs de la classe, la trilogie des « E » (*voir figure 5, p. 16*) :

- Élève (le sujet) ;
- Enseignant (l'agent) ;
- Enseignement à partir des programmes (l'objet).

Interroger son «comment faire?», c'est d'abord sonder son style de gestion de classe. Sur quel élément de la trilogie l'enseignant est-il centré: sur l'élève? sur lui-même? sur l'enseignement? La gestion de la classe aura un caractère bien particulier selon l'élément privilégié:

- Une gestion centrée surtout sur l'enseignant, ses valeurs et sa façon de voir les choses est dite «fermée». Elle est le résultat d'une certaine insécurité de l'enseignant qui cherche à contrôler le plus de facteurs possible. Toutefois, elle est orientée principalement vers l'obéissance à l'autorité et le développement de l'écoute active, du sens de l'effort et de la mémorisation.
- Une gestion de classe centrée de façon exagérée sur l'élève est dite «à tendance libre». Elle se caractérise souvent par une plus ou moins grande absence de leadership de l'enseignant. Néanmoins, elle développe chez l'élève la débrouillardise, l'esprit d'initiative et la créativité.
- Une gestion centrée uniquement sur des contenus, des objets ou résultats d'apprentissage, des manuels et des cahiers d'exercices est dite «mécanique». Elle est la manifestation d'un leadership dépendant chez l'enseignant qui, habité par le souci de la rationalité et de l'efficacité, se conduit plus ou moins comme un esclave d'un contenu à voir et à appliquer. Par contre, on doit reconnaître que ce modèle incite l'élève à développer sa capacité à produire, à respecter des échéanciers et à persévérer dans les mandats que l'enseignant lui impose.
- Une gestion de classe équilibrée suppose l'harmonisation de la trilogie élève, enseignant et enseignement. Elle fait une juste place à chacun

FIGURE 5 | LES TROIS PÔLES DES STYLES DE GESTION DE CLASSE

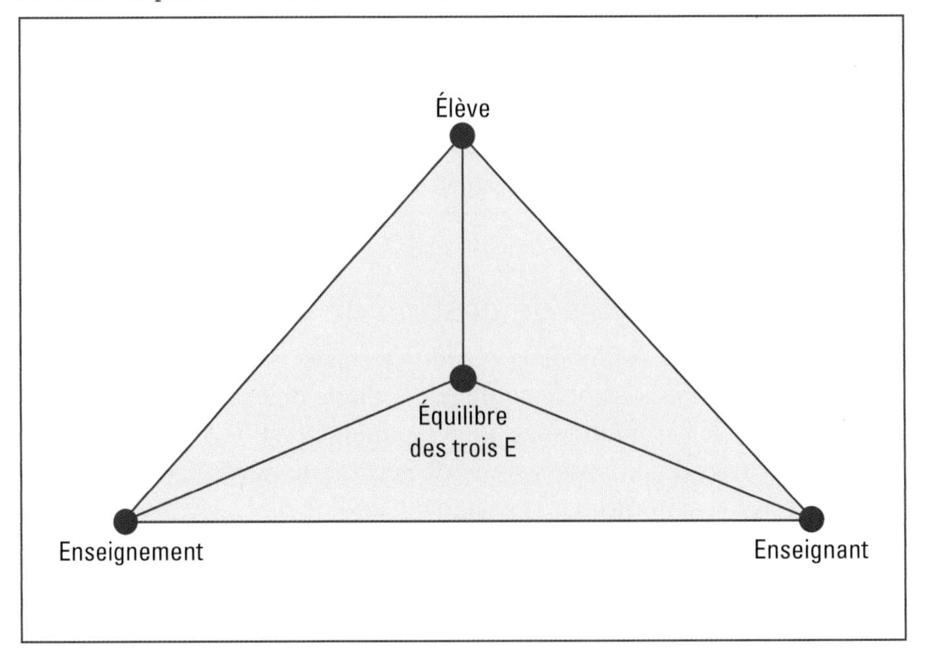

des éléments, car elle est le résultat d'un leadership confiant. Cette gestion est dite «participative» et elle offre à l'élève la possibilité de se développer globalement et d'agir sur son autonomie comportementale, sur son sens des responsabilités de même que sur sa capacité à coopérer avec ses pairs.

Le tableau 3 met en parallèle les différents styles de gestion de classe et fait ressortir les caractéristiques de chacun.

Ce n'est pas par hasard que l'enseignant se range du côté d'un style plutôt que d'un autre. Ce choix s'inscrit dans la personne elle-même, selon ses valeurs et ses croyances. La figure 6, page 18, illustre comment le style de gestion de classe prend naissance au cœur même de l'enseignant dans ce qu'il est, dans ce qu'il pense, dans ce qu'il croit, dans ce qu'il privilégie et dans ce qu'il fait.

Pour contextualiser les quatre styles de gestion de classe qui viennent d'être présentés, je vous invite à lire l'encadré des pages 19 et 20 qui propose quatre caricatures.

TABLEAU 3 | LES QUATRE STYLES DE GESTION DE CLASSE

GESTION FERMÉE	GESTION À TENDANCE LIBRE	GESTION MÉCANIQUE	GESTION PARTICIPATIVE
• Le climat est lourd et la discipline, rigoureuse. • Le cours magistral est privilégié et les élèves doivent écouter les explications données. • L'enseignant est le seul maître du déroulement. • Les interactions sont à peu près inexistantes entre les élèves de la classe ; le temps est partagé entre les périodes de travail collectif et les périodes de travail individuel. • « C'est l'enseignant qui fait la classe ! »	• Le climat est gai, détendu et nourri par les aventures du quotidien. • Les élèves sont souvent laissés à leur initiative personnelle pour ce qui est de leurs comportements et de leurs apprentissages. • Le déroulement est spontané et les digressions sont permises et tolérées. • Les interactions sont nombreuses, éclatées, spontanées et centrées souvent sur des aspects extérieurs à ce que l'on est censé faire. • L'élève apprend bien ce qu'il veut.	• Le climat n'est pas important; ce qui compte, ce sont les tâches à accomplir, puisqu'on est centré sur la productivité. • Les apprentissages sont programmés à partir de listes de contenus notionnels ; ils sont dictés par la logique séquentielle des manuels ou des cahiers d'exercices. • Le déroulement est rigoureux et soigneusement contrôlé. • Les interactions sont peu nombreuses et centrées sur les tâches et les exigences à respecter. • « Il faut respecter le programme ! » « Il faut passer à travers le manuel ! »	• Le climat est serein, ouvert et agréable. • La discipline est gérée avec les élèves. • Les situations d'apprentissage sont greffées sur le savoir d'expérience des élèves ; elles sollicitent constamment leur participation. • Le déroulement de la séquence d'apprentissage s'ajuste aux constats, aux prises de conscience et aux régulations. • Les interactions sont nombreuses ; elles sont alimentées par les divers groupes de travail et la variété des ressources didactiques utilisées. • Guidé par l'enseignant, l'élève construit son savoir et développe ses compétences.

FIGURE 6 | LA NAISSANCE D'UN STYLE DE GESTION DE CLASSE

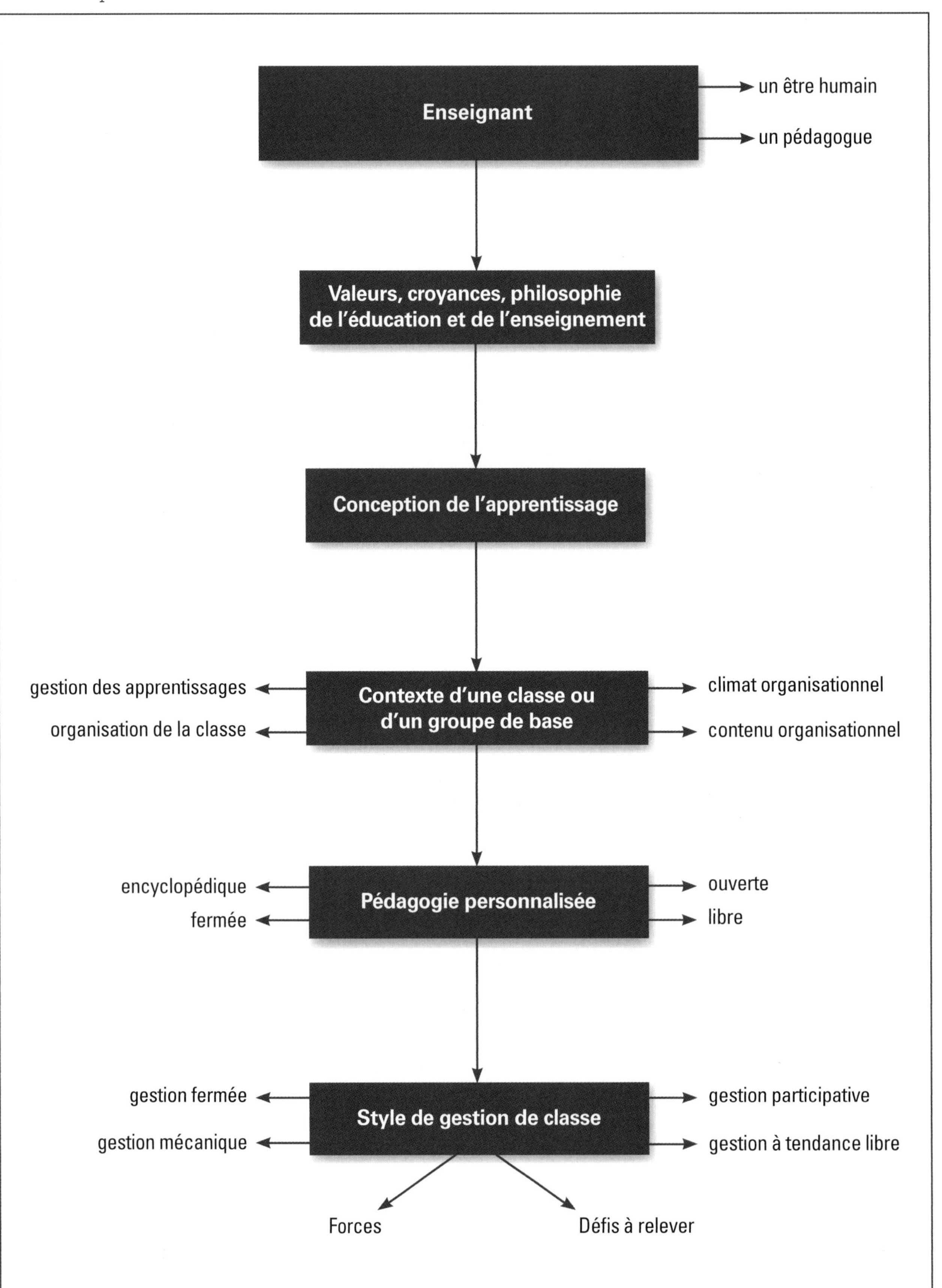

Les portraits des styles de gestion

Même si les exemples suivants relèvent de la caricature, ils véhiculent le message qu'il n'existe pas un chemin unique pour atteindre un but commun…

1. **Madame Touche-à-Tout** fait son apparition dans la classe avec une allure décontractée.

   « Aujourd'hui, nous allons travailler sur la reconnaissance du son "o". Vous pouvez choisir les mots qui vous intéressent. Je vous laisse du temps pour vous entraîner à les repérer et à les lire correctement. J'ai placé sur la table des livres qui peuvent vous faciliter la tâche. Je vous donne le choix de les utiliser si ça vous tente. Il y a également des mots-étiquettes au coin de lecture. Vous pouvez même, avec l'aide d'un camarade, vous créer une banque de mots. »

   Chacun y va selon son inspiration… Le ton est fort animé. Les déplacements sont nombreux. Certains prennent même l'initiative de lire des séries de mots en petits groupes. C'est la cacophonie la plus complète. L'enseignante cherche par tous les moyens à prendre la parole, mais en vain… Dans un cri de désespoir, elle lance : « Silence ! »

2. **Madame Sait-Tout** commence la leçon de lecture d'un ton autoritaire et affiche beaucoup de dignité.

   « Aujourd'hui, nous allons nous attaquer à la reconnaissance de mots se terminant par le son "-tion". Je vous prierais de m'écouter attentivement si vous voulez être capables de vous en souvenir tout à l'heure. Je vais prononcer les mots tranquillement et vous allez essayer de repérer où se situe le son "-tion" dans chacun des mots que vous entendrez. Vous répéterez chaque mot après moi. »

   L'attention des élèves est grande ; on pourrait entendre le tic tac de l'horloge quand l'enseignante s'arrête quelques instants pour reprendre son souffle. Dès qu'un élève indiscipliné désobéit à la règle du départ, il est ramené à l'ordre par les yeux réprobateurs de Madame Sait-Tout. Au fait, elle vient de se rendre compte que Serge ne prononce pas les mots, il joue avec son étui à crayons pour passer le temps.

   « Vous êtes distrait, Serge ! Vous ne respectez pas la consigne que j'ai donnée. Il faut écouter davantage et suivre l'exemple de vos camarades. Ce n'est pas en vous comportant ainsi que vous allez réussir. »

3. **Madame Fait-Tout** distribue des fiches et des cahiers d'exercices sur les pupitres de ses élèves.

   « Ce matin, nous allons devenir des experts dans le repérage des mots contenant le son "euil". Vous commencerez par vous exercer à l'aide des 10 fiches qui sont numérotées par ordre de complexité. Quand vous aurez terminé la fiche la plus difficile, vous pourrez entreprendre les activités contenues dans votre cahier d'exercices. »

   Telle une ruche, tous les élèves se mettent à la tâche. Après une dizaine de minutes, l'un d'entre eux demande à son enseignante s'il peut se lancer dans son cahier d'exercices malgré le fait qu'il n'a pas complété les deux dernières fiches qui étaient prévues au plan de travail. Il allègue qu'elles sont trop faciles pour lui.

« J'ai ma méthode pour vous enseigner la lecture et elle a fait ses preuves, veuillez me croire. Tous les élèves de ma classe doivent parcourir le même itinéraire, afin de s'assurer que le clou est bien enfoncé. Il faut être persévérant : *C'est en forgeant qu'on devient forgeron.* »

4. **Madame Participe-à-Tout** commence l'activité de lecture qu'elle a planifiée, après avoir sondé les états d'âme de ses élèves. Ayant observé les besoins des apprenants au cours des deux dernières semaines, elle leur demande de nommer le son qui est le plus problématique pour eux à partir d'une liste de cinq sons complexes. Après quelques minutes de discussion, tous les élèves se mettent d'accord pour réviser le son « ouille ».

   « À quels mots ce son vous fait-il penser ? »

   « Citrouille, quenouille, vadrouille, patrouille », etc.

   « J'ai mis sur pied trois sous-groupes où vous pouvez travailler sur le son "ouille" de la manière qui vous convient le mieux : une recherche dans des livres de bibliothèque pour élaborer des mots-étiquettes, des exercices sur des fichiers à partir d'un enregistrement sonore et la construction d'un texte troué où les mots absents devront contenir le son "ouille". »

   « Ça veut dire, madame, que nous avons des choix ? »

   « Bien sûr que oui, puisque le menu est ouvert. Plus que ça, vous pouvez vous entraider aussi. »

   « Youpi ! »

   « Je vais circuler parmi vous pour vous donner un coup de main, et dans une quinzaine de minutes nous nous arrêterons pour partager nos découvertes. »

La gestion de classe participative

Apprivoiser les particularités de la gestion de classe participative

Au regard des autres styles de gestion de classe, tels qu'ils apparaissent dans le tableau 3, page 17, il est clair que la gestion de classe participative possède des caractères particuliers. Le plus important de ces caractères est l'équilibre entre les trois E : l'élève, l'enseignant et l'enseignement. La gestion de classe participative crée une nouvelle dynamique à l'intérieur de cette trilogie, à savoir que chacun des éléments en cause devient actif. S'intéresser à la gestion de classe participative, c'est cheminer vers la quête de cet équilibre souhaitable.

Ainsi, l'élève contribue de façon active à son apprentissage, construit son savoir à partir de ses expériences, jouit de la possibilité de choisir dans un éventail de moyens ceux qui correspondent le mieux à son profil et à son parcours, objective son processus d'apprentissage, évalue ses progrès et transfère ses apprentissages. On peut parler alors d'un véritable développement de compétences, qu'elles soient transversales ou disciplinaires.

L'enseignant apporte un soutien dynamique aux situations et au processus d'apprentissage, crée un climat propice à la participation des élèves à la vie de la classe, guide l'enfant ou l'adolescent dans son cheminement, intervient selon les besoins de chaque apprenant, génère des questions, des idées, des actions et des découvertes qui ont un sens pour l'élève et, enfin, agit comme médiateur entre l'élève et la situation d'apprentissage pour rendre explicites les stratégies cognitives et métacognitives qui assurent la maîtrise de l'objet ou du résultat d'apprentissage.

L'enseignement devient un support pour la découverte que l'apprenant fait de lui-même et de son appropriation du monde ; cela nécessite la guidance de l'enseignant, une médiation qui est autre chose qu'une simple transmission de connaissances. On ne peut pas rêver de l'élève artisan de ses apprentissages sans qu'il y ait, à ses côtés, un enseignant très engagé dans l'accompagnement que l'élève attend de lui.

La figure 7 illustre la place particulière qu'occupe la gestion de classe participative par rapport aux autres types de gestion de classe. Elle fait bien ressortir l'accent mis par la gestion de classe participative sur l'équilibre entre les trois E.

FIGURE 7 | LA GESTION DE CLASSE PARTICIPATIVE, UNE GESTION ÉQUILIBRÉE

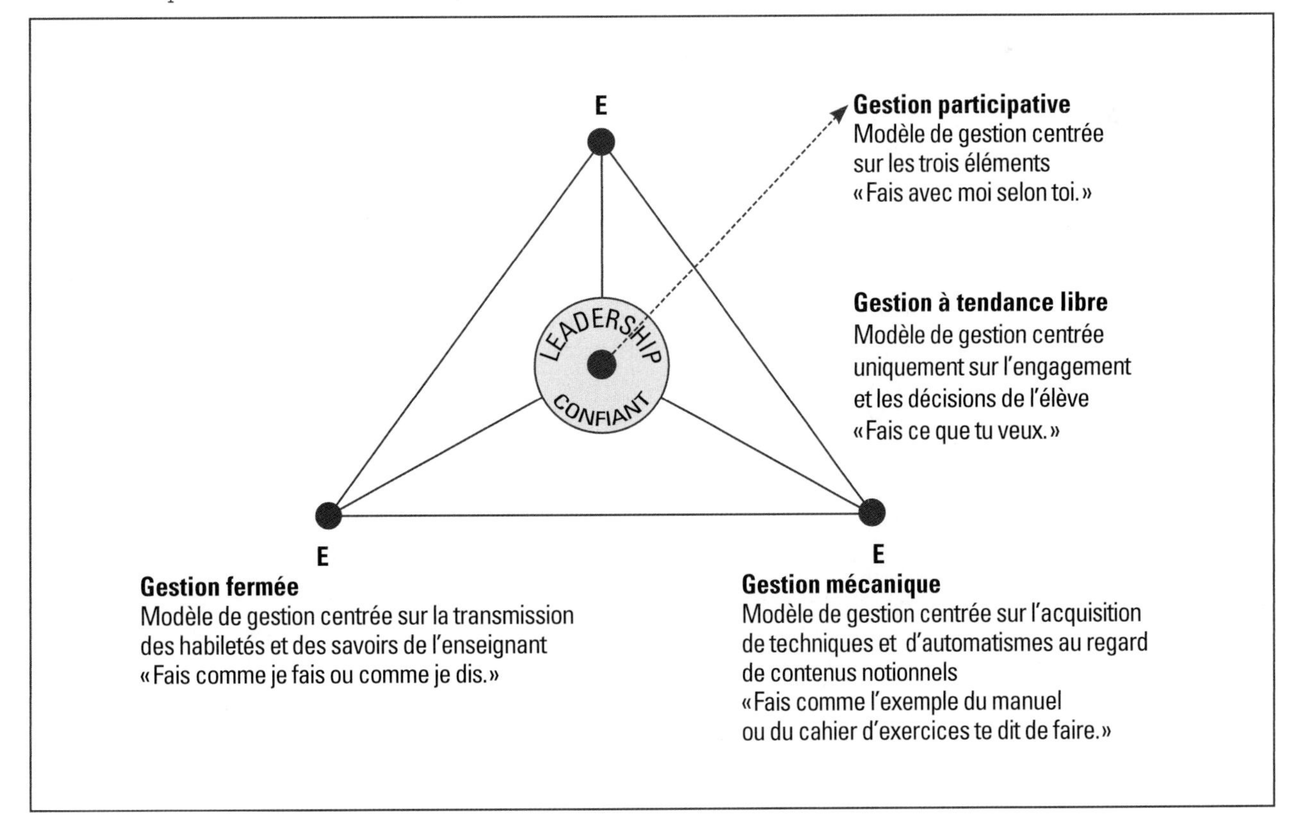

Préciser son propre style de gestion et ses attentes

À partir de ces éléments théoriques, des enseignants voudront sans doute savoir à quoi ressemble une classe gérée de façon participative. Plus encore, ils désireront vérifier si leur style de gestion de classe actuel se rapproche plus ou moins de celui qui est prôné dans ce guide. À cette intention, un exercice d'appropriation du contenu est présenté dans la grille ci-après.

En plus d'être familiarisé avec les différents styles de gestion de classe, il peut être pertinent pour l'enseignant de cerner ses besoins en matière de gestion avant de se mobiliser autour de la gestion de classe participative.

La seconde grille d'analyse, pages 24 et 25, contient un certain nombre d'énoncés en lien avec le climat organisationnel, le contenu organisationnel, l'organisation de la classe et la gestion des apprentissages. Il n'y a ni bonnes ni mauvaises réponses. L'important, c'est d'être honnête avec soi-même afin de reconnaître ses forces ou ses besoins sur le plan de la gestion de classe. Ainsi, chacun sera en mesure de se donner une intention de lecture personnelle avant de commencer à tourner les pages de *Quand revient septembre*.

Mon style de gestion de classe

CONSIGNES :
- Après avoir lu chacune des affirmations, placez un X dans la colonne qui correspond au style de gestion de classe illustré.
- Servez-vous de la clé d'interprétation, page 23, pour comparer vos résultats.

LÉGENDE : F : style fermé
L : style libre
M : style mécanique
P : style participatif

	F	L	M	P
1. Cet après-midi, vous faites les pages 5 à 8. On corrigera vos réponses à la fin de la période. Dépêchez-vous de commencer !				
2. Je désire changer l'aménagement physique de la classe afin d'introduire un centre de lecture. Avez-vous des suggestions à me donner ?				
3. Quand je vous parle, je ne veux entendre aucun bruit, ni voir des élèves s'amuser avec leur règle ou leur gomme à effacer. M'avez-vous bien compris ?				
4. Pour ton projet personnel, tu as la liberté de faire ce que tu veux.				
5. J'ai décidé de monter une belle pièce de théâtre pour Noël ! Êtes-vous contents ?				
6. Défense de jouer à autre chose qu'au drapeau dans la cour de récréation ! Je trouve que les autres jeux sont trop violents.				
7. Je te félicite, Annabelle ! Tu as vraiment beaucoup de talent pour dessiner des animaux ! Je ne pourrais pas faire aussi bien que toi.				
8. De quoi avons-nous parlé hier lorsque nous avons démarré notre projet sur les dinosaures ?				
9. Ici, c'est moi qui mène ! Personne ne va me marcher sur les pieds…				
10. Vous n'êtes pas obligés de terminer ce que vous avez entrepris avant d'entreprendre autre chose. L'important, c'est d'explorer beaucoup et de faire des découvertes ; c'est comme ça qu'on apprend.				

11. Il faut absolument passer à travers le programme ! On n'a pas une minute à perdre si on veut y arriver.				
12. Que je suis donc heureuse d'avoir des élèves comme vous dans ma classe ! C'est une chance pour moi de pouvoir compter sur votre participation au conseil de coopération. Je trouve que vous apportez des idées géniales qui m'aident à rendre la vie de la classe plus intéressante.				
13. Cette année, vous ne pourrez pas faire de dessins à la gouache, c'est trop salissant. On n'a pas d'évier dans la classe et il n'est pas question que vous vous promeniez dans le corridor avec des gobelets d'eau. Vous êtes assez grands pour comprendre ça.				
14. Regarde l'exemple de multiplication qui est dans ton livre et fais comme on te dit de faire.				
15. Bastien, peux-tu expliquer à tes camarades comment tu t'y es pris pour résoudre ton problème ?				
16. Je ne peux pas vous permettre de travailler en équipe, c'est trop bruyant. La directrice de l'école n'accepterait pas que l'on fasse autant de bruit dans la classe.				
17. Ce sera bientôt Noël. Qu'est-ce que vous avez le goût de faire pour souligner cette fête ?				
18. Je veux que vous compreniez qu'on peut apprendre tout en s'amusant. Quand je vous propose des ateliers-carrousels, c'est pour vous permettre de manipuler du concret et du semi-concret.				
19. Sophie, tu es toute perdue... Concentre-toi pour faire exactement comme je te dis.				
20. Bernard, tu as déjà terminé toutes les activités du plan de travail de la semaine. Alors, ne perds pas ton temps et fais les autres pages que j'ai suggérées. Comme ça, tu vas progresser encore plus.				
21. Vous êtes capables de me faire une belle recherche. Alors, allez-y et tâchez d'être autonomes.				
22. Va aider Julie dans sa production écrite. Mais je ne veux pas que tu fasses le travail à sa place.				
23. J'ai expliqué à vos parents que je n'avais pas besoin d'eux dans la classe. Après tout, c'est moi qui suis payée pour vous enseigner. Ils ne peuvent quand même pas prendre ma place.				
24. Étant donné que nous sommes en retard dans le programme, ce soir, vous ferez comme devoir les pages 42 à 46.				
25. Tâchez d'apprendre vos mots de vocabulaire. Vous êtes capables si vous vous en donnez la peine.				
26. Finies les périodes de manipulation, puisque vous êtes rendus en 4e année. Vous n'êtes plus des bébés pour vous amuser avec des réglettes.				

La clé d'interprétation des résultats

Style fermé : numéros 3, 5, 6, 9, 13, 16, 19, 23, 26.

Style mécanique : numéros 1, 11, 14, 20, 24.

Style libre : numéros 4, 10, 21, 22, 25.

Style participatif : numéros 2, 7, 8, 12, 15, 17, 18.

Mes besoins en matière de gestion de classe

CONSIGNES :
- Pour chaque énoncé, inscrivez dans la case blanche le chiffre correspondant à votre réponse selon la légende.
- Faites le total de chaque colonne afin de déterminer vos forces et vos besoins en matière de gestion de classe.
- Utilisez la clé d'interprétation, page 25, pour déceler vos priorités de travail.

LÉGENDE : Toujours en accord : 2
Parfois en accord : 1
Peu ou pas du tout d'accord : 0

	A	B	C	D
1. Dans ma classe, j'accorde autant d'importance au climat qu'au contenu.				
2. Je me préoccupe de la qualité de la relation enseignant-élève.				
3. Je mène les interventions nécessaires pour construire la motivation scolaire de mes élèves.				
4. J'essaie de tenir compte des rythmes de mes élèves quand je planifie une situation d'apprentissage.				
5. Lorsque je planifie mon enseignement, je prévois des stratégies qui me permettront de tenir compte des différents styles d'apprentissage.				
6. Je découvre les besoins des élèves en matière d'acquis, de champs d'intérêt, de goûts et de préoccupations.				
7. Je connais la démarche d'apprentissage proposée par le programme et je m'assure que les élèves en sont conscients lorsqu'ils la vivent.				
8. Chaque année, je construis mon référentiel disciplinaire avec les élèves.				
9. Je m'efforce de développer les compétences et les contenus notionnels prescrits par le programme de formation et les programmes d'études.				
10. Je donne souvent l'occasion aux élèves d'autoévaluer leur degré de maîtrise des différents objets ou résultats d'apprentissage.				
11. L'évaluation et la régulation occupent une place importante dans ma pratique d'enseignement.				
12. Je permets aux élèves de travailler sur des projets que je leur propose, ou qu'ils ont eux-mêmes élaborés.				
13. Je crée un environnement riche et stimulant afin de diversifier l'utilisation des ressources didactiques lorsque les élèves présentent des écarts dans leurs profils ou leurs parcours d'apprentissage.				
14. Je suis conscient que c'est l'élève qui construit lui-même ses connaissances et que je suis là pour l'accompagner dans son processus.				
15. J'amène les élèves à s'engager dans la planification d'une journée ou d'une période en mettant à leur disposition des outils pour gérer leur temps, tels que le plan de travail, le tableau d'enrichissement, le tableau de programmation ou le tableau d'ateliers.				
16. Je développe avec mes élèves des démarches, des procédures et des stratégies qui leur permettent d'exercer un certain contrôle sur leurs tâches d'apprentissage.				
17. Je reconnais l'importance de l'entraide et de la coopération, et je mets à la disposition de mes élèves des structures pour les placer à l'intérieur de divers groupes de travail : dyades d'entraide, tutorat, équipes coopératives, etc.				
18. Je donne des rétroactions positives à mes élèves toutes les fois que l'occasion se présente.				
19. Je permets à mes élèves de me dire ce qu'ils apprécient de mon enseignement et je les invite également à me proposer des défis pour que je puisse m'améliorer.				

20. J'utilise les ressources que représentent les élèves pour m'aider à gérer les différences : la fabrication de matériel, l'animation d'un petit groupe d'élèves, la correction de tâches fermées ne comportant qu'une seule bonne réponse, etc.				
21. Je suis capable d'ouvrir mon menu pour introduire des sous-groupes d'apprentissage momentanés afin de répondre à des besoins différents.				
22. Je sollicite la participation des parents pour m'aider à enrichir le vécu de la classe ; je planifie leur intervention préalablement pour éviter de mauvaises surprises.				
23. Ma principale préoccupation est d'amener chaque élève aussi loin qu'il peut aller. C'est pour cette raison que le programme me stresse. Je n'arrive pas à distinguer l'essentiel de l'accessoire.				
24. J'accorde beaucoup d'importance au développement des compétences transversales des élèves, et je crois que l'ouverture de mon organisation de la classe peut jouer un rôle prépondérant dans ce domaine.				
25. Mon enseignement est centré sur le programme, puisque c'est effectivement pour transmettre les contenus du curriculum qu'on m'a engagé.				
26. Je permets à tous les élèves de vivre la phase de l'objectivation prévue à l'intérieur du processus d'apprentissage. À cette intention, je diversifie mes cibles d'objectivation, les moments pédagogiques pour la faire ainsi que les groupes de travail.				
27. J'accorde une place de choix à l'évaluation régulatrice en classe. Je fais participer les élèves à la manipulation des objets d'évaluation et des critères d'évaluation de même qu'aux seuils de réussite.				
28. Je crois qu'il faut responsabiliser les élèves face à leurs apprentissages, et à cette intention j'élabore avec eux un carnet d'apprentissage, un coffre à outils et un portfolio d'apprentissage.				
29. J'utilise certaines approches éducatives pour enrichir mon enseignement, comme la gestion mentale, l'enseignement stratégique, l'approche par projets et l'apprentissage coopératif.				
30. Je suis capable de jouer avec les variables de la correction afin de récupérer du temps que je consacre plutôt à la planification du lendemain. Parmi ces variables, j'accorde de l'importance à l'autocorrection des tâches fermées, surtout quand l'élève est en période de formation de base ou d'enrichissement.				
Total par colonne				

La clé d'interprétation des résultats

Chacune des colonnes A, B, C et D se réfère à une composante de la vie de la classe :

- A correspond au climat organisationnel et peut compter un maximum de 14 points.
- B correspond au contenu organisationnel et peut compter un maximum de 14 points.
- C correspond à l'organisation de la classe et peut compter un maximum de 14 points.
- D correspond à la gestion des apprentissages et peut compter un maximum de 18 points.

Il n'y a pas de seuil de réussite pour chacune des catégories, puisque l'objectif de cet exercice est de faciliter l'émergence des forces et des besoins sur le plan de la gestion de classe. Pour ce faire, il suffit d'indiquer vos résultats au bas de chaque colonne.

La colonne qui obtient le plus haut score indique votre composante la plus forte, tandis que le score le plus bas fait ressortir le domaine dans lequel vous devriez investir davantage d'énergie. Le guide *Quand revient septembre* peut vous aider à le faire.

Cette longue liste d'indicateurs de qualité (*voir grilles, p. 22 à 25*) peut donner l'impression que la mise en place d'une gestion participative dans une classe ou un groupe de base est une entreprise considérable. En effet, cette démarche donne parfois lieu à un véritable revirement. Mais tout n'est pas à faire immédiatement. Il vaut mieux procéder par étapes et se donner un plan d'action. Et c'est là que la politique des petits pas constructifs prend un sens à la fois pratique et réaliste. Il n'est pas question ici de vivre une *révolution* mais plutôt une *évolution* afin de connaître, jour après jour, semaine après semaine, année après année, une amélioration continue.

Un projet de développement professionnel soutenu par *Quand revient septembre*

Avant d'être une intervention tout à fait intégrée à la vie de la classe, la gestion de classe participative est un projet de développement professionnel pour l'enseignant. Elle exige une véritable préparation, une expérimentation réaliste et une évaluation rigoureuse. *Quand revient septembre* a été conçu pour répondre à ces attentes.

Mettre en application trois types de savoirs

Comme le guide *Quand revient septembre* se veut cohérent avec la philosophie qui l'a fait naître, il s'efforce d'engager l'enseignant dans une démarche «participative». Voilà pourquoi les chapitres 1 à 5 de cet ouvrage sont structurés ainsi: les *prises de conscience* précèdent la *théorie*, et les *pistes d'expérimentation* prennent la forme d'outils bien concrets, éclairés de l'intérieur par la théorie. En outre, cette structure s'articule selon trois types de savoirs (Artaud, 1985, p. 135 à 151):

1. Les prises de conscience interrogent le *savoir d'expérience*;
2. L'apport théorique alimente le *savoir*;
3. La suggestion d'instrumentation inspire le *savoir-intégré* ou le *savoir-faire.*

Cela se traduit concrètement dans l'ouvrage par une séquence de lecture récurrente dans les chapitres 1 à 5:

- des grilles d'analyse pour objectiver votre savoir d'expérience;
- des notions théoriques pour enrichir votre savoir;
- des exemples d'outils pour faciliter l'exercice de votre savoir-faire.

Le chapitre 6 a été traité différemment, car il aborde des contextes de vie de classe spécifiques. C'est un complément à la gestion de classe qui prévaut dans toute classe.

Adopter une démarche d'expérimentation

Dès la rédaction de la première édition de *Quand revient septembre*, je portais le rêve que ce guide accompagne les enseignants dans leur développement professionnel. Des praticiens qui cherchent à améliorer leur pratique pédagogique sont en apprentissage au même titre que les élèves. Voilà pourquoi l'enseignant est d'abord invité à marquer son processus d'apprentissage par trois temps d'arrêt pour chacune des expérimentations qu'il fera en classe :

1. Avant l'expérimentation ;
2. Pendant l'expérimentation ;
3. Après l'expérimentation.

Afin de bien vivre chacun des trois temps d'arrêt de l'expérimentation, huit étapes bien détaillées ont été identifiées :

1. L'auto-analyse ;
2. La réflexion ;
3. Le choix des outils ;
4. L'expérimentation ;
5. L'objectivation ;
6. La régulation ;
7. L'évaluation ;
8. Le réinvestissement dans un autre défi.

La figure 8 permet de visualiser globalement l'articulation des trois temps d'arrêt de l'expérimentation avec les étapes de la démarche proposée. C'est ce cadre que l'enseignant est invité à suivre dans cet ouvrage chaque fois qu'il se mobilisera pour relever un défi concernant la gestion de classe participative.

FIGURE 8 | LA DÉMARCHE D'EXPÉRIMENTATION PROPOSÉE

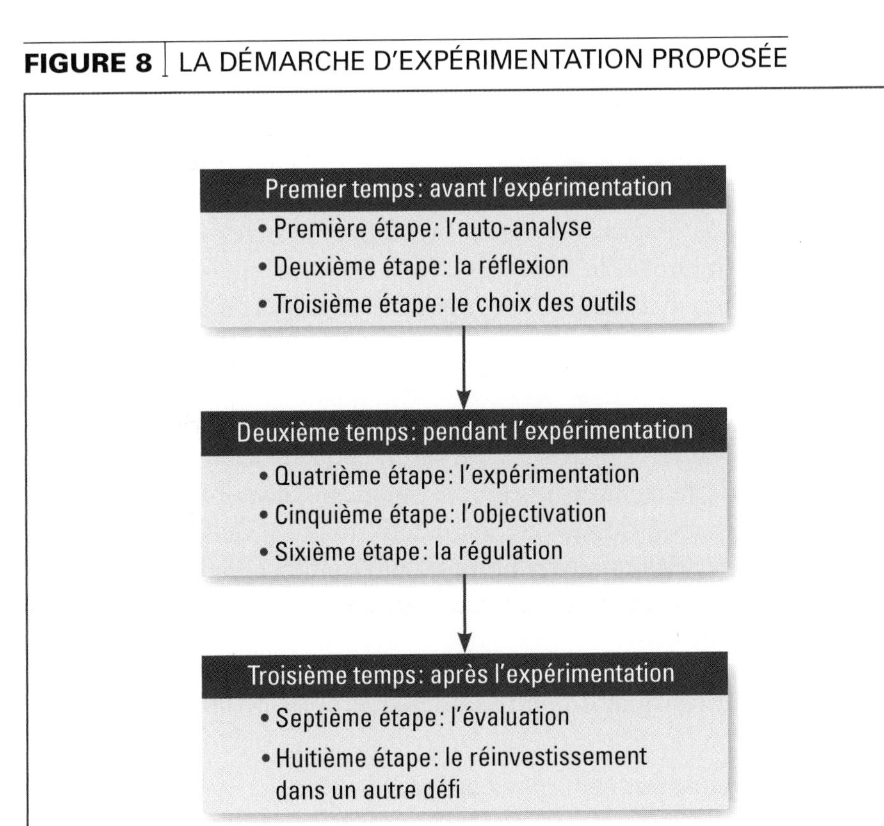

Des précisions sur la démarche d'expérimentation proposée

Je m'attarde maintenant à la présentation détaillée de chacune des huit étapes de la démarche utilisée dans la suite de cet ouvrage pour mettre en place ou consolider une gestion de classe participative en classe.

AVANT L'EXPÉRIMENTATION

Le premier temps de la démarche comporte trois étapes qui sont essentielles à une expérimentation pleinement fructueuse : l'auto-analyse, la réflexion et le choix des outils.

1 L'auto-analyse

Cette étape vous demande de vous pencher d'abord sur ce que vous vivez. Quelles sont vos satisfactions ? Quelles sont vos interrogations ? Que souhaitez-vous retrouver dans la vie de votre classe ? Ce regard serein et objectif, porté sur la réalité quotidienne, est nécessaire pour une réelle mise en mouvement. Sans lui, vous risquez d'être un mauvais chasseur qui tire peut-être sur tout ce qui bouge, mais qui ne progresse pas réellement et qui finira par se décourager.

D'entrée de jeu, cette auto-analyse sera plutôt intuitive et globale. Ensuite, chacun des chapitres du guide vous permettra de la reprendre d'une façon plus approfondie et rigoureuse. En fait, cette première étape pour cerner votre image sera soutenue par des grilles d'auto-analyse qui se trouvent au début des chapitres 2 à 5.

2 La réflexion

Qui trop embrasse mal étreint, dit le proverbe. Changer n'est pas aussi facile qu'on peut nous le laisser croire. Cela exige des phases de renoncement à des acquis, d'abandon de certaines habitudes et d'adaptation à de nouvelles réalités. Vouloir tout changer d'un seul coup, c'est méconnaître la capacité et le rythme d'adaptation de tout être humain. Il est donc nécessaire de découper le changement en morceaux, de se tailler des tâches réalistes, concrètes, faciles à mesurer. Chacun sait aussi les ravages qu'un échec peut faire sur le moral ; c'est pourquoi il vaut toujours mieux se mettre en situation de réussite, en déterminant un défi clair, simple à relever. Chaque réussite augmentera votre confiance en vous-même et vous conduira plus sûrement au succès escompté.

Les défis que vous avez à relever, dans la vie quotidienne de votre classe, touchent les quatre composantes que nous avons approfondies précédemment :

- le climat organisationnel (*voir chapitre 2*) ;
- le contenu organisationnel (*voir chapitre 3*) ;

- l'organisation de la classe (*voir chapitre 4*) ;
- la gestion des apprentissages (*voir chapitre 5*).

Comme le démontre la figure 4, page 14, ces composantes illustrées au début de chacun des chapitres 2 à 5 s'unissent pour constituer la gestion de classe.

3 Le choix des outils

Pour relever un défi, il est nécessaire de mettre au point une planification stratégique : faire l'inventaire de ses richesses, reconnaître ses besoins, anticiper la situation souhaitée, fixer l'échéance, prévoir les haltes nécessaires pour mesurer le chemin parcouru et ajuster le tir, au besoin. L'établissement d'un calendrier des opérations est un exercice indispensable pour se mettre à l'abri du hasard, de la paresse et du découragement. Chacune des étapes permet de reprendre son souffle et de renouveler le dynamisme qui était à l'origine du désir de s'investir dans une gestion de classe participative. La planification se fait à partir de questions précises :

- Qu'est-ce que vous voulez faire concrètement ?
- À quel moment allez-vous commencer ?
- Combien de temps vous allouez-vous ?
- À quel moment allez-vous vous arrêter pour faire le point ?

Si vous êtes prêt à vous mettre en route, vous trouverez aux pages 33 à 35 un questionnaire de planification susceptible de vous aider à déterminer le défi que vous aimeriez relever (*voir aussi fiche A, sur le site Web*).

Il vous faudra ensuite réfléchir sur la théorie entourant la composante de la gestion de classe touchée par votre défi. Vous trouverez à cette intention des explications et des références dans les chapitres 2 à 5 de ce guide.

Vous pourrez aussi consulter à la fin de ces chapitres des exemples d'outils indispensables à la mise en œuvre de votre défi. Le contexte d'utilisation de chacun des outils y est précisé de même que des pistes pour en faire un usage judicieux. Ces outils sont des modèles que vous pourrez adapter selon votre fonctionnement et vos besoins.

PENDANT L'EXPÉRIMENTATION

Votre défi est clair, vous possédez de bonnes informations sur la composante de la gestion de classe que vous avez privilégiée, vous avez ciblé les outils que vous voulez développer ou adapter; voilà maintenant l'heure de passer à l'action. Le deuxième temps de l'expérimentation comporte trois étapes : l'expérimentation proprement dite, l'objectivation et la régulation.

4 L'expérimentation

Se placer en phase d'expérimentation, c'est se placer dans un contexte de nouveauté. Le moment est à la fois exaltant et insécurisant. On a beau avoir prévu toutes les étapes, rassemblé le matériel nécessaire, dressé des balises et des points de repère, l'imprévu est pratiquement toujours au rendez-vous. Il risque de vous déstabiliser si vous ne vous accordez pas au point de départ la permission de vous tromper. Qui dit «expérimentation» dit forcément «essais, erreurs, recommencement». Sans cet espace où la deuxième chance est permise, vécue sans culpabilité, saisie comme une occasion d'apprendre, l'expérimentation perd tout son sens. Vous avez donc intérêt à vous engager dans cette étape avec un bon sens de l'humour et une capacité d'accueil et d'ouverture à tout ce qui peut arriver. Mais la confiance, en vous-même et en vos élèves, est un atout majeur. C'est là que s'enracine le dynamisme nécessaire au mouvement de changement qui s'amorce dans la gestion de votre classe.

Au moment d'entrer dans l'étape d'expérimentation, il est bon d'avoir en tête certains repères:

- Chaque fois que vous désirez expérimenter un nouvel outil, prenez le temps de répondre aux questions suivantes: quelle est la nature de cet outil? Quelle est son utilité? Ai-je une intention pédagogique derrière son utilisation? Pour qui vais-je utiliser cet outil? Comment? Quand? Où? Avec qui?
- Il se peut qu'un outil organisationnel ne convienne pas à tous les élèves ou à tous les enseignants en même temps. Ce n'est pas une raison pour l'abandonner. L'autonomie comportementale et intellectuelle s'acquiert lentement, et tous n'y arrivent pas avec la même intensité, au même moment. Il vaut mieux se placer dans un contexte de différenciation en diversifiant alors les exigences afin de pouvoir continuer son expérimentation.

5 L'objectivation

Tout au long de votre expérimentation, vous devrez vous donner la possibilité d'analyser votre expérience et de réguler votre intervention.

L'objectivation est, selon la définition de Conrad Huard, «un processus intellectuel d'intégration, de structuration et d'appropriation du vécu [...] un processus de réflexion permettant d'analyser et d'intérioriser son vécu» (Huard, 1985, p. 6). Pour un enseignant qui est en train de consolider ou de transformer ses pratiques de gestion de classe, c'est d'abord un temps où il prend une distance par rapport aux urgences du quotidien afin de réaliser, de manière explicite, une prise de conscience au regard du processus qu'il est en train de vivre ou qu'il a vécu.

Cette objectivation peut prendre la forme d'un récit: vous racontez à un collègue, à une amie, à votre journal de bord, ce qui se passe dans votre expérimentation. Elle peut aussi se vivre à l'aide de grilles d'auto-analyse qui sont insérées dans le présent guide, au début des chapitres 2 à 5. Du même coup, vous faites certaines prises de conscience qui vous permettent de vous approprier votre expérience, d'en tirer des leçons. L'objectivation est la véritable clé du changement.

L'objectivation entraîne quatre opérations :

- *Le recul par rapport au vécu :* Il s'agit de prendre une certaine distance pour observer globalement et objectivement ce qui est derrière soi.
- *L'analyse sans jugement :* On constate ce qui est en train de se passer, sans mettre d'étiquettes.
- *La conclusion :* On procède à une déduction des faits observés. On peut en dégager certaines lois, certains principes, même certaines leçons de vie qui guideront les actions à venir.
- *L'intériorisation :* Désormais, le fait vécu prend sa place dans un bagage d'expériences, un récit d'apprentissage. Il contribue à la formation d'une certaine sagesse qui s'inscrit dans le parcours d'une vie. Pour vous aider à mettre des mots sur votre expérimentation, consultez les pages 35 et 36, qui portent sur l'objectivation (*voir aussi fiche B, sur le site Web*).

6 La régulation

La régulation découle de l'objectivation. Il s'agit d'appliquer dans l'expérimentation les résultats de l'objectivation. Car il ne suffit pas d'observer, d'analyser, de dégager des principes ; il faut passer à l'acte. Ce réajustement ne devrait pas poser trop de problèmes si vous êtes conscient que vous êtes en expérimentation et si vous vous êtes laissé une marge d'erreur. La régulation fait partie du processus normal de tout apprentissage. Celui-ci requiert de l'indulgence envers soi-même et envers les élèves. Il peut être amorcé à partir des questions suivantes : pourquoi les choses n'ont-elles pas marché comme prévu ? Qu'est-ce qu'il faudrait modifier, enlever, ajouter, pour réussir l'expérimentation ?

En général, la régulation porte sur des aspects comme les stratégies, les démarches, les ressources, les procédures ou les suites à donner à tel ou tel acte.

Le processus d'objectivation est constamment repris au cours de l'expérimentation. Il entraîne donc une régulation constante.

APRÈS L'EXPÉRIMENTATION

Après la période d'expérimentation prévue, il vous faudra évaluer votre démarche et, si possible, réinvestir vos nouvelles compétences dans de nouveaux défis. Ce troisième et dernier temps de la démarche comporte deux étapes, soit celles de l'évaluation et du réinvestissement dans un autre défi.

7 L'évaluation

À cette étape, il s'agit d'apprécier et de mesurer les résultats obtenus dans l'accomplissement de votre défi sur l'une ou l'autre des composantes de la gestion de classe. Le processus d'évaluation peut se dérouler selon quatre sous-étapes :

- *L'intention de l'enseignant.*
- *La collecte des informations :* Les notes prises au moment de la préparation du défi, au cours de l'expérimentation et au moment de l'objectivation peuvent se révéler très précieuses. Elles donneront une assise à un jugement qui, autrement, resterait tout intuitif et approximatif.
- *Le jugement :* À partir des informations recueillies, il s'agit d'établir un lien entre le projet de départ et les résultats espérés. Y a-t-il conformité ? Sinon, quelles en sont les différences ? Quels en sont les écarts ? Pourquoi ? Quels sont les aspects positifs du résultat ? Les aspects négatifs ? Etc.
- *La décision :* Il faut voir si l'action doit être reprise, consolidée, modifiée ou encore abandonnée pour une autre.

La grille d'évaluation proposée, pages 36 et 37, vous aidera à porter un jugement sur l'apprentissage en lien avec le défi que vous aurez choisi de relever (*voir aussi fiche C, sur le site Web*).

8 Le réinvestissement dans un autre défi

Enrichi de vos nouvelles compétences, vous êtes prêt à vous lancer dans un nouveau défi. Vous en avez d'autant plus le désir que vous voyez déjà, sur le terrain, les résultats de votre nouvelle façon de gérer la classe. Maintenant que vous connaissez la démarche, vous désirez la consolider. Vous voulez aussi mesurer votre capacité de transférer vos acquis dans de nouveaux champs d'expérimentation. Avant d'entreprendre un nouveau projet, il est bon de prendre un temps d'arrêt pour lancer des ponts entre la réalisation actuelle et le prochain défi. Pour prendre un temps d'arrêt avant le prochain défi, vous pouvez utiliser la grille de réinvestissement pour réfléchir sur votre prochaine action, page 37 (*voir aussi fiche D, sur le site Web*).

De nouveaux repères pour tirer parti de ce guide

Quand revient septembre se présente comme un véritable instrument de travail permettant de s'approprier les multiples facettes de la gestion de classe participative. Pour en compléter le tour d'horizon, je vous invite à consulter la section « Caractéristiques de l'ouvrage », pages XIII à XV, afin d'apprivoiser de façon efficace et rapide les particularités de cette deuxième édition.

C'est un nouveau départ…

Bonne route !

Pour cerner mon défi

a) Quand je regarde la vie de ma classe ou de mes groupes de base, qu'est-ce qui me satisfait et qu'est-ce qui m'interroge ?

b) Si j'avais à cibler, parmi mes éléments de réponse à la question a), un défi à relever, une « priorité de développement », qu'est-ce que je choisirais ?

c) Cette problématique relève-t-elle :

- ☐ du climat organisationnel ?
- ☐ du contenu organisationnel ?
- ☐ de l'organisation de la classe ?
- ☐ de la gestion des apprentissages ?

d) Quels sont les gestes concrets que je peux faire pour améliorer la situation actuelle ?

e) Quelle est la première action que je choisis pour commencer maintenant à relever mon défi ?

f) Quelles sont les ressources humaines ou matérielles dont je dispose pour relever mon défi ?

g) Quelles sont celles dont j'aurais besoin ?

h) Quand est-ce que je commence ?

i) Par quoi est-ce que je commence ?

j) À quel moment m'arrêterai-je pour faire le point ?

k) Combien de temps est-ce que je me donne pour réaliser mon projet ?

l) Je relis maintenant ce que j'ai noté pour la préparation de mon projet. Y a-t-il des aspects à clarifier, des détails à préciser?

____

____

____

____

Me voici prêt à entreprendre la réalisation de mon projet!

Pour objectiver mon expérimentation

Voici quelques pistes qui peuvent vous aider à objectiver le défi que vous êtes en train de relever face à la gestion de classe participative:

a) Je suis capable de nommer:

- ce que j'ai appris à faire:

____

____

- ce que je suis capable de pratiquer avec aisance, avec facilité:

____

____

- ce que j'ai encore du mal à faire:

____

____

b) Je suis capable de raconter:

- ce que j'ai expérimenté:

____

____

- pourquoi je l'ai fait:

____

____

- comment je m'y suis pris:

____

____

- ce que j'ai apprécié :

____

____

- ce que je n'ai pas aimé :

____

____

- les difficultés que j'ai éprouvées :

____

____

- les réussites, les joies que j'ai vécues :

____

____

- les défis que je veux me donner pour poursuivre mon apprentissage :

____

____

Pour évaluer mon projet

Voici quelques pistes pour évaluer votre apprentissage dans le défi que vous avez choisi de relever face à la gestion de classe participative. Elles vous permettront d'évaluer :

- votre savoir ;
- votre savoir-faire ;
- votre savoir-être.

a) Mon savoir :

☐ Tous les éléments du défi que j'ai relevé sont clairs, je possède toutes les données sur la question.

☐ Quelques éléments sont en suspens, je manque d'informations.

☐ Rien n'est clair. J'aurais besoin de soutien.

b) Mon savoir-faire :

☐ C'est devenu facile pour moi.

☐ Je suis capable même si j'éprouve encore des difficultés.

☐ Même après plusieurs essais, je n'arrive pas à atteindre le but que je me suis fixé.

c) Mon savoir-être :

- ☐ Je me suis senti bien dans cette expérience.
- ☐ Parfois j'ai été contrarié et j'ai eu envie d'abandonner en cours de route.
- ☐ J'ai vécu de l'insécurité tout au long de mon expérimentation, mais malgré cet inconfort je tenais plus que tout à réaliser mon défi.
- ☐ Je me suis senti en conflit de valeurs par rapport à la teneur de mon défi.

Avant de me réinvestir dans un nouveau projet

Vous êtes fier d'avoir réalisé votre défi. Vous avez envie de vous lancer dans un nouveau projet. Mais avant, prenez le temps de faire le point.

a) Qu'est-ce qui m'a satisfait dans cette expérimentation ?

____

____

b) Qu'est-ce que je veux garder de cette expérimentation ?

____

____

c) Qu'est-ce que je veux éliminer de cette expérimentation ?

____

____

d) Qu'est-ce que je voudrais améliorer ?

____

____

e) Qu'est-ce qui m'interpelle encore ?

____

____

f) Qu'est-ce que j'ajouterais ?

____

____

g) Quel est le prochain défi que je veux relever ?

____

____

Quand l'enseignant prend trop de place en classe, l'apprenant risque d'être à l'ombre.

*Denise Gaouette**

J'AIMERAIS SAVOIR...

- Que veut dire, au juste, développer une approche centrée sur l'élève ?
- Quels sont les premiers gestes à faire lorsqu'un enseignant veut développer une approche centrée sur l'élève ?
- Y a-t-il des moments plus pertinents dans une année scolaire pour amorcer le développement d'une approche centrée sur l'élève ?
- Cette approche convient-elle à tous les groupes d'élèves, peu importe leur âge ?
- Existe-t-il des portes d'entrée plus stratégiques que d'autres pour développer cette approche avec des groupes d'élèves présentant des problèmes particuliers ?
- Comment faire l'arrimage entre la place de l'élève et celle de l'enseignant dans une approche centrée sur l'apprenant ?
- En instaurant une approche centrée sur l'élève, y a-t-il danger de porter ombrage à la dynamique de l'entité de la classe ?

* Conférencière et auteure ayant été enseignante au primaire, conseillère pédagogique et professeure à l'université

CHAPITRE

1

Développer une approche centrée sur l'élève

La philosophie sous-jacente au programme de formation[1]

En lisant attentivement les pages de présentation de la philosophie de son programme d'enseignement – qu'il s'agisse du programme de formation de l'école québécoise ou de celui d'une autre région canadienne ou européenne –, l'enseignant est frappé par l'approche qui y est privilégiée. La très grande majorité des programmes d'enseignement incitent les pédagogues à développer une approche éducative centrée sur l'apprenant et leur suggèrent:

Que veut dire, au juste, développer une approche centrée sur l'élève?

- de construire des situations d'apprentissage signifiantes qui tiennent compte du vécu de l'élève;
- de faire participer l'élève à ses apprentissages pour le rendre de plus en plus conscient du processus qu'il vit;
- d'aider l'élève à acquérir des habiletés propres à son âge et de lui fournir l'accompagnement nécessaire pour qu'il développe non seulement des compétences disciplinaires, mais aussi des compétences transversales;
- de respecter le droit à l'erreur de l'élève, car l'expérience se construit à partir de l'essai et de l'ajustement;
- de permettre à l'élève de créer des liens solides avec ses pairs dans des contextes d'entraide et de coopération afin qu'il puisse mener à terme des projets d'apprentissage;
- d'exploiter les divers contextes de l'environnement de l'élève au cours de la planification pour que les situations proposées tiennent aussi compte des domaines généraux de formation et des repères culturels.

Bref, les orientations ministérielles proposées pressent l'enseignant de donner à l'élève toute la place qui lui revient dans le processus d'apprentissage.

Une philosophie partagée

Jacques Tardif – qui s'est intéressé à l'enseignement stratégique et au transfert des apprentissages, de même qu'à l'évaluation des compétences – revient sur le paradigme de l'apprentissage dans deux de ses ouvrages (1992, 2006). Dans la logique du développement des compétences, il va de soi que l'évaluation soit intégrée au processus de l'apprentissage, puisque les compétences des apprenants se développent à partir d'un modèle constructiviste. Ce chercheur rappelle aux intervenants les trois principes de base du paradigme constructiviste qui placent vraiment l'élève au cœur de l'action pour que celui-ci puisse construire son savoir (Tardif, dans Hyon, 1993, p. 27 à 56):

1. L'apprentissage est un processus actif et constructif. En situation d'apprentissage, l'élève agit directement sur l'information qu'on lui présente, d'où l'importance que l'enseignant se centre sur le vécu de l'apprenant.

1. Comme la philosophie du programme de formation est un élément important du contenu organisationnel, elle est aussi abordée dans le chapitre 3.

2. L'apprentissage résulte de la création de liens entre de nouvelles données et les connaissances antérieures ancrées dans la mémoire à long terme de l'élève. Si l'apprenant n'est pas en mesure de lier un nouveau contenu avec d'autres déjà acquis, il ne pourra pas le traiter de façon significative. Il importe donc que l'enseignant soit attentif au parcours scolaire de l'élève et à son processus d'apprentissage.
3. L'apprentissage requiert l'organisation constante des connaissances, cela implique donc que l'élève doit participer à l'organisation et à la hiérarchisation de ses connaissances.

Si on remonte quelque peu le fil de l'histoire pédagogique au Québec, le Conseil supérieur de l'éducation a joué un rôle de penseur et d'éclaireur en adressant des avis au ministère de l'Éducation: *Une pédagogie pour demain à l'école primaire* (1991), *Pour une gestion de classe plus dynamique au secondaire* (1995) et *Une école secondaire qui s'adapte aux besoins des jeunes pour soutenir leur réussite* (2009). Le principal message envoyé aux instances ministérielles stipulait alors qu'il était capital que les enfants et les adolescents soient reconnus comme des personnes ayant des droits et des responsabilités, capables d'expression, de communication et d'autonomie. Ces recommandations très pertinentes invitaient déjà les enseignants à instaurer dans leur classe un climat propice à la participation des élèves, afin de redonner à chacun de ceux-ci le pouvoir sur ses apprentissages. Cela n'excluait pas pour autant la nécessité de la guidance de l'intervenant.

> La réappropriation par l'enfant de sa responsabilité vis-à-vis des savoirs devrait amener le maître à mieux comprendre l'enfant, à mieux connaître ce qu'il sait et, ainsi, à mieux le situer dans son cheminement. Elle devrait aussi permettre au maître de mieux saisir les besoins de l'enfant et les intérêts qu'il manifeste et de lui offrir, en retour, une réponse pédagogique plus adaptée. (Conseil supérieur de l'éducation, 1991)

Il n'y a pas qu'au Québec où le sujet était d'actualité. De l'autre côté de l'Atlantique, des personnes comme les chercheurs Philippe Meirieu et Philippe Perrenoud ont profité du contexte misant sur le développement des compétences pour inciter les enseignants à se centrer sur l'apprentissage des élèves. Il était clair pour eux qu'il fallait attribuer un rôle déterminant à l'élève dans l'édification de ses savoirs, si on voulait qu'il développe ses compétences.

> Nous n'en sortirons pas sans cette évidence: c'est l'élève qui apprend, et lui seul. Il apprend à sa manière, comme personne n'a jamais appris et comme personne n'apprendra. Il apprend avec son histoire, en partant de ce qu'il sait et de ce qu'il est. Aucune pédagogie ne peut faire l'économie de ce phénomène; toute pédagogie doit s'enraciner dans l'élève, dans ses connaissances empiriques, ses représentations, son vécu. (Meirieu, 2004, p. 95)

Philippe Perrenoud (2003, p. 26 à 29) constate également que l'école réussit à rejoindre tous les élèves, mais qu'elle échoue malheureusement

encore à tous les instruire. Devant cette évidence, la logique du développement des compétences s'impose... D'une pédagogie centrée sur les contenus d'enseignement, on se dirige vers une pédagogie centrée sur l'élève en train d'apprendre. Son discours est clair quand il affirme que l'école doit mettre davantage l'accent sur l'élève qui apprend et le soutien à lui apporter que sur la transmission des contenus.

Une philosophie mise en application

Ces prises de position claires, qui font de l'élève un artisan de ses apprentissages, sont stimulantes. D'une part, elles permettent d'établir une hiérarchie des valeurs dans l'intervention pédagogique : si l'élève est au premier plan, ce ne sont pas les contenus ou le calendrier scolaire qui devraient guider prioritairement les interventions en classe. D'autre part, elles soulèvent une question : comment, dans les faits, articuler une approche éducative centrée sur l'élève ?

Il n'existe pas de réponse unique à cette question, puisque les solutions sont multiples. Par contre, il demeure incontournable que chaque enseignant vive un cheminement de croissance pédagogique pour accéder à des réponses. Ce parcours implique d'abord :

- de connaître l'enfant et l'adolescent d'aujourd'hui ;
- d'établir une relation éducative appropriée ;
- de se donner un plan d'action.

Chacun de ces volets sera abordé dans les pages suivantes. Les pistes de réflexion et les outils pratiques proposés dans les prochains chapitres soutiendront ensuite l'enseignant dans son appropriation d'une approche véritablement centrée sur l'élève.

Connaître l'enfant et l'adolescent d'aujourd'hui

Les époques se suivent, mais les élèves ne se ressemblent pas !

L'élève des années 2010 est bien différent de celui de la célèbre Émilie Bordeleau, institutrice de la petite école de rang du roman *Les filles de Caleb*, d'Arlette Cousture. L'élève qui se trouve sur les bancs de l'école de votre quartier se distingue aussi de celui qui entrait en classe dans les années 1960, époque de grands bouleversements sociaux au Québec. Les valeurs étaient alors en mutation, la société se modernisait et l'éducation occupait désormais une place centrale dans les préoccupations du gouvernement. Cette période correspond d'ailleurs à la première réforme du milieu scolaire de la province avec la création de la commission Parent et la naissance du ministère de l'Éducation du Québec.

En fait, peu importe la région ou le pays d'origine, on peut affirmer que chaque génération d'élèves est quelque peu différente de celle qui la précède, puisque l'enfant est éduqué selon les valeurs préconisées dans son milieu de vie, de son noyau familial à son univers social. Dans le dernier quart du 20e siècle, la société québécoise est devenue multiethnique et ses principales institutions se sont laïcisées. Les avancées technologiques et le phénomène de la mondialisation ont bousculé de façon très importante le quotidien et les valeurs des gens. Choc des idées, des cultures, des ambitions : le regard que porte le citoyen d'aujourd'hui sur le monde qui l'entoure ne peut qu'être pluriel. L'élève de la décennie 2010 surfe sur cette vague nouvelle…

Ce constat m'amène à vous suggérer la lecture de l'encadré suivant, où l'on rencontre Florence et Xavier, deux élèves de 11 ans issus de la classe moyenne. À les regarder vivre, on perçoit bien qu'ils appartiennent à un monde empreint de différences. La description est quelque peu caricaturale et pourrait certes être nuancée selon les types d'élèves, mais elle permet de mettre en lumière les caractéristiques principales de l'élève d'aujourd'hui. Le tableau 1.1, pages 44 et 45, fournit ensuite quelques précisions qui vous permettront de pousser la réflexion afin de planifier une approche centrée sur l'élève.

Florence et Xavier, deux élèves d'aujourd'hui

Lorsque Stéphanie accueille ses élèves de 6e année à leur arrivée en classe, ces derniers ne sont pas toujours aussi frais et dispos qu'elle le voudrait bien. C'est le cas ce matin de Florence et de Xavier :

- Florence veut participer à un voyage à Toronto, en juin prochain, avec sa classe d'anglais. Elle adore voyager. Dans le but d'amasser un peu d'argent pour cette sortie, elle a encore accepté de garder le fils de sa voisine haïtienne. La jeune fille a passé sa soirée à regarder la télé et à texter quelques messages à sa meilleure copine.
- Xavier s'est branché sur son ordinateur après le souper pour jouer en ligne à son jeu préféré contre d'autres internautes à travers le monde qui nourrissent la même passion. À 22 h, son père est rentré de son nouveau travail et lui a suggéré de se mettre au lit.

Chacun évolue dans une famille à la discipline très souple. Xavier vit avec ses parents et Paulus, leur chien. Pour sa part, Florence partage son temps entre la demeure de sa mère — une réviseure pigiste dont la nouvelle amoureuse est une sympathique Marocaine — et celle de son père, où habitent aussi son frère de 15 ans, sa belle-mère et sa demi-sœur de 4 ans. Mis à part le rangement de leur chambre, les deux élèves de Stéphanie n'ont aucune responsabilité ménagère à accomplir de façon régulière à la maison.

En dehors de leurs activités familiales et scolaires, bien des occupations sont inscrites à leur agenda. Par exemple, Xavier joue au hockey et il fait du bénévolat à la bibliothèque en aidant des personnes âgées à naviguer sur le Web. Pour sa part, Florence se passionne pour l'improvisation et elle excelle en *cheerleading*. Elle signe aussi une chronique bimensuelle sur le recyclage dans le *Petit journal* de son école.

Les deux préadolescents ont l'habitude d'obtenir assez rapidement l'attention de leurs parents, et s'impatientent souvent quand Stéphanie ne fait pas preuve de la même diligence à leur endroit. L'enseignante sait très bien qu'elle doit faire preuve d'ingéniosité pour conserver l'attention de ces élèves ouverts sur le monde et habitués qu'on se soucie d'eux et qu'on les stimule. Les élèves de sa classe sont d'ailleurs de grands spécialistes du zapping : si un sujet leur semble manquer d'intérêt, ils passent vite à autre chose. Il est souvent difficile d'exiger qu'ils persistent dans une tâche. Face à leurs enseignants, ils ont un peu la même attente qu'à l'égard de leurs entraîneurs ou moniteurs : « Proposez-nous des défis pour nous intéresser et laissez-nous apprendre en faisant. Si on a besoin de vous, on vous le dira. »

La réalité dans laquelle évoluent Florence, Xavier et tous les camarades de leur classe les amène à faire face fréquemment à des habitudes et à des valeurs différentes des leurs, à d'autres façons de concevoir

l'autorité ou l'éducation. Ils doivent sans cesse s'adapter. Aussi, il leur arrive d'être désemparés, sans trouver dans leur entourage d'oreille attentive pour recevoir leurs confidences et combler leurs besoins affectifs. Course à la performance, intimidation, discrimination, accommodements, enjeux environnementaux, sexualité précoce et drogues sont déjà parmi les sujets qui les préoccupent. Parfois, ces jeunes agissent eux-mêmes comme confidents d'adultes aux prises avec des difficultés émotives ou financières. Ils ont à peine fini de croire au père Noël qu'ils entrent dans un monde marqué par des inquiétudes et des responsabilités pouvant dépasser leurs capacités.

Avec ses bons côtés et ses moins bons, le monde d'aujourd'hui forge les adultes de demain. À sa mesure, Stéphanie participe à ce mouvement en préparant ses élèves à s'épanouir et à jouer leur rôle en société : Florence s'imagine devenir ministre de l'Environnement d'une nouvelle coalition planétaire, alors que Xavier hésite entre ouvrir un musée virtuel de l'ordinateur, être un génie de l'informatique et devenir enseignant.

TABLEAU 1.1 LES LIGNES DE FORCE DU PORTRAIT DE L'ENFANT ET DU JEUNE ADOLESCENT D'AUJOURD'HUI

CARACTÉRISTIQUES PRINCIPALES	PRÉCISIONS
Il est un être d'action et d'émotions.	• Il s'engage pleinement dans l'aventure de sa propre vie. Il ne regarde pas le train passer; par la force des choses, il y monte et apprend à conduire la locomotive. • Il a besoin de croître en vivant des expériences et des réussites. • Son besoin d'action et d'émotions est tel qu'il zappe ce qui est trop lent ou ce qui ne l'intéresse pas. • Il a tendance à passer d'une chose à l'autre sans toujours les approfondir. La patience et la persévérance lui font souvent défaut. • Son enfance très stimulante lui permet de faire beaucoup d'apprentissages mais pas nécessairement de bien les intégrer. À côté de cela, la vie quotidienne en classe peut lui sembler monotone et le démotiver. • Il souhaite qu'on prenne le temps de l'écouter, qu'on lui donne l'occasion de s'exprimer.
Il carbure aux technologies de l'information et de la communication, et se nourrit d'images.	• Il a apprivoisé l'ordinateur avant d'apprendre à compter. • Il manœuvre avec aisance dans le cyberespace ; il habite littéralement l'univers virtuel. • Il connaît l'existence des réseaux sociaux, des blogues et des forums de discussion, et commence même à les utiliser seul. • Sollicité par la télévision traditionnelle, la webtélé, le cinéma et la publicité, il a développé une façon de voir le monde et d'exprimer sa pensée plus proche du rythme du montage de séquences visuelles que du déroulement des mots dans la phrase. • Il possède le langage et l'orthographe propres aux échanges écrits, transmis par les outils de communication technologiques.
Il est à la recherche de liens affectifs solides.	• Il a besoin d'un milieu de vie sécuritaire et positif, de même que de soutien à la maison, à l'école et dans son entourage. • Il y a beaucoup d'adultes dans son environnement proche, mais sa relation avec chacun d'eux n'est pas toujours claire ou durable, ce qui peut lui causer de l'anxiété.

TABLEAU 1.1 LES LIGNES DE FORCE DU PORTRAIT DE L'ENFANT ET DU JEUNE ADOLESCENT D'AUJOURD'HUI (*SUITE*)

CARACTÉRISTIQUES PRINCIPALES	PRÉCISIONS
	• Les figures parentales dans sa famille sont parfois plus nombreuses que les membres de sa fratrie. Il a tendance à recevoir beaucoup d'attention. • Il a la liberté de choisir comme modèles des personnes avec qui il n'a pas de liens biologiques, mais qui sont présentes d'une manière authentique dans le quotidien de sa vie. • Il a besoin de relations suivies et d'approbation. • À l'approche de l'adolescence, les questions liées à son identité et à la sexualité le préoccupent. • Le fait de se sentir accepté par ses pairs, ses parents, ses enseignants accroît son estime de soi. Cette caractéristique revêt une importance particulière dès la préadolescence.
Il vit peu de relations de médiation en milieu familial.	• Privé de la présence ou de la réelle disponibilité de médiateurs naturels, comme ses parents ou de nombreux frères et sœurs (voire sa famille élargie), l'élève développe plus difficilement certaines fonctions cognitives qui permettent de mieux appréhender la réalité, de la structurer et d'interagir avec elle*. • Ce faible niveau de médiation dans sa famille nuit à son acquisition des outils de base pour apprendre et profiter de l'enseignement offert à l'école. L'enseignant doit utiliser de façon optimale des situations d'apprentissage comme prétextes pour élaborer une stratégie, un principe de vie, un concept ou une signification. Ainsi, la médiation exercée par l'enseignant doit agir parallèlement sur la motivation et l'enthousiasme de l'élève de même que sur le sens et la pertinence des savoirs.
Il est à la recherche de structures et d'encadrement.	• Il a besoin d'occasions d'apprendre qui s'accompagnent de conseils, d'attentes claires et de limites. • Il ne trouve pas toujours suffisamment d'encadrement et de discipline dans son milieu familial et il cherche de tels repères dans ses activités de loisirs ou à l'école. • Il est heureux de participer en classe et se sent responsable lorsqu'il élabore des règles de vie et des procédures avec son enseignant et ses camarades. • La cohérence du comportement de son enseignant l'aide à se structurer.
Il est ouvert sur le monde.	• Il est habitué au changement, à la nouveauté. • Son esprit est ouvert aux différentes cultures qu'il côtoie dans son quartier, en voyage ou qu'il apprend à connaître par l'entremise de sources variées à sa disposition. • Il est davantage curieux des différences (cultures, religions, handicaps, troubles d'apprentissage, etc.) qu'il peut en être effrayé. Il cherche à comprendre. Son esprit s'ouvre à la tolérance, au respect, pourvu qu'il soit en contact avec des modèles positifs. • Malgré son jeune âge, il peut défendre une cause qui le touche, par exemple le respect de l'environnement.

* Sur la base des travaux de psychologues tels que Feuerstein et Sternberg, une équipe de chercheurs de l'Université du Québec en Abitibi-Témiscamingue a mis au point un programme d'actualisation du potentiel intellectuel (A.P.I.) visant à remédier en partie à cette situation, comme tentent de le démontrer les résultats préliminaires obtenus par plus de 1700 intervenants qui l'ont utilisé dans une quarantaine de commissions scolaires du Québec. Voir à ce sujet Audy, Ruph et Richard (1993).

Ces quelques traits esquissent le profil complexe de l'enfant et de l'adolescent d'aujourd'hui. Déjà, il est possible de poser la question : quel type d'accompagnement éducatif peut convenir à de tels élèves ?

Établir une relation éducative appropriée

Pour être cohérent avec le profil de l'enfant ou de l'adolescent d'aujourd'hui, tel qu'il vient d'être esquissé, l'enseignant devra donc développer un type particulier de relation éducative. Il sera, selon les termes de Jacques Tardif (1992, p. 303), tantôt penseur ou preneur de décisions, tantôt motivateur, modèle, médiateur ou entraîneur. Globalement, il est possible de dire que cette relation de guide prendra deux formes bien définies : l'encadrement et l'accompagnement.

Pour un meilleur encadrement

On l'a vu, les enfants et les adolescents d'aujourd'hui évoluent souvent dans un cadre familial où les règles ne sont pas stables et souffrent d'un manque de cohésion. Ils doivent constamment ajuster leur échelle de valeurs, entre autres lorsqu'ils vivent en famille reconstituée. Plus que jamais les enfants et les adolescents ont donc besoin d'un solide encadrement à l'école, lieu où discipline, attention et autocontrôle sont des préalables à l'apprentissage.

De quel encadrement s'agit-il ? Faut-il revenir à un cadre disciplinaire où l'enseignant est le seul détenteur de l'autorité ? Les enseignants qui tenteront ce retour en arrière mesureront vite la gravité de leur erreur. Si les enfants et les adolescents d'aujourd'hui ont besoin d'un cadre solide, ils ont aussi besoin de participer, comme des personnes responsables, à la construction de ce cadre de vie. Encadrement soit, mais encadrement dans le partage des responsabilités.

Plutôt que d'intervenir autoritairement, l'enseignant sera bien inspiré de mettre en place, dans la classe, des façons d'amener les élèves à s'engager à divers niveaux de son fonctionnement.

L'encadrement des comportements

L'enseignant proposera aux élèves, par exemple, de construire ensemble un référentiel disciplinaire précisant les règles de vie, les conséquences d'application ou les modes de réparations liées à ces règles. Il les amènera à objectiver et à autoévaluer leurs comportements, à dépister leurs forces, à se donner des défis. Il leur fournira des occasions de voir comment ils sont perçus par leurs pairs. Le fait de manifester une présence régulière auprès de ses élèves lui permettra de cerner leur image, de faire le point sur leur profil d'apprentissage et leur parcours scolaire, et de développer chez eux une estime de soi positive.

L'encadrement des apprentissages

L'enseignant présentera les objets ou résultats d'apprentissage aux élèves et les placera dans des contextes de situations ou de projets d'apprentissage.

Il leur permettra de faire une objectivation tout au long de leur démarche d'apprentissage afin de favoriser l'autorégulation. Il planifiera avec eux l'échéancier des tâches, leur apprendra à utiliser des outils pour gérer leur temps et facilitera l'autocorrection de leurs travaux. L'enseignant aidera les élèves à se constituer des banques de stratégies qui alimenteront leur coffre à outils afin de les soutenir dans le développement de leurs compétences d'ordre méthodologique, etc. En un mot, il rendra ses élèves responsables de la construction de leur propre savoir.

L'encadrement dans l'évaluation de leurs apprentissages

L'enseignant révélera clairement aux élèves l'intention de l'évaluation, ses objets et ses critères. Il leur communiquera les seuils de réussite ou les invitera à s'en fixer eux-mêmes, particulièrement dans des moments de formation de base. Il mettra entre leurs mains des outils d'autoévaluation et les guidera dans la gestion de leur portfolio d'apprentissage. En ce sens, il les invitera sans cesse à se donner de nouveaux défis pour réinvestir leurs nouvelles compétences et transférer ainsi leurs apprentissages.

Ainsi, on le voit, l'encadrement proposé aux élèves sera à la fois souple et solide. L'enseignant agira à la fois comme penseur et preneur de décisions dans la mise en place de cet encadrement. Les élèves seront ses partenaires. Il acceptera alors de partager le pouvoir avec eux à l'intérieur de structures définies conjointement. Plutôt que de les démotiver ou d'annihiler leur liberté, cette forme d'encadrement facilitera la construction de leurs apprentissages, de leur sens des responsabilités de même que leur maturation.

L'accompagnement de l'élève

Les élèves d'aujourd'hui n'ont pas seulement besoin d'encadrement, ils ont encore et surtout besoin d'accompagnement. Cet accompagnement est un art. Il consiste à se joindre aux élèves pour aller où ils vont, en même temps qu'eux. Certes, cette fonction d'accompagnement est facile à énoncer, mais beaucoup plus difficile à incarner dans la vie de tous les jours. Elle mérite qu'on prenne le temps de la scruter de l'intérieur. Implicitement, l'enseignant accompagnateur doit accepter d'exercer trois rôles spécifiques et transversaux : celui de conduire, de guider et d'escorter les apprenants (Paul, 2003).

1. *Conduire.* Tout d'abord, le rôle de *conduire* porte sur l'univers de l'éducation, de la formation et de l'initiation. Il implique l'idée d'une autorité exercée, d'une poussée vers l'avant, d'une sollicitation à la mise en mouvement par un élément dynamique quelconque. Au moment de la mise en projet, l'élève a besoin d'être rejoint dans sa zone proximale de développement afin de trouver la signifiance nécessaire pour se mobiliser autour d'un défi ou d'une situation d'apprentissage qui lui permettra de se développer. C'est là que l'enseignant exercera son pouvoir d'influence pour *conduire l'élève vers un but précis.*

2. *Guider*. Puis, le rôle de *guider* correspond au registre du conseil, de la guidance sur l'orientation à prendre, les repères à se donner pour se situer. Cela signifie aussi, pour l'enseignant, être capable d'anticiper ce qui s'en vient pour apporter une attention soutenue pendant que l'apprenant vivra son projet d'apprentissage. Bref, *intervenir de façon adéquate selon les diverses étapes de la construction du savoir*. Tout au long de l'itinéraire le conduisant au but du voyage, l'enseignant fera preuve de guidance auprès de l'élève en tenant compte des besoins qu'il exprimera en cours de route.
3. *Escorter*. Finalement, le rôle d'*escorter* s'inscrit dans la perspective de l'aide, de l'assistance, du secours, de la protection. Pour remplir ce rôle adéquatement, il faut d'abord que l'enseignant développe une écoute et une sensibilité à l'égard de chaque élève tout au long de sa trajectoire pour repérer si celui-ci est en situation de difficulté. Par la suite, conséquemment, il pourra intervenir pour soutenir l'apprenant dans son parcours afin de le protéger contre le découragement ou l'abandon devant un obstacle lui paraissant insurmontable. En fin de compte, l'enseignant escortera l'apprenant pour *l'aider à assumer jusqu'au bout le projet d'apprentissage qu'il s'est donné*.

N'y a-t-il pas un parallèle très subtil entre les trois étapes du processus d'apprentissage (la préparation à l'apprentissage, l'expérience de l'apprentissage elle-même et l'intégration de l'apprentissage) et les trois rôles liés à la fonction de l'accompagnement ? Toutefois, l'exercice de ces rôles n'est pas rigide au point d'être tranché au couteau. Par exemple, il se peut que dans un même contexte l'enseignant doive faire marche arrière pour guider plus d'une fois un élève qui s'égare de la tâche ou encore escorter un élève dont la motivation est en train de s'effriter alors qu'il commence à peine son apprentissage. Il ne faut pas perdre de vue que, pendant qu'un élève apprend, il doit y avoir un maître qui joue pleinement son rôle de guidance. Autrement, comment peut-on parler de véritable « accompagnement » ?

Connaître l'apprenant pour mieux l'accompagner

Concrètement, le premier pas de l'accompagnement est donc la connaissance de l'apprenant. L'enseignant ne se contente pas de savoir le nom et l'âge de ses élèves, leur origine sociale ainsi que le nom de leurs parents. Il se donne les outils nécessaires pour saisir tout ce qui gravite autour de leur profil d'apprentissage et de leur parcours scolaire :

- leurs attentes et celles des parents par rapport à l'école ;
- leurs champs d'intérêt permanents ou temporaires ;
- leurs acquis en ce qui a trait à l'apprentissage ;
- leur rythme d'apprentissage ;
- leur style d'apprentissage – visuel, auditif ou kinesthésique –, leurs formes d'intelligence prédominantes ;

- leur façon de traiter l'information – séquentielle ou simultanée, ou encore analytique ou synthétique ;
- leurs forces et leurs faiblesses sur le plan scolaire ;
- leur degré et leur source de motivation ;
- la perception qu'ils ont d'eux-mêmes, de leur enseignant, de l'école, etc.

Cette connaissance, si elle est authentique, mènera à une attitude de respect. L'enseignant sera conscient des besoins des élèves et il aura le souci de prendre en compte ces besoins dans son accompagnement : le besoin d'être pris au sérieux, le besoin de vivre le plaisir de la découverte, le besoin d'agir et de réagir en toute liberté, le besoin de temps pour prendre conscience de leurs expériences, le besoin de partage et de relations, etc.

Ce respect revêtira une forme spéciale quand l'enseignant se trouvera face à un élève éprouvant des besoins particuliers. Derrière un comportement dérangeant, derrière des difficultés d'apprentissage, se cache assurément une réalité humaine ou pédagogique qu'il est important de saisir avant d'agir ou même de porter un jugement définitif. Plutôt que d'écarter le problème ou de déclarer qu'il s'agit d'une cause perdue et qu'il n'y a pratiquement plus rien à faire, l'enseignant mettra tout en œuvre pour cerner les difficultés de l'élève : de quel ordre sont-elles ? Quelles en sont les manifestations, les conséquences ? Après une analyse sérieuse, il sera en mesure de choisir le style d'intervention qui convient le mieux.

Existe-t-il des portes d'entrée plus stratégiques que d'autres pour développer cette approche avec des groupes d'élèves présentant des problèmes particuliers ?

- Est-ce un élève motivé, qui n'est pas capable, qui fait face à des problèmes d'apprentissage ?
- Est-ce un élève en survie, aux prises avec le mal de l'âme, éprouvant des problèmes d'adaptation à la vie ?
- Est-ce un élève capable, mais pas motivé, que l'école ne réussit pas à aller chercher ?
- Est-ce un élève qui éprouve de graves problèmes de comportement, ayant une incidence sur le groupe ?
- Est-ce un élève qui n'est ni motivé ni capable, qui vit quotidiennement le décrochage scolaire ?

L'enseignant trouvera aux pages 59 à 70 des exemples d'outils destinés à mieux lui faire connaître ses élèves. Il pourra les utiliser non seulement en début d'année, mais chaque fois que le besoin s'en fera sentir. L'idéal serait qu'il garde des traces écrites de ses observations dans un journal de bord, un cartable de consignation, un classeur de données ou même sur des fichiers électroniques. Il pourrait ainsi s'y référer lorsque viendra le temps de prendre des décisions pédagogiques au regard des composantes observées. De cette façon, il raffinera de plus en plus sa connaissance de chacun des élèves de sa classe ou de ses groupes d'enseignement.

Ajuster son intervention pédagogique au profil et au parcours de l'élève

Le premier pas de la connaissance amènera l'enseignant à découvrir la nécessité de passer à une adaptation ou à une individualisation de son intervention pédagogique. Si chaque élève a son profil particulier et si l'enseignant veut en tenir compte afin d'amener celui-ci aussi loin qu'il peut aller, il lui faut établir dans la classe une relation pédagogique qui convienne à chacun. Le défi est de taille. Qu'est-ce qu'il représente dans les faits ? Ce défi nous conduit à faire certaines constatations et à anticiper les interventions suivantes :

- Après avoir situé **le profil motivationnel** (la source et le degré de motivation) de l'élève, l'enseignant interviendra en se servant de cette motivation comme d'un tremplin.
- Après avoir repéré **le style d'apprentissage ou les formes d'intelligence prédominantes** de l'élève, l'enseignant se servira de cette porte d'entrée. La connaissance des divers styles d'apprentissage ou de la théorie des intelligences multiples l'amènera à découvrir les territoires connus des élèves de même que les zones inexplorées vers lesquelles ceux-ci ne sont pas portés à aller spontanément.
- Après avoir évalué **le rythme selon lequel l'élève parvient à conceptualiser et à transférer ce qu'il apprend,** l'enseignant mettra en œuvre une pédagogie favorisant l'adaptation des processus et l'accommodation des contenus ; il va de soi que certains outils organisationnels seront nécessaires pour réaliser de telles mesures de différenciation.
- Après avoir découvert **la complexité d'un concept de même que les liens à établir dans le développement d'une compétence,** l'enseignant planifiera son enseignement sous forme de scénarios ou de séquences d'apprentissage orientés vers la réussite optimale de chacun de ses élèves.
- Après avoir saisi **les écarts qui existent dans les divers profils et parcours de ses élèves,** l'enseignant créera un aménagement physique de la classe ouvert à la gestion de ces différences.
- Après avoir compris **le degré de maturité comportementale** de chacun, l'enseignant s'efforcera de gérer la discipline dans sa classe ou son groupe de base en tenant compte des différences afin de favoriser le développement de l'autodiscipline chez ses élèves.
- Après avoir identifié **les élèves qui éprouvent des besoins particuliers,** l'enseignant planifiera, animera et évaluera des mesures d'aide spécifique adaptées à chaque élève ou à chaque groupe d'élèves.
- Après avoir **apprivoisé un certain nombre de différences,** et plus particulièrement celle qui est liée au rythme pour conceptualiser et transférer les acquis, l'enseignant élaborera des situations d'apprentissage et d'évaluation larges et ouvertes pour que chaque apprenant puisse y trouver son compte.

- Après avoir reconnu que **l'évaluation est désormais intégrée à l'apprentissage**, puisque celle-ci doit être à son service, l'enseignant nuancera les critères d'évaluation et précisera des seuils de réussite adaptés aux possibilités de l'élève. Il ira même jusqu'à aider l'élève à réguler ses connaissances et ses habiletés dans de nouveaux défis de façon à assurer une progression continue.

Les qualités de motivateur, de modèle, de médiateur et d'entraîneur sont constamment sollicitées dans ces interventions. Elles ne visent finalement qu'à faire de l'élève le principal artisan de son apprentissage et à établir entre lui et l'enseignant une relation de complicité, une alliance dans son processus de croissance.

L'heure juste

L'accent mis sur la construction d'un modèle participatif et responsabilisant, voire différencié, soulèvera sans doute des objections qui tiennent bien la route : « Est-ce utopique de croire que ce modèle pédagogique peut se faire ? Est-ce réaliste de penser que ce modèle pédagogique se vit déjà dans certaines classes ? Pourtant, dans un groupe-classe, il n'y a pas qu'un seul élève. Comment trouver le temps requis pour s'occuper de chaque apprenant ? Est-il possible d'animer une classe tout en pratiquant un accompagnement pédagogique correspondant aux besoins de chaque élève ? »

L'enseignant qui reconnaît la nécessité d'établir une relation pédagogique particulière avec chaque élève et qui, en même temps, se sent responsable de tout un groupe n'a vraiment pas le choix d'apprendre à gérer les différences. Toutefois, comme Rome ne s'est pas construite en un jour, il serait sage pour l'instant que cet enseignant se soucie de mettre en place une gestion de classe axée sur la participation et la responsabilisation. N'est-ce pas là un terreau fertile pour cultiver par la suite la différenciation des apprentissages ? Au fil du temps et de l'expérience, ce second défi deviendra plus accessible.

Il faut être honnête et admettre que la tâche d'apprendre à différencier les apprentissages n'est pas aussi simple que ce qui est véhiculé la plupart du temps. Elle exige des compétences qui ne sont pratiquement jamais sollicitées dans les établissements où l'on donne la formation initiale ; et puis, au cours des sessions de formation continue, on a souvent tendance à concevoir le groupe de participants comme un tout homogène. De plus, cette différenciation des apprentissages est plus ou moins présente dans les classes lorsque les futurs enseignants vivent des stages d'observation ou de prise en charge. Même des enseignants expérimentés réclament la possibilité d'aller visiter des classes qui privilégient ce mode de fonctionnement. Les banques de classes-hôtesses pour effectuer de telles visites et créer des réseaux d'entraide sont à peu près inexistantes dans le réseau scolaire.

Pour se ranger du côté de la culture des différences, l'enseignant doit pouvoir se référer à des représentations mentales afin de visualiser ce que cela signifie dans la vie de tous les jours. La bonne intention est là, mais la possibilité de passer à l'action est trop loin de la réalité actuelle...

On le sait pourtant, la classe est faite d'un ensemble de personnes de cultures différentes aux champs d'intérêt différents, aux forces différentes, aux motivations et aux aspirations différentes. Si l'enseignant veut réellement en être l'animateur, il doit apprendre à vivre avec ces différences

En instaurant une approche centrée sur l'élève, y a-t-il danger de porter ombrage à la dynamique de l'entité de la classe ?

plutôt que de lutter contre elles. Les ignorer ou encore chercher à les niveler en les cristallisant ne figurent pas parmi les meilleures options. Assurément, l'enseignant doit se donner les instruments nécessaires pour animer un groupe d'élèves, mais il doit aussi se pencher sur la nécessité de gérer des sous-groupes d'apprentissage momentanés où chacun peut tour à tour travailler selon son style, son rythme, ses champs d'intérêt, ses besoins spécifiques tout en poursuivant les mêmes résultats d'apprentissage ou le développement d'une même compétence. Cette réalité «plurielle» fait partie intégrante de la compétence à gérer une classe.

L'utilisation de *Quand revient septembre* facilite la mise en œuvre d'un éventuel plan d'action. L'ouvrage propose des champs d'intervention, des pistes de réflexion et d'analyse ainsi que des exemples d'outils pratiques. Son rôle est de favoriser la reconnaissance de petits pas constructifs qui conduiront l'enseignant vers un nouveau mode de gestion de classe.

Se donner un plan d'action

Il ne suffit pas d'avoir l'intention d'assurer un type d'accompagnement éducatif pour y arriver. Rapidement, l'enseignant pourra se sentir tiraillé entre son désir d'adapter ou d'individualiser son intervention pédagogique et la nécessité de tenir compte des différences dans sa classe ou ses groupes de base. Il lui faut donc se donner un plan d'action. Celui-ci permettra à l'enseignant d'arriver, par étapes, à la mise en place d'une gestion de classe participative qui suppose une approche réellement centrée sur l'élève.

La mise en place de la gestion de classe participative

Quand faut-il commencer?

Des enseignants seront tentés de dire: «Je vais laisser passer les premières semaines de septembre, les premiers mois de l'année, et après je verrai... Je voudrais que mes élèves soient plus autonomes avant de me lancer dans la gestion de classe participative.»

Et l'on continuera de voir dans la classe les scénarios suivants: «Madame Sophie, est-ce que je peux aller aux toilettes?» «J'ai fini l'exercice, peux-tu le corriger, s'il te plaît?» «Est-ce que je peux tailler mon crayon?» «Je ne comprends pas, quand est-ce que tu vas m'expliquer?» «J'ai fini mon travail, qu'est-ce que je fais?»

Y a-t-il des moments plus pertinents dans une année scolaire pour amorcer le développement d'une approche centrée sur l'élève?

Manifestement, ces élèves sont dépendants de l'adulte qui est devant eux. Ils le resteront tant et aussi longtemps que l'enseignant n'aura pas compris qu'il se garde un pouvoir jaloux d'être l'unique ressource indispensable. Il est évident que les élèves, dans ces conditions, ont peu de chances de devenir un jour autonomes et responsables. Créer les conditions d'une gestion participative dès le début de l'année, c'est se donner les meilleures chances de sortir du cercle infernal contrôle-dépendance. C'est donc dès le début du premier cours ou de la première journée de classe qu'il faut au moins placer les élèves dans la perspective d'une gestion de classe participative.

Par où faut-il commencer?

Pour cheminer vers une gestion de classe participative, l'enseignant doit franchir des étapes. Chacun de ses pas constructifs le rapprochera de son but...

- Premier pas: définir, pour soi-même, sa philosophie de l'éducation et de l'enseignement. (*Voir outils 3.1 et 3.2, p. 163 et 164*)

Avant de se lancer dans la gestion de classe participative, l'enseignant doit être au clair avec ses valeurs et ses croyances en matière d'éducation. Pourquoi fait-il ce métier? Quels sont ses objectifs? Quelle est sa conception de l'apprentissage? Il doit également bien connaître son style personnel d'enseignement, son propre rythme face à l'innovation ainsi que sa démarche d'apprentissage. Il peut garder des traces écrites de cette réflexion et y revenir de temps en temps au cours de l'année pour constater les changements, se rappeler ses convictions profondes.

Quels sont les premiers gestes à faire lorsqu'un enseignant veut développer une approche centrée sur l'élève?

- Deuxième pas: concevoir et mettre en place dans la classe des activités pour accueillir les élèves. (*Voir outil 1.1, p. 59 et 60, et outil 1.3, p. 62 à 66.*)

  L'enseignant se donne les moyens d'aider les élèves à exprimer leurs attentes face à l'école et à leur enseignant. Parallèlement, il se prépare à déclarer à son tour ses propres attentes à l'égard des élèves. Avec eux, il réfléchira sur ce qu'est un «bon élève». Les portraits du «bon élève» et du «bon enseignant» pourront rester affichés dans la classe ou notés soigneusement dans l'agenda scolaire. Ils constitueront des éléments pertinents à intégrer au projet éducatif d'une classe ou d'une équipe d'intervenants au secondaire.

- Troisième pas: consulter les élèves sur ce qu'ils désirent vivre et apprendre au cours de l'année.

  La question «Quelles activités aimeriez-vous réaliser et quels projets auriez-vous le goût de vivre à l'école cette année?» pourrait être un prétexte pour ouvrir la discussion avec les élèves. Ce pas est nettement stratégique. L'enseignant élabore avec les élèves une liste de projets éventuels et se constitue en tant que «mémoire» du groupe en prenant note de toutes les suggestions qui sont données. Toutefois, pour ne pas leurrer les élèves, il fera preuve de sagesse et d'honnêteté en éliminant tout de suite avec eux les activités qui n'ont aucun espoir de survie sur le plan de l'exécution, tellement celles-ci ne sont pas réalistes et réalisables.

  Les résultats de cette collecte de données seront soigneusement conservés. Enseignant comme élèves pourront y avoir recours pour faire des suggestions de projets à concrétiser tout au long de l'année. Ces données serviront éventuellement à établir le profil de la classe. En jetant un seul coup d'œil à ce référent, l'enseignant aura une vision d'ensemble des champs d'intérêt et de besoins de ses élèves. D'autre part, les élèves seront très intéressés à évaluer régulièrement les efforts que fait leur enseignant pour répondre aux désirs qu'ils ont émis.

- Quatrième pas: aménager et décorer la classe en collaboration avec les élèves. (*Voir outil 1.3, p. 65 et 66.*)

  L'enseignant prépare et réalise avec les élèves l'aménagement du local en ne versant pas dans des manœuvres manipulatrices. Cette intervention sur le plan spatial représente déjà un début de gestion de classe participative. L'opération est un bon test de sa capacité de prendre en compte véritablement les suggestions des élèves, sans abdiquer ses responsabilités. Il va de soi que bon gré mal gré la négociation s'impose...

- Cinquième pas: construire un encadrement disciplinaire avec les élèves. (*Voir outil 2.4, p. 102 à 106.*)

L'expérience de la formulation des activités éducatives et de l'aménagement de l'espace est peut-être une occasion pertinente pour commencer à formuler des règles de vie dans la classe. Il s'agit, avec le groupe-classe, de déterminer les comportements négociables et les comportements non négociables. Ainsi, les limites de la tolérance de l'enseignant et des élèves seront clairement fixées, et chacun pourra s'y reporter dans le feu de l'action. Ce référentiel disciplinaire fera diminuer les controverses et renverra chacun à l'exercice de ses responsabilités. Il aidera aussi l'élève à vivre dans les faits son propre pouvoir sur sa vie.

En même temps que l'enseignant travaille à l'émergence de ce référentiel disciplinaire, il lui faut prévoir avec les élèves des mécanismes d'application et de non-application, vécus si possible sous forme de conséquences éducatives associées aux règles de vie. Plus la manière de réparer le geste fautif sera naturelle, c'est-à-dire en lien direct avec le comportement désiré, plus elle jouera un rôle important dans le développement de l'autodiscipline. Ce rapport fondé sur l'action et la réaction aide les élèves à établir des liens de cause à effet dans leurs comportements et à sortir du monde de l'arbitraire. C'est une façon pour eux d'apprivoiser et de vivre la théorie du choix. Ils prennent conscience, ici encore, du fait que tout ne tombe pas du ciel et qu'ils disposent d'un pouvoir véritable sur certains événements de leur vie. Ils peuvent choisir d'agir en toute connaissance de cause, mais ils doivent être prêts à assumer les conséquences de leurs actes. On enseigne donc à des élèves à être responsables et redevables de leurs décisions, alors que la société met surtout l'accent sur l'importance des droits.

Cette période de structuration disciplinaire pourra également mener à la formation d'un conseil de classe ou à la mise en place d'un conseil de coopération[2].

- Sixième pas : collecter des informations sur les goûts personnels et les champs d'intérêt individuels en matière d'activités éducatives ou de projets d'apprentissage. (*Voir outil 1.5, pages 68 et 69.*)

Même si une démarche similaire a été vécue au point 3, soit celle d'identifier les champs d'intérêt collectifs, l'enseignant ne doit pas négliger de le faire également sur le plan individuel. À l'aide d'un questionnaire et d'une grille de compilation, l'enseignant recueille des informations pertinentes qui sauront le guider dans le choix de projets, de recherches ou de thèmes de production orale et écrite. Ces informations peuvent aussi lui donner des portes d'entrée signifiantes lorsqu'il désire aborder un élève plus timide, plus introverti pour établir un contact ou discuter avec lui.

Avec le support d'une banque de données, la compilation électronique des données est moins lourde à gérer. Cette démarche de collecte de champs d'intérêt devrait être vécue au moins trois fois par année, car les élèves nourrissent des goûts temporaires tout aussi bien que permanents.

2. Voir l'ouvrage de Danielle Jasmin (1994). *Le conseil de coopération*, Montréal, Chenelière Éducation. L'auteure y livre son expérience du conseil de coopération qu'elle a mis en pratique dans ses classes, lors de sa carrière d'enseignante. Elle décrit également la démarche et les modalités pour instaurer un conseil de coopération.

- Septième pas : préparer avec les élèves la première rencontre de parents du début de l'année. (*Voir outil 2.8, p. 116 à 122.*)

  L'enseignant discutera avec les élèves :
  - des points importants à présenter aux parents ;
  - des attentes des élèves et de l'enseignant face à cette rencontre ;
  - des modes d'engagement des parents dans le vécu de la classe ou celui d'un groupe de base tout au long de l'année.

  L'enseignant pourra prévoir avec les élèves un mode de participation effective à cette rencontre :
  - la préparation d'une carte d'invitation ;
  - un message de bienvenue ;
  - l'accueil des parents par les élèves à l'entrée, la remise de l'ordre du jour de la rencontre ;
  - la présentation du référentiel disciplinaire : des attentes des élèves, des attentes de l'enseignant, des règles de vie, des conséquences d'application ou de la banque de réparations ;
  - la description par des élèves de l'organisation de la classe et un aperçu du menu d'une journée ou d'une période ;
  - la présentation des projets parascolaires et des activités éducatives qui se vivront au cours de l'année ;
  - la préparation et le service d'un goûter ;
  - etc.

  La réunion des parents pourra mener à la formation d'un conseil de parents au sein de la classe, si les parents et l'enseignant en manifestent le désir.
- Huitième pas : engager les élèves sur le terrain plus délicat de la pédagogie. (*Voir chapitre 5.*)

  L'enseignant trouvera divers moyens d'amener les élèves à s'engager de plus en plus dans le processus de l'acquisition des connaissances et du développement de leurs compétences :
  - Il présentera le programme de formation aux élèves, leur permettra de lui toucher, de le feuilleter pour qu'ils se rendent compte par eux-mêmes du parcours qui leur est proposé pour l'année qui vient. Il leur décrira dans un langage adapté les résultats d'apprentissage ou la liste des compétences à développer. Il laissera même une liste de ces objets ou résultats d'apprentissage, au moins en français et en mathématiques, à leur disposition dans la classe.
  - Il définira les outils de collecte d'informations qu'il compte utiliser pour évaluer les apprentissages au cours de l'année ainsi que leur fréquence. De cette façon, les élèves n'auront pas l'impression d'être piégés par l'évaluation.
  - Il proposera aux élèves différents types d'organisation du travail : personnel ou collectif, en dyades de dépannage ou d'entraide, en équipes de travail ou coopératives. Il procédera à l'installation de ces structures et définira avec les élèves leur manière d'aider les

Comment faire l'arrimage entre la place de l'élève et celle de l'enseignant dans une approche centrée sur l'apprenant ?

autres à apprendre de même que les façons d'apporter leur contribution lorsqu'ils travailleront avec des équipiers (*Voir chapitre 4*).

- Il complétera avec les élèves l'aménagement de la classe pour répondre aux besoins des diverses formes de travail prévues : la place d'un pupitre d'autocorrection, l'aménagement d'un centre d'exploration et de manipulation, la localisation d'une aire d'enrichissement, l'espace où l'on pourrait réunir les élèves en sous-groupes, etc. (*Voir chapitre 4*).
- Enfin, l'enseignant pourra choisir avec les élèves de se donner une mascotte, un personnage-complice ou un logo. Il verra à intégrer cette mascotte, ce personnage ou ce logo dans le vécu de la classe pour que cette initiative s'inscrive dans le quotidien des élèves.

Et si l'on ne peut tout faire ?

Certains enseignants pourront être effrayés autant par la somme de travail qu'une telle organisation de classe semble nécessiter que par la place qu'elle donne à l'élève dans la vie de la classe. Ils auront peur d'être déstabilisés ou encore de se trouver rapidement débordés. Ils veulent bien « essayer », mais plus simplement…

À titre de suggestion, voici un ordre d'implantation d'exemples d'outils organisationnels permettant de planifier une approche centrée sur l'élève. Les figures 1.1, ci-dessous, et 1.2, page 57, illustrent bien une évolution échelonnée sur deux phases. La première phase propose une série d'interventions plus simples à implanter auprès d'élèves plus jeunes ou moins matures, mais sollicitant quand même leur implication. La seconde phase est orientée vers la mise en place de structures participatives ; elle exige donc des modifications dans l'aménagement et le fonctionnement plus traditionnels de la classe.

FIGURE 1.1 | PHASE 1 : DES INTERVENTIONS INDÉPENDANTES DES STRUCTURES ACTUELLES

L'enseignant :

1. dit l'objet ou le résultat d'apprentissage à l'élève, avant de décrire la tâche d'apprentissage ;
2. écrit le menu du cours ou de la journée au tableau ;
3. fait décoder les états d'âme des élèves à un moment jugé opportun lors d'un cours ou de la journée ;
4. exprime les consignes de façons différentes :
   - il les dit ;
   - il les écrit ;
   - il demande à l'élève de les reformuler ;
   - il les illustre (matériel, images, schémas) ;
   - il les fait mimer par des élèves, quand c'est possible ;
   - il fait une démonstration ;
   - il permet à ses élèves de s'en parler deux à deux, de se les expliquer pendant quelques minutes ;
5. prévoit une période d'observation, de survol de la tâche d'apprentissage avant de donner des explications. Ce temps permet à l'élève de visualiser la tâche, de se situer par rapport à celle-ci et de développer ainsi une intention d'écoute. L'intérêt et la participation seront meilleurs pendant la période d'écoute décrétée « obligatoire » ;
6. installe dans la classe un mécanisme pour la circulation du courrier interne ; une boîte à lettres, par exemple, qui sert autant à

…

FIGURE 1.1 | PHASE 1: DES INTERVENTIONS INDÉPENDANTES DES STRUCTURES ACTUELLES (*SUITE*)

l'enseignant qu'à chacun des élèves. Certaines réalités sont plus faciles à écrire qu'à dire;

7. habilite les élèves à composer avec des échéanciers dans la réalisation de leurs travaux. Il commence par de courtes échéances et augmente progressivement la longueur des délais accordés;
8. utilise des dyades de dépannage spontanées pour développer l'entraide et la coopération dans les apprentissages;
9. habitue les élèves à s'attribuer des rôles à l'intérieur d'une équipe, chaque fois qu'ils utilisent cette forme de travail. Les rôles de base sont le gardien de la parole, du temps, du matériel, de la tâche, le journaliste ou le reporter. Selon le contexte ou l'âge des élèves, on peut ajouter des rôles plus complexes, soit ceux d'écrivain, de gardien de la mémoire, d'animateur des discussions, de secrétaire, etc.;
10. suggère aux élèves de noter dans un carnet d'apprentissage ou un journal scolaire ce qu'ils vivent, ce qu'ils apprennent, ce qu'ils comprennent ou ne comprennent pas, ce qu'ils aiment ou n'aiment pas;
11. construit avec les élèves un tableau de responsabilités.

FIGURE 1.2 | PHASE 2: DES STRUCTURES PARTICIPATIVES À IMPLANTER

L'enseignant:

1. définit avec les élèves une procédure de débrouillardise. Grâce à cette dernière, il tente de les amener à découvrir les diverses ressources qui peuvent les aider dans la classe lorsqu'ils sont dans une impasse. On en fait une affiche qui illustre les divers paliers de la procédure en question qui vise le développement de l'autonomie. L'élève se rend compte rapidement que les rôles sont inversés: il se retrouve au premier plan de l'action tandis que son enseignant devient la dernière ressource qu'il peut consulter (Voir *Quand revient septembre,* volume 2, p. 45 à 52.);
2. met en place le référentiel disciplinaire, avec la participation des élèves;
3. instaure dans la classe le principe d'autocorrection et choisit avec les élèves un espace à cet effet ainsi que le matériel nécessaire;
4. constitue des dyades d'entraide qui sont de nature structurée et permanente (au moins pour quelques mois). L'enseignant précise leur rôle et enseigne des stratégies pour qu'une véritable coopération puisse s'instaurer au sein de chaque duo;
5. prépare un menu d'activités d'enrichissement et introduit à cette intention un tableau d'enrichissement;
6. dresse avec les élèves des démarches et des stratégies ayant trait aux compétences d'ordre méthodologique;
7. met en place un centre d'exploration et de manipulation. Alimenté par un matériel structuré et non structuré, cet espace devient un support indispensable pour tenir compte des étapes de la formation de concepts, plus particulièrement de celles du concret et du semi-concret;
8. prévoit, dans le cadre d'un menu ouvert, des cliniques obligatoires, des cliniques avec inscriptions ou encore des ateliers de récupération;
9. met en place quelques centres d'apprentissage de manière à enrichir ce qui se vit dans certains coins de la classe; ainsi, il transforme ceux-ci en centre de lecture et en centre de l'informatique;
10. se sert de sous-groupes d'apprentissage momentanés orientés tantôt vers les besoins scolaires, tantôt vers les champs d'intérêt, tantôt vers les rythmes d'apprentissage, tantôt vers les styles d'apprentissage, etc.;
11. modifie l'aménagement physique de la classe au fur et à mesure qu'une structure nouvelle prend forme au sein du panorama de la classe. D'un modèle centré sur l'enseignement de l'enseignant, les élèves passent à un modèle interactif et participatif.

FIGURE 1.3 | CRÉER ET CULTIVER UNE APPROCHE CENTRÉE SUR L'ÉLÈVE

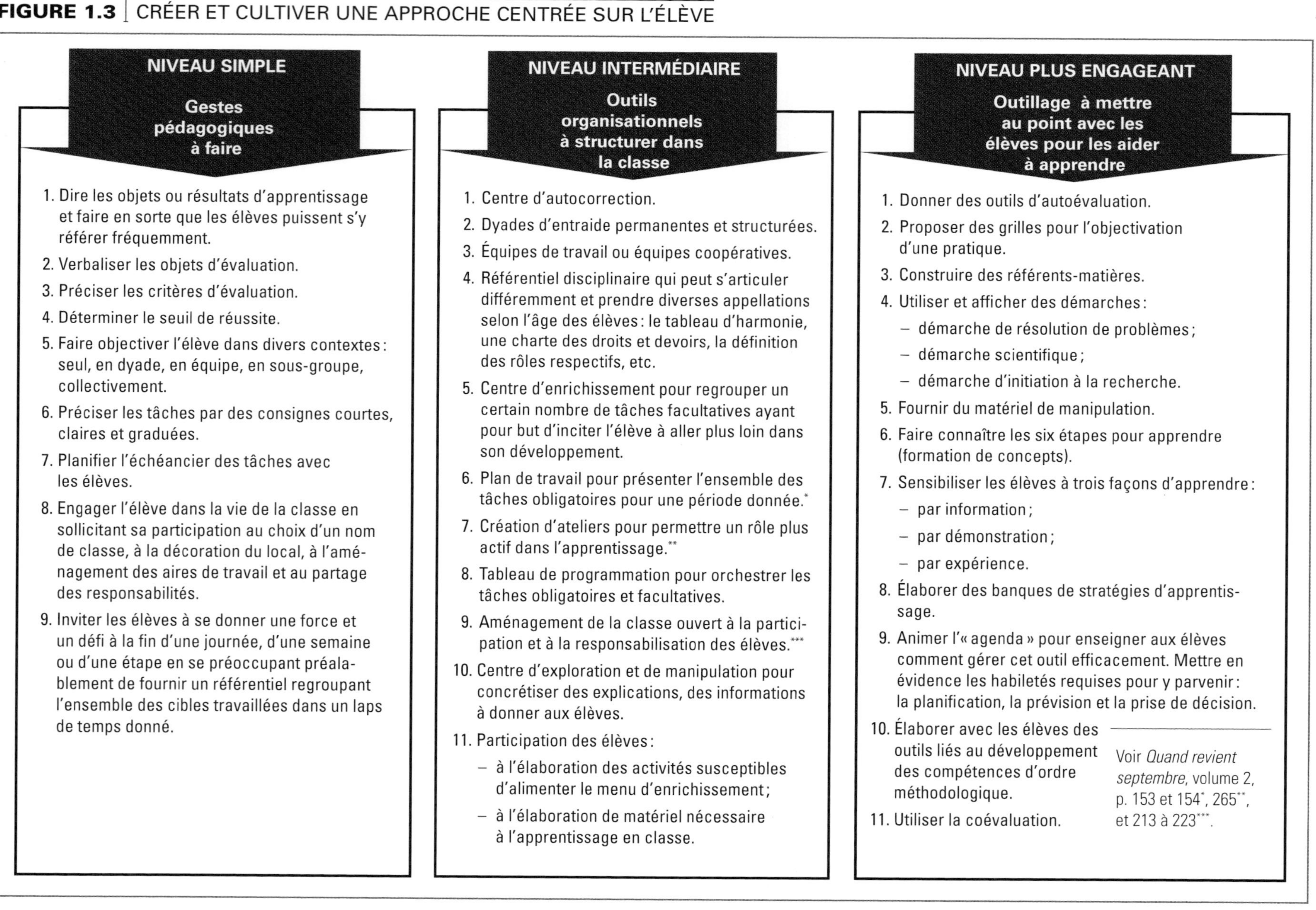

NIVEAU SIMPLE

Gestes pédagogiques à faire

1. Dire les objets ou résultats d'apprentissage et faire en sorte que les élèves puissent s'y référer fréquemment.
2. Verbaliser les objets d'évaluation.
3. Préciser les critères d'évaluation.
4. Déterminer le seuil de réussite.
5. Faire objectiver l'élève dans divers contextes : seul, en dyade, en équipe, en sous-groupe, collectivement.
6. Préciser les tâches par des consignes courtes, claires et graduées.
7. Planifier l'échéancier des tâches avec les élèves.
8. Engager l'élève dans la vie de la classe en sollicitant sa participation au choix d'un nom de classe, à la décoration du local, à l'aménagement des aires de travail et au partage des responsabilités.
9. Inviter les élèves à se donner une force et un défi à la fin d'une journée, d'une semaine ou d'une étape en se préoccupant préalablement de fournir un référentiel regroupant l'ensemble des cibles travaillées dans un laps de temps donné.

NIVEAU INTERMÉDIAIRE

Outils organisationnels à structurer dans la classe

1. Centre d'autocorrection.
2. Dyades d'entraide permanentes et structurées.
3. Équipes de travail ou équipes coopératives.
4. Référentiel disciplinaire qui peut s'articuler différemment et prendre diverses appellations selon l'âge des élèves : le tableau d'harmonie, une charte des droits et devoirs, la définition des rôles respectifs, etc.
5. Centre d'enrichissement pour regrouper un certain nombre de tâches facultatives ayant pour but d'inciter l'élève à aller plus loin dans son développement.
6. Plan de travail pour présenter l'ensemble des tâches obligatoires pour une période donnée.*
7. Création d'ateliers pour permettre un rôle plus actif dans l'apprentissage.**
8. Tableau de programmation pour orchestrer les tâches obligatoires et facultatives.
9. Aménagement de la classe ouvert à la participation et à la responsabilisation des élèves.***
10. Centre d'exploration et de manipulation pour concrétiser des explications, des informations à donner aux élèves.
11. Participation des élèves :
    - à l'élaboration des activités susceptibles d'alimenter le menu d'enrichissement ;
    - à l'élaboration de matériel nécessaire à l'apprentissage en classe.

NIVEAU PLUS ENGAGEANT

Outillage à mettre au point avec les élèves pour les aider à apprendre

1. Donner des outils d'autoévaluation.
2. Proposer des grilles pour l'objectivation d'une pratique.
3. Construire des référents-matières.
4. Utiliser et afficher des démarches :
    - démarche de résolution de problèmes ;
    - démarche scientifique ;
    - démarche d'initiation à la recherche.
5. Fournir du matériel de manipulation.
6. Faire connaître les six étapes pour apprendre (formation de concepts).
7. Sensibiliser les élèves à trois façons d'apprendre :
    - par information ;
    - par démonstration ;
    - par expérience.
8. Élaborer des banques de stratégies d'apprentissage.
9. Animer l'« agenda » pour enseigner aux élèves comment gérer cet outil efficacement. Mettre en évidence les habiletés requises pour y parvenir : la planification, la prévision et la prise de décision.
10. Élaborer avec les élèves des outils liés au développement des compétences d'ordre méthodologique.
11. Utiliser la coévaluation.

Voir *Quand revient septembre*, volume 2, p. 153 et 154*, 265**, et 213 à 223***.

Source : Centre de formation Jacqueline Caron inc.

Pour sa part, la figure 1.3, page 58, donne une vision d'ensemble des divers gestes pédagogiques que l'on peut faire afin d'engager l'élève dans son projet d'apprentissage. Regroupées en trois zones, ces interventions ont été classées par ordre de complexité dans leur utilisation, tant du côté de l'enseignant que de celui des élèves :

1. Gestes pédagogiques à faire (niveau simple) ;
2. Outils organisationnels à structurer dans la classe (niveau intermédiaire) ;
3. Outillage à mettre au point avec les élèves pour les aider à apprendre (niveau engageant).

Cette approche convient-elle à tous les groupes d'élèves, peu importe leur âge ?

Dans ce chapitre et les chapitres suivants, tous ces outils et de nombreux autres sont fournis à titre d'exemples. Ils contribueront peu à peu à enrichir le coffre à outils de l'enseignant qui chemine avec ses élèves sur la route de la participation et de la responsabilisation.

Le choix des outils

1.1 Quelles sont tes attentes ? Quelles sont mes attentes ?

L'identification des attentes en début d'année

Contexte et utilité

Dans le cadre des activités d'accueil, il est important de vérifier les attentes des élèves à l'égard de leur enseignant. Qu'est-ce qu'un bon enseignant pour eux ? S'ils avaient à le choisir, comment souhaiteraient-ils qu'il soit ?

Par la suite, l'enseignant invite ses élèves à cerner en sa compagnie ce que celui-ci est en mesure d'attendre d'eux. En plus d'être l'animateur de la discussion, l'enseignant ne doit pas se gêner pour ajouter son grain de sel lorsqu'il le juge nécessaire. Qu'est-ce qu'un bon élève ? Quelles devraient être les attentes de l'enseignant envers ses élèves ?

Ces référentiels deviendront en quelque sorte un élément du projet éducatif d'une classe ou d'un groupe de base.

Pistes d'utilisation

1. Au début de l'année scolaire, vivez une animation collective autour des questions soulevées ci-dessus. En plus de recevoir les attentes verbales des élèves, discutez-en avec eux. L'encadré de la page 60 suggère une procédure pour vivre cet échange.
2. Transcrivez les portraits obtenus à la suite de votre discussion avec le groupe-classe sur des cartons distincts, que vous afficherez à proximité du référentiel disciplinaire au-devant de la classe.
3. De temps à autre, faites le point sur la qualité de vos relations humaines à partir de ces référentiels. À titre de rappel, autant pour vous que pour les élèves, relisez les listes d'attentes au début de chaque étape de manière que chacun se réajuste si cela s'avère nécessaire.
4. Transformez les attentes en contrat de comportement, si vous le désirez. (*Voir fiches 1.1a et 1.1b, p. 406 et 407.*)

Les fiches reproductibles mentionnées dans cette section peuvent être consultées en format réduit aux pages 406 et suivantes. Elles sont offertes en format lettre (8,5 po × 11 po), sous forme de fichiers PDF et Word, sur le site Web http://quand-revient-septembre2.cheneliere.ca. L'enseignant qui a acheté cet ouvrage peut les importer sur son ordinateur, les modifier selon ses besoins et les imprimer.

5. Insérez ces deux cartons dans le tableau mural, qui regroupe déjà les règles de vie, la banque de réparations ou tout autre mécanisme d'application.
6. Au fil des jours, utilisez ces deux listes d'attentes pour identifier des forces et suggérer des défis à vos élèves, comme ces derniers peuvent également le faire pour vous. En prenant un certain recul, l'élève tout comme l'enseignant peuvent se demander: «Est-ce que j'ai été un bon élève?» «Est-ce que mon enseignant a été un bon enseignant, exactement comme nous lui avions demandé?» «Suis-je un bon enseignant?»
7. Pour aller plus loin dans cette perspective, demandez aux élèves de vous préparer un «bulletin» et de vous le remettre à la fin de la prochaine étape. (*Voir outil 1.2, p. 61 et 62.*)

Comment faire l'arrimage entre la place de l'élève et celle de l'enseignant dans une approche centrée sur l'apprenant?

Définir les attentes des élèves et celles de l'enseignant

- Laissez les élèves s'exprimer librement afin de préciser leurs attentes et déterminer ce qui caractérise, selon eux, un bon enseignant et un bon élève. Ayez une attitude ouverte en participant à la discussion. À la suite de plusieurs sondages réalisés en classe, voici quelques exemples d'attentes souvent formulées par les élèves à l'égard de leur enseignant:
  - Il est humain, il sourit, il écoute ses élèves, etc.
  - Il est compétent: il connaît parfaitement sa matière et il est capable de bien la transmettre à ses élèves.
  - Il est juste avec tous les élèves, n'a pas de chouchou, de préféré.
  - Il est patient avec les élèves, plus particulièrement avec ceux qui éprouvent des difficultés.
  - Il possède le sens de l'humour.
- Parmi les idées soulevées, choisissez avec vos élèves celles qui correspondent le mieux aux attentes et aux valeurs de l'ensemble du groupe.
- La liste définitive des attentes des élèves est ensuite formulée en phrases simples et précises.
- On procède de la même façon pour la liste des attentes de l'enseignant.

Vous venez ainsi de dresser votre portrait de l'enseignant idéal et de l'élève idéal!

Remettre les pendules à l'heure

Régulièrement, du moins à chacune des étapes de l'année scolaire, les deux listes d'attentes serviront de mémoire collective pour objectiver le vécu affectif et cognitif afin de déceler les forces et les faiblesses de chacun. Des défis peuvent être suggérés de part et d'autre au regard de ce qui a été exprimé et reconnu dans la classe. Il serait intéressant de concevoir ces référentiels dans une perspective évolutive, c'est-à-dire que, tout au long de l'année, ces derniers peuvent être enrichis d'autres attentes. Autrement, ces affiches risquent de devenir rapidement des référentiels statiques, non signifiants que les élèves jetteront bien vite aux oubliettes.

1.2 Une force et un défi pour mon enseignant, pourquoi pas ?

La remise d'un bulletin par l'élève à son enseignant

Contexte et utilité

À chaque étape, l'enseignant donne un bulletin à ses élèves. Dans la perspective de renforcer l'impact d'un modèle participatif en classe, pourquoi ne pas permettre aux élèves de faire la même chose en préparant eux-mêmes un bulletin à l'intention de leur enseignant ? L'improvisation sur ce plan n'est pas à conseiller, sinon les résultats escomptés pourraient être catastrophiques.

Cette initiative doit se préparer progressivement au fil du temps. Tout au long de l'étape, donnez aux élèves des défis et valorisez leurs forces, autant verbalement que par écrit, pour qu'ils puissent apprivoiser ce genre de rétroaction.

Afin que ce bilan se vive le plus sérieusement possible, fournissez aux élèves deux listes de forces et de défis en lien avec les divers rôles d'un enseignant. Ce support visuel permettra aux élèves d'avoir une vision globale de la tâche de l'enseignant ; il contribuera aussi à alimenter leur vocabulaire afin de trouver des mots adéquats pour nommer dans un climat de respect ce qu'ils vivent, ressentent ou perçoivent.

Pistes d'utilisation

1. Élaborez un référentiel décrivant la tâche d'un enseignant ; l'élève y trouvera une liste de points forts et de points faibles pouvant inspirer le choix de ses commentaires. (*Voir fiches 1.2a et 1.2b, p. 407 et 408.*) Ce pourrait être aussi le panneau déjà existant intitulé « Qu'est-ce qu'un bon enseignant ? ». (*Voir outil 1.1, p. 59 à 61.*)
2. Demandez aux élèves de trouver une force qui vous caractérise et de vous proposer un défi pour améliorer un autre aspect de votre métier d'enseignant. Progressivement, vous pouvez augmenter le niveau d'exigence. Dans cette perspective, voici des accommodations possibles :

- L'enseignant peut utiliser un seul tableau à la fois, soit celui des forces pour un premier partage. Une autre fois, il insistera sur le tableau des défis.
- Il peut jumeler les deux tableaux, si les élèves et lui-même se sentent prêts à vivre cette expérience.
- L'enseignant peut aussi diminuer le nombre de comportements observables à l'intérieur des deux listes de façon à alléger la manipulation des données.
- De même, l'enseignant peut cibler la composante de la classe qui lui semble prioritaire au lieu d'amener les élèves à évaluer l'ensemble des quatre composantes. Par exemple, pour le premier bulletin, il met l'accent sur le climat tandis que pour une seconde rétroaction, il se concentre plutôt sur l'organisation de la classe.

3. Ce décodage des perceptions des élèves à l'égard de l'enseignant est vécu plus facilement s'il est réalisé par écrit ou à l'aide de pictogrammes plutôt que verbalement.
4. Accueillez ce que les élèves ont à vous livrer dans un climat de confiance sans vous laisser envahir par la culpabilité ou l'insécurité.
5. Notez ce qui a été dit. Réagissez, au besoin, en exprimant votre point de vue aux élèves.
6. Tenez compte des commentaires des élèves dans le quotidien.
7. Pour une utilisation optimale de cet outil, souciez-vous également de diversifier les contextes. Ainsi, l'exercice proposé prendra différentes formes selon l'âge des élèves, les expériences scolaires antérieures que ceux-ci ont vécues, le moment de l'année scolaire où les élèves feront cette évaluation, la qualité du climat existant ou encore le degré de sécurité de l'enseignant.

Remettre les pendules à l'heure

Pour que cette activité de rétroaction porte ses fruits, l'enseignant doit résister à la tentation de chercher à se disculper chaque fois qu'un point négatif est soulevé. Autrement, les élèves comprendront vite que l'intention n'est pas sincère et que l'enseignant ne partage pas véritablement le pouvoir avec eux. À cet instant, ils se replieront sur eux-mêmes, refusant d'exprimer ouvertement leur point de vue, ce qui ne les empêchera pas de traduire le fond de leur pensée en dehors des murs de la classe et de l'école.

Des banques d'activités d'accueil en début d'année

1.3 Comment puis-je t'accueillir dans la classe ?

Contexte et utilité

Souvent, l'accueil des élèves en début d'année a tendance à se limiter soit aux activités d'accueil prévues au sein d'une école, soit aux échanges portant sur les souvenirs de vacances. Bien d'autres gestes peuvent être faits dans le but de créer un climat motivant dans la classe. Le fait de connaître tous les élèves sous différents angles peut permettre une meilleure intégration de chaque enfant ou de chaque adolescent à la communauté d'apprenants. Pourquoi ne pas faire preuve d'un peu plus de créativité et d'innovation dans ce domaine?

Pistes d'utilisation

1. Constituez-vous une banque d'activités d'accueil. L'encadré des pages 64 à 66 vous suggère trois banques d'activités d'accueil: la première porte sur l'aspect humain, la deuxième sur l'exploitation de la thématique de la rentrée scolaire, et la dernière, sur l'appropriation de l'environnement par les élèves.
2. Faites un choix d'activités ou encore demandez aux élèves de trouver des moyens pour qu'ils prennent vraiment possession de leur classe. Établissez un échéancier selon l'activité choisie.
3. Assurez-vous que le volet «accueil» touche les différents aspects de la personne: les états d'âme, les centres d'intérêt, les attentes, les formes d'engagement dans la classe, le partage des responsabilités, etc.
4. Veillez à accueillir chaque élève pour lui démontrer non seulement qu'il est le bienvenu dans la classe, mais qu'il occupe une place importante dans la communauté d'apprenants au même titre que ses camarades.
5. Vivez un accueil progressif. Échelonnez cette période d'apprivoisement tout au long du mois de septembre. Prévoyez chaque jour une quinzaine de minutes à cette intention.
6. Objectivez le vécu des activités d'accueil avec les élèves, notez les points positifs et les éléments à améliorer.
7. Conservez ce bilan pour enrichir l'accueil de l'année suivante.
8. Tout au long de l'année scolaire, portez quotidiennement cette priorité de l'accueil des élèves. Chaque jour, posez des gestes dans ce sens (*voir fiche 1.3a, p. 408*).

Pour les enseignants qui désireraient travailler en cycles d'apprentissage ou en communautés d'apprenants professionnels dans la perspective de vivre de la différenciation à l'externe, il serait opportun de penser à organiser *un accueil interclasses.* Celui-ci permettrait de créer des liens humains entre les élèves et les enseignants-titulaires des autres classes de même qu'entre les élèves appartenant aux divers groupes concernés par d'éventuelles périodes de décloisonnement.

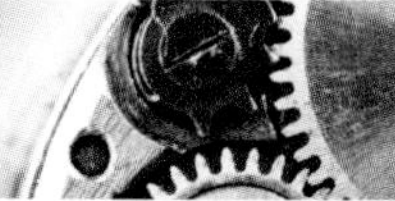

Remettre les pendules à l'heure

Demeurer « branché » sur le vécu des élèves

Ce volet de l'accueil ne doit pas se limiter seulement au vécu des premiers jours de l'année scolaire. L'enseignant ne doit pas tourner la page sur ce qui ressort des activités d'accueil lorsque les élèves ont le loisir de recourir à divers moyens d'expression pour entrer en relation avec leurs camarades. Le pédagogue doit récupérer toutes les observations qu'il fait pour créer des contextes d'apprentissage signifiants autour de la thématique de la rentrée scolaire.

De plus, la connaissance de l'élève devra se poursuivre tout au long de l'année si l'enseignant désire demeurer « branché » sur le vécu de ses élèves.

L'appropriation de la classe par les élèves

Parmi les coutumes de la rentrée scolaire, on trouve bien sûr celle d'organiser sa classe avant que les élèves se pointent le bout du nez. Assurément, l'intention de rendre le local agréable et accueillant est louable en soi, mais qu'en est-il du sentiment d'appartenance que les élèves devraient acquérir face à ce nouvel environnement? Très souvent, l'enseignant prend tellement de place que les élèves constatent à leur arrivée que la classe ne leur appartient pas véritablement et que cette situation risque de perdurer toute l'année. Pourquoi ne pas profiter de ce contexte d'appropriation de la classe

pour faire réaliser divers apprentissages aux élèves dans une ambiance de travail où le pouvoir et les responsabilités sont partagés ?

L'enseignant qui emprunte l'avenue de la participation devra renoncer à certaines habitudes et envisager des options de remplacement. Le titulaire ou le chargé d'un groupe peut signifier sa joie de voir arriver sa nouvelle cohorte d'élèves en plaçant tout simplement dans la classe un bouquet de fleurs, un arrangement de ballons, une belle présentation de pommes rouges, un message de bienvenue, un extrait de chanson ou encore une pièce de musique instrumentale. Et si les élèves n'attendaient que l'occasion d'identifier leur pupitre, de suggérer un thème pour l'année, de décorer la classe, de participer à l'aménagement, etc. ?

Une banque d'activités d'accueil en début d'année

Des activités d'accueil centrées sur l'aspect humain

La présentation de l'enseignant

- *La conférence de presse :* l'enseignant se prête au jeu de la conférence de presse. Il est la personnalité que l'on interviewe tandis que les élèves tiennent le rôle de journalistes. Ils le questionnent afin de mieux faire sa connaissance.
- *L'enseignant-vedette :* l'enseignant se présente à ses élèves en abordant chaque jour un aspect de sa vie personnelle pendant une semaine. Par exemple : son enfance (lundi), son hobby préféré (mardi), un souvenir de voyage (mercredi), sa vie familiale (jeudi), son animal de compagnie (vendredi).
- *Le portfolio affectif :* l'enseignant construit son portfolio affectif durant les vacances estivales, et la première journée de classe, il se dévoile humainement à ses élèves. L'enseignant peut l'utiliser aussi pour se présenter aux parents de ses élèves lorsqu'il tiendra sa soirée d'informations aux parents. (*Voir outil 1.4, p. 66 et 67.*)

La présentation des élèves

- *L'heure des confidences :* chaque élève révèle aux autres un détail, une information sur sa personne.
- *L'élève-vedette :* chaque élève prend la vedette dans la classe pour une journée ou plus. Il se présente, parle de sa vie et de ses champs d'intérêt.
- *Le portfolio affectif :* l'élève identifie ce qui le caractérise et choisit les éléments qu'il désire partager avec les autres. Il construit son portfolio et le présente à chacun de ses camarades.
- *Qui suis-je ? :* chaque élève compose une ou quelques devinettes sur lui, sur son aspect physique et peut-être aussi sur certains traits de sa personnalité. Il place les devinettes dans une enveloppe ou une boîte. En grand groupe ou en équipes de quatre, les élèves associent ces devinettes à chaque camarade de la classe.
- *Donnez au suivant :* chaque élève rédige un texte le décrivant. Il écrit cette présentation sur un carton de 27,6 cm × 21,3 cm, découpe son carton en plusieurs pièces, ce qui constituera un casse-tête. Les élèves échangent leurs casse-tête.
- *Un cadeau :* chaque élève réalise un bricolage pour offrir à un ami de la classe.
- *Un grand casse-tête :* l'enseignant rédige un message de bienvenue qu'il écrit sur un grand carton. Il découpe ce carton en autant de pièces qu'il a d'élèves. Il distribue un morceau de casse-tête à chaque élève. Le groupe doit refaire le casse-tête pour y découvrir le message. *Variante de cette activité :* On peut faire plusieurs casse-tête et les faire assembler en équipe.
- *Un message de bienvenue :* les élèves rédigent en équipe un message de bienvenue pour les autres élèves de la classe. Si le message est une phrase, ils découpent cette phrase en mots ; s'il comprend plusieurs phrases, ils le découpent donc en phrases. Les autres équipes doivent reconstituer le message.
- *Une affiche promotionnelle :* les élèves réalisent une affiche mettant en vedette leurs goûts et leurs champs d'intérêt : sports, émissions de télévision, films, loisirs, vedettes préférées, musique préférée, etc. Ils présentent ensuite leur affiche à leurs camarades.

- *L'autoportrait :* à l'aide du dessin, de la peinture ou de retailles de tissu, l'élève réalise son portrait ou celui d'un de ses camarades de classe. Les travaux sont exposés et les élèves sont invités à regarder de plus près les productions de leurs camarades.
- *Le résumé d'interview :* deux à deux, les élèves préparent une interview pour apprendre à mieux se connaître. Chaque élève présente aux autres camarades de la classe son partenaire de la façon la plus originale possible.
- *Un objet mystérieux :* chaque élève apporte un objet ayant un lien avec un moment particulier de ses vacances. Il le place dans un sac et fournit trois indices au groupe-classe. Ses camarades essaient de résoudre l'énigme.

Des activités d'accueil centrées sur l'exploitation de la thématique de la rentrée scolaire

- *Nos champs d'intérêt et nos passions :* au cours de discussions, l'enseignant tente d'identifier les champs d'intérêt collectifs du groupe-classe afin de s'en servir comme leviers à l'apprentissage.
- *Je parle de mes goûts et de mes préoccupations :* l'enseignant procède au décodage de champs d'intérêt personnels à l'aide de questionnaires écrits adaptés à l'âge des élèves et de grilles de compilation ; ces informations aideront l'enseignant à mieux intervenir en regard du profil motivationnel de chaque élève.
- *À la recherche du thème de l'année :* l'enseignant lance un concours visant à déterminer le thème de l'année. Individuellement ou en équipe, les élèves proposent un thème et ils votent en groupe-classe pour en retenir un seul. Un autre concours peut ensuite être lancé pour illustrer la thématique retenue.
- *Et si on parlait de nos vacances :* l'enseignant choisit des cibles de discussion et les répartit sur une semaine. Il privilégie également des moyens d'expression différents. Pour les élèves, les défis pourraient ressembler à ceux-ci :
  - le moment le plus agréable de mes vacances, traduit par un dessin ou une peinture (lundi) ;
  - un apprentissage que j'ai fait durant mes vacances, véhiculé à l'aide du mime, de l'expression corporelle ou dramatique (mardi) ;
  - une personne avec qui j'ai passé des moments agréables, présentée par l'entremise d'une communication orale (mercredi) ;
  - un animal que j'ai côtoyé, décrit par un modelage ou une sculpture (jeudi) ;
  - le moment le plus triste de mes vacances, exprimé par un court texte expressif (vendredi).
- *Le palmarès des activités éducatives :* à partir de l'éventail d'activités qui a été fait précédemment, les élèves, réunis en équipe de quatre, choisissent une activité parmi celles-ci. Ils essaient de convaincre, dans un texte à caractère incitatif, les autres camarades de la classe que leur activité est la meilleure et qu'elle devrait se retrouver dans les premières positions du palmarès de leur classe.

Des activités d'accueil centrées sur l'appropriation de l'environnement par les élèves

- *Une classe à baptiser :* dès les premiers jours de la rentrée, l'enseignant suggère aux élèves de trouver un nom original pour représenter ce lieu où ils vivront ensemble toute l'année ou pour désigner le groupe auquel ils appartiendront. Il invite les élèves à faire un remue-méninges, à énumérer tous les noms possibles, sans les évaluer, sans porter de jugement. Il détermine avec les élèves les critères d'évaluation qui leur permettront de choisir le meilleur nom possible. À titre d'exemple, ces critères pourraient ressembler à ceux-ci :
  - Un nom qui est riche au point de vue de l'exploitation, c'est-à-dire auquel on peut y greffer différents projets.
  - Un nom qui se visualise facilement afin que l'on puisse en faire l'illustration dans le décor du local.
  - Un nom qui représente bien ce que le groupe-classe désire vivre cette année en classe.
  - Un nom que les élèves seraient fiers de porter.
- Laissez les élèves opter pour le nom de leur choix, par un débat, un vote écrit ou un consensus verbal. Cette activité ouverte d'apprentissage permet à l'élève de développer quatre habiletés intellectuelles selon la théorie des talents de Taylor (Bourget, 1985) : la divergence, l'évaluation, la convergence et la prise de décision. Dans cette perspective, il est important de se rappeler

que l'évaluation se situe dans les niveaux supérieurs de la pensée, c'est-à-dire qu'elle représente le talent le plus élevé dans l'échelle de Taylor, et que cette habileté peut se définir ainsi : l'habileté à examiner soigneusement des données ou des solutions à partir de critères avant de prendre une décision.

- *Mon espace vital :* l'enseignant propose aux élèves de se choisir un pupitre dans la classe et de réaliser une identification personnelle.
- *Nous décorons :* en fonction du thème choisi pour baptiser leur groupe ou leur local, les élèves se distribuent les tâches pour décorer le local. Les travaux peuvent se faire individuellement ou en équipes.
- *Notre mascotte :* les élèves choisissent un personnage-complice en lien avec leur nom de classe.
- *Notre logo :* les élèves créent un dessin-logo qui rappellera aux gens de leur entourage le nom auquel ils s'identifient.
- *Notre slogan :* les élèves inventent un slogan, une phrase « passe-partout » qui leur servira de cri de ralliement dans les événements importants qu'ils vivront en classe.
- *Notre chanson-thème :* les élèves remanient les paroles d'une chanson connue pour la personnaliser afin de se donner une chanson-thème. Ils fredonneront ce refrain à différents moments. Par exemple, lorsqu'ils auront besoin de « recharger leurs batteries » à la génératrice du groupe ou lorsqu'ils célébreront des apprentissages signifiants ou des expériences qui se démarquent de la routine du quotidien.
- *La procédure de débrouillardise :* l'enseignant anime une discussion avec les élèves à partir de la problématique suivante : « Qui peut m'aider dans la classe, cette année, quand je suis en difficulté ? » (*Voir outil 1.7, p. 70.*)
- *Le référentiel disciplinaire :* l'enseignant élabore un cadre disciplinaire avec les élèves concernant le code de vie de la classe et les conséquences aux inconduites.

Pour plus de détails concernant la grille de Taylor, voir *Quand revient septembre*, vol. 2, p. 249 à 257.

Source pour la section « Des activités d'accueil centrées sur l'aspect humain » : Adapté de Lisette Ouellet. Matériel d'animation pour le Centre de formation Jacqueline Caron inc., 1994.

Un canevas pour élaborer un portfolio affectif

1.4 Le portfolio affectif, un bon prétexte pour parler de soi

Contexte et utilité

Le portfolio affectif représente une excellente stratégie pour permettre à des élèves, en début d'année, de structurer leur identité, d'entrer en relation avec leurs pairs et de créer dans la classe un climat propice à l'entraide et à la coopération.

De plus, le portfolio affectif s'avère un prétexte intéressant pour un enseignant qui désire imaginer une mise en situation autour de l'implantation d'un portfolio d'apprentissage. Ce premier contact avec un portfolio représente la dimension affective rattachée à tout apprentissage ; il ouvre aussi la porte à l'aspect cognitif qui sera beaucoup plus présent dans le futur portfolio d'apprentissage.

Pistes d'utilisation

1. Faites la promotion du portfolio affectif en présentant le vôtre, qui dévoile certains aspects de votre vie personnelle (*voir encadré, page suivante*) aux élèves, et pourquoi pas aux parents des élèves ?
2. Invitez les élèves à travailler à la création et à la présentation de leur portfolio personnel pendant les quatre semaines de septembre. Selon

l'âge des élèves, le portfolio affectif prendra différentes formes en fonction des éléments de présentation retenus, du laps de temps accordé à la réalisation de ce projet ainsi que des critères d'évaluation retenus pour faire le point sur les apprentissages réalisés.

3. Chaque semaine, suggérez aux élèves de former des équipes de deux en vue d'une présentation de leur portfolio à un camarade. Changez de duos à tous les jours. Renoncez à la tentation d'opter pour une présentation en grand groupe. Il y a déjà beaucoup de périodes collectives en classe, et cette forme de présentation prend énormément de temps. De plus, elle est propice à l'émergence de comportements inappropriés. Enfin, elle ne permet pas assez d'échanges intimes de qualité entre les élèves pour que ceux-ci puissent découvrir la richesse de la personnalité d'un camarade. La formule de présentation en dyades permet d'atteindre cet objectif tout en éliminant certains préjugés ou rejets que les élèves pourraient avoir à l'égard de certains camarades.

La description de l'activité sur le portfolio affectif en début d'année

Avant la rentrée scolaire, l'enseignant travaille à la réalisation de son portfolio affectif. À cette intention, il se procure une boîte en carton (une boîte à chaussures, par exemple) qu'il recouvre de papier décoratif en se préoccupant que le couvercle demeure amovible. Sur chacune des faces de la boîte, il colle six illustrations qui ont un lien avec sa vie personnelle.

Exemples :

- Son chien Labrador ;
- Un plat de crustacés ;
- La photographie de ses deux enfants ;
- Un équipement de camping ;
- Une publicité représentant la motocyclette de ses rêves ;
- Un souvenir de voyage.

À l'intérieur de cette boîte, l'enseignant place cinq objets qui ont une valeur sentimentale à ses yeux, et qui sont de nature à susciter des anecdotes qui sauront captiver les élèves.

Exemples :

- Un caillou ramassé près du rocher Percé, durant un voyage en Gaspésie ;
- Un bulletin scolaire lorsque l'enseignant fréquentait l'école primaire ;
- Une paire de bottines ayant appartenu à l'enfant cadet de sa famille qui a commencé à marcher à l'âge de 10 mois ;
- La publicité d'un film que l'enseignant a visionné récemment et qu'il a apprécié de façon particulière ;
- Un béret et un foulard pour rappeler les cinq années qu'il a passées au sein du mouvement scout.

Le jour de la rentrée scolaire, l'enseignant arrive en classe avec son portfolio affectif et il invite ses élèves à l'interviewer à partir des six illustrations qui témoignent de son vécu. Il en profite également pour relater un événement de sa vie en présentant un des cinq objets. Il continuera ce rituel chaque jour de la semaine.

Le vendredi, l'enseignant propose aux élèves de construire eux aussi leur portfolio affectif, à moins que ces derniers n'aient déjà devancé sa demande. C'est d'ailleurs l'occasion idéale de les sensibiliser à un autre type de devoir qu'il compte bien promouvoir cette année dans la classe, soit les devoirs développementaux. Et la réalisation du portfolio affectif appartient à cette catégorie de travaux personnels qui se veut une activité ouverte centrée davantage sur le processus d'apprentissage que sur le produit final.

Une fois les portfolios terminés, les élèves passent maintenant à l'étape de leur présentation. Il est stratégique pour un enseignant d'opter pour une présentation en duos d'élèves qui s'échelonnera tout au long du mois de septembre. Ainsi, chaque élève de la classe entrera en relation avec les différents membres de la communauté d'apprentissage afin de créer un lien affectif avec chacun. Il sera beaucoup plus facile par la suite de procéder à la mise en place des dyades d'entraide structurées ou du tutorat.

L'identification des champs d'intérêt personnels

1.5 Qu'est-ce qui t'intéresse ?

Contexte et utilité

L'enfant ou l'adolescent qui arrive en classe y apporte tout son vécu. Il vit dans une famille au sein de laquelle il connaît des joies, des peines et des peurs. Il reçoit des sources de motivation et de stimulation de la part de son entourage. Pourquoi ne pas en tenir compte ?

Au moins deux fois par an, en septembre et en janvier, il est stratégique de faire vivre aux élèves une phase de décodage des champs d'intérêt personnels. Cette collecte de données peut fournir à l'enseignant des portes d'entrée pertinentes pour établir une relation avec un élève plus distant ou moins motivé par la cause scolaire. Voilà aussi une belle occasion pour dégager des pistes intéressantes qui sont de nature à inspirer l'enseignant au cours de la planification de projets, de recherches ou de situations d'apprentissage !

Pistes d'utilisation

1. Élaborez et utilisez un questionnaire qui vous permettra de décoder les champs d'intérêt personnels de vos élèves. Tenez compte de leur âge dans la présentation, la longueur et la complexité de cet outil diagnostique (*voir fiches 1.5a à 1.5e, pages 409 à 411*).
2. Permettez aux élèves de répondre au questionnaire verbalement, par écrit ou à l'aide de dessins. Au besoin, faites appel à des adultes ou des élèves-tuteurs pour les aider.
3. Compilez les informations reçues par l'entremise d'un tableau à double entrée : d'une part, la liste des élèves et, d'autre part, le relevé de leurs champs d'intérêt (*voir fiche 1.5f, p. 411*). Dans ce contexte de traitement de l'information, l'utilisation d'une base de données informatisée

Remettre les pendules à l'heure

Le relevé des champs d'intérêt personnels en début d'année est une excellente activité à inscrire au répertoire de l'accueil. L'élève y perçoit alors l'attention de son enseignant à ce qu'il vit ou encore à ce qu'il souhaiterait vivre. C'est une attitude d'ouverture qui ne laisse pas l'élève indifférent...

Par contre, il est malhabile de la part d'un enseignant de s'en tenir simplement au fait que l'élève ait rempli personnellement un questionnaire à cette fin. Au moment où cette opération de « la connaissance du client » qu'est l'apprenant peut devenir extrêmement rentable, pourquoi laisser dormir toutes ces données dans un tiroir et ne pas aller jusqu'au bout du processus d'une « approche centrée sur l'élève » ?

La compilation des résultats obtenus en regard des champs d'intérêt constitue d'ailleurs l'une des premières feuilles de route à introduire dans un cartable de consignation.

Devant les divers champs d'intérêt exprimés par les élèves du groupe-classe, l'enseignant a toujours l'option d'en faire une lecture soit horizontale, soit verticale. D'une part, il peut être outillé s'il désire rejoindre certains élèves capables, mais non motivés. D'autre part, il peut être muni d'un levier efficace lui permettant de rallier un grand nombre d'élèves autour d'un projet partagé.

serait un précieux atout pour manipuler plus rapidement les réponses fournies par les élèves, et ce, même si les données sont nombreuses.
4. Laissez-vous guider par ce profil de classe aussi souvent que possible.
5. Au fur et à mesure que l'année scolaire avance, dégagez des champs d'intérêt permanents et des champs d'intérêt temporaires.

1.6 Comment te sens-tu aujourd'hui ?

Des supports pour mettre des mots sur ses émotions

Contexte et utilité

Le savoir-être de l'enseignant et des élèves influence directement le vécu de l'enseignement et de l'apprentissage. Identifier ses sentiments et les exprimer sur une base volontaire est un facteur de croissance personnelle dont il faut savoir tenir compte. Apprendre à reconnaître ce que l'on vit intérieurement, avoir des mots pour nommer ses émotions et se sentir suffisamment en confiance pour les exprimer, voilà des objectifs de développement que des personnes peuvent atteindre si elles ont la chance d'être épaulées dans leur trajectoire.

Pistes d'utilisation

1. Choisissez le type de fiches qui convient le mieux à votre groupe d'élèves (*voir fiches 1.6a à 1.6e, p. 412 à 414*).
2. Invitez les élèves à reconnaître ce qu'ils vivent intérieurement.
3. Laissez-leur la liberté de s'exprimer ou non. Ne misez pas uniquement sur la verbalisation des émotions. Reconnaissez aussi l'importance de la capacité à le faire intérieurement.
4. Variez les structures de cette activité éducative afin de rejoindre le plus d'élèves possible :
   – Les élèves expriment leurs états d'âme à l'intérieur de divers groupes de travail : collectivement, en équipe de quatre, en dyade ou individuellement ;
   – Les élèves verbalisent leurs sentiments à différents moments de la journée : le matin, le midi, au début ou à la fin des cours, avant ou après la récréation ;
   – Les élèves utilisent des outils d'expression variés : la parole, le dessin, l'écriture, une réponse gestuelle, un support visuel.

Remettre les pendules à l'heure

Même s'il s'agit d'une dimension fort importante du développement de la personne, soit celle d'être à l'écoute de ses émotions et d'avoir la capacité de les exprimer, l'enseignant ne doit pas tomber dans le piège d'inscrire formellement cette activité à sa grille-horaire de façon à vouloir presque l'institutionnaliser. L'écoute et la sensibilité de l'enseignant quant au vécu de ses élèves sauront lui inspirer le meilleur moment pour la vivre.

Il est stratégique de développer à l'intention des petits une galerie de sentiments, où tour à tour des pictogrammes sont introduits en duo (sentiment agréable et sentiment désagréable). L'enseignant s'assure aussi de contextualiser le langage approprié et se sert d'expériences de vie pour modéliser les états d'âme qu'il veut mettre en évidence. Plus l'élève possédera un vocabulaire précis et développé, plus il sera capable de nuancer ce qu'il ressent dans sa vie intérieure.

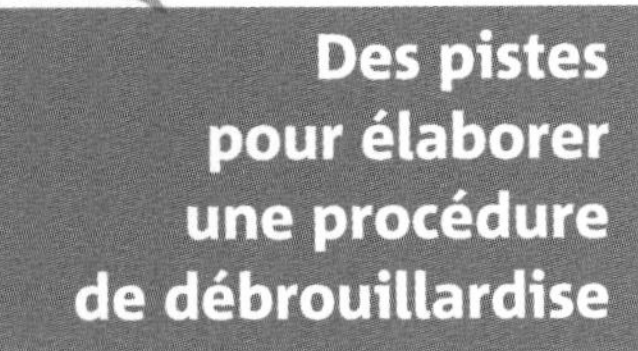

Des pistes pour élaborer une procédure de débrouillardise

1.7 Au secours ! J'ai besoin d'aide...

Contexte et utilité

La procédure de débrouillardise contribue à développer le sens de l'effort et l'autonomie chez les élèves qui travaillent individuellement avec ou sans guidance de la part de l'enseignant. Cette procédure fait partie de l'outillage de base à introduire lorsqu'on doit gérer des groupes multiâges ; elle est fort utile aussi lorsque l'enseignant désire ouvrir le menu du cours ou de la journée dans un groupe monoâge afin de travailler par sous-groupes d'apprentissage à partir des choix des élèves ou des observations de l'enseignant.

Voir *Quand revient septembre*, vol. 2, p. 45 à 52.

Si le nom attribué à la procédure ne convient pas, on peut l'appeler autrement : le Panneau de l'autonomie, le Panneau S.O.S., le Panneau « Roue de secours », le Panneau « Au secours ! », etc.

Pistes d'utilisation

Il est stratégique d'élaborer cette procédure en partenariat avec les élèves (*voir fiches 1.7a et 1.7b, p. 414 et 415*). La procédure à établir peut être plus simple ou plus détaillée selon l'âge des élèves et leur degré d'aisance à travailler dans des contextes faisant appel à leur autonomie. L'enseignant doit toujours tenir compte du vécu antérieur de ses élèves avant d'introduire des outils à caractère participatif et responsabilisant. Une trop grande liberté peut être aussi nocive qu'un encadrement des plus structurants...

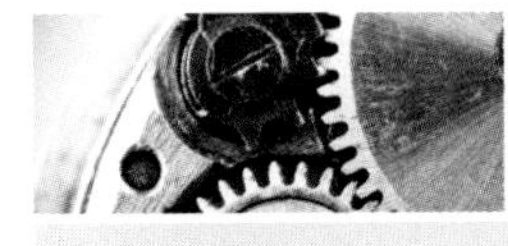

Remettre les pendules à l'heure

L'autonomie, la débrouillardise, ça s'enseigne et ça s'apprend... Il n'est pas suffisant d'encadrer des élèves par des phrases ressemblant à des vœux pieux, tels que : « Prenez-vous en main », « Soyez autonomes pendant que je travaille avec l'autre groupe », « Faites les efforts nécessaires pour accomplir ce que je vous ai demandé ». Les élèves ont besoin de connaître ce que l'enseignant attend vraiment d'eux. Ces attentes doivent être claires, et elles doivent toujours être traduites en comportements observables et mesurables. Afin de rejoindre tous les élèves dans la formulation des attentes, l'enseignant doit se rappeler que plusieurs élèves sont visuels. Une image vaut mille mots, n'est-ce pas ? La procédure de débrouillardise doit être écrite quelque part, que ce soit sur une pancarte, dans l'agenda ou dans le coffre à outils.

Je retiens

L'étape de la consolidation ou de la transformation d'une pratique pédagogique devient franchement dynamisante si, en plus de sa conviction intime, *l'enseignant se trouve un allié, un complice avec qui partager son expérience.* L'éventail de ressources est large : un collègue, un directeur d'école, un conseiller ou un agent pédagogique, une équipe-cycle ou une communauté d'apprenants professionnels, l'important étant de pouvoir parler de son expérimentation avec une autre personne.

D'accompagnateur, il devient lui-même « accompagné ». L'enseignant trouve alors dans cette relation le soutien nécessaire pour avancer hardiment sur la voie d'une gestion de classe participative. Non seulement il fait preuve du courage des commencements, mais il est assez fort pour accepter les soubresauts des recommencements. Il n'est plus seul... Il se sent épaulé dans l'action.

- Pour **planifier** la création d'une approche centrée sur l'élève, l'enseignant doit prévoir *une phase de préparation et de transition.* Le vécu de cette approche requiert généralement de la part de l'enseignant un déplacement des efforts du contenu vers la personne qu'est l'apprenant.
- Pour **articuler** l'émergence d'une approche centrée sur l'élève, l'enseignant doit prévoir une *phase pour la connaissance* de l'élève avec ses forces, ses fragilités, ses besoins et, surtout, sa capacité de grandir et d'apprendre. Le vécu d'une telle approche suppose qu'il y ait conséquemment une prise en compte *du profil et du parcours d'apprentissage* de l'enfant ou de l'adolescent.
- Pour **créer** une approche centrée sur l'élève, il faut prévoir *différentes phases pour établir une relation éducative appropriée.* Celles-ci prendront globalement deux formes : l'encadrement et l'accompagnement. Si l'approche est véritablement centrée sur l'élève, l'enseignant saisit toutes les nuances du concept d'accompagnement et diversifie ses interventions en regard des profils, des processus et des parcours d'apprentissage. Il prend sa place, sans jamais voler la vedette à l'élève qui évolue sous sa responsabilité.
- Pour **cultiver** une approche centrée sur l'élève, il faut prévoir *la phase de l'élaboration de divers plans d'action* pour instaurer progressivement une gestion de classe participative dans une classe ou dans des groupes de base. Ces plans d'action seront alimentés par de l'outillage pédagogique et organisationnel construit la plupart du temps avec les élèves en classe. C'est d'ailleurs ce qui caractérise l'essence même de l'approche participative : ***Faire avec les élèves au lieu de vouloir faire à la place des élèves.*** L'enseignant doit donc bien saisir la raison d'être de ces outils, leur rôle et leur utilité pour ne pas les dénaturer.

Quand il n'y a plus de battements de cœur entre ce qui se passe en dedans et ce qui arrive de dehors, ce qui meurt en premier, c'est ce qui est dedans.

*Philippe Meirieu **

* *Auteur, formateur et professeur de l'Université Lumière de Lyon*

J'AIMERAIS SAVOIR…

- Comment cultiver une estime de soi positive ?
- Comment élaborer un référentiel disciplinaire signifiant avec les élèves ?
- Comment amener les parents à s'intéresser au vécu scolaire de leur enfant et à s'engager dans la vie de la classe ?
- Comment intervenir en classe pour entretenir la motivation scolaire des élèves ?
- Comment aider l'élève à prendre la responsabilité de ses comportements sur ses épaules ?
- Comment amener l'élève à s'engager dans l'évaluation et la régulation de ses comportements ?
- Comment habiliter les élèves à résoudre des conflits ?
- Comment développer le sens de l'effort chez les élèves ?

CHAPITRE 2

Créer un climat motivant en classe

C'est sans doute à partir de l'une ou l'autre de ces questions que vous vous donnerez un défi au regard de la culture d'un climat motivant à l'intérieur de votre classe ou de vos groupes de base. Pour vous aider à atteindre cet objectif de développement professionnel, je vous propose de suivre les étapes d'une démarche en trois temps : avant, pendant et après l'expérimentation (*voir l'introduction pour en connaître tous les détails*). La figure suivante rappelle la place du climat dans l'ensemble des composantes de la gestion de classe.

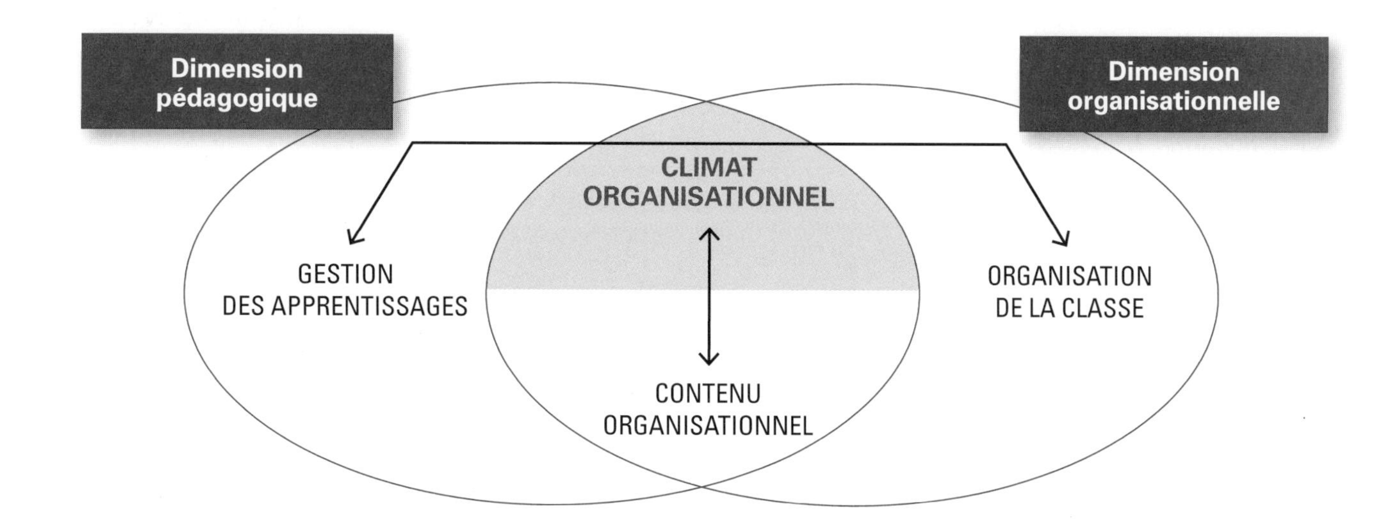

AVANT L'EXPÉRIMENTATION

1 L'auto-analyse

Avant d'opérer quelque changement que ce soit, il est nécessaire de bien examiner le contexte sur lequel on veut agir. Voici une grille d'analyse qui peut vous permettre de cerner votre réalité personnelle et celle qui prévaut dans votre classe ou vos groupes de base par rapport au climat organisationnel. Pour chaque énoncé de la grille, cochez la case la plus appropriée à votre situation. Les cases numérotées (de 1 à 5 ou de 1 à 3) indiquent dans quelle mesure vous croyez posséder cette attitude, ces connaissances ou cette habileté.

1. Mes attitudes personnelles

LÉGENDE :
1. Je le fais très peu, et ce n'est pas une priorité pour moi.
2. Je le fais très peu, mais je voudrais travailler ce point.
3. Je le fais avec quelque difficulté, mais je ne désire pas travailler ce point pour le moment.
4. Je le fais, mais j'aurais besoin d'améliorer encore ce point.
5. Je le fais et je suis à l'aise face à ce comportement.

	1	2	3	4	5
a) Je fais preuve d'authenticité et de transparence lorsque je suis en présence de mes élèves.					
b) Je suis chaleureux dans mes propos et mes contacts avec eux.					
c) J'ai confiance en moi et je suis capable aussi de faire confiance à mes élèves.					
d) J'ai un bon sens de l'humour et je m'en sers pour créer un climat agréable et détendu en classe.					
e) Je suis capable de m'affirmer pour déterminer ce qui est négociable, ce qui ne l'est pas, de même que pour verbaliser clairement mes exigences.					
f) Je suis capable de démontrer de la cohérence entre ce que je dis et ce que je fais.					
g) Je fais preuve de constance et de persévérance dans l'atteinte des attentes que je verbalise préalablement aux élèves.					
h) Je m'efforce de manifester une écoute et une sensibilité à l'endroit du vécu de mes élèves, autant sur le plan personnel que sur le plan scolaire.					
i) Je suis ouvert aux différences individuelles des élèves et je les considère comme une source de richesse.					
j) Je suis patient et tolérant à l'égard des élèves qui sont en train d'apprendre et je leur accorde facilement le droit à l'erreur.					

k) Commentaires :

___

___

2. Mes connaissances théoriques

LÉGENDE : **1.** Rien n'est clair pour moi ; je manque d'informations sur ce sujet.
2. Je possède un certain nombre de données théoriques, mais, pour être capable de les appliquer, certains renseignements me manquent.
3. Je suis à l'aise face au cadre théorique de cette thématique et je m'en sers pour calibrer mes interventions en classe.

	1	2	3
a) Je connais l'ensemble des facteurs déterminants qui influent sur la construction de la motivation scolaire.			
b) Je suis familiarisé avec la théorie du choix, cette approche éducative qui me permet de favoriser l'apprentissage des bons comportements dans un contexte d'autodéveloppement.			
c) Je suis au courant de l'existence de diverses démarches et stratégies pour habiliter les élèves à résoudre leurs conflits de manière positive.			

d) Commentaires :

____

____

2

3. Mes interventions en classe

LÉGENDE : **1.** Je le fais très peu, et ce n'est pas une priorité pour moi.
2. Je le fais très peu, mais je voudrais travailler ce point.
3. Je le fais avec quelque difficulté, mais je ne désire pas travailler ce point pour le moment.
4. Je le fais, mais j'aurais besoin d'améliorer encore ce point.
5. Je le fais et je suis à l'aise avec l'exercice de cette habileté.

	1	2	3	4	5
a) Je suis capable de soutenir la motivation scolaire de chaque élève.					
b) Je suis capable d'installer un cadre de vie souple et structuré qui permet aux élèves de se responsabiliser face à leurs comportements et de développer l'autodiscipline.					
c) Je suis capable de créer un climat harmonieux auprès de mes élèves, fondé sur des relations d'aide et de coopération.					
d) Je suis capable de susciter un affrontement positif avec les élèves dans la résolution des divers problèmes qui se posent en classe.					
e) Je suis capable d'informer suffisamment les parents de mes élèves à l'aide de modalités diversifiées.					
f) Je suis capable de mettre en place des mécanismes pour favoriser l'engagement et la participation des parents de mes élèves.					
g) Je suis capable d'exploiter les situations de la vie courante pour créer un climat propice à l'apprentissage : des discussions informelles sur les événements vécus et des échanges sur les faits divers de l'actualité.					
h) Je suis capable de faire écrouler les murs de ma classe ou de mon groupe de base pour m'ouvrir à la richesse du monde extérieur par la mise en place d'activités parascolaires et la planification de projets tantôt réels, tantôt réalistes.					

i) Commentaires :

____

____

2 La réflexion

La grille d'analyse précédente permet de prendre conscience du fait que le climat d'une classe est une réalité complexe. De multiples facteurs entrent en interaction pour le créer, le consolider ou le dégrader. Avant de relever un défi qui vise à améliorer le climat de la classe, il est donc nécessaire de bien cerner cette réalité. C'est une étape de lecture et de réflexion qui procure une idée claire du terrain sur lequel on veut intervenir.

Qu'est-ce que le climat d'une classe ?

D'une façon générale, les dictionnaires définissent le climat comme un ensemble de phénomènes (température, vent, précipitations, etc.) qui caractérisent l'état moyen de l'atmosphère et son évolution en un lieu donné. Même si cette définition convient surtout à la météorologie, elle a le mérite de faire ressortir un certain nombre de points qui valent aussi pour le climat d'une collectivité quelconque. Dans une classe, on pourrait appeler « climat » cet ensemble de phénomènes (relations, conflits, discipline, motivation, etc.) qui caractérisent l'atmosphère et qui donnent ou non le goût d'enseigner et d'apprendre. Ainsi, à partir de ce parallèle, on pourrait affirmer que le climat représente l'ambiance éducative dans laquelle se retrouvent enseignant et élèves dans le but d'enseigner, d'une part, et d'apprendre, d'autre part.

L'importance du climat

Le climat est la composante dont l'enseignant doit se soucier le plus, autant en classe régulière qu'en classe d'adaptation. De lui dépend la qualité de l'apprentissage. Plus les élèves présentent des problèmes particuliers sur le plan des apprentissages ou des comportements, plus il faut s'interroger sur la qualité du climat de la classe et chercher à l'améliorer, s'il y a lieu. Si le climat n'est pas positif, on aura beau mettre en œuvre la meilleure des pédagogies, utiliser les outils les plus sophistiqués, tous les efforts tomberont à l'eau.

Les caractéristiques d'un « bon climat » pour apprendre

Un bon climat développe le goût de produire et de se réaliser, autant chez l'enseignant que chez les élèves. Quand l'enseignant perçoit son travail comme un fardeau sur ses épaules, quand les élèves éprouvent du mécontentement plutôt que de la satisfaction, on doit en déduire que l'énergie des uns et des autres n'est pas utilisée au bon endroit. Sans doute est-elle sollicitée ailleurs pour lutter contre les effets pervers d'un mauvais climat. L'enseignant passe alors tout son temps à faire de la discipline, à « éteindre des feux », tandis que les élèves créent, inconsciemment ou de façon volontaire, des situations déstabilisantes. C'est leur manière de manifester qu'ils ne sont pas heureux et épanouis dans la classe. Il n'y a plus de place pour la motivation, la créativité et le plaisir d'apprendre.

Les composantes du climat de la classe

Le climat d'une classe repose essentiellement sur trois facteurs :

1. L'attitude personnelle de l'enseignant (*voir ci-dessous*) ;
2. Le style de relation qu'il entretient avec ses élèves et leurs parents (*voir p. 78 à 80*) ;
3. La qualité des ses interventions au regard du développement de ses élèves, soit les interventions suivantes :
   - favoriser la motivation scolaire (*voir p. 80 à 83*) ;
   - entretenir une estime de soi positive (*voir p. 83 à 85*) ;
   - stimuler le sens de l'effort (*voir p. 86 à 89*) ;
   - instaurer une saine discipline (*voir p. 89 à 95*) ;
   - gérer les conflits (*voir p. 95 à 98*).

La grille d'analyse des pages 74 et 75 fait bien ressortir la synergie de ces divers éléments dans la création du climat de la classe. Il est maintenant nécessaire de s'arrêter plus longuement à chacun de ces facteurs.

L'attitude personnelle de l'enseignant

Le premier facteur du climat d'une classe, c'est le « climat intérieur » de la personne qui en a la responsabilité. L'enseignant est-il agressif, facilement bouleversé ou, au contraire, suffisamment en sécurité avec lui-même, calme et accueillant ? Le ton de la voix, le regard, les gestes, les réactions, les décisions et les façons d'entrer en relation sont autant d'indicateurs au baromètre de l'enseignant. Avant même la parole, le corps trahit l'état intérieur. Les élèves peuvent le ressentir et ils y réagiront à leur manière, selon leur propre climat intérieur.

Bien sûr, il s'agit ici d'attitudes habituelles, qui traduisent l'essence de la personne, plutôt que d'attitudes passagères. Les enfants savent bien faire la différence. Ils seront les premiers à dire : « Qu'est-ce que tu as ce matin ? Tu n'es pas comme d'habitude. On dirait que tu es fâché ? » Ces réflexions en apparence anodines agissent comme un miroir ou encore comme un thermomètre affectif. Elles disent la perception que les élèves ont du climat intérieur habituel de leur enseignant et d'une perturbation actuelle dans ce climat. Elles aident la personne qui les reçoit à saisir ce qu'elle transmet à son insu.

L'enseignant a donc tout intérêt à bien connaître son profil émotionnel d'intervenant. Qui est-il réellement ? Une personne ordinairement calme ou ordinairement inquiète ? Une personne qui supporte mal les perturbations ou qui aime la nouveauté et le changement ? Une personne plutôt rigoureuse ou plutôt fantaisiste ? L'enseignant doit être

capable de s'observer sans se juger. En effet, le jugement provoquerait un sentiment de culpabilité qui, lui aussi, aurait une incidence sur le climat de la classe. C'est donc en toute sérénité que l'enseignant devrait pouvoir se regarder sous toutes les coutures et s'accepter tel qu'il est.

Se regarder sans se juger ne veut pas dire se cantonner dans des attitudes néfastes. L'enseignant qui a l'honnêteté de nommer pour lui-même les véritables raisons qui nuisent au climat de la classe devrait aussi être capable de se mettre en mouvement pour acquérir des attitudes plus constructives. Mais plutôt que d'essayer de changer rapidement, et en surface, il devrait chercher à comprendre où s'enracinent ces attitudes, quelle peur ou quelle souffrance elles traduisent. Si l'enseignant ne peut faire seul cette démarche, de nombreux groupes d'entraide ou services individuels sont à sa disposition pour le soutenir. Le changement qui naîtra de ce travail aura toutes les chances d'être profond et durable.

Les attitudes intérieures qui influencent positivement le climat d'une classe

La grille d'analyse des pages 74 et 75 fait ressortir les attitudes intérieures qui ont un effet favorable sur le climat d'une classe : l'authenticité, la chaleur dans les contacts avec les autres, la confiance en soi et dans le potentiel des élèves, le sens de l'humour, la capacité de s'affirmer, le sens des responsabilités, l'empathie, l'ouverture d'esprit, la tolérance, et ainsi de suite. Ces attitudes, qui ont un impact sur le climat de la classe, ont également un effet sur toute relation humaine. Plus l'enseignant les cultivera, plus il aura de chances de s'ouvrir à des relations enrichissantes.

Le style de relation de l'enseignant avec les élèves et leurs parents

Avec les élèves

Toute relation authentique est le résultat d'un processus qui va de la connaissance à la reconnaissance. Au point de départ, il est souhaitable que l'enseignant possède un certain nombre d'informations sur ses élèves : leur identité, leur milieu social, leur situation familiale. Mais ces informations ne disent pas tout, ne traduisent pas l'essence même de l'être. Il faut aller plus loin, s'intéresser à chacun personnellement, repérer son profil d'apprentissage et son parcours scolaire, découvrir ses forces et ses lacunes, décoder ses champs d'intérêt. Au terme de ce processus, la connaissance est déjà plus profonde. Chaque élève acquiert alors aux yeux de l'enseignant une personnalité qui lui est propre. Mais la relation s'établit réellement quand l'enseignant reconnaît les élèves pour eux-mêmes, quand il les invite à manifester leur être profond, les soutient dans leurs efforts pour atteindre ce qu'ils sont. En un mot, l'objectif de la connaissance et de la reconnaissance est réalisé quand les élèves sont considérés comme des personnes, comme des sujets de leur croissance.

Avec les parents

Dans ce processus de connaissance et de reconnaissance, l'enseignant n'est pas seul. S'il sait aller au-devant des parents, solliciter leur engagement et leur participation, leur donner accès à cette part de la vie de l'enfant ou de l'adolescent qui se déroule dans le cadre scolaire, ces derniers deviendront rapidement de véritables partenaires prêts à s'investir pour l'épanouissement de leur enfant. Si l'élève parvient à percevoir la solidarité qui unit ses parents à son enseignant, il se sentira rassuré dans son développement. Cette confiance lui donnera de l'audace pour travailler à sa croissance personnelle.

Il existe bien des façons de construire de solides relations avec les parents d'élèves : des réunions d'information, des contacts personnels à l'occasion d'une maladie ou d'un succès sportif, des rencontres formelles au moment de la présentation des portfolios d'apprentissage et de la remise des bulletins, la participation à des activités extrascolaires, des invitations en classe pour un témoignage ou une contribution quelconque, etc. Les relations les plus solides avec les parents, et peut-être les plus fructueuses pour l'enfant ou l'adolescent, sont celles qui s'établissent d'abord entre adultes, d'égal à égal, où l'élève n'est pas la seule occasion de contacts. À travers cette relation de partenariat, l'enseignant s'intègre de plus en plus à sa communauté de travail, et les parents s'insèrent davantage dans l'univers scolaire de leur enfant ou de leur adolescent. D'ailleurs, aux yeux de ce dernier, cette relation n'est plus un simple élément du milieu scolaire, imposé par la force des choses. Ce rapport de complicité prend son rang dans la chaîne des générations, aux côtés de ses parents. Cette clarification ne peut avoir que des effets bénéfiques sur la maturation de l'élève.

Il est clair qu'une véritable action éducative est le résultat de trois collaborations très étroites : celle de l'enfant ou de l'adolescent, celle des parents et celle de l'enseignant. Bien sûr, les conditions de réunion de ces trois forces sont parfois délicates à mettre en place.

On voit, du côté des familles :

- des structures familiales de plus en plus variées ;
- des relations nouvelles entre parents et enfants ;
- des valeurs familiales qui diffèrent d'un milieu à un autre ;
- des origines ethniques et culturelles de plus en plus diverses ;
- des parents qui ont des aspirations élevées, mais peu de temps à consacrer aux enfants ;
- des enfants plus stimulés, mais plus exposés à diverses formes de pauvreté ;
- des enfants surprotégés ;

- des enfants complètement laissés à eux-mêmes ;
- des familles plus instruites, mais pas forcément plus riches.

De son côté, l'école :

- doit faire face de plus en plus à la gestion des différences tant pour les élèves que pour les parents ;
- se retrouve non seulement devant une mission d'enseignement, mais aussi devant des défis supplémentaires créés par la démission d'un certain nombre de parents. L'école est devenue en quelque sorte, avec le temps, un « fourre-tout » qui doit donner de bons résultats malgré l'ampleur des attentes et la réduction des ressources dont elle dispose ;
- désire le soutien des parents, mais offre peu de moyens concrets pour rendre cette collaboration effective ;
- n'a pas forcément révisé ses démarches et ses stratégies pour informer les parents et les amener à s'engager ;
- cherche à faire plus quand elle devrait chercher à faire autrement ;
- entretient de la méfiance face aux parents et se tient parfois sur la défensive au lieu de développer l'accueil, l'écoute et la coopération ;
- fait face à l'émergence de nouveaux besoins et est obligée de créer un modèle nouveau de collaboration avec la famille, un modèle qui s'éloigne des acquis antérieurs ;
- subit de plus en plus la concurrence de différentes options éducatives offertes par les écoles, tant du secteur public que du secteur privé.

Résultat : il existe un sentiment, tant dans la famille qu'à l'école, que les deux institutions qui encadrent l'enfant s'éloignent de plus en plus l'une de l'autre. Pourtant, si le développement de l'enfant est au cœur des préoccupations de chacun, si l'école arrive à penser et à agir autrement avec les parents et avec les élèves, il sera possible d'établir des relations constructives qui agiront sur le climat de la classe.

Fort d'une attitude personnelle positive et d'un style de relation harmonieuse avec les parents et les élèves, l'enseignant est maintenant en mesure de poser des interventions adéquates au regard du développement des apprenants. La motivation scolaire, l'estime de soi, le sens de l'effort, l'autodiscipline et la gestion des conflits sont ses principales cibles.

Comment intervenir en classe pour entretenir la motivation scolaire des élèves ?

La capacité de favoriser la motivation

La motivation, on le sait, est l'ensemble des forces qui poussent une personne à agir. Cette motivation peut être « intrinsèque », c'est-à-dire liée directement au plaisir et à la satisfaction que l'on retire de l'action, ou « extrinsèque », c'est-à-dire associée à toutes sortes de raisons autres que le plaisir et la satisfaction, par exemple éviter une punition, recevoir une récompense, acquérir un privilège important, éviter le sentiment de culpabilité ou faire comme les autres.

L'heure juste

Dans une société comme la nôtre, centrée sur la productivité et la performance, il est naturel pour des éducateurs de dévier de leur chemin et de tomber dans le piège de la facilité, autrement dit de miser surtout sur la motivation extrinsèque qui possède l'avantage de présenter plus rapidement des résultats. Hélas ! Les résultats sont souvent superficiels et éphémères.

Construire une motivation scolaire intrinsèque chez les élèves est un long processus, et il suppose de la part de l'intervenant du temps, de la persévérance, de la constance, de la cohérence et le courage des recommencements. Toute forme de motivation peut conduire à un apprentissage, mais plus la motivation est intrinsèque, liée au plaisir et à la satisfaction, plus l'apprentissage est riche et bien ancré. Cela vaut autant pour les adultes que pour les enfants.

2

Les recherches dont font état Jacques Tardif (1992) et Roland Viau (1994) montrent que la motivation scolaire s'apprend, se cultive. Pour parvenir à relever ce défi de taille, l'enseignant doit absolument analyser ses interventions à la lumière d'un cadre théorique signifiant et facile d'accès en tout temps. Ainsi, il aurait grandement intérêt à connaître et à reconnaître les manifestations et les facteurs de la motivation scolaire. Cette référence constituerait pour lui un phare éclairant lui permettant d'orienter judicieusement ses décisions et ses interventions.

Pour démontrer l'aspect pragmatique de ce qui vient d'être énoncé, l'encadré suivant rappelle les trois grandes manifestations dont parlent Tardif et Viau. Quant à la liste des facteurs sur lesquels un enseignant peut intervenir pour favoriser la motivation scolaire, je vous renvoie à la figure 2.1, page 82. En jetant un simple coup d'œil sur cette carte d'exploration, vous serez à même de considérer la motivation sous toutes ses facettes et d'en voir la globalité.

Comment reconnaître la motivation ?

Dans une classe, l'enseignant peut constater qu'un élève est motivé en s'attardant aux manifestations suivantes :

- à sa volonté de **P**articiper à ce qu'on lui propose ;
- à son degré d'**E**ngagement au moment de sa mobilisation devant la proposition faite ;
- à sa **P**ersévérance à s'investir jusqu'à la toute fin de son projet d'apprentissage.

Pour favoriser la mémorisation de ces manifestations, prenez les trois premières lettres de chacun des mots. Ainsi, vous trouverez l'acronyme « **PEP** ». Un élève est donc motivé quand il est habité par un certain « **PEP** », un dynamisme incroyable qui l'incite à agir malgré les embûches et les obstacles.

FIGURE 2.1 | LES FACTEURS DE MOTIVATION

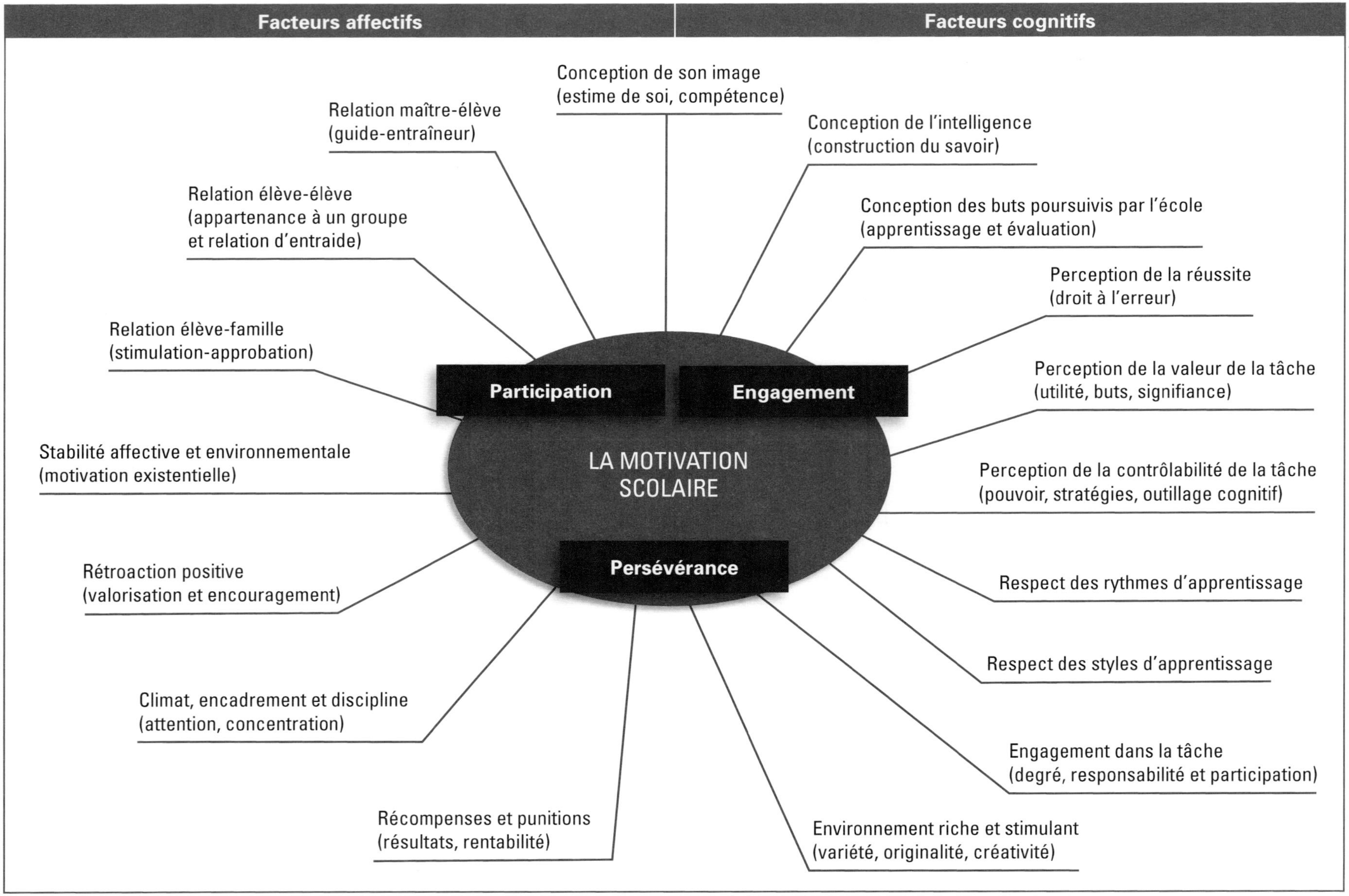

Facteurs affectifs

Conception de son image (estime de soi, compétence)

Relation maître-élève (guide-entraîneur)

Relation élève-élève (appartenance à un groupe et relation d'entraide)

Relation élève-famille (stimulation-approbation)

Stabilité affective et environnementale (motivation existentielle)

Rétroaction positive (valorisation et encouragement)

Climat, encadrement et discipline (attention, concentration)

Récompenses et punitions (résultats, rentabilité)

Facteurs cognitifs

Conception de l'intelligence (construction du savoir)

Conception des buts poursuivis par l'école (apprentissage et évaluation)

Perception de la réussite (droit à l'erreur)

Perception de la valeur de la tâche (utilité, buts, signifiance)

Perception de la contrôlabilité de la tâche (pouvoir, stratégies, outillage cognitif)

Respect des rythmes d'apprentissage

Respect des styles d'apprentissage

Engagement dans la tâche (degré, responsabilité et participation)

Environnement riche et stimulant (variété, originalité, créativité)

LA MOTIVATION SCOLAIRE

Participation

Engagement

Persévérance

Source : Inspiré de Jacques Tardif (1994). *Pour un enseignement stratégique : L'apport de la psychologie cognitive*, Montréal, Éditions Logiques.

Je me permets, à ce moment-ci, de faire ressortir l'importance de quatre de ces facteurs :

1. L'influence de la qualité du climat de travail, de la dimension **A**ffective au cœur même du processus d'apprentissage ;
2. La nécessité pour l'élève de reconnaître de la **V**aleur à toute tâche d'apprentissage, de trouver des éléments de signifiance à ce que l'enseignant lui propose ;
3. L'obligation pour l'enseignant de doser les **E**xigences de la tâche d'apprentissage par rapport aux rythmes et aux styles des apprenants afin de s'assurer que la zone proximale de développement est véritablement prise en compte ;
4. Le besoin pour l'élève d'exercer de la **C**ontrôlabilité sur la tâche à exécuter.

Encore une fois, je recours à la même stratégie : formons un mot avec les premières lettres de chacun des quatre facteurs de motivation. C'est bien le mot « AVEC » qui apparaît à nos yeux ! Un élève est motivé quand il sent qu'il n'est pas laissé à lui-même pour apprendre. Au contraire, il sait qu'il peut compter sur un enseignant qui l'apprécie, qui est capable de le rejoindre dans ce qu'il est, et lui permet, en plus, de prendre en charge ses apprentissages, grâce à un outillage approprié et une marge de manœuvre suffisante.

Mais cela n'est possible que dans la mesure où l'élève, quel que soit son âge, se perçoit comme ayant un certain contrôle sur ce qui lui arrive. Cela ne saurait être possible également que dans la mesure où l'enseignant accepte de partager le pouvoir avec ses élèves à l'intérieur de structures définies conjointement. Chez l'enseignant, le sentiment de vouloir détenir le pouvoir peut être créé par une volonté réelle d'amener ses élèves à s'engager dans le processus d'apprentissage. Objectif louable en soi, mais qui peut s'avérer néfaste si l'élève n'est pas partie prenante lui aussi. Pour cela, l'enseignant doit donc lui faire connaître les démarches et les stratégies qui mènent à la réussite. Il doit rendre les apprenants aptes à utiliser ces stratégies dans une grande variété de contextes et de situations. Ces derniers en viendront peu à peu à éprouver le sentiment que leur apprentissage, leurs réussites et échecs dépendent d'eux. Toutes ces prises de conscience contribueront à en faire des personnes réellement motivées.

La capacité à entretenir une estime de soi positive

Comment cultiver une estime de soi positive ?

Il existe un lien très étroit entre la motivation scolaire et l'estime de soi, cette confiance fondamentale d'une personne en ses perceptions, son efficacité et sa valeur. L'enfant construit son image de lui-même dans la relation avec ses parents et les personnes significatives qui l'entourent. Plus les adultes renvoient aux enfants et aux adolescents un reflet constructif d'eux-mêmes, de leurs perceptions et de leurs capacités, plus ceux-ci acquièrent une image positive d'eux-mêmes. Et celle-ci leur donnera l'énergie nécessaire pour s'engager dans le processus de croissance qui doit être le leur.

L'estime de soi est aussi le résultat d'un ensemble de sentiments:

- le sentiment de sécurité: «Je suis dans un milieu connu, avec des gens que j'aime et qui m'aiment»;
- le sentiment d'identité: «Je sais qui je suis, de quelle famille je viens»;
- le sentiment d'appartenance: «J'appartiens à une famille, à un groupe social»;
- le sentiment de détermination: «Je sais ce que je veux»;
- le sentiment de compétence: «Je sais que je suis capable de faire des choses».

C'est la variation dans la solidité de l'un ou l'autre de ces sentiments qui fait qu'une estime de soi est plus ou moins enracinée. Si ces sentiments n'ont pas été bien construits dans la petite enfance, il peut être difficile de réparer les dégâts, mais l'aide éclairée d'un enseignant ou d'un professionnel est heureusement susceptible d'y contribuer.

La construction de l'estime de soi de l'enfant sera aussi fortement influencée par l'estime d'eux-mêmes qu'ont les parents et les enseignants. Dans un contexte où les adultes qui l'entourent ont une faible estime de soi, l'enfant aura du mal à se créer une image positive de lui-même. Au contraire, les parents et les enseignants qui ont une juste estime d'eux-mêmes permettent aux enfants et aux adolescents de progresser.

Le tableau 2.1 présente divers signes qui ne trompent pas pour déceler si un climat favorise ou non l'épanouissement de l'enfant ou de l'adolescent sur le plan de l'estime de soi.

TABLEAU 2.1 DES FACTEURS FAVORABLES ET DÉFAVORABLES À UNE BONNE ESTIME DE SOI

FACTEURS FAVORABLES	FACTEURS DÉFAVORABLES
• Traiter les enfants et les adolescents d'abord comme des personnes à part entière, avec tout le respect auquel ils ont droit. • Faire connaître les besoins et les attentes des parents et de l'enseignant à leur égard, en établissant avec eux des règles claires et des conséquences éducatives de manière à les faire observer. • Aider les enfants ou adolescents à mettre au point des stratégies pour régler leurs problèmes et leurs conflits. • Les aider à autoréguler leurs comportements pour qu'ils puissent poursuivre leur cheminement grâce à la détermination de défis réalistes, ni trop faciles ni trop difficiles. • Leur manifester du soutien et de la satisfaction.	• Les attentes des parents ou des enseignants sont contradictoires. • Les enseignants ont du mal à se définir des buts personnels et à exprimer des attentes réalistes. • Les parents ou les enseignants sont enclins à exiger une obéissance aveugle. • Ils critiquent les enfants ou les adolescents et mettent l'accent sur leurs lacunes plutôt que sur leurs forces. • Ils acceptent mal les remarques qui leur permettraient de s'autoévaluer et de réguler, au besoin, leurs attitudes. • Ils se fixent des buts trop élevés et se culpabilisent facilement si ceux-ci n'ont pas été atteints. • L'école n'est pas un lieu propice à un sentiment de bien-être psychologique.

Source: Adapté de Lucille Robitaille. Matériel d'animation pour le Centre de formation Jacqueline Caron inc., 1994.

Le fait d'exprimer à l'élève du soutien et de la satisfaction – ce qui est, comme on vient de le voir, une manifestation de l'estime de soi – s'appelle la «valorisation». En effet, celle-ci est une manière de souligner les progrès et les réussites de l'élève. La figure 2.2 montre à qui la valorisation s'adresse, les différentes formes qu'elle peut prendre ainsi que les caractéristiques qu'elle doit posséder.

Des outils pour favoriser la motivation intrinsèque

Ces réflexions sur l'estime de soi et la valorisation montrent que l'enseignant peut jouer un rôle fondamental dans la motivation de l'élève. Il fera toujours partie des forces extérieures qui peuvent mettre l'élève en mouvement. Mais il a comme fonction principale d'aider l'apprenant à découvrir une motivation intrinsèque à son apprentissage. Ainsi, cet accompagnateur doit susciter, engager et soutenir la motivation à apprendre, en adoptant des méthodes efficaces. Il doit aussi créer les

FIGURE 2.2 | LA VALORISATION

Elle peut s'adresser:

- à un individu: prendre le temps de dire à l'élève qu'on est fier de lui, de son attitude, de ses progrès, de ses réussites;
- à une équipe: encourager et féliciter des élèves qui, travaillant en équipe, répondent bien aux attentes, s'entraident, etc.;
- à une collectivité: s'adresser au groupe-classe pour dire sa satisfaction, sa fierté ou pour encourager les élèves dans une tâche plus difficile.

Elle est par nature:

- précise: elle soutient un acte ou un geste spécifique;
- intermittente: elle est fréquente au début et de plus en plus espacée ensuite;
- immédiate: elle est faite sans délai, sinon elle perd de sa force de valorisation;
- claire: elle ne comporte pas d'éléments négatifs, ce qui rendrait difficile son interprétation;
- dynamisante: elle invite à un nouveau défi, à un réinvestissement des forces.

Elle peut prendre différentes formes:

- non verbale: faire un sourire, un geste de la main ou un clin d'œil, ce qui est une façon de témoigner de la satisfaction ou de l'encouragement;
- verbale: dire clairement son contentement;
- écrite: rédiger un bref message dans le cahier ou employer les mots «force et défi» pour donner une rétroaction qui ouvre la porte au réinvestissement;
- en entrevue: au cours d'une rencontre personnelle, encourager les efforts, souligner les bons résultats, proposer de nouveaux défis;
- matérielle: apporter un nouvel outillage qui va relancer la motivation, donner des diplômes, distribuer des collants, des coupons de tirage.

conditions qui permettront à l'élève de découvrir sa motivation intrinsèque à faire tel ou tel apprentissage. Il existe des outils pour cela.

Le tableau 2.2 fait déjà ressortir des gestes de base à accomplir pour favoriser la motivation scolaire. Je l'ai créé en m'inspirant des quatre profils motivationnels d'employés au sein d'une entreprise, élaborés en fonction de leur compétence et de leur engagement par le chercheur et auteur américain Paul Hersey (1984), auxquels j'ai joint un plan d'intervention. Dans la perspective de se retrouver devant un élève non motivé, regardons de plus près une démarche susceptible de nous guider:

- L'enseignant situe le profil motivationnel de l'élève à l'aide du tableau 2.2. À quelle catégorie d'élèves celui-ci appartient-il? *Qui est-il, au juste?*
- Par la suite, l'enseignant cherche à déterminer le degré de démotivation de l'élève. Est-il touché par une réelle démotivation scolaire? Est-il atteint plutôt d'une démotivation existentielle, étant en état de survie sur le plan personnel? S'agit-il d'un état de survie temporaire ou davantage d'un malaise psychologique permanent? Est-il démotivé dans une seule discipline ou dans plusieurs disciplines? Est-il aux prises avec un manque d'efforts flagrant? *Quelle est la profondeur de son état?*
- À l'aide de la figure 2.1, page 82, regroupant les facteurs de motivation, l'enseignant anticipe les causes qui justifieraient le désengagement de l'élève. *Quel est le «pourquoi» selon l'adulte?*
- L'enseignant valide ensuite les hypothèses qu'il avait formulées en vérifiant auprès de l'élève concerné les véritables causes de son désengagement dans le cadre d'une discussion ou de l'interprétation d'un questionnaire écrit. *Quel est le «pourquoi» de l'apprenant?*
- Enfin, l'enseignant choisit des stratégies motivationnelles en fonction de la catégorie (la capacité et l'engagement) dans laquelle se trouve l'élève afin d'élaborer un plan d'intervention personnalisé. *Quel est le «comment» que je vais privilégier?*

La capacité à stimuler le sens de l'effort

Le sens de l'effort demeure un sujet d'actualité, tellement celui-ci préoccupe l'ensemble des enseignants. Alors que les enfants et les adolescents d'aujourd'hui vivent dans une société et dans des familles où le sens de l'effort est peu valorisé, l'école se bute à des élèves qui manquent de tonus devant les difficultés.

Il y a cinquante ans, le sens de l'effort était acquis de manière tout à fait naturelle, puisqu'on ne pouvait imaginer un quotidien sans efforts. On n'a qu'à penser aux élèves qui marchaient quelques kilomètres afin de se rendre à l'école, aux garçons qui avaient secondé leur père dans la traite des vaches et aux filles qui avaient fait les lits et lavé la vaisselle avant de quitter la maison. Les facilités d'aujourd'hui n'étaient pas encore inventées...

TABLEAU 2.2 | DES PROFILS MOTIVATIONNELS ET UN PLAN D'INTERVENTION GÉNÉRAL

CATÉGORIE 1 Élève non motivé et non capable	**CATÉGORIE 2** Élève motivé et non capable	**CATÉGORIE 3** Élève non motivé et capable	**CATÉGORIE 4** Élève motivé et capable
• Ne pas cibler les deux aspects en même temps, en choisir seulement un : la motivation ou la capacité. • Vérifier la qualité de la relation enseignant-élève. • Lui offrir une situation d'apprentissage comportant une possibilité de réussite. • Tenir compte de son rythme d'apprentissage dans les exigences formulées et les seuils de réussite proposés. • Lui faire apprendre par expérience, démonstration et manipulation. Pour cette catégorie d'élèves, l'information est trop difficile à absorber seulement par l'écoute. • Tenir compte de son style d'apprentissage dans les stratégies à utiliser et les productions exigées. • Valoriser l'élève lorsqu'il y a motivation ou réussite. • Vérifier sa perception de lui-même et intervenir en ce qui concerne l'estime de soi. • Vérifier sa perception de l'école. L'élève pense-t-il qu'il vient à l'école pour apprendre ou pour être évalué ?	• Décoder le style d'apprentissage de l'élève afin de vérifier si sa porte d'entrée est respectée. • Lui proposer des tâches d'apprentissage adaptées quant à la longueur ou modifiées pour ce qui est de la complexité. • Lui proposer des seuils de réussite réalistes. • Aider l'élève à réussir par l'apport de démarches et de stratégies d'apprentissage orientées vers son style cognitif ou ses formes d'intelligence prédominantes. • Lui donner des ressources supplémentaires, telles que des dyades d'entraide, du matériel complémentaire ou un support technologique. • Soutenir l'élève, l'encourager. • Le valoriser s'il y a réponse sur le plan de la réussite.	• Décoder les champs d'intérêt personnels de l'élève afin de découvrir une porte d'entrée possible. • Discuter avec lui des raisons de sa démotivation, lui donner un cadre de référence pour exprimer ce qu'il vit. • Lui offrir un encadrement plus serré au regard de la responsabilité de ses gestes et de ses décisions. • Valoriser l'élève lorsqu'il y a réponse sur le plan de la motivation. • Scruter certains facteurs affectifs. Aime-t-il son image ? Aime-t-il son enseignant ? Aime-t-il son climat familial ? Aime-t-il l'ambiance éducative de son école ? A-t-il des affinités avec la discipline mise en place présentement dans la classe ? Est-il accepté de ses pairs ?	• Attribuer des rôles à l'élève au sein de différents contextes : l'entraide dans le cadre d'une dyade, l'animation d'une clinique, la production de matériel, la correction d'activités fermées, un rôle de tuteur dans une autre classe, etc. • Assurer une guidance pour que l'élève aille plus loin ; lui proposer des défis d'enrichissement, des projets personnels, etc. • Fournir un cadre assez grand pour qu'il puisse exercer sa liberté à l'intérieur de celui-ci. • Lui donner des rétroactions en verbalisant à son intention des forces et des défis pour cultiver sa motivation scolaire.

De nos jours, la plupart des gestes machinaux que les élèves posent dès leur réveil déclenchent des résultats instantanés, si bien qu'à leur arrivée en classe ils s'imaginent qu'il en sera de même pour l'apprentissage. Celui-ci est sensé être immédiat, subit, sans trop réclamer d'investissement de leur part.

Le sens de l'effort : une priorité Face à ce changement de culture, l'école doit placer le sens de l'effort dans ses priorités éducatives. Les enseignants doivent abandonner la croyance que le sens de l'effort est inné chez les élèves ; ils doivent se résigner à l'enseigner tout comme ils le font pour l'accord du verbe, l'opération de la division ou la coopération.

L'encadré suivant regroupe dix stratégies pouvant contribuer à ce que l'élève apprenne graduellement le sens de l'effort. L'enseignant devra faire preuve de patience. Les résultats peuvent tarder à venir... Changer un comportement, ça prend un certain temps, ça suppose aussi le recours à plusieurs stratégies et ça nécessite beaucoup de persévérance de la part de celui qui intervient.

Comment développer le sens de l'effort chez les élèves ?

Des stratégies pour enseigner le sens de l'effort

1. L'enseignant inscrit régulièrement sur les travaux des élèves une force et un défi.
2. L'enseignant incite les élèves à déterminer un seuil de réussite personnel lorsqu'ils sont en train d'apprivoiser un concept ou une technique quelconque.
3. L'enseignant élabore une procédure de débrouillardise (*voir fiches 1.7a et 1.7b, p. 414 et 415*) avec les élèves. Il place en premier lieu des gestes qui sollicitent le potentiel de l'élève.
4. L'enseignant amène les élèves à autoévaluer régulièrement leur performance par rapport au sens de l'effort. (*Voir fiche 5.10b, p. 470.*)
5. L'enseignant lit aux élèves des allégories faisant la promotion de résultats positifs lorsque des efforts ont été déployés.
6. L'enseignant place les élèves en dyades d'entraide pour qu'ils se donnent mutuellement une force et un défi lorsque la tâche d'apprentissage a été réalisée en coopération.
7. L'enseignant invite en classe des personnes qui témoignent de leur réussite actuelle, en insistant sur le fait que celle-ci a été tributaire des efforts qu'ils ont investis.
8. Dans la gestion du portfolio d'apprentissage (*voir fiche 5.12c, p. 476*), l'enseignant insère le sens de l'effort à travers la banque de critères que l'élève doit utiliser pour sélectionner ses pièces-témoins.
9. À la fin d'une période donnée (une semaine ou un mois), l'enseignant demande aux élèves d'identifier eux-mêmes leurs forces et leurs défis à partir de référentiels qu'ils peuvent consulter aisément.
10. Après la présentation du bulletin ou du portfolio, l'enseignant exige que les élèves se donnent un plan d'amélioration au regard d'une autre étape sous la supervision de leurs parents.

Quand un enseignant se place en situation de stimuler ses élèves à l'effort, la prudence est de mise afin de ne pas confondre la démotivation et le sens de l'effort, même si les deux attitudes sont en constante interaction. Un élève démotivé n'est pas tellement intéressé à se forcer pour réussir, et un élève qui ne fournit jamais d'efforts risque de ne pas connaître la joie de la réussite. Voilà deux chemins inévitables pour sombrer dans la démotivation ! Dans le présent contexte, je m'en tiendrai au sens de l'effort, puisque la thématique de la motivation a été traitée précédemment dans ce chapitre.

La capacité à instaurer une saine discipline

La discipline est une manière d'apprendre à l'enfant ou à l'adolescent à organiser sa vie, ses actions et son parcours, de façon qu'il en retire le maximum de plaisir et d'épanouissement, en tenant compte des autres et de l'environnement dans lequel il vit. Elle exige une formation comme n'importe quel autre apprentissage. Cette formation est réussie quand elle obtient comme résultat l'autodiscipline. L'élève en arrive à réguler son comportement pour être de plus en plus en harmonie avec lui-même, les autres et son milieu. Pour en arriver là, il doit faire un réel apprentissage, c'est-à-dire :

- connaître les règles du jeu (savoir) ;
- vivre les règlements de l'école et participer à l'élaboration de certaines règles de la vie de la classe et des conséquences qui en découlent (savoir-faire) ;

Discipline n'est pas synonyme de coercition

Si le mot « discipline » a pratiquement perdu sa référence aux punitions, il reste encore, pour beaucoup de personnes, lié à des attitudes coercitives. « Comment faire pour que tel élève arrête de se comporter de telle façon ? » dira un enseignant. Ou bien : « Comment m'y prendre pour me faire obéir ? » dira un parent débordé. Ces interrogations montrent bien que la discipline reste encore souvent un privilège d'adultes, l'exercice d'un pouvoir sur les enfants.

On peut tenter d'expliquer cette situation par le fait que, pendant de nombreuses années, les adultes ont détenu l'autorité au sens large du terme. Ils imposaient les règles, et les enfants comme les adolescents devaient s'y conformer sans jamais répliquer ou remettre en cause ce qui avait été décidé. L'obéissance, marquée par la peur autant que par le respect des figures d'autorité, faisait partie intégrante du vécu de l'enfance et de l'adolescence, et la seule façon de s'y soustraire était de devenir soi-même un adulte et d'établir ses normes personnelles.

Dans ce contexte éducatif qui régnait autant dans les familles que dans les classes, il allait de soi que la plupart des élèves arrivaient à l'école avec une notion d'obéissance et d'autocontrôle très bien intégrée. L'enseignant se chargeait alors de superviser leur conduite, en faisant de temps à autre des rappels à l'ordre et en punissant ceux et celles qui osaient sortir des rangs déjà tracés. Aujourd'hui, les choses sont différentes.

- acquérir, au contact de l'adulte, des valeurs et des attitudes d'engagement et de responsabilité (savoir-être).

Comment aider l'élève à prendre la responsabilité de ses comportements sur ses épaules ?

Connaître les règles du jeu (savoir)

Quand ils arrivent à l'école, les enfants ont déjà acquis une certaine forme d'autodiscipline. Ils maîtrisent leurs gestes pour se nourrir, s'habiller, manier des objets de toutes sortes. Ils connaissent aussi un certain nombre de règles de discipline en usage dans la famille, dans le groupe de jeu, dans un lieu public. Mais ils ignorent les règles concernant le fonctionnement d'un groupe d'enfants en apprentissage, dans une classe, sous la direction d'un enseignant.

L'enseignant, au contraire, possède pratiquement toutes les règles de ce fonctionnement. C'est lui qui les a édictées, il en a la pratique depuis un certain temps et, de plus, il est très conscient de sa responsabilité et de son pouvoir d'influence. L'enjeu de la formation des élèves consistera à les aider à intégrer ces règles pour qu'elles deviennent les leurs.

La *première intervention* de l'enseignant consistera à demander aux enfants ou adolescents de verbaliser les attentes qu'ils ont à son égard et à leur communiquer par la suite ses propres attentes. Ce sont les prémices de l'éclosion d'un modèle participatif et responsabilisant dans tout groupe aspirant à une forme de croissance.

Au cours de la *deuxième intervention*, l'enseignant présentera aux élèves les différents niveaux d'encadrement disciplinaire qui régiront leur quotidien :

- les règlements de l'école et leurs conséquences éducatives, advenant un manquement ;
- les règles de vie de la classe et les modalités de réparation ;
- la charte de coopération et ses mécanismes d'application concernant les périodes de décloisonnement qui seront organisées entre différents groupes-classes.

La *troisième intervention* consistera à informer les élèves des principaux règlements de la vie de l'école et de leur raison d'être. Si les élèves sont capables de les comprendre et de les respecter, ces règles procureront à l'enseignant une sécurité et le rendront plus disponible pour intervenir sur l'encadrement disciplinaire au sein de sa classe ou de son groupe de base.

Vivre les règlements de l'école et participer à l'élaboration des règles de vie de la classe et des conséquences qui en découlent (savoir-faire)

À partir du moment où les élèves connaissent les règlements de l'école, ils peuvent les mettre en pratique et ainsi exercer un certain contrôle sur leur propre personne. Il est essentiel qu'ils perçoivent comme une étape de croissance cette maîtrise d'eux-mêmes, de leurs gestes, de leurs paroles et de leurs attitudes. Le bébé au berceau n'a aucun pouvoir, pas même celui du contrôle de ses sphincters. À six ans, l'enfant a déjà fait des acquis sur le plan de l'autonomie. Chaque étape de son développement lui permet d'apprendre de nouvelles habiletés, ce qui lui donne davantage d'occasions d'exercer un pouvoir sur sa vie. En invitant les élèves à participer à l'élaboration des règles de vie du groupe-classe, l'enseignant leur ouvre un nouveau champ. Ceux-ci acquièrent du pouvoir sur leur environnement, sur leur milieu de vie. Ils apprennent à établir ce pouvoir en tenant compte des autres et des conditions matérielles. C'est une épreuve de réalisme et d'adaptation. L'enseignant doit prendre en compte l'erreur, l'évaluation et la régulation, autant d'étapes normales de l'apprentissage.

Il n'est pas superflu d'amener les élèves à participer à l'élaboration des conséquences éducatives ou des réparations qui découlent de l'observation ou non des règles de vie de la classe. C'est un choix qui contribue fortement à la construction du sens des responsabilités chez l'enfant et l'adolescent. Pourquoi ce sens des responsabilités ne porterait-il pas également sur les gestes qu'un apprenant a décidé de faire en toute connaissance de cause ?

La société d'aujourd'hui, on le sait, met fortement l'accent sur « les droits et libertés de la personne ». Chaque minorité peut faire respecter ses droits fondamentaux. Mais peu de voix se font entendre pour rappeler aux uns et aux autres l'importance d'assumer les conséquences de leurs gestes, heureuses ou malheureuses.

La famille elle-même n'échappe pas à ce courant. Beaucoup de parents veulent donner à leurs enfants une éducation plus libérale qu'autoritaire. S'ils savent dialoguer avec eux pour établir certaines règles, ils ne savent pas toujours les amener à faire face aux conséquences de leurs gestes. Celles-ci sont rarement prévues, négociées. Quand les parents s'en rendent compte, souvent trop tard, ou bien ils assument les conséquences eux-mêmes, ou bien ils placent l'enfant ou l'adolescent face à des conséquences disproportionnées par rapport à l'acte. Par ailleurs, plusieurs parents sont aujourd'hui séparés et leurs enfants vivent notamment en garde partagée ou en famille reconstituée : la gestion de la discipline en est souvent complexifiée.

En classe, la situation est similaire. Parfois, l'enseignant croit que les règlements de l'école suffisent à encadrer les élèves. Pourtant, ces règlements ne peuvent prévoir tous les écarts de conduite susceptibles de survenir dans la vie d'une classe. Et quand l'enseignant veut amener les élèves à faire face aux conséquences de leurs actes, celles-ci sont parfois subites, non prévues, elles n'ont pas été négociées, elles sont disproportionnées et ont peu de liens avec le geste fait. L'humeur, la fatigue, la sympathie ou l'antipathie de l'enseignant entrent en ligne de compte et contribuent à placer les élèves face à l'arbitraire plutôt que face à la réalité.

Implanter des conséquences, c'est prévoir avec les élèves les suites tristes ou heureuses, agréables ou désagréables, de leurs actes. L'opération leur permet d'établir des liens entre leurs gestes et les conséquences, de susciter chez eux une saine responsabilité. Elle est, en quelque sorte, une façon de faire vivre aux élèves «la théorie du choix», puisqu'elle les place devant une logique fort parlante : à chaque *action* exécutée correspond nécessairement une *réaction à assumer*. Cette opération est, finalement, l'occasion de former à une vraie liberté.

Comment aider l'élève à prendre la responsabilité de ses comportements sur ses épaules ?

Mettre au point un référentiel disciplinaire Soutenu par cette logique éducative, l'enseignant investira du temps et des efforts pour mettre au point un référentiel disciplinaire avec ses élèves en début d'année. Ce référentiel comprendra des règles de vie de même que des conséquences éducatives, prenant le plus possible la forme de réparations. Malgré le fait que l'enseignant désire être efficace et performant pendant les premières journées et les premières semaines de classe, il faut que celui-ci accepte de «perdre du temps» au profit de l'émergence du cadre disciplinaire. De toute façon, pour son plus grand profit et celui des élèves, ce temps sera récupéré plus tard...

Afin que ce cadre disciplinaire joue pleinement son rôle, il doit comporter deux caractéristiques importantes : la signifiance et la mouvance. Autrement, il est fort probable qu'il sera perçu comme une référence superficielle, un moyen désincarné de la vie vécue en classe. Par conséquent, il sera vite relégué au second plan par les élèves eux-mêmes, malgré le fait qu'il soit écrit sur une immense affiche placée bien en vue dans le local.

- *La signifiance du référentiel disciplinaire :* Plus un enseignant est soucieux d'établir des règles de vie à partir d'un contexte réel, plus celles-ci sont susceptibles d'être signifiantes pour les élèves, qui devront en tenir compte dans le quotidien. Ce n'est peut-être pas une bonne idée de vouloir organiser à tout prix l'ensemble des règles de vie le 3 septembre au matin, par exemple. Un enseignant peut très bien démarrer son année scolaire en rappelant aux élèves les attentes qui ont déjà été énoncées et les procédures de fonctionnement qui ont été préalablement élaborées. La formulation des règles de vie peut venir plus tard, ce qui permettrait d'en favoriser l'émergence autour d'un vécu qui est perfectible, autour d'un comportement qui demanderait à être amélioré. Ce qui revient à dire qu'il n'existe pas de date limite pour formuler des règles de vie. On le fait au fur et à mesure que le contexte s'y prête et qu'il y a un réel besoin de le faire. Il pourrait même arriver, une certaine année, qu'un enseignant ne ressente pas le besoin de recourir à un référentiel disciplinaire pour maintenir dans sa classe un climat propice à l'apprentissage. De simples rappels verbaux seraient alors suffisants.

  Par contre, l'enseignant doit saisir chacune des occasions pour étoffer le référentiel disciplinaire dès qu'il voit la nécessité de se pencher sur une nouvelle règle de vie parce qu'il y a une nouvelle réalité à encadrer dans la classe. Par exemple, un 13 avril, la formulation d'une règle de vie pourrait s'imposer à l'égard de deux bons comportements à adopter pendant la tenue d'une clinique convoquée et la gestion d'un sous-groupe travaillant sans la guidance de l'enseignant. D'ailleurs, le contexte du conseil de coopération se prête bien à ce genre de situation. Quand vient le temps d'aborder le volet « Nous voudrions parler de... », l'enseignant ou les élèves peuvent recommander la création d'une règle de vie. Les raisons de cette décision peuvent être associées à un comportement inapproprié qui a lésé des droits individuels ou causé un dérangement dans la poursuite des apprentissages des élèves.

- *La mouvance du référentiel disciplinaire :* Même si les règles de vie sont affichées sur un carton dans la classe, même si elles sont écrites dans l'agenda des élèves, cela n'en garantit pas nécessairement l'application et l'efficacité. Ces règles doivent être non seulement significatives pour les élèves, mais aussi évolutives, s'inscrivant au cœur du cheminement de ces derniers.

  Pour illustrer cette proposition de développement, je dirais qu'il n'est pas tout à fait juste de prétendre qu'un enseignant doit absolument se tenir à un nombre limité de règles de vie, c'est-à-dire trois pour les plus jeunes et cinq pour les plus grands. Au cours d'une année scolaire, un enseignant pourrait être contraint de formuler une quinzaine de règles de vie, par exemple. Celles-ci constitueraient une banque de comportements à améliorer dans laquelle le gestionnaire de la classe puiserait des défis collectifs ou individuels. Les élèves guidés par l'enseignant pourraient décider conjointement du choix des règles qui alimenteraient le référentiel disciplinaire pour une période donnée. Autrement dit, il y aurait des règles de vie vedettes tandis que d'autres se retrouveraient en veilleuse dans la banque. Il s'agirait alors de règles de vie déjà intégrées aux bons comportements ou de règles de vie présentant pour le moment une trop grande difficulté sur le plan de la maîtrise.

  L'attitude qui est à proscrire, c'est de considérer le cadre disciplinaire comme une structure statique, ne devant pas bouger de septembre à juin. Si l'enseignant veut se servir du principe de la mouvance pour faire évoluer les comportements de ses élèves, il doit recourir fréquemment à l'objectivation et à l'autoévaluation des comportements avec eux. C'est le meilleur moyen pour installer l'autorégulation, l'autodiscipline et l'autocontrôle.

D'autres moyens d'enseigner les bons comportements Il est illusoire de prêter des pouvoirs magiques au référentiel disciplinaire. Ce dernier fait tout simplement partie d'un équipement de base qu'un enseignant se donne pour s'accorder la liberté d'enseigner. Au même titre que les rituels, les procédures, le conseil de coopération ou la rencontre-entrevue, le référentiel disciplinaire s'inscrit dans une panoplie de moyens préventifs permettant à l'enseignant de tenir compte des écarts de maturité dans l'appropriation des bons comportements.

Les différences sur le plan de la maturité comportementale sont présentes dans tout groupe d'adultes, d'adolescents ou d'enfants. Pourquoi vouloir alors placer tous les élèves d'une classe ou d'un groupe de base dans le même moule lorsqu'il s'agit du développement de leur autonomie? En effet, certains élèves ont déjà une forme d'autodiscipline lorsqu'ils arrivent en classe, ce qui veut dire qu'ils n'ont pas besoin de cadre disciplinaire pour savoir ce qu'ils ont à faire. D'autres élèves sont capables de bien se comporter pour autant qu'ils soient guidés par des règles de vie, tandis que d'autres encore, plus audacieux, ont besoin, en plus, de conséquences d'application rattachées à ce qui n'est pas négociable. Finalement, quelques-uns défient l'autorité en tentant d'imposer leurs propres règles. Ils ne peuvent pas faire l'apprentissage de bons comportements avec les moyens de base que l'enseignant utilise pour l'ensemble de la collectivité; ils ont plutôt besoin de moyens adaptés et complémentaires qui les rejoignent là où ils sont présentement.

Très souvent, les éducateurs sont conscients de cet écart de maturité qui existe entre les élèves, mais ils baissent les bras quand vient le temps de tenir compte de cette grande différence. Je crois que deux raisons majeures pourraient expliquer cette attitude.

La *première raison* est rattachée à un prétendu besoin d'être juste et équitable avec tous les élèves. Cette façon de voir les choses s'inscrit dans une culture des ressemblances: «Tous les élèves sont censés apprendre les mêmes bons comportements, en même temps, en empruntant le même itinéraire et en utilisant les mêmes moyens.»

Par contre, dans une culture des différences, où l'enseignant est centré sur la prise en compte des profils d'apprentissage et des parcours scolaires des élèves, cette prétendue justice devient plutôt une injustice, un manque d'équité sociale. Dans un contexte différencié, il importe d'admettre qu'il est impossible que tous les élèves d'une même classe deviennent autonomes au regard d'une même cible développementale au même instant. C'est même impensable dans la vie quotidienne, puisqu'on rencontre tous à un moment donné, sur notre chemin, des hommes ou des femmes qui ont 50 ans, mais qui manifestent un comportement enfantin. Pour percevoir la situation différemment, il faut être habité par une véritable culture des différences, que cela concerne les élèves, les parents ou les enseignants. Malheureusement, ce changement de vision ne saurait se produire de façon aléatoire; il nécessite des interventions bien particulières.

La *seconde raison* de cette attitude du laisser-aller est liée à l'absence de moyens adéquats pour réagir rapidement à des comportements dérangeants. Devant l'indiscipline, l'indifférence, voire l'arrogance, le gestionnaire de la classe ou de groupes de travail est démuni, il ne sait pas trop quoi faire. Mis à part la retenue, la copie, les travaux supplémentaires, le local de réflexion et la visite au bureau du directeur de l'école, l'enseignant vit presque une forme de détresse… Et le plus dommageable dans cette situation, c'est que les élèves, eux, sont très conscients que l'enseignant est au bout du rouleau, qu'il manque de moyens. Pourquoi ne pas en profiter pleinement, se disent-ils ? Afin d'éviter cette situation d'impuissance et cette zone d'inconfort, il est de bonne guerre pour un enseignant de s'informer et d'expérimenter divers moyens disciplinaires qui constitueraient pour lui une trousse éducative dans laquelle il pourrait puiser selon les contextes disciplinaires qui se présenteraient. Pour vous épauler dans cette direction, je vous invite à consulter la figure 2.3, page 96.

Acquérir, au contact de l'adulte, des valeurs et des attitudes d'engagement et de responsabilité (savoir-être)

La véritable autodiscipline s'enracine dans des valeurs de base, comme la capacité de s'engager et le sens des responsabilités. Ces valeurs ne peuvent en général être enseignées. Elles s'acquièrent au contact de quelqu'un qui les possède et les vit au jour le jour. Au fur et à mesure que les élèves prennent du pouvoir sur eux-mêmes et sur leur milieu, qu'ils s'adaptent aux autres et aux conditions matérielles, ils développent un vouloir-être, comme l'adulte qui dirige et soutient sa démarche. Si l'enseignant sait être complice, responsable, authentique, chaleureux et ouvert, il incitera les élèves à adopter ces attitudes et à les faire leurs.

Bien sûr, l'apprentissage de l'autodiscipline ne se développe pas de façon linéaire et séquentielle, mais de façon globale et simultanée. Le savoir-faire se développe en même temps que le savoir, et c'est à travers le vécu de ces deux premières étapes que se vit aussi la troisième, le savoir-être. La distinction n'est soulevée que pour que l'enseignant ait une claire conscience des terrains sur lesquels il se trouve quand il participe à la formation de l'autodiscipline de l'élève.

La capacité à outiller les élèves pour la résolution de conflits

Comment habiliter les élèves à résoudre des conflits ?

Le conflit fait partie de toute relation humaine. Dès que deux personnes sont réunies, qu'elles soient enfants ou adultes, il y a un risque d'incompréhension, de mésentente, de conflit. Vouloir une classe où les relations sont toujours harmonieuses, c'est vivre dans l'imaginaire plutôt que dans la réalité. Mais tout en reconnaissant cette réalité, il ne s'agit pas non plus d'être à la merci des conflits. Ces derniers, non résolus ou mal résolus, finissent par gâter la vie d'un groupe et provoquer son éclatement. Il s'agit donc plutôt d'expérimenter les conflits de manière qu'ils deviennent des situations de croissance.

Il existe divers moyens de résoudre les conflits dans une classe. Mais quels que soient les outils employés, il sera toujours utile de les situer dans l'ensemble d'une démarche dont il est important que tous, enseignant et élèves, soient conscients. L'encadré de la page 97 en trace les étapes.

FIGURE 2.3 DES MOYENS DIFFÉRENTS POUR DES ÉLÈVES DIFFÉRENTS*

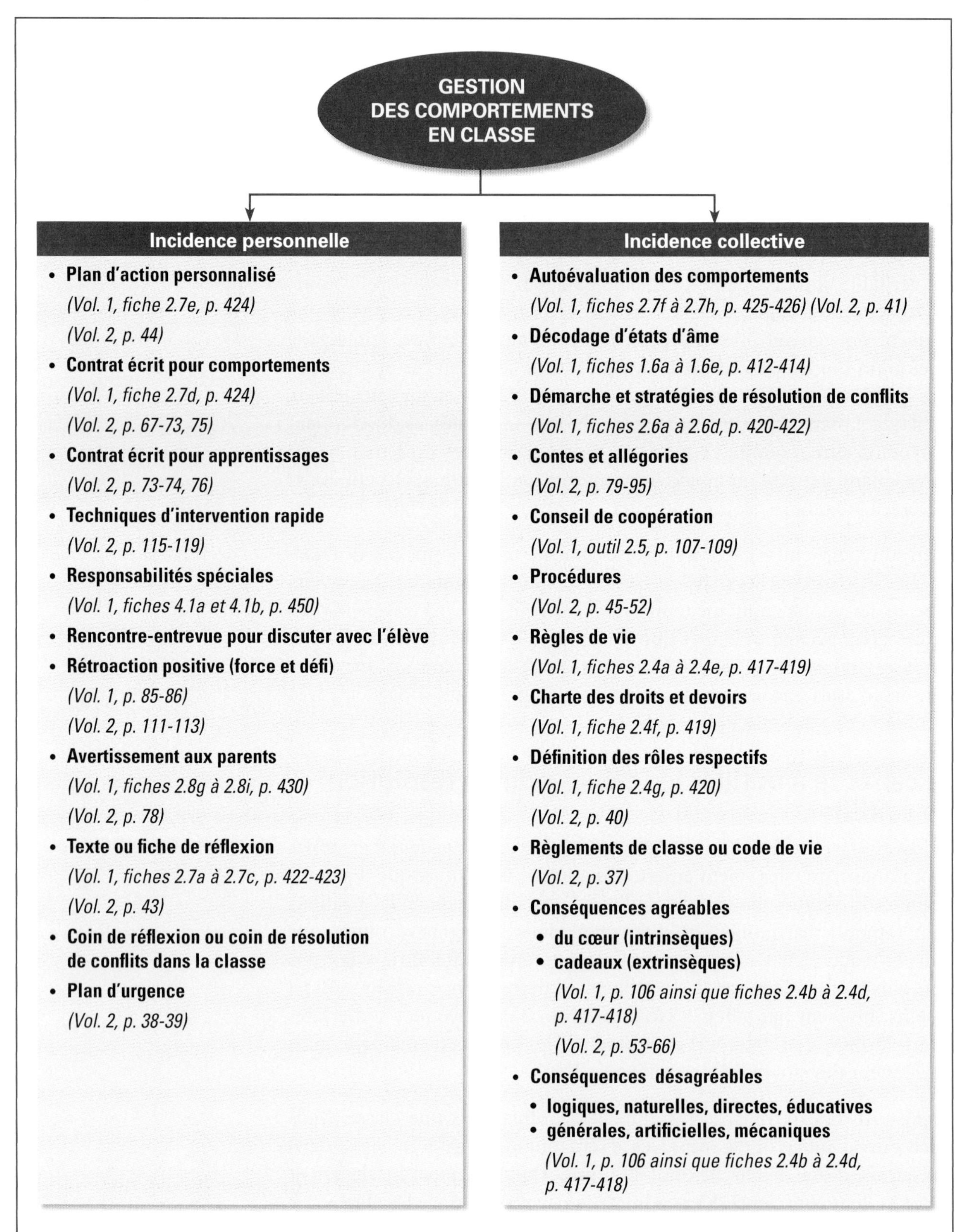

* Les différents leviers mentionnés dans cette figure sont décrits aux pages indiquées dans Jacqueline Caron (1997). *Quand revient septembre, volume 2 : Recueil d'outils organisationnels*, Montréal, Chenelière Éducation; et le présent ouvrage, soit Jacqueline Caron (2012). *Quand revient septembre, volume 1, 2e édition : Recueil d'outils organisationnels*, Montréal, Chenelière Éducation.

Gérer un conflit, étape par étape

- *La reconnaissance du déséquilibre:* Avant le conflit, il existait entre les deux personnes un certain équilibre qui fondait l'harmonie de la relation. Pour une raison ou pour une autre, cet équilibre est rompu. Il y a donc un « manque » à combler: l'équilibre et l'harmonie. Cette première étape peut paraître évidente, mais beaucoup de conflits ne sont jamais résolus, simplement parce qu'ils ne sont pas reconnus comme tels. Ils perdurent et font leurs ravages en profondeur. Il faut du courage pour admettre et accepter une rupture. Mais sans cette recherche de la vérité, il sera difficile d'aller plus avant dans la résolution du conflit.

- *La décision d'amorcer un travail de résolution du conflit:* Là aussi, l'étape peut sembler évidente. En réalité, la décision de se mettre au travail pour résoudre un conflit n'est pas toujours claire. Certaines personnes, même des enfants ou des adolescents, peuvent inconsciemment vouloir profiter du conflit pour rompre une relation qui ne leur va plus. Avant d'engager des énergies dans la résolution du conflit, il faut donc que les deux parties sachent bien si elles désirent conserver la relation et entreprendre le travail de résolution du conflit. Il est inutile d'essayer d'amener à la réconciliation deux personnes – deux enfants, deux adolescents ou un adulte et un enfant – qui ne désirent pas faire la paix ou se rapprocher. Il faut respecter cette volonté.

- *La recherche des solutions:* Puisque les conflits sont des ruptures d'équilibre, il faut trouver les moyens qui permettront de restaurer l'équilibre. C'est une étape d'essais et d'erreurs. L'enseignant qui accompagne les élèves dans cette démarche ne devra pas conclure trop rapidement à la « mauvaise volonté » de leur part. Il s'agit plutôt d'apprendre à écouter son être profond pour saisir à quel moment l'équilibre est effectivement revenu à l'intérieur de soi et dans la relation. Le rôle de l'enseignant est de proposer à ses élèves une démarche de résolution de conflits et d'offrir une variété de stratégies afin que chacun puisse trouver celle qui convient, comme la verbalisation des sentiments, l'écoute, la négociation, la médiation par une troisième personne, l'excuse ou l'ajournement.

- *L'émergence d'une solution et la satisfaction des deux parties:* Si les étapes précédentes ont été bien vécues, dans le respect des sentiments des deux parties, il arrive un moment où l'équilibre se rétablit. Tous le ressentent et l'harmonie règne de nouveau. C'est un moment à célébrer.

- *L'objectivation:* Les personnes, adultes, adolescents ou enfants, qui viennent de vivre un conflit et de le résoudre retireront tous les bénéfices de ces étapes de réconciliation si elles prennent le temps de revenir sur ce qu'elles ont vécu. Cette manière de mettre un peu à distance le processus pour se l'approprier davantage permet la transformation de l'événement en une expérience. Dans tout conflit ultérieur, il sera possible de revenir à celui-ci et d'y puiser des moyens de faire face au nouveau conflit et de le résoudre. L'objectivation est l'opération indispensable pour que le conflit se transforme en une expérience de vie positive et constructive.

2

L'enseignant qui s'investit dans une dynamique de résolution de conflits avec des élèves sera donc conscient qu'il s'engage réellement dans un processus. Toutes les étapes ne seront pas franchies au rythme où il le désire ou avec les moyens qu'il souhaite. Son rôle est de faciliter, avec respect, la clarification des sentiments et des émotions, l'exploration des moyens, le retour sur le processus et sa compréhension. Et pourquoi ne pas proposer et faciliter la réalisation d'une petite fête de réconciliation lorsque le conflit a cédé le pas à la paix et à l'harmonie ?

3 Le choix des outils

Tous les enseignants ne sont pas obligés d'emprunter le même itinéraire pour atteindre le même but. Voilà pourquoi il est stratégique de connaître une panoplie de moyens afin d'effectuer des choix pertinents en fonction des besoins des apprenants et de l'intervenant. De plus, les mêmes outils peuvent prendre des formes variées, parce que chaque enseignant est différent et chaque groupe l'est aussi. Parmi les exemples d'outils proposés dans les pages suivantes, le gestionnaire de la classe ou de groupes de travail peut en utiliser plusieurs ou simplement choisir celui qui lui convient le mieux. Il serait même avantageux que les outils soient personnalisés pour les rendre plus signifiants et efficaces dans le contexte unique vécu par le groupe-classe.

Une banque de stratégies pour créer un climat motivant

2.1 La clé de la réussite : un climat de classe motivant

Contexte et utilité

S'il est un domaine où l'enseignant a véritablement du pouvoir, c'est bien celui de l'ambiance éducative qui règne dans une classe ou dans un groupe de travail. Il est à la fois nécessaire et possible pour lui d'exercer une saine influence sur la qualité d'un climat de travail motivant et épanouissant. N'est-il pas tout à fait normal que chaque journée de classe soit orientée vers le développement d'humains qui aspirent à se réaliser pleinement ?

Un climat, ça se crée, ça se cultive, ça s'entretient. Malheureusement, ça peut aussi se gâter, se briser et se détruire en l'espace de quelques secondes.

Si vous voulez « mesurer la température » du climat de votre classe, le présent outil propose une grille d'analyse pour effectuer un bilan général. En cas de besoin, il offre également des pistes de solutions pour améliorer le climat de votre classe.

www

Les fiches reproductibles mentionnées dans cette section peuvent être consultées en format réduit aux pages 406 et suivantes. Elles sont offertes en format lettre (8,5 po × 11 po), sous forme de fichiers PDF et Word, sur le site Web http://quand-revient-septembre2.cheneliere.ca. L'enseignant qui a acheté cet ouvrage peut les importer sur son ordinateur, les modifier selon ses besoins et les imprimer.

Pistes d'utilisation

1. À l'aide de la fiche 2.1a (*voir p. 415*), réfléchissez aux stratégies qui constituent des forces ou des faiblesses dans votre classe ou dans vos groupes de base.
2. Déterminez parmi les stratégies faibles ou absentes une, deux ou trois priorités sur lesquelles vous désirez travailler dans l'immédiat.
3. Expérimentez, objectivez et régulez vos interventions.

Remettre les pendules à l'heure

Comme on vient tout juste de le mentionner au sujet du climat, l'enseignant a aussi du pouvoir sur la construction de la motivation scolaire, beaucoup plus qu'il ne le soupçonne même. La motivation de l'élève prend naissance dans les relations humaines qu'il entretient de même que dans le climat de travail où il se trouve. À cette fin, il est réaliste et bénéfique pour un enseignant de penser que chaque geste fait, chaque parole prononcée, chaque attitude adoptée revêt une importance capitale. En fait, c'est tout cela qui contribue à créer une ambiance éducative donnant le goût aux élèves de s'engager et de donner leur plein rendement. Contrairement à ce que certaines personnes peuvent penser, il n'existe pas de solution miracle pour y parvenir; c'est plutôt dans le quotidien que le climat et la motivation scolaire se construisent.

Même si l'enseignant réfléchit lui-même aux attitudes et aux interventions qu'il devrait privilégier, il ne doit pas oublier de demander aux élèves leur version des faits. La banque de stratégies peut alors être transformée en un référentiel dans lequel ceux-ci puiseront pour fournir des forces et des défis à leur enseignant en regard de sa capacité à créer et à maintenir un climat motivant.

2

2.2 Un facteur déterminant pour l'élève : l'estime de soi

Une banque de stratégies pour entretenir l'estime de soi

Contexte et utilité

L'estime de soi découle de l'ensemble des perceptions qu'une personne a d'elle-même. Ces perceptions peuvent prendre la forme de cinq sentiments : la sécurité, l'identité, l'appartenance, la détermination et la compétence. Des actions toutes simples peuvent aider un enfant ou un adolescent à construire ces sentiments. Cet outil peut contribuer à ce que vous ayez une vision globale de l'estime de soi. Il vous offre aussi des pistes concrètes pour développer chacun des cinq sentiments créateurs de l'estime de soi.

Pistes d'utilisation

1. Dans le tableau 2.3 (*voir p. 100*), déterminez le sentiment sur lequel vous désirez intervenir.
2. Analysez votre vécu comme intervenant au regard du sentiment cible retenu.
3. Sélectionnez dans le tableau 2.3 les gestes pertinents à accomplir pour les élèves de votre classe.

Remettre les pendules à l'heure

Parmi les facteurs qui influent sur la construction de la motivation scolaire, on trouve, en tête de liste, la présence d'une bonne estime de soi chez l'apprenant. Même si celle-ci se développe dans la petite enfance au sein de la cellule familiale, il faut reconnaître que l'école peut encore jouer un rôle sur ce plan. Et c'est heureux qu'il en soit ainsi...

L'enseignant accorde donc une attention particulière au dosage de ses exigences par rapport aux profils d'apprentissage et aux parcours scolaires afin de permettre à chaque élève de connaître des réussites à sa mesure. Pour le faire, il doit recourir à des interventions marquées, pour certains élèves, par la différenciation et l'adaptation, et même, pour quelques-uns d'entre eux, par la modification.

TABLEAU 2.3 | DES STRATÉGIES POUR CONSTRUIRE L'ESTIME DE SOI

SENTIMENTS	STRATÉGIES
Sécurité	• J'offre une structure de fonctionnement claire et efficace aux élèves. • J'établis des règles décrivant des comportements observables et mesurables à leur intention. • Je fais respecter les règles établies, sous l'empreinte de la constance et de l'impartialité. • Je m'efforce de préserver le respect de soi pour chacun. • Je fais appel au sens des responsabilités.
Identité	• J'aide mes élèves à clarifier leurs valeurs, à décoder leurs champs d'intérêt et à communiquer leurs attentes. • Je donne des rétroactions positives. • Je manifeste de l'écoute et de la sensibilité à l'égard du vécu des élèves.
Appartenance	• J'accepte les différences chez les élèves et je fais des tentatives pour en tenir compte dans le quotidien. • Je crée un climat accueillant et motivant. • Je mets en place des conditions favorisant diverses interactions entre les élèves. • Je développe des comportements de soutien mutuel, d'entraide et de coopération.
Détermination	• Je fais connaître mes attentes à mes élèves. • Je construis la confiance en leurs possibilités et la foi en la réussite. • Je clarifie avec les élèves leurs rêves et leurs ambitions. • J'aide les élèves à établir un plan d'action en vue de la réalisation de leurs objectifs personnels.
Compétence	• J'indique les choix ou les solutions de rechange. • Je développe les habiletés de mes élèves pour résoudre des problèmes. • Je donne aux élèves le soutien nécessaire qui leur permet de réaliser ce qui a été demandé. • J'aide les élèves à s'autoévaluer. • Je reconnais les efforts qui ont été faits. • Je suggère des forces et des défis. • J'offre des récompenses, au besoin ; sinon, je continue de miser sur la motivation intrinsèque.

Source : Adapté de Lucille Robitaille. Matériel d'animation pour le Centre de formation Jacqueline Caron inc., 1994.

Un questionnaire pour aider l'élève à identifier les causes de sa démotivation

2.3 Qu'est-ce qui peut démotiver un élève ?

Contexte et utilité

Chacun de nous sait très bien qu'il existe différents facteurs de démotivation. Avant d'élaborer un plan d'intervention adapté ou avant de faire des interventions visant à motiver un enfant ou un adolescent en particulier, il est de bon aloi pour un enseignant de vérifier auprès de l'élève lui-même si ses perceptions sont exactes ou erronées.

Pour faciliter cette étape de validation, pourquoi ne pas donner un référentiel à l'élève qui l'aidera à considérer toutes les facettes de la motivation ? Offrons-lui des mots pour nommer ce qu'il vit. Les deux exemples de questionnaires proposés (*voir fiches 2.3a et 2.3b, p. 416, et l'encadré de la page 102*) peuvent contribuer à découvrir de manière plus précise les facteurs de démotivation qui sont réellement en cause dans le désengagement observé.

Pistes d'utilisation

1. Si vous êtes en présence d'un élève autonome sur les plans de la lecture et de l'écriture, vous pouvez l'inviter à remplir le questionnaire par écrit (*voir p. 416*).
2. Par contre, si l'élève n'est pas suffisamment compétent sur ces plans, vous auriez intérêt à planifier une rencontre-entrevue. Le questionnaire vous servira alors de canevas de discussion pour parler avec l'élève de son vécu scolaire et de son intégration au sein de l'école.
3. Pour des cas de démotivation plus marquée, vous devrez probablement prêter grande attention à la dimension humaine de votre entretien avec l'élève. Cela s'avère toujours plus efficace de dialoguer en tête-à-tête que de s'en tenir au simple aspect technique du duo « questions et réponses ».
4. Ce questionnaire peut même s'adresser à tous les élèves d'une classe si vous désirez évaluer le degré et la source de démotivation de vos élèves et dresser par la suite un profil motivationnel de votre classe.
5. Cet outil de validation peut être utilisé dans sa globalité ou en partie. Vous n'êtes pas obligé de cerner tous les facteurs de démotivation en même temps. En effet, certains élèves pourraient remplir uniquement la section concernant la qualité du climat. Par contre, d'autres pourraient être invités à répondre aux questions traitant des facteurs cognitifs, par exemple.

Remettre les pendules à l'heure

Assez fréquemment, la problématique liée à la démotivation d'un élève est gérée de façon trop intuitive. Mis à part le climat familial, le manque de responsabilités confiées en classe de même que le rejet subi par un élève à l'école, on tourne souvent en rond avant de mettre le doigt sur les véritables causes du désengagement de l'élève. Pourtant, avant de songer à créer un plan de réadaptation à l'intention d'un élève non motivé, ne serait-il pas plus sage de prendre le temps d'établir un diagnostic plus clair ?

Plus un enseignant connaît les véritables raisons pour lesquelles un élève se désintéresse de la vie scolaire, plus il a du pouvoir pour agir sur ce processus complexe. Comme la construction de la motivation scolaire appartient d'abord à l'apprenant, l'enseignant a intérêt à se donner des moyens pour aller vérifier ce qui se cache derrière le manque d'intérêt, le manque d'effort ou le manque d'engagement.

Une fois que l'enseignant reconnaît ce principe, il doit utiliser des mécanismes de collecte de données qui lui permettront d'aller chercher le point de vue du principal intéressé. C'est une démarche qui n'est pas toujours facile à réaliser, mais elle est si importante... Une raison de plus pour se soucier des stratégies suggérées !

La clé d'interprétation des résultats des fiches 2.3a et 2.3b

Fiche 2.3a
Les numéros 3, 4, 5, 6 et 12 de ce questionnaire se rapportent à des facteurs de dimension affective.

Les numéros 1 et 11 permettent de valider la perception de la valeur de la tâche : sa signifiance et son utilité (la clarté du « pourquoi »).

Les numéros 7, 8 et 9 mettent en relief des informations sur la perception des exigences de la tâche (défis proposés et efforts attendus au regard d'une tâche trop facile ou trop difficile).

Les numéros 2 et 10 sont des indicateurs en lien avec la perception du contrôle qui peut être exercé sur la tâche (outillage cognitif fourni et mode de guidance accordé).

Les numéros 13, 14 et 15 offrent la possibilité d'aller chercher des données sur la conception que l'élève a de l'école et des disciplines qu'on y offre.

Fiche 2.3b
La première partie du questionnaire (numéros 1 à 17) permet de dégager des attitudes ou des valeurs affectives : estime de soi, sentiment de compétence, sentiment de sécurité, etc.

Les numéros 18 à 25 permettent de valider la perception que l'élève a de la valeur de la tâche : sa signifiance et son utilité (le « pourquoi »).

Les numéros 26 à 32 permettent de scruter l'un des facteurs cognitifs, soit la perception de l'élève quant aux exigences de la tâche (défis proposés et efforts attendus au regard d'une tâche trop facile ou trop difficile).

Les numéros 33 à 37 permettent de faire ressortir la perception de l'élève par rapport au contrôle qui peut être exercé sur la tâche (outillage cognitif fourni et mode de guidance accordé).

Des exemples de référentiels disciplinaires

2.4 Développer un cadre disciplinaire avec les élèves, une façon de modéliser la responsabilisation

Contexte et utilité

Il est possible de créer une ambiance disciplinaire dans laquelle l'élève s'engagera. Le climat et les relations ne s'en porteront que mieux. Toute la démarche d'élaboration d'un référentiel disciplinaire avec des élèves est un excellent moyen de leur faire apprivoiser l'engagement et la responsabilisation. L'enfant, tout comme l'adolescent, a des droits, mais aussi des devoirs. Les deux doivent apprendre à assumer les conséquences de leurs actions.

Comment élaborer un référentiel disciplinaire signifiant avec les élèves ?

Cet outil suggère des idées concrètes pour actualiser au quotidien la philosophie d'une gestion de classe axée sur la responsabilisation des comportements et le développement de l'autodiscipline.

Pistes d'utilisation

1. Élaborez progressivement avec les élèves un référentiel disciplinaire qui comprendra des règles de vie, des conséquences agréables ainsi que des réparations ou, si vous préférez, des conséquences désagréables. L'encadré suivant (*p. 105*) suggère une façon de faire pour bâtir un tel référentiel, et les fiches 2.4a à 2.4g (*voir p. 417 à 420*) proposent des exemples de référentiel adaptés à l'âge des élèves. De plus, le tableau 2.4 (*p. 106*) suggère des conséquences à appliquer.
2. Prévoyez des moments d'objectivation collective avec les élèves pour apporter des ajustements, s'il y a lieu.
3. Veillez à éviter que votre référentiel disciplinaire devienne statique. Faites-le «vivre». Il doit suivre l'évolution, la dynamique du groupe. Chaque semaine, chaque mois ou chaque étape, revoyez votre cadre disciplinaire avec les élèves et réaménagez-le au besoin.
4. Ne vous contentez pas de présenter le référentiel disciplinaire aux élèves verbalement. Traduisez-le par écrit avec des mots ou des dessins. Ce référentiel disciplinaire peut prendre la forme d'un tableau d'harmonie (*voir fiche 2.4d, p. 418*), d'une charte des droits et devoirs (*voir fiche 2.4f, p. 419*), d'un contrat collectif (*voir fiche 1.1b, p. 407*) ou même d'un cadre définissant les rôles respectifs de l'enseignant et des élèves (*voir outil 1.1, p. 59 à 61, et fiche 2.4g, p. 420*).
5. Le tableau des couleurs (*voir fiche 2.4e, p. 419*) est une autre piste pour développer un référentiel disciplinaire. Il s'inspire des différents niveaux d'exigences qu'un judoka doit atteindre lorsqu'il pratique son sport. Chaque fois que le judoka acquiert une compétence, il bénéficie alors du privilège de s'attaquer aux exigences plus grandes du degré supérieur. Cette forme de référentiel disciplinaire représente la reconnaissance des compétences des élèves sur le plan des comportements. En fait, il tient compte des différences de profils et de parcours des élèves et leur permet d'organiser efficacement leur travail journalier tout en participant mieux à la vie de la classe.

   Remarque: Ce moyen doit être adapté à l'âge des élèves à qui il s'adresse et, comme tous les autres moyens disciplinaires, il doit être vécu en complicité avec eux. Il ne représente pas seulement une stratégie disciplinaire pour l'enseignant, mais se veut surtout un outil de développement personnel à l'intention de l'apprenant.
6. Une direction d'école peut aussi transposer ces outils dans un champ plus large que celui d'une classe et appliquer alors certains d'entre eux à la gestion de la discipline dans son école.

Remettre les pendules à l'heure

Dans l'établissement d'un cadre disciplinaire, l'enseignant doit s'assurer de recourir à une panoplie de moyens afin de répondre à la diversité des profils des élèves et des différents contextes de vie qui se retrouvent dans sa classe ou dans son groupe de base. Dans cette perspective, son coffre à outils comprendra des moyens préventifs et curatifs, des moyens individuels et collectifs, des moyens permanents et temporaires, et, finalement, des moyens constituant un équipement de base de même que des moyens complémentaires à celui-ci.

Chaque fois que la réalité disciplinaire est difficile à gérer malgré le fait que l'enseignant a précisé préalablement les règles du jeu avec ses élèves, il doit interroger les différents paramètres de son intervention éducative. À titre d'exemples, voici quelques paramètres :

- Ai-je associé véritablement mes élèves à la formulation des règles de vie et de l'application des conséquences ?
- Ai-je défini avec clarté et précision les attentes que j'entretenais à leur égard ?
- Ai-je profité de la présence de contextes signifiants pour proposer l'apprentissage de bons comportements ?
- Ai-je fait preuve de cohérence entre ce que je disais et ce que je faisais ?
- Ai-je fait de l'animation autour du référentiel disciplinaire afin de créer de la mouvance autour des balises que nous nous étions données ?
- Ai-je manifesté de la constance dans mes exigences au regard de ce qui avait été désigné comme éléments non négociables ?
- Bref, puis-je affirmer qu'une certaine discipline personnelle m'habite et qu'elle me permet de modeler le chemin qui conduira mes élèves à l'autodiscipline ?

Bâtir un référentiel disciplinaire avec les élèves

1. Profitez d'une situation problématique dans la classe pour lancer l'idée qu'il serait nécessaire d'élaborer une règle de vie. Ayez le souci constant de retirer un avantage d'un contexte signifiant pour formuler un bon comportement que les élèves auraient intérêt à apprendre et à maîtriser.
2. Questionnez les élèves afin de vérifier auprès d'eux ce qui est permis et ce qui ne l'est pas. Notez tous les renseignements donnés.
3. Sélectionnez avec eux les éléments que vous désirez retenir en prenant soin de dégager des cibles comportementales plus urgentes à travailler dans l'immédiat.
4. Formulez par la suite les règles de vie avec les élèves en tenant compte des exigences suivantes :
   - Utilisez le « je ».
   - Formulez la phrase positivement.
   - Employez un verbe au temps présent.
   - Rédigez une consigne courte, correspondant à un seul bon comportement attendu.
   - Décrivez le geste à acquérir en un comportement observable.
   - Surtout au début de l'apprentissage d'un bon comportement, évitez l'emploi d'adverbes pour traduire l'attente, car cette formulation ouvre la porte à différentes interprétations. Par exemple : « Je travaille *proprement.* »
5. Selon l'âge des élèves, ciblez trois à cinq de ces règles de vie à des fins d'application de conséquences et d'autoévaluation.
6. Trouvez avec les élèves des conséquences agréables pour valoriser le respect des règles de vie. Choisissez si vous ferez référence à des conséquences du cœur en lien avec la motivation intrinsèque ou à des conséquences-cadeaux appartenant alors à la motivation extrinsèque.

   Si vous optez pour des conséquences-cadeaux, élaborez alors une banque dans laquelle l'élève aura le loisir de choisir son privilège à la fin de la semaine, une fois qu'il aura procédé à l'autoévaluation de ses comportements.
7. Abordez avec les élèves la nécessité d'établir des conséquences désagréables pour les inciter à respecter les règles de vie décidées par le groupe. Parlez-leur des conséquences directes, logiques, naturelles qui se traduiront alors sous forme de réparations éducatives. Établissez une nuance entre celles-ci et une autre forme de conséquences, soit celles qui sont plus générales, mécaniques, n'ayant aucun lien avec la nature des gestes faits. Dans le cas des conséquences générales, établissez de concert avec les élèves l'ordre chronologique selon lequel ces conséquences s'appliqueront.
8. Écrivez ou faites écrire par les élèves les règles de vie sur des cartons amovibles. Affichez-les bien en vue dans le local, de préférence sur le mur d'en avant, pour qu'ils se réfèrent à ce tableau mural quand ils travaillent. Faites référence aux règles de vie en cas de manquement et de non-respect.

Le fait d'opter pour des règles de vie amovibles plutôt que pour une liste de comportements regroupés sur une seule pancarte vous permet d'enlever une règle de vie du référentiel disciplinaire lorsqu'un bon comportement a été acquis par les élèves. Le même principe s'applique aussi à la gestion des réparations et des conséquences.

Placez deux pochettes distinctes à cette intention afin d'y déposer, d'une part, les consignes intégrées et, d'autre part, les réparations inhérentes à celles-ci. Remplacez la règle de vie disparue par une nouvelle, si le besoin se fait sentir. Ainsi, les élèves retrouveront seulement des règles de vie « vedettes » sur leur référentiel disciplinaire. Ce système caractérisé par la mouvance vous permettra de faire évoluer votre cadre disciplinaire au même rythme que l'autodiscipline s'installera chez vos élèves.

TABLEAU 2.4 DES SUGGESTIONS POUR CONSTITUER UNE BANQUE DE CONSÉQUENCES

CONSÉQUENCES AGRÉABLES	CONSÉQUENCES DÉSAGRÉABLES
1. Recevoir un autocollant.	1. Recevoir deux avertissements de son enseignant avant d'être puni.
2. Jouer à un jeu éducatif.	2. Être placé en retrait du groupe pour réfléchir sur son comportement à l'aide d'une fiche de réflexion.
3. Écouter de la musique de détente pendant une période donnée.	3. Copier un certain nombre de fois la règle de vie qui a été transgressée.
4. Recevoir une rétroaction positive par écrit.	4. Rencontrer son enseignant en entrevue.
5. Se voir accorder un message « Bonne nouvelle » à l'intention des parents.	5. Perdre un privilège qu'on affectionne.
6. Faire partie du club des « Bravos » ou des « Responsables ».	6. Faire un travail supplémentaire.
7. Écrire le menu du cours ou de la journée au tableau.	7. Aviser soi-même ses parents de son comportement inapproprié par l'entremise d'une fiche de réflexion.
8. Encaisser de l'argent scolaire.	8. Être en période de retenue.
9. Recevoir un billet de tirage.	9. Informer les parents de l'élève fautif par un appel téléphonique de la part de l'enseignant.
10. Être commissionnaire dans l'école.	10. Faire du travail communautaire pour le groupe-classe.
11. Circuler seul dans l'école, sans prendre de rang.	11. Aller parler de son problème de comportement avec la direction de l'école.
12. Colorier un dessin.	12. Rencontrer son enseignant avec ses parents pour élaborer un contrat de comportement.
13. Être l'adjoint de l'enseignant pour une période ou une journée.	13. Recommencer son travail.
14. Utiliser l'ordinateur pour apprendre des choses nouvelles.	14. S'excuser auprès de la personne qui a été offensée.
15. Recevoir un « Méritas ».	15. Terminer son travail pendant une période déterminée par son enseignant.
16. Bénéficier d'une période pour travailler sur un projet personnel.	16. Trouver deux qualités à un camarade que l'on n'a pas respecté.
17. Prendre une collation pendant le temps de classe.	17. Effacer les gribouillis faits dans le cahier de l'élève avec qui on travaillait.
18. Se choisir un ami et se placer à côté de lui pour la journée.	18. Perdre son droit de parole pour un temps défini.
19. Se servir du tableau blanc interactif.	19. Circuler dans l'école en compagnie de son enseignant alors que les autres élèves prennent le rang habituel.
20. Avoir congé de dictée : c'est l'élève qui donne la dictée aux autres.	20. Laver les graffitis qui ont été tracés sur les murs de l'école.
21. Aider l'enseignant à animer un atelier.	21. Parler le dernier à la causerie du matin.
22. Travailler au bureau de l'enseignant.	22. Faire une réflexion écrite.
23. Choisir un jeu disponible dans la classe et l'apporter à la maison.	23. Ranger son bureau après l'école.
24. Porter le macaron « Élève super ».	24. Être retiré de son équipe de travail pour terminer individuellement la tâche qui a été amorcée.
25. Se choisir trois feuilles de papier de bricolage pour une construction personnelle.	25. Réfléchir au coin de réflexion dans la classe ou au local de résolution de problèmes dans l'école.
26. Être le premier dans le rang.	
27. Aller lire une histoire aux enfants du préscolaire.	
28. Parler de ses réussites à la direction de l'école.	
29. Apporter un livre de bibliothèque « privilège » à la maison.	
30. Corriger les mots de vocabulaire ou la dictée du jour.	

2.5 Apprendre à vivre en démocratie, un atout de plus dans la vie d'un élève

Des éléments de base pour mettre en place un conseil de coopération

Contexte et utilité

Les élèves vivent plusieurs heures en classe dans une année. Avec leurs pairs, ils connaissent des réussites, des difficultés, des conflits. Ils vivent en groupe et forment une petite société que l'on pourrait appeler une «classe coopérative» ou une «communauté d'apprenants». Pourquoi ne pas se servir de cette dynamique pour orchestrer toutes les modalités sociales et humaines du groupe?

Le conseil de coopération existe dans certaines classes et l'on en vante les effets bénéfiques. Tous les élèves sont membres du conseil de coopération à part entière, au même titre que leur enseignant. Chaque semaine, ils se rencontrent pour échanger des idées, discuter, valoriser des réussites, régler des problèmes, et même apporter des suggestions pour rendre la vie de la classe plus riche et plus intéressante.

2

Pistes d'utilisation

1. En premier lieu, demandez-vous si, comme intervenant, vous adhérez vraiment aux valeurs qui sous-tendent la gestion d'un conseil de coopération. Représente-t-il pour vous une porte de sortie afin de répondre aux pressions qui vous entourent, celles venant autant de vos élèves que des parents ou encore de la direction de votre école? Si vous êtes plus ou moins à l'aise avec le partage du pouvoir dans une conjoncture participative et démocratique, cela ne vaut pas la peine d'aller plus loin. L'utilisation d'un conseil de coopération suppose énormément d'authenticité et de transparence chez la personne qui en est le chef d'orchestre. L'encadré des pages 108 et 109 vous aidera à apprivoiser les principes de base de cet outil.
2. Informez les élèves de la possibilité de se donner une structure du genre dans la classe. Vérifiez leur intérêt à le faire.
3. Avec eux, préparez un tableau mural où seront affichés quatre thèmes: *Je félicite*, *Je remercie*, *Je voudrais régler* et *Je propose*.
4. Prévoyez aussi un cahier de bord collectif pour noter les décisions qui seront retenues chaque fois que le conseil se réunira.
5. Vivez une première réunion du conseil de coopération et objectivez celle-ci avec les élèves. Vous pouvez y aller progressivement quant au nombre de volets abordés au cours d'une même réunion et quant à sa durée.
6. Pour en amorcer l'expérimentation, chargez-vous de l'animation afin de bien modéliser les étapes d'une réunion. Par la suite, coanimez une réunion avec un élève volontaire. Puis, établissez un calendrier d'animation avec les élèves intéressés à assumer cette responsabilité.

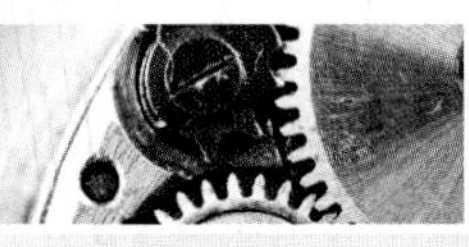

Remettre les pendules à l'heure

Comme tout moyen qui se respecte, le conseil de coopération nécessite des adaptations de la part de la personne qui l'utilise : il ne peut être vécu exactement de la même façon chaque année avec chaque groupe. Cela suppose que l'enseignant est suffisamment à l'aise avec la philosophie de base du conseil de coopération pour pouvoir apporter des accommodations tantôt sur le plan du contenu, tantôt sur celui du déroulement.

Très souvent, les craintes éprouvées au regard de cette structure coopérative sont liées directement au fait que la tenue d'une réunion du conseil bifurque facilement vers des aspects négatifs, comme les critiques, les problèmes à régler. Ce n'est sûrement pas en jetant ce dispositif à la poubelle que l'on va éliminer les malaises profonds qui existent dans la classe.

Des suggestions pour recentrer les élèves sur des éléments positifs
L'enseignant attire l'attention des élèves sur des aspects positifs du fonctionnement de la classe que les élèves ne voient pas au premier abord :

- Il peut nommer de manière explicite une réussite qui est en train de se vivre dans la classe.
- Il peut aller lui-même inscrire un commentaire positif sur le tableau mural, au vu et au su des élèves.
- Il peut aussi fixer une limite quant au nombre de problèmes à régler au cours d'une même réunion.
- Il peut également obliger certains élèves qui ont la critique facile à trouver une force à un élève chaque fois qu'ils inscrivent un point négatif.

C'est en vivant le conseil de coopération dans un contexte sincère, dirigé et impartial que les élèves apprendront ce que veut dire véritablement le mot « coopérer ».

Les principes de base du conseil de coopération

1. Qu'est-ce que le conseil de coopération ?

   Le conseil de coopération est un moment privilégié pour faire un retour sur ce qui s'est vécu en classe ou dans l'environnement immédiat des élèves. Ce retour peut toucher plusieurs aspects, tant sur le plan des relations interpersonnelles et sociales que sur celui du travail en classe. La classe coopérative permet de régler plusieurs problèmes.

2. Comment fonctionne le conseil de coopération ?

   Les élèves sont chacun à leur place respective, ou encore ils forment un cercle dans le local. L'enseignant peut agir comme animateur ou il peut nommer un élève qui fera l'animation. Les points composant l'ordre du jour sont indiqués au tableau. Au cours d'un conseil de coopération, les membres peuvent décider de parler d'un sujet précis ou de plusieurs sujets. Les élèves qui désirent intervenir lèvent la main, l'animateur du conseil inscrit les noms l'un à la suite de l'autre afin d'établir un ordre chronologique pour accorder le droit de parole.

   Les élèves doivent toujours commencer leur intervention en nommant la personne à qui ils s'adressent. Ensuite, ils utilisent diverses phrases selon la nature de l'intervention qu'ils désirent faire. Voici des exemples :

- « (Prénom), je te félicite pour... » L'élève qui a été félicité a le droit de réplique pour remercier ou ajouter quelque chose.
- « (Prénom), j'aurais souhaité que... » L'élève qui a été nommé a le droit de réplique pour justifier son comportement.
- « (Prénom), j'aimerais que... » L'élève qui a été nommé a le droit de réplique pour faire valoir son point de vue.
- « (Prénom), je remarque que... » L'élève qui a été nommé a le droit de réplique pour expliquer sa situation.

3. Combien de temps dure une réunion du conseil de coopération ?

Selon les interventions et l'âge des élèves, le conseil de coopération peut durer de 15 à 45 minutes.

4. À quelle fréquence peut-on utiliser le conseil de coopération ?

Habituellement, il y a une période hebdomadaire d'allouée à la tenue du conseil de coopération. Il peut, selon les besoins, se vivre aussi dans une courte période de 5 à 10 minutes tous les jours. Ainsi, cela dépend vraiment de la dynamique du groupe-classe. Souvent, ce sont les élèves qui demandent de placer une période de conseil de coopération au menu de la journée. Dans la mesure du possible, il est important de répondre aux besoins des élèves si l'on désire que l'intérêt pour cette structure demeure.

5. Matériel nécessaire

- Un tableau mural où l'on affiche chaque semaine des feuilles intitulées : Je félicite, Je remercie, Je voudrais régler, Je propose.

  C'est à partir de ce référentiel visuel que les élèves notent au fur et à mesure leurs besoins, leurs préoccupations, leurs questions et leurs suggestions. Ils cernent progressivement les sujets qu'ils veulent aborder. Avant la réunion, l'enseignant ou l'élève-animateur recueille les feuilles et élabore officiellement l'ordre du jour de la rencontre.
- Un cahier de bord dans lequel seront notées les décisions importantes prises au cours de la réunion et sur lesquelles il faudra revenir à la prochaine rencontre.

6. Avantages du conseil de coopération

Le conseil de coopération permet de régler plusieurs problèmes sans utiliser la contrainte ni la force. C'est une manière de résoudre des conflits de façon civilisée. Les élèves font des efforts pour s'améliorer, car le groupe-classe en est témoin. Quand un élève dit devant toute la classe : « Je ferai des efforts pour améliorer mon comportement ou j'écouterai les consignes », il est un peu gêné si on lui fait remarquer à un conseil de coopération ultérieur qu'il ne s'est pas amélioré. En conséquence, c'est un processus participatif et collégial qui permet aux élèves d'avoir de bonnes relations interpersonnelles et aussi de donner leur point de vue dans un contexte empreint d'ouverture et de réceptivité. Jamais il n'y a eu de menaces de la part des élèves dont le nom a été mentionné lors d'un conseil. Au contraire, on a observé une nette amélioration du comportement et du travail.

En résumé, le conseil de coopération est un excellent moyen d'intervenir quant au climat de la classe, que ce soit au regard des attitudes, des relations ou des conflits. De plus, cet outil permet de renforcer la gestion du tableau d'harmonie en classe ou de tout autre référentiel disciplinaire. Les élèves qui présentent des troubles du comportement sont souvent plus sensibles aux remarques de leurs pairs qu'à celles de l'enseignant. Enfin, quoi de mieux pour amener chaque élève à participer à la vie de la classe par ses suggestions, ses remarques, ses commentaires ! C'est l'occasion par excellence pour les élèves de ressentir qu'ils ont une véritable emprise sur la vie de leur communauté d'apprenants.

Source : Inspiré de Danielle Jasmin (1994). *Le conseil de coopération*, Montréal, Chenelière Éducation.

2

Des démarches et des stratégies pour résoudre des conflits

2.6 Des conflits, c'est inévitable… mais c'est aussi une occasion de grandir

Contexte et utilité

Les conflits font partie de la vie de tout être humain : conflits entre amis, à la maison, en classe, au travail, etc. Comme on ne peut les éviter totalement dans notre existence, il est capital d'apprendre à les gérer autrement que par des paroles blessantes ou des gestes violents.

Pour arriver à surmonter les querelles et les désaccords de façon positive, le fait de pouvoir se référer à une démarche et à des stratégies de résolution de conflits constitue un soutien précieux pour l'enfant ou l'adolescent qui se retrouve hors des sentiers de l'harmonie.

Pistes d'utilisation

1. Profitez de l'occasion où une situation conflictuelle est présente dans la classe pour conscientiser vos élèves au fait qu'ils ont du pouvoir sur la qualité des relations humaines qui les entourent.
2. Discutez avec eux afin de trouver une solution satisfaisante au conflit actuel, et cela, pour chacune des parties concernées.
3. Faites objectiver les étapes qui ont été vécues pour rétablir la bonne entente. Écrivez celles-ci sur un référentiel. Et voilà que la démarche de résolution de conflits naît tout doucement (*voir fiches 2.6a et 2.6b, p. 420 et 421*) !
4. Exploitez d'autres situations de vie pour faire décoder des stratégies pertinentes greffées sur chacune des étapes de la démarche existante.
5. Élaborez une banque de stratégies de résolution de conflits et souciez-vous de les présenter visuellement aux élèves (*voir fiches 2.6c et 2.6d, p. 423 et 424*).
   - Il est préférable d'élaborer cette banque de stratégies dans un climat de calme et de confiance plutôt que de vouloir le faire pendant un conflit intense.
   - Cette banque doit être élaborée en partenariat, c'est-à-dire conjointement avec les élèves.
   - Vous avez intérêt à élaborer la banque progressivement, étape par étape. Le nombre de stratégies disponibles dans la classe ou dans le groupe de base augmentera avec le temps.
   - La référence au développement des compétences transversales ainsi que la préoccupation d'exploiter les domaines généraux de formation sont des occasions magnifiques de faire des liens entre l'outillage élaboré et l'importance d'établir de saines relations interpersonnelles et d'apprendre à vivre en société.
   - Outre l'animation collective pour enseigner chacune des stratégies, divers outils s'offrent à vous, tels que les tables rondes, les jeux de rôles, le mime ou les sketches.

Remarque concernant la fiche 2.6d (p. 422) : L'apprentissage des quatre premières stratégies proposées par Jacoby est plus simple à faire. Au fur et à mesure que les élèves prennent de la maturité, vous pouvez enseigner d'autres stratégies afin d'élargir leur banque de ressources. Grâce au processus de la continuité dans les interventions, une fois rendus au secondaire, les élèves auront intégré une dizaine de stratégies dans leur parcours de vie.

– Cette banque de stratégies peut très bien se retrouver au « coin de règlement des conflits », un endroit un peu isolé du reste de la classe où vous aurez placé une table, deux chaises, les référentiels concernant la démarche et la banque de stratégies de résolution de conflits de même que des outils soutenant la réflexion : fiches et canevas pour élaborer un texte. Le même principe organisationnel s'applique aux élèves du secondaire qui doivent se rendre parfois à un local d'exclusion aménagé au sein d'une école afin de résoudre des problèmes ou de régler des conflits.

– Finalement, cette banque peut être utilisée pour régler un conflit de groupe, un conflit d'équipe ou un conflit opposant deux élèves.

6. Amenez les élèves à faire un lien entre la nature du conflit et le choix d'une stratégie pertinente à utiliser. Par exemple, si deux élèves du primaire se querellent pour apporter le ballon à la récréation, la stratégie la plus pertinente est sans doute *l'alternance de la responsabilité*. Par contre, si un élève du secondaire a profondément insulté un autre élève, la stratégie à proposer ne sera pas l'alternance, mais plutôt *l'excuse et la réparation par des propos positifs*.

Remettre les pendules à l'heure

Il est faux de prétendre que les élèves sont capables de régler leurs conflits eux-mêmes, sans l'intervention de l'adulte. Certes, ils y arrivent occasionnellement quand les différends qui les opposent ne sont pas trop profonds. Toutefois, il est souhaitable d'inviter les enfants ou les adolescents à faire une première tentative de réconciliation avant de les placer devant une structure organisationnelle dirigée, comme le conseil de coopération, le coin de résolution de conflits ou la référence à des outils mis au point en matière de résolution de conflits.

Il est intéressant pour des enseignants d'emprunter la voie de l'apprentissage du pacifisme, car elle se veut préventive en premier lieu. Enseigner aux élèves une démarche et des stratégies de résolution de conflits représente un investissement qu'il ne faut pas négliger. D'ailleurs, cet objectif développemental devrait faire partie des paramètres de tout projet éducatif dans une école. Ainsi, on parviendrait à diminuer le nombre de rejets d'individus, de paroles agressantes et d'actes violents que vivent des centaines de jeunes chaque année. L'intimidation et le taxage n'apparaissent pas subitement dans le décor scolaire ; ils s'infiltrent progressivement dans le vécu des jeunes à travers les brèches que les adultes ont laissé se former au fil du temps. Il est trop facile de baisser les bras et d'affirmer qu'on ne peut rien faire. Apprendre à régler ses conflits dans un contexte où personne n'est perdant, ça s'enseigne et ça s'apprend[1].

1. Pour vous documenter davantage sur le sujet, vous pouvez consulter les références suivantes :
   – Le site <www.preventionscolaire.ca/doc/implantation.pdf>, qui présente un guide d'implantation d'habiletés sociales et de résolution de conflit en milieu scolaire.
   – Naomi Drew, M.A., adaptation de Francine Bélair (2011). *Grandir ensemble : Activités pour enseigner des habiletés de résolution de conflits,* Montréal, Chenelière Éducation.
   – *Vers le pacifique : la résolution de conflits au primaire,* programme publié par l'Institut Pacifique.

Des outils pour soutenir la réflexion

Comment amener l'élève à s'engager dans l'évaluation et la régulation de ses comportements ?

2.7 Réfléchir sur son comportement, une étape essentielle pour aller plus loin...

Contexte et utilité

Les règles de vie concernant la vie de la classe de même que les conséquences de leur application ne peuvent pas éliminer tous les problèmes de comportement, et cela, malgré la présence de mesures préventives. Quand ceux-ci se manifestent, l'enseignant a intérêt à placer l'élève en situation de résolution de problèmes. L'enfant ou l'adolescent doit vivre des étapes bien précises qui l'aideront à apprendre le nouveau comportement qu'on attend de lui. L'apprenant a davantage besoin d'être guidé que de se faire dire tout simplement: «Va réfléchir dans le corridor» ou encore: «Va-t'en au local de réflexion».

Cet outil offre différentes avenues pour aider l'élève à cheminer dans sa réflexion afin d'améliorer un comportement en particulier.

Pistes d'utilisation

1. Amenez les élèves à faire une prise de conscience à l'égard de leurs comportements inappropriés. À partir du constat qu'ils font, invitez-les à se questionner: «Qu'est-ce que j'ai à apprendre de cette situation dérangeante ?» «Que puis-je faire pour aller plus loin ?» «Comment puis-je m'améliorer ?»
2. Proposez aux élèves une démarche visant l'apprentissage d'un nouveau comportement. En vivant cette démarche, l'élève constate ce qu'il a fait. Il comprend et analyse son erreur de parcours. Il propose même un comportement de remplacement qu'il s'engage à mettre en pratique de façon responsable.
3. Utilisez dans la classe un outil concret pour actualiser cette démarche. En voici quelques-uns :
   - *une fiche de réflexion* (*voir fiches 2.7a et 2.7b, p. 422 et 423*) : un aide-mémoire pour rappeler à l'élève les grandes questions qu'il doit se poser pour que sa réflexion porte fruit;
   - *un texte soutenant l'objectivation* (*voir fiche 2.7c, p. 423*) : une occasion pour l'élève de prendre du recul afin de faire des prises de conscience et mettre des mots sur le vécu d'un comportement inapproprié;
   - *un contrat de comportement* (*voir encadré, p. 115, et fiche 2.7d, p. 424*) : une formule d'engagement à l'intention de l'élève et de l'enseignant qui désire, d'une part, améliorer des points précis de son comportement et, d'autre part, qui annonce officiellement les mesures qu'il prendra pour soutenir l'élève dans l'actualisation de son contrat;

- *un plan d'action (voir tableau 2.5, p. 114, et fiche 2.7e, p. 424)* : un type de conséquence privilégiée dans une démarche disciplinaire qui met l'accent sur le choix et la responsabilité de l'élève. Il est un outil d'apprentissage d'un nouveau comportement et, en ce sens, il reprend les composantes du schème des opérations de la connaissance intentionnelle de Pierre Angers et Colette Bouchard (1984);
- *des grilles d'autoévaluation (voir fiches 2.7f à 2.7i, p. 425 et 426)* : un moyen qui permet à l'élève de porter un jugement sur ses comportements à partir d'une échelle d'appréciation.

4. Prévoyez un endroit tranquille dans la classe pour que l'élève puisse vivre cette phase d'introspection dans les meilleures conditions possible. Si ce dernier doit absolument quitter le local pour réfléchir, invitez-le à utiliser le moyen sélectionné qui l'éclairera dans sa recherche de solutions.
5. Servez-vous de ces outils seulement lorsque c'est nécessaire. Prévoyez d'autres conséquences en parallèle afin de ne pas abuser de ces dispositifs disciplinaires, qui risquent de perdre toute forme de crédibilité, faute d'un emploi parcimonieux.

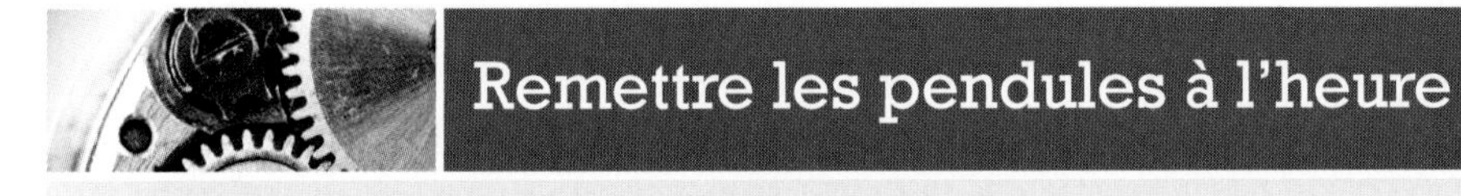

Remettre les pendules à l'heure

Lorsqu'un enseignant parle de faire réfléchir un élève sur un comportement inapproprié, il doit penser automatiquement au contexte éducatif dans lequel se vivra cette étape d'objectivation et d'autorégulation. Autrement, il risque grandement d'être déçu de la démarche qu'il a amorcée. La réflexion n'est pas instantanée, elle doit être guidée, appuyée par des stratégies adaptées à l'âge ou à la maturité comportementale des élèves.

Qu'il s'agisse d'une réflexion dans le coin d'harmonie dans une classe, dans le local de retrait au sein d'une école ou d'une suspension de l'école pour quelques jours, la personne responsable de l'éducation du jeune doit encadrer cette réflexion en lui fournissant des outils efficaces. Une fois la décision prise d'exclure du groupe un enfant ou un adolescent, rien ne garantit que ce dernier utilisera à bon escient le temps qu'on lui accorde pour se reprendre en main. Nombre d'expériences vécues nous permettent d'affirmer que cette réflexion s'avère assez souvent une perte de temps ou un moment d'évasion. Alors, la tentation de récidiver sera forte pour l'élève...

TABLEAU 2.5 UN CADRE THÉORIQUE POUR SOUTENIR L'OBJECTIVATION EXPRIMÉE DANS UNE FICHE OU UN TEXTE DE RÉFLEXION

SCHÈME DES OPÉRATIONS DE LA CONNAISSANCE INTENTIONNELLE	PLAN D'ACTION
Ce que je fais quand j'apprends	Ce que je fais quand j'apprends un nouveau comportement
Au moment où j'expérimente • Je regarde et j'observe. • J'entends, je goûte, je touche et je palpe. • Je sens, j'éprouve des sentiments, j'imagine. • Je me rappelle, je me représente les objets connus. • Je recueille des données de première main. • Je trouve des données traitées.	**Qu'est-ce que j'ai fait?** L'enfant ou l'adolescent nomme ce qu'il a fait.
Au moment où je tente de comprendre • Je cherche, je fais des liens. • Je classe mes données, je saisis. • Je me fais une idée, j'établis des relations. • Je nomme ce que je connais. • Je m'exprime pour m'assurer que je comprends bien. • J'élabore, je formule des hypothèses.	**Je comprends ce que j'ai fait.** L'enfant ou l'adolescent décrit: • la séquence d'actions (l'avant, le pendant, l'après); • le lien à établir avec le code de vie; • le contexte dans lequel la faute a été commise: les émotions ressenties, les personnes présentes, le temps de la journée, les activités vécues; • les raisons qui l'ont poussé à agir ainsi; • l'impact de la situation: les conséquences de son comportement sur lui, sur autrui, sur la tâche, sur l'environnement.
Au moment où je porte un jugement • Je réfléchis, je vérifie, je cherche à valider. • Je prouve, je vérifie, je compare. • Je pèse le pour et le contre. • J'affirme, je discerne. • Je donne mon assentiment. • Je reconnais ce qui est bon.	**Je juge ce que j'ai fait** • L'action exécutée était-elle bonne? • Était-elle en relation avec les règles du code de vie de la classe ou du groupe de base? • Était-elle en relation avec les valeurs du code de vie: le respect de soi, d'autrui, la coopération, la responsabilisation, le respect de l'environnement?
Au moment où je prends une décision • J'agis, je décide, je choisis. • J'exécute, j'assume mes choix. • Je prends mes responsabilités. • Je délibère, je prends parti.	**À l'avenir, je décide de...** L'enfant ou l'adolescent choisit un nouveau comportement: • Il prend le temps de découvrir les avantages qui y seraient rattachés. • Il s'engage officiellement par l'entremise d'un contrat de comportement ou d'un plan d'action en apposant sa signature.
Au moment où je passe à l'action J'agis comme une personne responsable.	**J'agis** J'actualise un nouveau comportement responsable.

Source: Adapté de Pierre Angers et Colette Bouchard (1984). *La mise en œuvre du projet d'intégration*, Montréal, Bellarmin, collection « L'activité éducative – Une théorie, une pratique ».

Un cadre de référence pour gérer un contrat de comportement

Qu'est-ce que le contrat de comportement ?

C'est un engagement verbal ou écrit liant une personne à former et une personne responsable de cette formation dans une entreprise ou une organisation. Dans le présent contexte, il s'agit d'un élève et d'un enseignant.

La durée de cet engagement peut varier selon l'âge des élèves, l'ampleur du défi ciblé, la complexité de la problématique, le degré de maturité comportementale de l'enfant ou de l'adolescent. Le contrat de comportement peut s'étendre sur une demi-journée, une journée, une semaine, et même sur une étape complète d'une année scolaire.

Pourquoi l'utilise-t-on ?

- Pour intervenir directement dans le processus de modification des comportements.
- Pour mettre l'élève à contribution dans sa démarche de changement.
- Pour permettre à l'élève de se responsabiliser par rapport à ses comportements.
- Pour favoriser l'émergence de cibles plus faciles à atteindre, donc plus réalistes.
- Pour démontrer à l'élève que son enseignant est prêt à adapter ses attentes à son égard afin de s'investir lui aussi dans des modalités de soutien à l'apprentissage d'un nouveau comportement.
- Pour fournir aux parents l'occasion de s'engager auprès de leur enfant ou de leur adolescent et de travailler selon la même orientation que l'école.

Quelles sont les personnes visées ?

Cette mesure d'individualisation vise habituellement certains élèves pour qui l'apprentissage de bons comportements représente un processus plus laborieux autant sur le plan des efforts à fournir que sur celui du temps requis pour l'intégration de nouvelles façons de vivre.

Toutefois, un enseignant peut recourir à un contrat collectif pour encadrer un ensemble de comportements désirés au cours d'un événement particulier, comme une visite à un musée, une participation à un spectacle ou un voyage culturel.

Même une direction d'école peut encadrer la gestion des règlements de son établissement scolaire au moyen d'un contrat collectif, surtout si celle-ci désire les présenter aux élèves sous la forme d'une charte des droits et devoirs (*voir fiche 2.4f, p. 419*).

Comment l'élaborer ?

L'enseignant et l'élève vivent les étapes suivantes :

- Ils formulent des attentes.
- Ils traduisent ces dernières en comportements observables et mesurables.
- Ils font l'inventaire des moyens dont ils disposent. Comme l'enseignant constitue une ressource humaine importante pour l'apprenant, il doit s'engager véritablement en indiquant dans le contrat les interventions qu'il compte réaliser pour épauler l'élève dans la poursuite de ses objectifs personnels.
- Ils prévoient des moyens de renforcement, présentés le plus souvent sous la forme de conséquences agréables ou heureuses.
- Ils fixent un échéancier.
- Ils déterminent des critères visant à mesurer le degré d'atteinte des objectifs ciblés.
- Ils choisissent le mode d'évaluation approprié.

Un canevas organisationnel pour les soirées d'information aux parents

Comment amener les parents à s'intéresser au vécu scolaire de leur enfant et à s'engager dans la vie de la classe ?

2.8 Redécouvrir les soirées d'information aux parents

Contexte et utilité

La soirée d'information aux parents est une activité pédagogique des plus importantes. Très souvent, elle déterminera le degré de confiance et de collaboration des parents avec l'enseignant tout au long de l'année. Les parents attendent beaucoup de cette rencontre. Ils veulent comprendre l'école d'aujourd'hui, le vécu de la classe, le cheminement de leur enfant ou de leur adolescent. Ils attendent aussi qu'on leur indique des gestes concrets à exécuter pour accompagner le mieux possible leur enfant.

Des parents bien informés collaborent, tandis que des parents mal informés se plaignent… Voilà un défi intéressant, et l'outil 2.8 présente le canevas détaillé de l'organisation de cette soirée.

Quelques précisions sur le contexte de travail en cycle d'apprentissage

Les enseignants qui travaillent de façon régulière en cycle d'apprentissage et qui ont manifestement l'intention de différencier les apprentissages des élèves en décloisonnant à l'externe ont grandement intérêt à revisiter le contenu ainsi que le déroulement de leur soirée d'information aux parents. Il est tout à fait logique que ces enseignants tiennent leur réunion d'information ensemble. Cette réunion pourrait être divisée en deux parties :

- Vécue en équipe-cycle, la première partie permettrait de prévenir les parents que quelques enseignants interviendront à l'occasion auprès de leur enfant, en plus du titulaire de la classe. Les enseignants concernés expliqueraient aussi les objectifs pédagogiques qui sont à la base de leur fonctionnement en collégialité. Ce moment vécu en équipe-cycle permettrait aux enseignants d'aborder des sujets, tels que la culture des différences au sein des groupes, les principes de base de la différenciation, les raisons qui justifient les décloisonnements à l'externe, les différentes sortes de regroupement qui seront privilégiées, les mesures prises pour évaluer la progression des apprentissages, etc. Ce temps d'échange fournirait aussi l'occasion aux parents d'adresser leurs questions et leurs craintes aux personnes qui sont les mieux placées pour leur répondre et les rassurer, et ce, avant même que les échanges d'élèves ne soient effectifs.
- Vécue au sein des classes respectives, la seconde partie de la réunion serait consacrée à la précision du fonctionnement personnel du titulaire de la classe et la présentation de l'environnement physique dans lequel les élèves passeront la majeure partie de leur temps. Pour cette phase d'informations qui se vivra au sein de chaque classe, l'enseignant peut se référer au présent outil afin d'extraire les éléments dont il a besoin.

Pistes d'utilisation

1. Fixez la date de la rencontre de parents en fonction de leurs disponibilités plus que des vôtres, ce qui favorisera leur participation. Ne vous hâtez pas à tenir la réunion dès les premiers jours de septembre : vous pouvez vous laisser le temps d'articuler le fonctionnement de la classe avec les élèves. Tout ce processus organisationnel représente une source inépuisable de renseignements pour les parents.
2. Proposez des solutions de rechange aux parents qui ne peuvent assister à la rencontre (discussion téléphonique, bilan écrit, prêt d'une vidéo, rencontre sur rendez-vous, visite dans la famille, etc.).
3. Prévoyez une rencontre de durée raisonnable, soit au moins une ou deux heures, pour éviter de vous sentir bousculé par l'horaire. Le facteur temps ne doit pas être synonyme de stress ni pour vous ni pour les parents. Il est important que chacun puisse vivre cette rencontre de façon satisfaisante.
4. Élaborez un ordre du jour détaillé, afin de mieux planifier la durée et le déroulement de la soirée (*voir fiche 2.8b, p. 427*). Transmettez-le aux parents avant la rencontre ou au tout début de celle-ci.
5. Réfléchissez aux sujets que vous aimeriez présenter aux parents. Songez à ceux qui pourraient être remis par écrit, comme aide-mémoire ou encore pour une lecture ultérieure afin de gagner du temps le soir de la rencontre. Gardez en tête que cette rencontre peut vous permettre :
   - d'outiller les parents pour soutenir leur enfant (*voir fiche 2.8f, p. 429*) et mieux l'accompagner dans son travail à la maison (démarche et stratégies de lecture, stratégies pour mémoriser des mots de vocabulaire, démarche de résolution de problèmes, etc.) ;
   - d'expliquer le fonctionnement de la vie de la classe. Les parents apprécient de pouvoir visualiser ce que vit quotidiennement leur enfant ;
   - d'établir avec les parents des moyens leur permettant de participer activement à la vie de la classe, de trouver des formes de collaboration possibles : témoignage au regard d'un métier ou d'une profession, présentation de livres ou d'objets leur appartenant, fabrication de jeux éducatifs, emprunt de matériel varié allant de photographies à des collections, mini-conférences sur des sujets précis, animation d'ateliers en classe, accompagnement dans des sorties éducatives, participation à des activités de financement, présentation de vidéos de voyages portant sur la région, la province, le pays ou le monde, préparation de mets pour une fête ou une dégustation, etc. ;
   - de partager vos attentes à l'égard des parents (*voir fiche 2.8e, p. 429*) et d'accueillir leurs attentes envers l'école et envers vous ;
   - de renseigner les parents sur les objets ou résultats d'apprentissage ;
   - de sensibiliser les parents à des concepts tels la philosophie du programme de formation, le développement des compétences, l'importance des compétences transversales dans la vie de tous les jours, les styles d'apprentissage ou la théorie des intelligences multiples.

Voir *Quand revient septembre*, volume 2, p. 127 à 132.

TABLEAU 2.6 QUELQUES PRINCIPES D'ANIMATION POUR UNE SOIRÉE D'INFORMATION EFFICACE

PRINCIPE	PRÉCISION
Se rappeler ce qui caractérise un parent.	• Il aime être traité avec amabilité, sans condescendance. • Il connaît peu le lexique pédagogique et apprécie qu'on le lui explique ou qu'on vulgarise les exposés théoriques. • Il se considère souvent comme un partenaire dans la réussite de son enfant, mais il craint de commettre des erreurs. • Il a peur d'être jugé sur ce qu'il fait et ne fait pas. • Il souhaite le meilleur avenir possible pour son enfant. • Il a peu de temps à consacrer à des activités de formation liées à la vie scolaire de son enfant. • Il a déjà établi une relation significative avec son enfant et il souhaite la maintenir, voire la renforcer.
Se rappeler les besoins du parent.	• Il a besoin de réponses concrètes à des questions pratiques. • Il a besoin de parler de ce qu'il vit avec son enfant. • Il a besoin qu'on reconnaisse ses compétences. • Il a besoin d'un climat serein pour s'exprimer. • Il a besoin d'être écouté avec respect et attention. • Il a besoin d'être compris dans ses inquiétudes et ses choix de valeurs.
Être à l'écoute de ce que vit ou ressent le parent, afin de mieux intervenir auprès de lui.	• Colère et agressivité • Culpabilité • Fuite • Déni de la réalité scolaire de son enfant • Attitude envahissante (interruptions fréquentes de votre présentation, surabondance de commentaires et de questions de tout ordre, etc.) • Etc.
Créer un climat d'ouverture.	• Faire confiance au parent pour créer l'ouverture au partenariat. • Considérer le parent comme une personne qui fait de son mieux. • Profiter de chaque occasion pour valoriser le parent dans ce qu'il fait de bien.

Bien des parents ne sont pas familiarisés avec ces concepts qui guident l'enseignement.

6. Imaginez différentes façons d'animer la soirée: accueil, exposés théoriques, échanges, travail d'équipe, utilisation d'éléments visuels (vidéo, film, gravures, photographies, diaporama électronique), visite de la classe, pause café, etc. Dès ce moment, ayez en tête les principes de base d'une animation efficace (*voir tableau 2.6, ci-dessus*).
7. Préparez une lettre d'invitation à l'intention des parents (*voir fiche 2.8a, p. 427*). Il est stratégique que cette lettre provienne de vous plutôt que

de la direction d'école. Une carte d'invitation ou un message de rappel peut aussi être rédigé par les élèves et envoyé par la suite aux parents.

8. Invitez vos élèves à préparer le local en vue de la visite des parents.
9. Examinez la possibilité d'intégrer la participation des élèves au déroulement de la soirée. Auparavant, faites un petit sondage auprès des parents afin de vous assurer de leur assentiment à ce projet. Différentes modalités de coanimation sont envisageables :
   - Tous les élèves sont sollicités pour une animation collective en partenariat avec l'enseignant ; ils prennent la parole à tour de rôle pour présenter des éléments importants de leur vie de classe. Dans ce cas, l'enseignant prévoit un rôle pour chaque élève afin d'intégrer et d'exploiter les compétences de chacun.
   - Tous les élèves sont mis à contribution, seulement pour une partie de la rencontre. Par exemple, pour une heure, ils sont des ressources dans une structure autre que le grand groupe, comme une présence au sein d'ateliers. En petites équipes de vie, ils modélisent le fonctionnement des ateliers qu'ils vivent en classe tout en expliquant le fonctionnement de la classe à leurs parents.
   - Un sous-groupe de quatre ou cinq élèves est délégué par le conseil de coopération pour seconder l'enseignant dans l'animation de la soirée.

   En plus d'être un contexte signifiant pour développer des compétences en communication chez les élèves, cette formule d'animation permet aux différents partenaires d'entendre le même discours. En outre, la participation des enfants ou des adolescents peut inciter certains parents à assister à la rencontre. Comment résister à l'invitation d'un enfant qui ne demande pas mieux que ses parents assistent à sa prestation ?
10. Organisez des moyens pour évaluer la satisfaction des parents à la suite de cette soirée d'information, soit sur place, soit par un questionnaire à retourner à l'école dans les jours suivants (*voir fiches 2.8c et 2.8d, p. 428*).
11. Pensez à offrir un suivi aux parents en cours d'année :
    - en leur proposant un scénario de conférences et d'ateliers sur le vécu et le fonctionnement de l'école échelonné sur une année scolaire. Le nombre de rencontres pourrait varier selon l'intérêt des parents et les ressources dont l'école dispose ;
    - en leur offrant d'évaluer au moins deux fois par an les services que l'école offre aux élèves (des avis concernant le système de surveillance et d'animation durant les récréations, le fonctionnement de la bibliothèque, du service de garde, de la cafétéria, du système de suppléance, la qualité de l'enseignement donné).
12. Créez un site Web dans lequel vous pourriez présenter aux parents différents éléments du vécu de la classe et, pourquoi pas, auquel les parents pourraient participer à travers un forum.

Remettre les pendules à l'heure

Si l'on regarde de plus près la liste des compétences professionnelles que doit posséder un enseignant efficace, on trouve parmi celles-ci une habileté se lisant ainsi : être capable d'informer et de faire participer les parents de ses élèves au projet éducatif de sa classe.

Il importe de scruter à la loupe ce domaine du partenariat avec les parents afin de faire le bilan des interventions que l'on réalise dans ce sens. D'autre part, cet examen de nos pratiques relationnelles doit nous permettre aussi d'inventorier des démarches et des stratégies plus novatrices en vue de remplacer celles qui sont devenues stériles avec les années.

Une bonne dose de créativité, d'écoute, de sensibilité et de disponibilité à l'égard des parents nous permettrait sans doute de concevoir et de mettre en place des dispositifs davantage axés sur leurs véritables besoins. La planification des soirées d'information aux parents, de la présentation de portfolios et des échanges autour du bulletin scolaire doit se faire en relation avec le vécu des familles d'aujourd'hui.

La tenue d'une soirée «Célébration des apprentissages», en juin avec les parents, est une autre modalité d'information pertinente. Cette activité procurerait l'occasion aux apprenants et à l'intervenant de témoigner des projets et des apprentissages les plus riches et signifiants qui ont marqué le parcours de l'année scolaire. Pour les divers partenaires, c'est une excellente façon de boucler la boucle sur les objectifs qu'ils s'étaient fixés en début d'année.

Chaque occasion de se rapprocher des parents n'est pas à négliger. Il faut aller les chercher là où ils sont pour les amener sur le territoire scolaire si l'on veut réduire le fossé immense qui s'est creusé, au fil du temps, entre l'école et la famille.

Voir *Apprivoiser les différences*, p. 476, afin de découvrir d'autres modalités d'information, ainsi que la page 481 afin d'explorer de nouvelles stratégies d'engagement à l'intention des parents.

Un cadre organisationnel pour une soirée d'information aux parents

Avant la rencontre

1. Déterminer la date de cette rencontre, si possible après le 20 septembre. Avant ce moment, la classe n'est pas suffisamment organisée pour traduire vraiment ce qui y sera vécu.
2. Décider si la soirée d'information aux parents sera coanimée avec les élèves ou si elle sera plutôt animée par l'enseignant.
3. Préparer et expédier aux parents une lettre d'invitation chaleureuse et incitative décrivant les éléments les plus stimulants contenus dans l'ordre du jour. Prévoir, en annexe, un coupon-réponse que les parents devront retourner à l'école pour signifier leur présence ou leur absence. Par la même occasion, ils pourraient préciser aussi des sujets qu'ils aimeraient retrouver sur l'ordre du jour de la rencontre.
4. Faire préparer par les élèves une carte d'invitation destinée à chacun des parents, surtout si les élèves sont de la partie.
5. Préparer un ordre du jour écrit.
6. Aménager le local-classe de façon adéquate. Prévoir une disposition qui favorisera l'accueil et les échanges. Les pupitres en rangées ne sont pas nécessairement un élément propice à la discussion. Prévoir suffisamment de chaises.

7. Faire écrire par les élèves un court message d'accueil souhaitant la bienvenue aux parents et les remerciant de leur présence.

8. Préparer les documents écrits qui seront remis au cours de la soirée.

9. Prévoir la tenue d'une pause santé à l'horaire de la soirée.

10. Déterminer l'espace physique où l'on désire intervenir pour faire l'animation de la soirée. Se tenir debout derrière son pupitre n'est pas la position idéale. Le fait d'avoir une attitude dégagée, proche de ses participants, peut créer plus facilement un climat de confiance et d'ouverture.

11. Prévoir un mécanisme pour prendre en note la présence des parents à cette réunion.

12. Afficher son diplôme d'enseignement dans la classe. C'est un droit professionnel qu'il vaut la peine d'exercer, d'autant plus qu'il inspire confiance aux parents. Bien des professionnels le font, pourquoi pas ceux de l'enseignement?

Pendant la rencontre

13. Accueillir les parents avec une musique d'ambiance.

14. Se placer près de la porte d'entrée pour saluer les parents et leur remettre une copie de l'ordre du jour, s'il ne leur a pas déjà été envoyé.

15. Prendre le temps de faire plus ample connaissance: l'enseignant se présente personnellement, et les parents peuvent s'identifier, si l'on est dans un milieu où les gens se connaissent très peu. L'enseignant peut aussi faire le choix de se présenter par l'entremise de son portfolio affectif, surtout s'il désire expérimenter un portfolio d'apprentissage avec ses élèves.

16. Il est possible de former des équipes de trois ou quatre parents, pour leur permettre de discuter pendant une dizaine de minutes des sujets suivants: «Qu'est-ce qu'un bon enseignant pour vous?» et «Qu'est-ce qu'un bon parent peut faire pour collaborer avec l'enseignant?» Une courte rétroaction en grand groupe suivrait. Ce serait une excellente mise en situation pour vivre les points 17 et 18.

17. Faire préciser les attentes des parents à l'égard de l'école et de l'enseignant.

18. Préciser ses attentes envers les parents. Qu'est-ce que vous attendez d'eux? Comment voulez-vous qu'ils collaborent avec vous tout au long de l'année?

19. Présenter le référentiel disciplinaire et discuter avec les parents de la possibilité d'un transfert à la maison afin de renforcer la philosophie de la responsabilisation et de l'autodiscipline.

20. Aborder la thématique des devoirs et des leçons. Voir avec les parents où se situe leur niveau de responsabilité et celui de leur enfant sur ce point. Suggérer des pistes pour étoffer leur rôle d'accompagnement dans ce domaine.

21. Vivre une pause santé de 10 à 15 minutes, question pour l'enseignant de souffler un peu et de permettre aux parents de discuter entre eux.

22. Présenter le coffre à outils des élèves: les démarches, les procédures et les stratégies pour les aider à apprendre. Faire les liens qui s'imposent en parlant avec les parents du développement des compétences d'ordre méthodologique que l'on trouve à l'intérieur du programme de formation. Leur indiquer que l'élève apportera ce cahier quotidiennement à la maison et qu'ils pourront s'y référer dans le soutien aux devoirs et aux leçons.

23. À la toute fin de la rencontre, faire décoder les états d'âme des parents à l'aide d'un référentiel écrit. En plus d'être une forme d'évaluation discrète, le référentiel les sensibilise au fait qu'il est important de s'intéresser aux émotions de leurs propres enfants ou adolescents.

24. Remettre aux parents une feuille d'évaluation de la soirée. Expliquer l'utilité de cet outil en précisant que, pour vous, c'est une bonne façon d'améliorer le vécu de vos rencontres avec les parents d'une année à l'autre. Leur demander de remplir le formulaire à la maison et de le retourner à l'école dans les jours suivants.

Après la rencontre

25. Dresser le bilan de la rencontre à partir du décodage des états d'âme, des commentaires recueillis durant la soirée et des évaluations qui auront été acheminées à l'enseignant.

26. Adresser personnellement une lettre d'appréciation et de remerciement à chaque parent qui aura participé à la soirée d'information.

•••›

27. Dans l'immédiat, donner un suivi aux demandes qui auraient pu être faites par les parents, lors de cette rencontre.

28. Conserver une copie de la liste des présences des parents à cette réunion. Cette information peut s'avérer utile pour vous, durant l'année scolaire, au cas où il y aurait des désaccords importants à l'égard du fonctionnement de votre classe.

29. Trouver une façon d'entrer en communication avec les parents qui ne se sont pas présentés à la soirée d'information :

- Téléphoner aux parents absents pour leur donner l'essentiel des renseignements et recueillir aussi leurs commentaires.
- Planifier une rencontre de sous-groupe à laquelle seront invités les parents qui n'étaient pas présents à la rencontre.
- Fixer un rendez-vous personnel dans votre classe à chacun des parents absents. Certains parents préfèrent rencontrer l'enseignant individuellement ; ils se sentent alors plus à l'aise qu'en grand groupe.
- Envisager la possibilité de vous déplacer, d'aller dans la famille pour rencontrer les parents. Les consulter, au préalable, sur votre désir de pénétrer dans leur intimité, et d'un commun accord fixer le moment de ce rendez-vous personnel à la maison.

30. Fournir l'information aux parents qui étaient absents :

- Rédiger un bref compte rendu de la rencontre, lequel peut être fait par l'enseignant ou par un parent volontaire présent à la soirée. Le faire parvenir aux parents qui n'étaient pas présents. Y joindre un feuillet-réponse afin que ces derniers indiquent qu'ils ont pris connaissance du rapport et qu'ils sont en accord ou en désaccord avec le fonctionnement de votre classe.
- Faire circuler auprès des parents non présents une cassette, une vidéo ou un CD contenant un diaporama électronique, qui a été utilisé ou enregistré lors de la soirée. On pourrait, à cet effet, prévoir l'installation d'un magnétophone ou d'une caméra, pour se donner un outil de communication. Toujours y joindre un feuillet-réponse pour vérifier l'utilisation du matériel d'information et les opinions émises par les parents concernés.

PENDANT L'EXPÉRIMENTATION

Vous trouverez dans l'introduction, aux pages 29 à 31, les éléments de réflexion et l'instrumentation nécessaires pour vivre les trois étapes suivantes :

4 L'expérimentation

5 L'objectivation

6 La régulation

APRÈS L'EXPÉRIMENTATION

Pour vous aider à faire le point sur le défi que vous venez de relever concernant la création d'un climat motivant en classe, reportez-vous dans l'introduction à la page 32. Vous y trouverez les éléments de réflexion nécessaires pour réaliser les étapes suivantes:

7 L'évaluation

8 Le réinvestissement dans un autre défi

Vous y trouverez aussi des instruments pour accomplir ces dernières étapes de votre parcours.

2

Je retiens

La personnalité de l'enseignant est le premier matériau de sa réussite dans ses relations avec ses élèves. C'est à partir de sa personnalité que l'enseignant crée une ambiance éducative dans une classe ou dans des groupes de base; chacun trouve alors qu'il fait bon y vivre, chacun découvre qu'on peut apprendre et enseigner dans la joie et l'harmonie.

Quand le climat est sain dans une classe, quand il est fondé sur le respect des personnes, l'apprentissage peut se vivre sur tous les plans. Le climat est la pierre angulaire de la vie de la classe et de la formation de l'élève.

- La qualité de l'ambiance éducative résulte d'un ensemble de facteurs tous aussi importants les uns que les autres.
- Le climat met en jeu des attitudes personnelles fondamentales chez l'enseignant.
- Il implique des relations toujours à construire avec les parents, avec chaque élève et le groupe-classe.
- Il nécessite un réel désir de susciter et de cultiver la motivation scolaire et une saine estime de soi chez l'élève.
- Le climat fait appel à des qualités aussi diverses que la capacité d'instaurer une saine discipline dans la classe, de former les élèves à l'autodiscipline et à la gestion des conflits.
- Cela exige des attitudes qui sont souvent encore en construction chez l'adulte, qui doit pourtant les solliciter quotidiennement auprès des élèves: l'authenticité, l'ouverture, l'empathie, la coopération, etc.
- L'enseignant doit avant tout se préoccuper de la création d'un climat motivant pour les élèves, un matériau important qui lui permettra de poursuivre des intentions d'acquisition de connaissances ou de développement de compétences.

Le savoir ne se transmet pas, il s'impose comme une nécessité pour expliquer ce que l'on voit, comprendre ce que l'on ressent et maîtriser ce que l'on dit.

*Philippe Meirieu et Michel Develay**

* Formateurs, auteurs et professeurs à l'Université Lumière de Lyon, en France

J'AIMERAIS SAVOIR...

- Suis-je familiarisé avec la philosophie du programme de formation autant qu'avec le contenu des programmes disciplinaires ?
- Comment traduire cette philosophie dans mon quotidien ?
- Comment développer chez les élèves les compétences mises en évidence dans les curriculums proposés ?
- Suis-je en mesure de verbaliser clairement ma conception de l'apprentissage ?
- Ma conception de l'apprentissage est-elle cohérente avec celle du programme de formation que je dois mettre en œuvre ?
- Mes interventions pédagogiques sont-elles en harmonie avec ma conception de l'apprentissage ?
- Quelle place occupe le développement des compétences transversales dans ma classe ?
- Puis-je établir un lien entre l'apprentissage et le développement des compétences d'ordre intellectuel et d'ordre méthodologique ?
- Quelles sont les interventions que je fais auprès des élèves par rapport au « savoir-apprendre » ?

CHAPITRE 3

S'approprier la philosophie et le contenu de son programme

C'est sans doute à partir de l'une ou l'autre de ces questions que vous vous donnerez un défi au regard du contenu organisationnel. Pour vous aider à atteindre cet objectif de développement professionnel, je vous propose de suivre les étapes d'une démarche en trois temps : avant, pendant et après l'expérimentation (*voir l'introduction pour en connaître tous les détails*). La figure suivante rappelle la place du contenu organisationnel dans l'ensemble des composantes de la gestion de classe.

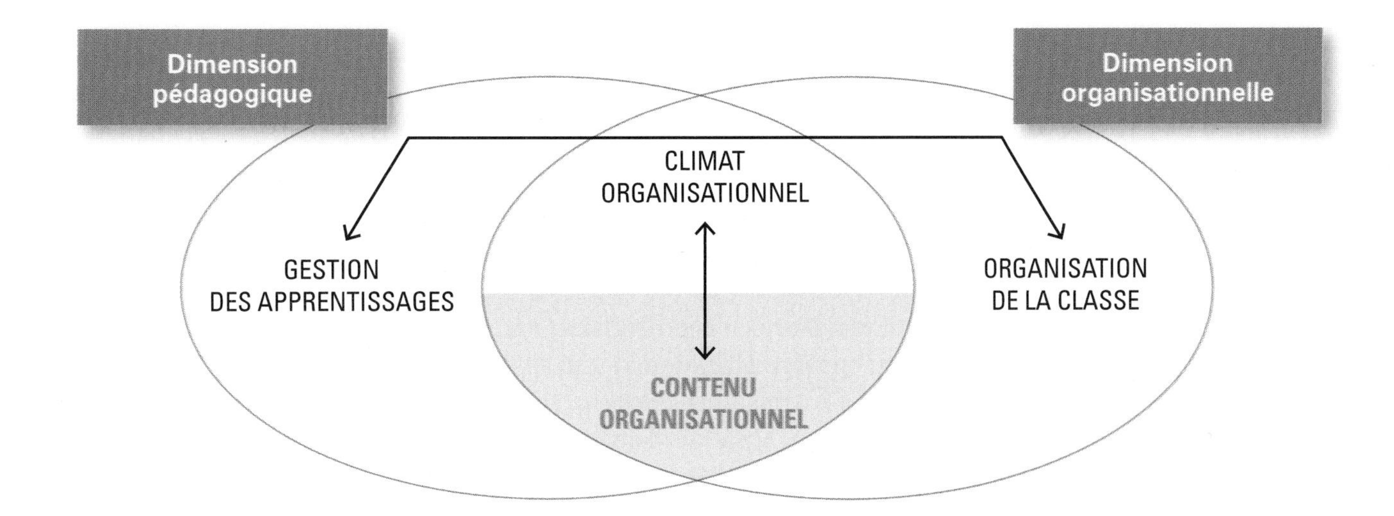

Définir le concept de contenu organisationnel

L'appellation «contenu organisationnel» a été empruntée au secteur des entreprises. En effet, chaque société d'État, chaque établissement commercial, chaque firme industrielle, chaque bureau professionnel se soucie de définir auprès de ses usagers sa philosophie, sa mission de même que ses objectifs. C'est à travers la lecture de ce contenu organisationnel que les employés et les clients peuvent connaître la véritable raison d'être de l'entreprise ainsi que le modèle de gestion qui y est privilégié. Le contenu organisationnel constitue en quelque sorte la charpente sur laquelle s'appuieront toutes les interventions à venir.

N'y a-t-il pas un parallèle à faire entre la gestion d'une entreprise et celle d'une école ? En fait, une école est une entreprise éducative qui offre des services à des clients : les élèves et leurs parents. Dans les deux situations, les gestionnaires n'ont pas le choix d'établir et de maintenir une relation de service, une approche centrée sur les clients, même si cette façon de voir les choses ne plaît pas toujours... La même logique peut être appliquée à la classe : celle-ci s'apparente à une petite entreprise au service de ses élèves.

Le volet du contenu organisationnel en gestion de classe est un vaste domaine. Il prend en compte des éléments généraux, telle la philosophie du programme de formation, de même que des cibles plus spécifiques, comme le développement des compétences d'ordre méthodologique. En apparence, c'est la composante la plus abstraite de la gestion de classe ; malgré cette difficulté, dans les faits, la réflexion philosophique que l'on doit tenir quant au programme de formation est nécessairement liée à l'action.

Cette composante représente la finalité de la présence en classe des apprenants et des accompagnateurs. Guidé par l'ambition d'intervenir selon les orientations du contenu organisationnel dans sa pratique quotidienne, l'enseignant se soucie d'abord de créer un climat propice à l'apprentissage pour que ce contenu soit véhiculé avec succès. Puis, il prend le temps de mettre sur pied une organisation de classe riche et stimulante pour que puissent être mises en œuvre la participation et la responsabilisation des apprenants dans l'appropriation de ce contenu. Enfin, il planifie les démarches et les stratégies nécessaires pour gérer les apprentissages dans un véritable partenariat avec les élèves. Ainsi, dans une perspective synergique, les trois composantes du climat organisationnel, de l'organisation de la classe et de la gestion des apprentissages convergent vers un effet unique : faciliter la transmission des contenus du programme en vigueur.

Si ces conditions sont remplies, l'enseignant peut alors affirmer que le contenu organisationnel a été exploité de façon maximale. Le programme aura été utilisé à bon escient puisqu'il aura servi de boussole tout au long de la merveilleuse aventure que représentent l'apprentissage et l'accompagnement.

AVANT L'EXPÉRIMENTATION

1 L'auto-analyse

Quand un enseignant cible un objectif de développement à atteindre, il est tentant pour lui de passer à l'action rapidement sans se soucier de l'itinéraire qu'il devra parcourir pour arriver à bon port. Mais dans un domaine aussi complexe que la pédagogie, le praticien doit prendre un temps de réflexion pour observer d'abord son propre comportement, voire scruter son cheminement personnel: «Quelle est mon attitude actuelle face à cette question? Quelles peurs m'empêchent de faire les choses autrement? Qu'est-ce que j'ai déjà mis en place? Quels principes guident ma volonté de changer des choses? Quels deuils et quels renoncements aurai-je à faire si je veux remplacer une pratique que je juge stérile? Quelles sont les ressources dont je dispose? De quelle aide aurai-je besoin pour concrétiser mon objectif?»

Voilà des éléments de fond sur lesquels vous devez vous appuyer avant de passer à l'action. Les grilles d'analyse qui suivent peuvent vous aider à prendre conscience de ce qui anime présentement votre pratique pédagogique face au contenu organisationnel.

3

1. Mes attitudes personnelles

LÉGENDE: **1.** C'est une priorité de vie pour moi et j'en suis fier.
2. Je voudrais améliorer ce comportement dans l'immédiat.
3. Ce n'est pas une piste de transformation dans laquelle je désire investir actuellement.

	1	2	3
a) Je suis conscient du type de valeurs que je veux transmettre à mes élèves.			
b) Je suis capable de définir clairement mes orientations philosophiques.			
c) Après y avoir réfléchi sérieusement, je choisis mes croyances et je vérifie si celles-ci s'appuient non seulement sur mon vécu, mais aussi sur celui de mes élèves.			
d) Je perçois que le développement des compétences suppose un processus actif, constructiviste chez l'apprenant et un accompagnement soutenu de la part de l'enseignant.			
e) J'établis des nuances entre l'acquisition de contenus notionnels et le développement des compétences afin de rendre celui-ci optimal.			
f) Je suis convaincu de la pertinence d'élaborer une approche centrée sur l'apprenant possédant un profil d'apprentissage et un parcours scolaire qui lui sont propres.			
g) Je réfléchis sur mon action pédagogique et je me donne les moyens pour le faire: à l'aide de mon journal de bord, de mon portfolio professionnel, etc.			

h) Commentaires:

____

____

2. Mes connaissances théoriques

LÉGENDE : **1.** Je suis à l'aise avec ces éléments de contenu et je m'y réfère quotidiennement.
2. Je connais ces éléments de contenu, mais il faudrait que j'en tienne compte davantage dans mon enseignement.
3. Cela ne m'apparaît pas pertinent de m'intéresser à ces éléments de contenu pour l'instant.

	1	2	3
a) Je connais la liste des compétences transversales sur lesquelles je dois intervenir pour que mes élèves les développent.			
b) Je maîtrise la liste des compétences disciplinaires concernant le parcours scolaire de mes élèves.			
c) Je suis familiarisé avec les contenus notionnels que mes élèves doivent acquérir et je me soucie de les aborder dans une perspective de continuité en faisant constamment des liens avec les acquis antérieurs.			
d) Je connais le répertoire des domaines généraux de formation et je m'y réfère quand j'élabore des situations d'apprentissage.			
e) Lorsque je planifie mon enseignement, je consulte le programme de formation ainsi que les guides pédagogiques du matériel didactique que j'utilise.			
f) Je sais rattacher ma pratique quotidienne à différents courants pédagogiques.			
g) Je me tiens à jour en ce qui a trait aux différentes théories d'apprentissage et aux diverses recherches menées en éducation.			
h) Je sais me référer à des ouvrages pertinents traitant de sujets novateurs ou illustrant les progrès réalisés dans le monde de l'enseignement.			
i) Je sais utiliser des données théoriques pour éclairer mon action et la transformer, s'il y a lieu.			

j) Commentaires :

____

____

3. Mes interventions en classe

LÉGENDE : **1.** Je le fais très peu, et ce n'est pas une priorité pour moi.
2. Je le fais très peu, mais je voudrais travailler ce point.
3. Je le fais avec quelques difficultés, mais je ne désire pas travailler ce point pour l'instant.
4. Je le fais, mais j'aurais besoin d'améliorer ce point.
5. Je le fais avec aisance.

	1	2	3	4	5
a) Je suis capable de faire une planification à long terme et à court terme.					
b) Je sais formuler des objectifs de développement ou des résultats d'apprentissage en termes clairs et précis.					
c) Je suis capable d'expliquer les objets ou résultats d'apprentissage à mes élèves et de définir avec eux le chemin à entreprendre pour qu'ils soient conscients du processus qu'ils vivront et des apprentissages qu'ils feront.					
d) Tout en ayant mes cibles de développement en tête, je demeure flexible dans le choix des moyens d'enseignement et des ressources disponibles.					

e)	Je me préoccupe d'enseigner non seulement les connaissances déclaratives (le « quoi ? »), mais aussi les connaissances procédurales (le « comment ? »).					
f)	Dans cette optique, j'accorde une attention spéciale au développement des compétences d'ordre intellectuel et d'ordre méthodologique pour que mes élèves puissent exercer un contrôle sur les tâches que je leur propose.					
g)	Lorsque je prépare les élèves à un apprentissage quelconque, je prends le temps d'aborder avec eux les connaissances conditionnelles (le « pourquoi ? » et le « quand ? »).					
h)	Au-delà des incidents quotidiens, je suis capable de revenir à la globalité du processus dans lequel je suis engagé en faisant preuve de synthèse et de continuité.					
i)	J'utilise les données des évaluations précédentes pour planifier les séquences d'enseignement à venir.					
j)	Commentaires : ______________________________ ______________________________					

3

2 La réflexion

Les grilles d'analyse des pages 127 à 129 nous font voir que le contenu organisationnel dans la vie d'une classe représente un vaste chantier pour un enseignant. Il faut que ce contenu fasse appel à la cohésion des attitudes, des connaissances et des interventions chez la personne qui accompagne l'élève dans son développement. Après s'être imprégné de la globalité du programme d'enseignement en vigueur, l'enseignant a intérêt à emprunter une voie séquentielle afin de mettre l'accent sur chacun des matériaux qui favorisent l'appropriation de ce programme. Cette analyse détaillée lui permettra de mieux comprendre la gestion de chaque élément du contenu organisationnel tout en ayant en tête la vision du produit final.

Afin de faciliter cette réflexion et de recadrer les composantes du contenu organisationnel en relation avec la gestion de classe participative, nous nous pencherons sur cinq objets de développement susceptibles de faciliter la mise en œuvre du contenu organisationnel :

1. Adhérer à la philosophie du programme de formation ou de tout autre programme que l'on doit appliquer.
2. Maîtriser le contenu du programme de formation ainsi que des programmes disciplinaires en vigueur.
3. Définir sa conception de l'apprentissage.
4. Découvrir son style d'enseignement de même que les démarches et les stratégies que l'on désire privilégier.
5. Mettre au point l'outillage cognitif dont les élèves ont besoin pour construire leur savoir.

Adhérer à la philosophie du programme

Adhérer à un programme consiste ni plus ni moins à accepter son contenu théorique et pratique, dont on partage la philosophie générale et la plupart des idées. Mes visites de classe, sessions ou rencontres avec des enseignants québécois mettent en lumière un certain malaise dans l'appropriation de ce que l'on appelle encore « le nouveau programme[1] », même si celui-ci a fait son apparition dans les milieux scolaires depuis plus d'une décennie. Cet inconfort limite l'appropriation du contenu organisationnel par un certain nombre d'enseignants, entre autres parce qu'il les détourne du premier objectif de développement visé : l'adhésion à la philosophie du programme de formation.

Le tableau 3.1, page suivante, présente quelques constats que j'ai pu faire ces dernières années et les interrogations que cela peut éveiller. J'y formule également des pistes susceptibles d'expliquer la situation.

Surmonter les difficultés d'adhésion à la philosophie du programme

Même si de hautes instances décident, un jour, d'implanter un nouveau programme dans les écoles, ça ne signifie pas pour autant que ceux et celles qui en seront les artisans dans les milieux scolaires partageront les mêmes convictions et se laisseront guider par une même conception de l'apprentissage et de l'évaluation. Plus la position des enseignants sera éloignée de celle qui est privilégiée dans le programme, plus l'implantation du curriculum sera longue et laborieuse.

Tout le monde sait que les enseignants sont les véritables maîtres d'œuvre de tous les changements implicites à l'application d'un nouveau programme. Dans cette perspective, il m'apparaît capital de tenir ce que je nomme des « chantiers de discussion » dans les écoles sur les concepts fondamentaux du programme en vigueur afin de déterminer ce qui pourrait entraver son application. Ainsi, les enseignants auraient l'opportunité de faire le point sur diverses conceptions, comme celle de l'apprentissage, tout en prenant conscience de celles de leurs collègues. Un enseignant ne peut pas collaborer pleinement au sein de son équipe-cycle ou de sa communauté d'apprenants professionnels s'il ne partage pas une vision commune du processus apprentissage-évaluation. À moins que celui-ci accepte de faire semblant pour sauver les apparences…

Dans un deuxième temps, les enseignants pourraient commencer à développer de nouvelles pratiques et à construire de nouvelles représentations mentales autour des consensus qui leur semblent évidents. Au moins, ils auraient franchi l'étape de la théorie pour accéder à celle du transfert sur le terrain. Très souvent, les réticences des personnes inquiètes ou sceptiques s'estompent lorsqu'elles sont capables, après une expérimentation satisfaisante, de palper des résultats positifs. (*Voir encadré, p. 132, et section « L'apprentissage vu par les concepteurs du programme », p. 141.*)

1. Je fais ici référence au Programme de formation de l'école québécoise, publié en 2001.

TABLEAU 3.1 DES CONSTATS ET DES INTERROGATIONS SUR LA PHILOSOPHIE DU PROGRAMME DE FORMATION

QUELQUES CONSTATS	DES INTERROGATIONS	DES EXPLICATIONS POSSIBLES
• Lorsque je donnais des suivis personnels à des enseignants dans les classes, j'ai rarement vu le programme de formation déposé sur le bureau, à portée de la main et des yeux. La plupart du temps, il était rangé sur une étagère ou dans un tiroir. Je l'ai même vu encore enveloppé dans sa pellicule originale…	• Pourquoi le programme de formation est-il resté, après tant d'années, un « nouveau programme » pour certains enseignants ?	• Des enseignants m'ont avoué ne pas avoir lu les premières pages du programme de formation décrivant clairement sa philosophie. Ils se sont lancés à corps perdu dans l'aventure de sa mise en place sans en saisir les principes éducatifs et sans adhérer à l'approche pédagogique qui sous-tend son utilisation dans le quotidien.
• Assez souvent, je pouvais constater l'importance que l'enseignant accordait aux guides pédagogiques et aux manuels scolaires. En fait, j'avais l'impression que celui-ci s'y pliait religieusement, comme si ces outils étaient prescriptifs et qu'on ne pouvait y déroger ou trop s'en éloigner.	• Malgré les efforts de multiples intervenants et conseillers, malgré le nombre de journées de formation offertes, malgré la qualité de la rédaction du programme de formation et de ses documents complémentaires, se peut-il que sa philosophie n'ait pas réellement été intégrée, que ses principes de base ne soient pas passés dans les mœurs scolaires ?	• D'emblée, des enseignants se sont fermés à l'idée d'approfondir la philosophie du programme dont ils étaient responsables. Selon leurs croyances ou leurs perceptions ce dernier leur semblait en contradiction avec leur propre façon d'envisager l'enseignement et l'apprentissage. Ils ont buté sur les divergences plutôt que de miser sur les éléments de convergence qui auraient pu les amener à accepter l'idée d'en apprivoiser le contenu et à essayer de le mettre en application. • Certains enseignants ont tenté d'appliquer un programme qu'ils ne connaissaient pas bien et pour lequel ils affichaient un scepticisme marqué.
• Lors de mes entretiens avec les enseignants, il m'arrivait à l'occasion de recevoir des réactions du genre : « Le programme est bien trop chargé pour que j'ose penser à instaurer la participation de mes élèves au sein d'ateliers ou de centres d'apprentissage. Je sais que je devrais faire de la différenciation, mais où vais-je trouver le temps ? Je dois absolument "voir tout le programme", sinon mes élèves échoueront aux épreuves annuelles du Ministère de même qu'aux examens imposés par ma commission scolaire. »	• Pourquoi des enseignants à qui convenaient les méthodes d'enseignement visant à faire acquérir des connaissances ont-ils l'impression que les démarches et les stratégies cherchant à développer des compétences sont inadéquates ? • Pourquoi l'adoption des compétences transversales, qui constituent une partie importante du curriculum proposé, ici au Québec, et ailleurs également, prend-elle autant d'enseignants au dépourvu ?	• D'autres enseignants m'ont confié qu'il était possible d'enseigner des compétences au même titre qu'on enseigne des connaissances. Pour ces praticiens, il était évident que la découverte du programme avec les élèves n'était pas une priorité. Ils se préoccupaient plutôt de couvrir le programme dans ses menus détails. Ce point était primordial pour eux et ils n'avaient pas le temps de remettre en question leur démarche d'enseignement et d'évaluation, encore moins la démarche d'apprentissage de l'élève. • Un pourcentage d'enseignants croit fermement que le développement des compétences transversales est moins important que celui des compétences disciplinaires. Étant déjà assez accaparés par les disciplines, il est tentant pour des praticiens de vouloir reléguer les compétences transversales aux oubliettes. Cette conviction a pu être renforcée par le fait que de nombreux examens locaux ou ministériels sont axés uniquement sur les compétences disciplinaires.

•••›

TABLEAU 3.1 DES CONSTATS ET DES INTERROGATIONS SUR LA PHILOSOPHIE DU PROGRAMME DE FORMATION (*SUITE*)

QUELQUES CONSTATS	DES INTERROGATIONS	DES EXPLICATIONS POSSIBLES
	• Pourquoi les enseignants se sentent-ils piégés par l'évaluation, ne sachant plus très bien quoi évaluer et comment le faire ?	• De nombreux enseignants m'ont entretenu de leurs difficultés face à l'évaluation. Ils savent qu'ils doivent faire participer davantage l'élève à ce processus à travers lequel celui-ci continue de construire son savoir. Pour l'instant, ils hésitent à expérimenter d'autres moyens de collecte et de consignation de données, se contentant de délaisser une évaluation qu'ils jugent abusive. Dans leur for intérieur, ils croient que la meilleure solution consiste à moins évaluer, alors qu'ils devraient veiller à évaluer autrement.

Accomplir les gestes menant à l'adhésion au programme

Même si un enseignant ne partage pas toutes les convictions qui sous-tendent la philosophie d'un programme, il est quand même tenu de lui donner vie en classe, puisqu'il travaille dans une école régie par des instances ministérielles qui ont décrété sa mise en vigueur. Il devra même faire preuve de renoncement à l'égard de certaines de ses positions pour adhérer à des éléments majeurs qui s'avèrent non négociables. En fait, cela suppose que l'enseignant responsable de l'application du programme fait les gestes suivants :

- Il prend connaissance de ce qui est proposé avant de se faire une opinion, qui aurait intérêt à être positive le plus possible. Sinon, l'accompagnateur peut difficilement aller plus loin...
- Il voit les avantages et les gains que les élèves retireront de ces nouvelles propositions éducatives.
- Il accepte la nécessité de renoncer à la stabilité et à la sécurité de ses pratiques pédagogiques actuelles pour un temps donné afin d'apporter certains changements jugés essentiels.
- Il est capable de défendre les orientations ministérielles en matière d'éducation et de pédagogie auprès des parents et de l'opinion publique, et, s'il le faut pour y parvenir, de nuancer ses désaccords sur certains aspects du programme.
- Il adopte une attitude positive et optimiste tout au long de son processus d'appropriation du nouveau programme.
- Il est prêt à revoir ses conceptions de l'apprentissage, de l'enseignement et de l'évaluation.
- Il a le courage des recommencements pour vivre cette phase d'appropriation du programme qui ne peut se faire sans essais et erreurs.

L'heure juste

Depuis l'annonce d'un renouveau éducatif souhaité au Québec en 2001 faisant la promotion d'un nouveau programme de formation, de nombreux praticiens québécois se sont intéressés davantage au contenu du programme qu'à sa philosophie de base. Ce choix professionnel expliquerait qu'ils aient été tentés d'intervenir sur de nouveaux objets d'apprentissage à partir d'une démarche qui n'était pas nécessairement appropriée au développement des compétences. Comme ils ne sont pas allés au cœur des changements, comme ils n'ont pas vu les résultats positifs que ceux-ci auraient pu engendrer, il est facile pour eux de douter de la pertinence et de la valeur du programme actuel à la moindre difficulté.

Toutefois, comment peut-on évaluer la véritable portée d'un programme si l'on ignore dans sa pratique les principales recommandations qu'il formule ? Appliquer un programme, c'est d'abord reconnaître le bien-fondé des principes pédagogiques sur lesquels il repose. C'est surtout accepter de renouveler ses pratiques quotidiennes afin de mettre en œuvre ce qui y est proposé.

Reconnaître le bien-fondé des principes pédagogiques du programme

Suis-je familiarisé avec la philosophie du programme de formation autant qu'avec le contenu des programmes disciplinaires ?

La liste suivante rappelle les préceptes philosophiques du Programme de formation de l'école québécoise (MEQ, 2001a) :

1. L'élève est le principal artisan de ses apprentissages ; il doit contribuer activement au développement de ses compétences.
2. L'élève développe ses compétences à partir d'une approche constructiviste : placé devant ses perceptions et ses représentations, il construit ses savoirs à partir des conflits cognitifs qu'il vit.
3. L'élève travaille dans un contexte socioconstructiviste : il apprend et évolue en coopération avec ses pairs, sous la guidance de son enseignant.
4. L'élève non seulement se place en projet d'apprentissage, mais il est aussi très conscient du processus qu'il vit, notamment grâce aux interventions de son enseignant au regard de la métacognition.
5. L'évaluation est intégrée au processus d'apprentissage : elle fournit à l'élève et à l'enseignant les renseignements nécessaires à la prise de décision, à la régulation des apprentissages et des actions éducatives.
6. L'élève développe non seulement ses compétences disciplinaires, mais aussi ses compétences transversales.
7. L'élève est placé dans des contextes d'apprentissage diversifiés prenant racine dans les domaines généraux de formation.
8. L'enfant ou l'adolescent arrive à l'école avec un profil d'apprentissage qui lui est propre et à partir duquel l'enseignant doit intervenir pour favoriser le développement optimal de cet élève.

Maîtriser le contenu du programme en vigueur

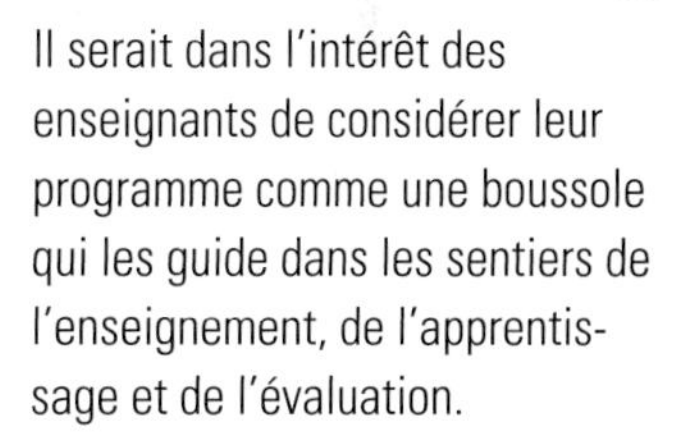
Il serait dans l'intérêt des enseignants de considérer leur programme comme une boussole qui les guide dans les sentiers de l'enseignement, de l'apprentissage et de l'évaluation.

La maîtrise d'un programme figure parmi les gages de succès pour tout enseignant désireux de se centrer prioritairement sur les parcours d'apprentissage de ses élèves plutôt que sur des listes de contenus théoriques à transmettre. Plus l'enseignant connaît la trajectoire que ses élèves devront franchir pour être promus à la fin d'un cycle, plus il est en situation de contrôle sur ce contenu dont il est responsable en tant qu'enseignant. Cela le dégage, d'une part, d'un certain stress et, d'autre part, cela lui permet de jongler avec les paramètres de la différenciation des apprentissages, de l'adaptation des processus et de la modification des contenus.

Fort de la théorie qu'il doit enseigner, l'enseignant est capable, à certains moments, de prendre de la distance à l'égard des manuels scolaires et des cahiers d'exercices ; il sait alors privilégier une approche par projets ou par problèmes pour proposer à ses élèves des contextes d'apprentissage plus signifiants et plus proches de leur réalité.

Pourtant, de nombreux enseignants affirment qu'une telle maîtrise n'est pas possible. S'ils ont de la difficulté à concevoir l'appropriation de la philosophie du programme, c'est qu'une incompréhension demeure quant au rôle que joue le programme dans le quotidien d'une classe. Le tableau 3.2, page 134, soulève quelques questions et propose des pistes pouvant aider à comprendre cette situation.

TABLEAU 3.2 DES INTERROGATIONS ET DES EXPLICATIONS POSSIBLES SUR LA MAÎTRISE DU PROGRAMME DE FORMATION

DES INTERROGATIONS	DES EXPLICATIONS POSSIBLES
• Pourquoi se sent-on si captif du contenu du programme en vigueur ? • Pourquoi est-on écartelé entre des compétences à développer, des contenus notionnels à faire acquérir, des habiletés à perfectionner et des attitudes à modifier ? • Pourquoi est-on porté à traiter chaque objet ou résultat d'apprentissage de manière isolée ? • Pourquoi s'intéresse-t-on surtout aux contenus notionnels rattachés au niveau enseigné ?	• Il est possible qu'on ne connaisse pas vraiment le programme dont on est responsable. • Il est probable qu'on ne perçoive pas la compétence comme une entité englobant connaissances, habiletés et attitudes. • Il se peut qu'on n'ait pas trouvé un bon équilibre entre les programmes d'études et les manuels scolaires. • Il est possible qu'on ne consulte pas le programme régulièrement et qu'on ne se soucie pas du développement des compétences étalé sur des parcours pluriannuels.

Selon mon expérience, chaque enseignant retirerait des avantages du fait de consulter le programme de façon régulière, particulièrement au moment de la planification des situations d'apprentissage et d'évaluation. Plus les enseignants seront familiarisés avec le programme, plus ils pourront en dégager les points clés, en saisir l'essentiel et apprécier sa teneur. Une excellente connaissance du programme permettra, en plus, de gérer les apprentissages des élèves avec rigueur intellectuelle et flexibilité pédagogique.

Pour illustrer cette dernière affirmation, voici des exemples de contextes pédagogiques faisant appel à la rigueur et à la flexibilité :

- Un pédagogue utilise une approche par projets, centrée sur le développement de deux compétences transversales de même que sur trois champs d'intérêt de ses élèves.
- Un titulaire d'un groupe multiâge assume la responsabilité de gérer simultanément des apprentissages pour deux ou trois niveaux à partir du scénario de développement d'une compétence prévu à l'intérieur du cycle d'apprentissage.
- Un enseignant désire prendre une certaine distance par rapport à un emploi fréquent des manuels scolaires et des cahiers d'exercices afin de personnaliser davantage une séquence d'apprentissage dans laquelle il planifiera des modalités d'adaptation, de modification et même de différenciation dans les apprentissages.

Accomplir les gestes menant à la maîtrise du programme

Cela suppose que l'enseignant responsable de l'application du programme de formation fait les gestes suivants :

- Il connaît au départ les grands paramètres sur lesquels il devra intervenir : le répertoire des compétences transversales, la liste des compétences disciplinaires ou des résultats d'apprentissage, les domaines généraux de formation, les savoirs essentiels appelés aussi « contenus de formation ».
- Il comprend l'architecture du programme, ce qui lui permet de retrouver facilement l'information dont il a besoin.
- Il fait des liens et des nuances entre les différents éléments du programme.
- Il est capable de situer le développement d'une compétence dans une perspective de continuité, c'est-à-dire à l'intérieur d'un parcours pluriannuel. Autrefois, les religieuses enseignantes demandaient à leurs normaliennes de connaître non seulement les contenus du cours enseigné, mais aussi ceux du degré précédent et du degré suivant.
- Il s'efforce d'établir des regroupements possibles entre diverses compétences afin de profiter d'une même situation d'apprentissage pour mobiliser l'élève autour de quelques compétences différentes mais complémentaires.
- Il accepte de manipuler les objets ou résultats d'apprentissage dans un esprit de concertation avec ses collègues afin d'éviter que l'élève soit en rupture d'apprentissage toutes les fois qu'il change d'enseignant ou qu'il est promu à un degré supérieur.
- Il s'habilite à se centrer sur l'essentiel du programme afin de distinguer les contenus que tous les élèves doivent maîtriser, ceux que certains maîtriseront et ceux que quelques-uns seulement maîtriseront. Toutes les parties d'un programme ne sont pas d'égale importance lorsqu'on se place dans une perspective de différenciation, d'adaptation ou de modification.
- Il acquiert le réflexe de planifier son enseignement à court et à long terme à partir du programme de formation et des programmes disciplinaires plutôt que de se fier uniquement à la chronologie des séquences didactiques proposées par les concepteurs de manuels scolaires.

3

L'heure juste

Plus un enseignant se familiarise avec un programme de formation ou un programme d'études, plus il retrouve son autonomie professionnelle et sa capacité d'exercer sa créativité. Plus il en maîtrise le contenu, plus il jouit d'une liberté qui situe le programme à sa véritable place, soit au service de l'apprentissage, et non l'inverse. Pourtant, il est très facile de s'éloigner de cette voie et de placer au premier plan la liste des résultats d'apprentissage ou des contenus notionnels. Ce faisant, on oublie que le développement personnel des élèves est aussi important que le curriculum. Les enfants et les adolescents qui sont devant nous ont leurs propres profils et parcours d'apprentissage, et ils ne demandent pas mieux qu'on aille les rejoindre là où ils se trouvent. Il ne suffit pas, pour un enseignant, de se donner bonne conscience en se disant : « J'ai vu tout le programme du mois avec les élèves. » Il doit pousser plus loin sa réflexion et se demander : « Et eux, qu'ont-ils appris véritablement ? »

Définir sa conception de l'apprentissage

Parmi les principaux concepts inscrits au cœur même du programme de formation, il y en a un qui occupe une place primordiale : l'apprentissage. Comme les écoles existent avant tout pour offrir des services dans ce sens

et comme les élèves y viennent pour construire leur savoir, il est stratégique pour des praticiens de s'intéresser en premier lieu au processus d'apprentissage. Au même titre que les médecins discutent de médecine entre eux et que les mécaniciens parlent de mécanique à l'intérieur d'un garage, les enseignants ont avantage à parler de motivation et d'apprentissage toutes les fois qu'ils en ont l'occasion. Il serait illogique pour un intervenant de se présenter en salle de classe sans avoir défini préalablement sa conception de l'apprentissage. N'est-ce pas cette conception qui influencera par la suite toutes les autres interventions qui viendront ?

Pour faciliter la formulation d'une conception de l'apprentissage, exercice qui n'est pas simple en soi, on peut explorer ce concept sous divers points de vue défendus par différents agents de l'éducation : des élèves, des chercheurs, des concepteurs de programmes et des enseignants.

L'apprentissage vu par les élèves

Pour illustrer les propos des élèves, j'utiliserai deux expérimentations vécues dans une école primaire (Caron et Lepage, 1985, p. 14 et 15).

D'abord, au cours de la phase d'émergence du projet éducatif de l'école, une directrice a sollicité la participation des élèves de tout l'établissement afin de tenir compte de leurs perceptions au moment du choix des orientations à privilégier. Voici quelques-unes de leurs réflexions sur la question de l'apprentissage :

- « On aime apprendre en jouant, on aime manipuler des objets pour apprendre, on est contents d'avoir un tableau de programmation dans notre classe. »
- « On n'apprend pas seulement dans les livres, mais aussi avec des ordinateurs, du matériel de robotique, des expériences en sciences, des sorties éducatives. »
- « On comprend mieux quand on apprend lentement, à notre rythme. On n'est pas obligés d'être rendus à la même place que l'élève voisin de nous. »
- « Quand le menu est ouvert et que notre enseignant nous permet de planifier des périodes de travaux personnels, on prend des décisions et on travaille sans toujours dépendre d'un adulte. On apprend des choses différentes à partir des choix qu'on fait. »
- « Si des élèves ont de la facilité dans une matière et qu'ils finissent les premiers, ils peuvent aider les camarades qui ont de la difficulté ou qui travaillent plus lentement. »
- « Nous pensons qu'il vaut mieux apprendre moins de choses à la fois, mais les savoir comme il faut. »
- « Nous voulons apprendre des choses utiles qui nous servent dans notre vie. »
- « Notre enseignant et nos parents doivent nous aider à apprendre. »
- « Nous aimons relever des défis. Comme ça, on fait des progrès et ça nous rend fiers de nous. »

- « Même si on aime les récompenses, on n'est pas obligés d'être récompensés pour toutes les tâches qu'on fait. Mais on est bien contents de recevoir une conséquence agréable de temps en temps. »

Dans une autre circonstance, des élèves de 11 ans se sont exprimés à partir de l'expérimentation de la « pédagogie ouverte » qu'ils vivaient avec leur enseignante. Tout en insistant sur les avantages de cette pédagogie qui s'appuie sur la contribution de l'élève et sur celle de l'enseignant en classe, ils ont formulé certains commentaires sur l'apprentissage. Voici ce qu'ils ont trouvé d'important à dire en regard de cette pédagogie :

- « On peut s'exprimer plus librement. »
- « On peut prendre nos responsabilités. »
- « On peut développer nos talents. »
- « On peut apprendre des choses qui ne touchent pas seulement le français et les mathématiques. »
- « On peut décider en tenant compte de nos goûts et de nos préférences. »
- « On peut voir le contenu de nos programmes de façon plus détendue et intéressante. »
- « On peut avoir plus de contacts avec nos camarades parce qu'on travaille en dyades et en équipes. »
- « On peut améliorer nos comportements à partir de notre référentiel disciplinaire. »
- « On peut résoudre nous-mêmes nos problèmes. »

Malgré le fait que ces élèves n'étaient pas nécessairement conscients de tous les éléments inclus dans l'acte d'apprendre, leurs propos mettaient en évidence certaines de ses composantes : le processus, les styles et les rythmes d'apprentissage, la motivation, le rôle des pairs, les ressources didactiques, etc. Tous ces commentaires d'élèves font la preuve que l'apprentissage, même lorsqu'il est basé sur le jeu, constitue une démarche complexe en soi. C'est pour cette raison, et aussi parce que cela concerne tous les âges de la vie, que l'apprentissage est le terrain privilégié de tant de chercheurs et de scientifiques.

L'apprentissage vu par les chercheurs

Le concept d'« apprentissage » n'est pas nouveau en soi, il existait avant même qu'on entreprenne des recherches dans ce sens et qu'on élabore de nouvelles théories. De nos jours, les enseignants sont choyés de pouvoir bénéficier d'une documentation abondante qui vient alimenter leurs connaissances de base. Si un pédagogue le désire, il peut se familiariser avec le système cognitif et son cerveau exécutif, le traitement de l'information, la re-création du savoir, l'intelligence émotionnelle, la métacognition, la théorie des intelligences multiples, et j'en passe.

À travers l'évolution qu'a connue la recherche dans le domaine de l'enseignement depuis 25 ans, on doit admettre que l'acte d'apprendre, dans son essence même, n'a pas changé. L'apprenant vit toujours le même

processus, sauf que l'accompagnateur est mieux outillé pour guider ses interventions. Et l'élève a maintenant des référentiels et un langage pour mettre des mots sur ce qu'il vit ou apprend. Connaissant les principes de base du fonctionnement du cerveau, de l'enseignement stratégique et de la différenciation pédagogique, l'enseignant a nettement plus d'emprise sur les conditions de réussite menant au transfert des apprentissages.

Sans vouloir présenter une revue de littérature détaillée sur le sujet, je vous indiquerai quelques points de vue de pédagogues qui se sont intéressés à l'acte d'apprendre et qui ont mis en évidence, dans leurs écrits, les apprentissages qu'eux-mêmes avaient faits en s'interrogeant sur ce processus.

Tout d'abord, les formateurs Stéphane Hoeben, Paul-Marie Leroy et Patrick Reuter nous présentent six facettes complémentaires de l'apprentissage. Ils affirment que, pour un enfant, un adolescent ou un adulte :

> *Apprendre, c'est personnel !* Il s'agit d'une dynamique interne à la personne. Chaque être humain a le désir et la volonté de se développer, de construire de nouvelles représentations cohérentes et durables de son réel. [...]
>
> *Apprendre, c'est plus que s'informer !* C'est plus qu'engranger des savoirs ou des savoir-faire. Apprendre, c'est comprendre, c'est-à-dire être capable de conceptualiser, de tisser des liens entre les concepts, de généraliser et d'abstraire. [...]
>
> *Apprendre, c'est cheminer !* De multiples éléments assurent la mise en route de ce processus : les perceptions, les stimulations ou interactions conduisent chaque individu dans un cheminement nouveau. Il y aura parfois perte de repères et construction de nouveaux... [...]
>
> *Apprendre, c'est transformer ses représentations !* L'approche cognitiviste de l'apprentissage considère que l'apprenant a des modes diversifiés d'appropriation des savoirs et des bagages culturels liés à son histoire. Elle le considère aussi comme une personne en interactions sociales. L'apprenant vit des conflits socio-cognitifs, des prises de conscience. Confronté à lui-même et aux autres, il modifie peu à peu ses compétences. [...]
>
> *Apprendre, c'est mémoriser !* [...] Apprendre, c'est mettre en mémoire à long terme des savoirs, savoir-être, savoir-faire et pouvoir les réutiliser à bon escient et efficacement. [...]
>
> *Apprendre, c'est changer !* C'est se transformer, devenir autre [...]. C'est aussi la possibilité de découvrir un autre soi-même qu'on n'imaginait pas. (Hoeben, Leroy et Reuter, 2010, p. 74 à 79)

Pour leur part, les auteurs Christine Jamaer et Joseph Stordeur soulignent notamment que :

> Si l'action d'apprendre n'est plus confondue avec la restitution, il est nécessaire d'en préciser les contours. Pour l'essentiel, on peut considérer :

- que c'est l'apprenant lui-même qui apprend. L'enseignant peut juste mettre les conditions favorisant cet apprentissage. [...]
- que la motivation n'est pas nécessairement préalable. Elle se construit et s'entretient par la rencontre de vraies difficultés et la prise de conscience du dépassement progressif de celles-ci.
- que l'apprentissage se fait par la déconstruction-reconstruction continue des représentations et des structures de fonctionnement mental des apprenants ; il est donc indispensable de laisser le temps pour les essais et les erreurs sans jugement négatif. [...]
- que l'apprentissage demande une sollicitation répétée sur un laps de temps relativement court de la même compétence. Il s'agit donc de se donner les possibilités de mettre en jeu la même compétence dans des situations complexes non connues de nombreuses fois.
- que l'apprentissage d'une compétence se structure dans l'interaction avec les autres et l'environnement. (Jamaer et Stordeur, 2006, p. 11 et 12)

Dans leur dictionnaire portant sur la pédagogie, Françoise Raynal et Alain Rieunier précisent quant à eux : « l'apprentissage est une construction intellectuelle momentanée, qui permet de donner du sens à une situation, en utilisant les connaissances stockées en mémoire et/ou les données issues de l'environnement » (Raynal et Rieunier, 1997).

3

Plus près de nous, les propos de Renald Legendre sont toujours d'actualité. Docteur en éducation et professeur, il s'est longuement consacré à la lexicographie de la pédagogie. Dans son *Dictionnaire actuel de l'éducation*, dont la 3e édition est parue en 2005, il a rassemblé les résultats des recherches actuelles en apprentissage et proposé des définitions du concept et de ses composantes. Il a aussi présenté les conditions essentielles de l'apprentissage, ses rapports avec la mémoire et la motivation, les éléments déterminants que sont l'élève, l'enseignant et l'environnement. En outre, il a décrit le processus et les divers types d'apprentissages. Il fait donc un tour assez complet de la question, et l'on serait bien inspiré de se référer à ses ouvrages lorsqu'on se retrouve en zone de doute ou de discussion. Je cite quelques définitions qu'il propose de l'apprentissage :

> Acte de perception, d'interaction et d'intégration d'un objet par un sujet.
>
> Acquisition de connaissances et développement d'habiletés, d'attitudes et de valeurs qui s'ajoutent à la structure cognitive d'une personne.
>
> Processus qui permet l'évolution de la synthèse des savoirs, des habiletés, des attitudes et des valeurs d'une personne.
>
> Processus d'acquisition ou de changement, dynamique et interne à une personne, laquelle, mue par le désir et la volonté de développement, construit de nouvelles représentations explicatives cohérentes et durables de son réel à partir de la perception de matériaux, de stimulations de son environnement, de l'interaction entre les données internes et externes au sujet et d'une prise de conscience personnelle. (Legendre, 2005, p. 88)

Savoir est une chose, « faire » en est une autre

« La théorie, c'est bien joli, mais en quoi le fait d'avoir une conception de l'apprentissage plutôt qu'une autre influence-t-il ce qui se passe en classe ? » pourrait se dire l'enseignant. Le tableau 3.3, ci-dessous, fournit une réponse concrète à cette question. Il propose en parallèle des conceptions de l'apprentissage de deux autres chercheurs : Robert Mills Gagné (1985) et Jérôme Bruner (1965, 2008). Le premier préconise une approche cognitiviste tandis que le second propose une approche constructiviste. En survolant ce tableau, le lecteur fera le parcours complet de leur mise en application. Ces deux processus ont chacun leurs atouts, mais ils débouchent sur des résultats différents.

Si l'on veut dégager une conclusion au survol de ce parallèle, disons que l'approche cognitiviste (Gagné) demande à l'enseignant de présenter l'information de façon structurée, hiérarchique, déductive. Elle laisse entrevoir aussi que l'intervenant se concentre sur des moyens pédagogiques, comme l'exposé magistral et la résolution de problèmes fermés. Finalement, elle sous-tend que l'élève traitera et emmagasinera de nouvelles informations de façon organisée.

Disons aussi que l'approche constructiviste (Bruner) demande à l'enseignant d'offrir des situations-obstacles qui permettent l'élaboration de représentations adéquates du monde. Elle laisse entrevoir aussi

TABLEAU 3.3 | LES CONCEPTIONS DE L'APPRENTISSAGE DE GAGNÉ ET DE BRUNER

	APPROCHE COGNITIVISTE (Selon Gagné)	**APPROCHE CONSTRUCTIVISTE** (Selon Bruner)
OBJECTIF GÉNÉRAL	Acquérir des connaissances en apprenant. *Exemple :* développer des habiletés intellectuelles s'exerçant particulièrement sur des concepts mathématiques.	Acquérir des connaissances en découvrant. *Exemple :* développer des habiletés, des compétences.
OBJECTIFS SPÉCIFIQUES	Objets ou résultats d'apprentissage définis par des comportements en matière de capacités. *Exemple :* émettre des hypothèses et les vérifier.	Objets ou résultats d'apprentissage définis par des processus mentaux.
MOYENS	a) Par les réflexes conditionnés b) Par les simples associations ou faits distincts c) Par les concepts spécifiques d) Par les principes	a) Par la manipulation b) Avec des objets c) Avec des images mentales d) Avec des symboles
MÉTHODE	*Du simple au complexe* Une méthode basée sur l'application de préalables aboutissant à la solution d'un problème.	*Du complexe au simple* Un processus basé sur l'apprenant ayant tout de suite un problème à résoudre par le tâtonnement, les essais et les erreurs.
RÉSULTAT	Un transfert d'un élément à une situation d'apprentissage restreint. Connaissances immédiates.	Un transfert d'une situation d'apprentissage à une autre. Connaissances durables.

que l'intervenant se concentre sur des études de cas, l'apprentissage par problèmes ouverts, l'apprentissage par projets. Finalement, elle sous-tend que l'élève construit et organise ses connaissances par son action propre.

Disons également, après avoir pris connaissance du parallèle, qu'il doit y avoir certainement une approche qui soit davantage en harmonie avec le développement des compétences et la construction des savoirs dont on parle tant dans les divers programmes d'études. De là l'importance de regarder de plus près les fondements de l'apprentissage…

Comme la maîtrise d'un programme représente un enjeu majeur pour les praticiens qui ont le mandat de l'appliquer en classe, nous ne pouvons terminer notre tour d'horizon sur les conceptions de l'apprentissage sans nous pencher sur le point de vue des personnes qui ont conçu le programme de formation de l'école québécoise. Bien entendu, les professionnels qui ont élaboré ce programme ou un programme d'un autre milieu ont pris le temps nécessaire pour réfléchir sur les paradigmes de l'apprentissage, de l'enseignement et de l'évaluation. Cette étape est tout à fait logique, puisque ces paradigmes constituent la pierre angulaire du programme, tout le reste du curriculum y étant greffé.

3

L'apprentissage vu par les concepteurs du programme

Ma conception de l'apprentissage est-elle cohérente avec celle du programme de formation que je dois mettre en œuvre ?

Le Programme de formation de l'école québécoise du primaire :

> reconnaît l'apprentissage comme un processus actif. Dans cette perspective, l'apprentissage est considéré comme un processus dont l'élève est le premier artisan. Il est favorisé de façon particulière par des situations qui représentent un réel défi pour l'élève, c'est-à-dire des situations qui entraînent une remise en question de ses connaissances et de ses représentations mentales.
>
> […] Pour le primaire, les apprentissages seront qualifiants en ce sens qu'ils rendront l'élève apte à résoudre des problèmes à sa mesure et qu'ils le prépareront adéquatement à la poursuite de son cheminement scolaire. Ils seront qualifiants également dans la mesure où ils aideront l'élève à découvrir et à développer ses forces vives et amorceront, ce faisant, son processus d'orientation. Dans cette perspective, les apprentissages seront nécessairement différenciés afin de répondre aux besoins de formation dans le respect des différences individuelles. (MEQ, 2001a, p. 4 et 5)

L'apprentissage vu par les enseignants

Derrière le mot « apprentissage » se cachent de nombreuses représentations, même chez une seule personne, me direz-vous. C'est d'ailleurs en fonction de ces diverses représentations que se prennent plusieurs décisions importantes concernant la planification de l'enseignement, l'évaluation des apprentissages ainsi que la mise en place de la différenciation

TABLEAU 3.4 | QUATRE CONCEPTIONS DE L'APPRENTISSAGE

1. La mise à contribution de l'enseignant est très grande.	Dans ce contexte, *apprendre*, pour l'élève, c'est écouter ce qui vient d'être dit, enregistrer le contenu, mémoriser les données pour les rappeler par la suite au moment où son enseignant lui demandera de le faire.
2. La mise à contribution de l'élève est très grande.	Dans ce contexte, *apprendre*, pour l'élève, c'est découvrir, tenter des expériences à partir du mode « essais et erreurs », s'exprimer, prendre toute la place qu'il désire dans un environnement où la prise de risques est présente et valorisée dans le quotidien.
3. La mise à contribution de l'enseignant et celle de l'élève ne sont pas fortement sollicitées.	Dans ce contexte, pour l'élève, *apprendre,* c'est surtout être productif, puisque la qualité de l'apprentissage sera proportionnelle à la quantité du travail abattu. C'est appliquer ce qui est suggéré dans le modèle présenté, remplir des pages d'exercices à partir de l'exemple qui apparaît sous les yeux. Bref, il s'agit de travailler à partir d'activités d'apprentissage que l'enseignant puise dans du matériel maison ou dans des manuels conçus par des maisons d'édition.
4. La mise à contribution de l'élève et celle de l'enseignant sont très grandes.	Dans ce contexte, *apprendre*, pour l'élève, c'est résoudre des problèmes ou réaliser des projets sous la guidance de son enseignant, c'est mettre à profit non seulement ses connaissances et ses expériences personnelles, mais aussi celles des autres. En fait, c'est construire son savoir en interaction avec ses camarades. Pour que l'élève puisse faire des apprentissages, l'enseignant crée un contexte éducatif où l'élève fait des choix et les assume. Il accepte surtout de partager le pouvoir, les décisions et les responsabilités avec les élèves.

Source : Inspiré de Claude Paquette (1976). *Vers une pratique de la pédagogie ouverte,* Laval, NHP, p. 21 à 27.

pédagogique. Pour illustrer la diversité de ces conceptions de l'apprentissage chez les enseignants, jetons un coup d'œil au tableau 3.4, ci-dessus, faisant état de quatre options différentes greffées, bien entendu, sur des valeurs différentes.

À la lumière du cadre d'analyse qu'offre ce tableau, il est facile de déduire qu'il peut y avoir autant de conceptions de l'apprentissage au sein d'une équipe-cycle d'enseignants ou d'une communauté d'apprenants professionnels qu'il y a de personnes qui la composent. Certes, ces praticiens sont tous assis à une même table décisionnelle, tentant de faire un consensus autour d'une cible commune susceptible de favoriser la réussite des élèves. Comment y arriver alors qu'au point de départ ils ne parlent pas le même langage ?

Pour parvenir à communiquer véritablement avec ses collègues de travail sur le plan de la gestion des apprentissages, il faut que chacun cerne sa propre perception, clarifie son propre discours et le verbalise à ses partenaires. Et vous, quelle est votre conception de l'apprentissage ? Pour vous soutenir dans cette réflexion, consultez la fiche 3.1c, à la page 432.

Définir sa propre conception de l'apprentissage

Si l'on veut parvenir à mettre des mots sur sa conception de l'apprentissage, il faut nécessairement s'engager dans un processus de réflexion et d'analyse. Cela suppose que l'enseignant fait les gestes suivants:

- Il s'informe sur les différentes théories concernant l'apprentissage et il objective ses lectures à l'aide du questionnement suivant: quelles sont les théories qui me plaisent davantage? Quelles sont celles qui me dérangent? Pourquoi?
- Il essaie de découvrir sa propre façon d'apprendre lorsqu'il est placé devant des situations de la vie quotidienne. Se peut-il qu'il y ait un lien très étroit entre sa propre façon d'apprendre et celle qu'il privilégie en classe?
- Il se donne une grille d'analyse simple et signifiante présentant les différentes façons d'apprendre afin de se servir d'un modèle théorique pour cadrer ses interventions auprès de ses élèves.
- Il s'observe en train d'enseigner pendant un certain temps afin d'inventorier les processus de découverte qu'il a proposés aux élèves. Y a-t-il des constantes à dégager?
- Il se penche sur la conception de l'apprentissage présentée dans la philosophie du programme de formation afin d'évaluer s'il existe des écarts entre sa propre conception et celle qu'on lui demande d'appliquer.
- Il fait les efforts nécessaires pour rédiger une définition de sa conception de l'apprentissage qu'il présentera à ses élèves et à leurs parents en début d'année.

Nous venons de franchir une étape importante, celle où nous avons tenté de pénétrer de l'intérieur le processus d'apprentissage. Comme ce dernier ne peut se dissocier du concept de l'enseignement, nous devrons suivre le même cheminement pour l'acte d'enseigner. S'il existe différentes conceptions de l'apprentissage, il est fort probable qu'il y aura aussi différentes préférences pour les styles d'enseignement.

3

Découvrir son style d'enseignement de même que ses démarches et ses stratégies

Renald Legendre définit le style comme un «ensemble de caractéristiques personnelles ayant trait à l'enseignement et étant représentées par des attitudes et des actions spécifiques à chaque situation pédagogique (sujet, agent, objet et milieu)». Il précise, en s'inspirant de Gérard Provencher (1982, p. 4 à 7), que «le style d'un enseignant n'a rien à voir avec les méthodes d'enseignement qu'il pratique [...] le style se rapporte plutôt à la manière d'approcher les élèves, manière qui demeure la même quelle que soit la méthode d'enseignement utilisée». Enfin, il fait remarquer que «chaque style d'enseignement ne constitue pas un type pur, il reflète un mode d'enseignement dominant» (Legendre, 2005, p. 1275).

Nous nous servirons du tableau 3.5, page 144, pour explorer quatre rôles différents qu'un enseignant peut jouer au regard des apprentissages des élèves.

TABLEAU 3.5 | QUATRE FAÇONS DIFFÉRENTES DE CONCEVOIR LE RÔLE D'UN ENSEIGNANT

	STYLE 1	STYLE 2	STYLE 3	STYLE 4
LE RÔLE DE L'ÉLÈVE	Reçoit les informations et doit les assimiler. Il subit l'autorité de l'enseignant.	N'a pas de pouvoir sur les objets comportementaux. On le rend capable de...	Est seul responsable de son apprentissage.	Est initialement autonome ; il possède tous les talents et doit les utiliser.
LE RÔLE DE L'ENSEIGNANT	Est le modèle qui dirige la classe selon ses normes.	Devient le technicien du cahier d'exercices.	N'est qu'une ressource parmi d'autres et ne contribue pas à l'apprentissage.	Permet des démarches et des réalisations diversifiées et offre de nouvelles pistes d'exploitation.
L'APPRENTISSAGE	Se fait par information.	Se fait de préalable en préalable et par assimilation dans un ordre logique.	Est aléatoire par rapport à l'expérience et à l'aventure individuelle.	Est une mosaïque dont le pivot est la relation entre des expériences différentes.
LES OBJECTIFS D'APPRENTISSAGE	Deviennent des notions à montrer et sont présentés comme une finalité.	Doivent être formulés d'une manière univoque avec des critères de performance précis.	Viennent de l'enfant.	Sont des objectifs de développement.
LE TYPE DE PÉDAGOGIE	Est dite « encyclopédique ». Elle relève d'une approche utilitaire.	Est dite « fermée ». Elle relève d'une approche utilitaire.	Est dite « libre ». Elle relève d'une approche humaniste.	Est dite « ouverte ». Elle relève d'une approche humaniste.

Source : Adapté de Claude Paquette (1976). *Vers une pratique de la pédagogie ouverte,* Laval, NHP, p. 21 à 27.

Des constats à dégager

Selon le type de pédagogie pratiquée, les enseignants exercent des rôles différents au regard de l'apprentissage des élèves. C'est ainsi qu'ils en arrivent à développer différents styles d'enseignement. Quoi qu'il en soit, il reste que chaque enseignant possède un style d'enseignement qui lui est propre. Encore faut-il que le praticien soit conscient du style qu'il adopte, qu'il puisse mettre des mots sur ce qu'il fait. Sinon, comment arrivera-t-il à faire évoluer son style d'enseignement ? Comment cheminera-t-il pour que ses interventions soient en harmonie avec les prescriptions du programme en vigueur ?

Avant de pousser plus loin la définition des styles d'enseignement, prenez le temps de situer la perception de votre rôle d'enseignant à l'aide du tableau 3.5, ci-dessus. Vous pouvez également consulter différentes pistes de réflexion qu'offre la fiche 3.1d, à la page 433.

Voilà un premier pas qui a été franchi ! Vous connaissez quelques approches selon lesquelles les pédagogues interviennent auprès de leurs élèves en classe. Vous êtes également en mesure de préciser votre rôle d'enseignant à partir de la couleur de votre pédagogie. Mais vous devez poursuivre votre démarche analytique afin de repérer non seulement la perception de votre rôle, mais aussi le style le plus approprié pour amener vos élèves à développer leurs compétences de manière optimale ou à s'approprier les résultats d'apprentissage avec efficacité.

Les styles d'enseignement

Plusieurs chercheurs ont tenté de répertorier les différents styles d'enseignement. Certains d'entre eux en proposent 3, d'autres, 4, et il y en a même qui vont jusqu'à 11 styles. Harvey F. Silver , Robert J. Hanson et Richard W. Strong (1980) soutiennent que les styles d'enseignement se définissent par des comportements observables et ils soulignent aussi l'importance d'identifier non pas un seul style, mais un profil des styles d'enseignement utilisés. C'est pour cette raison, entre autres, que la catégorisation de Silver et de ses collègues semble la plus adéquate, la plus près de la réalité et de la pratique des enseignants, la plus flexible, et la plus complète pour mesurer le style d'enseignement. Leur répertoire comprend quatre styles, présentés schématiquement dans la figure 3.1. Le tableau 3.6, page 146, précise quant à lui les orientations de chacun.

FIGURE 3.1 | LE CONCEPT DE STYLE D'ENSEIGNEMENT SELON SILVER, HANSON ET STRONG

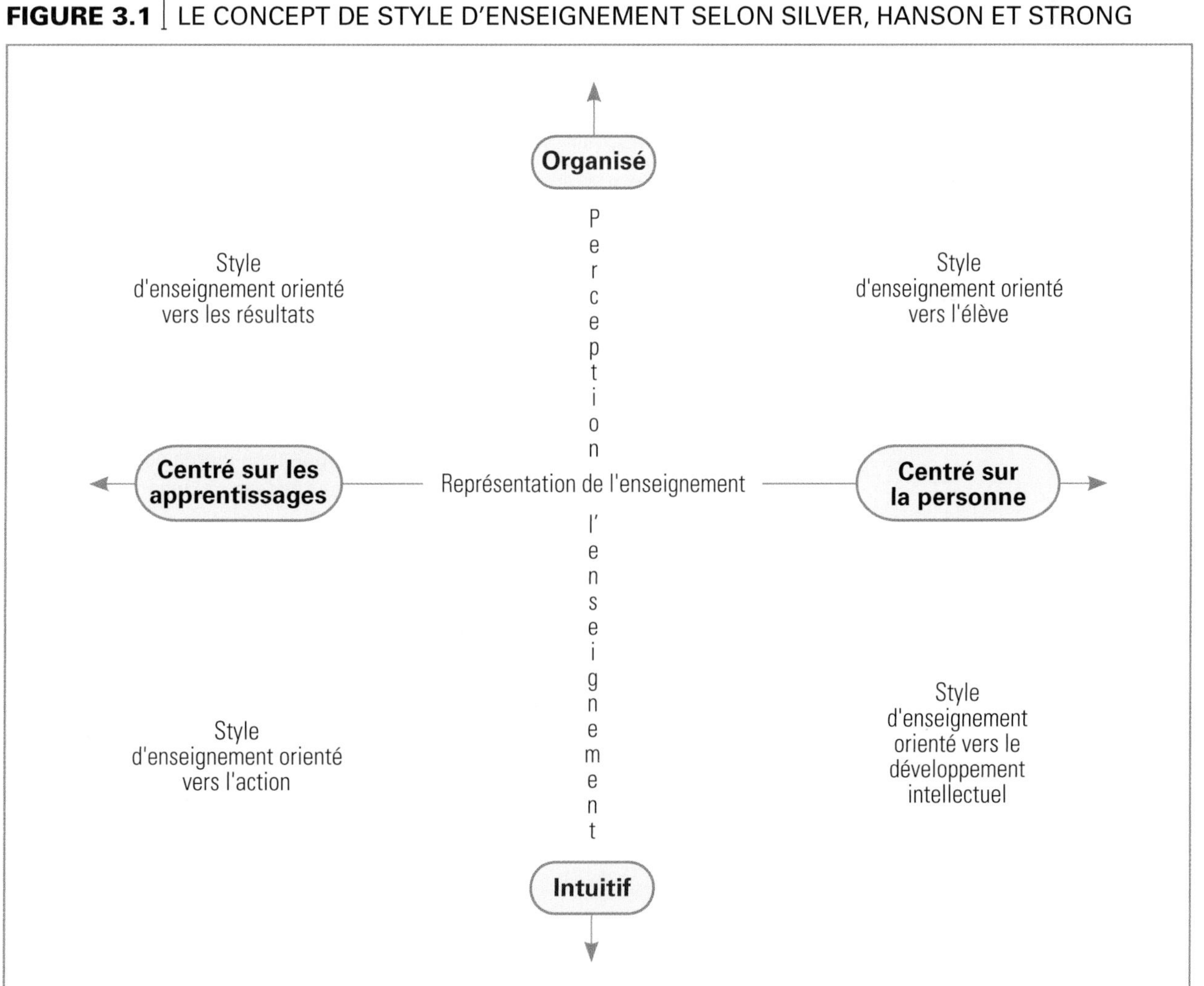

Source : Silver, Hanson et Strong (1980), dans Renald Legendre (2005). *Dictionnaire actuel de l'éducation, 3e édition,* Montréal, Guérin Éditeur, p. 1276 et 1277.

TABLEAU 3.6 LES QUATRE STYLES D'ENSEIGNEMENT SELON SILVER, HANSON ET STRONG

STYLE D'ENSEIGNEMENT ORIENTÉ VERS...	PRÉCISIONS
Les résultats	Les enseignants se concentrent principalement sur les résultats (apprentissages acquis, projets complétés). Ils maintiennent une classe très structurée et très organisée. Tout est planifié ; la discipline, stricte mais juste, règne. L'enseignant est la source principale d'information et donne des instructions détaillées afin que l'élève puisse apprendre. L'évaluation repose sur ce qui est mesurable, quantifiable et précis.
L'élève	Les enseignants sont empathiques et attachent beaucoup d'importance aux élèves. L'accent est mis sur le sentiment de bien-être de l'élève et sur son estime personnelle. L'enseignant partage ses sentiments et ses expériences de vie avec les élèves. Il essaie également de participer à l'apprentissage des élèves. L'enseignant croit que l'école doit être amusante pour les enfants ou adolescents et que, pour y parvenir, elle doit présenter beaucoup d'apprentissages sous forme de jeux, d'activités où l'élève se sent concerné, tant physiquement que mentalement. La planification est fréquemment modifiée pour s'adapter à l'humeur de la classe. L'évaluation est basée sur la quantité d'efforts individuels et le progrès de chaque apprenant.
Le développement intellectuel	Les enseignants se focalisent sur le développement intellectuel des élèves. Ils accordent le temps nécessaire aux défis intellectuels afin d'encourager les élèves à développer des habiletés de pensée critique, de résolution de problèmes, de logique, de recherche technique et d'étude autonome. Les activités en classe favorisent les défis intellectuels et les investigations sérieuses. La planification du programme d'études est articulée autour de concepts, et elle est fréquemment centrée sur une série de questions et de thèmes. L'enseignant a un rôle de provocateur intellectuel et de spécialiste de la matière. L'évaluation est souvent basée sur des questions ouvertes, des débats, une dissertation ou une prise de position.
L'action (la flexibilité fonctionnelle, la créativité)	Les enseignants encouragent les élèves à explorer leurs habiletés créatrices. La curiosité, la perspicacité, l'expression artistique et les idées innovatrices sont très valorisées. L'enseignant incite les élèves à développer leur propre style qui est unique. Les stratégies d'enseignement comprennent des tâches faisant appel à l'imagination, à la création d'alternatives et à l'assignation de tâches originales. Il gère la majeure partie du programme d'études ainsi que les situations d'apprentissage au regard de la pensée créatrice, du développement moral, des valeurs et des approches flexibles et imaginatives. L'évaluation repose sur l'ingéniosité, la créativité, l'originalité et l'inattendu.

Source : Adapté de Renald Legendre (2005). *Dictionnaire actuel de l'éducation, 3e édition*, Montréal, Guérin Éditeur, p. 1277.

Hanson, Silver et Strong (1980) précisent qu'un enseignant peut posséder plus d'un style, mais dans des proportions différentes. En fait, un enseignant peut être avant tout axé sur les résultats (sa caractéristique dominante), puis sur le développement de la personne, sur le développement intellectuel et, finalement, sur l'action (sa caractéristique la moins présente). Par contre, un autre enseignant peut posséder un style d'enseignement centré sur la personne et sur le développement intellectuel, tandis qu'un autre encore le fera en fonction des résultats ou de l'action.

Et vous, quel est votre style d'enseignement ? Si vous désirez le découvrir, vous pouvez vous servir des deux questionnaires qui se trouvent sur la fiche 3.1d, à la page 433.

Existe-t-il un style d'enseignement idéal ?

Il serait tentant de déclarer qu'il existe un style d'enseignement idéal. Ne pourrait-on pas dire qu'un bon enseignant est celui qui est toujours orienté vers la personne ? Ou toujours centré sur le développement de la créativité ? Ou soucieux des quatre, selon les contextes qui se présentent et selon les apprenants qu'il accompagne ? Une chose est sûre : le style d'enseignement du maître doit permettre à l'élève d'apprendre. Même au temps de la Renaissance, on reconnaissait ce droit à l'apprenant, comme l'a exprimé Giordano Bruno, philosophe italien du XVIe siècle : « Que peut-il dire de bien celui qui ne fait pas d'efforts pour être compris ? »

Une fois qu'un enseignant a découvert son style d'enseignement, il doit veiller à créer un contexte éducatif permettant à des élèves au style d'apprentissage différent de son style d'enseignement d'apprendre autant que les élèves qui possèdent un style semblable à celui du maître. Cette préoccupation étant comblée, il se soucie aussi de faire évoluer son style en fonction du programme prescrit et du groupe d'élèves qui lui est confié chaque année.

3

L'heure juste

Chaque enseignant a un style dominant, mais on peut affirmer, en accord avec plusieurs chercheurs, que l'enseignant efficace a la « capacité non seulement de faire évoluer son style, mais aussi de le varier et de diversifier ses stratégies d'enseignement », surtout lorsqu'il aspire à conduire chaque élève aussi loin que celui-ci peut aller. (Legendre, 2005, p. 1199). Dans cette visée, l'enseignant fait les gestes suivants :

- Il devient peu à peu un spécialiste de la motivation scolaire. Cela lui permet d'intervenir sur les facteurs de la motivation intrinsèque lorsqu'il désire mobiliser tous ses élèves autour d'une cible d'apprentissage.
- Il s'intéresse aux démarches de l'enseignement stratégique afin de favoriser chez les élèves une meilleure construction de leur savoir.
- Il accepte que les élèves lui fournissent des rétroactions, sous forme de forces et de défis, sur la qualité de son enseignement.

L'enseignant qui aura mis des énergies à varier son style et ses stratégies sera davantage prêt à différencier les apprentissages des élèves. Il mettra l'accent tantôt sur le développement intellectuel, tantôt sur l'action créatrice. Sa flexibilité sera la preuve qu'il sait prendre le pouls de la classe, intègre l'élève au processus d'apprentissage et s'adapte à toutes les situations. L'essentiel est qu'il soit guidé par les mêmes valeurs et les mêmes fins, et qu'il se soucie toujours de démontrer de la cohérence entre sa parole et son action. Les chemins pour atteindre la même finalité ne sont-ils pas nombreux et variés ?

L'enseignement et la motivation scolaire

L'enseignement et la motivation scolaire constituent des réalités sur lesquelles l'enseignant est roi et maître. Il connaît le but qui orientera ses interventions, il décide de la manière d'atteindre ce but et il découpe

cette démarche en étapes. Au bout du compte, l'enseignant évalue le chemin parcouru et le degré d'atteinte du but.

Mais en même temps, ces dimensions de l'apprentissage risquent de se miner en cours de route malgré le fait que l'enseignant soit parti avec les meilleures intentions du monde. Est-ce que la façon d'atteindre le but décidé par l'enseignant conviendra à l'élève ? Ont-ils tous deux le même style d'apprentissage ? Y a-t-il une seule manière d'atteindre le but ? Y a-t-il une seule façon d'exprimer sa compétence ? Toutes ces interrogations montrent que, parallèlement à l'enseignement, se pose toujours la question de la motivation. Il n'existe pas de stratégie parfaite pour l'acquisition d'une connaissance ou le développement d'une compétence. Les stratégies les meilleures sont celles qui amènent l'apprenant à s'engager (le « quoi ? »), lui procurent de la signifiance (le « pourquoi ? » et le « quand ? ») et lui donnent du pouvoir par rapport à la tâche d'apprentissage (le « comment ? »). Toutes ces stratégies contribuent à déclencher ou à cultiver la motivation intrinsèque de l'enfant et de l'adolescent.

Des facteurs de motivation à considérer

Au cours des dernières décennies, des études menées autant dans le milieu du travail que dans le milieu scolaire ont mis en évidence les raisons qui conduisent à un engagement de la personne face à sa tâche et à son environnement. De manière générale, les membres de toute organisation ont besoin des éléments suivants pour s'épanouir et se réaliser :

- la présence et la connaissance des orientations, des buts et des objectifs que véhicule l'organisation ;
- l'apport d'outils adéquats, la variété des ressources financières, matérielles, humaines et intellectuelles ;
- la possibilité de s'engager au sein de cette organisation ;
- l'obtention de rétroactions positives de manière récurrente ;
- l'existence d'un climat de travail positif ;
- la qualité des relations de travail avec ses collègues ;
- l'acceptation du droit à l'erreur de la part des dirigeants ;
- la possibilité de réussite face aux objectifs ciblés ;
- le respect du rythme de travail ou d'apprentissage ;
- la possibilité de se donner des défis personnels ;
- la confiance manifestée par les dirigeants ;
- la coopération ainsi que la promotion du travail d'équipe ;
- le loisir de faire les choses autrement, de pouvoir exercer sa façon de percevoir et de traiter la réalité au regard de la tâche à exécuter ;
- l'invitation à faire preuve d'innovation et de créativité au sein de l'organisation ;
- la création d'un environnement physique stimulant et fonctionnel.

Les éléments de cette énumération pourraient facilement se regrouper autour de six facteurs prédominants :

1. La participation et l'engagement de l'adulte ou de l'élève au sein de sa communauté de travail ou d'apprentissage ;
2. Le climat et la qualité des relations de travail ;
3. Le respect du rythme et du style d'apprentissage ;
4. La présence de rétroactions positives pour entretenir une image de soi positive ;
5. La coopération et l'entraide ;
6. La performance des outils de travail, la variété des ressources offertes et la qualité de l'environnement physique.

Dans le chapitre 2, la question de la motivation a déjà été abordée (*voir p. 80 à 83*). Le plan d'intervention général du tableau 2.2, page 87, donnait des pistes pour susciter la motivation selon le profil de l'élève.

La démonstration qui suit mettra maintenant en évidence deux composantes de la motivation de l'élève : la motivation est le résultat d'un engagement du cœur (composante affective) et de la tête (composante cognitive). Ces composantes peuvent servir de grilles de lecture pour interpréter la motivation ou la démotivation. Quand la tête et le cœur sont engagés positivement, la motivation de l'élève est à son plus haut niveau. La participation, l'engagement et la persévérance de l'élève découlent de sa motivation.

Pour commencer, le tableau 3.7 permet de faire quelques distinctions et recoupements entre la motivation en milieu scolaire et celle vécue dans la vie en général (existentielle).

Il est facile d'affirmer que tel élève n'est pas motivé, mais très souvent on ne sait pas exactement ce que recouvre cette affirmation. S'agit-il d'un élève qui manque d'enthousiasme en général et dont le goût de vivre est atteint ? Est-il plongé dans un état de survie ? Cette humeur dépressive est-elle temporaire ou permanente ? Une telle démotivation

TABLEAU 3.7 | LA MOTIVATION EXISTENTIELLE ET LA MOTIVATION SCOLAIRE

MOTIVATION EXISTENTIELLE DE L'ENFANT OU DE L'ADOLESCENT	MOTIVATION SCOLAIRE DE L'APPRENANT
• Ses buts dans la vie	• Ses buts à l'école (selon ce que l'école propose)
• Son identité : son image, ses forces, ses capacités	• Ses expériences scolaires : son image
• Ses projets, ses défis	• Ses projets à l'école, ses défis
• Le pouvoir qu'il peut exercer sur sa vie	• Ses perceptions de l'apprentissage et de l'évaluation ainsi que le pouvoir qu'il peut exercer sur ses apprentissages
• Les outils de développement personnel à sa portée	• Les outils à sa disposition pour apprendre

existentielle est principalement liée à la composante affective de la motivation. L'élève sera porté à réagir ainsi :

- Il se dira face à lui-même en regard de son estime de soi : « Je ne suis pas capable » plutôt que : « Je vais y parvenir. »
- Il se dira face à sa famille en regard de ses valeurs et ses modèles : « Mes parents ne sont pas très instruits : ça me gêne devant mes amis » plutôt que : « Mes parents n'ont pas fait beaucoup d'études, mais ils sont très imaginatifs, ingénieux et débrouillards. »
- Il se dira face à l'école en regard de la perception qu'il en a : « On est toujours en évaluation » plutôt que : « J'apprends et je connais des réussites à l'école. »
- Il se dira en regard de ses relations avec ses pairs : « En équipe, j'étale mes faiblesses. Personne ne voudra travailler avec moi » plutôt que : « En équipe, on fait des choses formidables. »
- Il se dira en regard de sa relation avec son enseignant : « Il ne s'occupe pas de moi » plutôt que : « C'est quelqu'un en qui j'ai confiance. »
- Il se dira en regard de son indifférence pour une discipline donnée : « Je déteste les maths » plutôt que : « Je dois fournir plus d'efforts pour réussir en mathématiques, mais je suis fort en rédaction. »

S'agit-il plutôt d'un élève que l'école n'intéresse pas ? Cette démotivation est-elle récente ou s'est-elle installée depuis un certain temps dans son quotidien ? Est-il démotivé dans une seule discipline ou cet état touche-t-il l'ensemble de son vécu scolaire ? Une telle attitude est principalement liée à la composante cognitive de la motivation. L'élève réagira plutôt ainsi :

- Il se dira face à la tâche : « Je ne sais pas quoi faire, ni pourquoi ni comment » plutôt que : « Je sais où je vais et comment m'y prendre. »
- Il se dira face à la signifiance de la tâche : « Je ne sais pas pourquoi on fait ça » plutôt que : « Quand je fais ça, ça me fait penser à des choses vécues à l'extérieur de l'école. »
- Il se dira face aux acquis antérieurs : « Je n'ai jamais fait ça » plutôt que : « Ça me rappelle ce que j'ai fait dans telle situation. »

Une fois qu'il est sensibilisé à cette distinction entre la motivation existentielle et la motivation scolaire, l'enseignant est sur la bonne voie pour agir. Évidemment, avant d'intervenir au regard de la motivation scolaire, il est logique de se pencher sur la motivation existentielle, qui est rattachée à plusieurs facteurs affectifs. Si les besoins primaires (cerveau reptilien) et affectifs (cerveau limbique) de l'apprenant ne sont pas pleinement satisfaits, il est inutile de vouloir solliciter les forces du cortex.

Intervenir sur le plan affectif

Peut-être êtes-vous tenté de dire que, lorsque la composante affective est en cause, l'enseignant n'a pas beaucoup de pouvoir sur la motivation de l'élève. Même si cela est exact, il est possible de tenter certaines interventions :

- Adopter des attitudes humaines à l'égard de l'élève qui traverse une période difficile : l'écoute, l'empathie, le respect, la tolérance, la discrétion, etc.
- Recourir à des allégories, à des contes thérapeutiques, pour mettre un baume sur les blessures du cœur, surtout si l'élève se trouve dans un état temporaire de survie. Cela l'aidera à traverser l'orage en attendant que le soleil brille de nouveau.
- Dans le cas d'un état permanent de survie, il est impératif d'engager des démarches pour que l'élève en grande souffrance morale puisse bénéficier de services professionnels susceptibles de le sortir de l'impasse : un psychologue, une infirmière, un travailleur social, un psychoéducateur, etc.

Des chercheurs et des psychologues ont constaté que, parmi les facteurs affectifs, l'estime de soi est le facteur le plus souvent mis en cause. C'est pourquoi on aurait intérêt à examiner le tableau 3.8 dressé autour de l'estime de soi et de la motivation existentielle. Ne faut-il pas, en effet, tenter de reconstruire la motivation existentielle, qui est préalable à la motivation scolaire ? Pour ce faire, le développement de l'estime de soi est la porte d'entrée toute désignée.

TABLEAU 3.8 DES ACTIONS POUR AMÉLIORER L'ESTIME DE SOI ET RECONSTRUIRE LA MOTIVATION EXISTENTIELLE DE L'ÉLÈVE

MODES D'INTERACTION ET DE COMMUNICATION À L'ÉCOLE	BUTS PERSONNELS À L'ÉCOLE	ATTITUDES ESSENTIELLES DE L'ENSEIGNANT
• Faire avec l'élève : la chaleur de l'accueil, la présence d'un référentiel disciplinaire responsabilisant, un plan d'amélioration comportant des forces et des défis, des rencontres individuelles, le décodage des champs d'intérêt, la définition des rôles d'entraide dans les équipes de travail, l'émergence de projets de groupe, l'accessibilité à des outils de résolution de conflits et d'affirmation de soi, le partage de responsabilités. • Créer un climat motivant. • Apporter une relation d'aide et de soutien.	• Permettre à l'élève de découvrir ses buts personnels. • L'aider à connaître ses forces. • Lui proposer des défis réalistes. • L'amener à développer son sens des responsabilités. • Lui donner des outils pour gérer ses conflits. • Lui fournir des occasions de s'affirmer tel qu'il est.	• Un enseignant qui accepte sa tâche. • Un enseignant qui reconnaît la valeur de la personne. • Un enseignant qui sait être empathique, authentique et sincère. • Un enseignant qui a de la considération pour les autres.

Intervenir sur le plan cognitif

Nous venons de cerner les liens existant entre l'estime de soi et la motivation existentielle. Vous serez ainsi davantage outillé pour intervenir sur ce facteur de motivation. Mais que faire de l'aspect cognitif ? Nous ne pouvons tout ramener à l'aspect affectif. Pour vous épauler dans votre analyse de la situation, je vous ramène encore une fois à l'abc de la motivation :

- Comment l'élève conçoit-il les buts de l'apprentissage ?
- Quelle est sa perception :
  - de la valeur de la tâche ?
  - des exigences de la tâche ?
  - du contrôle qu'il est possible d'exercer sur la tâche ?

Voilà les premières questions à examiner. Si les résultats escomptés ne sont pas probants, vous pourrez chercher ailleurs d'autres pistes de réponses. Des chercheurs et des psychologues affirment que, sur le plan cognitif, la prise en compte du profil d'apprentissage et du parcours scolaire d'un élève a un impact important sur sa motivation scolaire. Comme le chapitre 4 traite d'une organisation scolaire ouverte aux différences en relation avec la gestion des apprentissages, j'y mettrai en évidence cet autre facteur important de la motivation scolaire : la gestion des différences de rythmes et de styles d'apprentissage.

L'enseignement stratégique au service du contenu

Le fil conducteur des nouvelles approches éducatives réside dans la participation de l'apprenant, et ce, sur les plans cognitif, social et organisationnel. Certaines de ces approches s'intéressent à la modification du contexte de la classe, quelques-unes traitent de la construction des savoirs, tandis que d'autres offrent des pistes afin de favoriser une meilleure communication entre l'apprenant et l'intervenant.

Dans ce chapitre-ci, qui traite de la mise en œuvre du programme de formation ou de tout autre programme d'études, nous ne pouvons passer outre aux approches susceptibles de faciliter la construction des savoirs. En effet, l'enseignement stratégique et la gestion mentale (*voir p. 157 et 158*) constituent des acquis intéressants pour un enseignant qui désire intervenir de manière plus efficace.

Je m'attarde ici à l'enseignement stratégique. Cette approche, qui prend appui sur la psychologie cognitive, est axée sur l'analyse, la compréhension et la reproduction du processus du traitement de l'information. L'enseignement stratégique décrit l'apprentissage comme :

- l'établissement des liens entre les connaissances antérieures et l'information nouvelle ;
- l'organisation constante des connaissances ;

- l'élaboration de stratégies cognitives et métacognitives qui facilitent le transfert des connaissances.

Selon l'enseignement stratégique, la motivation de l'élève détermine son degré de participation à ses expériences d'apprentissage et de persévérance dans celles-ci.

Cette approche tente également de décrire comment l'être humain parvient à réutiliser l'information qu'il a intégrée dans sa mémoire à long terme et comment il transfère ses connaissances d'une situation à une autre.

Fort de la philosophie véhiculée par le nouveau programme de formation qui reconnaît que l'apprentissage est un processus actif et constructif, l'enseignant devrait puiser dans les richesses de l'enseignement stratégique lorsque vient le temps pour lui de déterminer les démarches, les procédures et les stratégies d'enseignement qu'il désire privilégier.

Mettre au point l'outillage cognitif dont les élèves ont besoin

Il apparaît essentiel, à ce moment-ci, de nuancer quelques termes à l'intention de l'enseignant désireux de se donner un outillage stratégique. Comment peut-il faire des choix judicieux s'il n'établit pas de distinctions entre une démarche, une procédure et une stratégie d'enseignement?

Une démarche d'enseignement

Une démarche d'enseignement correspond à un ensemble d'interventions qu'un enseignant choisit pour favoriser l'apprentissage de l'objet d'étude par le sujet. Elle relève du champ d'expertise du professionnel. Dans le contexte du développement des compétences, la démarche d'enseignement prendra la couleur de la démarche pédagogique, puisqu'elle tiendra compte également de l'élève qui est en train d'apprendre. Elle se définira alors comme une intervention éducative de l'enseignant dirigée sur le processus d'apprentissage.

Exemples de démarches d'enseignement

Premier exemple: Démarche d'animation pédagogique autour d'une situation d'apprentissage

1. L'enseignant prépare l'élève à la situation d'apprentissage en faisant le rappel du passé, en déterminant les objets d'apprentissage ciblés et en précisant le contexte d'apprentissage.
2. L'enseignant accompagne l'élève dans la réalisation de la situation d'apprentissage en le soutenant au moyen de diverses stratégies susceptibles de l'aider à traiter efficacement le contenu d'apprentissage.
3. L'enseignant intervient pour que l'élève intègre la situation d'apprentissage à son histoire personnelle par l'objectivation, la régulation des apprentissages et la préparation au transfert.

3

Deuxième exemple : Démarche pour offrir un soutien gradué aux élèves au cours de la réalisation d'une tâche d'apprentissage

1. Par le modelage, l'enseignant pense à voix haute devant les élèves au même instant qu'il réalise devant eux la tâche qu'ils devront faire ultérieurement.
2. Par la pratique guidée, l'enseignant offre un soutien important appelé aussi « fort échafaudage » pour suppléer au peu d'expertise des élèves face à la tâche qu'ils sont en train de réaliser.
3. Par la pratique coopérative, l'enseignant place les élèves en situation d'entraide dans l'exécution de la tâche afin que ceux-ci se soutiennent mutuellement, grâce à leurs compétences personnelles.
4. Par la pratique autonome, « l'échafaudage » est minimal de la part de l'enseignant, car il poursuit l'objectif de conduire les élèves à un haut degré d'automatisation des connaissances procédurales et conditionnelles qui sont en jeu. Les élèves doivent tenter de se dépanner eux-mêmes avant de recourir à la guidance de leur enseignant.

Lorsque l'enseignant anime une démarche en classe, il doit être conscient que tous les élèves de son groupe ne franchiront pas chacune des étapes à la même vitesse. C'est là que se pose le défi de la différenciation des processus d'apprentissage.

Une procédure d'enseignement

Et si l'on parlait de procédure, maintenant ? Celle-ci s'apparente à une séquence d'étapes à suivre pour atteindre un but particulier. Contrairement à la démarche, qui a une portée plus générale et offre une possibilité de transfert dans divers contextes d'apprentissage, la procédure donne lieu à une utilisation plus pointue, plus spécifique, par conséquent plus limitée. On peut dire également qu'elle n'appartient pas seulement à l'intervenant, comme c'est le cas de la démarche et de la stratégie d'enseignement. Au moment où l'enseignant crée une procédure, c'est qu'habituellement il a la ferme intention de la présenter à ses élèves pour que ceux-ci se l'approprient pour exécuter une tâche avec efficacité.

Exemples de procédures d'enseignement

Premier exemple : Procédure pour guider les élèves dans la réalisation d'une carte sémantique ou d'un schéma organisationnel d'idées

1. Je détermine le concept qui m'intéresse.
2. J'écris tous les mots qui me viennent en tête de manière à réaliser une constellation d'idées.
3. Je regarde tous les mots apparaissant dans mon remue-méninges.
4. Je tente de découvrir ceux qui ont des liens entre eux et qui pourraient logiquement se regrouper.
5. Je crée des sous-ensembles de concepts.
6. Je trouve un mot clé ou une expression charnière pour baptiser chacun des regroupements.

Deuxième exemple : Procédure pour aider les élèves à faire preuve de persévérance dans leur tâche d'apprentissage

1. Est-ce que je comprends ce que je dois faire ?

   Si oui, je passe à l'étape 2.

   Si non, je consulte ma banque de stratégies : je relis mes consignes, je surligne le mot le plus important dans ma consigne, je redis les consignes dans mes propres mots, je demande de l'aide à un ami, je recours à la guidance de mon enseignant.

2. Est-ce que je trouve cette tâche utile et intéressante ?

   Si oui, je passe à l'étape 3.

   Si non, je consulte ma banque de stratégies : je fais des choix afin de m'intéresser à ce qui me passionne le plus, soit le choix du sujet, d'un personnage, d'un objet, des mots, du matériel utilisé.

3. Est-ce que j'ai tout l'outillage nécessaire pour réussir ce travail ?

   Si oui, je me remets au travail.

   Si non, je consulte ma banque de stratégies : je pense à ce que je sais déjà, je consulte les référentiels de la classe, je me sers de mon coffre à outils, je rassemble autour de moi le matériel nécessaire.

Les démarches et les procédures ne sauraient se suffire à elles-mêmes ; elles ont besoin de stratégies pour pouvoir être appliquées et intégrées.

Une stratégie d'enseignement

Vue globalement, une stratégie est une manière de procéder pour atteindre un but spécifique. Sur le plan pédagogique, la stratégie d'enseignement peut se définir comme étant un « ensemble d'opérations et de ressources pédagogiques planifié par l'intervenant pour un autre sujet que lui-même ». Habituellement, chacune des étapes d'une démarche ou d'une modalité requiert la présence de stratégies afin de pouvoir être mise en œuvre. Par conséquent, on parlera alors de banques de stratégies où l'intervenant peut exercer des choix en fonction de ses élèves et du contexte d'enseignement dans lequel il se trouve.

Soulignons que l'exécution des stratégies ne répond pas à un ordre chronologique ; celles-ci sont inventoriées tout simplement afin de constituer une mémoire rappelant l'existence de solutions possibles à partir desquelles l'enseignant peut faire des choix (Legendre, 2005, p. 1261).

Exemples de stratégies d'enseignement

Premier exemple : Banque de stratégies pour accompagner l'apprenant dans la réalisation de sa tâche

- Donner des exemples et des contre-exemples.
- S'assurer que l'élève dispose de résumés, de tableaux et de schémas, et qu'il peut arriver à créer des réseaux.

- Faire ressortir les ressemblances et les différences entre les connaissances antérieures et les connaissances nouvellement acquises.
- Guider l'élève en le questionnant sur les stratégies et les procédures d'apprentissage qu'il a intégrées pour réussir la tâche proposée.

Deuxième exemple : Banque de stratégies pour effectuer un retour sur l'apprentissage avec les élèves

- Aider les élèves à tirer des conclusions.
- Les amener à dégager des règles et des principes.
- Les guider dans l'application du résultat obtenu dans une situation d'apprentissage analogue.
- Les soutenir dans la définition de situations de réinvestissement des compétences.

Un trio indissociable : démarches, procédures et stratégies

À la suite de ce survol de l'outillage mis à la disposition de l'enseignant, on constate que la démarche, la procédure et la stratégie appartiennent à une même famille, soit l'instrumentation. Toutefois, un parallèle établi entre les trois termes fait ressortir autant leurs particularités que leur complémentarité : une manière de faire (démarche) pour atteindre un but (stratégie) selon une séquence d'étapes (procédure).

Le fait de vouloir devenir un enseignant de plus en plus stratégique n'a rien d'utopique. C'est quelque chose de tangible et d'emballant. Dans la poursuite d'une amélioration continue dans son acte d'enseigner, il est extrêmement important pour un praticien de s'ouvrir à ses élèves afin d'obtenir des rétroactions sur sa performance quotidienne.

Des rétroactions pour aller plus loin

Dans le feu de l'action, il est difficile pour un pédagogue de jeter un regard objectif sur sa pratique pédagogique. Certes, l'enseignant qui désire évaluer la qualité de son enseignement peut toujours se ménager des temps d'arrêt pour réfléchir sur son vécu. Des outils comme le journal de bord ou le portfolio professionnel peuvent faciliter sa tâche d'objectivation et d'autorégulation.

D'autre part, avoir toujours le visage collé sur sa propre réalité peut rendre aveugle celui qui est concerné : ce dernier n'arrive pas toujours à voir ce qui s'y passe réellement. Afin d'éviter ce piège qui menace tout praticien, pourquoi ne pas solliciter la participation des élèves pour obtenir l'heure juste ? Comme dans une entreprise commerciale, le meilleur point de vue n'est-il pas celui des clients qui reçoivent les services offerts ? En effet, les élèves sont clairvoyants et perspicaces, ils arrivent facilement à déceler ce qui va et ce qui ne va pas. Pour s'en convaincre, il suffit de songer aux parodies qu'ils sont capables de faire pour mettre en évidence certains traits de personnalité d'enseignants…

Un enseignant stratégique a le courage de recueillir régulièrement les opinions de ses élèves afin d'ajuster son tir. S'il ne le fait pas, les informations continuent de circuler à son insu, sans que ce dernier n'ait aucun pouvoir sur la situation. L'outil 1.2 (*voir p. 61 et 62*) a été conçu à cette intention. Pourquoi ne pas prendre le risque de vérifier les perceptions de ses élèves ?

L'enseignant désireux d'aller plus loin dans sa démarche d'objectivation et de régulation peut également se tourner du côté de ses pairs ou de son supérieur immédiat. Que ce soit à l'intérieur du vécu d'une dyade d'intervision, d'une relation privilégiée avec un mentor ou dans un contexte de supervision à caractère participatif, l'enseignant trouvera sûrement matière à réflexion pour mieux se propulser dans l'avenir.

Mettre en place un outillage cognitif

S'il existe des adultes qui sont en train d'enseigner dans des classes, il y a nécessairement des élèves qui sont en train d'apprendre. Voilà pourquoi le praticien ne doit pas se contenter de faire provision de démarches, de procédures et de stratégies d'enseignement ; il doit aussi explorer l'outillage cognitif à l'intention des apprenants qu'il pourrait mettre en place avec leur collaboration. Il faut reconnaître néanmoins que certains élèves arrivent à découvrir par eux-mêmes leurs démarches, leurs procédures et leurs stratégies d'apprentissage. Mis à part ces derniers qui constituent une minorité, la plupart des élèves ont besoin d'accompagnement de la part de l'enseignant pour s'approprier des moyens qui leur permettront d'exercer du contrôle sur leurs tâches d'apprentissage et de conserver ainsi leur motivation intrinsèque.

L'enseignant qui désire explorer ce domaine peut s'orienter vers différentes avenues aussi intéressantes les unes que les autres :

- vers les approches éducatives liées à la construction des savoirs, et plus particulièrement au traitement de l'information, entre autres la gestion mentale ;
- vers les compétences transversales, notamment celles qui sont d'ordre intellectuel et d'ordre méthodologique ;
- vers le répertoire de méthodes et de techniques de travail associées aux compétences disciplinaires ;
- vers des moyens complémentaires pour aider l'élève à se souvenir de données importantes, tels que l'abécédaire, le lexique, le dictionnaire personnalisé ou la banque de mots.

Quelles sont les interventions que je fais auprès des élèves par rapport au « savoir-apprendre » ?

L'apprentissage et la gestion mentale

Parmi les approches liées à la construction des savoirs, la gestion mentale occupe une place importante, car elle propose une compréhension de la vie mentale, ce qui représente un élément non négligeable. Elle sollicite autant l'engagement de l'enseignant que celui des élèves, puisqu'elle préconise un enseignement explicite de la structure opératoire des gestes mentaux.

Pour se sensibiliser davantage à la gestion mentale, voir *Quand revient septembre*, volume 2, p. 170 à 187. Trois exemples de projets mentaux et d'évocations sont notamment présentés aux pages 181 à 183. De plus, il existe différents ouvrages et sites judicieux pouvant permettre à un enseignant de parfaire sa formation dans ce domaine. Voir, entre autres :

- A. de La Garanderie et G. Cattan (1988). *Tous les enfants peuvent réussir*, Paris, Éditions Centurion.
- Christiane Pébrel (dir.) (1993). *La gestion mentale à l'école. Concept et fiches pratiques*, Paris, Retz.
- Centre de recherche en gestion mentale : www.crgm.fr
- Centre de gestion mentale : centregm.com/home

Quelle place occupe le développement des compétences transversales dans ma classe ?

En effet, en gestion mentale, l'enseignant apprend aux élèves des gestes mentaux fondamentaux, soit mémoriser, comprendre, réfléchir et imaginer à partir du contexte des projets mentaux. Il leur enseigne d'abord comment être attentifs afin de se placer en projet mental et évoquer par la suite. Au moyen du dialogue pédagogique utilisé à la fois individuellement et collectivement en classe, l'apprenant prend conscience de ses capacités et des stratégies dont il se sert ou pourrait se servir.

L'utilisation du concept d'« évocation », qu'elle soit auditive ou visuelle, représente le point d'ancrage du processus du traitement de l'information. Le projet mental visant à donner un sens à la perception de la réalité est la condition essentielle de la mise en pratique de l'évocation.

Le développement des compétences transversales

Le Programme de formation de l'école québécoise prescrit un certain nombre de compétences qui ne relèvent pas exclusivement du domaine de l'enseignement des disciplines, mais qui doivent être présentes dans l'ensemble des activités éducatives organisées autant dans les classes que dans les écoles.

Ces compétences sont réparties en quatre catégories :

1. Les compétences d'ordre intellectuel ;
2. Les compétences d'ordre méthodologique ;
3. Les compétences liées aux attitudes et aux comportements ;
4. Les compétences linguistiques.

Comme nous parlons présentement de l'outillage cognitif, qui est rattaché aux connaissances procédurales (le « comment faire ? »), nous nous concentrerons sur deux catégories, soit les compétences d'ordre intellectuel et d'ordre méthodologique.

Les compétences d'ordre intellectuel font référence à des apprentissages essentiels pour tout être humain, comme exercer sa mémoire, entreprendre un projet et le mener à terme, développer son sens critique et apprendre à communiquer. C'est souvent avec ce type de compétences qu'une personne arrive à prendre sa place dans la société et y apporte sa contribution.

En ce qui concerne les compétences d'ordre méthodologique, elles correspondent aux apprentissages, comme apprendre à organiser un document, à travailler en équipe ou en coopération de même qu'à utiliser les technologies de l'information et de la communication. Dans le monde du travail, c'est avec de telles capacités qu'une personne parvient à se dénicher un emploi.

Ces compétences sont aussi importantes que celles de parler et d'écrire une langue correcte, et elles nécessitent que le monde scolaire s'y attarde. Toutefois, les compétences transversales ne sont pas innées chez les élèves. Elles doivent être enseignées, d'une part, et apprises, d'autre part. C'est pour cette raison qu'on parle de développement des compétences.

L'apprentissage des méthodes et des techniques de travail

Avant la parution du nouveau programme de formation, on parlait de méthodologie du travail intellectuel lorsqu'on pratiquait l'enseignement des méthodes et des techniques de travail. Jetons un coup d'œil sur les démarches et les stratégies alors utilisées (*voir tableau 3.9*). Il est possible que les habitudes scolaires prises soient tellement incrustées dans nos mœurs pédagogiques qu'il est difficile de les déloger. Les compétences d'ordre méthodologique ont fait leur apparition dans les classes, mais peut-on dire qu'elles ont réussi à se faire un nid quant à leur processus de développement? On

TABLEAU 3.9 | UN BILAN DE L'ENSEIGNEMENT DES MÉTHODES DE TRAVAIL INTELLECTUEL

CONSTATS	CONSÉQUENCES	SOUHAITS
Trop souvent, il est fait de façon verbale et ne laisse aucune trace écrite.	Il est difficile pour l'élève de retrouver seul son cheminement par la suite.	Il est préférable qu'on utilise aussi le mode écrit afin d'élaborer des référentiels visuels ou un coffre à outils.
Trop souvent, il est construit de façon individuelle, sans aucune concertation. Chaque enseignant possède sa propre façon de faire et l'enseigne.	L'élève est en rupture d'apprentissage et doit s'adapter au changement chaque année.	Il serait facile d'établir une concertation à l'intérieur d'une équipe pédagogique de cycle ou d'une communauté d'apprenants professionnels pour que l'apprentissage de certaines stratégies se poursuive sur le cheminement d'un cycle au moins.
Trop souvent, il est vécu intuitivement, spontanément.	Le processus demeure exploratoire et l'apprentissage de la démarche ou de la stratégie ne se fait pas réellement.	Il serait souhaitable que cet apprentissage des méthodes de travail intellectuel soit vécu de façon structurée et consciente. Il devrait être prévu au moment de la planification à court terme et s'inscrire dans une progression, comme toute autre formation.
Trop souvent, il est pratiqué mécaniquement, hors de tout contexte, donc sans lien avec le savoir de l'apprenant ou avec des disciplines précises.	La démarche ou la stratégie est utilisée au moment présent dans la situation donnée. Dès qu'une autre situation survient, il n'y a pas de transfert possible.	Le domaine des méthodes et des techniques de travail intellectuel est la responsabilité de chaque enseignant. S'il y a entente et concertation, chacun peut la mettre en application dans son propre champ d'enseignement. Parfois, il s'agira d'un enseignement complètement nouveau. Parfois, il s'agira tout simplement de consolider ce qui a été enseigné par un collègue.
Trop souvent, il est introduit de façon directive, amené par l'adulte, donc sans engagement de la part de l'apprenant. Autrement dit, l'élève reçoit une démarche, une procédure ou une stratégie toute faite, sans avoir participé à l'émergence de celle-ci.	Comme ces outils n'appartiennent pas vraiment à l'apprenant, les transferts sont rares et ardus. En conséquence, les apprentissages s'avèrent peu durables.	Il faudrait délaisser ce contexte où les méthodes de travail sont enseignées de façon mécanique ou fermée et cheminer vers un modèle participatif à partir duquel l'enseignant fait les choses AVEC ses élèves.

a tenté toutes sortes d'expériences dans ce domaine et on a fréquemment entretenu des attentes très élevées à cet égard, et l'on a été déçu assez souvent des résultats obtenus. Et si l'on avait omis d'évoquer la contribution de l'élève dans le processus de leur développement?

Pour être efficace, l'apprentissage d'une démarche ou d'une stratégie doit être le produit d'une réflexion sur un agir, d'une objectivation et d'une régulation. L'enseignant et l'élève regardent ensemble comment l'acquisition d'une connaissance ou le développement d'une compétence s'est déroulé. Ils en déduisent un cheminement valable pour l'acquisition de nouvelles connaissances ou le développement de nouvelles habiletés. Ils bâtissent ensemble des démarches, des procédures ou des stratégies d'apprentissage qui pourront être transférées dans toutes sortes de circonstances.

Cette initiation à la méthodologie du travail intellectuel a déjà été vécue dans certaines classes, avec des résultats variables.

Trois questions clés au sujet de l'outillage au regard des disciplines

Puis-je établir un lien entre l'apprentissage et le développement de compétences d'ordre intellectuel et d'ordre méthodologique?

Dans un contexte de développement des compétences d'ordre méthodologique, l'apprentissage des méthodes de travail repose en fait sur trois interrogations:

1. *Quoi développer?* À cette première question, il faut répondre: des compétences. L'enseignement des méthodes de travail vise à développer une «qualité qui rend apte à réussir une entreprise avec un minimum de ressources et d'efforts» (Legendre, 2005, p. 348). Ainsi, il suppose non seulement une connaissance, mais une habileté potentielle avec une mise en pratique, une objectivation et une régulation. C'est à cette condition que l'habileté sera réutilisable et deviendra une véritable méthodologie.
2. *Comment développer?* Poser la question du «comment développer?», c'est s'interroger sur la démarche d'apprentissage. Cette démarche est constituée d'étapes à travers lesquelles l'élève doit passer pour développer la compétence souhaitée. Elle est structurée, car elle s'appuie sur des acquis, elle s'oriente en fonction d'objets d'apprentissage déterminés, elle se précise en fonction d'un contexte, elle est ordonnée selon certains moyens et outils, elle débouche sur des résultats qu'il s'agit d'analyser pour en tirer l'enseignement nécessaire et les réinvestir. Les actions ont donc un lien entre elles et ne peuvent être faites dans n'importe quel ordre.
3. *Par quels moyens?* La démarche elle-même est constituée de stratégies, soit l'ensemble des opérations, des ressources et des moyens pédagogiques qui permettent de vivre la démarche. Par contre, les stratégies sont plus souples, plus personnelles et donc plus appropriées à la personne qui vit la démarche. Elles s'expriment souvent en fonction d'outils concrets.

Les traces de l'apprentissage des méthodes de travail intellectuel

Si l'acquisition de bonnes méthodes de travail est le résultat d'une concertation entre l'enseignant et l'élève, elle devrait déboucher sur la mise en place d'une trousse de travail ou d'un coffre à outils facilement accessible à l'élève. Ce coffre à outils peut prendre la forme d'un cahier ou d'un classeur qui est étoffé tout au long de l'année. L'enseignant peut le conserver à la fin de l'année scolaire pour le remettre au collègue qui recevra cet enfant ou cet adolescent en septembre. Avec l'élève, le nouvel enseignant pourra élaguer ce coffre à outils, le mettre à jour et poursuivre son élaboration.

La figure 3.2 propose un exemple de ce que pourrait contenir ce coffre à outils à la fin du primaire.

FIGURE 3.2 UN EXEMPLE DU CONTENU D'UN COFFRE À OUTILS LIÉ À LA PRATIQUE DES MÉTHODES DE TRAVAIL

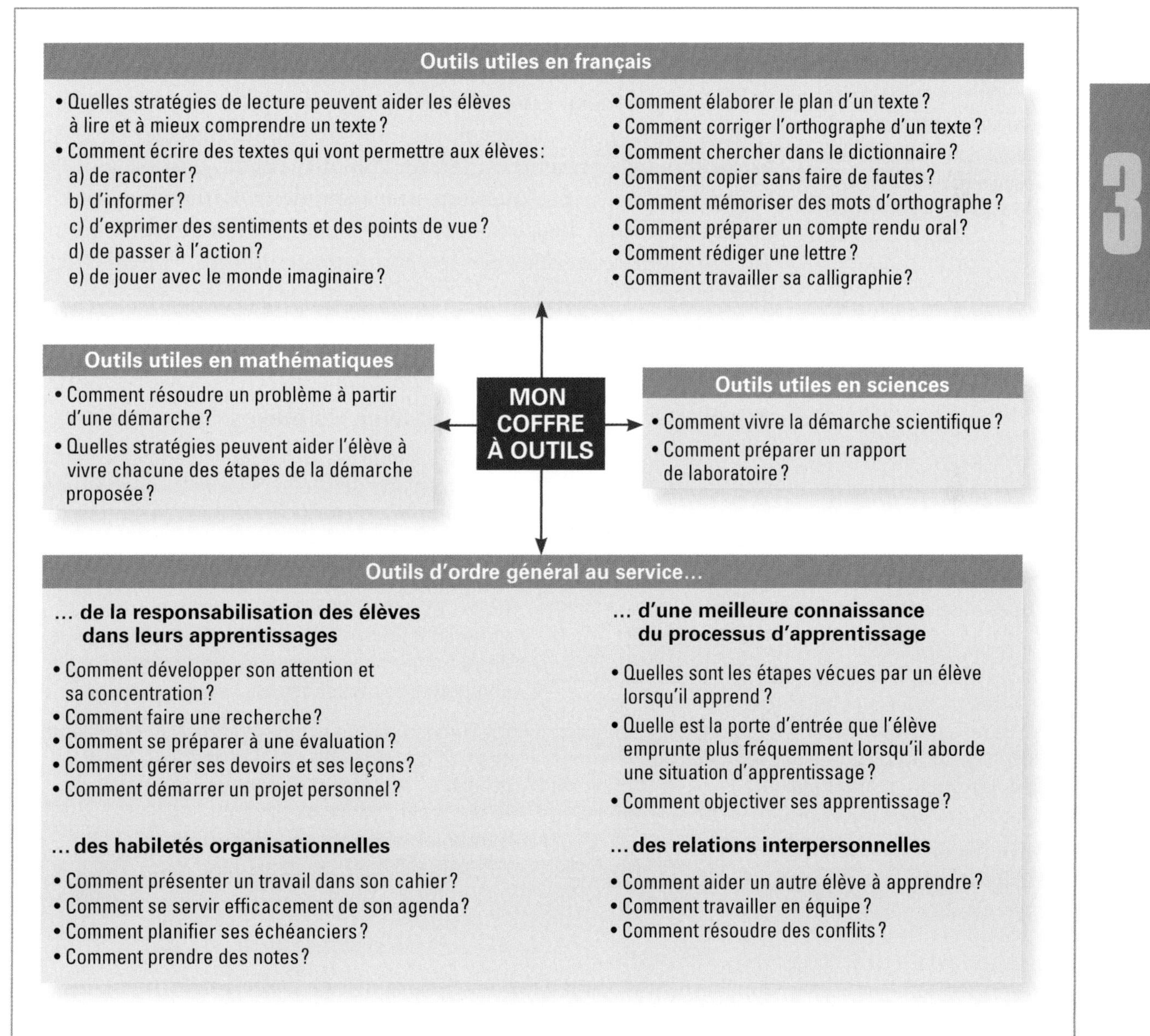

Cet outillage cognitif à l'intention de l'apprenant nécessite que l'enseignant y consacre du temps et des énergies. On a tendance à croire à l'effet magique qui nous assurera de tous ces gains sans qu'on soit obligé d'intervenir. Les élèves ont besoin d'apprendre à apprendre, et c'est cet apprentissage fondamental qui ouvrira la porte à une multitude d'autres apprentissages.

Des outils pour se souvenir

Pendant plusieurs années, les enseignants se sont surtout préoccupés de développer un outillage à l'intention des élèves en intervenant prioritairement surtout sur l'aspect de la mémoire, pensant que cela favoriserait la réussite de leurs élèves. On trouvait alors dans les coffres à outils des élèves des référentiels aide-mémoire : des banques de mots, des tableaux de conjugaison, des modèles de calligraphie, des lexiques en géométrie, etc.

Puis-je établir un lien entre l'apprentissage et le développement de compétences d'ordre intellectuel et d'ordre méthodologique ?

Une telle préoccupation n'est pas mauvaise en soi, sauf qu'elle ne peut engendrer un impact important sur l'apprentissage. Cette instrumentation représente en fait un complément au véritable outillage cognitif dont il a été question précédemment. Pour conclure cette partie, je mettrai l'accent sur l'émergence d'orientations à adopter si l'on souhaite développer les compétences d'ordre intellectuel et d'ordre méthodologique.

Mettre au point un outillage cognitif avec les élèves

Cela suppose que l'enseignant fait les gestes suivants :

- Il reconnaît que l'apprentissage des connaissances procédurales (le « comment faire ? ») est aussi important que l'apprentissage des connaissances déclaratives (le « quoi ? »).
- Il profite de tous les moments de la vie scolaire pour intervenir sur le développement des compétences transversales ; plus spécifiquement, le fait d'opter pour une gestion de classe participative centrée sur la responsabilisation des apprenants peut devenir un atout majeur.
- Il explore toutes les avenues possibles concernant l'outillage cognitif avant de se lancer dans la conception d'un coffre à outils à l'intention des élèves.
- Il saisit les nuances et les particularités qui existent entre une démarche, une procédure et une stratégie, cela s'appliquant autant au secteur de l'enseignement qu'à celui de l'apprentissage.
- Il se souvient que le développement des compétences d'ordre intellectuel et d'ordre méthodologique doit se vivre dans des contextes signifiants, de la même manière que le développement des compétences disciplinaires.
- Il n'oublie pas que la mise au point de l'outillage cognitif doit être vécu en partenariat avec les élèves, et qu'en plus l'objectivation et la régulation des pratiques sont indispensables si l'on aspire au transfert des démarches et des stratégies acquises.

3 Le choix des outils

3.1 Une étape importante : cerner son image de pédagogue avant d'agir

Contexte et utilité

Même si l'enseignant consacre de nombreuses heures pour connaître ses élèves en début d'année, il doit penser à se réserver du temps pour mieux se découvrir lui-même. Cerner son image de pédagogue est une étape qui lui permettra par la suite d'exercer de meilleurs choix. Avant même que les élèves se présentent en classe, pourquoi ne pas regarder de près ses valeurs, ses croyances, sa pédagogie, sa conception de l'apprentissage et son style d'enseignement ?

Ces dimensions qui ne peuvent se soustraire à l'analyse réflexive sont aussi importantes que la consultation de la liste des objets ou résultats d'apprentissage du programme d'études. En effet, ce sont les interventions que l'enseignant fera au regard du processus d'apprentissage des élèves et du curriculum qui feront foi de tout. Plus celles-ci seront judicieuses, plus les probabilités qu'il y ait appropriation du contenu par les élèves seront grandes.

Pistes d'utilisation

1. Déterminez en premier lieu l'aspect pédagogique que vous désirez cerner.
2. Selon ce que vous désirez analyser de plus près, sélectionnez la grille d'analyse qui convient le mieux à la cible retenue. Pour faciliter votre choix, voici la liste des thèmes disponibles avec les concepts qui y sont rattachés :
   a) Le « quoi ? » ou le « comment ? » (*Voir fiche 3.1a, p. 431.*)
   b) Quelle est la couleur de ma pédagogie ? (*Voir fiche 3.1b, p. 432.*)
   c) Pleins feux sur mon processus de découverte (*Voir fiche 3.1c, p. 432.*)
   d) Quel est mon profil d'enseignant ? (*Voir fiche 3.1d, p. 433.*)

Des instruments pour analyser sa pratique pédagogique

www

Les fiches reproductibles mentionnées dans cette section peuvent être consultées en format réduit aux pages 406 et suivantes. Elles sont offertes en format lettre (8,5 po × 11 po), sous forme de fichiers PDF et Word, sur le site Web http://quand-revient-septembre2.cheneliere.ca. L'enseignant qui a acheté cet ouvrage peut les importer sur son ordinateur, les modifier selon ses besoins et les imprimer.

Remettre les pendules à l'heure

Avant de se précipiter sur le « comment ? », c'est-à-dire sur le choix des moyens, l'enseignant a grandement intérêt à se pencher sur une trilogie éducative qui a toujours constitué et qui constitue encore la toile de fond de sa tâche professionnelle :

1. Cerner son image de pédagogue : qui suis-je ?
2. Cerner l'image des apprenants : qui sont-ils ?
3. Cerner l'image du programme dont il est responsable : quel est le but du voyage ?

Une fois ces trois étapes franchies, il est plus facile pour un accompagnateur d'exercer des choix judicieux sur le plan des ressources à mobiliser autour de soi. Le but du voyage n'est-il pas d'amener à bon port les élèves qui sont sous sa responsabilité ? « Planifier la voie qu'il désire emprunter avec des élèves différents » sera donc la quatrième étape à vivre... Quant aux itinéraires possibles, l'enseignant pourra toujours emprunter l'avenue de la différenciation, de l'adaptation ou de la modification pour tenir compte des profils d'apprentissage et des parcours scolaires de ses élèves.

Un canevas pour planifier l'émergence d'un projet éducatif de classe

3.2 Ma philosophie de l'éducation et de l'enseignement

Contexte et utilité

Le projet éducatif d'une école ou le projet d'établissement est une réalité très répandue dans les milieux scolaires. Cependant, on entend moins parler de projets éducatifs de classe ou d'équipes disciplinaires. Même si ce sujet est moins populaire que d'autres, généralement chaque enseignant vit quotidiennement des activités liées à un projet éducatif de classe ; toutefois, la plupart du temps, celui-ci revêt un caractère intuitif. Pourquoi ne pas articuler ce projet en début d'année et le communiquer par la suite à la direction de l'école ainsi qu'aux élèves et à leurs parents ?

Pistes d'utilisation

1. Cernez les valeurs et les croyances qui animent quotidiennement les gestes éducatifs et pédagogiques que vous accomplissez en classe.
2. Formulez les objectifs que vous désirez atteindre au cours de l'année (*voir fiche 3.2a, p. 433*).
3. N'oubliez pas de vivre la phase du décodage des attentes mutuelles avec vos principaux partenaires, soit, d'une part, les élèves et, d'autre part, les parents.
4. Décodez avec les élèves les activités éducatives de même que les projets réalistes qu'ils désirent vivre pour apprendre et pour se développer.
5. Élaborez votre plan d'action par la suite (*voir fiche 3.2b, p. 434*).
6. Communiquez ce plan d'action à la direction de votre école et profitez de l'occasion pour verbaliser vos besoins de soutien qui en découlent.

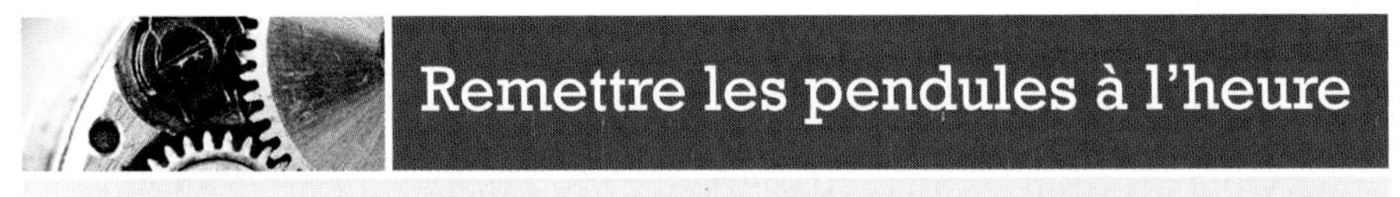

Remettre les pendules à l'heure

Quand les enseignants parlent de projets éducatifs, ils font allusion à différentes réalités, comme :

- des projets qui se vivent sans avoir été planifiés et communiqués préalablement ;
- des projets qui sont écrits et diffusés, mais qui ne se vivent pas pour toutes sortes de raisons ;
- finalement, des projets qui s'enracinent dans le quotidien des différents partenaires et qui font l'objet d'une solide planification, d'une objectivation ponctuelle et d'une évaluation continue.

Dans cette optique, l'enseignant aurait avantage, en début d'année, à prendre du temps pour réfléchir sur son acte éducatif. Cette réflexion lui permettrait de transformer des gestes intuitifs en points d'ancrage sur lesquels il fonderait ses interventions. N'est-ce pas là une piste intéressante pour amorcer le vécu d'un projet collectif en partenariat avec les élèves et les parents ?

3.3 Viser juste sur la cible de la motivation

Des stratégies pour susciter l'engagement d'un élève

Contexte et utilité

La motivation demeure sans aucun doute le concept le plus prisé des enseignants. Qui ne rêve pas d'avoir un groupe d'élèves motivés devant soi? Par contre, tous les débats et toutes les recherches entourant la motivation scolaire en viennent à la même conclusion: ce désir d'apprendre, cette volonté de s'engager doit être créé et cultivé. Des chercheurs nous disent même que la motivation, ça s'enseigne et ça s'apprend. De là la nécessité pour un enseignant de se donner des stratégies d'intervention variées et efficaces. Parfois, l'intervenant ne soupçonne pas la portée d'un geste simple, tiré du quotidien, ne requérant aucun déploiement d'artifices...

Dans cette perspective, le présent outil propose une vingtaine de stratégies susceptibles de favoriser un plus grand engagement de l'élève dans la construction de son savoir.

3

Pistes d'utilisation

1. Après avoir cerné le profil motivationnel de votre groupe, identifiez les élèves qui vous semblent vraiment démotivés.
2. Prenez le temps de regarder s'il s'agit bien de la démotivation scolaire. Cette étape vous empêchera de travailler dans le vide, car nous avons vu dans la partie théorique de ce chapitre qu'il ne fallait pas intervenir de la même façon devant une problématique relevant de la démotivation existentielle.
3. Prenez la décision d'intervenir sur l'aspect vous semblant le plus approprié, à savoir les comportements ou les apprentissages (*voir fiche 3.3a, p. 434*).

Remettre les pendules à l'heure

Après avoir entendu maints et maints discours sur la construction de la motivation scolaire, que peut-on ajouter de plus? Au moins se souvenir que, de prime abord, l'enfant arrive au monde avec le désir de se développer et de grandir. Comment expliquer alors qu'à un moment donné de sa vie celui-ci ne pose plus de questions, se contentant de rechercher bêtement les réponses que l'adulte attend de lui?

Pourquoi l'enfant ou l'adolescent qui est devant moi présentement ne désire-t-il plus apprendre? « Pourquoi? » est le mot que je voudrais qu'on retienne.

Derrière chaque comportement se cache une réalité vitale, une énigme à résoudre. Inutile de bâtir des plans d'intervention sophistiqués si, au point de départ, nous ne sommes pas capables de mettre le doigt sur les causes du désengagement de l'élève qui retient actuellement notre attention.

Un coffre à outils pour apprendre à apprendre

3.4 Donner des racines aux élèves... pour qu'ils volent de leurs propres ailes

Contexte et utilité

Le développement des compétences d'ordre méthodologique prend de plus en plus d'importance dans les interventions que les enseignants effectuent auprès des élèves. Ils s'aperçoivent que, pour apprendre, les élèves ont besoin de connaissances procédurales exprimées sous forme de démarches, de procédures et de stratégies. Rappelons-nous brièvement ce qui caractérise chacun de ces trois éléments de l'outillage cognitif:

- Une démarche est une manière de faire, transférable dans d'autres contextes, décrite selon un ordre logique, pour faciliter l'accomplissement d'une tâche d'apprentissage. Assez souvent, les élèves ont tendance à parler d'étapes graduées. *Exemple:* la démarche de recherche.
- Une procédure est une séquence d'étapes décrivant la marche à suivre pour réaliser une tâche spécifique. Les élèves se plaisent à dire qu'il s'agit d'un mode d'emploi, d'une recette pour exécuter une tâche particulière. *Exemple:* les étapes à respecter pour la mise en opération d'un logiciel.
- Une stratégie est un moyen d'atteindre un but spécifique. Les élèves font alors référence à des trucs, à des moyens. *Exemple:* la stratégie consistant à rayer des données inutiles pour mieux comprendre le sens d'un problème mathématique.

L'outillage proposé dans les fiches mentionnées ci-après est basé sur ces trois formes d'expression des connaissances procédurales:

- des exemples de démarches, avec les fiches 3.4a à 3.4e, pages 435 à 437;
- des exemples de procédures, avec les fiches 3.4f à 3.4j, pages 437 à 439;
- des exemples de stratégies, avec les fiches 3.4k à 3.4o, pages 440 à 442.

Regardons de plus près ce qui se vit présentement dans le domaine du «savoir-apprendre» afin de déterminer comment nous pourrions améliorer ou raffiner ce qui se fait déjà. Pour y parvenir, rappelons-nous les principes de base dont il faut tenir compte dans l'approche à privilégier, soit une approche:

- écrite, visuelle;
- planifiée;
- concertée au niveau d'une équipe-cycle ou de l'école;
- élaborée de façon participative, avec les élèves;
- progressive, en lien avec le vécu des apprentissages;
- signifiante, greffée sur le savoir d'expérience de l'élève.

Les données du bilan compilées dans le tableau 3.9, à la page 159, mettent en évidence le fait que le processus d'étayage cognitif doit être vécu et articulé avec la participation des élèves pour que ceux-ci s'approprient véritablement les connaissances procédurales. Sans l'engagement des apprenants, l'enseignement de ce contenu risque de demeurer stérile puisqu'il aura été transmis de manière fermée et mécanique.

Pistes d'utilisation

1. Faites acheter par les élèves en début d'année un cahier, tel qu'une reliure à anneaux, que les élèves baptiseraient, par exemple, «Mon coffre à outils». On pourrait trouver dans la première partie de ce cahier des outils d'ordre général qui seraient d'usage transversal, tandis que dans la seconde partie figureraient des outils propres aux disciplines du français, des mathématiques et des sciences.
2. Dressez avec les élèves un bilan des outils qu'ils possèdent déjà: ceux qui ont été acquis en cours d'année de même que ceux qui ont été intégrés dans les précédents parcours scolaires. Consolidez ce qui est déjà existant. Introduisez des outils nouveaux au regard des besoins des apprenants.
3. Introduisez toujours l'outil en présence des élèves concernés. Travaillez d'abord collectivement sur l'instrumentation désirée. Si les élèves souhaitent se donner un aide-mémoire, élaborez un référentiel visuel collectif avec eux pour les aider dans l'appropriation de ce nouvel outillage. Par la suite, transformez celui-ci en un référent personnel qui se retrouvera dans le coffre à outils de chaque élève.
4. Profitez d'un contexte d'objectivation pour introduire un outil nouveau. Rattachez ce dernier à une situation d'apprentissage pour que l'élève en perçoive vraiment l'utilité. Sinon, il s'agira tout simplement d'un enseignement artificiel, sans liens signifiants avec le vécu des apprenants.
5. Faites un consensus au niveau d'un cycle ou de l'école afin d'établir des priorités d'intervention pour chacun des titulaires de classe. À partir de la répartition faite, chaque enseignant sera en mesure de dégager son champ de responsabilités: certains outils devront être consolidés tandis que d'autres devront être créés et introduits.
6. À la fin de l'année scolaire, ce cahier pourra être conservé à l'école. L'année suivante, l'enseignant le remettra aux élèves pour en faire l'élagage et la mise à jour avant de poursuivre l'enrichissement de cet outillage cognitif.

Remettre les pendules à l'heure

Il est évident que, pendant de nombreuses années, l'école s'est davantage souciée de mettre l'accent sur le fameux «quoi apprendre?», supposant que les élèves étaient capables de découvrir par eux-mêmes le «comment apprendre?». Avec l'arrivée des programmes centrés sur le développement des compétences, le discours a changé, et espérons que les pratiques se sont métamorphosées elles aussi au même rythme... Si ce n'est pas le cas, il est toujours temps de réagir.

Tentons d'anticiper comment ce coffre à outils pour «apprendre à apprendre» pourrait prendre naissance. Dans celui-ci seraient insérées progressivement des démarches, des procédures et des stratégies d'apprentissage. En fait, les divers moyens élaborés pourraient être conservés dans un recueil illustrant les différentes trajectoires du «comment apprendre?». Pour que l'enseignant tienne compte des différences entre les élèves dans ce domaine, certains outils concerneraient l'ensemble des élèves, tandis que d'autres seraient conçus pour un sous-groupe d'apprentissage donné. Il pourrait même arriver qu'un élève présentant des besoins particuliers réclame la présence d'un outil qui lui serait personnel.

3.5 Des points de repère d'ordre cognitif à l'intention de l'apprenant

Contexte et utilité

Dans son livre *L'enseignement stratégique* (1999), Jacques Tardif nous parle de l'importance d'accompagner l'élève dans son processus d'apprentissage. Il nous dit : pour que l'apprentissage soit signifiant, durable et transférable, n'oublions pas d'intervenir sur le plan des connaissances déclaratives (le « quoi ? »), procédurales (le « comment ? »), conditionnelles (le « pourquoi ? ») et le « quand ? ».

Le présent outil s'articule encore une fois autour de la dimension du « comment faire ? » : les démarches, les procédures et les stratégies d'apprentissage. Toutefois, ce qui caractérise cet outil, c'est que les moyens suggérés sont axés sur le développement des compétences disciplinaires. Malgré le fait que des nuances ont déjà été établies autour de ces trois concepts dans l'outil 3.4 centré sur le développement des compétences transversales, nous prendrons le temps de les redéfinir cette fois-ci en fonction des élèves. L'utilisation d'un vocabulaire plus simple et plus approprié permettra sans aucun doute aux apprenants de manipuler consciemment l'outillage qui aura été élaboré avec eux (*voir tableau 3.10*).

TABLEAU 3.10 | UN VOCABULAIRE COGNITIF ADAPTÉ AUX APPRENANTS

TYPE DE CONNAISSANCE	VOCABULAIRE ADAPTÉ
Le quoi développer	• Les compétences • La capacité de faire… • Une habileté qui permet de réussir l'exécution d'une tâche. • Un savoir-faire que l'apprenant développe à partir d'un certain nombre d'attitudes et de connaissances.
Le comment dans un contexte plus général	• Les démarches • Le mode d'emploi ou d'utilisation • La démarche est plus générale que la stratégie. • Dans une démarche, il y a des étapes, un ordre à respecter, alors que ce n'est pas le cas pour l'utilisation des stratégies.
Le comment dans un contexte plus spécifique	• Les procédures • Un genre de recette • Une démarche plus technique • Les procédures ressemblent parfois à des routines, à des rituels.
Le comment dans un contexte personnalisé très précis	• Les stratégies • Un outil, un truc, un moyen plus personnel pour chaque élève • Les stratégies nous permettent d'appliquer les différentes étapes d'une démarche.

Remettre les pendules à l'heure

Au fil des explications, le lecteur aura compris que le coffre à outils dont nous parlons depuis un bon moment comprend deux parties.

La partie 1 regroupe les outils d'ordre général qui sont centrés sur le processus d'apprentissage et le développement des compétences transversales. Ces outils seront élaborés à partir du programme de formation de l'école québécoise ou de tout programme comportant une dimension transversale; l'enseignant favorisera l'émergence de ceux-ci à partir de contextes d'apprentissage transdisciplinaires (*voir outil 3.4*).

La partie 2 comprend les outils plus spécifiques du développement des compétences disciplinaires décrites dans les programmes d'études. Ces outils seront élaborés à partir de divers contextes d'apprentissage intradisciplinaires et interdisciplinaires (*voir outil 3.5*).

En aucun moment le coffre à outils ne doit être limité à un regroupement de données dans un recueil pour en favoriser uniquement la mémorisation: des banques de mots, un vocabulaire propre à la géométrie, un aide-mémoire pour les lettres de l'alphabet, des tableaux de conjugaison, etc.

Nous convenons que l'énumération précédente fait état de la nomenclature d'outils pour se souvenir, mais nous devons reconnaître qu'ils ne sont pas du même ordre que ceux pour apprendre. L'enseignant doit absolument clarifier les notions essentielles avec lui-même s'il désire que les élèves voient eux aussi les nuances qui s'imposent entre les divers outils mis à leur disposition.

Pour amener les élèves à utiliser régulièrement les démarches et les stratégies les plus pertinentes en fonction des divers contextes d'apprentissage, il faut que l'intervenant les ait préalablement apprivoisées lui-même.

Pistes d'utilisation

1. Au sein d'une équipe-cycle ou de l'école, concevez un guide d'enseignement en relation avec le développement des compétences d'ordre méthodologique. Certes, ce document maison, structuré à l'avance, s'adressera plus aux enseignants qu'aux élèves eux-mêmes. En plus de servir à sécuriser et à instrumenter les intervenants quant à l'animation de l'outillage cognitif, celui-ci leur permettra de mettre des mots sur la philosophie commune qui devrait exister au sein de leur communauté d'apprenants professionnels au regard de l'enseignement des connaissances procédurales.
2. Commencez par faire un bilan à propos de l'enseignement des démarches, des procédures et des stratégies d'apprentissage au sein de votre équipe-cycle ou de votre école. Dressez l'inventaire de tous les outils mis au point et manipulés avec les élèves tout au long d'une année scolaire, et cela, peu importe l'âge des élèves.
3. Élaborez une liste de tous les outils pertinents que les élèves devraient maîtriser pendant leur passage du primaire au secondaire et du secondaire au collégial. En d'autres mots, établissez le profil de sortie des élèves sur le plan du développement de leurs compétences d'ordre méthodologique.
4. Évaluez l'écart entre la situation actuelle et la situation souhaitée. Le décalage entre les deux situations vous servira de point de repère pour entreprendre la tenue d'un chantier pédagogique dans ce domaine.

5. Répartissez les outils par cycle ou par ordre d'enseignement afin d'éviter des répétitions ennuyeuses, des oublis néfastes ou encore des ruptures d'apprentissage. Cette répartition en fonction des différents parcours annuels ne vous empêche pas d'explorer un outil au besoin, sans pour autant en faire un objet ou un résultat d'apprentissage terminal.

Tout comme pour l'outil précédent, des exemples d'instrumentation vous sont présentés dans des fiches sous trois formes d'expression des connaissances procédurales :

- des exemples de démarches, avec les fiches 3.5a à 3.5e, pages 442 à 444;
- des exemples de procédures, avec les fiches 3.5f à 3.5j, pages 445 à 447;
- des exemples de stratégies, avec les fiches 3.5k à 3.5o, pages 447 à 449.

PENDANT L'EXPÉRIMENTATION

Vous trouverez dans l'introduction, aux pages 29 à 31, les éléments de réflexion et l'instrumentation nécessaires pour vivre les étapes suivantes :

4 L'expérimentation

5 L'objectivation

6 La régulation

APRÈS L'EXPÉRIMENTATION

Pour vous aider à faire le point sur le défi que vous venez de relever concernant le contenu organisationnel, reportez-vous dans l'introduction aux pages 31 et 32. Vous y trouverez les éléments de réflexion nécessaires pour faire les étapes suivantes :

7 L'évaluation

8 Le réinvestissement dans un autre défi

Vous y trouverez aussi des instruments pour accomplir ces dernières étapes de votre parcours.

L'ensemble de la réflexion qui précède permet de voir que tout se tient dans la gestion du contenu organisationnel. À la base de l'action pédagogique à l'œuvre dans des démarches, des procédures ou des stratégies, il y a une philosophie. Cette philosophie est clairement énoncée dans le programme de formation ou tout autre programme d'études et elle engendre des conceptions de l'apprentissage ; elle est vécue dans des styles d'enseignement, à travers des démarches différentes. Tout enseignant peut donc y trouver sa place à la condition de respecter deux principes fondamentaux : la cohérence et la signifiance. Dans la vie de tous les jours, le « savoir » du praticien deviendra un « savoir-faire » et un « savoir-être ». On parlera alors de compétences professionnelles que possède un apprenant en quête d'une amélioration continue.

Je retiens

L'adhésion à la philosophie de base du programme de formation ou de tout autre programme d'études s'avère un principe fondamental à respecter pour un enseignant qui aspire à voir l'élève s'approprier véritablement l'essence même du contenu, soit développer ses compétences transversales et disciplinaires ou encore atteindre des résultats d'apprentissage prescriptifs.

- La gestion du contenu organisationnel suppose une vision holistique des divers éléments qui le constituent afin que la personne qui en assume la responsabilité puisse en saisir toute la globalité pour mieux intervenir.
- Elle suppose également une approche systémique qui permet à chaque enseignant d'établir des liens signifiants entre les diverses composantes du contenu organisationnel.
- Toute action pédagogique est guidée par une philosophie influençant nécessairement le choix des démarches, des procédures et des stratégies d'enseignement.
- Les fondements de la philosophie inscrite dans le programme du Québec et dans celui d'autres milieux francophones se veulent humanistes et ils sont définis à partir de l'enfant, de l'adolescent, de ses besoins, de son mode de croissance et en fonction du monde dans lequel il doit vivre.
- Cette philosophie déteint par le fait même sur la conception de l'apprentissage qui anime la pédagogie de l'enseignant ; par conséquent, on devrait retrouver les empreintes de cette conception à l'intérieur du style d'enseignement adopté et à travers les démarches et les stratégies d'enseignement utilisées.

Si tu donnes
un poisson
à un homme,
il se nourrira
une fois;
si tu lui apprends
à pêcher,
il se nourrira
toute sa vie.

Kuam-Tsu
(proverbe chinois)

J'AIMERAIS SAVOIR...

- Quelles sont les caractéristiques d'une organisation de classe performante ?
- Quel type d'organisation de classe peut contribuer à responsabiliser les élèves ?
- Quelles structures organisationnelles doit-on élaborer si l'on veut favoriser la participation des apprenants ?
- Dans le quotidien d'un enseignant, que veut dire « mettre en place une organisation de classe riche et stimulante » ?
- Comment tenir compte des différences dans une classe ?
- À l'égard de quelles différences faut-il commencer à intervenir ?
- Comment rendre l'aménagement d'une classe plus fonctionnel ?
- Comment fonctionner par ateliers ? par centres d'apprentissage ?
- Comment habiliter les élèves à gérer leur temps en classe ?
- Quelles sont les structures qui permettent à un enseignant de diversifier les modalités de travail en classe et de développer chez ses élèves l'entraide et la coopération ?
- Comment tenir compte des différents rythmes ?
- Comment amener l'élève à s'engager dans la correction de ses travaux ?

CHAPITRE 4

Organiser la classe pour favoriser la responsabilisation et la différenciation

C'est sans doute à partir de l'une ou l'autre de ces questions que vous vous donnerez un défi au regard de l'organisation de la classe. Pour vous aider à atteindre cet objectif de développement professionnel, je vous propose de suivre les étapes d'une démarche en trois temps: avant, pendant et après l'expérimentation (*voir l'introduction pour en connaître tous les détails*). La figure suivante rappelle la place de l'organisation de la classe dans l'ensemble des composantes de la gestion de classe.

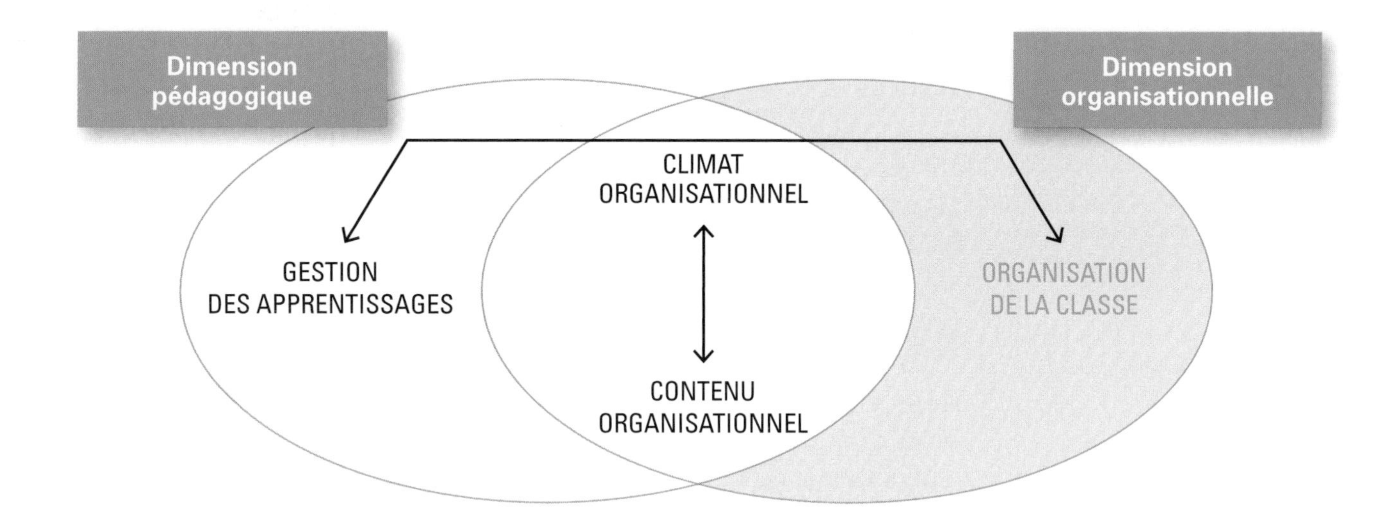

Définir le concept d'« organisation de la classe »

Lorsqu'une personne prononce le mot « organisation », tout de suite nous pensons à quelque chose de réel, de palpable, de physique. Dans les milieux de l'éducation, l'expression « organisation de la classe » signifie en quelque sorte le cadre de vie, l'environnement à partir duquel évolue l'enfant ou l'adolescent tout en agissant sur la construction de son savoir.

On pourrait comparer l'organisation de la classe à une préoccupation écologique. Comme l'indique *Le Petit Robert*, l'écologie consiste en l'« étude des milieux où vivent les êtres vivants ainsi que des rapports de ces êtres entre eux et avec le milieu ». Si la population revendique aujourd'hui un meilleur équilibre entre l'homme et son milieu, il semble aller de soi de rechercher une adéquation similaire dans le cadre scolaire.

Parmi les quatre composantes de la gestion de classe, l'organisation est la dimension la plus visible lorsqu'une personne pénètre dans une classe. Même un parent n'ayant aucune formation pédagogique peut juger d'un simple coup d'œil si l'environnement des élèves est riche ou pauvre. Dans ce sens, plus l'organisation de la classe est variée, structurée, ouverte aux profils et aux parcours des apprenants, plus les élèves sont capables de s'engager véritablement dans la construction de leurs savoirs. Ainsi, ils peuvent prendre des décisions, faire une planification, prévoir, créer et coopérer. Ils bénéficient de la marge de manœuvre nécessaire leur permettant de se responsabiliser pleinement, c'est-à-dire de faire des choix, d'assumer ceux-ci de même que les résultats obtenus.

Le type d'organisation de classe influe aussi sur la possibilité pour l'enseignant de tenir compte des différences dans une classe ou un groupe de base. Une organisation de classe plus ou moins appropriée aux buts de responsabilisation et de différenciation que poursuit l'enseignant empêchera souvent ce dernier de délaisser momentanément l'enseignement frontal et collectif afin d'ouvrir son menu et de créer des sous-groupes d'apprentissage. Dans les faits, si le praticien ne trouve pas dans son environnement les structures nécessaires, il ne pourra favoriser la participation et la responsabilisation de ses élèves, ou tenir compte des différences pourtant évidentes. Le présent chapitre vous aidera à relever ces défis.

AVANT L'EXPÉRIMENTATION

1 L'auto-analyse

Avant d'aller plus loin, il est nécessaire de bien analyser votre situation. Voici cinq grilles qui vous permettront de scruter votre façon actuelle d'organiser la classe.

1. Ma capacité d'aménager l'espace

LÉGENDE : **1.** Je le fais très peu, et ce n'est pas une priorité pour moi.
2. Je le fais très peu, mais je voudrais travailler ce point.
3. Je le fais avec quelques difficultés, mais je ne désire pas travailler ce point pour le moment.
4. Je le fais, mais j'aurais besoin d'améliorer ce point.
5. Je le fais avec aisance, j'en suis fier et je suis capable d'aider un autre collègue qui chemine dans ce sens.

	1	2	3	4	5
a) Je suis capable d'aménager l'espace de façon souple et fonctionnelle au même rythme que ma pédagogie s'ouvre.					
b) L'organisation spatiale de ma classe évolue et se transforme en fonction des activités que je propose aux élèves. Conséquemment, cela suppose que je suis attentif aux besoins des élèves sur le plan de la participation et des interactions.					
c) Je suis capable de visualiser les différents espaces de mon local en fonction d'une séquence d'apprentissage. Je sais à quels endroits se vivront les activités de formation de base, de consolidation et de récupération, de même que celles d'enrichissement et d'intégration.					
d) J'installe dans ma classe autant d'aires de travail que cela est nécessaire en me souvenant que certains coins seront permanents tandis que d'autres auront une vocation temporaire.					
e) Je vois à ce que les élèves participent à la décoration, au rangement du matériel de même qu'au partage des responsabilités pour maintenir l'ordre et la propreté du local.					
f) Je décide avec les élèves de l'aménagement des lieux : une zone réservée au travail personnel, des espaces pour les travaux d'équipe et une aire de rassemblement collectif.					
g) Avec les élèves, je prévois aussi des lieux de rangement et d'affichage.					

2. Ma capacité de gérer le temps

	1	2	3	4	5
a) Je suis capable d'organiser l'horaire d'une journée ou d'un cours de façon flexible en jouant tantôt avec le menu fermé, tantôt avec le menu ouvert.					
b) Je sais planifier les activités éducatives dans le temps au regard d'une séquence d'apprentissage : les tâches obligatoires, les tâches semi-obligatoires et les tâches facultatives.					
c) Je permets aux élèves de participer de temps à autre à l'organisation de leur propre temps afin que chacun puisse apprendre à travailler à un rythme personnel.					
d) Je varie l'utilisation des outils pour gérer le temps en fonction de l'autonomie de mes élèves et de ma capacité de gérer les déplacements et les chuchotements : le plan de travail, le tableau d'enrichissement, le tableau de programmation, la vitrine d'ateliers et le relevé des centres d'apprentissage.					
e) Je cherche à utiliser au maximum le temps à ma disposition, sans pour autant être obsédé au point d'ignorer le rythme d'apprentissage des élèves.					
f) J'offre aux élèves des périodes ouvertes qu'ils peuvent consacrer à l'élaboration de projets personnels, à des activités de détente et, à l'occasion, au simple plaisir de vivre ensemble.					

3. Ma capacité de gérer des groupes de travail

LÉGENDE : **1.** Je le fais très peu, et ce n'est pas une priorité pour moi.
2. Je le fais très peu, mais je voudrais travailler ce point.
3. Je le fais avec quelques difficultés, mais je ne désire pas travailler ce point pour le moment.
4. Je le fais, mais j'aurais besoin d'améliorer ce point.
5. Je le fais avec aisance, j'en suis fier et je suis capable d'aider un autre collègue qui chemine dans ce sens.

	1	2	3	4	5
a) Je suis capable d'animer et de favoriser la participation des élèves sous différentes formes. Je me préoccupe de l'équilibre du temps consacré aux tâches individuelles, aux travaux d'équipe et aux activités collectives.					
b) À cette intention, je varie les structures pour gérer les groupes de travail : les dyades de dépannage, les dyades d'entraide, le tutorat, les équipes de travail, les équipes coopératives et les sous-groupes d'apprentissage.					
c) Je prends les mesures nécessaires pour partager avec les élèves les responsabilités inhérentes à la vie de la classe.					
d) J'amène les élèves à jouer un rôle actif dans l'organisation de la classe et la programmation du temps, surtout lorsque ces derniers travaillent en sous-groupes d'apprentissage.					
e) Je sais créer un contexte de travail qui conduit les enfants ou les adolescents à une plus grande autonomie pendant les périodes sans guidance.					
f) Je permets aux apprenants de faire des choix réels et importants sur :					
– les thématiques de projets et de recherches ;					
– les tâches d'enrichissement ;					
– la gestion de leur temps ;					
– l'échéancier de certains travaux ;					
– l'utilisation de démarches et de stratégies d'apprentissage de même que des procédures de fonctionnement ;					
– leurs partenaires de travail ;					
– les pistes d'objectivation ;					
– les outils de collecte et de consignation d'informations au regard de la gestion de leur portfolio d'apprentissage.					

4. Ma capacité d'établir une vie démocratique et coopérative dans la classe

	1	2	3	4	5
a) Je véhicule auprès des élèves et des parents l'idée que les valeurs propres à la démocratie et à la liberté des personnes font partie intégrante de notre projet éducatif de classe.					
b) Je m'assure quotidiennement que les droits de la personne sont respectés dans la classe.					
c) J'amène les élèves à coopérer pour résoudre les conflits personnels et les problèmes organisationnels qui se posent dans la classe.					

	1	2	3	4	5
d) J'entraîne les élèves à travailler en équipe et à collaborer en établissant avec eux les structures nécessaires pour le faire efficacement : le partage des rôles dans les équipes, l'encadrement disciplinaire, les sortes d'équipes à privilégier, les mandats possibles au sein des équipes, etc.					
e) Je permets à chaque élève d'exercer un leadership positif en faisant la promotion des forces inhérentes à chaque apprenant. Dans cette perspective, j'utilise un référent collectif, comme l'arbre des compétences ou la pizza des intelligences multiples.					

5. Ma capacité d'exploiter les ressources

LÉGENDE :
1. Je le fais très peu, et ce n'est pas une priorité pour moi.
2. Je le fais très peu, mais je voudrais travailler ce point.
3. Je le fais avec quelques difficultés, mais je ne désire pas travailler ce point pour le moment.
4. Je le fais, mais j'aurais besoin d'améliorer ce point.
5. Je le fais avec aisance, j'en suis fier et je suis capable d'aider un autre collègue qui chemine dans ce sens.

	1	2	3	4	5
a) Je fais l'inventaire des ressources humaines et matérielles de mon environnement au début de chaque année scolaire.					
b) Je prends les moyens nécessaires pour mettre à contribution les compétences des parents de mes élèves, des personnes ou des organismes de ma communauté culturelle.					
c) Je sais utiliser avec profit les centres de ressources de l'école et de la commission scolaire.					
d) Je suis ouvert à la possibilité de travailler dans la classe en partenariat avec les différentes ressources humaines de mon école : l'orthopédagogue, le psychoéducateur, l'aide-enseignant, le moniteur de langue, etc.					
e) Je sais utiliser les appareils de support de la communication et de l'enseignement.					
f) Je suis capable d'aider mes élèves à se servir des équipements mis à leur disposition : le projecteur, le magnétophone, le magnétoscope, l'appareil photo numérique, l'ordinateur et ses périphériques, le tableau interactif, le canon à projection, etc.					
g) Je mets un matériel diversifié à la disposition des élèves : matériel d'art, de manipulation, documents, revues, journaux, livres, logiciels, serveurs, instruments de mesure ou d'observation, outils, objets de récupération, etc.					
h) Je suis capable d'être critique face au matériel pédagogique ; à la lumière de certains critères d'efficacité, je sélectionne ou je construis du matériel adapté aux besoins de mes élèves.					
i) Je suis capable d'exploiter de façon maximale les ressources dont je dispose en recourant à des structures organisationnelles comme des ateliers-carrousels, des ateliers-arbres, des cliniques obligatoires ou convoquées, ou encore des centres d'apprentissage.					

Au fur et à mesure que vous avez analysé la teneur de l'organisation de votre classe à l'aide des grilles suggérées, des images mentales sont certainement apparues dans votre esprit. Parmi celles-ci se trouve assurément le souci de faire de votre classe un véritable milieu de vie afin de favoriser la participation des apprenants et les nombreuses interactions entre eux. Cette vision doit s'articuler autour d'un objectif de développement à long terme. Cependant, cette mesure prudente ne vous empêche pas pour l'instant de vous mettre en route.

2 La réflexion

Les caractéristiques d'une organisation de classe « porteuse de réussite »

Comme le révèlent les grilles d'analyse proposées précédemment, organiser sa classe avec le souci d'atteindre simultanément deux objectifs, soit rendre l'apprenant actif et responsable, et gérer les différences, exige de l'enseignant qu'il joue plusieurs rôles en même temps.

L'enseignant doit d'abord être « architecte » pour concevoir la classe comme un milieu de vie. Il lui faut aussi être « gestionnaire » du temps et des objets ou résultats d'apprentissage pour que la classe soit véritablement un lieu où fourmille l'apprentissage. Puis, il doit jouer le rôle d'« animateur », pour que les échanges entre élèves soient fructueux, tout en étant un « phare éclairant » qui épaule les élèves dans leurs apprentissages et s'assure que ces derniers conservent leur motivation. Ensuite, l'enseignant devient le « gérant » des ressources diversifiées pour étayer l'apprentissage, et finalement il adhère au rôle de « chef d'orchestre » pour harmoniser toutes les interrelations entre ces diverses composantes.

Cette polyvalence chez le gestionnaire d'une classe apparaît encore plus clairement quand on compare une classe à une entreprise. Le tableau 4.1, page suivante, établit un parallèle entre les « meilleures entreprises » et les classes qui sont « porteuses de réussite » pour les élèves. Il est surprenant de constater à quel point le rapprochement se fait naturellement.

Quelles sont les caractéristiques d'une organisation de classe performante ?

L'analyse comparative que le tableau 4.1 permet d'effectuer met en évidence quelques caractéristiques d'une organisation de classe tributaire de la réussite des élèves :

- Ne reconnaît-on pas, dans les deux situations, l'engagement de personnes motivées qui participent à la construction de quelque chose ?
- Ne reconnaît-on pas la présence de valeurs humaines, de croyances axées sur le potentiel des employés ou des élèves ? Les structures de participation mises en place sont en harmonie avec le credo de l'organisation et contribuent à responsabiliser chacun des partenaires réunis autour d'un projet commun.

TABLEAU 4.1 LES CARACTÉRISTIQUES DES MEILLEURES ENTREPRISES ET DES CLASSES PORTEUSES DE RÉUSSITE POUR LES ÉLÈVES

MEILLEURES ENTREPRISES	CLASSES PORTEUSES DE RÉUSSITE POUR LES ÉLÈVES
Elles ont pris le parti de l'action. La priorité donnée à l'action semble la caractéristique la plus importante des meilleures entreprises. *Éviter la paralysie par l'analyse* paraît être leur devise.	On y trouve un climat dynamique où il y a de la place pour l'action. L'élève et l'enseignant sont constamment en réflexion et en action.
Elles restent à l'écoute de la clientèle. *Apprendre avec et par la clientèle.*	L'enseignant est à l'écoute de l'élève.
Elles favorisent l'autonomie et l'esprit novateur. *Vous ne pouvez innover si vous ne pouvez accepter les erreurs.*	L'enseignant favorise l'autonomie et la créativité, deux sources importantes de motivation. Il accepte les erreurs des élèves quand ils sont en phase d'apprentissage.
Elles assurent la productivité par la motivation du personnel. *Donner un sens au travail des employés, les transformer en gagnants, les laisser se singulariser, les traiter en adultes.*	L'enseignant amène les élèves à s'engager dans leurs apprentissages. Il les motive et reconnaît leurs capacités. Il valorise les réussites de chacun.
Elles se mobilisent autour de valeurs clés. *Définir le système de valeurs de l'entreprise. Communiquer aux employés ce que défend l'entreprise et ce qui donne le plus de fierté à chacun.*	L'enseignant détermine les valeurs qu'il désire véhiculer dans sa classe ou son groupe de base. Il les communique aux élèves, aux parents et au gestionnaire de l'école.
Elles s'en tiennent à ce qu'elles savent faire. *Miser sur ses forces et ne pas s'éparpiller dans l'action.*	L'enseignant mise sur les forces de ses élèves. Il n'exige pas tout en même temps. Avec ses élèves, il établit des priorités d'action, sous forme de défis à court ou à moyen terme.
Elles présentent une structure simple et légère. *Définir un cadre de travail structuré, non structurant.*	L'enseignant présente aux élèves un cadre de vie assez large pour qu'ils puissent exercer une certaine liberté à l'intérieur de celui-ci.
Elles allient souplesse et rigueur. *Donner une certaine latitude aux employés tout en maintenant un encadrement.*	L'enseignant allie souplesse et rigueur dans sa classe ou son groupe de base. Il donne de la latitude, mais il est capable d'encadrement lorsque cela s'avère nécessaire.

- Ne reconnaît-on pas l'ouverture des dirigeants à percevoir les différences chez les employés ou les élèves comme des sources de richesse? Les stratégies déployées permettent de tirer profit de toutes ces différences pour que chacun apporte sa contribution à la réussite de l'organisation ou à l'enrichissement de la communauté d'apprenants.

Premier critère de réussite: une organisation de classe orientée vers la participation des élèves

Dans l'introduction, nous avons exploré quatre styles de gestion de classe: la gestion fermée, la gestion mécanique, la gestion participative et la gestion à tendance libre. Comme le but de cet ouvrage est de guider des enseignants qui manifestent le désir de mettre en place un modèle participatif au

sein de leur classe ou de leurs groupes de base, il vaut la peine de regarder ce que peut signifier l'apprentissage à l'intérieur d'une gestion participative.

Pour adhérer à la première caractéristique qui est la participation, il faut que l'enseignant reconnaisse le fait que, pour construire son savoir, l'élève doit participer activement au processus d'apprentissage qu'il vit. En d'autres mots, une organisation de classe à caractère participatif découlera d'une conception de l'apprentissage basée sur l'élève « artisan » de ses apprentissages.

Pour illustrer cette affirmation, j'utiliserai les propos d'un enseignant convaincu des avantages du modèle participatif dans sa classe. Après avoir expérimenté ce type de gestion de classe pendant quelques années, celui-ci a ressenti le besoin de mettre des mots sur ce qu'il vivait. Je l'ai accompagné dans l'émergence de son cadre théorique, et aujourd'hui ce dernier le partage avec vous (*voir encadré ci-dessous*).

Un credo inspirant

J'ai décidé de mettre en place une gestion participative dans ma classe parce que je suis animé par les convictions suivantes :

- Je crois, en premier lieu, que le processus d'apprentissage est basé sur la dynamique de l'apprenant avec ses forces à exploiter et ses défis à relever.
- Je perçois la finalité des objets d'apprentissage comme le développement de compétences durables et transférables que l'élève acquiert en participant.
- Je me représente les objets d'apprentissage comme une suite de « petits pas constructifs » qui s'inscrivent dans la dynamique d'une séquence d'apprentissage vécue dans un contexte participatif et signifiant.
- Je suis habité par la croyance que l'élève apprend plus facilement s'il peut confronter ses représentations mentales lorsqu'il est en relation avec des pairs. À cette intention, je mets en place des modalités d'échange et de coopération dans la classe et je supervise le vécu de ces différentes formes d'entraide.
- J'orchestre mon rôle d'accompagnement à la lumière des paramètres suivants :
  - Le début de mon accompagnement est fondé sur les connaissances antérieures de l'élève et sur les particularités de son profil d'apprentissage.
  - La mobilisation de l'apprenant s'effectue dans le cadre d'une mise en projet ou d'une résolution de problème.
  - Pour renforcer cette mobilisation, je propose à l'élève des situations d'apprentissage lui permettant d'établir des liens entre la tâche d'apprentissage et son savoir d'expérience.
  - Je m'assure de la présence de cadres de référence et de points de repère illustrant le processus d'apprentissage pour que l'élève soit conscient des étapes qu'il vit pendant son parcours.
  - J'offre un étayage composé de démarches et de stratégies d'apprentissage pour que l'élève puisse exercer un contrôle sur la tâche et conserver ainsi sa motivation tout au long du processus.
- Pendant que l'élève réalise sa tâche d'apprentissage, je l'accompagne en insistant sur l'objectivation, l'évaluation formative et l'autorégulation.
- Lorsque l'élève tente de construire son apprentissage, j'anticipe toujours des résultats positifs par rapport à cette mise en place du modèle participatif.
  - le développement de compétences durables et transférables dans la vie de tous les jours ;
  - la responsabilisation de l'élève ;
  - la prise en compte des différences chez les apprenants ;
  - l'équilibre entre les trois savoirs : le savoir, le savoir-faire et le savoir-être.

L'heure juste

Il est évident que l'application du modèle décrit dans l'encadré précédent nécessite la présence de différentes structures organisationnelles orientées vers :

- l'aménagement de l'espace (par exemple, des aires de travail pour les équipes de discussion, un centre d'informatique, des tableaux d'affichage, un espace pour le tableau blanc interactif) ;
- la gestion du temps (par exemple, un menu ouvert, un plan de travail, un tableau d'enrichissement, des périodes allouées à des projets personnels, à de la recherche autonome) ;
- l'animation des groupes de travail (par exemple, des dyades d'entraide, du tutorat, des équipes coopératives) ;
- l'exploitation des ressources (par exemple, un coffre à outils, un référentiel illustrant les étapes du processus d'apprentissage, un répertoire des différents styles d'apprentissage).

Ces quatre types de structures constituent l'essence même de toute organisation de classe.

Par conséquent, la gestion de classe participative peut s'implanter et se maintenir dans une classe ou dans un groupe de base à la seule condition que, en plus d'adhérer à une conception de l'apprentissage centrée sur la participation de l'élève, l'enseignant mette en place une organisation de classe qui permettra d'actualiser cette croyance.

Porté par l'ambition de développer une organisation de classe efficace, le praticien devra faire preuve de vigilance pour que celle-ci ne devienne pas une fin en soi. Il devra plutôt l'orienter vers sa véritable raison d'être, soit servir de support à l'apprentissage. Les ateliers, par exemple, ne sont pas une finalité à atteindre, mais un moyen de solliciter la participation des élèves par la découverte, la manipulation et l'expérimentation. Il n'est pas besoin de créer des ateliers si un enseignant désire que ses élèves travaillent sur des pages d'exercices différents. Dans ce contexte, les élèves ne travaillent pas véritablement en ateliers, ils sont tout simplement placés devant une rotation d'activités ou de feuilles.

L'élaboration des quatre types de structures qui donnent vie à l'organisation d'une classe nécessite du temps et des efforts. Il ne s'agit pas de chercher à implanter toutes ces structures en même temps. Il serait même dangereux de vouloir se précipiter dans « l'univers des structures ». L'enseignant concevra plutôt celles-ci au fur et à mesure qu'il fera participer les élèves en classe ou qu'il leur laissera plus de latitude sur le plan des apprentissages.

L'enseignant désireux de se pencher sur l'émergence de structures organisationnelles serait bien avisé de scruter les liens très étroits existant entre la motivation et la gestion de classe participative. Avoir des élèves motivés, quel cadeau pour un enseignant ! L'appât de ce gain peut devenir un élément irrésistible…

4

Le duo motivation et gestion de classe participative

Il est possible d'accroître la motivation de l'élève par une gestion de classe participative axée sur :

- une relation interpersonnelle à travers les modes d'interaction et de communication dans le vécu quotidien pour développer des habiletés sociales et construire la motivation existentielle ;
- une relation pédagogique à travers les apprentissages pour construire la motivation scolaire ;
- un contexte d'apprentissage enraciné dans la métacognition à travers les prises de conscience de l'élève et la mise en mots de ses apprentissages ;
- un contexte éducatif alimenté par l'entraide et la coopération à travers les relations que vit l'apprenant avec ses pairs ;

- un contexte pédagogique orienté vers les interventions pertinentes d'un enseignant à travers la modélisation, la médiation, l'objectivation, la régulation de l'élève et de l'enseignant ;
- un environnement riche, invitant et adapté pouvant servir de tremplin aux apprentissages.

Voilà un avant-goût des exigences à remplir et des gains à récolter à la suite d'un tel investissement ! Nous poursuivrons notre réflexion sur les avantages du modèle participatif dans le chapitre 5, consacré à la gestion des apprentissages.

Deuxième critère de réussite : une organisation de classe axée sur la responsabilisation des élèves

Dans la foulée des caractéristiques d'une organisation de classe porteuse de réussite pour les élèves, explorons maintenant le terrain de la responsabilisation des apprenants. La responsabilisation est aussi liée à la participation. Plus les élèves se sentent concernés au sein de leur communauté d'apprenants, plus ils ont le goût d'agir, et plus ils deviennent responsables.

Pour se convaincre du bien-fondé de la mobilisation, regardons ce que fait une entreprise lorsqu'elle éprouve de grandes difficultés. S'il s'agit d'une entreprise orientée vers la planification stratégique, elle se tourne automatiquement vers ses employés pour les faire participer à la résolution du problème. Elle mise sur son potentiel humain, sachant que plus l'organisation appartient à la base, plus il est facile de se sortir d'une impasse. Les entreprises davantage proactives n'attendent pas le moment où elles seront acculées au mur pour se tourner vers la participation et la responsabilisation de leurs employés. En éducation, nous avons grandement intérêt à nous inspirer de cette façon de faire...

Contrairement à une pensée magique voulant que la responsabilisation soit quelque chose d'inné chez l'enfant ou l'adolescent, un genre de cadeau du ciel qui arrive par surcroît dans la classe, elle doit, comme d'autres attitudes d'ailleurs, être enseignée et apprise. Un élève ne peut modifier son savoir-être simplement en écoutant les recommandations de son enseignant, en suivant le cours qu'il donne ou en accomplissant des exercices dans un manuel scolaire. Pour devenir un être responsable, il faut être en action, prendre des risques, faire des essais, connaître des réussites et des difficultés. Dans une classe, cela suppose que l'élève peut évoluer à l'intérieur d'une structure qui aura été définie conjointement, c'est-à-dire par son enseignant et lui-même. Cela suppose aussi que le droit à l'erreur est considéré comme un droit fondamental rattaché au processus d'apprentissage.

L'heure juste

Lorsque je circulais dans les écoles, j'ai très souvent entendu des affirmations du genre: « Mes élèves ne sont pas assez autonomes pour que je puisse ouvrir mon menu. » « Mes élèves sont tellement bébés que j'ai renoncé cette année à organiser des sorties culturelles. » « Comment organiser des sous-groupes d'apprentissage alors que mes élèves sont incapables de travailler sans guidance ? » « Je permets seulement aux élèves responsables de travailler en dyades d'entraide. »

À toutes ces doléances je réponds par l'interrogation suivante: « Doit-on attendre que les élèves soient autonomes pour utiliser un modèle participatif ou doit-on les faire participer, avec les limites que cela implique, pour que ceux-ci deviennent responsables ? »

Tant et aussi longtemps qu'un enseignant n'acceptera pas de « partager le pouvoir » avec ses élèves, ceux-ci ne deviendront jamais autonomes. Par contre, partager le pouvoir, cela suppose de la part d'un intervenant que cette orientation éducative est voulue, acceptée, planifiée et étoffée d'un outillage adéquat.

Les enseignants qui parviennent à responsabiliser leurs élèves ont mis sur pied une gestion de classe participative et une solide organisation de classe. Ils n'ont pas eu le choix de s'appuyer sur le solage même de la gestion, soit sur les fondements des quatre structures organisationnelles de base:

- l'aménagement de l'espace (*voir outils 4.6 et 4.10, p. 223 et 269*) ; par exemple, le centre d'autocorrection, le centre de lecture, les îlots de travail ;
- la gestion du temps (*voir outil 4.8, p. 248*) ; par exemple, le tableau de programmation, le tableau d'inscription et de contrôle, le relevé des centres d'apprentissage ;
- l'animation des groupes de travail (*voir outils 4.2 et 4.3, p. 206 et 213*) ; par exemple, les dyades de dépannage, les équipes coopératives, les sous-groupes d'apprentissage momentanés ;
- l'exploitation des ressources ; par exemple, le matériel scientifique, l'ordinateur et ses périphériques, le carnet d'apprentissage (*voir outil 4.9, p. 265*).

4

Quel type d'organisation de classe peut contribuer à responsabiliser les élèves ?

L'enseignant qui désire responsabiliser ses élèves fait les gestes suivants:

- Il donne des choix toutes les fois que c'est possible.
- Il fonctionne avec des échéanciers de travail.
- Il propose un éventail de démarches et de stratégies d'apprentissage pour diversifier les parcours.
- Il invite l'élève à se donner des défis personnels et des seuils de réussite.
- Il inculque le concept de la responsabilisation: « Tu avais la liberté de choisir, mais tu as aussi le devoir d'assumer ton choix. »
- Il valorise le sens de l'effort.
- Il utilise le partage des responsabilités au sein de sa classe ou de son groupe et la répartition des tâches au sein d'une équipe coopérative.

- Il décode les champs d'intérêt et les attentes des élèves de manière continue et s'en préoccupe au moment de la planification des situations d'apprentissage.
- Il met au point un outillage adéquat pour favoriser le travail autonome, sans la guidance d'un adulte.
- Il instaure des procédures de débrouillardise et de coopération.
- Il utilise des structures comme les ateliers-carrousels, les ateliers-arbres et les cliniques avec inscription.
- Il amène les élèves à porter un regard critique sur leur degré d'autonomie à l'aide de l'objectivation, de l'autoévaluation et de l'autorégulation.

Voir *Apprivoiser les différences*, p. 489 à 494.

Troisième critère de réussite : une organisation de classe ouverte à la gestion des différences

La gestion des différences est l'une des principales difficultés auxquelles doivent faire face aussi bien les chefs d'entreprise que les enseignants. Si, pendant longtemps, on a pu croire que toutes les personnes dans l'entreprise ou dans la classe se ressemblaient, on ne peut plus aujourd'hui s'en tenir à cette conception erronée. Désormais, l'enseignant doit miser sur les différences de possibilités, de caractères, d'habiletés, d'intelligence de ses élèves. Il doit harmoniser toutes ces différences pour en tirer parti, et cela, pour le plus grand bénéfice de chacun.

Il fut un temps dans les écoles où la gestion des ressemblances était la seule façon de faire : tous les élèves, dans une classe, devaient faire les mêmes exercices en même temps. De nos jours, il est clair que ce modèle est plus ou moins approprié ; du moins, il faut admettre que celui-ci ne donne plus les résultats escomptés.

Comment tenir compte des différences dans une classe ?

Aujourd'hui, l'enseignant désireux de commencer à tenir compte des différences dans ses interventions doit accepter certains préalables avant de se lancer dans l'action :

- Il doit accepter que des différences existent dans sa classe ou son groupe de base.
- Il doit croire qu'il est possible de gérer ces différences.
- Il doit vouloir relever le défi de tenir compte des différences chaque fois que c'est humainement possible de le faire.
- Il doit être créatif dans la conception et la mise en place des outils organisationnels favorisant la gestion des différences.
- Il doit être souple dans l'utilisation et l'exploitation des manuels scolaires et des cahiers d'exercices.
- Il doit être capable d'exercer un leadership confiant dans la classe : avoir confiance en soi et dans le potentiel de ses élèves.
- Il doit faire appel aux ressources des élèves.
- Il doit accepter qu'il y ait du mouvement dans la classe, des déplacements, des échanges, des interactions et des chuchotements.

- Il doit établir avec les élèves un cadre disciplinaire engageant et responsabilisant.
- Il doit se placer lui-même en apprentissage ; apprendre à gérer les différences est un processus complexe, qui suppose des innovations, des expérimentations, des essais, des erreurs et des régulations.

Une fois ces prémisses acceptées, l'enseignant comprendra qu'il ne peut régler la question des différences dans sa classe uniquement avec une approche collective, des manuels scolaires et des cahiers d'exercices. Il lui faudra créer et mettre en place des structures organisationnelles qui ne laisseront sûrement pas l'apprenant indifférent. Dans cette foulée, la section suivante porte sur la motivation scolaire et la gestion des différences ; elle peut être des plus inspirantes.

Le duo motivation scolaire et gestion des différences

Il est possible d'accroître la motivation par la gestion des différences :

1. À travers la perception que l'apprenant aura de l'école. Pour que cette perception soit positive, l'élève devra :
   - sentir que l'école est centrée sur les apprentissages ;
   - concevoir l'intelligence comme évolutive : le savoir se construit ;
   - croire qu'il peut réussir parce que son rythme et son style d'apprentissage sont non seulement respectés, mais aussi pris en compte par son enseignant ;
   - sentir qu'il a un contrôle sur la tâche parce qu'il se sent soutenu par des démarches, des procédures et des stratégies d'apprentissage ;
   - anticiper un résultat positif pour les efforts qu'il déploiera.
2. À travers la relation pédagogique que l'élève vivra avec son enseignant. Cette relation portera les caractéristiques suivantes :
   - Une relation où l'élève a du pouvoir sur ses apprentissages ;
   - Une relation où l'élève accomplit des choses avec son enseignant à partir de ses connaissances antérieures, de son style cognitif et de son rythme d'apprentissage ;
   - Une relation où l'élève se sent guidé par son enseignant qui met au point avec lui des démarches, des procédures et des stratégies.
3. À travers les attitudes essentielles chez l'enseignant. L'élève sent que l'adulte qui l'accompagne adopte les comportements suivants :
   - L'enseignant est capable de s'adapter ;
   - Il accepte l'erreur ;
   - Il reconnaît l'effort ;
   - Il donne régulièrement de la rétroaction ;
   - Il se sert de l'évaluation formative et de la régulation pour aider l'élève à avancer sur la route des apprentissages.
4. À travers l'utilisation des outils organisationnels essentiels à la gestion des différences. L'élève retrouve dans son environnement différentes ressources étalées sur son parcours d'apprentissage :

- Des ressources au moment où l'enseignant fait appel à ses connaissances antérieures; l'élève joue alors un rôle actif grâce au carnet d'apprentissage, aux cartes d'exploration et aux schémas organisateurs d'idées.

Comment tenir compte des différents rythmes?

- Des ressources au moment où l'enseignant tient compte des rythmes d'apprentissage; l'élève se sent alors rejoint par certaines interventions venant de son accompagnateur:
  - Ce dernier utilise des dyades d'entraide et le travail d'équipe;
  - Il adapte les objets d'apprentissage et les seuils de réussite;
  - Il propose des défis personnalisés;
  - Il suggère des activités d'enrichissement;
  - Il recourt à des activités concrètes et à des projets;
  - Il forme des sous-groupes d'apprentissage;
  - Il met en place le tutorat par les pairs.
- Des ressources au moment où l'enseignant tient compte des styles d'apprentissage des apprenants; l'élève bénéficie alors des interventions suivantes:
  - L'enseignant sensibilise les élèves à leur style d'apprentissage;
  - Il a le souci des présentations auditive et visuelle;
  - Il met du matériel de manipulation à la disposition des élèves;
  - Il varie les façons de présenter les consignes;
  - Il permet l'utilisation des technologies.
- Des ressources au moment où l'enseignant construit en partenariat un coffre à outils au regard du savoir-apprendre; l'élève se sent alors épaulé par les interventions suivantes:
  - L'enseignant élabore des référentiels sur les procédures, les démarches et les stratégies d'apprentissage;
  - Il insiste sur l'enseignement des connaissances procédurales;
  - Il favorise le développement des compétences d'ordre méthodologique.

Le texte qui précède met en relief la nécessité d'élaborer un outillage varié au moment où l'enseignant désire prendre en considération les différences de profils et de parcours d'apprentissage. Outre cette préoccupation de la différenciation, l'instrumentation mise en place servira autant à faire participer les élèves qu'à les responsabiliser. Bref, ce sont les structures organisationnelles qui meublent l'organisation d'une classe.

À la recherche de structures organisationnelles

Pour établir une organisation de classe fonctionnelle, l'enseignant doit d'abord reconnaître les structures organisationnelles qu'il a déjà mises en place. Par la suite, il distinguera celles qui lui semblent efficaces et celles qui lui causent des soucis. En effet, la stratégie axée sur la résolution de problèmes majeurs peut s'avérer un pilier central sur lequel l'enseignant doit s'appuyer quand vient le temps de remédier à une situation insatisfaisante. Au lieu de toujours reprendre à zéro, pourquoi ne pas partir de ce qui existe déjà ? Pourquoi ne pas consacrer ses énergies à résoudre un problème organisationnel par la régulation d'une structure actuelle ? Si le résultat n'est pas probant, il sera toujours temps pour l'enseignant de créer une nouvelle structure.

Pour nous rendre habiles à adopter cette façon de concevoir le changement, utilisons une approche divergente afin d'avoir un avant-goût de tout ce que nous pourrions faire. Puis, nous nous concentrerons sur chacun des quatre volets de l'organisation, soit l'aménagement de l'espace, la gestion du temps, l'animation des groupes de travail et l'exploitation des ressources.

Je vous invite donc à faire l'inventaire de votre propre instrumentation en regard des quatre volets de l'organisation énumérés ci-dessus avant de survoler la figure 4.1, page suivante. Cette figure présente une vue d'ensemble de l'outillage organisationnel à élaborer. Ce remue-méninges offre divers exemples de structures à partir desquelles un praticien peut entreprendre un cheminement. Malgré le fait que le modèle participatif soit à inventer au fil des jours, celui-ci doit se construire sur la base solide des acquis professionnels.

L'enseignant qui s'engage dans cette aventure ne peut se référer uniquement aux modèles, aux normes ou aux procédures déjà en place ; il doit d'abord compter sur son potentiel, au lieu d'éparpiller ses forces à chercher des recettes, des trucs ici et là. Ne dit-on pas que le véritable changement ne peut se déverrouiller que de l'intérieur ? Puisqu'il n'existe pas de réponse toute faite dans ce domaine, l'enseignant est invité à créer, avec la complicité de ses élèves, une nouvelle manière de vivre l'apprentissage en classe. La figure 4.1 peut donner une première idée des instruments nécessaires à un enseignant qui déciderait d'emprunter la voie participative, responsabilisante et différenciée.

Tous les éléments figurant sur la carte d'exploration peuvent se regrouper autour des quatre volets organisationnels d'une classe :

1. L'aménagement de l'espace ;
2. La gestion du temps ;
3. L'animation des groupes de travail ;
4. L'exploitation des ressources.

Voilà beaucoup de choses à coordonner en même temps ! Mais pour être un bon chef d'orchestre et permettre à chaque instrument de donner le meilleur de lui-même, il faut connaître le sens de la pièce à jouer. Dans cette perspective, les sections suivantes suggèrent quelques orientations pratiques susceptibles de vous aider à donner tout leur sens aux outils que vous choisirez de mettre en place.

FIGURE 4.1 LA CARTE D'EXPLORATION SUR LES COMPOSANTES DE LA GESTION DES DIFFÉRENCES

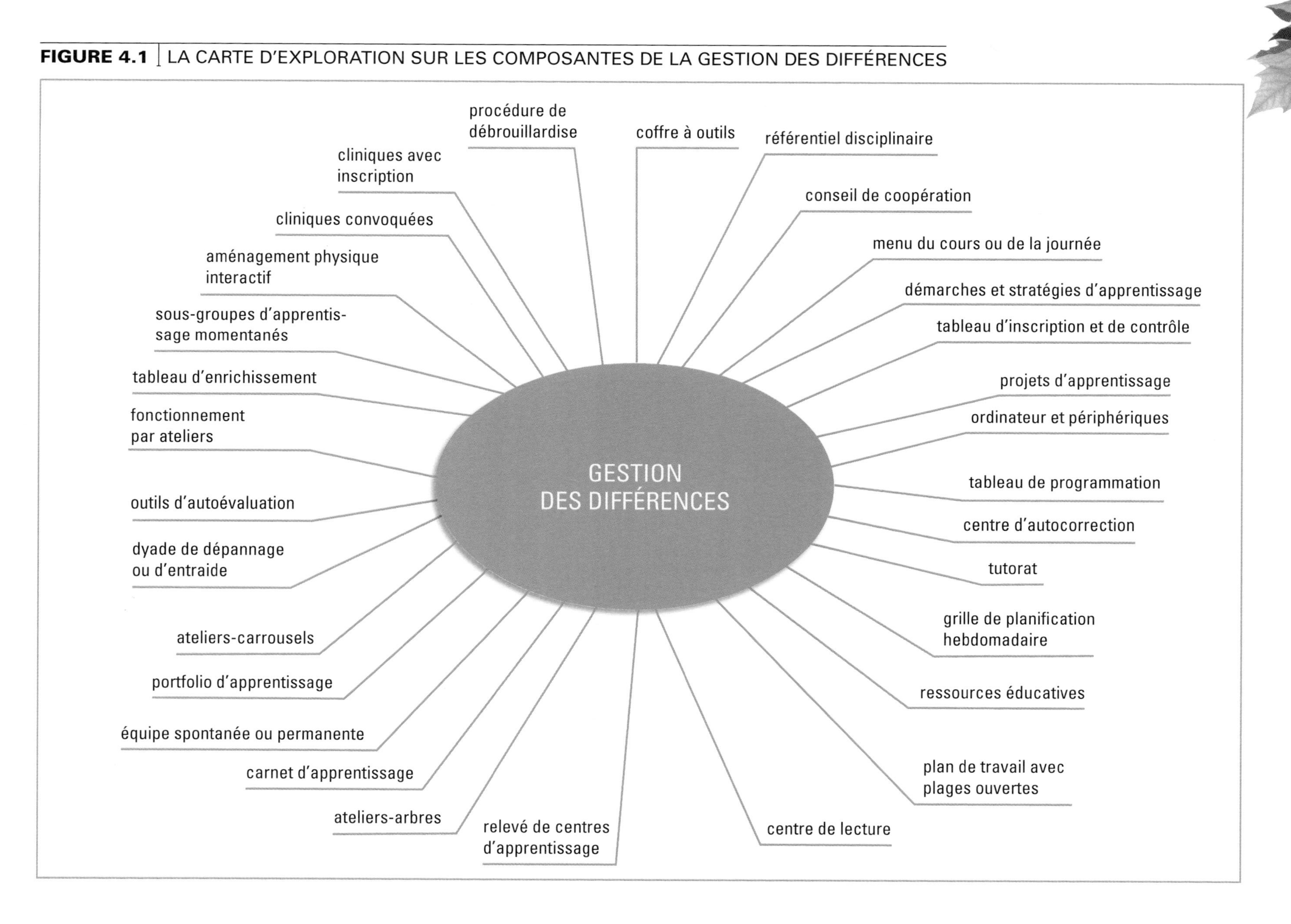

Des structures pour aménager l'espace

Entre le rêve et la réalité

Nos expériences d'adultes nous ont appris qu'un espace n'est jamais neutre, puisqu'il traduit assez souvent une partie de notre intimité. Il suscite des sentiments, il incite à des attitudes, il provoque des comportements, et même il donne lieu à différentes réactions et à maints commentaires venant de notre entourage. Qu'on le veuille ou non, l'espace aménagé crée une atmosphère, qu'elle soit agréable ou désagréable.

L'atmosphère obtenue dans un espace nouvellement aménagé est le résultat de l'interaction d'un certain nombre de facteurs. Que ce soit la forme de la pièce, le choix de l'ameublement, la disposition du mobilier, l'agencement des couleurs, l'harmonie entre les espaces occupés et les espaces vacants, l'intensité de la lumière, chaque détail revêt une importance. La personne qui organise une aire de vie traduit, parfois inconsciemment, des aspects d'elle-même. Que ce soit sa perception du confort, l'importance qu'elle accorde à certaines activités, son besoin de calme ou d'excitation.

En classe, plus encore que dans une maison, l'aménagement de l'espace est au service de ce que l'on veut faire. Il traduit la pédagogie de l'enseignant, son attitude dans la relation avec les élèves, sa conception de l'apprentissage. Or, actuellement, l'aménagement de plusieurs classes ressemble à un théâtre : un plus ou moins grand espace devant avec, au centre, le bureau de l'enseignant ; derrière, en rangées, les places des élèves. Cet aménagement est conçu en fonction de l'enseignant, la classe étant une scène où celui-ci donne son spectacle devant des enfants et des adolescents qui écoutent du mieux qu'ils peuvent.

Un tel aménagement, centré sur l'adulte, emprisonne l'enseignant dans un rôle d'émetteur et de démonstrateur. Il est, à tous moments, le centre d'observation de la classe, la source du savoir. Ce n'est pas ce que recherche l'enseignant qui désire gérer sa classe d'une façon participative. Il veut plutôt favoriser :

- l'interaction : les relations doivent être possibles, en tout temps, entre les élèves et entre l'enseignant et les élèves ;
- l'observation, le questionnement, les manipulations, l'expérimentation, car l'enseignant n'est pas la seule source de savoir. À n'importe quel moment, l'enfant ou l'adolescent doit pouvoir être en contact avec la réalité pour faire ses propres observations, ses propres expériences, ses propres découvertes ;
- les mouvements, les déplacements : la classe cesse d'être un théâtre, elle devient un milieu de vie où chacun devient acteur dans la construction de son savoir ;
- le vécu d'activités éducatives où la simultanéité des buts, des tâches, des processus et des productions est omniprésente.

Tous les enseignants diront qu'ils veulent faire de leur classe un milieu de vie, à la fois pour leurs élèves et pour eux-mêmes. Dans les faits, l'aménagement d'un tel type de classe est un aspect qui provoque une bonne dose d'insécurité et d'inconfort. L'enseignant qui tente de faire bouger le mobilier et de réorganiser les principales aires de travail a souvent l'impression d'être dépouillé de ses repères. Il a peur de se tromper ou de perdre le contrôle de la classe s'il modifie le cadre spatial actuel. Il anticipe même que les élèves, n'ayant pas de points d'ancrage dans le nouvel environnement, seront incapables de s'adapter au changement qu'il a provoqué.

Les références concernant l'aménagement d'une classe sont rares, le modèle théâtral est encore solidement établi, et tout est en mouvance pour ceux qui tentent de modifier le modèle avec lequel ils sont davantage familiarisés. Malgré cette hantise de se retrouver dans un milieu de vie où ils ne seraient plus en situation de mainmise sur tout ce qui peut arriver, certains enseignants osent faire autrement. Toutefois, les types d'aménagements obtenus, que l'on pourrait qualifier de tentatives novatrices, ne sont pas nécessairement conçus au regard des étapes rattachées à une séquence d'apprentissage. Au lieu d'être au service de la formation de base, de la consolidation, de l'approfondissement ou de l'enrichissement, ces nouveaux modèles d'aménagement sont tout simplement le fruit de la créativité et de la prise de risques.

Pourtant, il s'agit déjà d'une initiative fort louable; l'étape suivante consisterait à justifier les choix d'aménagement faits à l'aide d'un questionnement pédagogique : pourquoi ? comment ? Ce n'est pas par hasard qu'un enseignant décide de placer un centre de lecture à tel endroit dans une classe.

Par où faut-il commencer ?

L'enseignant qui remet en question son espace-classe peut commencer par faire certains gestes qu'il juge peu périlleux. Ils en entraîneront d'autres et, petit à petit, le visage de cet espace sera modifié en profondeur. Les effets commenceront à se faire sentir autant dans les relations humaines que dans le modèle d'apprentissage vécu en classe. Voici des suggestions visant l'optimisation de l'espace actuel et la fonctionnalité des différentes aires de travail.

Comment rendre l'aménagement d'une classe plus fonctionnel ?

1. *Déplacer le bureau de l'enseignant :* Comme celui-ci occupe généralement un espace assez vaste, la superficie récupérée pourra devenir une aire de rassemblement pour le travail en sous-groupes. Le bureau de l'enseignant pourra occuper un coin de la classe, facile d'accès pour tous.
2. *Disposer les pupitres des élèves en îlots de travail :* Cette disposition permet d'agrandir la classe tout en favorisant le vécu de l'apprentissage coopératif.

3. *Utiliser le mobilier existant pour créer des ateliers ou des centres ayant une vocation déterminée :* Un centre de lecture, un centre d'enrichissement et un centre d'informatique sont des aires de travail permanentes, par opposition à un atelier de consolidation, qui revêt un aspect temporaire orienté vers un besoin spécifique. On peut penser aussi à éloigner les zones de silence des zones bruyantes.
4. *Placer le centre d'enrichissement vers l'arrière ou vers les côtés arrière de la classe :* Cette disposition permet d'éliminer des sources de distraction ou de dérangement pour les élèves qui ne seraient pas en train de fréquenter ce centre. La localisation adoptée procure également plus d'intimité aux utilisateurs.
5. *Élaborer un tableau d'enrichissement que l'on situera dans l'espace réservé au centre d'enrichissement :* Il est important de déterminer les activités qui se vivront aux pupitres des élèves et de repérer les tâches qui nécessiteront l'aménagement d'espaces bien circonscrits, comme ce sera le cas pour les ateliers d'informatique, de bricolage ou de jeux éducatifs. Une surcharge de bruit, la présence d'un outillage spécialisé ou le risque de dégâts sont des raisons pour prendre la décision d'établir des espaces à vocation particulière.
6. *Afficher le référentiel disciplinaire sur un mur, en avant de la classe :* Les règles de vie et les réparations ont intérêt à demeurer visibles afin que les élèves puissent les consulter facilement.
7. *Situer le centre d'autocorrection vers l'avant de la classe :* Une telle orientation dans l'espace permet à l'enseignant d'y jeter un coup d'œil discret de temps à autre tout en maintenant le tempo de son animation ou de sa supervision. Il faut choisir un endroit où l'élève retrouvera une certaine tranquillité et pourra travailler sans se laisser distraire par les autres élèves qui circulent ou s'entraident en chuchotant dans la classe.
8. *Monter une table d'exploration et de manipulation vers l'avant de la classe :* L'enseignant se servira de cette structure pour laisser en permanence du matériel de soutien à la disposition des élèves. Cet espace sera d'une aide précieuse lorsque viendra le temps d'animer des cliniques obligatoires ou avec inscription.
9. *Déterminer des zones d'affichage précises sur les murs :* L'enseignant prêtera attention à la classification des informations offertes : un espace pour le français, un autre pour les mathématiques et un autre encore pour les sciences. Il verra à effectuer la rotation de l'affichage. Sinon, avec le temps et l'accumulation de nombreux référents, les murs deviendront presque des fresques ou des tapisseries. Avec une telle surcharge de données à traiter, l'élève ne voit plus rien, il n'arrive tout simplement pas à repérer l'essentiel, ce dont il a besoin présentement. Si l'enseignant se sent limité par l'espace, il doit se rappeler que les dos d'étagères ou d'armoires peuvent aussi servir d'espaces d'affichage.

10. *Travailler en collaboration avec des collègues pour réaliser une première expérience d'aménagement physique de sa classe :* Quand on vit plusieurs heures dans un local aménagé d'une certaine façon, on n'arrive plus à visualiser comment on pourrait le réorganiser. On n'a pas assez de distance par rapport à la réalité quotidienne pour juger de ce qui va et de ce qui ne va pas.
11. *Amener les élèves à s'engager dans l'aménagement physique de la classe :* Plus l'enseignant est sûr de ce qu'il veut vraiment, plus il se sent capable de fonctionner dans une classe à caractère participatif, et plus il peut faire appel aux solutions des élèves pour résoudre certains problèmes spatiaux. Comme les enfants et les adolescents ont souvent une façon très différente de l'adulte de voir la réalité, ils sont capables de trouver de nouvelles idées, et il n'est pas besoin de préciser que leurs nombreuses suggestions sont dans bien des cas sensées et originales.

Des structures pour gérer le temps

Un pouvoir à partager

L'adulte n'en a pas toujours conscience, mais l'un de ses plus grands pouvoirs est celui de la gestion de son temps, au sens large du terme. Même si cette gestion est sans cesse mise à l'épreuve par l'imprévu, il a toujours la possibilité de décider de la manière dont il fera une régulation.

Ce pouvoir est tout à fait visible dans une classe. Pour empêcher le temps d'être « perdu », l'enseignant planifie le cours, la journée, la semaine, l'étape, l'année. Il choisit les moments du cours, de la journée ou de la semaine pour telle ou telle activité. Il décide du début et de la fin d'une activité, généralement en fonction de sa grille-horaire, plutôt qu'au regard des champs d'intérêt ou de l'engagement des élèves. En agissant comme gardien du temps, l'enseignant se comporte comme s'il était la seule personne à le posséder et à devoir le gérer.

Cette attitude centralisatrice met les élèves en situation de dépendance et d'irresponsabilité par rapport à l'enseignant. Puisque l'adulte gère bien le temps, pourquoi les élèves auraient-ils à se soucier des minutes requises pour accomplir une tâche ? Pourquoi ceux-ci se préoccuperaient-ils de répartir adéquatement leur travail personnel échelonné sur un cours, une journée, une semaine ? Après des années d'un fonctionnement qui les place sous une certaine forme de « tutelle », les élèves sortent du primaire et du secondaire incapables de s'organiser pour faire face aux exigences du collège ou de l'université.

Dans une gestion de classe participative, l'enseignant saisit toutes les occasions de favoriser la croissance de l'élève. En amenant l'apprenant à participer à la gestion de son temps dans la classe, il concourt au développement de son sens de la planification, de ses capacités de prévision, d'organisation, d'évaluation et de prise de décision. En fait, il lui fournit des occasions toutes naturelles de développer ses compétences transversales.

TABLEAU 4.2 | ÉCONOMISER DU TEMPS EN EXERÇANT UNE GESTION PARTICIPATIVE DE LA CLASSE

GESTION FERMÉE	GESTION PARTICIPATIVE
L'enseignant s'impatientait de voir les élèves attendre en file indienne pour faire corriger leurs travaux.	Chaque élève corrige son propre travail au pupitre d'autocorrection, installé dans un centre prévu à cette intention.
Il s'énervait lorsque les élèves « poireautaient » pour demander une explication.	Les élèves s'entraident lorsqu'ils ont l'autorisation de travailler en dyades spontanées ou structurées.
Il regrettait de voir des élèves perdre du temps pendant que d'autres arrivaient à peine à finir leur travail.	Un tableau d'enrichissement fournit toujours de nouvelles situations pour approfondir ou prolonger l'apprentissage.
Il voyait des élèves s'ennuyer lors des corrections collectives d'examens.	L'enseignement par sous-groupes permet à l'enseignant d'aider les élèves qui n'ont pas atteint un objet ou un résultat d'apprentissage pendant que les autres élèves s'affairent à leur projet personnel.
Il se désolait de voir les élèves ne pas savoir quoi faire en arrivant le matin en classe.	Le menu du cours et de la journée de même que le plan de travail sont affichés dans la classe. Chaque élève peut déjà occuper positivement son temps dès son arrivée en classe.

L'enseignant y trouve aussi son compte, puisqu'il est débordé. En effet, n'a-t-il pas toujours l'impression de courir après le temps? Le tableau 4.2 propose cinq exemples de situations qui montrent bien les gains intéressants rattachés à la gestion du temps, quand l'enseignant privilégie un contexte participatif plutôt que fermé ou directif.

Dans beaucoup de situations, l'enseignant se trouve donc libéré de l'obligation de donner toutes les consignes et de faire tous les rappels nécessaires au bon fonctionnement de la classe. Il peut vivre avec ses élèves des relations qui ne sont plus strictement celles du pouvoir autoritaire. Il a la satisfaction de voir ses élèves devenir de plus en plus autonomes et responsables.

Un apprentissage à faire : la gestion du temps

Comment habiliter les élèves à gérer leur temps en classe ?

L'apprentissage de la gestion du temps dans un contexte participatif est un processus qui peut être favorisé par la mise en place de certains outils. Peu importe l'instrumentation utilisée, l'enseignant doit d'abord annoncer clairement les périodes qu'il bloque, et qui deviennent par le fait même des espaces-temps non négociables pour les élèves. Ce sont des moments où l'enseignant désire rencontrer collectivement tous les élèves pour les mobiliser autour d'explications en grand groupe, pour faire un retour sur un projet collectif ou pour vivre l'amorce d'un travail individuel ou d'équipe autour d'une tâche d'apprentissage obligatoire.

Puis, dans un contexte de menu ouvert, l'enseignant présente les périodes négociables, où justement l'élève aura à gérer son temps.

Les élèves planifient alors leurs travaux individuels ou d'équipe, à l'aide d'instruments plus ou moins complexes, comme les suivants :

- **Le plan de travail** donne une vision globale des activités obligatoires que les élèves devront réaliser durant une période préétablie. Ainsi, les apprenants bénéficient d'une certaine liberté quant au choix des moments où ils réaliseront les activités. Une date détermine l'échéance à respecter pour l'exécution de leur plan de travail.
- **Le tableau d'enrichissement** propose des situations d'apprentissage facultatives pour prolonger ou élargir les apprentissages. Ces tâches sont variées et généralement ouvertes, puisqu'elles touchent aussi bien le développement des habiletés supérieures que l'exploitation des diverses formes d'intelligence.

  Voir *Apprivoiser les différences*, p. 457 et 458.

  Différents défis *pour aller plus loin* sont élaborés en fonction de critères afin de s'assurer qu'il s'agit véritablement de tâches d'enrichissement, et non de simples tâches que l'élève exécute pour occuper son temps. La variété des objets de développement et la complexité des tâches sont deux critères intéressants dont l'enseignant pourrait tenir compte dans le choix de l'enrichissement ; ces deux préoccupations l'amèneraient à proposer des lectures créatrices, des problèmes à résoudre, des expériences à réaliser, des projets de recherche ou de création, etc.

  Le plan de travail et le tableau d'enrichissement sont deux structures complémentaires, puisqu'elles rassemblent les tâches obligatoires et les tâches facultatives. L'enseignant qui désirerait employer un seul outil pour gérer le temps devrait opter pour la mise en place d'un outil intégré, soit le tableau de programmation.
- **Le tableau de programmation** (affiché dans la classe ou disponible sous format papier) donne aux élèves une vision globale de ce qu'ils peuvent réaliser pendant une période donnée. Il permet de distinguer les activités obligatoires et les activités facultatives. Il précise aussi les divers regroupements offerts pour exécuter les tâches proposées : le travail personnel, collectif ou d'équipe.
- Les instruments comme la **vitrine d'ateliers** ou le **relevé de centres d'apprentissage** peuvent être utilisés lorsque le menu est ouvert et que les élèves doivent gérer leur temps. Ils servent surtout à faire la promotion des tâches. Parfois, ils se veulent plus descriptifs, puisque les mandats sont précisés et que des modalités y sont jointes.
- Des **outils plus techniques**, tels que le tableau d'inscription, le tableau de contrôle ou la grille de planification, sont aussi disponibles. Ces différentes sortes de tableaux viennent se greffer aux outils cités précédemment. En fait, ce sont des structures que l'on doit considérer comme des accessoires, et qui n'ont aucune utilité en soi tant et aussi longtemps qu'elles ne sont pas associées à des outils de base.

Toutes les structures pour gérer le temps sont présentées de manière plus détaillée dans l'outil 4.8, pages 248 à 265.

Le climat d'une classe qui permet à des élèves de gérer des portions de leur temps est en général plus détendu que celui où l'enseignant dicte lui-même toutes les tâches à exécuter. Chaque élève travaille à son projet et l'enseignant intervient selon les besoins individuels. Plusieurs activités se déroulent simultanément et les élèves peuvent communiquer entre eux. La classe est un véritable milieu de vie, comparable au vécu d'une ruche où chaque abeille travaille inlassablement sans que la reine doive intervenir pour pousser à la tâche ses ouvrières.

Des structures pour animer les groupes de travail

L'importance de la pratique avec les pairs

Même si les intervenants du milieu scolaire s'accordent à reconnaître l'importance des interactions entre pairs, on trouve dans beaucoup de classes une organisation du travail agencée selon deux modes : le travail collectif, où l'ensemble des élèves suit les explications de l'enseignant, et le travail personnel, où chaque élève met en application l'enseignement reçu. Les élèves reçoivent quelquefois la permission de travailler deux à deux ou en petites équipes. C'est un privilège et son exercice est limité.

Une telle situation qui prône l'individualisme suscite bien des questions. Comment les jeunes d'aujourd'hui seront-ils préparés à vivre et à travailler dans un monde où la collaboration, le partenariat, les associations de toutes sortes s'imposent de plus en plus ? Comment apprendront-ils à gérer les différences et les oppositions entre personnes ? Comment sauront-ils prendre leur part d'une tâche commune ? Pourtant, de nos jours, la capacité de travailler en équipe représente une compétence professionnelle très recherchée chez les employeurs.

Mais il y a plus. Si l'on tient compte des étapes de l'apprentissage que décrit Jacques Tardif (1992, p. 61 et suivantes), on doit reconnaître que l'enfant et l'adolescent de ces classes où l'entraide et la coopération sont freinées risquent fort de passer outre à une séquence importante de leur développement. Tardif nomme ainsi les étapes de l'accompagnement à privilégier auprès de l'élève qui se trouve en processus d'apprentissage : le modelage, la pratique guidée, la pratique avec les pairs en dyade ou en équipe et la pratique autonome.

On comprend mieux ce processus si l'on se tourne vers la vie de tous les jours et qu'on l'applique à l'apprentissage de la marche chez le jeune enfant. L'attitude de l'adulte qui accompagne l'enfant dans cet apprentissage peut se traduire en quatre affirmations :

1. Le modelage : « Regarde comment je m'y prends pour marcher. »
2. La pratique guidée : « Marche avec moi. »
3. La pratique avec les pairs : « Marche avec ton frère ou ta sœur. »
4. La pratique autonome : « Vas-y, marche tout seul ! »

Il est donc possible d'affirmer que l'élève qui ne se retrouve pratiquement jamais en situation de s'exercer à une tâche coopérative manque une étape importante dans son apprentissage. Comment s'étonner que la pratique autonome soit si peu sûre !

L'importance du travail en dyade ou en équipe se révèle encore plus grande au regard de la situation familiale de beaucoup d'élèves. Enfants uniques ou ayant une grande différence d'âge avec le frère ou la sœur qui suit ou qui précède, ils ont peu d'occasions d'apprendre l'entraide et la coopération au sein du milieu familial. Du temps des familles nombreuses, ces valeurs étaient véhiculées dans le quotidien, puisque les enfants partageaient tout : la chambre, les vêtements, les jouets, et même les corvées.

Aujourd'hui, l'école n'a vraiment pas le choix d'enseigner cette attitude de coopération. Trop souvent, l'enfant ou l'adolescent se replie sur son propre univers. La classe se doit d'offrir un contexte qui favorise le développement social et affectif de l'élève. Elle doit le mettre en situation d'apprendre à résoudre des problèmes avec d'autres, de construire une image positive de lui-même par la découverte de ses capacités et de ses habiletés à entrer en relation. Elle doit l'aider à construire sa liberté et son autonomie, dans le respect des autres.

Malgré ce désir de bien vouloir développer l'entraide et la coopération entre les élèves, l'enseignant se butera parfois à des refus de la part de certains d'entre eux. Deux types de clientèles se montrent plus ou moins collaboratives : les élèves qui subissent le rejet au moment où le travail d'équipe se met en branle dans la classe et ceux qui ont une aversion pour la coopération avec d'autres camarades. Que faire alors ? Fermer les yeux et passer outre... Oser intervenir et user de son pouvoir d'influence... La lecture de l'encadré suivant propose des pistes de réflexion avant d'agir.

Les élèves rejetés et ceux qui refusent de travailler en équipe

Les élèves rejetés

Quand arrive le moment de former des équipes de travail ou des équipes coopératives, la situation peut devenir extrêmement pénible pour certains enfants ou adolescents qui ne sont jamais sollicités comme partenaires de travail. Tenter de mettre le doigt sur la raison du rejet est déjà une partie de la solution... *Pourquoi* l'élève est-il rejeté ? Est-il introverti, malpropre, autoritaire, envahissant ? A-t-il un handicap physique, un retard intellectuel ? Sa situation peut aussi sembler tout à fait normale. Intervenir rapidement, c'est contribuer à contrer l'infiltration de la discrimination et de l'intimidation à l'intérieur de sa classe ou de son groupe de base. L'enseignant adopte une méthodologie spéciale à l'égard des élèves rejetés :

- Dans le cas d'un rejet où l'élève a du pouvoir sur cette situation (malpropreté de sa personne ou de ses vêtements, attitude dominatrice à l'égard des autres), l'enseignant rencontre l'élève individuellement afin de l'amener à s'engager dans une démarche de résolution d'un problème. A-t-il conscience de ce fait ? Y a-t-il des éléments sur lesquels l'élève pourrait agir ? Tout en discutant avec l'enfant ou l'adolescent concerné, l'enseignant dégage avec lui des stratégies pertinentes auxquelles ce dernier pourrait avoir recours pour se faire accepter par ses pairs et vivre ainsi une meilleure intégration au sein du groupe.
- Dans le cas contraire, c'est-à-dire que l'élève n'a aucun pouvoir sur sa situation de rejet (obésité, défaut de langage, déficience quelconque), l'enseignant aborde cette problématique avec le groupe-classe. En l'absence des enfants ou des adolescents qui sont souvent mis de côté, il discute avec les autres élèves des attitudes négatives qu'ils entretiennent à l'égard de certains compagnons laissés sur le carreau au moment de la formation des groupes de travail. Il conscientise le groupe sur les effets malsains que peut créer

une telle attitude de rejet et même parfois d'une totale exclusion.

- L'enseignant peut lire des allégories traitant de l'acceptation des différences afin de faire réfléchir les élèves. Très souvent, ils pratiquent l'ostracisme sans en être pleinement conscients. Ces contes thérapeutiques pourraient contribuer à illustrer les drames que vivent certains élèves au moment où le travail d'équipe s'organise.
- Il établit des contacts personnels avec des élèves plus tolérants qui accepteraient de travailler pendant un certain temps avec un élève ne jouissant pas d'une grande popularité dans le groupe.
- Il évite de recourir trop souvent à la formation d'équipes naturelles, spontanées, où les élèves ont l'entière liberté du choix de leurs coéquipiers. Il n'y a pas de meilleure façon de mettre en évidence les rejets.
- Il diversifie les façons de former des équipes et il varie aussi l'utilisation des différentes sortes d'équipes.
- De plus, l'enseignant utilise des structures de travail différentes au regard de chacune des étapes de la démarche d'apprentissage (*voir outil 4.3, p. 213*).
- L'enseignant limite la durée du travail d'équipe, préférant faire travailler les élèves plus souvent, mais moins longtemps. Certains enfants ou adolescents accepteront davantage l'obligation de coopérer avec tel élève s'ils savent que cette entente n'hypothèque pas une période complète de leur plan de travail.
- Il fait les ajustements nécessaires avant de finaliser la composition des équipes afin que chacun puisse avoir sa place au soleil. Dans le même ordre d'idées, il s'assure que l'élève rejeté entretient un lien affectif avec au moins une personne qui compose l'équipe dans laquelle il travaillera.
- L'enseignant résiste à la tentation de placer tous les élèves rejetés au sein d'une même équipe de travail.

Les élèves qui refusent de travailler en équipe

- L'enseignant doit vérifier si la nature de la tâche proposée ne serait pas en cause. Des enfants et des adolescents particulièrement doués ont compris que certaines tâches se réalisent plus rapidement dans un cadre individuel. Si la tâche n'est pas une véritable tâche d'apprentissage sollicitant l'entraide et la coopération, l'élève doué a grandement intérêt à se dissocier du groupe afin de travailler à un rythme accéléré. Le cas le plus typique est sans doute celui de la page de mathématiques à réaliser en équipe.
- Lorsque la tâche n'est pas en cause, l'enseignant doit se tourner du côté de l'apprenant afin de détecter le motif qui se cache derrière son refus. Est-ce un élève qui est souvent rejeté et qui désire éviter l'humiliation d'un nouveau rejet? Entre deux maux, l'élève sait choisir le moindre, et pour lui, c'est celui de ne pas travailler en équipe.
- Il peut s'agir aussi d'un élève présentant une personnalité introvertie, un genre d'ermite qui fuit la compagnie des autres. Ce dernier préfère la tranquillité d'esprit au brouhaha des discussions qui fusent de part et d'autre autour de lui.
- Même si l'enseignant désire tenir compte du profil d'apprentissage de ces élèves solitaires, il n'a pas le choix de les amener de temps à autre sur le terrain de l'entraide et de la coopération. Avant de leur imposer une telle obligation, il est bon que l'enseignant verbalise les raisons qui l'incitent à ne pas respecter constamment leur besoin d'isolement. La première raison est que la capacité de coopérer constitue une compétence transversale dont l'école doit favoriser le développement chez tous les apprenants, tandis que la seconde s'appuie sur le fait que l'habileté à coopérer figure au premier rang du profil des compétences que réclament les employeurs.
- L'enseignant utilise des stratégies particulières afin de toucher les «irréductibles» et de leur démontrer le bien-fondé du travail d'équipe. Dans ce sens, il propose des tâches qui sont réalisables seulement dans un contexte d'entraide. C'est le cas, par exemple, des mots d'orthographe à donner en dictée ou de la réalisation d'un remue-méninges sur le carnaval.
- L'enseignant fait preuve de fermeté dans ses exigences. Lorsqu'il propose une véritable tâche coopérative au groupe-classe, il ne modifie pas le mandat même si certains élèves émettent le souhait d'accomplir cette tâche individuellement. Ainsi, devant l'ampleur du mandat, ces élèves acceptent parfois de réviser leur position, se disant qu'ils ont besoin des compétences des autres pour produire ce qui est demandé.
- C'est en apprivoisant le travail d'équipe ou le travail coopératif que les élèves découvriront les gains rattachés à l'entraide et à la coopération.

La présentation des structures de travail aux élèves

Maintenant que l'enseignant s'est préoccupé de l'adhésion au mouvement coopératif et qu'il s'est assuré de la participation de tous les élèves aux groupes de travail qu'il initiera, il se penche sur l'étape de la présentation des structures qu'il compte utiliser avec eux :

- les équipes naturelles ou spontanées ;
- les équipes de travail ;
- les équipes permanentes ou structurées ;
- les équipes coopératives.

Présenter les structures de travail aux élèves

Les équipes spontanées

L'enseignant explique aux élèves que, parfois, ils se retrouveront en équipes pour discuter, pour confronter des points de vue ou pour objectiver leurs apprentissages. Ces rencontres seront de courte durée. Dans ce cas, les apprenants devront accomplir des *tâches de discussion* qui seront vécues à l'intérieur d'équipes spontanées. La plupart du temps, ces dernières seront déterminées par le hasard ou par le libre choix des élèves.

Les équipes permanentes

L'enseignant présente une autre option de tâches d'équipes qui est orientée cette fois-ci vers une production. Quand les élèves se retrouveront devant des *tâches de production*, ils seront appelés à travailler ensemble autour d'une réalisation commune. Ces rencontres dureront plus longtemps et elles seront vécues à l'intérieur d'équipes permanentes. Pour constituer ces équipes, l'enseignant peut se référer aux quatre modèles permettant de former les dyades d'entraide dans l'outil 4.2 (*voir p. 206*). On ne peut nier que le style de gestion de classe de l'enseignant orientera les choix qu'il fera.

L'enseignant peut aussi inviter les élèves à construire une banque de critères possibles pouvant être utilisés au moment de la formation des équipes permanentes. Cette démarche amène les apprenants à établir des liens très étroits entre la nature de la tâche proposée et le choix des critères les plus pertinents pour réussir la production attendue. Cette liste ouverte doit être alimentée tout au long de l'année. À titre d'exemple, voici une banque de critères pour la formation d'équipes permanentes :

- le sexe ;
- l'affinité affective ;
- la présence d'habiletés ou de compétences semblables ;
- la présence d'habiletés ou de compétences différentes ;
- les champs d'intérêt communs ;
- les rythmes d'apprentissage semblables ;
- les rythmes d'apprentissage différents ;
- la maturité du comportement ;
- les styles d'apprentissage semblables ;
- les styles d'apprentissage différents ;
- les formes d'intelligence de même nature ;
- les formes d'intelligence complémentaires ;
- etc.

Les équipes de travail

L'équipe de travail est la structure la plus répandue dans les milieux scolaires et elle est utilisée depuis de nombreuses années. Qui n'a pas connu l'obligation ou le privilège de se retrouver en équipe pour réaliser une tâche proposée par l'enseignant ! La conduite du travail est habituellement laissée aux participants, l'accompagnateur se contentant de traduire ses intentions aux élèves par une recommandation : « Prenez-vous en main. Faites de votre mieux. Soyez autonomes. » Pourquoi aller plus loin, puisque les participants savent maintenant ce qu'ils ont à faire, se dit l'enseignant ? Pourtant, c'est là que tout son travail d'accompagnement devrait commencer.

Misant sur la nécessité de présenter *une production* à quelqu'un, le gestionnaire des groupes de travail fonde beaucoup d'espoir sur la tâche proposée, souhaitant que celle-ci suscite et entretienne la motivation des troupes jusqu'à la fin. Malheureusement, le scénario établi ne se déroule pas toujours comme l'enseignant l'avait anticipé. Divers problèmes de gestion ne tardent pas à se manifester : indiscipline, démotivation, pertes de temps, élèves rejetés, élèves à la remorque qui n'apportent pas leur contribution, élèves dominateurs qui imposent leurs idées, et ainsi de suite.

Même si les équipes de travail sont moins exigeantes que les équipes coopératives sur le plan du processus, *elles doivent être structurées.* Pour ne pas tomber dans le piège du laisser-aller, explorez l'outil 4.3, page 213, ainsi que le tableau de l'encadrement disciplinaire des équipes (*voir fiche 4.3c, p. 453*) avant de vous lancer tête première dans une telle expérimentation. Précisez le « pourquoi », le « quoi », le « comment », le « quand », le « où », le « avec qui » et le « avec quoi ».

Les équipes coopératives

Contrairement aux équipes de travail, les équipes coopératives attachent plus d'importance au *processus* qu'à la production. Certes, la réalisation est présente, mais elle sert souvent de prétexte pour permettre aux élèves de développer des *habiletés sociales et cognitives* qui ont été ciblées au point de départ (*voir fiche 4.3a, p. 452*).

De plus, dans une équipe coopérative, les apprenants n'ont pas le choix de s'engager à fond, puisque la tâche proposée les oblige à créer une *interdépendance positive* entre eux, ce qui n'est nullement le cas dans une équipe de travail.

Le choix des groupes de travail

L'enseignant peut moduler le travail en groupes dans sa classe ou dans son groupe de base selon différents types d'associations. Il choisit le type qui convient le mieux selon les étapes de la séquence d'apprentissage, la nature de la tâche à exécuter, son habileté à gérer les différences, l'autonomie des élèves, etc. Pour mieux voir l'interrelation dont il est question, je vous présente cinq exemples d'associations d'élèves pour mettre en place des groupes de travail :

Quelles sont les structures qui permettent à un enseignant de diversifier les modalités de travail en classe et développer chez les élèves l'entraide et la coopération ?

1. *Les dyades naturelles se forment spontanément, selon le choix des élèves :* Elles sont passagères et disparaissent dès que la discussion ou la tâche est terminée. Très souvent, l'enseignant permet aux élèves d'y recourir lorsque ces derniers ont besoin d'un simple coup de pouce, d'où l'expression « dyades de dépannage ». *Exemple :* Deux élèves activent leurs connaissances antérieures sur les époques médiévales avant d'entreprendre un projet collectif sur ce sujet.
2. *Les dyades permanentes et structurées durent généralement le temps d'une étape :* Elles sont le plus souvent constituées d'élèves de forces plus ou moins différentes. L'enseignant se souciera du fait que les écarts de performance ne soient pas trop grands, sinon la dépendance de « l'aidé » envers « l'aidant » ne tardera pas à s'installer. Comme il s'agit d'une structure simple à gérer, ces dyades deviennent un moyen efficace d'initier les élèves à l'entraide. *Exemple :* Deux élèves objectivent leur processus d'écriture en utilisant une grille de vérification en regard des exigences qu'ils devaient respecter dans leur production écrite sur les signes avant-coureurs du printemps.

Lorsque l'écart est très important entre les deux élèves, la dyade prend davantage la forme de *tutorat*. Un élève plus âgé ou plus compétent que l'autre seconde un de ses camarades, qui éprouve des difficultés dans une discipline donnée. *Exemple :* Un élève effectue la révision d'une tâche de formation de base avec un camarade qui était absent au moment de la correction de cette dernière.

3. *Les équipes spontanées sont formées de trois ou quatre élèves rassemblés pour une discussion ou une tâche ponctuelle de courte durée :* Celles-ci sont habituellement utilisées dans le cadre de l'*équipe de travail*, structure moins exigeante que l'équipe coopérative. Bien que cette dernière ne soit pas aussi riche que sa sœur, elle ne mérite pas d'être mise au rancart comme structure de travail. C'est souvent le premier pas que les élèves doivent franchir avant d'aller plus loin dans l'approche coopérative. *Exemple :* Des élèves sont invités à effectuer un remue-méninges sur le réchauffement de la planète et les changements climatiques, prochaine thématique qu'ils devront débattre dans un exposé oral.

4. *Les équipes permanentes se fondent sur le partage des habiletés, des compétences, des champs d'intérêt communs ou des modes d'apprentissage :* Les élèves participent à la formation de ces équipes. Chaque élève joue un rôle actif à l'intérieur de cette structure. Le gardien de la parole, le gardien de la tâche, le gardien du temps, le gardien du matériel, le journaliste ou le reporter figurent en tête d'affiche sur la liste des principaux rôles.

   Dans ce contexte de travail, les équipes sont dites « coopératives » parce que la tâche qui mobilise tous les participants crée une interdépendance positive entre eux. Sans la contribution de chaque élève, l'équipe est incapable d'avancer, d'obtenir un résultat valable ; ce n'est nullement le cas dans une équipe de travail. *Exemple :* Des élèves doivent créer un diaporama électronique sur les attraits touristiques de leur région dans le cadre d'un échange linguistique avec des élèves anglophones de l'Ontario qui les visiteront prochainement. À l'intérieur de cette équipe coopérative, l'enseignant a considéré les compétences de chacun : connaître le milieu, maîtriser le français écrit, avoir un certain talent pour l'art graphique ainsi que posséder une aisance sur le plan de l'informatique.

   L'autre particularité de l'équipe coopérative, c'est que, dans cette structure, les élèves ne sont pas centrés seulement sur une réponse ou un produit final, car le processus est aussi important que le résultat. Concrètement, cela veut dire que très souvent la tâche est un prétexte pour favoriser le développement d'habiletés sociales et cognitives. (*Voir fiche 4.3a, p. 452.*)

5. *Les sous-groupes d'apprentissage momentanés sont formés à partir des particularités de profils et de parcours d'apprentissage :* Cette structure est plus large que la formule d'une équipe ; en même temps, elle est plus étroite que tout le groupe d'élèves en lui-même. Autrement

Pour l'enseignant qui désire pousser plus loin son appropriation de l'apprentissage coopératif, voir *Quand revient septembre*, volume 2, p. 317 à 332. Il peut aussi lire des ouvrages variés sur le sujet, disponibles entre autres chez Chenelière Éducation. Voir particulièrement *La coopération au fil des jours*, de Jim Howden et Huguette Martin.

dit, cet outil permet à l'enseignant de mettre en veilleuse l'enseignement frontal pour une période donnée. *Exemple :* Quatre sous-groupes d'apprentissage ont été créés en fonction des champs d'intérêt d'élèves du premier cycle du primaire. Ceux-ci doivent se familiariser avec les étapes de la démarche de recherche à partir d'un mammifère qu'ils affectionnent particulièrement : les mammifères à la ferme, les mammifères des pays exotiques, les mammifères des pays nordiques et les mammifères marins.

Les sous-groupes d'apprentissage momentanés sont une solution de rechange à l'approche collective et ils ouvrent la porte à la différenciation des apprentissages. Comme l'émergence de ces sous-groupes repose sur la diversité des profils et des parcours des élèves, l'enseignant doit leur réserver une utilisation temporaire. Tantôt orientés vers les champs d'intérêt, les rythmes, les styles ou les besoins, les sous-groupes d'apprentissage dureront le temps que restera pertinent le motif qui a justifié leur utilisation. Un enseignant qui persisterait à vouloir former des sous-groupes à partir du même critère pourrait inconsciemment créer un écart encore plus grand entre les apprenants. C'est l'une des principales dérives à éviter.

Planifier la gestion du travail d'équipe ou coopératif

Voici quelques pistes de réflexion qui peuvent aider un enseignant à planifier l'organisation du travail d'équipe ou coopératif dans sa classe ou dans ses groupes de base. Ces différentes possibilités de mise en place de l'entraide et de la coopération permettent de voir qu'il y a des conditions à respecter pour que l'apprentissage en différents groupes de travail soit efficace. La fiche 4A, p. 465, reprend cette information sous forme de grille à remplir.

Sur le plan de l'encadrement

- Ai-je besoin de recourir à des dyades de dépannage ? à des dyades d'entraide ? à des équipes de travail ? à des équipes coopératives ? à des sous-groupes d'apprentissage momentanés ?
- Ai-je rappelé aux élèves l'importance de se distribuer des rôles au sein de chaque équipe ? Les élèves connaissent-ils les gestes qu'ils doivent faire pour exercer adéquatement les rôles qu'ils joueront ?
- Ai-je élaboré dans la classe des règles de vie et des conséquences d'application pour la gestion des différents groupes de travail ?

Sur le plan de la tâche

- La tâche demandée aux élèves est-elle une tâche d'équipe ? Est-elle plutôt une tâche coopérative ? Est-elle une activité à court terme ? à long terme ?
- L'aménagement de l'espace ainsi que les conditions matérielles permettent-ils aux élèves de vivre efficacement l'entraide et la coopération ?
- Les élèves connaissent-ils les objets ou résultats d'apprentissage rattachés à cette tâche ou les buts de cette activité ?
- La définition de la tâche est-elle claire ? Les consignes sont-elles suffisamment précises ? Les élèves sont-ils au courant de l'utilité (le « pourquoi » et le « quand ») de cette tâche ?
- Les élèves ont-ils besoin d'être soutenus dans leur processus ? Ai-je prévu une démarche, une procédure ou des stratégies pour épauler les élèves dans la réalisation de cette tâche ?

Sur le plan de l'échéancier

- Pour un travail d'équipe à long terme, ai-je fixé avec les élèves une date d'échéance comme point d'arrivée? Ont-ils prévu un calendrier pour garder en mémoire les étapes qu'ils traverseront? Disposent-ils d'un journal de bord pour laisser des traces de ce qu'ils vivront?

Sur le plan des interventions de l'enseignant

Comment vais-je intervenir auprès des élèves pour les accompagner:

- dans la réalisation de leurs défis?
- dans l'organisation de leur temps?
- dans la détermination des étapes à franchir?
- dans la précision du matériel dont ils auront besoin?
- dans le choix des personnes qu'ils pourraient consulter?
- dans l'inventaire des livres auxquels ils pourraient se référer?
- dans la suggestion de logiciels ou de moteurs de recherche qui sont à leur disposition?
- dans les obstacles que ceux-ci rencontreront en cours de route?

Sur le plan de la présentation de la production

- Ai-je présenté la liste des outils d'expression aux élèves pour qu'ils puissent effectuer un choix judicieux leur permettant de communiquer aux autres le fruit de leur travail avec satisfaction?
- L'équipe a-t-elle choisi l'outil d'expression qu'elle désire utiliser pour présenter sa réalisation?
- Est-elle capable d'utiliser à bon escient l'outil d'expression retenu?
- A-t-elle ciblé les personnes à qui elle présentera sa réalisation?
- A-t-elle relevé les points majeurs sur lesquels elle désire recevoir une rétroaction?

L'heure juste

Cessons de croire que l'entraide et la coopération sont des acquis pour nos élèves. Cessons de nous leurrer en pensant qu'ils feront l'apprentissage de la coopération au hasard du temps. Au risque de me répéter, la coopération est une chose qui s'enseigne et s'apprend, au même titre que la motivation scolaire.

Pour apprendre aux élèves à travailler ensemble, l'enseignant doit les placer en situation d'expérimenter la coopération, plusieurs fois par mois, sur un continuum de plusieurs années. Et si l'on veut accélérer le processus, les élèves pourraient être soumis à un même cadre de référence sur le plan coopératif durant leur parcours scolaire; ainsi, ils progresseraient davantage puisqu'ils auraient l'occasion de consolider des acquis, n'étant pas toujours contraints de recommencer à zéro. Grâce à ce fil conducteur reflétant la cohérence et la concertation des personnes qui les accompagnent, les élèves seraient davantage conscients du processus qu'ils vivent. Malheureusement, cette vision des choses n'est pas encore ancrée dans les pratiques quotidiennes.

Outre qu'elle ne fait plus partie des valeurs familiales, la coopération rencontre un autre obstacle qui ralentit son développement. À cause d'un manque de concertation professionnelle, la rupture d'apprentissage à l'égard de la coopération se cristallise d'une année à l'autre. Il y a énormément de contradictions vécues sur ce plan. Avec un enseignant, les élèves coopèrent de façon régulière; avec un autre, ils s'entraident de temps à autre. Avec un enseignant, ils sont guidés dans l'appropriation de l'entraide; avec un autre, ils sont laissés à eux-mêmes. Les élèves finissent par percevoir deux mondes: celui de l'école où l'on n'apprend pas en coopérant et celui où l'on a parfois la chance de prendre la vie de façon plus détendue lorsqu'on travaille en équipe. Quelle dichotomie!

Et si la coopération était la pierre angulaire de plusieurs autres apprentissages? L'initiation à la coopération relève du domaine des compétences transversales. Quand celles-ci sont vraiment en exercice dans le quotidien, elles viennent supporter le développement des compétences disciplinaires. Voilà de quoi inciter les enseignants à lui accorder une place de choix dans l'établissement de leurs priorités.

Des structures pour exploiter les ressources

Depuis qu'une loi oblige les écoles à fournir aux élèves des manuels scolaires, un certain nombre de ressources sont progressivement disparues des salles de classe. Les ouvrages littéraires sont surtout utilisés en bibliothèque, les ordinateurs ont été concentrés dans un laboratoire, le rétroprojecteur a été remisé avec les autres appareils audiovisuels jugés désuets. Du coup, le paysage de la salle de classe a perdu certains traits propres à un milieu de vie.

Bien entendu, certaines écoles plus proactives se sont dotées d'un tableau interactif, d'une caméra numérique, d'un canon à projection et même de quelques portables. Mais c'est loin d'être le lot de toutes les écoles...

Qu'arrive-t-il de l'exploitation des ressources dans les autres établissements scolaires ? On ne peut nier la qualité toujours plus grande des manuels scolaires mis entre les mains des élèves. Ils sont attrayants, bien construits et suscitent des attitudes nécessaires à l'apprentissage. Mais s'ils prennent toute la place en classe, ils sont nettement insuffisants pour combler les différents besoins des apprenants. Ils sont peut-être moins bien adaptés au profil d'enfants kinesthésiques, et même aux champs d'intérêt des garçons. Les manuels scolaires ne fournissent que des succédanés de la réalité à des enfants ou à des adolescents qui ont besoin de voir et de faire pour apprendre. En fait, ils ne permettent pas de développer certaines habiletés qui ne sont pas sollicitées dans un rapport avec un livre, si parfait soit-il. C'est particulièrement le cas des compétences transversales qui réclament des contextes de vie signifiants pour que celles-ci puissent évoluer.

Un bon nombre d'élèves ont besoin de manipuler différents instruments pour saisir l'enjeu du défi proposé. Plusieurs enfants ou adolescents se plaisent à tâtonner pour trouver les bons outils, et certains prennent un malin plaisir à jouer avec l'image, le son, etc. La variété des outils, comme celle des situations, est donc nécessaire à la réalisation d'un apprentissage authentique. Une classe où se vit la gestion participative est une classe où les livres de bibliothèque, le tableau interactif, l'ordinateur et ses périphériques, le téléviseur, le matériel pour les manipulations et les expériences font partie de l'environnement immédiat.

Dans le quotidien d'un enseignant, que veut dire « mettre en place une organisation de classe riche et stimulante » ?

Cette importance accordée à la diversité du matériel aura des répercussions sur l'aménagement de la classe. L'enseignant et les élèves devront chercher ensemble des dispositions pratiques ou des règles d'utilisation de ce matériel. Dans la quête d'un aménagement riche et fonctionnel, ils feront face aux interrogations suivantes : « Où faut-il placer la table d'expérimentation ? Où doit-on ranger les livres de bibliothèque ? Quelles ressources doit-on trouver dans le centre de lecture ? Comment peut-on alimenter un centre d'expérimentation scientifique ? Où allons-nous installer le centre d'informatique ? »

De telles questions sont l'occasion pour chacun de mettre en œuvre sa créativité, son sens pratique et son sens des responsabilités.

L'heure juste

Dans une société où l'on demande aux enseignants d'être davantage productifs à partir de moyens qui sont assez souvent limités, il est facile de se décourager et de s'avouer vaincus. L'avenue qui m'apparaît la plus stimulante est de faire l'inventaire des ressources dont l'enseignant dispose, soit les ressources matérielles, humaines et pédagogiques :

- *Les ressources au sein de ma classe :* Il est tout à fait normal de commencer par énumérer les ressources qui figurent à l'intérieur de son propre local, mais ce serait une erreur d'en rester là ; il faut regarder plus loin...
- *Les ressources au sein de mon école :* Même si chaque enseignant possède un sens d'appartenance très fort à sa classe, à ses élèves, à son matériel, cela ne veut pas dire qu'une mise en commun de certains biens ne soit pas envisageable. Posons-nous la question suivante : « Comme communauté d'apprenants professionnels, quelles ressources pouvons-nous partager si nous désirons favoriser la réussite de tous nos élèves ? »
- *Les ressources au sein de ma communauté culturelle :* Les parents de nos élèves, les différentes associations de notre quartier, les infrastructures de notre village ou de notre ville possèdent des ressources qui sont souvent inexploitées. Pour en voir toute la richesse, les enseignants doivent se donner les moyens de les découvrir et de les consigner s'ils veulent les intégrer dans leur environnement. Des banques de compétences, des répertoires de services communautaires et des offres de services sont des moyens de faire circuler l'information tout en suscitant l'engagement et le partenariat avec le milieu.
- *Les ressources au sein de mon conseil scolaire ou de ma commission scolaire :* Même s'il s'agit d'une entité plus éloignée du quotidien d'un enseignant, il serait malhabile pour un pédagogue de fermer la porte aux ressources matérielles et humaines que son organisation peut lui offrir. Pourquoi ne pas vérifier auprès des dirigeants des établissements scolaires s'ils ont prévu des mécanismes ou des modalités de diffusion des ressources sur lesquelles l'enseignant pourra compter ?

Comme on vient de le voir, les différentes ressources peuvent contribuer à enrichir l'environnement éducatif d'une classe, mais jamais elles ne remplaceront le sens de l'initiative et la créativité d'un enseignant. C'est lui qui fera que l'exploitation des ressources existantes portera des fruits ou non. Il est inutile d'attendre la situation idéale pour aller de l'avant. La meilleure attitude à adopter dans ce sens consiste à se demander quotidiennement : « Que puis-je faire à partir des ressources que j'ai sous la main ? » Si le pédagogue se fie uniquement à l'apport des autres pour agir, il peut voir sa carrière s'écouler sans avoir donné vie au réel qui l'entourait.

4.1 Notre classe, on s'en occupe !

Des exemples de tableaux de responsabilités

Contexte et utilité

L'appartenance à la classe peut se développer de mille et une façons. Le partage des responsabilités s'inscrit dans cette voie et il fait partie des mœurs pédagogiques des enseignants depuis de nombreuses années. Ce partage du pouvoir ne représente une avenue menaçante pour personne ; au contraire, il s'avère une stratégie stimulante pour amorcer le processus de responsabilisation des apprenants. Les titulaires de classe voient d'un bon œil cette forme d'engagement et ils n'hésitent pas en début d'année à solliciter l'aide de leurs élèves pour les seconder dans de menues tâches. Ce petit pas vers une gestion participative constitue une ébauche de partenariat à conserver et à raffiner.

Pistes d'utilisation

1. Pour favoriser l'esprit de coopération, il est bon que l'enseignant partage avec les élèves certaines responsabilités sur le plan de l'organisation et de l'entretien de leur milieu de vie. Dressez avec les enfants ou les adolescents la liste des tâches connexes qui favoriseront le bon fonctionnement de la classe. Habituellement, l'enseignant trouvera facilement des élèves disposés à arroser les plantes, nourrir les poissons, être messagers à l'extérieur de la classe, distribuer les feuilles et les cahiers, etc.

   Pour débuter, l'enseignant assigne ce genre de responsabilités en amenant les élèves à exprimer leurs préférences. Par la suite, la rotation des tâches peut s'effectuer par choix volontaire, par échange de tâches entre les dyades d'entraide ou par négociation entre les élèves du groupe-classe.
2. Élaborez un référentiel visuel donnant un aperçu de ces mêmes tâches (*voir fiches 4.1a et 4.1b, p. 450*).
3. Trouvez avec les élèves une façon convenable de répartir ces responsabilités au sein de votre classe ou de votre groupe de base.
4. Au moment de l'élaboration du tableau de responsabilités, prévoyez une formule permanente pour le référentiel visuel que vous utiliserez afin que cet outil puisse être réutilisé chaque fois que la nature des responsabilités des élèves changera.
5. Planifiez un échéancier avec les élèves pour la rotation des tâches.
6. Élaborez une procédure toute simple pour rappeler à un élève la tâche à faire, si jamais celui-ci l'oubliait.
7. Mettez en place une conséquence de non-application à l'intention des élèves qui n'assumeraient pas leurs responsabilités.

8. Au lieu d'utiliser un système de rotation, servez-vous de modalités plus simples pour amener de jeunes enfants à s'investir dans la vie de la classe. Contrairement à un engagement collectif de leur part, faites plutôt appel au service de «moniteurs», de «responsables» ou de «mini-enseignants». Il est entendu que ces «élèves-vedettes» assumeront plus d'une responsabilité pendant une journée, puisqu'ils deviendront en quelque sorte les assistants de l'enseignant. En regardant ces élèves agir, les autres apprendront rapidement le sens du mot «responsabilités». Quand l'enseignant jugera que tous sont capables de s'investir à long terme, il n'hésitera pas à faire participer tout ce beau monde qui vit avec lui par la mise en place d'un tableau de responsabilités.

Des stratégies pour gérer le travail en dyades

4.2 Les dyades: une structure pour apprivoiser l'entraide

Contexte et utilité

Lorsqu'un enfant ou un adolescent est en train d'apprendre, il est bon qu'il puisse vivre les étapes proposées par l'enseignement stratégique: le modelage, la pratique guidée, la pratique avec les pairs et la pratique autonome.

Au moment de la pratique avec ses pairs, l'apprenant développe son habileté à coopérer en compagnie d'autres élèves. Il ne peut le faire en restant à sa place, sans avoir d'interactions avec ses camarades. Au moment de ces échanges d'objectivation, il est avantageux pour l'élève de confronter son vécu, ses perceptions, ses problèmes et ses découvertes avec ceux d'une personne qui parle le même langage que lui.

Lorsque l'enseignant le juge à propos, deux élèves peuvent être jumelés pour s'entraider dans l'apprentissage. Chaque élève retire des avantages de ce jumelage, autant celui qui verbalise ses difficultés que celui qui explique les apprentissages qu'il a faits. Il s'agit ni plus ni moins d'une relation synergique. Ce jumelage peut se vivre différemment, selon le degré d'engagement demandé. Ainsi, l'enseignant peut parler aux élèves:

- de dyades de dépannage (*voir p. 207*);
- de dyades d'entraide (*voir p. 208*);
- de tutorat (*voir p. 211*).

Pistes d'utilisation

1. Discutez avec les élèves de l'importance de l'entraide dans l'apprentissage. Pourquoi serait-il pertinent d'introduire cette réalité dans le vécu de la classe? Pour que l'enseignant tire parti de tous les gains rattachés à l'entraide, sa première intervention devra absolument porter sur la manière qu'utiliseront les enfants et les adolescents pour aider un compagnon à apprendre. Il doit répertorier avec les élèves différentes façons de porter secours à l'autre sans se contenter de dévoiler la bonne réponse. Le champ d'intervention est vaste, puisque les besoins sont susceptibles d'être fort différents d'un apprenant à l'autre, d'une tâche à l'autre, d'une discipline à l'autre.

2. Démarrez l'expérimentation par des dyades de dépannage, puisqu'elles sont de nature informelle et que leur établissement ne nécessite pas de démarche laborieuse. Expliquez votre intention aux élèves.
3. Après avoir exploité les dyades de dépannage pendant un certain temps, annoncez votre désir de mettre en place des dyades d'entraide.
4. Élaborez avec les élèves un référentiel visuel faisant état des différentes façons dont ils pourraient s'entraider (*voir fiches 4.2a et 4.2b, p. 451*).
5. Formez des dyades d'entraide en ayant en tête que chaque élève doit apporter quelque chose à l'autre si l'on veut éviter d'entretenir de la dépendance ou de créer une relation dominant-dominé.
6. Utilisez les dyades d'entraide autant de manière formelle (tout le groupe-classe est placé en dyades) que de manière informelle (un élève consulte un camarade, au besoin).
7. Planifiez l'utilisation des dyades selon le niveau de difficultés éprouvées. Les trois temps de la situation d'apprentissage peuvent être une excellente boussole pour vous guider :
   - au moment de la mise en situation (l'avant), l'étape où il est le plus facile pour des enfants ou des adolescents de coopérer ;
   - au moment de la rétroaction (l'après), une étape où il est moyennement facile pour des élèves de coopérer ;
   - au moment de la réalisation (le pendant), l'étape où il est le plus difficile pour des apprenants de coopérer.
8. Au 1er cycle du primaire, on a intérêt à utiliser davantage les dyades que les équipes de trois ou quatre élèves, tandis qu'aux autres cycles du primaire et du secondaire ce serait plutôt le contraire.

Les dyades de dépannage

Les dyades de dépannage sont dites « spontanées », car ce sont celles que les élèves forment au besoin, dans des circonstances où ils se trouvent en panne ; ils le font instinctivement selon leurs critères et leur choix.

Pour des raisons d'économie de temps au moment du choix d'un partenaire ou par souci d'intégration de tous les élèves dans une même activité, l'enseignant peut former des dyades de dépannage à partir de critères arbitraires tels que l'ordre alphabétique, des numéros donnés à des élèves, les cartes d'un jeu, des jetons de couleurs différentes ou un tirage au sort. Cette situation risque d'être plus courante durant les premiers mois de l'année scolaire où l'enseignant juge bon d'attendre de connaître suffisamment les élèves avant de les jumeler en dyades d'entraide permanentes et structurées.

À ce moment-là, la composition des dyades est connue à l'avance et les élèves peuvent y recourir lorsqu'ils en ont besoin. Il faut alors que le gestionnaire de la classe pense à attribuer des places précises aux élèves afin d'éviter de fréquents déplacements à l'intérieur du local quand ceux-ci décideront de recourir aux services d'un autre élève.

Ces dyades conviennent bien aux situations où un apprenant vit un blocage quelconque, ne trouve pas les ressources nécessaires en lui pour surmonter sa difficulté et ne peut compter immédiatement sur la guidance de son enseignant. Au lieu de perdre son temps, il sait qu'il a déjà la permission de se tourner vers l'un de ses camarades assis tout près de lui pour réclamer son aide en chuchotant.

Les caractéristiques des dyades de dépannage

- Ces dyades sont passagères, puisqu'elles disparaissent dès que l'élève a trouvé réponse à son besoin.
- Elles ne visent pas un apprentissage à long terme.
- Elles se vivent davantage sur une base individuelle que collective. Autrement dit, il est quasi impossible que tous les élèves d'une même classe soient regroupés en dyades de dépannage au même moment.
- Elles revêtent un aspect plus informel que les dyades d'entraide, mais elles sont aussi importantes.

Les avantages des dyades de dépannage

- Elles contribuent à alimenter une procédure de débrouillardise, constituant un échelon important avant que l'enseignant ne soit sollicité.
- Elles font partie de l'outillage de base quand vient le temps pour un enseignant d'introduire dans la classe la gestion de deux sous-groupes d'apprentissage momentanés. Pour les élèves qui travaillent sans la guidance de l'enseignant, la possibilité de recourir à une dyade de dépannage est appréciée.
- Elles obligent les élèves à aller vers les autres enfants ou adolescents avec une grande ouverture d'esprit. Les préjugés et les amitiés exclusives sont bannis, puisque, selon les contextes d'apprentissage, l'apprenant fait appel à différents camarades afin de sortir de l'impasse dans laquelle il se trouve.

L'utilisation des dyades de dépannage

Il y a plusieurs moments où l'élève peut prêter assistance à un camarade. Il s'agit d'avoir l'esprit alerte pour saisir toutes les occasions qui se présentent. En voici quelques-unes :

- L'élève a besoin d'un renseignement quelconque alors que l'enseignant n'est pas disponible pour lui répondre.
- L'élève ne comprend pas et il ne peut plus avancer dans son travail.
- L'enseignant travaille avec un sous-groupe d'élèves dans une classe monoâge ou multiâge et il ne peut être présent à deux endroits en même temps.

Les dyades d'entraide

Les dyades d'entraide sont appelées aussi « dyades structurées et permanentes » parce qu'elles sont utilisées de manière formelle et s'étalent sur un laps de temps donné. Elles se mettent en branle dans un contexte collectif où tous les élèves d'une classe travaillent en dyades autour d'une tâche précise déterminée par l'enseignant.

Cette forme de soutien mutuel consiste à choisir soi-même, ou avec l'aide des élèves, des enfants ou des adolescents aptes à seconder d'autres apprenants qui éprouvent des difficultés à accomplir une tâche de français, de mathématiques ou d'une autre discipline. Ces élèves se nomment «conseillers».

Les modalités de formation des dyades d'entraide

Si l'enseignant se réfère aux différents modèles de gestion de classe, il découvre quatre façons de procéder à la formation de dyades d'entraide:

- *Le modèle 1, selon une gestion à tendance libre.* L'enseignant invite les élèves à former eux-mêmes les dyades à partir de leurs critères personnels.
- *Le modèle 2, selon une gestion mécanique.* L'enseignant forme les dyades de manière arbitraire en utilisant l'ordre alphabétique, le tirage au sort, l'attribution de chiffres, de couleurs, de formes, etc. Des regroupements se font à partir de ces critères.
- *Le modèle 3, selon une gestion fermée.* L'enseignant prend sa liste d'élèves, choisit les critères qui lui paraissent pertinents et forme lui-même les dyades. Il informe par la suite les élèves de la composition des dyades.
- *Le modèle 4, selon une gestion participative.* L'enseignant forme les dyades en partenariat avec les élèves.

La formation de dyades d'entraide dans un contexte de partenariat

Dans le contexte d'une gestion de classe participative, voici un aperçu des étapes à franchir pour former des dyades d'entraide:

1. Le gestionnaire de la classe annonce aux élèves qu'il désire utiliser des dyades d'entraide en classe et il discute avec eux de l'utilité de celles-ci.
2. Il élabore avec les élèves le référentiel «J'aide un autre élève à apprendre». (*Voir fiches 4.2a et 4.2b, p. 451.*)
3. Il propose aux élèves de vivre l'activité «La parade des habiletés». Chaque élève présente aux autres une habileté qu'il possède. L'enseignant dresse au tableau le profil de la classe au fur et à mesure que les élèves s'expriment. Il place en parallèle les noms des élèves et les habiletés correspondantes.
4. Il s'entend avec les élèves sur le choix des critères de formation des dyades. *Exemple:* Dans une situation donnée, l'enseignant pourrait suggérer la bonne entente et la possession d'une habileté différente et complémentaire entre les deux partenaires.

   Contre-exemple: Il évite de placer des élèves très lents avec d'autres très rapides. Les écarts trop grands sur le plan des rythmes ne sont pas à conseiller.

5. Il consulte les élèves sur les choix de partenaires qu'ils désirent faire au regard des critères qui ont été retenus; ces choix peuvent s'exprimer oralement ou par écrit. Lorsque le climat est tendu ou que l'intégration de certains élèves est quelque peu déficiente, l'enseignant se sert d'un sociogramme. Il interroge les élèves à partir de quelques questions stratégiques qui feront ressortir le plus possible les affinités affectives; il prend garde d'orienter les élèves vers l'émergence de perceptions négatives. Par la suite, il interprète les réponses du sociogramme en faisant les ajustements nécessaires.

   Exemple de questions extraites d'un sociogramme: «Nomme-moi trois noms d'élèves avec qui tu t'entends bien et qui possèdent une habileté différente de la tienne.» «Nomme-moi deux noms d'élèves avec qui tu éprouverais plus de difficulté à travailler et explique pourquoi.»

6. Si l'enseignant n'a pas eu besoin de recourir à un sociogramme, il dépouille tout simplement les suggestions des élèves afin de faire connaître à la classe la liste des «couples de l'apprentissage». Il prévient les enfants et les adolescents qu'il ne juge pas nécessaire que les conseillers soient assis constamment l'un à côté de l'autre. Ainsi, il évite la possibilité que le manque d'effort fasse défaut de part et d'autre, et que les deux élèves soient constamment en état de panne et de «remorquage» de l'un par l'autre.

L'utilisation des dyades d'entraide

Quand les élèves se retrouvent en situation de formation de base, d'approfondissement ou de consolidation des apprentissages, voici des moments où le recours aux dyades d'entraide est profitable:

- pour mémoriser des mots d'orthographe;
- pour se donner une dictée de mots ou de phrases;
- pour élaborer une banque de mots avant le début d'une production écrite;
- pour rédiger le plan d'une production orale ou écrite;
- pour dresser une liste de questions avant le début d'une recherche;
- pour s'expliquer des problèmes écrits;
- pour trouver des erreurs dans des travaux;
- pour corriger le brouillon d'une production écrite;
- pour objectiver une production écrite afin de vérifier si les exigences d'écriture ont été respectées;
- pour formuler des hypothèses avant de réaliser une expérience en sciences;
- pour réviser le vocabulaire de mots anglais vus pendant le mois;
- pour faire des lectures à voix haute;
- pour réaliser une recherche sur un sujet donné;
- pour dégager des conclusions dans une expérimentation faite en chimie ou en physique.

Le tutorat

Même si l'enseignant a déjà installé dans la classe la structure des dyades de dépannage et celle des dyades d'entraide, il peut ressentir le besoin de se tourner vers une autre forme de soutien: le tutorat, qui correspond au jumelage d'élèves plus compétents ou plus âgés avec d'autres qui le seraient moins. Il s'agit de l'exploitation maximale des compétences d'élèves doués ou expérimentés. Contrairement au contexte des dyades d'entraide, les écarts de performance sont présents au sein des duos d'apprentissage que l'enseignant crée.

Le gestionnaire de la classe met en œuvre le tutorat seulement lorsque les élèves se connaissent vraiment et que celui-ci a une bonne vision de son groupe-classe. De plus, pour que le tutorat fonctionne avec efficacité, il est important que l'enseignant ait établi préalablement un climat de classe sain ainsi qu'une organisation de classe ouverte à la participation et à la responsabilisation.

Pour parvenir à bien ancrer la formule du tutorat auprès des tuteurés, l'enseignant doit se soucier des aspects suivants:

- À partir de la liste des élèves de la classe, il détermine les élèves les plus compétents dans les deux principales disciplines, soit le français et les mathématiques, les tuteurs étant davantage sollicités dans ces deux matières.
- L'enseignant explique à tous les élèves de la classe qu'il veut instaurer le système de tutorat afin de suppléer parfois à son manque de disponibilité au regard des besoins que les élèves lui expriment.
- Il insiste pour dire que, contrairement à ce qu'on observe dans les dyades d'entraide, tous les élèves ne seront pas appelés à jouer le rôle de tuteur.
- Il informe la classe du nom des élèves qu'il a choisis pour être tuteurs en lecture, en écriture et en mathématiques.
- Il précise avec les élèves les contextes où les tuteurs seront en service auprès d'eux en spécifiant que ces derniers peuvent intervenir tantôt auprès d'un élève, tantôt auprès d'un petit groupe d'élèves. *Exemples:*
  - Le tuteur révise des notions avec un élève qui a pris du retard.
  - Il aide un élève à manipuler du matériel afin qu'il saisisse le sens du concept de la division.
  - Il explique à deux élèves les différences entre les homophones «son» et «sont».
  - Il anime une petite clinique sur la soustraction avec des zéros.
  - Il devient une ressource au sein d'un atelier-arbre.
- L'enseignant avertit les élèves qu'il aura davantage besoin des tuteurs lorsque le menu du cours ou de la journée sera ouvert. Dans une séance de différenciation planifiée nécessitant la gestion de sous-groupes

d'apprentissage momentanés, le gestionnaire de la classe doit obligatoirement faire appel aux ressources des élèves. Autrement, comment parviendra-t-il à superviser simultanément les différentes tâches d'apprentissage ? Il sait que, s'il est seul, il risque de ne pas atteindre les buts qu'il poursuit avec les élèves. Voilà une merveilleuse occasion de mettre en évidence les richesses qui prévalent au sein d'une communauté d'apprenants !

- Il prend le temps nécessaire pour former les tuteurs chaque fois qu'il désire utiliser leurs services.

Remettre les pendules à l'heure

À l'heure où la plupart des enseignants sont débordés en salle de classe parce que les besoins des apprenants sont grands et que les ressources sont limitées, comment expliquer qu'on sous-estime les compétences des élèves à s'entraider ?

Sans doute le fait d'avoir vécu des expériences décevantes dans ce sens amène-t-il l'enseignant à délaisser cette forme de soutien. Ici comme ailleurs, l'apprentissage de l'entraide et de la coopération ne s'improvise pas ; il doit être enseigné et appris. Comme il s'agit d'une compétence transversale importante à développer, l'enseignant doit se soucier de placer les élèves en situation d'apprentissage dans ce domaine également.

Sans doute aussi l'enseignant est-il fatigué d'avoir à justifier de nouveaux modèles pédagogiques ou organisationnels auprès de parents conservateurs qui éprouvent très souvent de l'insécurité devant des structures inhabituelles. Les dyades d'entraide, le tutorat, le travail d'équipe, le menu ouvert, il y a de quoi faire paniquer certains parents qui préfèrent s'appuyer sur les traditions qui les ont formés. Ceux-ci ont tendance à critiquer l'innovation alors qu'ils ne comprennent pas toujours la portée des gestes avant-gardistes dont ils sont témoins. N'y a-t-il pas un urgent besoin d'information à combler auprès des parents ? Ces derniers ne demandent pas mieux, ils veulent saisir le bien-fondé de la nouveauté qui est proposée à leur jeune. Comme les enseignants seraient soulagés s'ils avaient le champ libre pour renouveler leurs pratiques quotidiennes !

En premier lieu, l'enseignant doit se pencher sur les diverses interventions qu'un élève peut faire afin de bien jouer son rôle de conseiller ou de tuteur. D'emblée, les élèves ne savent pas comment ils peuvent venir en aide à un camarade ; ils ont manifestement de la bonne volonté, point à la ligne. Avant de dire qu'ils sont trop jeunes ou trop immatures pour le faire, révisons nos positions...

En second lieu, pour contrer les objections des parents inquiets d'apprendre que leur enfant ou leur adolescent puisse perdre son temps en classe lorsqu'il aide un compagnon, faisons-leur la démonstration que l'élève conseiller ou tuteur est loin de tourner en rond.

L'enseignant peut se servir de la démarche de formation de concepts pour prouver aux parents la place importante que l'objectivation occupe dans le processus d'apprentissage. En mettant des mots sur ce qu'il vit, l'élève aidant dépasse l'étape des concepts intuitifs pour arriver à l'étape des concepts verbalisés. À ce stade, la connaissance que l'apprenant manipule a toutes les chances d'être durable pour lui parce qu'elle s'enracine dans son histoire personnelle.

Malgré le fait que les deux élèves placés en interaction ne se retrouvent pas au même endroit au même moment, la situation de progression est aussi profitable pour l'aidé qui réussira sans doute à gravir un autre échelon. Grâce à des mots et à des exemples d'enfant ou d'adolescent, il traversera l'étape du concret, du questionnement afin de palper intuitivement ce qu'il est en train d'abstraire.

Lorsque des parents comprennent ce qui se passe vraiment dans une classe, lorsqu'ils voient les gains intéressants que peut obtenir leur enfant ou leur adolescent d'une pratique qui n'a pas fait encore ses preuves, il est rare qu'ils ne fassent pas confiance au professionnalisme de l'enseignant. La plupart du temps, après avoir saisi la pertinence d'une telle initiative, ils se rangent du côté de l'instigateur et adhèrent à ce que celui-ci propose.

4.3 Le travail d'équipe, un excellent chemin pour apprendre à coopérer

Contexte et utilité

Le travail d'équipe fait partie de la panoplie des ressources mises au service de l'apprentissage et de l'enseignement. Utilisé sans encadrement, comme c'est souvent le cas, il se révèle inefficace et devient rapidement source de problèmes en classe. Quand un enseignant connaît le répertoire des structures disponibles pour gérer les groupes de travail, quand il saisit les nuances existant entre ces divers dispositifs, il est davantage en mesure d'effectuer des choix judicieux, et cela, pour le plus grand bénéfice des apprenants.

Apprendre à travailler en équipe est un vaste objectif qui touche le développement d'habiletés à la fois sociales et cognitives. Cette compétence transversale ne peut être atteinte sans la pratique, sans un encadrement, sans des essais et erreurs et sans une régulation. Travailler en équipe, voilà un objet d'apprentissage pour toute une vie ! Comme il y a un commencement à toute chose, l'élève l'apprendra au quotidien sous la guidance d'un enseignant-accompagnateur qui valorisera ses bons coups, répondra à ses questions, réorientera son cheminement, l'épaulera dans l'émergence de la signifiance, l'appuiera dans ses synthèses et lui suggérera des pistes d'amélioration continue.

Pistes d'utilisation

1. Pour faciliter la compréhension des caractéristiques concernant les sortes d'équipes, prenez le temps de parler de pédagogie avec vos élèves (*voir encadré, p. 198*).
2. Pour débuter, faites appel à des équipes spontanées de quatre élèves ou moins, afin de favoriser les interactions entre les équipiers. Ce type d'équipe convient surtout dans le cas de tâches de courte durée : pas plus de 10 à 15 minutes, selon l'âge des élèves.
3. Structurez par la suite des équipes permanentes pouvant durer au moins une étape ou le temps d'une production à long terme. On recourt à ce type d'équipe principalement pour des tâches de longue durée.
4. Avant de placer les élèves en équipes, informez-les du type d'équipes que vous désirez utiliser :
   - des équipes spontanées ou des équipes permanentes ?
   - des équipes de travail ou des équipes coopératives ?
5. Faites connaître aux élèves la tâche d'apprentissage en spécifiant s'il s'agit d'une tâche de discussion ou d'une tâche de production. Assurez-vous de présenter verbalement et visuellement le mandat rattaché à la tâche (le « quoi faire ? »).
6. Ciblez avec les élèves l'habileté sociale et l'habileté cognitive qu'il faut développer à l'intérieur de chacune des équipes (le « pourquoi » ?). Dans cette perspective, référez-vous au tableau des habiletés sociales et cognitives de la fiche 4.3a, page 452.

7. Proposez aux élèves une démarche leur rappelant les étapes à parcourir ou une procédure illustrant les consignes à exécuter. Cette description des pas à franchir pour accomplir la tâche d'apprentissage est présentée verbalement et visuellement (le « comment faire ? »).
8. Fixez un échéancier de discussion ou de production que les élèves devront respecter (le quand ? »).
9. Suggérez aux élèves de se distribuer des rôles au sein de l'équipe : le gardien de la parole, le gardien du temps, le gardien de la tâche, le gardien du matériel, le journaliste ou reporter (*voir fiche 4.3b, p. 452*).
10. Prévoyez un encadrement disciplinaire : la formulation de règles de vie et de conséquences d'application en lien direct avec le travail d'équipe (*voir fiche 4.3c, p. 453*).
11. Mettez à la disposition des élèves le matériel nécessaire (le « avec quoi ? »).
12. Placez les élèves dans un aménagement physique facilitant le maximum d'interactions (le « où ? »).
13. Invitez les élèves à se donner une feuille de route, s'il s'agit d'un travail à long terme (*voir fiche 4.3d, p. 453*).
14. Précisez aussi qu'au terme de leur projet d'équipe ils devront faire un retour sur le processus vécu en objectivant ce qui s'est passé. La fiche 4.3e, p. 454, peut être utilisée partiellement ou globalement selon l'âge des élèves, le contexte d'apprentissage, la nature de l'apprentissage et le degré de compétence des élèves à faire une objectivation.
15. Informez-les qu'ils auront à s'autoévaluer ou à évaluer leur travail d'équipe, selon la cible de développement retenue (*voir fiche 4.3f, p. 454*).
16. Par ailleurs, sachez distinguer les « pupitres en équipe » – où les élèves accomplissent une tâche individuelle en échangeant des idées, des points de vue entre eux –, des « élèves en équipe » – où ceux-ci sont chargés de travailler ensemble sur une même réalisation afin de mener à terme une seule production. En vous préoccupant de cette dimension, vous parviendrez à sélectionner plus facilement des tâches d'apprentissage sollicitant une réelle coopération.
17. Toutes les fois que c'est possible, proposez aux élèves de travailler sur du papier de grand format avec des feutres de couleur. Cette dimension matérielle aide les élèves à considérer la tâche autrement. Les travaux d'équipe ne requièrent pas les mêmes instruments que le travail individuel.
18. Accordez de l'importance à toutes les étapes du processus coopératif : la planification, l'objectivation et l'évaluation du travail d'équipe.

19. Offrez une banque d'outils variés pouvant servir à la présentation des travaux d'équipe. Préoccupez-vous de l'aspect de la diversité en ce qui concerne les outils d'expression ainsi que les diverses clientèles à qui les élèves peuvent présenter leurs réalisations d'équipes. (*Voir fiches 5.14g et 5.14h, p. 480.*)

Remettre les pendules à l'heure

Je suis consciente que certains enseignants entretiennent des croyances erronées au sujet de la gestion des groupes de travail. J'en aborderai trois pour tenter d'éliminer des peurs, d'atténuer certains préjugés et, surtout, pour favoriser une plus grande utilisation de cette ressource en classe :

- *1re croyance : plus les élèves travaillent en équipe, plus ils deviennent habiles à coopérer.* L'enseignant ne doit pas miser seulement sur la fréquence des travaux coopératifs, mais bien sur la qualité de ceux-ci. Comme vous le constatez en parcourant cet outil, plusieurs facteurs entrent en ligne de compte lorsqu'un intervenant désire mesurer l'efficacité de cette structure de travail.

  Des élèves pourraient travailler en équipe pendant les six années de leur cours primaire et arriver au secondaire avec un maigre bagage sur le plan coopératif. Il y a un fossé qui sépare les « pupitres en équipe » et les « élèves en équipe ». Ce n'est pas parce que les pupitres des élèves sont regroupés en îlots de travail ou parce que des élèves sont réunis autour de tables de travail que l'apprentissage coopératif y est nécessairement présent.

- *2e croyance : le curriculum est trop chargé pour que j'aie le temps de faire travailler les élèves en équipe.* Il faut voir les choses globalement : il n'y a pas, d'une part, la « vraie » école et, d'autre part, les travaux d'équipe. Que l'on parle de dyades de dépannage, de dyades d'entraide, d'équipes de travail ou d'équipes coopératives, toutes ces structures sont des modalités pour gérer les groupes de travail. Elles ne constituent pas des fins en soi, mais des ressources disponibles que l'enseignant place au service de l'apprentissage.

  Pour que l'élève réalise un apprentissage, l'enseignant doit tenir compte dans sa planification non seulement de la dimension intellectuelle, mais aussi de la dimension matérielle. Il doit harmoniser le rapport entre les structures pour gérer les groupes de travail et les étapes de la démarche d'apprentissage ; c'est cette jonction qui déterminera à quel moment le support matériel pourra contribuer à l'éclosion de la connaissance. Pour ne pas ternir l'image de la coopération ou minimiser l'importance des travaux d'équipe, l'enseignant évitera de s'en servir comme alibi pour punir ou récompenser les élèves.

- *3e croyance : les travaux d'équipe ne conviennent pas à tous les groupes d'élèves et à tous les élèves.* Seule une personne qui croit que l'entraide et la coopération sont des compétences innées peut parler ainsi. Le jour où un enseignant accepte que cette dimension de l'apprentissage soit présente dans le curriculum et qu'elle fasse partie du développement des apprenants, il ira à la rencontre des jeunes là où ils se trouvent pour gravir avec eux les échelons de cette compétence.

  L'enseignant ne doit pas attendre que les élèves soient suffisamment mûrs pour les placer en situation de coopération. C'est plutôt en les plaçant dans des structures appropriées qu'il amorcera avec eux ce long processus de la maturation sur le plan coopératif.

  Quant aux élèves que l'on juge inaptes à travailler avec d'autres personnes, il s'avère que ce sont ces derniers qui en retireraient le plus de gains. L'enfant ou l'adolescent qui éprouve des problèmes sur le plan de ses relations avec les autres est un apprenant qui doit s'abreuver à la fontaine de la socialisation. Ce n'est pas en le retirant constamment de son équipe qu'il apprendra à vivre en société. Le retrait temporaire d'un élève peut être une solution à court terme, mais la possibilité qu'il puisse réparer son erreur doit lui être également offerte. Dans cette perspective, le proverbe *Cent fois sur le métier, remettez votre ouvrage* n'a jamais été aussi vrai. Certes, le défi est grand autant pour l'intervenant que pour l'apprenant… Il faut y aller progressivement et, surtout, ne pas baisser les bras devant une perte d'autonomie ou un manque d'engagement. Ce n'est pas parce que l'atteinte de cet objectif s'avère difficile qu'il faut le croire impossible…

Quand privilégier le travail en équipe ?

L'enseignant détermine des moments propices à l'utilisation des équipes à l'intérieur de toute situation d'apprentissage (*voir tableau 4.3, ci-dessous*). Il fait des choix en ayant en tête les trois étapes de la démarche d'apprentissage et en se rappelant ceci :

- La phase de la mise en situation procure aux élèves l'occasion de travailler sur des contextes coopératifs *plus faciles.*
- La phase de la réalisation procure aux élèves l'opportunité de travailler sur des contextes coopératifs *plus difficiles.*
- La phase de l'intégration procure aux élèves la possibilité de travailler sur des contextes *moyennement faciles.*

TABLEAU 4.3 DES EXEMPLES DE TÂCHES D'ÉQUIPE INSÉRÉES DANS LE VÉCU D'UNE DÉMARCHE D'APPRENTISSAGE

AVANT (mise en situation)	**PENDANT** (réalisation)	**APRÈS** (intégration)
• Un remue-méninges avant de rédiger une production écrite • Une carte d'exploration sur un thème avant d'amorcer une recherche • L'élaboration d'un plan avant de commencer une production écrite • La lecture, la reformulation et l'explication de consignes avant d'amorcer une tâche d'apprentissage • La formulation d'hypothèses avant de réaliser une expérience • Le choix de stratégies pertinentes avant de résoudre des problèmes écrits • Le décodage de difficultés éventuelles avant d'entreprendre une période de révision	• La réalisation d'une recherche • Le vécu d'une expérience en sciences • La création d'une maquette en sciences humaines • La conception d'une murale collective en arts plastiques • La réalisation d'une tâche complexe • La résolution d'un certain nombre de problèmes • La composition d'un sketch • L'invention d'un message publicitaire • La rédaction d'une production écrite • Une discussion sur un sujet donné	• La chasse aux fautes dans une dictée • L'objectivation d'une production écrite • La comparaison de diverses réponses obtenues à un problème écrit ainsi que la discussion sur les démarches et les stratégies utilisées • Le décodage des apprentissages faits après une leçon • La découverte d'une loi ou d'une formule à partir de constats établis pendant les deux premières étapes de la démarche d'apprentissage • La détermination d'une force et d'un défi dans une réalisation donnée • L'objectivation d'une réalisation en arts plastiques • La présentation d'une recherche ou d'un projet pour faire part de ce qui a été appris • Le décodage de ce que l'on ne comprend pas après une tâche d'apprentissage ou d'évaluation • La comparaison de différents résultats après une expérience de sciences • Une synthèse écrite ou visuelle (cartes sémantiques, réseaux de concepts, schémas organisateurs) après avoir travaillé sur un projet pendant un certain temps

Par ailleurs, l'enseignant peut diversifier les moments pédagogiques pour faire coopérer les élèves. Au cours de la réalisation d'une production écrite, un enseignant pourrait proposer les modalités de travail suivantes : un remue-méninges en *équipes de quatre*; la rédaction du premier jet d'idée dans un *cadre individuel*; la révision du brouillon en *dyades d'entraide.*

Au cours de la résolution de problèmes, un enseignant pourrait proposer: la lecture des problèmes et la formulation d'hypothèses de solutions en *dyades d'entraide*; la résolution des problèmes dans un *cadre individuel*; un échange sur les démarches et les stratégies utilisées en *équipes de quatre*.

4.4 Rien ne sert de courir, il faut partir à point!

Des pistes pour récupérer du temps en classe

Contexte et utilité

Les heures et les minutes d'une semaine de classe sont souvent comptées. Il y a de nombreux objets ou résultats d'apprentissage dans les curriculums, il y a plusieurs tâches toutes aussi importantes les unes que les autres à réaliser et, surtout, il y a maints imprévus qui surviennent en cours de route. Le temps est si précieux et, très souvent, l'enseignant en manque, il a l'impression de toujours courir après cette denrée rare... Comme les heures d'une grille-horaire ne sont pas extensibles et qu'il y a suffisamment de journées de classe dans une année scolaire pour découvrir le programme avec les élèves, le praticien a intérêt à rentabiliser le temps mis à sa disposition. Serait-il possible qu'on le gaspille sans s'en apercevoir? Serait-il possible également qu'on en fasse perdre aux élèves sans trop s'en rendre compte?

L'outil 4.4 non seulement offre des pistes pour objectiver l'efficacité des interventions en classe, mais il décrit aussi des solutions de remplacement à des pratiques plutôt inefficaces. Dans un contexte où les résultats obtenus ne sont pas proportionnels aux énergies investies, l'enseignant se doit de vivre des renoncements afin de pouvoir passer à autre chose. Il devient alors important que celui-ci soit épaulé dans ce processus d'épuration et de transformation. Chaque pédagogue a besoin qu'on l'aide à faire le deuil de certaines de ses pratiques que l'on pourrait qualifier parfois de «stériles».

Pistes d'utilisation

1. À la fin d'une journée, utilisez le tableau 4.4, page suivante, pour décoder le ou les moments où il y aurait eu une perte de temps en classe. Demandez-vous si vous auriez pu procéder autrement.
2. Ciblez l'un de ces moments et mettez en place une stratégie pour remédier à cette situation non souhaitable. Le tableau 4.4 fournit également des solutions de remplacement pour y parvenir.
3. Expérimentez cette nouvelle structure organisationnelle en tentant de voir les avantages et les inconvénients de celle-ci. Persistez dans l'expérimentation. C'est seulement après quelques tentatives que vous pourrez juger de son efficacité.
4. Après avoir intégré complètement cette solution de remplacement à votre pratique quotidienne, attaquez-vous à une deuxième problématique, puis à une troisième et ainsi de suite.

TABLEAU 4.4 | DES FAÇONS DE RÉCUPÉRER DU TEMPS EN CLASSE

SITUATIONS DE PERTE DE TEMPS	SOLUTIONS DE REMPLACEMENT
L'enseignant est un mordu de la correction « à la queue leu leu ».	L'enseignant introduit dans la classe le pupitre de l'autocorrection.
Il suggère des exercices supplémentaires à des élèves démontrant un rythme de travail accéléré.	Il élabore un tableau d'enrichissement.
Il n'a pas le temps d'enseigner parce qu'il est envahi par les problèmes d'indiscipline.	Il définit avec les élèves un référentiel disciplinaire : des règles de vie et des conséquences d'application.
Il voit ses élèves attendre à la file indienne afin de bénéficier d'explications supplémentaires.	Il forme des dyades d'entraide et y fait appel fréquemment.
Il manque de disponibilité pour aller prêter secours à des élèves vivant un blocage sur le plan des compétences d'ordre méthodologique, c'est-à-dire dans leur « comment faire ? ».	Il élabore avec les élèves des démarches et des stratégies d'apprentissage qui sont déposées par la suite dans le coffre à outils pour apprendre.
Il est contraint de faire des retours collectifs sur les examens ou les tâches d'évaluation afin de bien remplir son rôle d'évaluateur ; tout en se soumettant à cette habitude pédagogique, il estime que cette pratique est lourde à gérer et qu'elle ne présente pas l'efficacité qu'il souhaiterait.	Il se sert de la clinique obligatoire qui se vit à l'intérieur d'un sous-groupe d'apprentissage pendant que les autres élèves travaillent individuellement sur des tâches de consolidation ou d'enrichissement.
Il croit dans la pensée magique et omet de préciser les modalités relatives à l'encadrement des élèves au moment de leur entrée dans la classe le matin et au début de l'après-midi.	Il définit avec les élèves une procédure décrivant ce qu'il attend d'eux chaque fois qu'ils arrivent en classe ; il pense même à élaborer un référentiel visuel comme stratégie de rappel.
Il fait face aux pertes de temps occasionnées par des changements de période vécues dans un cadre imprécis. Le temps alloué aux élèves pour ranger leurs effets scolaires et se préparer à démarrer une autre activité est souvent allongé par des bavardages superflus ou des déplacements inutiles.	Il meuble les temps de transition d'une discipline à une autre par un moyen original : une chanson-thème, un refrain connu, un slogan ou un mot de passe.
Il prolonge la durée des explications collectives à l'intention de tous les élèves, même si certains ont compris le concept ou saisi le contenu notionnel.	Il offre des cliniques avec inscription et il utilise alors l'enseignement par sous-groupes.
Il monopolise du temps pour rappeler aux élèves la liste des tâches d'apprentissage obligatoires qu'ils doivent réaliser à l'intérieur d'une semaine ou d'un cycle de X jours.	Il met à la disposition des élèves un plan de travail hebdomadaire faisant état des tâches obligatoires.
Il subit la prolongation des minutes de ballottement pendant l'entrée du midi ou le retour des récréations.	Il fait entendre de la musique d'ambiance à ses élèves et il les invite à rentabiliser ce temps par la lecture silencieuse, les activités « cinq minutes » ou le projet personnel.
Il inscrit lui-même sur un tableau de consignation le résultat de l'atelier, du devoir ou de l'activité qui vient d'être fait ou réussi par chacun de ses élèves.	Il élabore un tableau de contrôle où chacun des élèves indique, au moyen d'un signe préétabli (un pictogramme, une couleur, une forme, un mot) s'il a satisfait ou non aux exigences formulées.

TABLEAU 4.4 | DES FAÇONS DE RÉCUPÉRER DU TEMPS EN CLASSE (*SUITE*)

SITUATIONS DE PERTE DE TEMPS	SOLUTIONS DE REMPLACEMENT
Il prolonge les périodes d'autoévaluation verbales et collectives en demandant, à tour de rôle, à chacun des élèves d'énoncer verbalement le résultat du jugement qu'il a porté.	Il permet aux élèves de s'autoévaluer par écrit à l'aide d'une échelle d'appréciation. Ce dernier prévoit un espace sur cet outil pour qu'il puisse dire à l'élève s'il est d'accord ou non avec son évaluation.
Il fabrique lui-même tout le matériel nécessaire au bon fonctionnement de sa classe.	Il propose aux élèves ayant un rythme rapide de construire du matériel de manipulation, de rédiger des pancartes, de préparer des mots-étiquettes, de composer une dictée ou un pré-test dans une discipline donnée.
Il juge important d'écrire quotidiennement une rétroaction positive dans le cahier de chacun des élèves sous forme de force et de défi.	Il omet parfois de donner une rétroaction positive à chacun de ses élèves pour les inciter à identifier eux-mêmes une force et un défi. Il varie la formule en plaçant les élèves en dyades et en leur demandant d'échanger une rétroaction positive.
Il répète aux élèves plusieurs fois les mêmes consignes de la même façon.	Il manipule les consignes de quatre façons : il les dit, les écrit, les fait reformuler par un élève et permet même aux élèves de s'en parler pendant quelques minutes à l'intérieur de leur dyade d'entraide.
Il annonce pour chaque période les directives relatives à une nouvelle tâche.	Il écrit le menu de la journée ou du cours au tableau.
Il se voit obligé de prendre de longues périodes pour régler des conflits vécus à l'intérieur ou à l'extérieur de la classe.	Il propose aux élèves une démarche et des stratégies de résolution de conflits. Au besoin, il met en place un conseil de coopération et y recourt régulièrement.
Il corrige lui-même quotidiennement tous les mots d'orthographe étudiés ou les mots d'une dictée.	Il utilise les dyades d'entraide pour l'apprentissage des mots d'orthographe. Deux à deux, les apprenants jouent à la fois le rôle d'enseignant et celui d'élève. L'enseignant recourt à des équipes de quatre élèves pour faire un retour sur la dictée d'apprentissage. Il leur lance le défi de la « chasse aux fautes » et, par la suite, il fait avec eux une objectivation sur les erreurs qu'ils ont décelées.
Il présente chacun des objets ou des résultats d'apprentissage de façon linéaire et séquentielle. Chaque apprentissage est morcelé, compartimenté afin de ne pas embrouiller les élèves.	Il planifie des projets d'apprentissage à travers lesquels il établit des liens entre les objets d'apprentissage et les disciplines. Il exploite des processus intradisciplinaires (à l'intérieur d'une discipline), interdisciplinaires (à travers des disciplines) et transdisciplinaires (au-delà des disciplines).
Il fait des retours collectifs avec ses élèves sur la fin de semaine ou le congé qu'ils viennent de vivre ; ainsi, la causerie collective devient l'unique façon de partager le vécu.	Il utilise les dyades d'entraide ou les équipes de partage pour échanger des rétroactions sur la semaine de classe ou la fin de semaine que les élèves viennent de vivre.
Il prend l'habitude de toujours placer les élèves en phase d'objectivation collective, et vécue au moyen de la parole. Il se retrouve avec les conséquences suivantes : l'activité prend beaucoup de temps, ce sont toujours les mêmes élèves qui s'expriment, et c'est à ce moment que les problèmes d'indiscipline se manifestent.	Il varie les formes d'objectivation autant dans les groupes de travail que dans les outils d'expression utilisés. Il place les élèves dans divers contextes d'objectivation : collectivement, en équipe, en dyade, individuellement. Il leur propose de le faire au moyen de différents supports : par l'écriture, le dessin, le geste, le mime ou un outil structuré.

4.5 Des minutes perdues à récupérer : une mesure de prévention et d'efficacité !

Contexte et utilité

Les minutes consacrées à l'entrée du matin et de l'après-midi, aux retours des récréations, aux changements de périodes, aux transitions entre les activités paraissent plus difficiles à gérer que d'autres. Comment gérer tous ces menus instants qui se succèdent jour après jour ? Même s'ils sont de courte durée, ils requièrent des mesures d'encadrement et d'organisation de la part du gestionnaire de la classe. L'enseignant peut toujours se dire qu'il n'a pas beaucoup de pouvoir sur ces minutes grugées dans son temps d'enseignement. Il risque d'être davantage contrarié lorsqu'il voit des élèves qui prennent plaisir à étirer le temps alloué avant de se rendre disponibles au rassemblement collectif.

Comment résister au stress ou à la culpabilité, puisqu'on ne peut échapper à ce temps d'encadrement ? Mieux vaut prendre son mal en patience et s'outiller pour récupérer toutes ces miettes de temps qui risquent de s'envoler, mais qui, autrement, pourraient devenir source de stimulation. Comment encadrer les élèves pour qu'ils se mobilisent rapidement autour de défis personnels sans avoir à dépenser trop d'énergie ? Et si la planification d'activités « cinq minutes » était l'une des solutions ?

Les activités « cinq minutes » sont des activités permettant d'éliminer des pertes de temps en classe. Elles peuvent être orientées vers des connaissances qui ne sont pas complètement acquises et que l'apprenant aurait intérêt à consolider; elles peuvent aussi être exploratoires en préparant l'élève à un nouvel objet ou résultat d'apprentissage ou encore en contribuant à élargir son champ d'horizon. (*Voir tableau 4.5, page suivante.*)

Pistes d'utilisation

1. Discutez avec vos élèves de la problématique des pertes de temps en classe. À quels moments y en a-t-il ? Comment pourrait-on rentabiliser ce temps perdu ?
2. Décodez les besoins et les champs d'intérêt de vos élèves afin de pouvoir leur offrir des activités stimulantes.
3. Planifiez un éventail de six à huit activités « cinq minutes ». Regroupez-les en deux catégories : des activités pour s'améliorer (de consolidation) et des activités pour explorer (d'exploration). Des exemples sont proposés à l'intérieur d'une banque d'activités que l'on trouve dans le tableau 4.6, page 222.
4. Au début de la semaine, présentez aux élèves ces activités verbalement et visuellement.
5. Créez un espace permanent dans la classe pour déposer ce matériel de dépannage ; assurez-vous que les élèves peuvent y avoir accès facilement.
6. Si certaines activités sont de nature fermée, introduisez l'autocorrection; l'élève s'y retrouvera aisément, puisque ces dernières ne présentent qu'une seule bonne réponse.

7. Pensez à la gestion des activités «cinq minutes» dans le cadre d'un échéancier mobile plutôt que fixe. Concrètement, cela signifie que vous ne changez pas radicalement toutes les activités au même moment. Chaque vendredi, enlevez les activités qui ne sont plus pertinentes et remplacez-les par de nouvelles. Par contre, si certaines s'avèrent encore nécessaires, conservez-les pour une plus longue période.

TABLEAU 4.5 | DES PRÉCISIONS SUR LES ACTIVITÉS «CINQ MINUTES»

BUTS	CARACTÉRISTIQUES	MOMENTS D'UTILISATION	ORGANISATION MATÉRIELLE
• Les activités « cinq minutes » offrent une pratique supplémentaire. • Elles ouvrent des portes à la consolidation. • Elles servent à prévenir l'inconduite. • Elles aident l'enseignant à maintenir une organisation de classe efficace. • Elles représentent une avenue intéressante pour créer la mise en train d'une prochaine activité. • Elles tiennent lieu de révision avant une évaluation. • Elles contribuent au renforcement d'une nouvelle connaissance. • Elles rejoignent différents champs d'intérêt et peuvent susciter ainsi des sujets pertinents pour d'éventuels projets personnels. • Elles alimentent des élèves en quête d'exploration et de nouveauté. • Elles enseignent aux élèves l'attitude à occuper positivement leur temps.	• Ce sont des activités courtes. • Elles ne nécessitent pas beaucoup de temps d'organisation. • Elles requièrent peu de supervision de la part de l'enseignant. • Comme elles ne portent pas sur de nouveaux concepts, elles sont autogérées par l'élève. • Elles sont accessibles à tous les apprenants, car ceux-ci sont capables non seulement de les choisir seuls, mais aussi de les réaliser. • Comme elles sont diversifiées, elles sont susceptibles d'augmenter la motivation de certains élèves.	Ce genre d'activités peut se vivre à différents moments de la journée : • Le matin, au début des cours, en attendant les élèves retardataires. • À la fin d'une période, s'il reste seulement quelques minutes avant le signal du timbre. • Avant de commencer une nouvelle activité, question de se changer les idées pendant quelques minutes. • À la fin de la classe, pour créer une atmosphère de calme. • S'il y a une interruption dans le travail collectif en cours, l'enseignant étant occupé à s'entretenir avec une personne qui a besoin de discuter avec lui. • Advenant un manque de matériel dans la classe pour outiller tous les élèves, où l'enseignant doit effectuer des démarches pour remédier à la situation. Voilà une excellente façon d'empêcher la panique de s'installer au sein du groupe !	• Les activités « cinq minutes » demandent très peu de matériel et elles peuvent se réaliser en quelques minutes. Lorsque c'est nécessaire, l'élève peut écrire les réponses ou faire les exercices dans un cahier ou sur des feuilles mobiles. • De préférence, placez cette banque d'activités sur une tablette ou une étagère en avant de la classe ou sur les côtés avant du local. • Offrez des options aux élèves. Sensibilisez-les au fait qu'ils ont intérêt à choisir une activité qui leur permettra de faire un pas supplémentaire vers une ancienne connaissance (la consolidation) ou de s'orienter vers un nouvel objet ou résultat d'apprentissage (l'exploration). • Consultez périodiquement les élèves relativement à leurs besoins et à leurs champs d'intérêt pour alimenter cette banque d'activités. • Invitez les élèves à répertorier eux-mêmes des suggestions d'activités « cinq minutes ». Validez avec eux les propositions qu'ils vous feront.

TABLEAU 4.6 | UNE BANQUE D'ACTIVITÉS « CINQ MINUTES »

ACTIVITÉS DE CONSOLIDATION	ACTIVITÉS D'EXPLORATION
• Écris les nombres de 200 à 100 par bonds de 2 en ordre décroissant. • Écris le nom des 12 mois de l'année et retrace une chose spéciale qui caractérise chacun d'eux. • Travaille ton écriture cursive. • Classe par ordre alphabétique le nom de 10 légumes. • À partir d'une catégorie de mots, trouve un mot « égaré » qui ne va pas avec les autres. • Remets 5 phrases en ordre en te servant des mots contenus dans les enveloppes qui sont à ta disposition. • Joue au jeu d'associations en créant des liens avec les images et les mots qui sont devant toi. • Nomme 10 couleurs différentes que tu vois présentement dans la classe et invente une charade pour nous faire deviner ta couleur préférée. • À partir d'un livre de bibliothèque, trouve 10 mots de 4 syllabes. Écris-les sur des cartons-étiquettes pour les afficher au centre de lecture. • Cherche dans ton vocabulaire personnel 10 mots commençant par la syllabe « po- » et 10 autres mots commençant par la syllabe « mi- ». • Utilise les cartons du « Jogging mathématique » pour résoudre des problèmes écrits seulement à partir des calculs que tu feras dans ta tête. Dis-toi que ton crayon est en congé. • Tente de résoudre le mot-mystère qui contient 20 mots anglais que tu as appris dernièrement. • Exerce-toi à tes jeux d'addition ou de multiplication avec des objets : des dés, des cartes à jouer, un sablier. • Consulte le classeur de remédiation et choisis une fiche qui pourrait t'aider à améliorer un point précis de ta compétence à écrire. • Tente de faire le mot croisé qui regroupe les principales notions grammaticales vues durant l'étape. • Compose 5 phrases sur 2 homophones qui te causent des soucis lorsque tu écris un texte. • Écris les nombres de 300 à 500 en faisant des bonds de 5. • À l'aide de l'horloge en carton, exerce-toi à lire l'heure : celle de ton lever, du début de la classe, de la première récréation, de la seconde récréation, de la fin de l'école, de ton souper et de ton coucher. • Donne le nom des 4 saisons et dessine un événement qui est associé à chacune d'elles.	• Conçois un abécédaire sur le thème des animaux en écrivant un nom d'animal qui débute par chaque lettre de l'alphabet. • Commence la rédaction d'un texte libre. • Formule 3 questions au regard de différentes disciplines et prépare-toi à les poser à un camarade. • Invente des mots croisés en lien avec des sujets abordés récemment dans la classe. • Compose des mots cachés à partir de la liste des mots de vocabulaire du mois. • Vis une activité remue-méninges sur un thème de ton choix et choisis 20 mots que tu classeras en 3 ou 4 catégories. • Relève 10 noms de pays que tu aimerais visiter et indique un élément particulier qui t'attire vers ces destinations. • Découvre dans la classe 10 objets qui ne mesurent pas 10 centimètres. • Réalise une activité d'anticoloriage où tu dois compléter un dessin inachevé à partir d'une consigne qui sollicite ta créativité. • Sers-toi du jeu de « Tangram » pour approfondir la symétrie. • Observe avec une loupe ou un microscope des pièces-spécimens de ton choix. • Invente une charade en lien avec le dernier projet personnel que tu as vécu dans la classe. • Illustre un proverbe ou une courte histoire. • Crée des rimes qui te serviront à composer un poème ou une chanson. • Construis un solide géométrique avec du carton ou avec des pailles et de la pâte à modeler. Indique le nombre de faces, d'arêtes et de sommets que tu trouves dans ta nouvelle construction. • Prépare un court texte faisant référence à une nouvelle de l'actualité qui fera partie du téléjournal en classe. • Conçois un message publicitaire sur le métier ou la profession que tu aimerais exercer plus tard. • Invente une activité « cinq minutes » à l'intention de tes camarades. • Accomplis une responsabilité personnelle. • Fabrique le matériel que t'a suggéré ton enseignant. • Mets ton carnet d'apprentissage à jour.

••••›

TABLEAU 4.6 | UNE BANQUE D'ACTIVITÉS « CINQ MINUTES » (*SUITE*)

ACTIVITÉS DE CONSOLIDATION	ACTIVITÉS D'EXPLORATION
• Écris 10 mots qui te viennent en tête ; cherche dans ton dictionnaire les 5 mots qui te semblent plus difficiles à orthographier. • Complète la phrase suivante : « Si j'étais magicien, je ferais... » Continue en utilisant le vocabulaire de ton choix dans 4 autres phrases différentes : « Si j'étais..., je ferais... »	• Mets de l'ordre dans ton portfolio d'apprentissage en classant tes pièces-témoins selon les critères qui apparaissent dans la banque prévue à cette intention. • Si tu gagnais 100 $, comment dépenserais-tu cette somme ? Tu dois effectuer tes choix à partir de la liste d'objets et de vêtements qui apparaissent sur le feuillet publicitaire joint. De plus, tu dois te contenter de 4 achats. • Si tu devais quitter la maison familiale à cause d'un séisme, quels sont les 10 objets personnels que tu apporterais avec toi ? Justifie tes choix.

4.6 Varier ses formes de correction, une façon ingénieuse de rentabiliser son temps !

De nouvelles formes de correction à exploiter

Contexte et utilité

La correction des travaux des élèves occupe une partie importante de la tâche d'un enseignant. Même si celle-ci n'est pas une sinécure, le praticien ressent toujours le besoin de contrôler, de vérifier et de corriger la plupart des productions des élèves. La référence à une séquence d'apprentissage pourrait amener un pédagogue à varier davantage ses formes de correction en fonction des différents types de situations offertes aux apprenants. Quand l'élève est en train d'apprendre, il est avantageux de l'amener à participer à la correction de son travail. Quand ce dernier consolide des acquis, il est très utile que l'enseignant corrige avec lui ce qui vient d'être fait. Par contre, la situation est fort différente lorsque l'enseignant désire évaluer la performance des élèves : il ne peut déléguer à quiconque la responsabilité de la correction.

Varier ses formes de correction, c'est une bonne occasion de responsabiliser l'apprenant dans ses apprentissages. L'autocorrection constituant bien sûr la première étape de la démarche que l'élève doit vivre, avant d'entreprendre les étapes de l'objectivation et de l'autoévaluation. Un trio inséparable qui ne peut être que bénéfique pour l'élève !

Varier ses formes de correction, c'est aussi pour l'enseignant une façon de récupérer du temps et des énergies qu'il peut consacrer à d'autres activités pédagogiques. Se centrer uniquement sur la correction des travaux des élèves, c'est agir sur le passé, tandis que planifier des situations ouvertes à la différenciation, c'est s'orienter vers l'avenir.

Toutes les tâches connexes au métier d'enseignant ne sont pas d'égale importance ; cela dépend du contexte d'apprentissage où l'apprenant et

l'accompagnateur se situent. Et si l'enseignant acceptait de revoir ses habitudes en matière de correction, quels avantages pourrait-il en tirer ?

Pistes d'utilisation

1. Consultez le tableau 4.7, page 225, qui présente six formes de correction.
2. À partir de ce tableau, déterminez les formes de correction que vous utilisez plus fréquemment.
3. Prenez connaissance des étapes d'une séquence d'activités d'apprentissage dans l'encadré ci-dessous afin d'établir des liens entre ces étapes et les formes de correction que vous auriez intérêt à privilégier. Le tableau 4.8, page 225, vous éclaire aussi à ce sujet.
4. Ciblez une forme de correction avec laquelle vous êtes moins familiarisé et tentez de l'intégrer dans le déroulement d'une prochaine séquence d'apprentissage.
5. Introduisez l'autocorrection dans la classe toutes les fois que c'est possible. (*Voir les sections suivantes, p. 226 à 229.*)

Le choix d'une forme de correction selon les étapes d'une séquence d'activités d'apprentissage

Pour acquérir des connaissances, les élèves doivent nécessairement passer par diverses étapes regroupées selon une logique d'apprentissage. C'est ainsi qu'on trouve normalement dans une séquence d'apprentissage les cinq étapes suivantes :

1. Les activités d'appropriation ;
2. Les activités d'entraînement ou de formation de base ;
3. Les activités d'évaluation ;
4. Les activités d'approfondissement et de récupération ;
5. Les activités de structuration et d'enrichissement.

Il pourrait arriver que, dans une séquence donnée, une étape soit inversée pour répondre à une intention pédagogique précise. Ce serait le cas lorsqu'un enseignant décide d'évaluer les élèves dès le départ pour établir un premier diagnostic.

Selon le type d'activité en cours, l'enseignant choisit la forme de correction qui convient le mieux. Voici un exemple des choix que l'enseignant pourrait faire à partir d'une séquence d'activités d'apprentissage donnée. Un enseignant pourrait recourir à la formule de l'autocorrection dans un contexte individuel pour toute activité d'enrichissement ainsi que pour des activités d'appropriation. Aussi, il pourrait privilégier une forme de correction par les pairs dans une étape d'entraînement ou de formation de base, tandis qu'il adopterait une formule de correction plus personnalisée en se plaçant lui-même en interaction avec un élève lorsque cet élève est en phase d'approfondissement ou de récupération afin de pouvoir le questionner sur son processus. Finalement, il se rendrait compte rapidement que la correction de **tous les travaux** des élèves par lui-même en l'absence de ces derniers devrait avoir lieu uniquement au moment de l'évaluation des apprentissages ou encore à la fin d'une séquence d'apprentissage.

TABLEAU 4.7 SIX FORMES DE CORRECTION D'ACTIVITÉS D'APPRENTISSAGE LIÉES AUX CONNAISSANCES

FORMES DE CORRECTION	MODALITÉS DE CORRECTION
1. L'autocorrection dans un contexte individuel	L'élève se rend au centre d'autocorrection et il se corrige lui-même à l'aide d'une clé de correction. Il peut aussi le faire à son pupitre.
2. L'autocorrection dans un contexte collectif	Les élèves conservent leur travail et, sous la guidance de l'enseignant, ils se corrigent eux-mêmes à l'intérieur d'un regroupement collectif.
3. La correction par un pair reconnu par l'enseignant	Après avoir été corrigés par l'enseignant, des élèves jouent le rôle de correcteurs auprès de leurs pairs ou des élèves tuteurs accomplissent cette fonction.
4. La correction par un pair dans un contexte collectif	Les élèves échangent leurs travaux avec leurs camarades à des fins de correction et, au sein du grand groupe, l'enseignant donne les bonnes réponses aux élèves.
5. La correction individuelle par l'enseignant en présence de l'élève	L'enseignant circule dans la classe pour procéder à une correction individuelle des travaux et il en profite pour initier des entretiens d'ordre méthodologique et questionner certains élèves sur leur processus d'apprentissage.
6. La correction individuelle par l'enseignant en l'absence des élèves	L'enseignant se retrouve seul pour procéder à la correction des travaux des élèves. Il annote chacun d'eux et, au besoin, écrit des commentaires avant de remettre les copies aux élèves.

TABLEAU 4.8 LES FORMES DE CORRECTION À PRIVILÉGIER SELON LES ÉTAPES D'UNE SÉQUENCE D'ACTIVITÉS D'APPRENTISSAGE

ÉTAPES DE LA SÉQUENCE D'ACTIVITÉS D'APPRENTISSAGE	FORMES ET MODALITÉS DE CORRECTION À PRIVILÉGIER
Activité d'appropriation	**Modèle 1 : L'autocorrection dans un contexte individuel** À l'aide d'une clé de correction écrite ou symbolique, cette correction se vit au centre d'autocorrection ou au pupitre de l'élève. L'élève se reconnaît le droit à l'erreur. Il sait que ses méprises n'entraîneront aucun jugement de la part des autres
Activité d'entraînement ou de formation de base	• **Modèle 2 : L'autocorrection dans un contexte collectif** Tous les élèves conservent leur cahier d'activités et comparent leurs réponses à l'aide de la clé de correction détenue par l'enseignant qui est devant eux. Si les élèves en sont à leur première activité d'entraînement, il vaut mieux protéger leur estime de soi et leur permettre de se situer eux-mêmes par rapport au nouvel objet d'apprentissage plutôt que de recourir à une correction exercée par un pair. • **Modèle 3 : La correction par un pair reconnu par l'enseignant** L'élève fait corriger son travail par un autre élève, que ce soit le camarade de sa dyade d'entraide, un élève tuteur (mini-enseignant), un élève désigné par l'enseignant, etc. L'élève autorisé par l'enseignant à corriger ses pairs se sent reconnu et compétent.

4

TABLEAU 4.8 | LES FORMES DE CORRECTION À PRIVILÉGIER SELON LES ÉTAPES D'UNE SÉQUENCE D'ACTIVITÉS D'APPRENTISSAGE (*SUITE*)

ÉTAPES DE LA SÉQUENCE D'ACTIVITÉS D'APPRENTISSAGE	FORMES ET MODALITÉS DE CORRECTION À PRIVILÉGIER
Activité d'entraînement ou de formation de base (*suite*)	• **Modèle 4: La correction par un pair dans un contexte collectif** L'enseignant donne verbalement les bonnes réponses aux élèves qui ont accepté de corriger le travail de l'un de leurs camarades. Si les élèves ont déjà réalisé quelques activités d'entraînement, la correction par un pair peut être stimulante.
Activité d'évaluation	**Modèle 6: La correction individuelle par l'enseignant en l'absence des élèves** L'enseignant passe au peigne fin toutes les données fournies par l'élève; il porte un jugement et laisse des traces de son évaluation par un chiffre, une lettre, un symbole, un commentaire ou la formulation d'une force et d'un défi à l'intention de l'élève. L'enseignant situe les élèves par rapport à ce qui est attendu; il revoit par la suite sa planification à la lumière des informations recueillies.
Activité d'approfondissement et de récupération	**Modèle 5: La correction individuelle par l'enseignant en présence de l'élève** Le dialogue pédagogique entre les deux prend plus de place que l'énoncé de la bonne réponse. L'enseignant, par son questionnement, suscite une prise de conscience chez l'apprenant.
Activité de structuration et d'enrichissement	• **Modèle 1: L'autocorrection dans un contexte individuel** Dans le cas d'une activité d'enrichissement à caractère fermé, l'élève se corrige lui-même à l'aide d'une clé de correction écrite ou symbolique. • **Modèle 5: La correction individuelle par l'enseignant en présence de l'élève** Dans le cas d'une activité de structuration, la discussion entre l'enseignant et l'élève est importante pour bien interpréter l'information.

Comment amener l'élève à s'engager dans la correction de ses travaux?

Préparer les élèves à l'autocorrection

Faire des interventions pour mettre fin au culte de la bonne réponse chez les élèves est le geste prioritaire par lequel un enseignant doit commencer. Pendant des années, l'école a insisté sur la recherche de bonnes réponses. Cela a déteint sur les élèves, qui ne se posent plus de questions tellement ils sont préoccupés de trouver les supposées «bonnes réponses» que leur enseignant attend d'eux. Ils sont prêts à prendre les grands moyens pour y arriver: à mentir au moment de la correction, à copier des réponses dans l'autobus scolaire, à tricher en inscrivant des réponses dans le creux de leur main, à harceler un camarade pour qu'il partage son secret, à supplier le parent au moment des devoirs pour qu'il révèle la bonne réponse même si la compréhension du processus n'est pas au rendez-vous. Cette situation est décevante, n'est-ce pas?

On est loin de l'autonomie comportementale et intellectuelle dont on rêve tant... Il est évident qu'au moment de la mise en place de l'autocorrection, l'âge des apprenants, leur degré de maturité ainsi que le parcours qu'ils ont vécu sur le plan de la responsabilisation sont à considérer. Malgré cela, je dirais qu'il n'y a pas d'âge idéal pour introduire dans la classe l'autocorrection ainsi que la correction par les pairs. Même des élèves de 6 ans arrivent à le faire sérieusement lorsqu'ils bénéficient du soutien adéquat et d'un entraînement progressif. C'est à l'enseignant de juger du moment opportun pour introduire de nouvelles formes de correction dans sa classe ou son groupe de base. L'essentiel étant, bien sûr, que l'enseignant croit fermement que ses élèves ont le potentiel pour le faire. Il est primordial aussi que le gestionnaire de la classe soit prêt à considérer les erreurs de parcours dans ce domaine non pas comme des échecs, mais comme des pas constructifs vers un autre objet d'autonomie. Voici quelques interventions pour permettre à des élèves d'apprivoiser l'autocorrection :

- Lorsque les élèves travaillent sur des tâches fermées, ne comportant qu'une seule issue, écrivez les réponses au tableau. Vos élèves seront très surpris de votre excès de souplesse Expliquez-leur que vous voulez vous centrer sur leur processus plutôt que sur leurs réponses. Pour renforcer la teneur de vos propos, faites-leur bien remarquer que dans les examens ministériels ou dans des épreuves sommatives, les correcteurs accordent plus de points à la démarche qu'à la réponse.
- Après un certain temps, pour déstabiliser les élèves une fois de plus, écrivez une mauvaise réponse parmi celles que vous avez suggérées. Les élèves plus doués ou critiques n'apprécieront pas nécessairement cette stratégie de votre part, parce qu'ils auront décelé une anomalie dans la clé de correction suggérée. Justifiez votre intervention en affirmant que vous avez agi ainsi à leur égard parce qu'ils ne doutent pas suffisamment lorsqu'ils résolvent des problèmes. Apprendre, c'est douter, c'est se questionner plus d'une fois...

  Par ailleurs, n'hésitez pas à présenter aux élèves les formes de correction possibles (*voir tableau 4.7, p. 225*). Faites-leur connaître aussi les étapes d'une séquence d'activités d'apprentissage avec un vocabulaire qui est clair et accessible pour eux.

  Expliquez-leur qu'ils doivent être capables de cerner les étapes ou les moments d'une séquence d'apprentissage afin de comprendre pourquoi leur enseignant décide d'utiliser leurs ressources pour faire des corrections à un moment plutôt qu'à un autre. L'élève se rendra compte facilement qu'il vivra de l'autocorrection aux étapes de l'« entraînement » ou de la « formation de base », de même qu'à celle de l'« enrichissement ». Il comprendra pourquoi la correction entre pairs s'insère dans le vécu de la classe. Il saisira aussi que la correction des tâches d'évaluation et d'approfondissement relève plus de son enseignant que de lui-même. (*Voir tableau 4.9, p. 228.*)

4

TABLEAU 4.9 LES ÉTAPES D'UNE SÉQUENCE D'ACTIVITÉS D'APPRENTISSAGE FORMULÉES À L'INTENTION DES ÉLÈVES

ÉTAPES	FORMULATION ADAPTÉE
1. Situation d'appropriation (de départ, de mise en route)	Observe et dis-moi.
2. Situation d'entraînement (de formation de base)	Essaie et vérifie toi-même tes réponses.
3. Situation d'évaluation	Es-tu capable ?
4. Situation d'approfondissement et de récupération	Essaie de nouveau.
5. Situation de structuration et d'enrichissement	Va plus loin et fais le point sur ce que tu as produit à l'aide de l'instrumentation mise à ta disposition.

Installer un centre d'autocorrection dans la classe

Maintenant que les élèves ont été préparés à manipuler des clés de correction et à comprendre qu'ils n'ont aucun intérêt à faire semblant ou à se bercer d'illusions, voici le temps de procéder à l'organisation du centre d'autocorrection :

- *Placez le bureau d'autocorrection dans le local,* si possible à proximité du bureau de l'enseignant ou dans un endroit où celui-ci peut superviser de loin ce qui s'y passe. Ce ne serait pas une bonne idée de situer ce centre à l'arrière de la classe, à moins que ce dernier ne soit réservé exclusivement à l'autocorrection des activités d'enrichissement. Choisissez un espace propice à la réflexion et à la concentration. Normalement, l'élève qui fréquente ce coin serait assis le dos aux autres élèves et bénéficierait d'une certaine intimité, celle-ci pouvant aussi être créée par la présence d'un classeur ou d'une étagère venant délimiter son espace vital.
- *Fournissez le matériel nécessaire* (clés de correction, crayons de couleur) afin d'éliminer les tentations de camoufler de mauvaises réponses sous des gribouillis, d'effacer des erreurs, d'inscrire des réponses alors que les calculs n'ont pas été faits, etc. Indiquez aux élèves qu'ils doivent apporter seulement leur cahier ou leur feuille au centre d'autocorrection. Si vous désirez ajouter une note de fantaisie, vous pouvez y déposer des estampes de couleur, des collants que l'élève s'attribuera chaque fois que son seuil de réussite aura été atteint.
- *Situez les élèves dans l'utilisation de l'autocorrection* à l'aide des étapes d'une séquence d'apprentissage (*voir tableau 4.9 pour une formulation adaptée*).
- *Précisez les modalités de l'autocorrection* en élaborant avec eux une procédure d'utilisation (*voir exemple, fiche 4.6a, p. 455*).

- *Affichez cette procédure pour l'autocorrection* dans le centre sous forme de référentiel visuel.
- *Déposez des feuilles de compilation de résultats* construites à partir des listes d'élèves; ainsi, les apprenants pourront laisser des traces des résultats qu'ils ont obtenus.
- *Établissez une norme d'utilisation:* pas plus de trois élèves en même temps au centre d'autocorrection.
- *Prévoyez une conséquence de non-application* à l'égard des élèves qui ne se corrigent pas bien ou ne respectent pas les modalités prescrites.

4.7 Un duo gagnant: les rythmes d'apprentissage et l'enrichissement

Des modèles d'enrichissement à découvrir et à privilégier

Contexte et utilité

On ne peut tenir compte des rythmes d'apprentissage sans penser au concept d'«enrichissement». Cette idée inspire souvent des craintes au praticien parce qu'elle évoque la perspective de travail supplémentaire autant du côté des élèves que de celui de l'enseignant.

Pourtant, il s'agit d'une option pédagogique susceptible de faciliter la gestion des rythmes d'apprentissage. Quand l'enrichissement est en place dans une classe ou dans un groupe de base, l'élève continue d'apprendre par lui-même tandis que l'enseignant récupère du temps pour pouvoir s'occuper des élèves ayant besoin d'un accompagnement plus soutenu.

Introduire de l'enrichissement dans une classe suppose d'abord que le gestionnaire de la classe explore un certain nombre d'outils organisationnels ayant trait à la gestion des différences. Cela suppose également qu'il établit des structures adéquates pour encadrer le travail autonome des élèves qui sont touchés par la dimension du «Va plus loin».

D'entrée de jeu, il est important de se demander quels types d'élèves auraient intérêt à bénéficier de l'enrichissement. De façon générale, l'enrichissement peut être utilisé dans les contextes suivants:

- Des élèves qui possèdent un rythme d'apprentissage rapide et qui terminent très souvent leurs mandats, leurs productions et leurs réalisations avant les autres.
- Des élèves autonomes qui sont capables de corriger eux-mêmes les erreurs qu'ils ont faites sans avoir à participer à la révision des tâches d'apprentissage ou d'évaluation. Pendant le déroulement des explications collectives données aux autres élèves, ils s'alimentent au tableau d'enrichissement.
- Des élèves ayant besoin d'une stimulation intellectuelle; par exemple, ils viennent d'un milieu socioéconomique faible.
- Des élèves ayant besoin d'encouragement sur le plan de la motivation scolaire.

- Des élèves en difficulté d'apprentissage, mais ayant réussi à marquer des progrès dans une discipline donnée.
- Des élèves ayant bénéficié d'adaptations ou d'accommodations face à une tâche obligatoire, ce qui leur a permis de remplir le mandat exigé et de tirer profit eux aussi de l'enrichissement.
- Des élèves présentant un trouble du comportement, mais étant parvenus à se mériter un privilège, soit celui d'obtenir un laissez-passer de X minutes au centre d'enrichissement.
- Des élèves appartenant à un sous-groupe d'élèves travaillant sans la guidance de l'enseignant pendant que celui-ci anime un autre sous-groupe.
- Des élèves qui attendent leur tour pour entreprendre une rotation d'activités dans des ateliers-carrousels contenant des tâches d'apprentissage avec des préalables à respecter sur le plan de la formation des concepts.
- Des élèves qui ne présentent aucun besoin d'approfondissement de contenus notionnels pendant la tenue d'un atelier-arbre.

L'outil 4.7 se veut une belle occasion d'envisager des solutions aux écarts de parcours scolaires qui sont de plus en plus présents dans les classes.

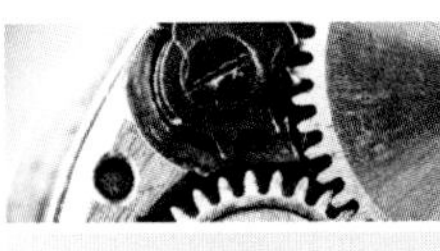

Remettre les pendules à l'heure

Pour gérer efficacement la dimension de l'enrichissement, l'enseignant doit absolument avoir en tête les étapes d'une séquence d'activités d'apprentissage. De cette manière, il saisit et discerne mieux les moments où il doit se pencher, d'une part, sur l'enrichissement et, d'autre part, sur la consolidation et la récupération des apprentissages. Pendant que des élèves vont plus loin ou plus en profondeur dans leur développement, d'autres élèves prennent le temps de digérer les apprentissages qui ont été amorcés. Sans l'éclairage d'une séquence d'apprentissage, l'enseignant risque fort de s'éparpiller dans l'espoir d'occuper tout ce beau monde qui l'interpelle.

Plusieurs enseignants réclament la création de banques d'activités d'enrichissement afin de faciliter le processus de la gestion des rythmes, puisqu'un tel dispositif leur permettrait d'y effectuer des choix. Cette solution comporte des lacunes importantes : une activité X peut très bien représenter de l'enrichissement pour un élève, alors que ce ne sera pas le cas pour un autre élève. Dans la même veine, une activité Y peut être de l'ordre de l'enrichissement en début d'année et ne plus l'être en fin d'année.

Élaborer des banques d'activités, c'est travailler dans la perspective où l'on distribue des poissons aux gens, tandis que planifier l'enrichissement en fonction de critères comme les profils et les parcours d'apprentissage des élèves, c'est leur enseigner à pêcher. Pour tenir compte des rythmes, il faut nécessairement s'ouvrir aux différences. Les activités du « Va plus loin » et du « Je m'essaie de nouveau » n'ont pas à être vécues par tous les élèves, pas plus qu'il faut inscrire à l'horaire une période pour vivre l'enrichissement.

En plus de la référence à une séquence d'apprentissage, l'enseignant a grandement intérêt à se donner des critères de sélection au moment où il soupèse la valeur des activités d'enrichissement qu'il a l'intention de proposer aux élèves. De là l'importance de se laisser porter par la diversité et la complexité des tâches d'enrichissement. De là aussi l'obligation de faire le deuil d'une fausse pratique d'enrichissement consistant à photocopier des feuilles, à monter des cahiers maison de révision ou à suggérer des pages supplémentaires d'exercices à réaliser. Les élèves ne mordront jamais à l'hameçon du déjà vu, du déjà connu. Il n'est pas surprenant alors qu'ils délaissent des tableaux d'enrichissement qui ont parfois nécessité des heures de recherche et de conception de la part de l'enseignant.

Pistes d'utilisation

1. Avant d'entreprendre de grandes initiatives sur le plan de l'enrichissement, prenez le temps de consulter la section «Pour mieux saisir l'enrichissement et l'articuler» (*page suivante*) qui vous propose de planifier avec vos collègues deux chantiers de discussion portant sur les diverses composantes entourant le vécu de l'enrichissement dans une classe ou un groupe de base. Le premier chantier suggéré porte sur la clarification des concepts pédagogiques de base, tandis que le second est orienté vers l'exploration de structures organisationnelles inhérentes à la mise en place de l'enrichissement. S'il est difficile pour vous d'organiser de telles rencontres de partage dans votre milieu de travail, prenez tout de même le temps de réfléchir personnellement sur le sens et l'orientation que doit prendre l'enrichissement que vous voulez introduire en classe.
2. Pour préparer les élèves au concept de l'enrichissement, habituez-vous à présenter régulièrement en classe la liste écrite des tâches d'apprentissage que vous jugez non négociables. Ces tâches dites obligatoires se retrouvent habituellement sur un plan de travail et constituent le «Ce que je dois faire».
3. Au moment de la mise en place de l'enrichissement, pensez à fournir aux élèves un référentiel visuel regroupant les tâches qu'ils peuvent faire dans leurs moments libres. Ces tâches dites facultatives peuvent être regroupées sur un menu d'enrichissement et sont plus de l'ordre de «Ce que je peux faire».
4. Structurez le fonctionnement des activités d'enrichissement en pensant à partager le pouvoir avec les élèves. Dans ce sens, vous avez le choix d'introduire un simple menu d'enrichissement, un tableau d'enrichissement, des ateliers d'enrichissement ou un centre d'enrichissement.
5. Décodez les champs d'intérêt et les besoins des élèves en matière d'enrichissement, de façon régulière, à chaque étape de l'année. Compilez ces champs d'intérêt et consignez dans votre journal de bord les résultats obtenus. Référez-vous à ces données chaque fois que vous planifiez le contenu d'un nouveau tableau d'enrichissement, qu'il soit thématique ou non.
6. Faites participer les élèves à l'élaboration des activités d'enrichissement, car plus ils côtoient cette structure de travail, plus ils développent leur capacité de l'alimenter partiellement.
7. Objectivez avec les élèves le vécu et le fonctionnement de l'enrichissement. Évaluez et, au besoin, régulez votre façon de procéder.
8. Évitez de tomber dans la routine. Pensez aux aspects de la nouveauté et de la variété. Comme vous devez vous soucier de la promotion de l'enrichissement, la prise en compte de ces deux critères peut faciliter votre travail de «marketing». Plus les tâches sont alléchantes, plus vous courez la chance de rejoindre les élèves qui sont capables, mais non motivés.

Pour mieux saisir l'enrichissement et l'articuler

Avant de se préoccuper de la diversité des modèles pour introduire de l'enrichissement auprès des élèves, il est extrêmement important que l'enseignant clarifie les principaux concepts qui gravitent autour de cette réalité. Il y a certes matière à réflexion personnelle, mais il y a aussi prétexte à tenir des chantiers de discussion sur la mise en place de l'enrichissement au sein d'une équipe-niveau, d'une équipe-cycle et même d'une école. Une fois cette réflexion faite, les enseignants ressentiront sans doute le besoin d'aller plus loin. Pourquoi ne pas vivre ensuite des chantiers de production pour élaborer les modèles que les praticiens désirent privilégier?

Zone de discussion

Premier chantier: La clarification des concepts de base
Afin de vous donner une vision commune de l'enrichissement, clarifiez avec vos collègues les concepts d'enrichissement, d'objectif d'enrichissement et d'activités d'enrichissement. Le tableau 4.10, page 233, fournit quelques précisions pour susciter votre réflexion.

Second chantier: L'exploration des structures organisationnelles
Entre collègues, partagez vos visions sur le coin d'enrichissement, le centre d'enrichissement, le tableau d'enrichissement, le menu d'enrichissement et l'atelier d'enrichissement, toutes des structures organisationnelles susceptibles de vous aider à introduire l'enrichissement dans votre fonctionnement quotidien. Le tableau 4.11, page 234, est un bon instrument pour nourrir vos échanges.

Des modèles pour introduire de l'enrichissement en classe

Si les rythmes d'apprentissage existent chez les élèves, ils existent aussi chez les enseignants: tous ne sont pas à l'aise d'intégrer illico les structures organisationnelles mentionnées dans le tableau 4.11. Afin de tenir compte du cheminement personnel de l'intervenant et de son groupe d'élèves, voici six modèles pouvant convenir à un enseignant pour mettre en place de l'enrichissement dans sa classe ou dans son groupe de base. J'aborde chaque modèle par l'entremise d'un exemple. Les noms des enseignants sont fictifs, mais leur vécu bien réel. Qui sait? Bientôt serez-vous le prochain à les expérimenter?

TABLEAU 4.10 | DES CONCEPTS DE BASE LIÉS À L'ENRICHISSEMENT

CONCEPTS	DÉFINITIONS ET PRÉCISIONS
Enrichissement	« Approche éducative qui consiste à prévoir des activités complémentaires au programme régulier. Certains auteurs classent l'enrichissement selon deux catégories : l'enrichissement vertical et l'enrichissement horizontal. Le premier est basé sur des activités d'apprentissage qui amènent l'élève vers un niveau conceptuel plus élevé en mettant l'accent sur le processus d'apprentissage. Le second fait référence à des activités complémentaires qui permettent d'élargir l'application des connaissances acquises. Ces activités font davantage appel à la créativité et visent le développement qualitatif. » (Legendre, 2005, p. 568) L'enrichissement doit être avant tout une raison pour favoriser le développement global de la personne en tenant compte des aspects culturel, artistique, manuel, scientifique, intellectuel, social. Dans cette optique, la référence à la théorie des intelligences multiples est à propos. L'enrichissement peut aussi être orienté en fonction de contenus scolaires, sans chercher toutefois à accélérer la vitesse d'apprentissage d'un élève au point que celui-ci termine sa scolarité plus tôt que prévu.
Objectif d'enrichissement	« Se dit de tout type d'objectif destiné à augmenter ou à élargir les apprentissages d'un sujet en sus des objets ou des résultats d'apprentissage prévus dans un programme ou un plan d'études. [...] L'objectif d'enrichissement parallèle ajoute aux contenus et aux habiletés prévus minimalement dans un programme ou un plan d'études, à titre de prolongement des apprentissages. De son côté, l'objectif d'enrichissement complémentaire a pour mission de situer un apprentissage dans un contexte humain ou utilitaire qui suscite l'intérêt du sujet. » (Legendre, 2005, p. 946)
Activités d'enrichissement	Comme les activités d'enrichissement sont aussi des activités d'apprentissage, on peut les définir ainsi : « activité ou mise en situation d'un sujet susceptible de favoriser l'atteinte d'un objectif d'apprentissage spécifique ». (Legendre, 2005, p. 12) Le fait de vivre une activité d'apprentissage, qu'elle soit de formation de base ou d'enrichissement, doit représenter un acquis pour l'élève. Les activités d'enrichissement doivent permettre à l'apprenant de dépasser le seuil minimal qui le satisfait assez souvent ; elles servent d'alibis pour que celui-ci se penche sur des contextes ouverts, complexes et développementaux. Pas question de lui confier de simples tâches le confinant à faire du « sur place » ou encore de lui proposer des exercices supplémentaires en regard d'un objet ou d'un résultat d'apprentissage qu'il maîtrise déjà. Ces activités s'adressent donc aux élèves qui, après une évaluation de l'atteinte des objets ou des résultats poursuivis lors des situations d'approfondissement, ont le désir de réinvestir leurs acquis ou de découvrir de nouvelles avenues d'apprentissage.

TABLEAU 4.11 | DES STRUCTURES ORGANISATIONNELLES LIÉES À L'ENRICHISSEMENT

STRUCTURES	CARACTÉRISTIQUES ET PRÉCISIONS
Coin d'enrichissement	• Dans le langage courant, on parle du coin d'enrichissement comme étant un lieu habituellement permanent et prédéterminé dans la classe – souvent à l'arrière du local ou sur un de ses côtés. • L'enseignant y étale divers matériels susceptibles d'enrichir le bagage intellectuel des élèves. Ce coin est aménagé plutôt de façon intuitive et ne contient pas de structures organisationnelles additionnelles. • Le gestionnaire de la classe ne propose pas de défis précis aux élèves, comptant sur la stimulation inhérente au matériel et sur l'initiative des apprenants pour qu'ils le fassent eux-mêmes. Disons qu'il s'agit d'un premier pas vers la gestion de l'enrichissement.
Centre d'enrichissement	• Contrairement au coin, le centre d'enrichissement est un espace très structuré qui prend en considération les profils et les parcours des élèves qui le fréquenteront. • Il désigne l'espace dans lequel l'élève retrouvera le tableau d'enrichissement, le menu d'enrichissement, le matériel d'enrichissement, et parfois même quelques ateliers nécessaires à l'actualisation de certaines activités d'enrichissement. • Il s'agit d'un lieu organisé et planifié pour la réalisation autonome de plusieurs activités d'enrichissement tenant compte du rythme, du style et des champs d'intérêt de l'élève. Comme il s'agit d'un dispositif axé sur les différences, chaque utilisateur peut gérer une bonne partie de sa démarche d'apprentissage à partir de son profil personnel grâce à la richesse du centre.
Tableau d'enrichissement (*voir aussi figure 4.3, p. 241*)	• Cette structure organisationnelle permet à l'enseignant de proposer aux élèves des activités purement facultatives. • Le tableau d'enrichissement est articulé autour de trois fonctions principales: présenter le menu d'enrichissement, proposer un tableau à double fonction (d'inscription à l'intention des élèves et de contrôle pour l'enseignant) et, finalement, rappeler aux utilisateurs les règles de vie et les conséquences d'application qui encadreront le fonctionnement de cette structure organisationnelle. • Le tableau d'enrichissement est appelé thématique s'il est planifié selon un sujet déterminé ou un même fil conducteur. Ce type de tableau est fixe dans le temps et il s'échelonne sur une période déterminée à l'avance. • Si le tableau d'enrichissement est non thématique, il est dit mobile, puisqu'il « roule » dans le temps, sans la contrainte d'un échéancier. Ce tableau se renouvelle au fur et à mesure que l'enseignant supprime des activités (impopulaires ou déjà réalisées par une bonne proportion d'élèves) pour les remplacer par d'autres de nature à stimuler certains élèves à dépasser le seuil du minimal en classe.

...›

TABLEAU 4.11 | DES STRUCTURES ORGANISATIONNELLES LIÉES À L'ENRICHISSEMENT (*SUITE*)

STRUCTURES	CARACTÉRISTIQUES ET PRÉCISIONS
Menu d'enrichissement	• Ce référentiel visuel fait la promotion des activités offertes aux élèves. Il peut regrouper de quatre à dix activités, pour que les élèves aient le loisir de choisir véritablement, tout en évitant que ceux-ci se perdent chemin faisant. • À l'aide de symboles visuels, l'enseignant peut indiquer aux élèves s'il s'agit d'une tâche individuelle ou d'une tâche pouvant être réalisée en dyade ou en équipe. • L'enseignant peut y préciser l'endroit où se vivra chaque activité : au pupitre de l'élève ou dans un espace prédéterminé, comme l'aire des projets personnels, ou encore au sein d'un atelier d'enrichissement. • Quand l'enseignant planifie le menu d'enrichissement, il doit porter en lui la préoccupation de la diversité des activités d'apprentissage qu'il propose. Une diversité autant dans les aspects touchés du développement de la personne que dans le choix des disciplines ciblées ou des habiletés sollicitées. Pour cette dernière dimension, le pédagogue doit viser le développement d'habiletés supérieures, telles que : l'analyse, l'évaluation, la créativité, la synthèse, la planification, la prise de décision, la communication, la prévision.
Atelier d'enrichissement	• De façon générale, on peut dire que l'atelier consiste en un « petit nombre d'élèves (de trois à huit) réunis en vue de réaliser un objectif bien délimité et accepté par chaque participant ». (Legendre, 2005, p. 135) • Outre cette réalité du regroupement d'élèves, dans la perspective d'une gestion de classe participative, l'atelier consiste aussi en un espace physique que l'enseignant crée dans un local pour permettre à des élèves de réaliser une activité bruyante, salissante ou dérangeante pour les autres élèves. • Le gestionnaire de la classe prévoit un endroit où les élèves retrouvent le matériel nécessaire pour accomplir une tâche d'exploration, de manipulation ou d'expérimentation de même que les procédures leur permettant de réaliser sans aide extérieure le défi proposé. • L'enseignant doit indiquer aux élèves le nombre de participants accepté à la fois à l'intérieur de l'atelier créé ; il leur parle alors de contingentement pour un fonctionnement plus efficace. • La création de ce type d'atelier découle nécessairement de la planification du menu d'enrichissement. Par exemple, l'enseignant offre aux élèves sept activités sur le menu d'enrichissement dont trois se vivront à l'intérieur d'ateliers, tandis que les quatre autres se feront au pupitre de chaque élève.

Modèle 1 : Un menu d'enrichissement hebdomadaire affiché dans la classe

Chaque lundi matin, Marie-Hélène indique à ses élèves de quatre à six activités qu'ils peuvent réaliser dès qu'ils ont un moment libre. Celles-ci constituent la partie négociable des tâches d'apprentissage et elles se retrouvent sous la rubrique « Ce que je peux faire ». Marie-Hélène les laisse affichées toute la semaine et les remplacera par d'autres au début de la semaine suivante. L'enseignante dépose le matériel nécessaire à la réalisation de ces activités dans un endroit connu des élèves et ceux-ci vont chercher eux-mêmes ce dont ils ont besoin pour accomplir la tâche qu'ils ont choisie. Très souvent, l'activité peut être réalisée au pupitre de l'élève, ce qui simplifie les problèmes d'aménagement physique.

Voici maintenant des suggestions de défis pour alimenter un menu d'enrichissement :

- *Projet personnel :* La proposition du projet personnel doit toujours figurer en tête de liste sur un menu d'enrichissement, puisque certains élèves n'ont pas besoin des suggestions de l'enseignant pour aller plus loin.
- *Activité ouverte d'apprentissage :* Comme il s'agit d'un menu d'enrichissement, et non d'appauvrissement, l'enseignant doit recourir à des activités ouvertes favorisant le développement d'habiletés supérieures de façon à placer le processus d'apprentissage de l'élève en évidence.

  En effet, l'utilisation d'activités ouvertes est à recommander en matière d'enrichissement. Elles sont différentes des activités fermées où tout est déterminé sans la participation de l'élève. Les activités fermées centrent souvent les apprenants sur la recherche de bonnes réponses et tournent toujours autour du développement de la mémoire, de la compréhension et de l'application. Chaque jour de classe, ces habiletés sont abondamment développées.

  Une activité ouverte permet à l'élève de déterminer en tout ou en partie les objets ou les résultats d'apprentissage qu'il désire atteindre, les moyens qu'il prendra pour y arriver de même que les modalités d'évaluation qui lui permettront de vérifier s'il est arrivé à bon port. Par contre, si l'activité est complètement ouverte, elle devient libre. L'enseignant peut reconnaître qu'une activité est ouverte à la lumière des caractéristiques suivantes :

  - L'activité est issue d'un problème à résoudre.
  - Elle sollicite le développement d'habiletés supérieures.
  - L'élève peut faire des choix.
  - Il a un rôle actif tout au long du processus de résolution de problèmes.
  - L'activité proposée permet des apprentissages diversifiés.
  - Elle fait appel à différents moyens d'expression.
  - Elle peut être réussie par des élèves de différents niveaux d'habiletés.
  - Elle porte en elle une forme d'enrichissement, puisqu'elle permet aux élèves d'aller au-delà du problème. (Paquette, 1992)

  Certains ouvrages proposent des activités ouvertes qu'un enseignant peut adapter au vécu de sa classe[1]. L'idéal étant bien sûr d'arriver, un jour, à construire soi-même des activités ouvertes en fonction des champs d'intérêt des élèves, des domaines généraux de formation, des repères culturels, des champs disciplinaires et des expériences de vie. Je propose néanmoins quelques exemples dans la figure 4.2, page suivante.

1. Pour vous renseigner davantage sur les activités ouvertes, je vous suggère un ouvrage qui m'a été particulièrement utile lorsque j'abordais la perspective d'utiliser des activités ouvertes avec les élèves : Michelyne Lortie-Paquette (2002). *Deux cents activités ouvertes d'apprentissage pour l'école primaire*, Victoriaville, Contreforts.

FIGURE 4.2 DES EXEMPLES D'ACTIVITÉS OUVERTES POUR ALIMENTER UN MENU D'ENRICHISSEMENT

Activité liée au choix de valeurs

Un personnage célèbre : Si l'on t'offrait la possibilité de devenir un personnage célèbre, qui choisirais-tu d'être ? Que seraient ton style de vie, tes priorités ? Où vivrais-tu ? Quels changements apporterais-tu autour de toi ? Écris, raconte ou dessine.

Activité valorisant la littératie

La lecture créatrice : Va au centre de lecture et lis un livre qui t'intéresse.

- Que penses-tu du titre ?
- Qu'aurais-tu ajouté pour rendre l'histoire plus intéressante ?
- Comment aurais-tu poursuivi l'histoire ?

Fais une affiche publicitaire pour dire aux élèves de ta classe ou de ton groupe s'il faut lire ou non ce livre.

Activité sollicitant la créativité et l'évaluation

Un message publicitaire : Parmi les quatre saisons, laquelle préfères-tu ? Pense à des raisons qui justifient ce choix. Compose un message publicitaire où tu devras tenter de vendre ta saison préférée à tes camarades.

MENU D'ENRICHISSEMENT

Activités liées aux phénomènes sociaux et humains

- *Des panneaux historiques :* De nombreuses stations du métro de Montréal portent des noms de personnages historiques. Pour faire connaître ces personnages aux usagers du métro, crée un panneau historique qui retiendra l'attention du public. Réalise ton panneau après avoir fait une recherche sur les éléments informatifs que tu désires y inclure. Dispose les éléments sélectionnés de façon à accrocher l'œil des personnes qui parcourront le corridor où sera affiché ton panneau historique.
- *Une règle de sécurité d'or :* Réalise une enquête auprès de personnes ayant déjà vécu un accident. Interroge-les, note leurs réponses, compile les résultats et dégage une règle d'or qui pourrait faire diminuer considérablement le nombre d'accidents si la population décidait d'en faire une règle de sécurité prioritaire.

- *Activité liée au développement des intelligences multiples :* L'enseignant doit savoir profiter du contexte de l'enrichissement pour proposer aux élèves de travailler sur diverses formes d'intelligence qui sont moins sollicitées dans le quotidien d'une classe. Plusieurs élèves aiment travailler sur des tâches faisant appel à leur intelligence naturaliste, artistique, interpersonnelle, kinesthésique, etc.
- *Activité créée par les élèves :* Quand les élèves ont expérimenté le fonctionnement d'un menu d'enrichissement pendant un certain temps, l'enseignant peut les inviter à soumettre des activités susceptibles d'alimenter ce menu. Ils ont le loisir de créer eux-mêmes des activités nouvelles, d'adapter celles qui existent déjà ou de proposer des activités toutes faites, puisées dans un matériel qui est à leur portée. L'enseignant accueille et évalue les suggestions des élèves avant de décider si celles-ci seront acceptées ou non.
- *Activité axée sur le développement des compétences transversales :* Il y a des élèves qui sont fort doués en français et en mathématiques, mais qui n'arrivent pas à communiquer avec les autres ou à mener à terme un projet. Le contexte de l'enrichissement peut permettre à ces apprenants de se pencher sur d'autres dimensions de leur développement global pour pallier une déficience quelconque.
- *Activité à caractère scolaire :* Certains élèves de la classe sont très centrés sur l'école, très «intellos». Même si l'enseignant leur propose une panoplie d'activités intéressantes, ils ne jurent que par les crayons et les cahiers. Pour favoriser la motivation de ces élèves, l'enseignant les autorise à travailler sur de l'enrichissement à caractère scolaire. À cette intention, il peut utiliser des sections «Va plus loin» ou «Pour les experts» déjà insérées dans les séquences d'apprentissage créées par des concepteurs de manuels scolaires. Il peut aussi recourir à un matériel conçu pour un degré supérieur afin de satisfaire la soif de ces jeunes d'aller plus loin et d'avoir un bon résultat. L'objectif n'est pas que l'élève franchisse les portes de l'école secondaire ou du collège dans un temps record, mais qu'il s'éveille à d'autres champs d'intérêt. L'enseignant peut conclure une entente avec l'apprenant : chaque fois que ce dernier a parcouru un bout de chemin dans sa discipline préférée, il est invité à s'engager dans d'autres sphères d'activité du menu d'enrichissement.
- *Activité favorisant la collaboration de l'élève avec l'enseignant :* Un certain nombre d'élèves adorent jouer à l'enseignant : ils aiment fabriquer du matériel, corriger des travaux, prêter assistance à des élèves de la classe ou d'autres classes, et même devenir animateurs de petites cliniques regroupant trois ou quatre élèves. Pourquoi alors ne pas faire appel à leurs compétences ?
- *Activité centrée sur les champs d'intérêt des élèves :* L'enseignant qui se soucie de décoder régulièrement les champs d'intérêt de ses élèves est en mesure d'offrir des tâches associées aux passions qui habitent les enfants ou les adolescents. Une activité en lien avec l'équitation, les cerfs-volants ou les collections de timbres peut susciter la motivation

d'élèves ayant davantage besoin de stimulation pour s'engager. Il est souvent stratégique de se rendre sur le terrain des apprenants...

- *Activité valorisant la littératie:* Toutes les tâches connexes à la littératie sont d'une grande importance, puisque la lecture ouvre la porte aux autres disciplines. L'école ne travaillera jamais assez cette dimension de la lecture. En enrichissement, les élèves devraient avoir le loisir de lire par plaisir, de lire pour s'informer, de lire pour mieux s'exprimer à travers l'oral, l'écrit, les arts plastiques et l'art dramatique.
- *Activité où l'élève apprend en jouant:* De nombreux élèves préfèrent apprendre en jouant. Comme les jeux éducatifs fusent de partout, il est facile d'en sélectionner un ou deux pour un laps de temps donné afin de satisfaire ce besoin. Il est important que l'enseignant reconnaisse les objets ou les résultats d'apprentissage qui se cachent derrière les défis que proposent les jeux. Ainsi, le risque de confiner les élèves dans des tâches occupationnelles est moins grand.
- *Activité liée aux technologies de l'information et des communications:* Sans en faire une activité propre à l'enrichissement, l'ordinateur et ses périphériques peuvent être exploités par l'enseignant toutes les fois que l'occasion se présente. Que ce soit la robotique, le traitement de texte, la manipulation de banques de données, l'élève d'aujourd'hui ne demande pas mieux que de percer les secrets qui habitent l'univers virtuel.

Modèle 2 : Un tableau d'enrichissement structuré à l'arrière de la classe pour une durée d'un mois

Célina planifie un premier tableau d'enrichissement non thématique avec un menu contenant cinq ou six activités. Elle y inclut aussi un tableau d'inscription et de contrôle et elle formule avec ses élèves les règles d'encadrement rattachées à cette structure organisationnelle (*voir figure 4.3, p. 241*). Célina est prudente dans la sélection des tâches : pour l'instant, elle ne propose aucune activité de manipulation et d'expérimentation nécessitant une modification de l'aménagement. Bref, elle désire que le travail d'enrichissement soit accompli aux pupitres des élèves, car elle ne se sent pas prête à changer l'aménagement physique du local pour créer de nouvelles aires de travail. Célina se concentre sur un double défi : les élèves utilisant le tableau d'enrichissement doivent apprendre à circuler dans la classe sans déranger les autres, tout comme ceux qui travaillent sur des tâches obligatoires doivent ignorer les allées et venues de leurs camarades.

Voici maintenant la procédure détaillée à considérer en vue de l'expérimentation d'un tableau d'enrichissement au sein d'une classe ou d'un groupe de base (*voir aussi tableau 4.12, p. 242, et fiche 4.7a, p. 455*) :

1. L'enseignant vit avec les élèves une phase de décodage de champs d'intérêt collectifs. « Qu'est-ce que les élèves aimeraient apprendre ? Qu'aimeraient-ils réaliser comme projets ou activités d'enrichissement ? »
2. L'enseignant dresse l'inventaire du matériel déjà existant dans la classe ou dans l'école afin d'avoir un aperçu de ce qu'il peut exploiter dans le cadre de l'enrichissement.

4

3. Il planifie le tableau d'enrichissement, qui peut s'échelonner sur une période fixe ou sur une période mobile.
4. Il élabore un tableau d'inscription et de contrôle à partir de la liste des élèves et des activités offertes.
5. Il aménage la classe de façon à faciliter la réalisation des activités d'apprentissage proposées aux élèves.
6. Il introduit l'autocorrection, au besoin.
7. Il établit avec les élèves des règles de vie et des mécanismes d'application afin de faciliter le vécu de ce nouveau type de fonctionnement.
8. Il présente le tableau d'enrichissement à tous les élèves afin de donner de l'information sur les tâches d'enrichissement, sur le matériel et sur les endroits où se dérouleront les activités.
9. Il expérimente le tableau d'enrichissement avec les élèves dans un laps de temps donné.
10. Après cette expérience, l'enseignant demande aux élèves d'objectiver ce qui a été vécu. Il utilise diverses pistes d'objectivation :
    - Quelle activité les élèves ont-ils préférée ? Pourquoi ?
    - Quelle activité a été la moins populaire ? Pourquoi ?
    - Qu'est-ce que les élèves ont aimé de ce nouveau type de fonctionnement ?
    - Qu'est-ce qu'ils n'ont pas aimé ?
    - Qu'ont-ils appris ? Qu'ont-ils exploité ?
    - Ont-ils connu des réussites ? des difficultés ?
    - Ont-ils des suggestions pour le prochain tableau d'enrichissement ?
11. L'enseignant relance l'expérience : il fait les ajustements qui s'imposent concernant les trois composantes liées au vécu de l'enrichissement, soit la nature des activités d'enrichissement, les interventions à faire ainsi que la structure et l'aménagement du centre d'enrichissement.

Remarque : Dans le cas de groupes multiâges et multiprogrammes, l'enseignant peut fonctionner avec un seul tableau d'enrichissement commun aux deux niveaux concernés. Toutefois, afin de guider les élèves dans le choix d'un défi à leur mesure, il indique le degré de complexité des activités d'enrichissement à l'aide de pictogrammes. Par exemple, une étoile correspond à une tâche facile, deux étoiles signifient que la tâche est légèrement difficile et trois étoiles, qu'elle est difficile.

FIGURE 4.3 | LES QUATRE VOLETS D'UN TABLEAU D'ENRICHISSEMENT

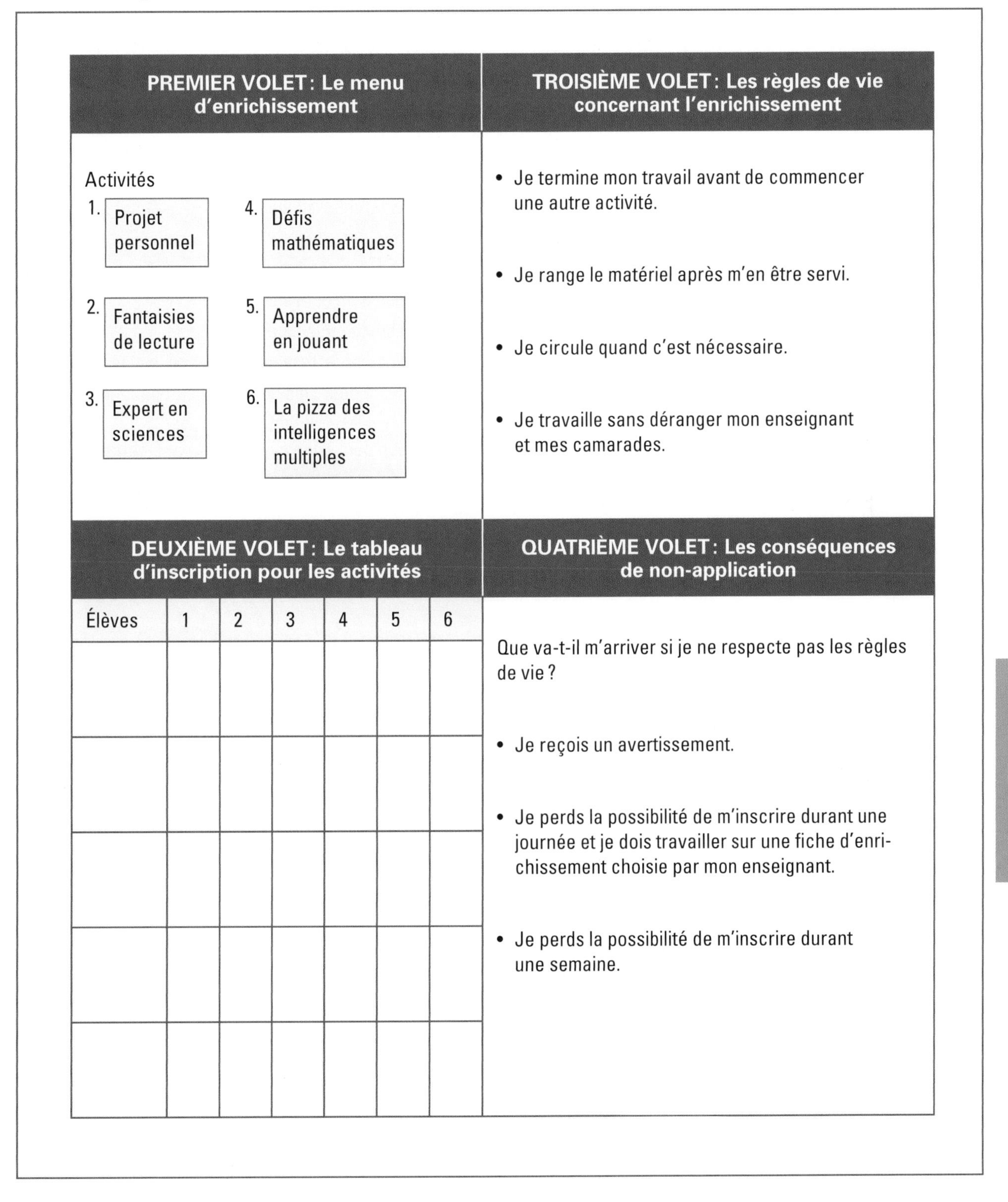

TABLEAU 4.12 UN CANEVAS DE PLANIFICATION POUR ÉLABORER UN TABLEAU D'ENRICHISSEMENT

ASPECTS À CONSIDÉRER	
Sur le plan pédagogique	**Sur le plan organisationnel**
• Un tableau disciplinaire ou un tableau multidisciplinaire • Un tableau thématique ou un tableau non thématique • Un tableau mobile dans le temps ou un tableau fixe avec un échéancier • Le nombre d'activités qui sera inscrit sur le tableau d'enrichissement • Des titres d'activités créateurs, motivants • De la variété dans le choix des disciplines • De la variété dans le choix des habiletés à développer Sont-elles de niveau supérieur ? • De la variété dans les volets privilégiés du développement de la personne • Des tâches tenant compte des champs d'intérêt des élèves • La contribution des élèves dans l'élaboration du tableau d'enrichissement	• L'instrumentation à mettre au point pour certaines activités d'enrichissement : – une démarche visuelle ; – une procédure de fonctionnement ; – une clé de correction ; – une grille d'objectivation ; – une fiche d'autoévaluation. • La modification de l'aménagement de la classe • La possibilité pour l'élève de réaliser chacune des activités à son pupitre • L'obligation pour l'élève qui désire vivre certaines activités de se rendre à un centre d'enrichissement ou à un atelier d'enrichissement

Modèle 3 : Un tableau d'enrichissement thématique sur les papillons suscitant la naissance de quelques ateliers

Après avoir décodé un vif intérêt chez les élèves pour les papillons, François planifie un tableau d'enrichissement thématique (*voir figures 4.4 et 4.5, p. 243 et 244*). À cause du caractère participatif de quelques activités, François crée deux aires spécifiques qui permettront aux élèves de travailler plus aisément. Dans les faits, des élèves se rendent à l'atelier de construction pour réaliser un présentoir pour une collection de papillons (ce qui est lié à une activité de géométrie), tandis que d'autres se dirigent vers l'atelier de sciences pour observer un papillon au microscope. Quant aux quatre autres tâches d'enrichissement, elles sont accomplies aux pupitres des élèves. Pour le gestionnaire de cette initiative, ce clin d'œil à deux ateliers est un beau compromis entre une gestion fermée et une gestion participative.

FIGURE 4.4 UN EXEMPLE DE TABLEAU D'ENRICHISSEMENT NON THÉMATIQUE ET MOBILE DANS LE TEMPS ÉLABORÉ PAR UN ENSEIGNANT-TITULAIRE

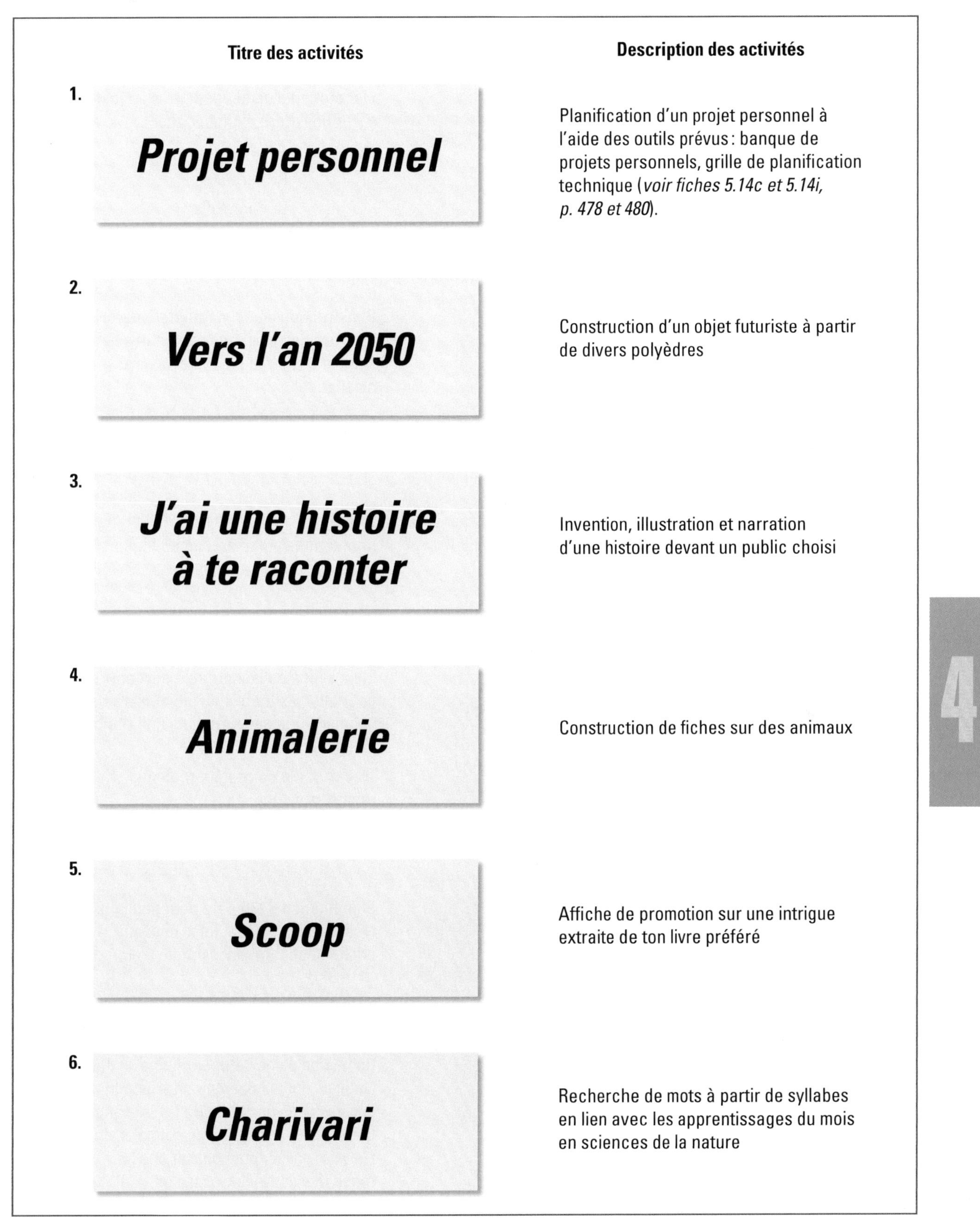

	Titre des activités	Description des activités
1.	Projet personnel	Planification d'un projet personnel à l'aide des outils prévus : banque de projets personnels, grille de planification technique (*voir fiches 5.14c et 5.14i, p. 478 et 480*).
2.	Vers l'an 2050	Construction d'un objet futuriste à partir de divers polyèdres
3.	J'ai une histoire à te raconter	Invention, illustration et narration d'une histoire devant un public choisi
4.	Animalerie	Construction de fiches sur des animaux
5.	Scoop	Affiche de promotion sur une intrigue extraite de ton livre préféré
6.	Charivari	Recherche de mots à partir de syllabes en lien avec les apprentissages du mois en sciences de la nature

FIGURE 4.5 UN EXEMPLE DE TABLEAU D'ENRICHISSEMENT THÉMATIQUE ET FIXE DANS LE TEMPS ÉLABORÉ PAR UN ENSEIGNANT-TITULAIRE

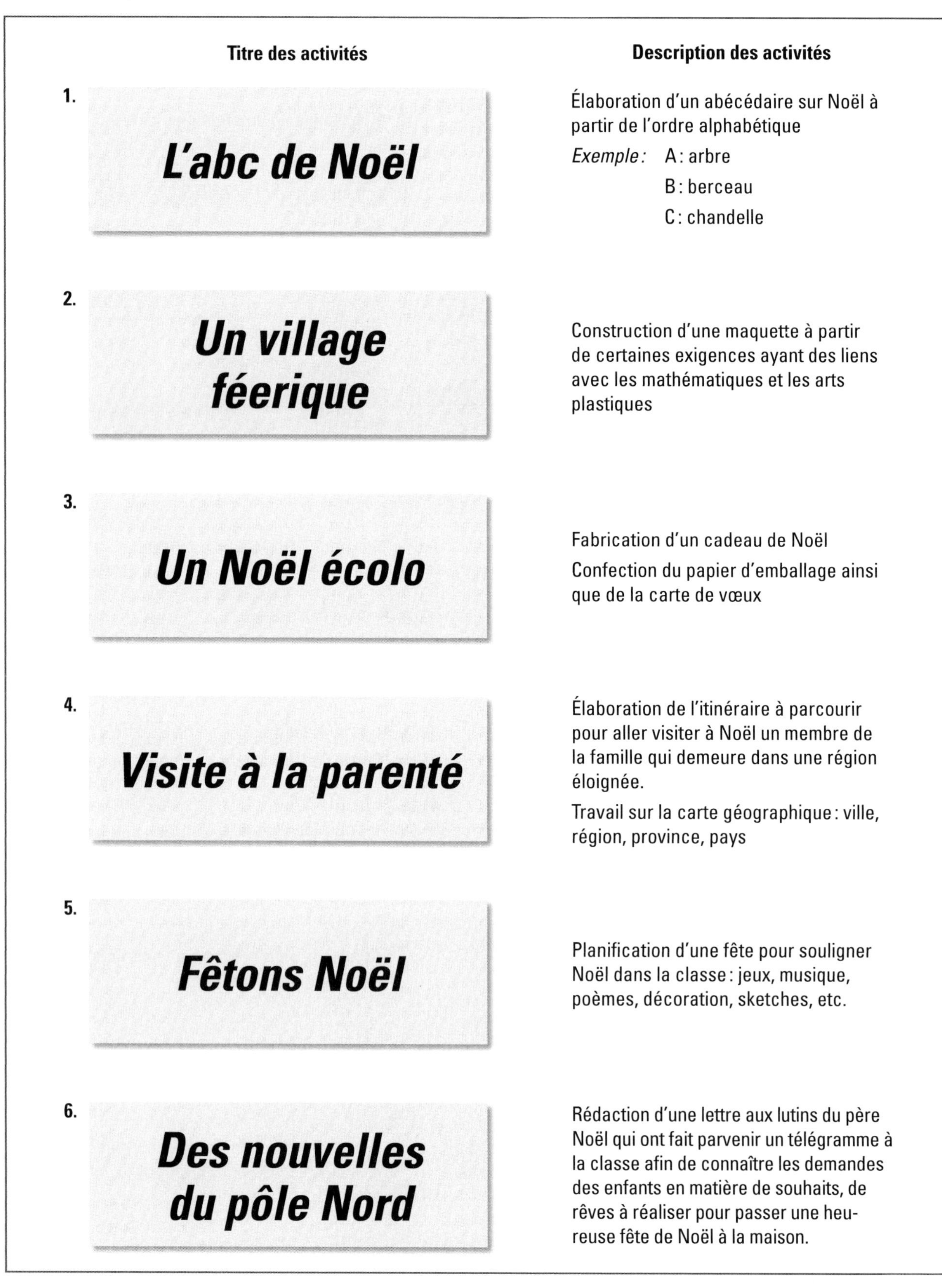

	Titre des activités	Description des activités
1.	L'abc de Noël	Élaboration d'un abécédaire sur Noël à partir de l'ordre alphabétique *Exemple:* A: arbre B: berceau C: chandelle
2.	Un village féerique	Construction d'une maquette à partir de certaines exigences ayant des liens avec les mathématiques et les arts plastiques
3.	Un Noël écolo	Fabrication d'un cadeau de Noël Confection du papier d'emballage ainsi que de la carte de vœux
4.	Visite à la parenté	Élaboration de l'itinéraire à parcourir pour aller visiter à Noël un membre de la famille qui demeure dans une région éloignée. Travail sur la carte géographique: ville, région, province, pays
5.	Fêtons Noël	Planification d'une fête pour souligner Noël dans la classe: jeux, musique, poèmes, décoration, sketches, etc.
6.	Des nouvelles du pôle Nord	Rédaction d'une lettre aux lutins du père Noël qui ont fait parvenir un télégramme à la classe afin de connaître les demandes des enfants en matière de souhaits, de rêves à réaliser pour passer une heureuse fête de Noël à la maison.

Modèle 4 : La création d'un centre d'enrichissement dans la classe

Pour la réalisation autonome d'activités d'apprentissage, Magali installe dans sa classe la structure du centre d'enrichissement. À l'intérieur de celui-ci, ses élèves retrouvent la liste de toutes les tâches à effectuer avec les objets ou les résultats d'apprentissage correspondants. Ils se servent du relevé des utilisateurs pour indiquer qu'ils ont fréquenté le centre et réalisé telle activité. De plus, les élèves sont interpellés par le référentiel disciplinaire du centre d'enrichissement et retrouvent sur place le matériel nécessaire à la réalisation de toutes les activités offertes, ces dernières présentant différents niveaux de complexité.

À l'intérieur du centre, Magali a placé deux pupitres d'élèves pour indiquer, par exemple, que les tâches 6 et 9 doivent être réalisées sur place : il s'agit de deux ateliers portant sur la symétrie et sur la composition du texte d'une chanson. À cette intention, l'élève est invité à manipuler des rimes synchronisées par le tempo du métronome.

Si Magali éprouve une contrainte sur le plan de l'espace, elle pourrait recourir à d'autres formules de centres : centres portatifs, centres de table, centres muraux, chevalets, isoloirs, centres volants, etc. (*voir encadré ci-dessous*).

Pour alimenter vos réflexions et vos expérimentations sur les centres d'apprentissage, voir aussi :

- *Quand revient septembre*, volume 2, p. 286 à 298.
- *Apprivoiser les différences*, p. 192 à 208.

La création d'un centre d'enrichissement dans la classe

Quelques précisions pédagogiques

Comme le centre est une structure très ouverte à la diversité, l'enseignant a le loisir lui aussi de bénéficier de la souplesse qu'offre celui-ci. Ainsi, le concepteur du centre peut envisager différentes options au moment de définir le fonctionnement qui conviendra le mieux aux besoins des élèves tout en tenant compte des contraintes d'espace et de matériel. Il peut décider d'utiliser un seul type de centre, d'en combiner deux ou plus, d'effectuer une rotation dans les choix qu'il fera au cours de l'année.

- *Centre d'exercices :* Il est axé sur le développement des compétences et l'acquisition de contenus notionnels liés à l'enrichissement d'un programme régulier. Il est habituellement articulé autour d'une discipline donnée et il arrive qu'il soit interdisciplinaire lorsqu'il gravite autour d'un champ d'intérêt commun.
- *Centre d'exploration :* Il est planifié en fonction d'un thème, comme l'archéologie, le cinéma, la flore ou la faune. Utilisé surtout comme situation de départ, il présente aux élèves des activités mobilisatrices afin de les amener à découvrir de nouveaux champs d'intérêt.
- *Centre de formation :* Ce centre vise divers buts, comme :
  - l'acquisition d'habiletés de base : la manipulation d'appareils, les techniques de travail ;
  - le développement d'habiletés intellectuelles : la logique, la classification ;

– le développement de compétences d'ordre méthodologique, de stratégies de résolution de problèmes.

- *Centre d'expérimentation :* Il converge vers la manipulation de matériel ou l'apprentissage par le jeu ; les activités proposées nécessitent que les élèves se réfèrent à une démarche ou à des règles de fonctionnement. De plus, les tâches sont plus ouvertes que celles des autres centres et elles prennent la forme de projets personnels ou d'activités créées par les élèves.

Des adaptations possibles au centre d'enrichissement

Pour différentes raisons, le centre d'enrichissement peut prendre des formes différentes en fonction de l'espace disponible, du temps d'utilisation et de l'importance d'exploitation que l'enseignant veut bien lui accorder.

- *Centre portatif:* Il contient du matériel rangé à un endroit précis dans la classe et il ne nécessite aucun aménagement particulier. L'élève apporte le centre à son pupitre ; ainsi, l'enseignant a la possibilité de faire circuler à la fois plusieurs centres d'enrichissement à la condition qu'il y ait plusieurs centres identiques à la disposition des élèves. Ce centre ne peut contenir une grande quantité de matériel à manipuler, car sa capacité de rangement est limitée ; il suppose également que les activités suggérées peuvent se réaliser dans un espace restreint.
- *Centre de table :* Il est de nature temporaire ou permanente et peut accueillir de deux à cinq élèves à la fois. Il contient différentes activités ainsi que le matériel nécessaire à leur réalisation. Il requiert toutefois un réaménagement de la classe, puisqu'un rassemblement d'élèves autour d'une table commune exige un certain espace.
- *Centre mural:* Il est affiché sur un babillard ou sur un chevalet, il demande peu d'espace. Les activités sont déposées dans des enveloppes, des pochettes épinglées sur le mur, à la hauteur des élèves afin de favoriser une plus grande accessibilité. Ces activités se réalisent aux pupitres des élèves et il est préférable qu'elles soient de courte durée.
- *Isoloir:* C'est un espace créé par l'enseignant pour permettre la réalisation de certains travaux individuels. Dans bien des cas, l'isoloir est utilisé afin de maximiser l'espace. Facile d'installation, l'isoloir prend vie rapidement : de grands cartons séparent des aires de travail autour d'une même table.
- *Centre volant :* Il appartient à l'univers de la troisième dimension et est suspendu au plafond par une tringle à rideau de douche, des cordes ou des chaînes.

Modèle 5 : De l'enrichissement ambulant

Pour Josée et Anne-Marie, respectivement enseignantes spécialistes œuvrant au primaire et au secondaire, la dimension de l'enrichissement peut être vécue différemment : par exemple, elles utilisent un chariot pour transporter leur matériel d'une classe à l'autre, au besoin. Toutes deux peuvent ainsi tenir compte des différences de rythmes des élèves malgré le fait qu'elles ne bénéficient pas d'un local permanent pour donner leur enseignement (*voir figure 4.6, page suivante*).

FIGURE 4.6 UN EXEMPLE D'ENRICHISSEMENT AMBULANT LIÉ AU FRANÇAIS, CONÇU PAR UN ENSEIGNANT DU SECONDAIRE

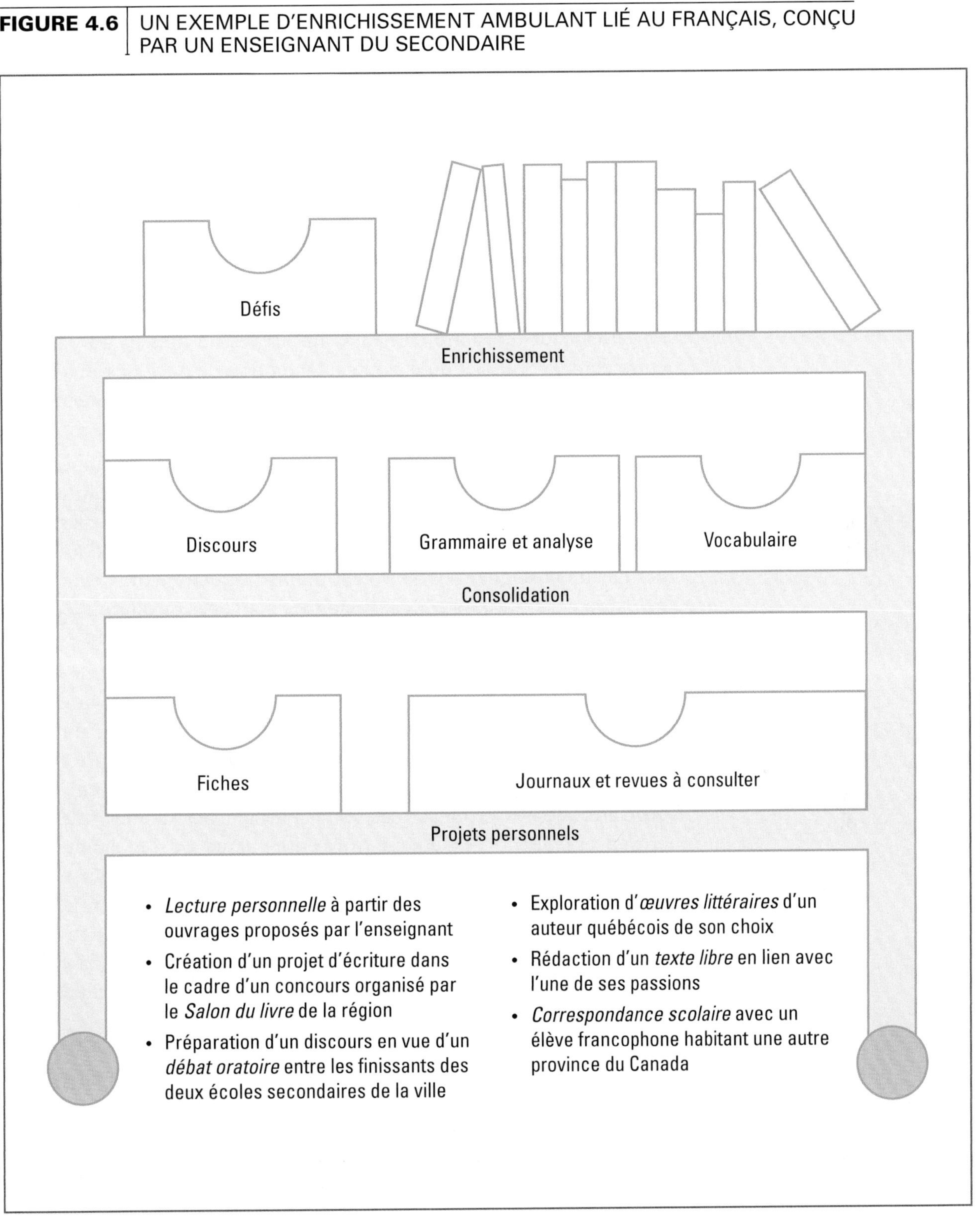

Source : Adapté de Diane Modéry, enseignante (Buckingham).

Modèle 6 : De l'enrichissement sur mesure conçu par des enseignants spécialistes

L'enseignant spécialiste qui trouve la structure de l'enrichissement ambulant trop lourde à gérer peut opter pour des solutions de rechange :

- Il peut recourir à l'enrichissement vertical à l'intérieur de sa discipline, c'est-à-dire offrir des tâches d'un niveau conceptuel plus élevé ou plus complexe sur le plan des habiletés en relation avec l'objet d'apprentissage travaillé par l'ensemble du groupe. Quand un spécialiste de l'éducation physique demande à des élèves de jongler avec trois quilles alors que les autres élèves le font avec trois balles, il se préoccupe d'enrichir le processus d'un élève qui maîtrise déjà bien ce qui est demandé. Quand un enseignant d'histoire demande aux élèves de dresser un parallèle entre deux époques et qu'il ajoute à l'intention de quelques-uns le défi de justifier, à l'aide de trois arguments, l'époque où ils auraient aimé vivre, il tient compte du parcours des élèves.
- Il peut offrir son expertise comme spécialiste pour contribuer avec le titulaire d'un groupe d'élèves à l'élaboration d'un tableau d'enrichissement. Il est stimulant pour des élèves de retrouver en classe des traces des cours de musique, d'anglais et d'éducation physique donnés par un enseignant qu'ils voient moins fréquemment. Cela contribue sûrement à valoriser ces disciplines souvent considérées comme moins importantes que les autres par les élèves et les parents.
- Il peut créer son propre tableau d'enrichissement tout comme il peut s'associer avec quelques collègues pour élaborer un tableau d'enrichissement multidisciplinaire. La figure 4.7, page suivante, témoigne des réalisations produites dans ce sens. Pour que ce projet de coopération soit possible, il est évident que ces spécialistes doivent enseigner aux mêmes groupes d'élèves et partager les mêmes valeurs et croyances éducatives. Quand trois enseignants du secondaire, responsables de disciplines différentes, unissent leurs forces pour nourrir substantiellement des élèves doués, nul doute qu'ils sont en train de contrer le décrochage scolaire. Sans une mesure préventive de ce genre, il est fort probable que ces élèves auraient couru le risque de devenir rapidement blasés par le système et auraient choisi finalement d'utiliser leur potentiel pour de mauvaises causes.

Des structures pour gérer le temps avec les élèves

4.8 Le menu est ouvert, tu peux choisir tes activités

Contexte et utilité

Étant donné que les différences de profils et de parcours d'apprentissage des élèves sont de plus en plus marquées dans les classes, il devient difficile pour un enseignant de gérer quotidiennement l'enseignement frontal et le travail collectif pendant plusieurs heures d'affilée. Travailler dans un contexte où le menu est fermé chaque période, chaque jour, chaque semaine est éprouvant pour l'enseignant et les élèves.

À l'égard de quelles différences l'enseignant doit-il commencer à intervenir ?

L'enseignant qui désire se préoccuper des différences de rythmes, de styles, de besoins et de champs d'intérêt de ses élèves doit recourir à des

FIGURE 4.7 DES EXEMPLES DE TABLEAUX D'ENRICHISSEMENT ÉLABORÉS PAR DES ENSEIGNANTS SPÉCIALISTES

Tableau d'enrichissement non thématique élaboré par un enseignant spécialiste de musique pour des élèves du 3e cycle du primaire

- Le petit Mozart: une recherche sur le musicien
- La ou le mélomane: l'audition de pièces musicales classiques
- Au conservatoire: les caractéristiques des diverses familles d'instruments de musique composant un orchestre
- Le violon, ça m'intéresse: l'observation des composantes d'un violon
- L'oreille musicale: la création d'une mélodie à partir d'un poème
- Une chanson-thème: la composition de deux couplets et d'un refrain pour le carnaval de l'école

Tableau d'enrichissement non thématique élaboré par un enseignant spécialiste d'anglais pour des élèves du 1er cycle du secondaire

- *Cool crosswords:* des mots croisés sur le vocabulaire exploré durant le mois
- *Super stories:* la lecture d'une histoire avec illustrations
- *The great English detective:* un jeu de rôles entre un criminel et un détective afin de s'exercer aux structures interrogatives
- *Dicto-picto:* l'identification de mots (les prononcer et les écrire) à partir d'images
- *Fun-fun-fun game:* un jeu de société pour deux participants
- *Thunder theatre:* la création d'un minisketch sur un événement malencontreux survenu dernièrement

Tableau d'enrichissement thématique élaboré par une équipe d'enseignants spécialistes d'éducation physique pour des élèves du 2e cycle du primaire

Thème: Le cirque

- Une jonglerie avec accessoires: des balles, des anneaux, des quilles
- Un duo de jongleurs: une dyade d'entraide pour mettre au point des performances simultanées
- La danse du limbo: l'apprentissage de positions souples pour déjouer l'adversaire
- La participation à la création d'un spectacle à l'intention des élèves du 1er cycle du primaire
- Des prouesses sur la barre d'équilibre: la création de trois mouvements différents tout en conservant un parfait équilibre
- La parade des soldats: une marche rythmée au son d'une musique militaire

moyens efficaces pour le faire. Dans ce sens, il n'y a aucun doute: l'un de ces moyens est l'utilisation de structures organisationnelles pour gérer le temps lorsque le menu est ouvert. Quand un enseignant veut amener des élèves à s'engager davantage dans la gestion du temps, il doit leur proposer une structure organisationnelle assez large pour que ces derniers puissent y exercer des choix. Il existe pourtant une réalité paradoxale en lien avec la participation des élèves et les structures organisationnelles qui se lit comme suit: «Plus un enseignant veut faire participer ses

élèves, plus il doit être structuré. » Toutefois, « structuré » ne veut pas dire « structurant ».

Le présent outil offre un répertoire de dispositifs visant à amener les élèves à développer l'habileté à gérer leur temps.

Pistes d'utilisation

1. Réfléchissez sur votre vécu hebdomadaire comme enseignant et posez-vous les questions suivantes : « Qui a géré le temps cette semaine ? Les élèves ont-ils bénéficié d'un peu de pouvoir sur le temps dont nous disposions ? » Que constatez-vous ?
2. Pour amener vos élèves à développer l'habileté à gérer leur temps, mettez à leur disposition un certain nombre de structures organisationnelles. Certaines peuvent varier d'une classe à l'autre, d'un groupe à l'autre, d'un enseignant à l'autre. Par contre, d'autres structures sont d'utilisation plus courante et générale, car elles représentent en quelque sorte l'équipement de base que tout gestionnaire de classe doit mettre en place lorsqu'il souhaite adopter un modèle participatif, responsabilisant et différencié.

   Si vous voulez vous sentir à l'aise dans le cheminement que vous entreprenez dans le contexte du partage du pouvoir avec les élèves au regard du temps, il serait souhaitable que vous possédiez une connaissance minimale des structures possibles ; ce bagage vous permettra de choisir celle qui s'avérera la plus pertinente pour les apprenants au moment où vous déciderez d'ouvrir votre menu afin de tenir compte des différences. À l'aide de la section « Présentation générale des structures pour gérer le temps », page suivante, déterminez les outils de gestion du temps que vous utilisez déjà avec vos élèves.
3. Consultez cette section pour déterminer les outils avec lesquels vous êtes déjà familiarisé, mais que vous n'appliquez pas, de même que ceux que vous ne connaissez pas ou encore que vous auriez le goût d'expérimenter.
4. Ciblez un premier outil et présentez-le aux élèves. Rappelez-vous que ces dispositifs présentent des niveaux différents de difficulté lorsque vous les expérimentez avec des enfants ou des adolescents. L'âge des apprenants entre en ligne de compte ainsi que leurs expériences antérieures concernant la gestion de leur temps. Chez le gestionnaire de la classe, son attitude face à la délégation des tâches de même que sa capacité d'endosser les essais, les erreurs et les régulations sont à considérer également.
5. Faites un premier essai. Procédez par la suite à une objectivation avec les élèves, et à une régulation au besoin.
6. Planifiez un autre moment d'expérimentation afin de consolider l'outil que vous avez commencé à apprivoiser.
7. Après un certain temps, si les résultats sont satisfaisants, introduisez un second outil pour gérer le temps en tenant compte du contexte d'apprentissage dans lequel les élèves se trouvent.

Présentation générale des structures pour gérer le temps

Parmi les structures pour gérer le temps en classe, l'enseignant peut opter pour:

- le menu du cours ou de la journée, qu'il soit fermé ou ouvert;
- le plan de travail fermé ou ouvert;
- le tableau d'enrichissement thématique ou non thématique;
- le tableau de programmation;
- la vitrine des ateliers;
- le relevé des contenus des centres d'apprentissage;
- le tableau d'inscription et de contrôle;
- la grille de planification quotidienne étalée sur une semaine ou sur un cycle de travail;
- la feuille de route.

La figure 4.8 indique d'abord les structures de base très accessibles, comme le menu, le plan de travail, le tableau d'enrichissement.

FIGURE 4.8 | DES STRUCTURES POUR GÉRER LE TEMPS

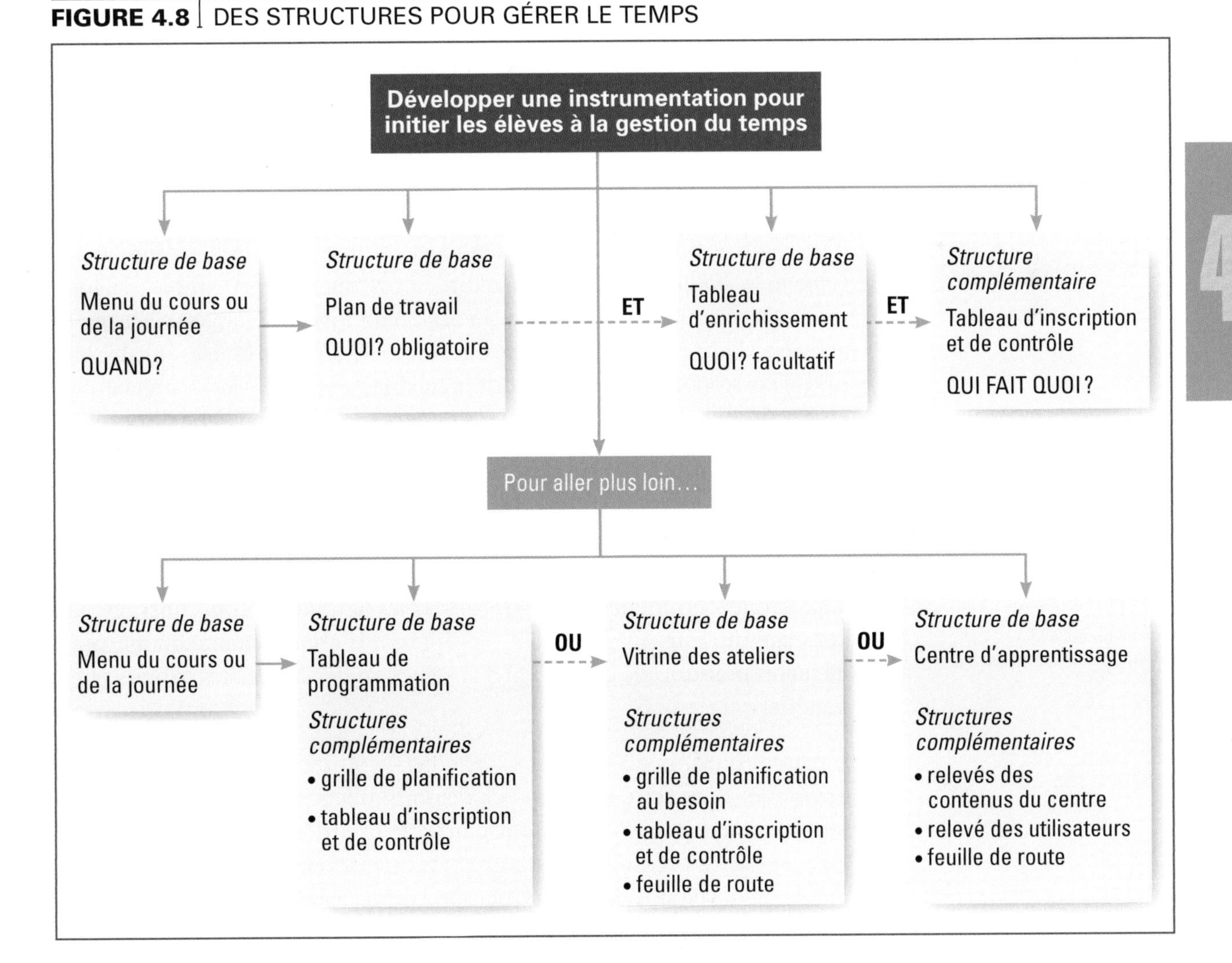

Puis, elle fait ressortir quelques structures de base plus complexes pour les enseignants qui désirent aller plus loin, à savoir le tableau de programmation, la vitrine des ateliers et le relevé des contenus des centres d'apprentissage.

Finalement, la figure 4.8 permet de repérer les structures qui sont complémentaires, de par leur nature et leur rôle, au type précédent. On parle alors du tableau d'inscription et de contrôle, de la grille de planification hebdomadaire et de la feuille de route. Les structures complémentaires ne présentent aucune utilité si elles ne sont pas rattachées à des structures de base. D'ordre technique, ces référents visuels facilitent l'organisation et le déroulement des activités d'apprentissage.

Le tableau d'inscription et de contrôle accompagne chacune des structures de base, qu'elles soient simples ou complexes. Dès que les élèves sont en situation d'effectuer des choix de tâches, le tableau d'inscription et de contrôle entre en jeu. Quant à la grille de planification quotidienne étalée sur une semaine ou un cycle de travail et la feuille de route, elles constituent un outillage supplémentaire et se jumellent exclusivement avec des structures complexes, comme le tableau de programmation, les ateliers ou les centres d'apprentissage.

Les pages suivantes présentent chacune de ces structures de façon détaillée.

La structure qui ouvre la porte aux autres : le menu du cours ou de la journée

Le menu du cours ou de la journée est un *référentiel visuel* situant les étapes d'une journée de classe ou les séquences d'une période d'enseignement (*voir fiche 4.8a, p. 456*). La structure du menu est fort simple : chaque matin ou chaque début de cours, l'enseignant inscrit au tableau la liste des activités d'apprentissage qu'il propose au regard des heures ou des périodes correspondantes. Il y inscrit préalablement les périodes obligatoires ou les séquences qu'il décide de bloquer. Les autres plages disponibles indiquent à l'élève à quels moments il pourra lui-même gérer son temps.

Ce menu du cours ou de la journée découle de la planification de l'enseignement et il permet aux élèves d'avoir un aperçu de ce qu'ils vivront en classe. D'un simple coup d'œil, en entrant dans le local, les enfants ou les adolescents commencent à s'approprier les activités d'apprentissage que l'enseignant leur suggère. Ils s'y préparent d'abord mentalement, puis, de façon pratique, ils procèdent à la sélection des livres, des cahiers et du matériel nécessaires.

L'emploi d'un menu est une excellente façon de susciter l'engagement des élèves et de faire appel à leur responsabilisation dès qu'ils franchissent le seuil de la classe. Faisant partie de la procédure d'accueil, la lecture du menu présente deux autres avantages : elle éloigne le bavardage inutile et développe la conscience de l'écrit chez les élèves qui sont en processus d'appropriation de la lecture.

Notons que le menu peut être fermé ou ouvert. (*Voir tableau 4.13.*)

TABLEAU 4.13 | LES DISTINCTIONS ENTRE LE MENU FERMÉ ET LE MENU OUVERT

TYPE DE MENU	CARACTÉRISTIQUES	PRÉCISIONS
Fermé (*Voir fiches 4.8b et 4.8c, p. 456 et 457.*)	• L'enseignant choisit toutes les activités d'apprentissage. • Tous les élèves réalisent les mêmes tâches au même moment. • La gestion des ressemblances règne dans la classe : le groupe-classe travaille, certains jours, sur une formation de base, sur la consolidation ou sur l'enrichissement.	Dans ce contexte d'apprentissage, l'élève n'a aucun pouvoir sur le temps ; il est donc inutile de lui proposer des outils pour gérer son temps. Il est frustrant pour un élève de croire qu'il peut exercer des choix, alors que ce n'est pas le cas. Avec la mise en place d'un menu fermé, l'enseignant est l'unique boussole qui oriente constamment l'enfant ou l'adolescent, l'écartant ainsi de la prise de décision et de la responsabilisation.
Ouvert (*Voir fiches 4.8d à 4.8f, p. 457 et 458.*)	• L'enseignant décide de tenir compte de certaines différences des élèves sous l'éclairage d'une séquence d'apprentissage. Que les différences portent sur les champs d'intérêt, les rythmes, les styles, les formes d'intelligence ou les besoins scolaires, elles s'avèrent toutes des motifs valables pour ouvrir le menu. • L'enseignant perçoit des écarts importants dans les profils ou les parcours d'apprentissage de ses élèves, il prend la décision de gérer simultanément des activités de formation de base, de consolidation ou d'enrichissement. • L'enseignant soumet diverses propositions d'apprentissage aux apprenants et ceux-ci peuvent faire de véritables choix.	Pour faciliter l'établissement d'un contexte d'apprentissage où la simultanéité des contenus, des processus et des productions est au rendez-vous, l'enseignant se tourne vers la mise en place des structures organisationnelles les plus appropriées. N'étant plus la seule ressource qui guide pas à pas les élèves, le gestionnaire de la classe opte pour des dispositifs qui encadreront les apprenants tout en leur laissant la marge de manœuvre nécessaire pour agir et apprendre.

Remettre les pendules à l'heure

Comme le menu du cours ou de la journée est la structure qui ouvre la porte à toutes les autres structures, il est important que l'enseignant saisisse bien la nature et le rôle de celui-ci :

- Le menu n'est pas l'équivalent d'une grille de matières ou d'une grille-horaire, pas plus qu'il n'est synonyme de plan de travail. Par conséquent, pour que le menu soit parlant pour les élèves, il doit annoncer non seulement le nom des disciplines qui seront travaillées, mais aussi la nature des tâches à exécuter.
- En plus d'être présenté verbalement, le menu doit l'être visuellement afin qu'il soit accessible aux élèves en tout temps. À l'intention des élèves du préscolaire, il est suggéré de joindre des pictogrammes pour supporter l'écriture des tâches à réaliser. Les enfants du préscolaire associent facilement le menu à la routine de la journée.
- Même si l'enseignant ne désire pas ouvrir son menu tout de suite, il aurait intérêt à utiliser régulièrement le menu fermé avec les élèves. Ainsi, quand le menu s'ouvrira plus tard, les apprenants seront déjà familiarisés avec ce dispositif. Ayant fait un premier apprentissage, ils auront plus de facilité à apprivoiser une autre structure, telle que le plan de travail, le tableau d'enrichissement ou le tableau de programmation.
- Quand l'enseignant amorce ses pratiques de différenciation et qu'il se limite à ouvrir son menu une ou deux fois par semaine ou par cycle de travail, cela s'avère une intervention prudente autant pour lui que pour ses élèves. Par la suite, il pourra décider de l'ouvrir une fois par jour. Lorsque l'enseignant opte pour un menu ouvert, il a toujours le loisir de l'ouvrir pendant une partie de la période ou durant la période au complet.

Pour les élèves du secondaire, l'intervenant doit disposer d'une période de temps suffisante quand il veut ouvrir le menu pour tenir compte des différences. Les périodes de 50 minutes ne sont pas tellement appropriées au contexte de la différenciation. Par conséquent, il serait stratégique de remettre en question leur utilisation dans les milieux scolaires. Pour pallier cet inconvénient, l'enseignant peut toujours utiliser un horaire globalisé, c'est-à-dire la juxtaposition de deux périodes continues, pour autant qu'un collègue fasse preuve de souplesse à l'égard de la grille-horaire.

Dès que le menu ouvert a commencé à s'implanter dans une classe ou un groupe de base, la présence de structures connexes pour gérer le temps s'avère nécessaire. Pour sélectionner les structures adéquates, l'enseignant doit nécessairement effectuer des choix à partir des référentiels qu'il connaît et des critères qu'il se donnera selon ses besoins. Il doit être conscient aussi que le choix qu'il fera n'est pas définitif : ses préférences évolueront au fil du temps en fonction de plusieurs facteurs. Il ne serait pas souhaitable non plus que l'adoption d'une même structure demeure figée dans le temps ; au contraire, chacune des structures privilégiées doit soutenir l'évolution pédagogique de l'enseignant et la réussite des élèves. Pour illustrer le processus évolutif qu'un gestionnaire du temps pourrait vivre à l'égard des choix qu'il ferait, regardons de près la figure 4.9 page 255.

FIGURE 4.9 UN USAGE ÉVOLUTIF DES STRUCTURES POUR GÉRER LE TEMPS

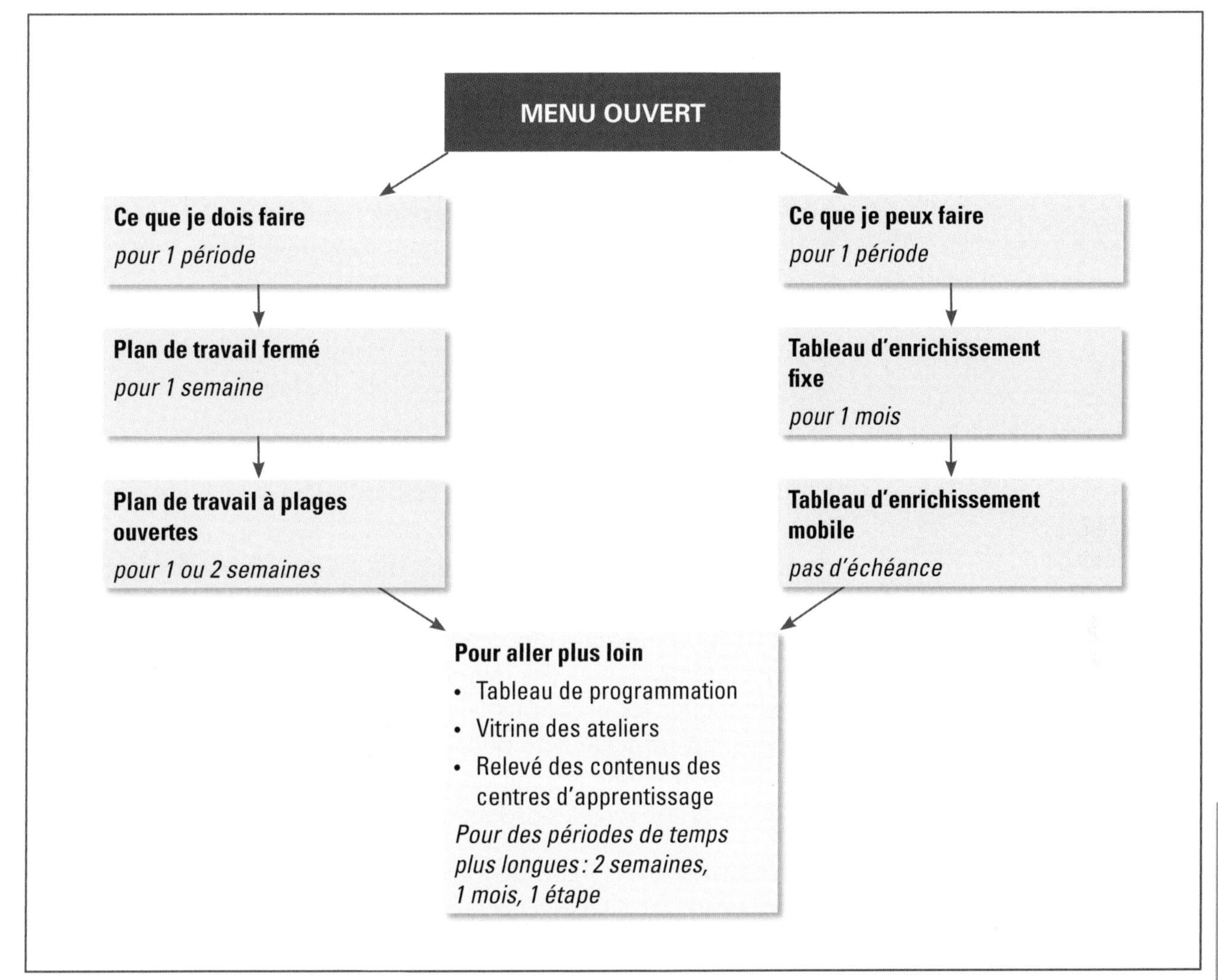

Une structure pour apprivoiser la simultanéité : le plan de travail

Le plan de travail est un *cadre de référence* regroupant toutes les *activités d'apprentissage obligatoires* que les élèves doivent effectuer dans un laps de temps donné. Cette structure est au service de la gestion du temps, dans le sens qu'elle donne aux élèves une vision globale des *activités d'apprentissage obligatoires* qu'ils réaliseront durant une période préétablie : généralement pendant une semaine ou pendant un cycle de travail. La durée de ce dispositif est à la discrétion du gestionnaire de la classe.

Pour les élèves du secondaire qui vivent une organisation différente de celle du primaire, un plan de travail peut s'étaler sur un mois ou sur le temps d'un module d'apprentissage.

Dans le langage courant, le plan de travail est parfois associé à la feuille de route ; nous ferons la distinction entre ces deux dispositifs un peu plus loin (*voir p. 265*). Sous l'aspect visuel, le plan de travail peut prendre la forme d'une murale collective ou d'un tableau affiché dans le local.

Il peut aussi être remis par écrit à l'élève, car le format papier permet à l'apprenant de le consulter à sa guise, de le gérer quotidiennement et de suivre la progression de ses apprentissages.

Le plan de travail aide les enfants et les adolescents à gérer leur temps, car ils bénéficient d'une liberté quant au choix des moments pour réaliser leurs activités. Grâce à ce dispositif, les apprenants développent leurs capacités de faire une planification et de prendre des décisions tout en apprivoisant la participation et la responsabilisation.

On rencontre des plans de travail fermés ou ouverts:

- Dans le contexte d'un plan de travail fermé (*voir fiche 4.8g, p. 459*), à l'échéance de ce dernier, tous les élèves de la classe ou du groupe doivent avoir terminé toutes les activités. C'est ici que les choses se gâtent: il est impossible que tous les apprenants d'une même classe réalisent les mêmes activités avec des seuils de performance identiques pendant un même laps de temps.
- Quand le plan de travail est ouvert (*voir fiches 4.8h et 4.8i, p. 459 et 460*), cela signifie que l'enseignant a scruté à la loupe chacune des tâches d'apprentissage afin de considérer s'il n'y aurait pas lieu, par exemple, de diversifier des thèmes de production orale ou écrite, ou d'accommoder les processus en coupant la longueur d'une tâche ou en suggérant un texte aéré pour des lecteurs apprentis. L'enseignant peut même franchir le seuil de la différenciation en décidant, entre autres, de différencier les productions liées à une recherche commune.

Il existe également des plans de travail *que l'élève exécute à la maison*. Ces derniers encadrent les exigences concernant le travail personnel qu'il doit fournir chez lui sous la supervision de ses parents. Malgré le fait que la plupart des plans de travail à la maison comportent normalement un volet obligatoire, le «Je dois faire», certains enseignants y ajoutent parfois un aspect facultatif, le «Je peux faire».

Remettre les pendules à l'heure

Ce n'est pas parce qu'un enseignant utilise un plan de travail avec ses élèves qu'il faut en déduire que celui-ci fait preuve de différenciation à l'égard de leur profil ou de leur parcours d'apprentissage. Le plan de travail donne l'occasion tout simplement de diversifier les moments que prennent les élèves pour accomplir les tâches demandées. Tout comme les ateliers-carrousels, la structure du plan de travail permet la *rotation d'activités* tout en exigeant la couverture de tous les ateliers ou l'accomplissement de toutes les tâches dans un espace-temps identique pour tous.

Il est tentant de penser que, dans un contexte où le plan de travail serait ouvert, l'échéancier serait variable d'un élève à l'autre. Vouloir le faire deviendrait une réalité bien difficile à comptabiliser pour le gestionnaire d'une classe ou d'un groupe d'élèves: celui-ci se retrouverait alors dans un contexte d'individualisation de parcours d'apprentissage. De toute façon, la vraie prise en compte des différences n'existerait pas. Au sens littéral du terme, lorsqu'on parle d'un plan de travail ouvert, on fait allusion à un contexte où l'enseignant intervient au regard de la diversification, de l'accommodation des processus, de la modification des contenus; bref, au regard de la différenciation des apprentissages.

Une structure pour se préoccuper des rythmes : le tableau d'enrichissement

Un *cadre de référence* regroupant l'énumération des *activités d'apprentissage facultatives* se nomme un tableau d'enrichissement (*voir fiches 4.8j et 4.8k, p. 460 et 461*). Comme le concept d'« enrichissement » a déjà fait l'objet de l'outil 4.7, je me contenterai de dire ici que le tableau d'enrichissement est une structure organisationnelle qui permet à l'enseignant de proposer aux élèves des activités de dépassement du « strict minimum », une fois le travail obligatoire terminé. Formant un duo extraordinaire avec le plan de travail, le tableau d'enrichissement joue un rôle complémentaire à ne pas dédaigner dans la formation des enfants ou des adolescents. Si l'enseignant désire inculquer à ces derniers le sens de l'effort, l'ambition de se dépasser et la préoccupation d'utiliser à bon escient le temps à leur disposition, il ne doit pas hésiter à installer cette structure auprès de ses élèves. Ce type de tableau regroupe des *activités purement facultatives*. Il peut s'échelonner sur une période fixe lorsqu'il est thématique, tout comme il peut être mobile dans le temps quand il est non thématique. Un tableau d'enrichissement ne saurait vivre seul, puisqu'il ne représente que le volet des tâches facultatives. L'enseignant peut jumeler ce dispositif avec une autre modalité de travail, comme le plan de travail, la clinique convoquée, la clinique avec inscription, les ateliers-carrousels, les ateliers-arbres, une période de travail individuel vécu dans un contexte collectif, etc.

Concernant les ateliers-carrousels et les ateliers-arbres, voir *Apprivoiser les différences*, p. 492 à 494.

Remettre les pendules à l'heure

La mise en place des structures d'enrichissement dans une classe ou un groupe de base demande beaucoup de temps et d'énergies au praticien, qui doit piloter ce dispositif du début à la fin. Malheureusement, il arrive assez souvent que les élèves n'adhèrent pas à ce que l'enseignant a proposé. Voici trois hypothèses pouvant justifier un manque d'intérêt ou un désistement de la part des apprenants :

1. Le fait que, présentement, il existe trop de tâches obligatoires dans les classes. À voir le déroulement de certaines périodes ou de certaines journées de classe, on s'aperçoit rapidement que **« toutes les tâches sont obligatoires »**. Comment l'élève peut-il trouver le temps et la motivation nécessaires pour puiser dans le tableau d'enrichissement alors qu'il est continuellement débordé de travail ?
2. Le fait que, présentement, plusieurs tableaux d'enrichissement ne sont alimentés que par *« des tâches purement scolaires »*. Comment l'élève peut-il se mobiliser autour d'activités qui l'amènent à faire du « sur place » ? Comment justifier que l'élève doive s'imposer des tâches supplémentaires sur des sujets qu'il maîtrise parfaitement ?
3. Le fait que, présentement, *la structure du tableau d'enrichissement est réservée à « une clientèle d'élite »* : les doués et les talentueux. Plusieurs élèves se pencheraient avec grand plaisir sur le volet de l'enrichissement si on leur laissait la possibilité de s'y intéresser. Comment un élève ayant un rythme d'apprentissage plus lent peut-il accéder au volet des activités facultatives alors qu'il ne bénéficie d'aucune mesure d'adaptation ou de modification, mis à part ce qui est prévu dans son plan d'intervention ? Pourtant, cet élève aurait tant de choses à découvrir s'il pouvait consulter de temps à autre un tableau d'enrichissement…

Une structure pour ouvrir le menu plus fréquemment : le tableau de programmation

Le tableau de programmation est une structure organisationnelle qui permet à l'enseignant de proposer aux élèves des activités d'apprentissage diversifiées qu'ils peuvent réaliser durant un temps donné. Étant un dispositif complet par lui-même, il comporte deux volets : *les activités obligatoires* et *les activités facultatives*. À cause de cet aspect, il trouve preneur auprès d'enseignants ayant expérimenté préalablement le plan de travail et le tableau d'enrichissement. Le tableau de programmation est l'aboutissement normal du cheminement d'un gestionnaire de classe qui ne désire plus gérer en parallèle deux structures différentes, mais souhaite plutôt se concentrer sur un seul dispositif lui permettant d'atteindre les mêmes résultats.

Ce tableau est à double entrée :

- Une *entrée horizontale* indique s'il s'agit de tâches obligatoires ou de tâches facultatives ; l'enseignant qui le désire peut même y inscrire la liste des tâches semi-obligatoires. (*Voir fiches 4.8l et 4.8m, p. 461 et 462.*)
- Une *entrée verticale* indique aux élèves les groupes de travail qui sont à leur disposition pour réaliser leurs tâches : individuellement, en équipe de travail ou en équipe coopérative, en rassemblement collectif.

Affiché à l'avant de la classe, le tableau de programmation permet aux élèves d'avoir une vision globale de ce qu'ils peuvent faire. Comme le plan de travail, il peut être remis sur format papier aux élèves qui manifestent le désir d'avoir ce référentiel en permanence auprès d'eux. Cet outil est précieux non seulement pour les apprenants qui doivent prendre des décisions concernant leur emploi du temps, mais aussi pour l'enseignant qui envisage la possibilité d'ouvrir son menu plus fréquemment.

À l'origine, le tableau de programmation était une structure organisationnelle largement répandue dans certaines écoles alternatives qui privilégiaient la mise en place d'une pédagogie ouverte axée principalement sur le développement de l'autonomie et des talents multiples des élèves pour en faire des citoyens engagés. Avec le temps, des enseignants novateurs travaillant dans des écoles dites régulières ont apprivoisé et adapté cette structure de gestion du temps à une clientèle d'élèves hétérogène. J'ai moi-même expérimenté le tableau de programmation pendant une quinzaine d'années avec des élèves du primaire et je suis en mesure d'affirmer que les résultats sur les plans de l'autonomie et de la responsabilisation sont plus que satisfaisants.

Par son ouverture, le tableau de programmation permet au pédagogue d'établir facilement des liens avec les projets d'apprentissage, l'apprentissage coopératif, le travail en ateliers et l'exploitation des technologies de l'information et des communications.

Remettre les pendules à l'heure

Le tableau de programmation est une structure organisationnelle plus difficile à gérer que le plan de travail et le tableau d'enrichissement. Il suppose qu'avant son utilisation le praticien a mis en place une solide organisation de classe, travaillé sur la responsabilisation des élèves et développé sa compétence à gérer les imprévus et la simultanéité.

Pour tirer profit au maximum de cette structure, l'enseignant doit pouvoir compter sur le fait qu'il vit avec ses élèves pendant un certain nombre d'heures tous les jours, toutes les semaines ou pendant un cycle de travail complet. Mis à part la clientèle des enseignants accompagnant des groupes restreints d'élèves éprouvant des besoins particuliers au secondaire, cette structure convient peu au vécu actuel des classes de cet ordre d'enseignement.

L'enseignant qui opte pour cette structure de travail est sans doute prêt à ouvrir son menu au moins une fois par jour, et même plus, afin de différencier les contenus, les processus et les productions. Comme l'élève doit planifier chaque matin toutes les périodes de sa journée au regard du menu de la journée et du tableau de programmation, il ne peut le faire adéquatement sans la présence d'une troisième structure, appelée la grille de planification (*voir section « Une structure pour indiquer ses choix : la grille de planification quotidienne étalée sur une semaine ou sur un cycle de travail », p. 264*).

Une structure pour donner un rôle actif à l'apprenant : la vitrine des ateliers

Quand l'enseignant met en place un fonctionnement par ateliers échelonné sur le vécu d'une semaine, comme c'est souvent le cas pour le préscolaire, le référentiel visuel utilisé est un tableau présentant la liste de tous les ateliers offerts. L'enseignant parle alors du tableau d'ateliers ou de la vitrine des ateliers, un dispositif servant à exposer les activités à la vue des élèves (*voir fiche 4.8n, p. 462*).

D'abord, ce référent visuel aurait intérêt à faire état de la vocation attribuée à chacun des ateliers : obligatoires, semi-obligatoires ou facultatifs. Ensuite, il doit spécifier s'il s'agit d'ateliers permanents ou temporaires. Sur le plan technique, l'enseignant se trouve devant deux options :

1. Il utilise un seul tableau : celui-ci étant à double entrée, il indique horizontalement la liste des ateliers possibles et, verticalement, la liste des élèves susceptibles de fréquenter ces ateliers.
2. Il utilise deux référents : d'une part, la vitrine des ateliers pour étaler la diversité d'ateliers offerts ainsi que les objets ou les résultats d'apprentissage visés et, d'autre part, un tableau d'inscription et de contrôle pour que les élèves et l'enseignant se retrouvent facilement dans ce type de fonctionnement.

Très souvent, l'enseignant se soucie de construire ce tableau de façon qu'il soit réutilisable même s'il change la liste des ateliers.

S'il existe une structure organisationnelle pour gérer le temps qui prête à confusion, c'est bien celle de la vitrine des ateliers. Afin de lever les ambiguïtés qui se rattachent aux différentes utilisations qu'un enseignant peut en faire, voici un aperçu de diverses modalités entourant celles-ci :

- **Modalité 1 :** L'enseignant utilise *un fonctionnement par ateliers de manière permanente*. Chaque journée de classe est orientée vers l'ouverture d'un menu faisant place à une diversité d'ateliers ou de stations de travail.
- **Modalité 2 :** L'enseignant met en place *un fonctionnement par ateliers qui se veut sporadique*. Chaque semaine, il décide pour des raisons pédagogiques d'insérer des périodes où les élèves délaissent l'enseignement frontal et le travail individuel pour s'adonner à des tâches qui se démarquent de la routine quotidienne. La fréquence est variable ; ce peut être, par exemple, une fois par jour ou quelques fois par semaine.
- **Modalité 3 :** L'enseignant utilise les *ateliers-carrousels* pour un contexte précis de courte durée afin de permettre aux élèves de vivre une rotation d'activités organisée en fonction de l'un des buts suivants :
  - Faire un tour d'horizon de l'ensemble des contenus notionnels qui seront explorés au cours de la prochaine quinzaine ou du prochain module afin d'habiliter les élèves à saisir la globalité d'un concept ou les composantes d'une compétence.
  - Favoriser l'exploration de diverses techniques de travail et de différentes stratégies d'apprentissage afin de démontrer aux apprenants qu'il existe plusieurs chemins pour se rendre à une même destination.
  - Diversifier les ressources pour favoriser l'émergence d'un concept afin de tenir compte des différentes portes d'entrée que privilégient les élèves pour appréhender le monde.

  Cette formule d'ateliers, qui est axée sur la diversification des ressources, ne s'inscrit pas dans un cadre permanent : elle dure le temps d'une période, ou d'une semaine tout au plus. Dès que le besoin a été satisfait, les ateliers-carrousels disparaissent et l'enseignant passe à autre chose en attendant l'émergence d'une autre cible d'intervention.
- **Modalité 4 :** L'enseignant planifie des *ateliers-arbres* pour tenir compte d'une différence quelconque qu'il a observée récemment, ce qui laisse supposer qu'il n'y a pas de rotation d'activités. À l'image du dispositif précédent, les ateliers-arbres sont orientés vers une intention pédagogique particulière et ils sont de courte durée. Quand l'approfondissement des contenus, la consolidation des processus ou la réalisation des productions sont chose faite, cette structure s'efface pour un certain temps, puisque sa mission est terminée. Comme son usage peut être récurrent, la structure des ateliers-arbres est vraiment au service de la différenciation pédagogique.

- **Modalité 5 :** L'enseignant intègre quelques *ateliers à son fonctionnement hebdomadaire ou mensuel.* Il crée ces ateliers parce qu'ils découlent d'un besoin spécifique greffé sur des activités d'apprentissage figurant dans un plan de travail, un tableau d'enrichissement ou un tableau de programmation. Ces ateliers sont fréquentés au moment où le menu est ouvert et que les élèves travaillent individuellement en fonction des choix qu'ils ont faits à partir d'une structure pour gérer le temps. Ils ont leur raison d'être à cause de la nature des tâches nécessitant un matériel spécifique ou impliquant un besoin d'intimité, une tranquillité d'esprit à l'intention de l'élève pour qu'il puisse accomplir ses tâches dans les meilleures conditions possible.
- **Modalité 6 :** L'enseignant inclut le vécu d'un *atelier à son fonctionnement quotidien.* Face à un manque d'utilisation d'une ressource matérielle déjà présente dans la classe, le gestionnaire de la classe récupère le dispositif pour l'intégrer dans une période collective où les élèves travaillent individuellement. Encadrés par un échéancier, des élèves délaissent cahiers et crayons pendant un moment préétabli et fréquentent cet atelier à tour de rôle ; ils le font sur une base individuelle ou en équipe d'entraide. Cette intervention vise souvent l'exploitation maximale du centre de lecture, du centre d'informatique, d'une activité demandant à l'élève de manipuler du matériel ou de réaliser une expérience scientifique.

Dans la même veine, lorsque l'orthopédagogue ou l'enseignant d'appui travaille en partenariat dans la classe avec le titulaire, il peut suggérer la tenue d'un seul atelier dit « semi-obligatoire » qui est destiné à quelques élèves éprouvant un besoin particulier. Pour ce type d'enfants ou d'adolescents, le travail dans un atelier est souvent plus profitable que la fréquentation obligatoire d'une clinique.

Pour approfondir la gestion des ateliers, voir *Apprivoiser les différences*, p. 208 à 232.

4

Remettre les pendules à l'heure

Il y aurait bien des choses à dire sur les ateliers, mais je m'en tiendrai à l'essentiel. Comme les ateliers sont des boîtes vides dans lesquelles l'enseignant peut déposer ce qu'il désire, il est important pour lui de préciser dès le départ les mesures qui l'amèneront à faire les bons choix et à rentabiliser l'utilisation de cette structure. La planification de l'aspect pédagogique des ateliers doit l'emporter sur les préoccupations d'ordre matériel, même si celles-ci sont nécessaires. L'intention pédagogique rattachée au « pourquoi », au « quoi » et au « comment » est une valeur sûre qu'il ne faut jamais délaisser même dans le contexte où l'on se trouve devant une structure aussi souple. C'est bien là le danger : plus la structure est flexible et ouverte, plus il est facile de s'égarer.

Pour garder le cap sur son intention pédagogique, l'enseignant prend soin de définir la vocation des ateliers qu'il propose aux enfants ou aux adolescents. Cette vocation doit s'ancrer au cœur même des différentes étapes d'une séquence d'apprentissage. Voilà pourquoi les ateliers serviront tour à tour à explorer, à approfondir, à consolider, à récupérer des acquis importants, à intégrer des concepts et à enrichir des parcours. L'enseignant découvrira alors les multiples facettes des ateliers et délaissera peu à peu la formule à laquelle il s'était adonné régulièrement : les ateliers-carrousels où la rotation des activités était à l'honneur.

Une structure plurielle : le relevé des contenus des centres d'apprentissage

Les centres d'apprentissage, qui sont une structure aux contenus riches, aux processus variés et aux productions diversifiées, impliquent nécessairement une gestion plus complexe que celle de la vitrine des ateliers. Afin de faire des centres d'apprentissage une structure complète en soi, donc autogérable par l'élève, la réflexion menant à leur création doit absolument tenir compte des éléments suivants :

Comment fonctionner par centres d'apprentissage ?

- les compétences à développer, les objets ou les résultats d'apprentissage ;
- le relevé des tâches ;
- les fiches d'activités ;
- les règles de fonctionnement du centre ;
- le matériel nécessaire ;
- le relevé des utilisateurs ;
- l'aménagement physique du centre ;
- la feuille de route.

Le *relevé des contenus* est en quelque sorte le plan du centre. C'est un tableau où l'élève trouve non seulement la liste des activités offertes, mais aussi le niveau d'habileté ou de compétence développé au regard de chaque tâche suggérée (*voir fiche 4.8o, p. 463*). C'est comme si cette structure imposait d'elle-même la nécessité d'avoir son propre tableau de programmation à l'intérieur de ses murs, si petits soient-ils...

Ce relevé est élaboré à partir d'une matrice de contenus : tableau à double entrée qui est affiché à l'intérieur du centre, où l'on trouve en ordonnée, d'une part, les contenus développés et, d'autre part, les objets ou résultats d'apprentissage visés : compétences, processus mentaux.

Cet outil permet à l'élève d'effectuer ses choix de tâches en fonction des habiletés mentales qu'il doit développer. Il aide aussi l'enseignant à guider un élève dans son cheminement à l'intérieur du centre.

Nul besoin de dire que le relevé des contenus doit être appuyé par deux autres structures : le *relevé des utilisateurs* et la *feuille de route*. Le relevé des utilisateurs est un dispositif qui permet à l'enseignant de superviser la clientèle qui a visité le centre et de faire le suivi des tâches accomplies, en cours d'exécution ou complètement réalisées (*voir fiche 4.8q, p. 463*). Quant à la feuille de route, elle amène l'apprenant à laisser des traces du travail qu'il a exécuté. Comme le centre contient de nombreuses activités, l'élève a besoin d'un support visuel pour savoir où il est rendu dans son parcours d'apprentissage.

Remettre les pendules à l'heure

De toute évidence, le centre d'apprentissage est un dispositif solide pour tenir compte des différences. L'enseignant qui désire s'y intéresser doit d'abord saisir son essence et ne pas le confondre avec le coin d'activités ou l'atelier d'apprentissage. Il a la possibilité de choisir des chemins différents pour l'introduire dans son fonctionnement et l'expérimenter:

- Transformer un coin d'activités en un centre d'apprentissage, par exemple, à partir d'un coin de lecture.
- Transformer un atelier en un centre d'apprentissage, par exemple, à partir d'un atelier d'informatique faisant la promotion d'une seule activité.
- Introduire un centre d'apprentissage nouveau à l'intérieur du fonctionnement habituel de la classe, comme un centre d'enrichissement.
- Insérer un centre d'apprentissage à l'intention d'élèves éprouvant des besoins particuliers majeurs, comme un centre de lecture ou d'écriture.
- Installer quelques centres d'apprentissage pour une utilisation sporadique, c'est-à-dire à raison d'une fois par jour ou de quelques jours par semaine.
- Mettre en place un fonctionnement permanent de centres d'apprentissage sur une base quotidienne, comme certaines classes regroupant uniquement des élèves doués ou présentant des problèmes particuliers d'apprentissage.

Une structure pour situer son engagement: le tableau d'inscription et de contrôle

Un *tableau d'inscription et de contrôle* permet à l'élève d'indiquer les activités en cours et les activités complétées par un symbole visuel ou un code quelconque. Pour l'apprenant, il s'agit d'un tableau d'inscription, tandis que l'enseignant l'utilise plutôt comme tableau de contrôle pour savoir «Qui a fait quoi?».

- *L'utilité du tableau:* L'enseignant qui veut déléguer des tâches aux élèves et les faire participer à la gestion du temps doit mettre à leur disposition un outil à l'aide duquel ils peuvent indiquer l'activité qui est commencée et celle qui est terminée. En utilisant un tableau du genre, le gestionnaire de classe récupère du temps, puisqu'il n'a pas à contrôler et à comptabiliser tout ce que les élèves font ou ne font pas.

  Le tableau d'inscription et de contrôle est très utile à l'enseignant parce qu'il lui permet de décoder rapidement le vécu de chaque élève, d'avoir une vision globale du groupe et de repérer en peu de temps les activités ou les ateliers les plus populaires ainsi que les moins fréquentés. Ce tableau doit être proposé aux élèves dès qu'ils ont à exercer des choix. C'est ainsi qu'on le voit à côté d'un plan de travail, d'un tableau d'enrichissement, d'un tableau de programmation, d'une vitrine des ateliers, d'un relevé de contenus de centres d'apprentissage. Toutefois, dans ce dernier contexte où sa fonction est la même, la terminologie change et on l'appelle le relevé des utilisateurs. Il se trouve à l'intérieur même du centre d'apprentissage, alors que, pour les autres dispositifs mentionnés ci-dessus, le tableau d'inscription et de contrôle est localisé quelque part à l'intérieur du local-classe.

- *Des variations possibles:* Ce tableau doit pouvoir s'utiliser de différentes façons, selon l'âge des élèves (*voir fiche 4.8p, p. 463*). Pour les plus jeunes, il est très souvent offert sous forme de pochettes sur lesquelles sont écrits les noms des ateliers ou les noms des élèves. Il existe diverses manières de procéder à une inscription: les élèves placent un carton à côté de leur prénom, une photo dans la pochette de leur choix ou déposent le carton d'un atelier dans la pochette indiquée à leur prénom. Le nombre de cartons par atelier correspond au nombre d'élèves qui peuvent participer à l'atelier, cette mesure permettant à l'enseignant de limiter le nombre de participants et d'indiquer ainsi le nombre de places autorisées.

  Pour les élèves plus âgés, ce tableau peut être construit à double entrée: les numéros des ateliers ou des activités, d'une part, et la liste des apprenants, d'autre part. Les élèves utilisent des punaises de couleur, des jetons aimantés, des petits cartons aux teintes variées ou des cases coloriées pour indiquer le cheminement qu'ils font au regard des propositions faites.

Une structure pour indiquer ses choix: la grille de planification quotidienne étalée sur une semaine ou sur un cycle de travail

Parmi les dispositifs pour gérer le temps, la grille de planification est un outil utile pour tout élève qui organise le contenu de sa journée. C'est à l'aide de cette grille que l'enfant ou l'adolescent trouve un certain sens dans la planification qu'il fait: il voit défiler sous ses yeux les heures ou les périodes de la journée de même que les activités correspondantes. Il sait que certaines tâches sont non négociables tandis que d'autres le sont.

Son utilisation est plus ou moins complexe: l'élève indique sur cette grille d'abord les périodes collectives bloquées par l'enseignant, ensuite les tâches d'équipe, et en dernier lieu les tâches individuelles (*voir fiche 4.8r, p. 464*). Il est stimulé à l'idée de pouvoir commencer par la réalisation d'une tâche plutôt que par une autre; la motivation et l'entrain s'emparent de lui. Il sait également qu'il doit finaliser ce qu'il a prévu dans l'échéancier fixé, et la responsabilité choisie devient un défi pour lui.

Même si l'utilisation de la grille de planification requiert un certain temps le matin, il faut que le gestionnaire se console de cet inconvénient en pensant que l'élève est en train d'apprendre à gérer son temps. En effet, il développe non seulement son habileté à planifier, mais aussi sa capacité de prévoir, de prendre des décisions et d'évaluer des données. Dans la perspective d'une amélioration continue, l'enseignant a intérêt à rencontrer chaque élève pour approuver la planification faite ou proposer des réaménagements si celui-ci a éprouvé des difficultés à gérer son temps de manière efficace.

La grille de planification quotidienne est d'un usage limité, car elle s'avère nécessaire seulement dans la situation où l'enseignant ouvre son menu plus d'une fois dans une même journée. Habituellement, les structures qui ont besoin de sa présence sont le tableau de programmation, la vitrine des ateliers et les centres d'apprentissage. Tout comme la feuille de route, la grille de planification appartient à l'élève. Elle se gère personnellement, ce qui n'empêche pas un enseignant de manifester le désir d'y jeter un coup d'œil au cours de la journée afin de vérifier si l'élève est fidèle à sa programmation de départ.

Une structure pour laisser des traces de son parcours : la feuille de route

La feuille de route est un outil fort simple à gérer, puisqu'elle s'adresse à des élèves qui désirent laisser des traces de ce qu'ils ont fait, dans un atelier ou un centre d'apprentissage (*voir fiche 4.8s, p. 465*). Considérée comme un «passeport», la feuille de route permet à l'élève de faire le point sur son propre itinéraire, sans subir la moindre comparaison avec la trajectoire des autres. Elle se gère donc dans un contexte individuel et peut se retrouver par la suite comme pièce-témoin à l'intérieur du portfolio d'apprentissage de l'élève.

En survolant la description de cette panoplie de structures organisationnelles, le lecteur a pu se rendre compte que plus l'outil pour gérer le temps est complexe, plus la présence de l'instrumentation doit être grande.

4.9 Le coin d'exploration, une structure organisationnelle à faire évoluer

L'organisation et la promotion du centre d'exploration et de manipulation

Contexte et utilité

La manipulation est parfois reléguée au second plan en classe pour diverses raisons. Pourtant, la phase de la perception sensorielle demeure toujours la base de la formation d'un concept. Malgré une perte de vitesse de croisière qu'a connue l'étape du concret avec l'usage prescriptif de manuels scolaires pour chaque groupe d'élèves, les enseignants sont quand même convaincus de l'importance de la manipulation en classe. Très souvent, ils vivent cette étape dans le cadre de périodes uniformes pour tous les élèves, et cela, peu importe leur style d'apprentissage prédominant. Se peut-il que les apprenants visuels et kinesthésiques aient davantage besoin de manipulation que leurs camarades auditifs ?

Il est possible et souhaitable qu'une phase de manipulation soit gérée de manière différenciée. Si l'enseignant tient compte des différences de profils et de parcours d'apprentissage de ses élèves, autant sur le plan des styles que sur celui des rythmes, ce coin se transformera rapidement en atelier d'exploration ou en centre d'expérimentation.

Dans la vie, toutes les personnes ne sont pas tenues de passer par le même moule pour se réaliser pleinement. Alors, comment expliquer que le discours soit différent lorsque les élèves construisent leur savoir ? Pourquoi ne pas saisir cette première occasion de différencier les processus des élèves à l'intérieur d'un centre d'exploration et de manipulation ? Une belle opportunité qui revêt un caractère utilitaire tout en étant des plus accessibles !

Pistes d'utilisation

1. Aménagez la classe en prévoyant un espace nécessaire pour y établir une aire de rassemblement. Le coin d'exploration et de manipulation devra être situé près de ce lieu de rencontre. De plus, cet espace pourra se trouver non loin d'un tableau mural pour qu'on puisse y transposer symboliquement les résultats des manipulations et des expérimentations effectuées.

   Les élèves doivent être capables de visualiser rapidement l'outillage disponible quand ils sont assis à leur pupitre ou à leur table de travail. Question de se rappeler que ce matériel fait partie des ressources dont ils disposent et qu'il est là tout près d'eux, à la portée de la main ! Question aussi de susciter chez eux le désir de l'utiliser lorsqu'ils sont bloqués dans une étape de leur processus d'apprentissage !

2. Réservez une table, une étagère, un pupitre libre, le dessus d'un classeur ou d'un meuble de rangement pour disposer du matériel de manipulation.
3. Si l'espace est trop restreint pour le faire, pensez à utiliser des bacs de rangement pour y déposer le matériel ; de cette façon, l'outillage à l'intention des élèves sera mobile dans l'espace et circulera chaque fois que des besoins se feront sentir.
4. Prévoyez l'utilisation de matériel structuré et non structuré.
5. Discutez fréquemment avec les élèves de la liste du matériel nécessaire pour les aider à comprendre tel objet ou tel résultat d'apprentissage.
6. Invitez-les également à apporter du matériel non structuré de la maison.
7. Proposez aux élèves ayant un rythme rapide de fabriquer du matériel semi-concret pour fin de manipulation pendant leurs moments libres. Cette activité peut très bien s'inscrire dans le cadre des activités d'enrichissement ou des projets personnels.
8. Confiez la responsabilité à un élève de superviser le rangement ou le renouvellement de ce matériel.
9. Commencez à exploiter intuitivement ce coin d'exploration et de manipulation. Au fur et à mesure que vous vous en servirez, ayez toujours la préoccupation de faire évoluer cette structure organisationnelle. Demandez-vous comment vous pourriez transformer ce simple coin de manipulation en un atelier d'exploration, et même en un centre d'expérimentation (*voir section « Faire évoluer un coin... pour le maximiser », p. 267*).
10. Si le projet d'implanter un centre d'exploration et de manipulation vous semble lourd à concrétiser, optez pour un coin qui serait lié d'abord aux mathématiques et aux sciences. En effet, il serait bien

de prévoir un tel espace qui servirait à vivre des expériences de tout ordre ayant trait à ces deux disciplines. Cet environnement doit être riche et stimulant pour l'ensemble des élèves, mais plus spécialement pour ceux qui perçoivent la réalité de manière visuelle ou kinesthésique.

Dans ce coin d'exploration et de manipulation principalement à saveur mathématique et scientifique, on trouvera un outillage d'utilisation courante de même que du matériel spécifique. Pour éviter une surcharge de stimulation chez les élèves, l'enseignant classe le matériel à partir des divers objets ou résultats d'apprentissage. Au début de chaque mois ou de chaque module, il met à la disposition des apprenants le matériel qui a un lien avec les concepts qui seront abordés au cours de cette période. Une rotation du matériel s'impose selon le champ d'étude, le thème privilégié, l'objet ou le résultat d'apprentissage ciblé. Par exemple:

- *Matériel d'utilisation courante:* élastiques de différentes couleurs, pailles, cure-pipes, bâtonnets à café, colle, papier de bricolage, carton à quatre plis, compas, ciseaux, pâte à modeler, boîtes de formes et de grandeurs différentes, papier transparent, transparents, monnaie, dés à jouer, crayons de couleur, jetons, boutons, capsules de bouteilles, épingles à ressort, épingles à linge, cartes à jouer, dominos, anneaux métalliques, trombones, catalogues des grands magasins, feuillets publicitaires, miroirs, échantillons de papier peint, etc.
- *Matériel propre aux disciplines:* abaque, instruments de mesure, formes géométriques, géoplan, miroir, horloge, blocs multibases, compas géant, papier pointillé, papier quadrillé, papier triangulé, centicubes, réglettes Cuisenaire, tableau de fractions, diagrammes maison (Venn, Carroll, arbre, diagramme à double entrée de type cartésien), blocs logiques, calculatrice, balance, règle d'un mètre graduée en centimètres et en décimètres, matériel pour mesures de capacité et de masse, globe terrestre, atlas, dictionnaire français, grammaire, lexique mathématique, dictionnaire anglais, documentaire sur les animaux et les plantes, microscope, etc.

4

Faire évoluer un coin… pour le maximiser

Quand un enseignant intègre un coin d'exploration dans sa classe en répertoriant divers matériels qu'il met à la disposition de ses élèves, il vient de faire un premier pas vers la diversité des ressources. Comme cette initiative nécessite temps et énergie de sa part, celui-ci voudra sans doute structurer ce coin et l'enrichir davantage afin de le rentabiliser au maximum. Pour aller dans cette direction, l'enseignant se dirigera du côté de l'atelier ou du centre d'apprentissage afin de franchir le seuil de la différenciation des apprentissages. (*Voir le tableau 4.14, page suivante.*)

Pour plus de détails sur les centres d'apprentissage, voir *Différencier au quotidien*, p. 213 à 216, et *Apprivoiser les différences*, p. 192 à 208.

TABLEAU 4.14 UN COIN EN ÉVOLUTION POUR PRENDRE EN COMPTE LES DIFFÉRENCES

UN LIEU MULTIFONCTION	DES EXEMPLES D'ACTIVITÉS
Le coin • Le coin est un espace de la classe où du matériel est placé à la disposition des élèves à des fins d'exploration et de manipulation. • Les ressources qu'il contient sont très variées, ce qui devrait permettre à l'enseignant d'introduire une certaine diversification dans les supports qu'il offre aux élèves. • Généralement, on n'y poursuit aucun objectif ou résultat d'apprentissage explicite. L'élève n'y trouve donc pas un défi suggéré par l'adulte, ce qui ne l'empêche pas de se fixer un but personnel. • Les élèves fréquentent ce coin sur une base volontaire et individuelle, autant de fois qu'ils le désirent dans un laps de temps donné. • Ce coin est d'un précieux secours lorsque l'enseignant anime des cliniques obligatoires, des cliniques avec inscription ou des sous-groupes d'apprentissage. En tout temps, il peut se servir d'un matériel adéquat pour aider les élèves à vivre les deux premières étapes de la formation d'un concept. La première étape est orientée vers l'observation, l'exploration et la manipulation, tandis que la seconde étape amène l'élève à se poser des questions, à faire des liens à partir de ce qu'il a constaté et à se construire des représentations mentales.	• L'enseignant se sert de blocs multibases pour expliquer le concept de l'emprunt dans le cadre d'une clinique convoquée. • L'enseignant utilise le globe terrestre pour situer le pôle Nord et le pôle Sud à un sous-groupe d'élèves travaillant sur un projet comparatif entre la vie des mammifères des pays tropicaux et ceux des pays nordiques.
L'atelier • À partir d'une intention pédagogique précise, l'enseignant décide d'extraire du matériel de ce coin dans le but de créer un atelier. • Guidé par une séquence d'apprentissage, l'enseignant détermine un objet ou un résultat d'apprentissage et planifie une tâche à l'intention de l'élève. Il précise aussi la vocation de cet atelier et indique aux apprenants s'il s'agit d'un atelier de formation de base, de consolidation ou d'enrichissement. • La fréquentation d'un atelier mène à un vécu plus riche et structuré que celle du coin décrit précédemment. • Habituellement, dans un atelier, l'élève relève un défi précis lié à un objet ou résultat d'apprentissage préétabli, ce qui n'est pas le cas dans un coin d'activités.	• L'enseignant planifie un atelier de formation de base obligatoire afin de permettre aux élèves d'établir des nuances entre les concepts du périmètre, de l'aire et du volume. Il juge cette étape essentielle avant de plonger les apprenants dans des problèmes où ils devront effectuer des calculs systématiques sur ces trois données. • L'enseignant crée un atelier de consolidation à l'intention d'un sous-groupe d'élèves qui n'arrivent pas à saisir le concept de la symétrie. Il y dépose des miroirs, des échantillons de papier peint et des petits cartons de différentes couleurs. Cet atelier sera fréquenté par six élèves et il est annoncé comme étant semi-obligatoire. Dans ce contexte, l'atelier d'exploration et de manipulation remplace avantageusement la clinique à caractère théorique que l'adulte pourrait animer. • L'orthopédagogue, qui se joint à un enseignant à l'occasion d'une période de soutien, apporte avec lui le contenu d'un atelier qu'il a conçu pour faire comprendre aux élèves les différentes fonctions du nom, de l'adjectif qualificatif et du verbe. Cet atelier, qui est aussi semi-obligatoire, est offert à quatre élèves éprouvant des difficultés à faire les accords pluriels de base dans les textes qu'ils rédigent.

TABLEAU 4.14 UN COIN EN ÉVOLUTION POUR PRENDRE EN COMPTE LES DIFFÉRENCES (*SUITE*)

UN LIEU MULTIFONCTION	DES EXEMPLES D'ACTIVITÉS
Le centre d'apprentissage • L'enseignant décide de faire de la différenciation en fonction des profils et des parcours d'apprentissage de ses élèves ; à cette intention, il transforme le coin d'exploration et de manipulation en un centre d'expérimentation. • Cette structure présente un caractère d'ouverture aux différences que le coin et l'atelier ne possèdent pas. • Souvent confondus avec les coins et les ateliers, les centres d'apprentissage sont dotés d'une vocation plurielle, puisqu'ils abritent sous un même toit des activités et des tâches d'apprentissage qui se distinguent par la diversité de leurs contenus, des processus auxquels elles font appel ou des productions qu'elles commandent.	• Ayant observé des besoins scolaires différents chez ses élèves, un enseignant décide de créer un centre d'approfondissement orienté vers les mathématiques. Il crée des stations de travail à l'intérieur du centre d'exploration et de manipulation afin de proposer trois défis différents à quelques sous-groupes d'élèves : – un défi qui leur permettra de manipuler les jeux de multiplication à l'aide de réglettes de différentes couleurs ; – un défi qui les amènera d'abord à estimer le poids de certains objets, puis à vérifier leur hypothèse avec une balance ; – un défi où les élèves sectionneront des tartes en carton, de différentes couleurs, afin de se familiariser avec les fractions équivalentes : 1/2, 2/4, 3/6, 4/8, 5/10, 6/12.

4.10 Un aménagement physique qui évolue au rythme de la pédagogie et des besoins des apprenants

Des balises pour un aménagement ouvert à la responsabilisation et à la différenciation

Contexte et utilité

La gestion des différences exige que l'enseignant revoie l'ensemble de sa pédagogie et de sa gestion de classe ; dans cette perspective, l'aménagement physique de la classe n'y échappe pas. Le local est-il aménagé en fonction de la participation et de la responsabilisation des élèves ? Est-il aménagé aussi en fonction de la diversité des parcours et des profils des apprenants ? Se peut-il que cette aire de travail soit arrangée principalement en fonction de la sécurité de l'enseignant qui a tendance à privilégier un enseignement frontal et collectif ? Enfin, se peut-il que cette aire de vie communautaire soit orientée vers la gestion des ressemblances où tous les élèves sont incités à réaliser les mêmes activités en même temps ?

Les modifications apportées à l'aménagement d'une classe font peur à bien des enseignants du primaire ou du secondaire. Changer la disposition d'un local ne relève pas seulement de l'aspect spatial. C'est beaucoup plus profond que cela, même les émotions de l'enseignant peuvent en être touchées... En allant dans une nouvelle direction, le pédagogue accepte de changer ses habitudes et sa pratique quotidienne. Il consent aussi à se plonger dans l'insécurité, car, faute de modèles sous les yeux, celui-ci a carrément l'impression d'improviser dans ce domaine. De plus, ce praticien s'accommode d'un contexte aléatoire où il ignore comment vont réagir les élèves dans ce remue-ménage qu'il s'apprête à créer autour d'eux. S'il fallait que son initiative soit lourde de conséquences et qu'elle engendre même une perte de contrôle du groupe...

Dans ce domaine surtout, la politique des petits pas constructifs s'impose. L'aménagement d'une classe se modifie avec les élèves au fur et à mesure que le modèle pédagogique de l'enseignant évolue autour de valeurs liées à la participation, à la coopération et à la responsabilisation. Il se transforme aussi en fonction de l'élaboration de nouvelles façons de procéder qui suscitent de nouveaux besoins de réaménagement. Enfin, il se construit autour du leadership de l'enseignant qui devient de plus en plus confiant, puisque son sentiment de solidarité avec ses élèves s'accroît. Ayant décidé de faire confiance au potentiel des apprenants qu'il accompagne, il est prêt à «faire autrement» pour miser davantage sur leurs ressources.

Afin de réduire le niveau d'insécurité rattaché à ce processus de changement, explorons quelques balises en matière d'aménagement.

Remettre les pendules à l'heure

La transformation de l'aménagement physique d'un local-classe doit être orientée nécessairement vers l'application d'une séquence d'apprentissage ; le cheminement que vivra l'enseignant s'inscrit donc dans les sentiers de la réflexion et de la planification. En effet, le vécu des étapes de la formation de base, de la consolidation et de l'enrichissement ne s'improvise pas ; il doit être mûrement réfléchi. Le gestionnaire de la classe n'a pas intérêt à bouger les meubles simplement parce qu'il veut mettre de la fantaisie dans sa vie ou briser la routine du quotidien. Des raisons pédagogiques doivent sous-tendre un nouvel aménagement et faire en sorte qu'un enseignant placera le tableau d'enrichissement à tel endroit plutôt qu'à tel autre.

Pistes d'utilisation

1. Relevez un besoin pédagogique que vous désirez combler. *Exemples :* les élèves qui terminent un travail avant les autres, les élèves qui auraient besoin de faire davantage de manipulation ou les élèves qui auraient intérêt à approfondir un concept.
2. Déterminez une structure organisationnelle qui serait susceptible de répondre à ce besoin. *Exemples :* le centre d'autocorrection, le tableau d'enrichissement, le centre d'exploration et de manipulation, l'atelier d'approfondissement et de consolidation.
3. Informez les élèves du changement projeté pour vous assurer d'obtenir leur entière collaboration. Discutez avec eux de la façon dont vous pourriez modifier l'aménagement de la classe afin d'introduire la nouvelle structure organisationnelle. Donnez-vous un projet commun d'aménagement. (*Voir section «Préparer les élèves au changement», p. 273.*)
4. Vivez dans ce nouvel environnement et faites régulièrement une objectivation avec les élèves.
5. Au besoin, faites une évaluation et une régulation.

6. Commencez par apporter des changements modestes. Donnez-vous des conditions rassurantes et, conséquemment, des chances de réussite.
7. Dès qu'un problème d'aménagement survient, discutez-en avec les élèves.
8. Demandez l'aide de vos collègues pour tenter certaines expériences d'aménagement. Des visions différentes permettent souvent de trouver des solutions intéressantes, qu'on n'avait même jamais envisagées.

Des recommandations pour un aménagement physique satisfaisant

Après avoir longuement réfléchi aux raisons justifiant la nécessité de modifier l'aménagement de votre local, vous êtes prêt à passer à l'action. Prenez néanmoins le temps de positionner vos gestes à la lumière de certaines recommandations qui pourraient soutenir votre action. Même si vous avez droit à l'erreur, la prévention de faux pas est toujours rassurante pour celui qui innove. La liste suivante rappelle certains conseils à considérer avant de bouger les meubles :

1. Utilisez le mobilier existant avant d'en réquisitionner du nouveau. Demandez-vous s'il y a des meubles inutiles dont vous pourriez vous départir.
2. Pensez à des façons différentes de placer les étagères, les classeurs et les tables pour qu'ils deviennent des espèces de « cloisons psychologiques » déterminant le vécu de certaines aires de travail.
3. Essayez de perdre le moins d'espace possible. À cet effet, envisagez d'agrandir votre local de l'intérieur (*voir encadré, p. 279*). Planifiez notamment les gestes suivants :
   - Localisez votre bureau d'enseignant de façon qu'il n'occupe pas une trop grande superficie au détriment des aires de travail occupées par les élèves.
   - Regroupez les pupitres des élèves en *îlots de travail*. *(Voir section « L'introduction d'îlots de travail », p. 273.)*
4. Déterminez où se situera *l'avant de votre classe*; faites-le en répondant à ces questions : « À quel endroit vais-je me placer dans la classe lorsque je m'adresserai au groupe d'élèves ? Où est situé le tableau principal que j'utiliserai pour les explications collectives ? »

   Une fois que l'orientation de l'avant et de l'arrière du local est déterminée, placez les éléments qui devraient se retrouver *vers l'avant* :
   - Dégagez de l'espace pour introduire une aire de rassemblement.
   - Placez la table ou l'étagère qui servira à l'exploration, à la manipulation et à l'expérimentation.
   - Choisissez l'endroit où sera affiché le référentiel disciplinaire.
   - Situez le centre d'autocorrection.
   - Localisez vers l'avant ou les côtés avant de la classe un atelier de consolidation ou un centre d'apprentissage.

5. N'oubliez pas la fonctionnalité des divers éléments que vous mettez en place.
6. Rappelez-vous que les zones silencieuses ont intérêt à être éloignées des zones bruyantes.
7. Récupérez auprès de la réserve de l'école ou de la commission scolaire des pupitres supplémentaires d'élèves ; ceux-ci peuvent servir à la fois d'aires d'ateliers et d'espaces de rangement.
8. Faites preuve de rigueur pour attribuer une vocation particulière à chacun des espaces que vous utilisez sur les murs au moment de l'affichage des référentiels liés aux disciplines, des démarches et des stratégies d'apprentissage. L'élève doit trouver de la constance et de l'ordre dans tout l'affichage mis à sa disposition. *Exemple :* le mur réservé aux mathématiques.
9. Souciez-vous de la mouvance des référentiels. Changez vos vitrines. Dès qu'une information n'est plus requise, enlevez-la pour faire de la place à des données nouvelles. Prévoyez un espace « placard » pour entreposer les pancartes retirées, au cas où certains élèves les réclameraient de nouveau. Servez-vous aussi du coffre à outils de l'élève pour qu'il consigne personnellement les démarches et les stratégies qu'il aura manipulées plus d'une fois.
10. Déterminez les éléments qui auraient avantage à se retrouver *vers l'arrière* de la classe :
    - Placez les référentiels nécessaires à la gestion du centre d'enrichissement.
    - Faites naître, au besoin, quelques ateliers d'enrichissement.
11. Établissez une nette distinction entre les référentiels liés aux disciplines et ceux qui ont trait à l'organisation de la vie scolaire. Ces deux supports sont à la fois nécessaires et complémentaires : ils guident les élèves dans le repérage des informations dont ils ont besoin.

    Dans cette perspective, déterminez des endroits d'affichage pour :
    - le tableau de devoirs et de leçons ;
    - le coin des anniversaires ;
    - le tableau mural du conseil de coopération ;
    - l'espace réservé aux repères dans le temps : le calendrier de l'année, du mois ; le thermomètre de la météo ; l'horaire de la semaine ou du cycle ; le menu de la journée ;
    - les « nouvelles de l'actualité » ;
    - le plan de travail indiquant « Ce que je dois faire » ;
    - le tableau d'affichage pour « Nos réalisations », « Nos œuvres » ou « Nos productions ».
12. Préoccupez-vous de la permanence des endroits d'affichage, de l'ordre dans lequel vous disposez les référentiels ainsi que de l'aspect esthétique qui s'en dégage. Ces facteurs contribuent à capter l'œil des apprenants et peuvent favoriser ou non un repérage efficace de l'information.

L'introduction d'îlots de travail

L'introduction d'îlots de travail dans un local-classe ne s'improvise pas, elle doit être pensée et soupesée plus d'une fois. C'est ce qui permettra d'ailleurs au gestionnaire de la classe de prévenir des problèmes inhérents à cette forme d'aménagement.

L'enseignant doit s'efforcer de ne pas disposer les pupitres de manière à placer des élèves dans une situation inadéquate où ils auront le dos tourné au tableau principal; cette position est à proscrire. Il doit également s'assurer que les élèves ne se trouvent pas dans des positions inconfortables, comme de devoir tourner la tête pour voir ce qui est au tableau ou pour prendre des notes. Des apprenants doués et talentueux sauraient s'accommoder de cette contrainte, mais qu'en est-il des autres? Si un gestionnaire de classe est aux prises avec certaines restrictions sur le plan de l'espace, il proposera d'abord les places qui font face au tableau aux élèves éprouvant des besoins particuliers. Les figures 4.10 à 4.13, pages 274 à 277, illustrent différents modèles d'aménagement.

Préparer les élèves au changement

Adopter une forme d'organisation spatiale différente suppose que le gestionnaire de la classe prépare les élèves à ce changement en intervenant sur des dimensions importantes, comme les suivantes:

- Les élèves qui se retrouvent dans un îlot de travail ne constituent pas une équipe de travail, mais une équipe de vie; cela suppose des règles et des conséquences préétablies quant au travail personnel.
- Au moment du véritable travail coopératif, les élèves se déplacent pour retrouver leurs coéquipiers; cela suppose que les balises de l'encadrement disciplinaire liées au travail d'équipe auront préalablement été établies d'avance.
- Lorsque les élèves ont toujours été habitués à se retrouver seuls à leur pupitre, il faut leur permettre d'apprivoiser cette nouvelle façon de vivre. Apprendre à travailler dans le cadre d'un îlot regroupant deux ou trois élèves peut représenter pour ces derniers une étape importante à traverser avant de se retrouver dans un îlot de travail plus imposant.
- Les élèves seraient sans doute intéressés à connaître les raisons pédagogiques qui amènent un enseignant à vouloir créer ce genre d'aménagement physique. Qui sait si cela ne serait pas suffisant pour qu'ils deviennent plus coopératifs à l'égard de cette initiative? Justement, il ne faut pas que ce projet se conjugue au «je», mais bien au «nous». Avant d'affirmer qu'une telle formule ne peut pas fonctionner avec de jeunes adolescents, pourquoi ne pas tenter quelques essais «planifiés»?

FIGURE 4.10 | QUELQUES MODÈLES D'AMÉNAGEMENT EN ÎLOTS DE TRAVAIL

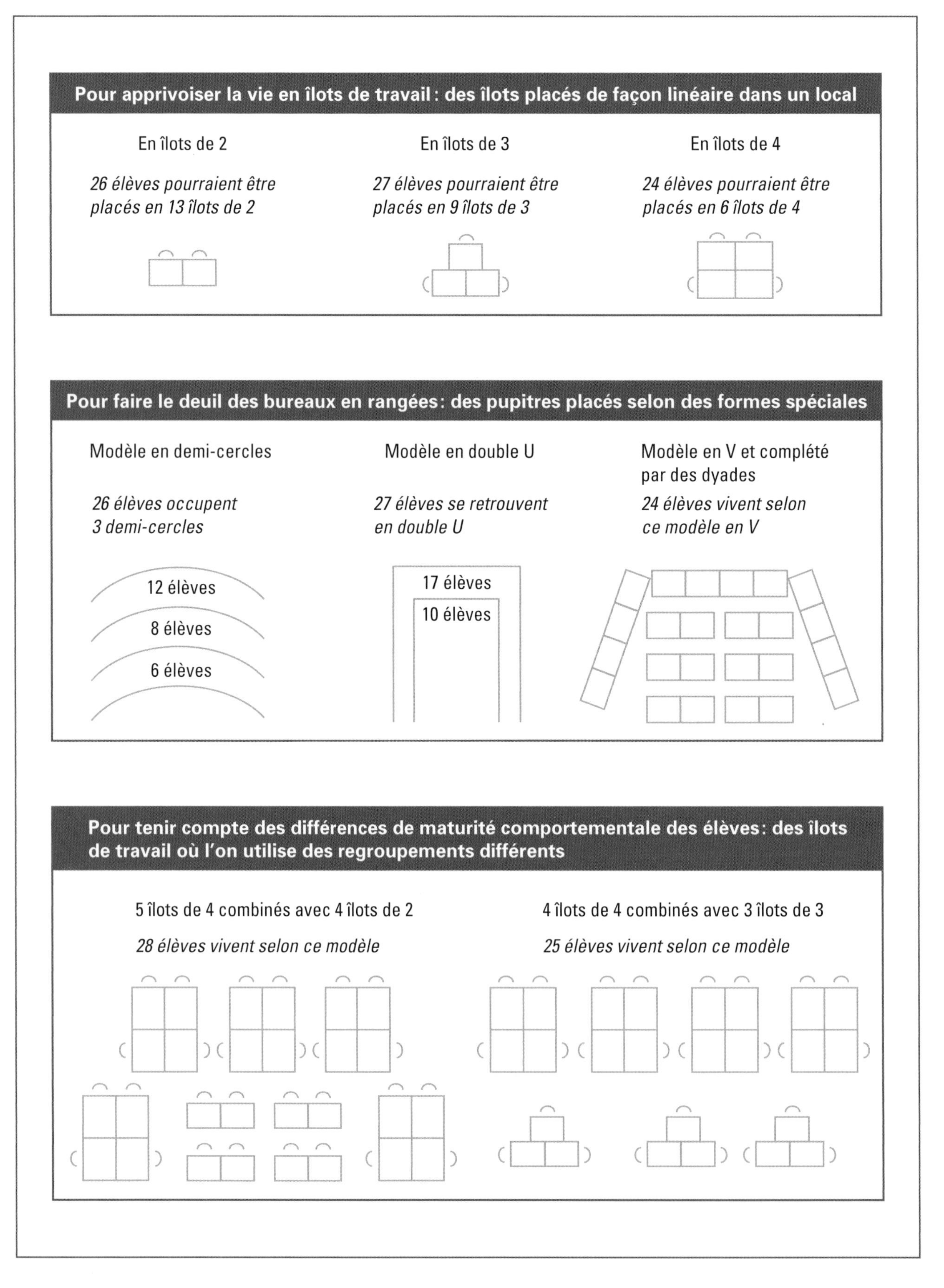

FIGURE 4.11 UN PLAN D'AMÉNAGEMENT D'UNE CLASSE DE 1er CYCLE DU PRIMAIRE

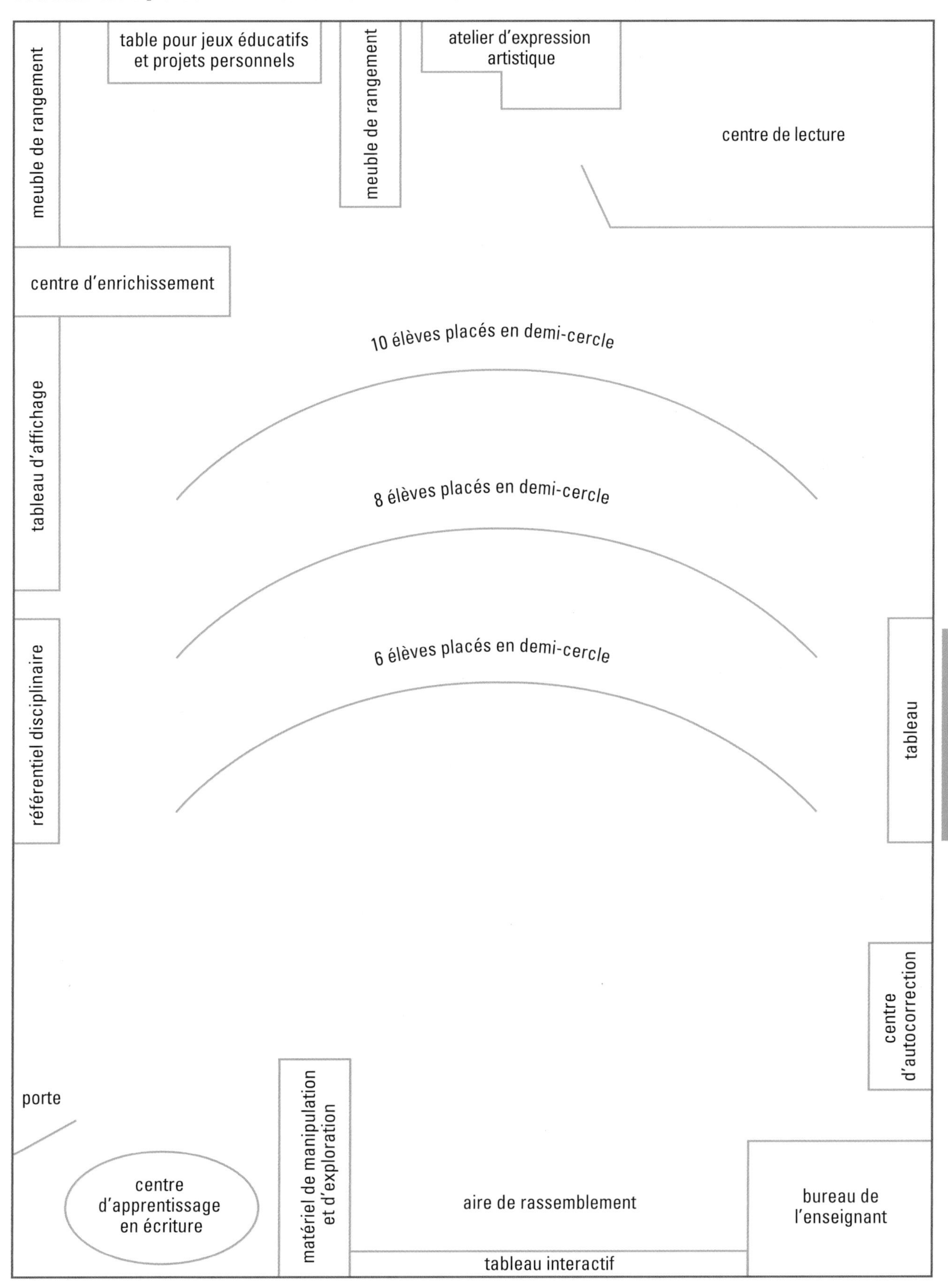

FIGURE 4.12 UN PLAN D'AMÉNAGEMENT D'UNE CLASSE DE 2e CYCLE DU PRIMAIRE

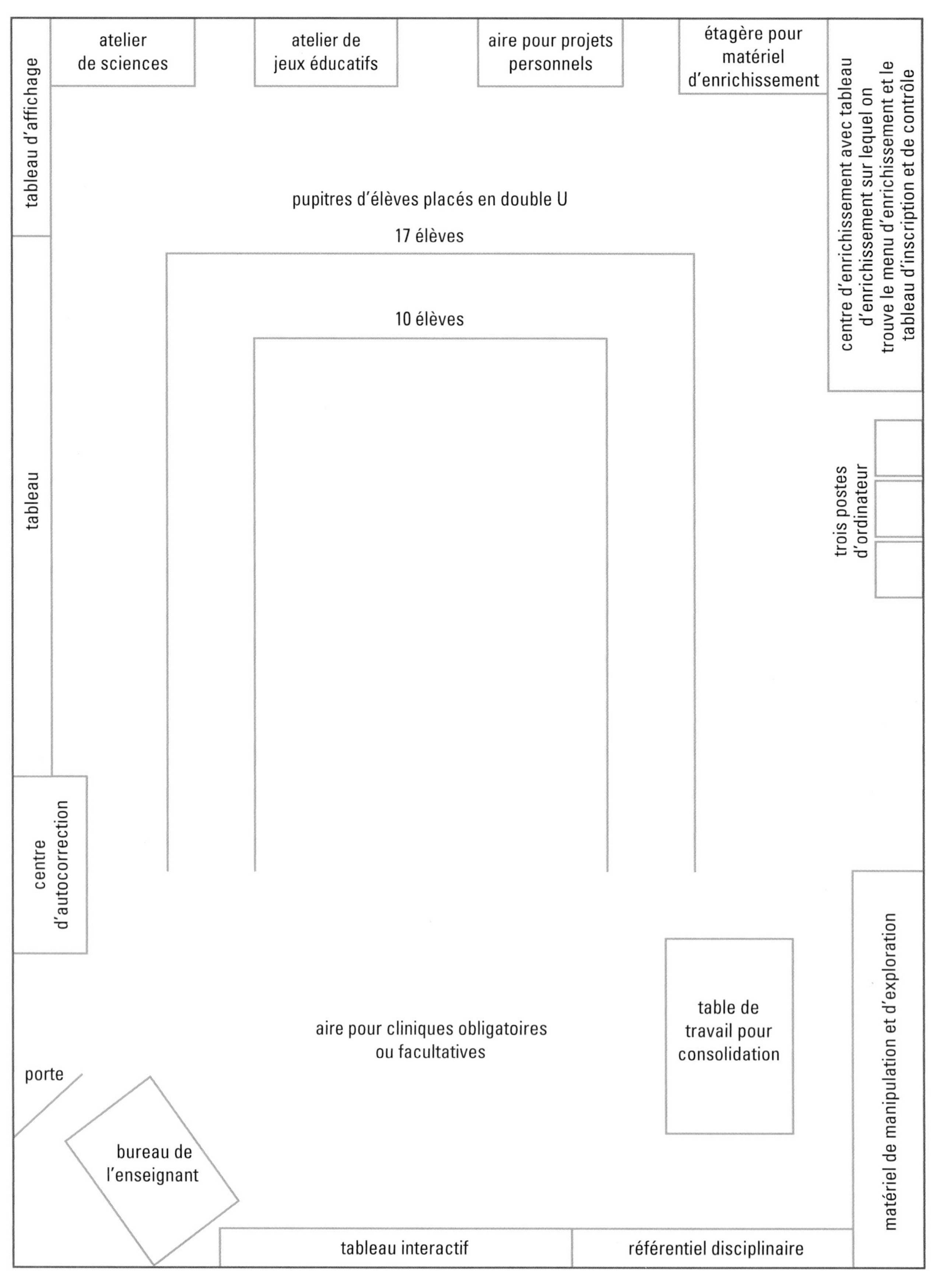

FIGURE 4.13 UN PLAN D'AMÉNAGEMENT D'UN LOCAL DE 1er CYCLE DU SECONDAIRE

Description du contexte :

1. Titulariat assuré par un enseignant
2. Titulaire bénéficiant d'un local fixe pour le vécu de sa discipline, le français
3. Titulaire partageant son local avec deux autres collègues (d'anglais et d'histoire), habités par la même philosophie de l'éducation et de l'enseignement que le titulaire du groupe stable d'élèves
4. Titulaire bénéficiant d'une période de 75 minutes par semaine où il est dégagé de l'enseignement de disciplines pour travailler avec son groupe de base sur les aspects suivants :
   - sur le développement des compétences transversales : apprendre à coopérer, apprendre à mener à terme un projet personnel, etc. ;
   - sur l'organisation de la classe : l'émergence d'un tableau d'enrichissement multidisciplinaire, le centre d'autocorrection, l'aménagement du local, etc. ;
   - sur la responsabilisation des élèves dans leurs apprentissages : la découverte de leur profil d'apprentissage, la gestion du carnet d'objectivation, du coffre à outils et du portfolio d'apprentissage.

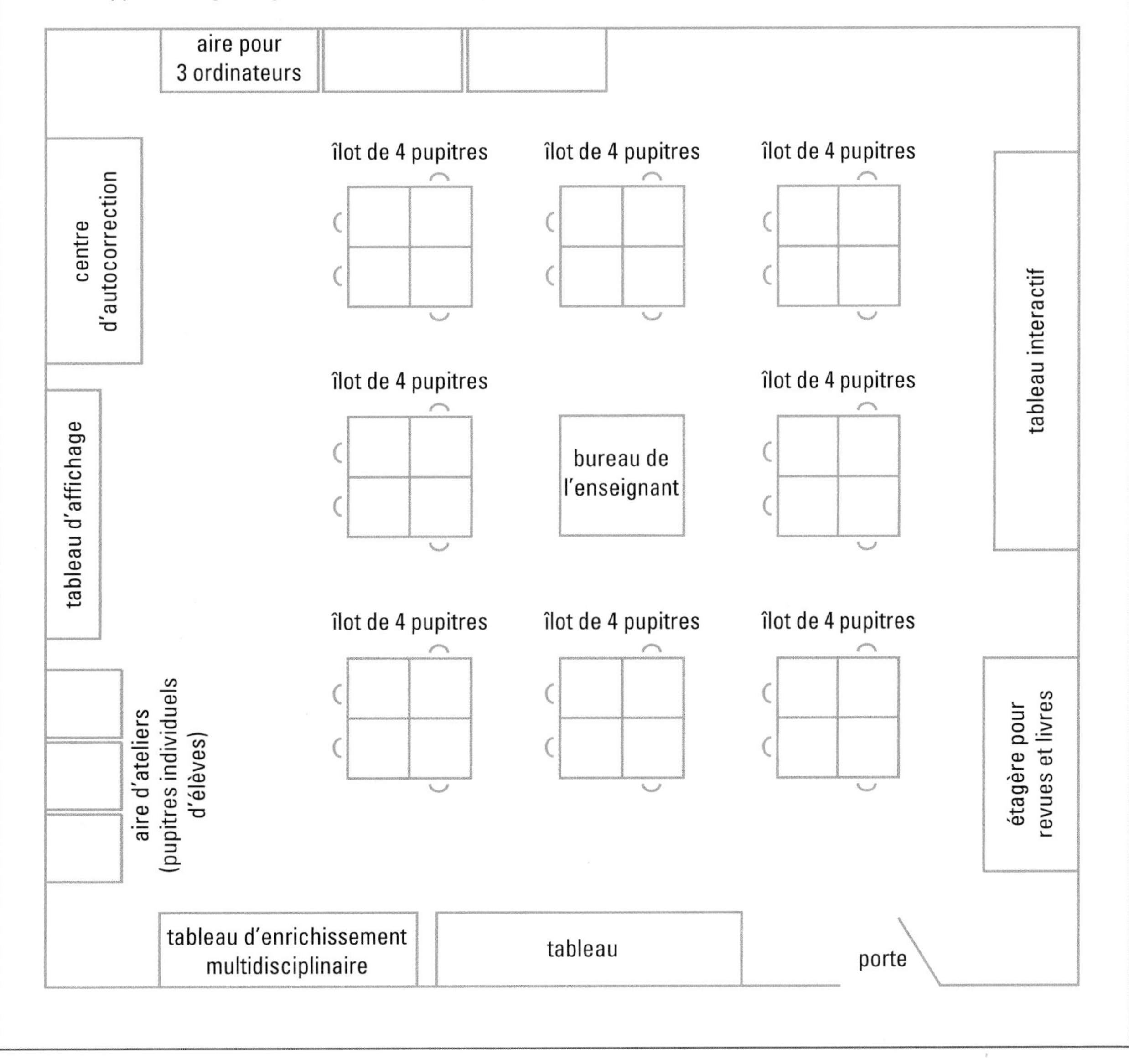

Aménager un local-classe en fonction de jeunes adolescents

Certes, les enseignants qui côtoient des adolescents sont bien au fait du contexte décrit précédemment. Quoiqu'ils reconnaissent que la disposition des pupitres en îlots de travail représente une avenue intéressante, plusieurs hésitent à mettre en œuvre cette nouvelle forme d'aménagement. Le seul fait d'envisager le brouhaha causé par le déplacement des tables de travail et des chaises peut donner envie à certains d'abdiquer. La crainte de voir s'accroître le bavardage, les pertes de temps et les dérangements inutiles entre les élèves en amène d'autres à renoncer aux avantages des travaux coopératifs. Pourtant...

La disposition des pupitres des élèves peut représenter un cauchemar pour des enseignants œuvrant à la fin du primaire ou au début du secondaire. Comment alléger la situation quotidienne où il faut très souvent cohabiter avec 32 élèves dans un local exigu ? Puisque des projets de rénovation de l'école ne sont pas envisageables, pourquoi ne pas chercher à agrandir ce local de l'intérieur (*voir encadré, page suivante*) ?

Placer les pupitres des élèves en « rangs d'oignons » est la solution la moins économique sur le plan de l'espace. Ce type d'aménagement n'incite pas nécessairement les jeunes adolescents assis à l'arrière du local à faire preuve d'écoute et de concentration au moment des explications. En outre, ce type d'aménagement ne favorise pas l'entraide chez les élèves.

Calmer ses craintes pour se permettre d'envisager un nouvel aménagement de l'espace et l'adoption du mode d'enseignement qui en découle, c'est déjà un pas vers leur expérimentation et la découverte de leurs avantages...

Agrandir son local « de l'intérieur », pourquoi pas ?

Osez de nouvelles modalités d'aménagement, expérimentez-les, faites une objectivation... Et progressez !

Des gestes simples pour libérer de l'espace

1. Déplacez votre bureau d'enseignant s'il occupe une trop grande superficie par rapport à celle qu'occupent les élèves.
2. Disposez les pupitres des élèves en îlots de travail.
3. Déterminez l'endroit où se situera l'aire de rassemblement dont vous aurez besoin, quitte à déplacer temporairement des pupitres d'élèves chaque fois que vous l'utiliserez.
4. Prévoyez même une utilisation polyvalente pour toute aire de travail.

   Exemple : La table de manipulation peut aussi accommoder des élèves qui travaillent sur un projet personnel avec du matériel encombrant.
5. Dotez-vous d'espaces de rangement.

L'espace récupéré permet d'introduire des éléments nouveaux

6. Mettez en place un centre d'autocorrection.
7. Créez un référentiel disciplinaire. *Exemple :* un tableau d'harmonie.
8. Créez un centre d'enrichissement où l'élève trouvera :
   - un tableau d'enrichissement ;
   - un tableau d'inscription et de contrôle ;
   - le matériel nécessaire à la réalisation des activités d'enrichissement ;
   - des procédures pour accomplir sans guidance les activités d'enrichissement ;
   - des clés de correction, s'il y a lieu ;
   - si l'espace le permet, un ou deux ateliers d'enrichissement où les élèves peuvent réaliser des tâches risquant d'être bruyantes ou dérangeantes pour les camarades assis à proximité d'eux.
9. Installez une étagère ou une table pour vivre avec les élèves des moments de manipulation, d'exploration et d'expérimentation en mathématiques et en sciences. Occasionnellement, vous pouvez installer dans cet espace un atelier temporaire de consolidation ou de récupération ; le contenu de l'atelier variera bien sûr selon les besoins particuliers de certains élèves.
10. Repérez des espaces précis sur les murs pour afficher des référentiels à l'intention des élèves.
11. Accordez de l'importance au centre d'informatique afin que ce dernier devienne autogérable par les élèves qui le fréquenteront.
12. Aménagez un centre de lecture afin d'y déposer des livres de littérature jeunesse. À cet effet, pensez aux critères suivants afin de choisir le meilleur endroit : il doit être près d'une source de lumière naturelle, éloigné des zones bruyantes et situé en dehors du circuit des allées et venues coutumières des élèves. Si vous ne pouvez compter sur aucun espace disponible, optez pour un centre de lecture mobile.

    Portez une attention spéciale à l'endroit où vous exposerez des livres-vedettes afin de proposer aux élèves des défis rattachés à l'exploitation des lectures qu'ils feront. Toujours dans une perspective d'économiser de l'espace, servez-vous du rebord d'un tableau pour étaler des livres dont vous voulez faire la promotion.
13. Installez à proximité du centre de lecture quelques ateliers temporaires orientés en fonction des défis que vous aurez proposés aux élèves.

    Exemples : un atelier de modelage pour sculpter l'animal-vedette d'un livre ; un atelier de construction pour fabriquer le château qu'habite la princesse Aurore.

Avec le temps et l'expérience, vous pourrez en arriver à modifier l'aménagement de la classe pour introduire divers centres d'apprentissage : en lecture, en écriture, en mathématiques, en sciences, en arts, etc. Dans ce nouveau contexte de gestion, il y a très peu d'enseignement collectif à faire. L'enseignant doit plutôt assurer différentes formes d'accompagnement de sous-groupes ou d'individus, puisque les élèves circulent la plupart du temps d'un centre d'apprentissage à un autre.

PENDANT L'EXPÉRIMENTATION

Vous trouverez dans l'introduction, aux pages 29 à 31, les éléments de réflexion et l'instrumentation nécessaires pour vivre les étapes suivantes :

4 L'expérimentation

5 L'objectivation

6 La régulation

APRÈS L'EXPÉRIMENTATION

Pour vous aider à faire le point sur le défi que vous venez de relever concernant l'organisation de la classe, reportez-vous dans l'introduction aux pages 31 et 32. Vous y trouverez les éléments de réflexion nécessaires pour faire les étapes suivantes :

7 L'évaluation

8 Le réinvestissement dans un autre défi

Vous y trouverez aussi des instruments pour accomplir ces dernières étapes de votre parcours.

Comme nous l'avons vu, l'organisation de la classe requiert un certain nombre d'habiletés chez l'enseignant. Dans le cadre d'une gestion de classe participative, l'organisation de la classe exige surtout une volonté d'amener l'apprenant à s'engager dans la construction de ses apprentissages grâce aux diverses structures composant l'organisation de la classe. Ce type de gestion est essentiellement fondé sur la reconnaissance de la salle de classe comme milieu de vie. À partir du moment où ce principe n'est plus remis en cause, l'élève peut prendre la place qui lui revient et se comporter comme l'artisan privilégié de sa croissance.

Je retiens

Suivant les valeurs et les croyances éducatives qui sont privilégiées par les enseignants, l'organisation de la classe prendra différentes formes, allant d'une structure encourageant la dépendance de l'apprenant par rapport à l'adulte jusqu'à une totale liberté d'agir. Dans le cadre d'une gestion de classe participative, cette organisation de classe se fera avec la volonté d'amener l'apprenant à s'engager le plus possible autant sur le plan de l'amélioration de ses comportements que sur celui des apprentissages nouveaux à réaliser.

- L'organisation de la classe requiert un certain nombre d'habiletés chez l'enseignant, comme celles d'aménager l'espace, de gérer le temps, de planifier et d'animer divers groupes de travail, et de rassembler toutes les ressources adéquates afin de les exploiter quotidiennement.
- On trouve différentes formes d'organisation de classe, tout comme on rencontre diverses conceptions de l'apprentissage ; ces deux réalités sont étroitement liées, l'une ne pouvant exister sans l'autre.
- Plus la classe deviendra un véritable milieu de vie, plus elle permettra à l'élève de se placer en projet d'apprentissage. Dans ce contexte éducatif, l'élève aura la possibilité de développer non seulement ses compétences disciplinaires, mais aussi ses compétences transversales, et cela de manière tout à fait naturelle.

Ce qui compte pour un élève, c'est ce qu'il fait lui-même, et non ce que l'adulte fait pour lui, à sa place. L'élève est en effet le véritable responsable de ses apprentissages. Il doit faire son bout de chemin.

Anonyme

J'AIMERAIS SAVOIR…

- Comment découvrir les particularités des profils et des parcours d'apprentissage des élèves ?
- Comment gérer avec les élèves les travaux personnels à la maison dans un contexte participatif et responsabilisant?
- Comment responsabiliser les élèves dans leurs apprentissages ?
- Comment tenir compte des différents rythmes d'apprentissage des élèves ?
- Comment prendre en considération les divers styles d'apprentissage des élèves dans ses interventions ?
- Comment habiliter les élèves à s'autoévaluer ?
- Comment gérer l'évaluation formative au quotidien ?
- Comment intégrer l'objectivation à ses pratiques quotidiennes ?
- Comment amener les élèves à réinvestir leurs connaissances par eux-mêmes ?

CHAPITRE 5

Gérer les apprentissages avec l'élève

C'est sans doute à partir de l'une ou l'autre de ces questions que vous vous donnerez un défi au regard de la gestion des apprentissages. Pour vous aider à atteindre cet objectif de développement professionnel, je vous propose de suivre les étapes d'une démarche en trois temps : avant, pendant et après l'expérimentation (*voir l'introduction pour en connaître tous les détails*). La figure suivante rappelle la place de la gestion des apprentissages dans l'ensemble des composantes de la gestion de classe.

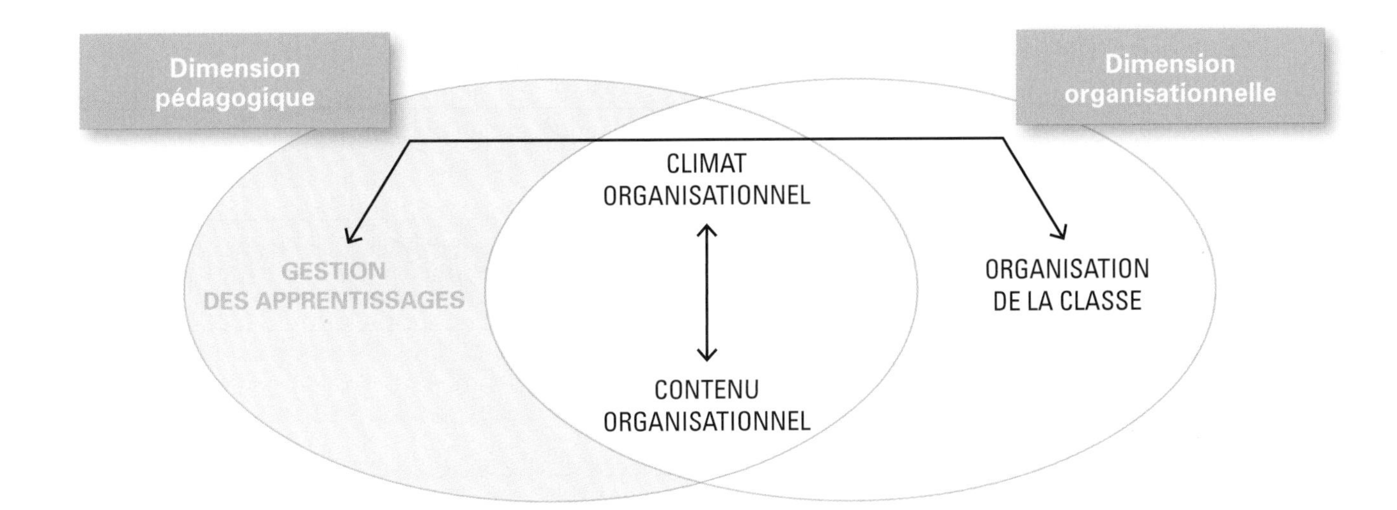

AVANT L'EXPÉRIMENTATION

1 L'auto-analyse

Pour intervenir de façon efficace et changer réellement votre mode de gestion des apprentissages, vous devez d'abord regarder avec attention ce que vous faites actuellement. Voici trois grilles d'analyse qui vous permettront de mieux connaître votre style d'intervention au regard des apprentissages de vos élèves.

1. Mes croyances et mes attitudes personnelles

LÉGENDE :
1. Je le fais très peu, et ce n'est pas une priorité pour moi.
2. Je le fais très peu, mais je voudrais travailler ce point.
3. Je le fais avec quelques difficultés, mais je ne désire pas travailler ce point pour le moment.
4. Je le fais, mais j'aurais besoin d'améliorer ce point.
5. Je le fais avec aisance, j'en suis fier et je suis capable d'aider un autre collègue qui chemine dans ce sens.

	1	2	3	4	5
a) Je suis convaincu que chaque apprenant possède un profil et un parcours d'apprentissage qui lui sont propres.					
b) J'admets que la signifiance des tâches joue un rôle prépondérant dans la construction de la motivation scolaire.					
c) Je reconnais que, pour apprendre, l'élève doit faire des essais et qu'en conséquence il doit bénéficier du droit à l'erreur.					
d) Je conviens que les élèves ont besoin de connaître les paramètres que recouvre tout objet ou résultat d'apprentissage : le « quoi ? », le « pourquoi ? », le « comment ? », le « quand ? ».					
e) Je suis d'accord avec l'idée que, pour être un enseignant efficace, je ne dois pas miser seulement sur mon intuition ; je dois aussi m'astreindre à la planification pédagogique.					
f) Je considère l'évaluation comme un processus continu et intégré à l'apprentissage.					
g) Dans l'évaluation du rendement d'un élève, je fais preuve de flexibilité afin de tenir compte de sa situation personnelle.					
h) Je suis sensible au fait que les élèves ont besoin de moments d'arrêt pour réfléchir sur ce qu'ils vivent ; sinon, il est impossible pour eux de réaliser un apprentissage authentique.					
i) Je crois que le transfert des apprentissages n'est pas automatique, et que je dois faire des interventions dans ce sens pour amener mes élèves à l'étape de la généralisation.					
j) J'accepte de me remettre en cause devant la qualité des apprentissages que font mes élèves et, le cas échéant, je suis tout à fait à l'aise avec l'idée d'apporter les modifications nécessaires.					

k) Commentaires :

____

____

2. Mes connaissances théoriques

LÉGENDE : **1.** Rien n'est clair pour moi ; je manque d'informations sur ce sujet.
2. Je possède un certain nombre de données théoriques, mais, pour être capable de les appliquer, certains renseignements me manquent.
3. Je suis à l'aise face au cadre théorique de cette thématique et je m'en sers pour calibrer mes interventions en classe.

	1	2	3
a) Je suis familiarisé avec les étapes (*voir p. 310*) que doit traverser un élève quand il forme ses concepts.			
b) Je connais aussi les interventions que je dois privilégier au regard de chacune de ces étapes.			
c) Je distingue les particularités des modèles de planification à long terme : l'approche thématique, le centre d'intérêt et l'approche par projet.			
d) Je maîtrise le concept de la zone proximale de développement dont je dois tenir compte dans les défis proposés à l'élève.			
e) Je suis capable d'expliquer les différences existant entre une activité, une situation et une séquence d'apprentissage.			
f) Je maîtrise suffisamment les étapes de la démarche d'évaluation pour pouvoir les décrire brièvement.			
g) Je suis au fait qu'il existe différentes façons de recueillir et de consigner des informations lorsque j'évalue les apprentissages des élèves.			
h) J'établis des nuances entre l'autocorrection, l'objectivation et l'autoévaluation que l'élève vit à l'intérieur d'un parcours d'apprentissage.			
i) Je suis au courant des différentes façons de faire objectiver les élèves.			
j) Je sais que diverses interventions sont à ma portée pour tenir compte des différences chez les élèves : la diversification, la différenciation, l'adaptation et la modification.			
k) J'ai déjà entendu parler d'outils susceptibles de responsabiliser les élèves dans leurs apprentissages.			

l) Commentaires :

____

____

3. Ma capacité de responsabiliser les apprenants

LÉGENDE :
1. Je le fais très peu, et ce n'est pas une priorité pour moi.
2. Je le fais très peu, mais je voudrais travailler ce point.
3. Je le fais avec quelques difficultés, mais je ne désire pas travailler ce point pour le moment.
4. Je le fais, mais j'aurais besoin d'améliorer ce point.
5. Je le fais avec aisance, j'en suis fier et je suis capable d'aider un autre collègue qui chemine dans ce sens.

AU DÉBUT D'UN APPRENTISSAGE	1	2	3	4	5
a) J'ouvre le menu du cours ou de la journée pour que l'élève s'habilite à planifier son temps et ses apprentissages.					
b) Je donne des choix aux élèves chaque fois que c'est possible : choix de thèmes, choix de stratégies d'apprentissage, choix de ressources, choix de groupes de travail, etc.					
c) Je verbalise à l'élève l'objet ou le résultat d'apprentissage lié à la tâche présentée.					
d) Je fais connaître à l'élève l'objet d'évaluation au moment même où celui-ci amorce son apprentissage.					
e) J'annonce à l'apprenant les critères d'évaluation qui seront pris en considération au moment de l'évaluation de ses apprentissages.					
f) J'invite l'élève à se fixer un seuil de réussite personnel, ou je lui fais connaître celui que j'exigerai.					
g) J'active les connaissances antérieures des élèves et j'en tiens compte dans le déroulement de l'apprentissage.					
PENDANT L'APPRENTISSAGE					
h) J'aide les élèves à organiser leurs connaissances antérieures en réseaux de concepts ou en cartes sémantiques.					
i) Je mets au point avec eux un coffre à outils contenant des démarches, des procédures et des stratégies pour leur « apprendre à apprendre ».					
j) Je propose aux élèves des moments pour objectiver leur vécu d'apprentissage sous différentes formes, et plus spécialement par l'entremise du carnet d'apprentissage.					
k) J'organise différents sous-groupes d'apprentissage en fonction des profils et des parcours des élèves : les champs d'intérêt, les rythmes d'apprentissage, les styles d'apprentissage, les besoins scolaires, etc.					
l) Je place les élèves dans des structures à caractère participatif – des cliniques, des ateliers-carrousels, des ateliers-arbres, un tableau d'enrichissement, un centre d'exploration et d'expérimentation, etc. – afin de tenir compte des écarts de profils et de parcours que je constate.					
APRÈS UN APPRENTISSAGE					
m) J'amène les élèves à autoévaluer ce qu'ils ont appris ou développé avec le soutien d'une échelle d'appréciation simple et connue.					
n) En prévision d'une prochaine pratique, j'invite les élèves à relever une force et un défi par rapport à l'objet ou au résultat d'apprentissage qu'ils tentent de s'approprier.					

o) J'invite les élèves à déposer des pièces-témoins dans leur portfolio d'apprentissage ; j'élabore avec eux des critères de sélection et je leur fournis un canevas pour justifier leurs choix.					
p) J'aide les élèves à gérer leur temps de manière judicieuse à l'extérieur de l'école en faisant de l'animation autour de l'agenda scolaire.					
q) J'amène les élèves à jouer un rôle actif lorsqu'ils présentent leur bulletin scolaire ou leur portfolio d'apprentissage à leurs parents.					
r) Je donne des choix de devoirs que je cadre dans la perspective d'un échéancier.					
STRATÉGIES GÉNÉRALES					
s) J'affiche régulièrement le menu du cours ou de la journée.					
t) J'aide les élèves à découvrir leur style d'apprentissage ou leurs formes d'intelligence prédominantes.					
u) J'engage chacun de mes élèves dans le vécu d'un projet personnel.					
v) Commentaires :					

2 La réflexion

Les grilles d'analyse précédentes font bien ressortir les exigences de la gestion des apprentissages dans une classe ou un groupe de base. Ces exigences sont encore plus élevées quand l'enseignant manifeste la volonté de les gérer AVEC les élèves. S'il est une composante de la gestion de classe qui sollicite fortement l'exercice de plusieurs compétences professionnelles de l'enseignant, c'est bien celle de la gestion des apprentissages.

Parler de compétences professionnelles dans ce chapitre est tout à fait approprié, puisque les enseignants se retrouvent devant des changements de paradigmes de l'enseignement, de l'apprentissage et de l'évaluation, des redéfinitions du métier d'élève et d'enseignant. Gérer les apprentissages AVEC les élèves est une option pédagogique qui n'échappe pas à ces grands défis. Et c'est là que le répertoire de compétences professionnelles prend tout son sens. L'enseignant averti s'y référera constamment pour éclairer son quotidien et déterminer ses cibles de développement professionnel.

Comme cet ouvrage s'adresse à un public francophone du Canada et d'ailleurs, je me permets de citer deux références relatives aux compétences professionnelles : une référence européenne, celle de Philippe Perrenoud (1999), et une référence canadienne, celle du ministère de l'Éducation du Québec (MEQ, 2001b). J'utiliserai d'abord la conception de Perrenoud, auteur suisse ayant été le premier à proposer un répertoire de 10 familles de compétences professionnelles. J'aborderai un peu plus tard la conception du Ministère (*voir section « Mobiliser ses compétences professionnelles », p. 292*).

L'initiative de Perrenoud a suscité énormément d'intérêt dans le monde scolaire et a incité d'autres milieux à définir davantage les orientations de la formation à l'enseignement, qu'elle soit initiale ou continue. Lorsque Perrenoud a présenté le produit de sa recherche et de sa réflexion, il l'a fait dans les termes suivants : « Ce référentiel tente de saisir le mouvement de la profession. Cet inventaire n'est ni définitif, ni exhaustif. Aucun référentiel ne peut d'ailleurs garantir une représentation consensuelle, complète et stable d'un métier ou des compétences qu'il met en œuvre. » (Perrenoud, 1999, p. 16)

Je vais m'en tenir ici aux sept compétences de Perrenoud qui sont directement liées à la gestion des apprentissages. Pour chacune, j'indique entre parenthèses les concepts clés que chaque compétence sous-tend pour mieux situer le lecteur :

- Organiser et animer des situations d'apprentissage (la planification, l'animation et la médiation) ;
- Gérer la progression des apprentissages (l'objectivation, l'évaluation et la régulation) ;
- Concevoir et faire évoluer des dispositifs de différenciation (la prise en compte des profils et des parcours des élèves par la mise en place de la différenciation) ;
- Amener les élèves à s'engager dans leurs apprentissages et dans leur travail (la responsabilisation des élèves par la présence de la gestion de classe participative) ;
- Se servir des technologies nouvelles (l'utilisation de structures pour gérer les ressources didactiques) ;
- Informer les parents et les faire participer (les modalités pour informer les parents et développer avec eux un partenariat) ;
- Travailler en coopération avec ses collègues par souci de continuité, de cohérence et de concertation (le travail en cycle d'apprentissage et en communauté d'apprenants professionnels dans un contexte de gestion interclasses).

Outre cette préoccupation d'exercer ses compétences professionnelles afin d'intervenir judicieusement auprès de l'élève, l'enseignant a intérêt à poser des conditions gagnantes pour établir avec lui un partenariat. Dans ce sens, la connaissance des apprenants ainsi que leur responsabilisation à l'intérieur de leurs cheminements respectifs représentent des atouts majeurs. L'objectif de « gérer les apprentissages AVEC les élèves » peut devenir une réalité, moyennant la condition ultime, à savoir que les élèves soient dans le coup eux aussi.

Qu'entend-on par « gestion des apprentissages » ?

La gestion des apprentissages est la composante la plus importante du concept de « gestion de classe ». Les écoles existent pour que les élèves se développent et les élèves fréquentent ces lieux parce qu'ils désirent apprendre. En fait, cette composante constitue la finalité de l'éducation, car elle justifie la présence des enseignants en classe ; toutes les autres composantes gravitent autour de cette dernière. Le climat, le contenu et l'organisation sont à son service.

Dans les chapitres précédents, nous avons vu que l'enseignant qui désire favoriser la construction des savoirs dans sa classe ou dans ses groupes de base doit porter trois préoccupations premières :

1. Créer un climat propice au vécu des apprentissages (*chapitre 2*) ;
2. S'approprier la philosophie et le contenu du programme (*chapitre 3*) ;
3. Mettre en place une organisation de classe ouverte à la participation, à la responsabilisation et à la prise en compte des différences (*chapitre 4*).

Une fois les interventions faites en ce sens, l'enseignant se concentre sur les profils et les parcours d'apprentissage des apprenants afin d'être en mesure d'aller à leur rencontre. S'il accepte que les élèves soient les artisans de leur apprentissage, il va de soi qu'il accepte aussi de devenir un guide pour eux. Lorsque le contexte pédagogique a été créé autour d'un objet, d'un résultat d'apprentissage et d'une situation signifiante, l'enseignant se soucie d'aller chercher les apprenants là où ils se trouvent. C'est d'ailleurs le véritable sens de l'expression « gérer les apprentissages AVEC les élèves ».

J'aurais pu désigner cette dernière composante « gestion de l'enseignement » au lieu de « gestion des apprentissages » ; ce choix de paradigme et de vocabulaire aurait d'ailleurs changé l'orientation du présent guide. Ces deux expressions sont loin d'être équivalentes ; au contraire, elles véhiculent des modèles de référence et d'intervention fort différents l'un de l'autre.

Lorsqu'un pédagogue se centre sur l'apprentissage de ses élèves, il fait davantage appel à leur contribution. Toutefois, lorsqu'il se focalise sur le contenu à enseigner, il prend toute la place, si bien que les élèves sont confinés dans un rôle passif ; ceux-ci risquent alors d'être à l'ombre. Pour qu'une plante puisse croître aisément, elle doit bénéficier des rayons du soleil.

Le fait d'opter pour le paradigme de la gestion des apprentissages amène nécessairement le praticien à réexaminer son métier d'enseignant de même que le rôle de l'élève. Pourquoi ne pas laisser la porte de sa pédagogie entrouverte afin de saisir la meilleure occasion d'œuvrer dans l'univers des apprentissages ?

Investir dans la connaissance des apprenants

Pénétrer dans l'univers des apprentissages, c'est nécessairement s'infiltrer dans le vécu des apprenants ; pour y parvenir, le pédagogue doit accomplir un certain nombre de gestes adéquats. L'une de ces actions consiste à se donner un cadre d'observation avant de recueillir des données

importantes sur les profils d'apprentissage, les parcours scolaires et les caractéristiques des milieux familial et socioculturel des élèves.

Porté par la préoccupation de mieux connaître l'apprenant, le pédagogue est rapidement placé devant trois questions :

1. *Quels sont les éléments qui composent un profil et un parcours d'apprentissage ?* Si l'on considère le profil d'apprentissage sous un angle très large, on y trouve les champs d'intérêt, les prédominances sensorielles, les styles d'apprentissage, les intelligences multiples, la motivation à apprendre, les caractéristiques propres aux garçons, les rythmes d'apprentissage, les besoins de guidance, les façons d'entrer en relation avec les autres et de coopérer avec les pairs, etc.

   Quant au parcours scolaire, il correspond au chemin que l'élève a traversé avant d'arriver jusqu'à son nouvel enseignant. Il représente son histoire actuelle, une route jonchée d'apprentissages et d'expériences de vie. Ce parcours est nécessairement teinté de forces et de faiblesses, deux matériaux importants pour tout accompagnateur. Dans le cas présent, l'enseignant est chargé d'alimenter le processus d'apprentissage de ses élèves et d'influer sur leur histoire personnelle.

Comment découvrir les particularités des profils et des parcours des élèves ?

2. *Quels sont les moyens que je peux utiliser pour mieux connaître mes élèves ?* Les mesures existantes pour obtenir le plus d'informations possible à propos de chaque enfant ou de chaque adolescent sont variées, allant du général au spécifique. Pourquoi ne pas commencer par privilégier une approche naturelle, basée sur l'écoute et l'observation, solidement ancrée dans le quotidien ?

   Voici des balises dans ce sens :

   - J'adopte une attitude d'accueil, d'écoute et de compréhension à l'égard de chaque élève.
   - J'observe des aspects précis du comportement.
   - Je sais dissocier les faits, les opinions et les jugements face à mes élèves.
   - J'essaie de tenir compte de mes réactions personnelles et subjectives ; je les nuance sans toutefois les éliminer.
   - J'évite les jugements rapides à la suite de mes observations.
   - J'établis mes diagnostics sur des faits observés, à la lumière de données théoriques adéquates.
   - Pour des aspects plus spécifiques, j'utilise des tests, des relevés, des listes, des questionnaires, des grilles d'observation et des entrevues pour pousser plus loin ma connaissance de chaque élève.

Pour plus de détails sur la collecte de données, voir le chapitre 4 de *Différencier au quotidien*. Il est consacré au thème de l'investissement dans la connaissance des élèves.

3. *Qu'est-ce que je connais des milieux familial et socioculturel de mes élèves ?* Certains peuvent avoir tendance à oublier cette question, mais elle est fort pertinente. Ainsi, l'enseignant devrait chercher à se situer par rapport aux faits suivants :

   - Est-ce que j'ai rencontré les parents de chaque élève ?
   - Est-ce que j'ai exploré le quartier où vivent les élèves ?

- Est-ce que je connais les principales caractéristiques socioéconomiques et culturelles du milieu de vie de chaque élève ?
- Est-ce que j'accepte les différences présentes dans leur milieu de vie ? Est-ce que j'en tiens compte ?
- Est-ce que je suis au courant des conditions de vie et des difficultés que chaque enfant ou adolescent peut connaître dans sa famille et son quartier ?

Nous venons de franchir un pas important qui facilitera le mandat de l'accompagnement des élèves sur la route du savoir. Avant d'entreprendre un grand voyage, un explorateur s'est déjà renseigné sur les membres qui feront partie de son expédition et a tissé des liens avec eux.

Adopter des mesures de responsabilisation

Faire appel à des structures organisationnelles

Maintenant que l'enseignant connaît mieux ses compagnons de route, il peut se pencher sur les dispositifs qu'il mettra en œuvre pour partager avec les enfants ou les adolescents cette importante responsabilité qui est celle d'apprendre. En effet, gérer les apprentissages AVEC les élèves suppose une mise en commun des rôles et des responsabilités. Les chapitres 2 et 4, traitant respectivement du climat et de l'organisation de la classe, ont fait état de nombreuses structures axées sur la participation et la responsabilisation des apprenants.

Nous avons exploré quatre types de structures dans les chapitres précédents :

1. Des structures pour gérer le climat (*chapitre 2*) ;
2. Des structures pour gérer les groupes de travail (*chapitre 4*) ;
3. Des structures pour gérer le temps (*chapitre 4*) ;
4. Des structures pour gérer l'aménagement du local-classe (*chapitre 4*).

Il appartient à chaque enseignant de faire ses choix dans ces domaines.

Mettre au point un outillage pour favoriser le travail autonome

Comment responsabiliser les élèves dans leurs apprentissages ?

Après avoir mis en place les structures nécessaires, l'enseignant construit avec ses élèves des outils susceptibles de leur donner du pouvoir sur leurs apprentissages. À titre d'exemples, en voici quelques-uns :

- un coffre à outils pour permettre à l'élève de contrôler ses tâches d'apprentissage (*voir outils 3.4 et 3.5, p. 166 et 168*) ;
- un carnet d'apprentissage pour faciliter l'objectivation et la régulation de ses pratiques (*voir outil 5.5, p. 334*) ;
- un portfolio d'apprentissage pour l'aider à développer l'analyse réflexive dans son métier d'élève (*voir outil 5.12, p. 349*) ;

- des grilles d'autoévaluation pour l'habiliter à reconnaître ses forces et ses défis comme apprenant (*voir outil 5.10, p. 339*) ;
- un projet personnel qui correspond à son profil d'apprentissage et lui permet d'avancer à son rythme (*voir outil 5.14, p. 354*) ;
- un outil de gestion du temps pour le placer dans un contexte de travail autonome (*voir outil 4.8, p. 248*).

Mobiliser ses compétences professionnelles

Apprendre est un processus que l'on ne peut pas toujours palper ou visualiser. Il est difficile de savoir ce qui se passe réellement dans la tête d'un enfant ou d'un adolescent lorsqu'il est en train d'apprendre. L'accompagnateur peut toujours se fier à ce que l'élève dit, à ce qu'il fait, à ce qu'il exprime corporellement afin de mieux cibler ses interventions. Malgré cette précaution, les risques d'erreurs sont toujours présents. Voilà une bonne raison pour se prémunir d'instruments de navigation qui permettront à l'enseignant de garder le cap sur les apprentissages des élèves !

Ce n'est une surprise pour personne d'affirmer que la gestion des apprentissages est d'abord la responsabilité de l'enseignant. Mais si ce dernier désire le faire AVEC les élèves, il lui incombe un autre devoir, celui de trouver les occasions pertinentes d'engager les apprenants à ses côtés. Voilà une autre bonne raison pour que l'enseignant se prépare soigneusement à jouer son rôle de guide dans la construction des savoirs.

Plus l'enseignant s'appuiera sur des bases solides, plus il jouera son rôle avec facilité et efficacité. Dans ce sens, pourquoi ne pas se référer au répertoire des compétences professionnelles qui prévaut dans son milieu ?

Pour les enseignants du Québec, le référentiel élaboré par le ministère de l'Éducation (MEQ, 2001b, p. 59) comprend 13 compétences. Comme je l'ai fait précédemment pour Perrenoud (*voir p. 288*), j'indique ci-après la liste des sept principales compétences professionnelles de ce cadre de référence québécois qui sont mobilisées lorsqu'un enseignant désire gérer les apprentissages AVEC les élèves. J'ajoute entre parenthèses les concepts clés que chacune porte en elle. Nul besoin de démontrer qu'il y a une similitude d'intentions entre les deux référentiels même si leur formulation est différente. L'enseignant peut choisir le cadre de référence avec lequel il est le plus à l'aise. À l'intérieur du cadre du Ministère, on retrouve donc les compétences suivantes :

- Concevoir des situations d'enseignement-apprentissage pour les contenus à faire apprendre, et ce, en fonction des élèves concernés et du développement des compétences visées dans le programme de formation (la planification) ;
- Piloter des situations d'enseignement-apprentissage pour les contenus à faire apprendre, et ce, en fonction des élèves concernés et du

développement des compétences visées dans le programme de formation (l'animation, l'objectivation et la médiation) ;

- Évaluer la progression des apprentissages et le degré d'acquisition des compétences des élèves pour les contenus à faire apprendre (l'évaluation, la régulation et la préparation au transfert) ;
- Planifier, organiser et superviser le mode de fonctionnement du groupe-classe en vue de favoriser l'apprentissage et la socialisation des élèves (la responsabilisation des apprenants par la mise en place de la gestion de classe participative) ;
- Adapter ses interventions aux besoins et aux caractéristiques des élèves présentant des difficultés d'apprentissage, d'adaptation ou un handicap (la prise en compte des profils et des parcours des élèves par la mise en place de la différenciation, de l'adaptation et de la modification) ;
- Intégrer les technologies de l'information et des communications aux fins de préparation et de pilotage d'activités enseignement-apprentissage, de gestion de l'enseignement et de développement professionnel (l'élaboration de structures pour gérer les ressources didactiques) ;
- Travailler de concert avec les membres de l'équipe pédagogique à la réalisation des tâches permettant le développement et l'évaluation des compétences visées dans le programme de formation, et ce, en fonction des élèves concernés (le travail en cycle ou en communautés d'apprenants professionnels dans un contexte de gestion interclasses).

L'éclairage des compétences aidant, l'enseignant tentera d'exceller dans chacune des étapes de son accompagnement. Paradoxalement, il devra se montrer à la fois rigoureux et ouvert dans l'exercice des fonctions pédagogiques à travers lesquelles la mobilisation des élèves s'effectuera :

- dans la planification des séquences et des situations d'apprentissage ;
- dans l'animation des situations d'apprentissage ;
- dans la médiation entre l'élève et la situation d'apprentissage ;
- dans le soutien à l'objectivation du vécu des apprentissages et dans l'objectivation de son enseignement ;
- dans l'évaluation des apprentissages ;
- dans la régulation et le transfert des apprentissages.

Toutes ces opérations, qui se font parfois un peu mécaniquement, doivent être analysées pour que leur signification et leur portée soient bien saisies. Il est en effet impossible d'exercer une gestion de classe participative sans prendre en compte tous ces aspects de la gestion des apprentissages.

Première compétence : la capacité de planifier

La planification pédagogique est l'une des compétences professionnelles les plus importantes, puisque toute l'organisation du cheminement

des élèves en découle. Elle peut être définie comme étant un processus cyclique qui s'exerce au moment où l'enseignant :

- détermine les objets ou résultats d'apprentissage et les répartit ;
- conçoit et met en place les différents éléments des situations d'apprentissage ;
- établit des liens entre les situations et agence celles-ci en séquences d'apprentissage ;
- élabore des moyens de gérer la progression des apprentissages en cours d'apprentissage ainsi qu'à la fin d'un parcours annuel ou pluriannuel.

Les niveaux de planification

La planification faite par l'enseignant ne se limite pas au contexte de sa classe ou de son groupe de base. Elle s'exerce parfois sur plusieurs niveaux, comme le démontre le tableau 5.1, page suivante.

La planification à court terme au sein de la classe ou d'un groupe de base

Bon nombre d'enseignants sont tout à fait conscients que le niveau de planification à court terme dépasse la simple préparation matérielle. Cette planification doit être raffinée jusqu'à la prise en compte réelle des différences entre les élèves. Dans ce sens, avant de se présenter en classe, le pédagogue a tout intérêt à réfléchir aux trois questions suivantes relatives aux interventions à faire :

1. Comment vais-je animer les trois temps de la situation d'apprentissage : l'avant, le pendant, l'après ?
2. Comment vais-je me préoccuper des différents modes d'apprentissage : les élèves qui apprennent par information, par démonstration, par expérience ?
3. Comment vais-je tenir compte des différents rythmes d'apprentissage des élèves : les rapides, les moyens, les lents ?

Tant que l'enseignant n'a pas pris en considération ces trois dimensions de la situation d'apprentissage planifiée, il ne peut affirmer qu'il est prêt à accompagner pédagogiquement ses élèves dans la perspective du respect des profils et des parcours d'apprentissage.

Dans sa planification à court terme, il doit s'assurer de contrôler des éléments particuliers : les *situations d'apprentissage et d'évaluation* ainsi que les *séquences et les activités d'apprentissage*.

Zone de discussion

À l'aide de la figure 5.1 (*voir p. 296*), tentez d'établir des nuances entre les concepts suivants : « objet ou résultat d'apprentissage », « activité d'apprentissage », « situation d'apprentissage » et « séquence d'apprentissage ». Dans le cadre de ce que je nomme un chantier pédagogique de discussion, situez ces concepts les uns par rapport aux autres et cernez la place que chacun occupe dans la construction des savoirs des élèves.

TABLEAU 5.1 | LES NIVEAUX DE PLANIFICATION

NIVEAUX	PRÉCISIONS
1. Planification selon des programmes venant d'instances ministérielles	• Les enseignants qui croient gagner du temps au cours de la lecture des programmes en sautant les pages qui en expliquent la philosophie tombent dans un piège. Ils se retrouvent devant des listes de contenus notionnels dépossédés de sens et de cohérence, souvent incompatibles avec leurs habitudes d'enseignement. • Il est important de sensibiliser les élèves à ce que représentent les programmes de formation. Quand ils entendent le mot « programme », plusieurs n'en comprennent pas le sens. D'autres le perçoivent comme une menace constante, puisque l'enseignant ne se gêne pas pour leur rappeler soit le retard qui a été pris par rapport aux contenus prévus au programme, soit l'importance de bien se préparer aux examens ministériels de fin d'année. Le fait que les élèves puissent voir les programmes, même les feuilleter, leur permet de mieux en comprendre la portée: cet outil précise annuellement le voyage qu'ils doivent faire avec leur enseignant au pays des connaissances et des compétences. • Il est essentiel de ne jamais perdre de vue que, si le développement des compétences n'est pas négociable, les moyens utilisés pour le faire sont, eux, négociables. L'enseignant a donc, sur ce terrain, toute liberté pour exercer des choix professionnels. • Certains enseignants ne font pas de différence entre les manuels scolaires et les programmes. Ils se sentent esclaves des manuels, qui ne sont pourtant qu'un moyen parmi d'autres de répondre aux exigences des programmes. En réalité, ce sont les objets ou les résultats d'apprentissage prescrits par les programmes qui créent une obligation pour les enseignants, et il faut toujours garder un esprit critique face aux manuels, quels qu'ils soient.
2. Planification intermédiaire suggérée par certaines commissions scolaires (CS)	• Par exemple, la CS répartit les objets ou les résultats d'apprentissage sur les années d'un cycle d'apprentissage. • Parfois, la CS répartit plutôt les objets ou les résultats d'apprentissage d'un niveau ou d'un groupe d'âge sur chacune des étapes de l'année scolaire, ce qu'on appelle communément « planification d'étape ». Dans un contexte de développement des compétences, cette mesure n'est pas très pertinente, puisque les élèves ont besoin d'espaces-temps plus longs pour parvenir à s'approprier une nouvelle compétence. De plus, comme la différenciation est une mesure qui fait partie de plusieurs plans de réussite d'écoles ou de commissions scolaires, il est contradictoire de vouloir que tous les élèves possèdent une même compétence au même moment. • La politique varie d'une CS à une autre. Certains praticiens ont à naviguer dans un type d'organisation que je qualifierais de rigide, comme dans l'exemple précédent. Pour assouplir le cadre imposé, ils peuvent toujours jouer sur le fait que l'apprenant qui a des besoins particuliers est en droit de bénéficier de nouvelles pratiques de consolidation et d'approfondissement dans d'autres espaces-temps que celui de l'étape imposée. D'une part, l'enseignant se préoccupe d'harmoniser la formation de base avec les cibles d'étape imposées afin de satisfaire aux exigences; d'autre part, il se réserve la possibilité d'exercer la remédiation sur le plan des apprentissages tant et aussi longtemps qu'il perçoit des écarts de parcours entre ses élèves. Il est possible de faire ce compromis si l'enseignant sait manier habilement les ficelles de la différenciation, de l'adaptation et de la modification. Autrement, il se trouve dans une impasse avec ses élèves.
3. Planification au sein de l'école	• Dans une école, deux ou trois enseignants d'un même niveau ou d'une même discipline se retrouvent pour préparer une planification à moyen terme ou à long terme. • Ce niveau de planification est probablement plus fréquent lorsqu'aucune directive n'émane de la CS.

TABLEAU 5.1 | LES NIVEAUX DE PLANIFICATION (*SUITE*)

NIVEAUX	PRÉCISIONS
4. Planification au sein de la classe ou d'un groupe de base	• Cette planification à court terme a des conséquences directes sur le développement des compétences et l'appropriation des contenus notionnels. La qualité de l'apprentissage de l'élève en dépend. Il s'agit donc d'un niveau de planification important. • Elle porte sur des éléments non négligeables, comme l'orchestration de la mise en situation, la mise en place de l'outillage cognitif dont les élèves auront besoin, les modalités pour faire objectiver les élèves, les moments où l'on aura recours à l'entraide et à la coopération, ainsi que les structures à prévoir pour gérer le temps, etc. • C'est un niveau de planification où l'enseignant peut facilement dériver, puisqu'il en est l'instigateur et le répondant. • Pour économiser du temps, certains praticiens peuvent être tentés de limiter leur planification à des actes mécaniques, avant de conclure qu'ils sont prêts pour le lendemain. Par exemple : déterminer les pages des manuels que les élèves devront travailler, photocopier des feuilles à leur intention ou préparer du matériel. Ces enseignants sont peut-être habités par une pensée magique. Ils se disent que l'important, c'est de maîtriser le contenu, de prévoir suffisamment de tâches à accomplir, de faire en sorte que les élèves soient vraiment occupés, et que les résultats suivront. Malheureusement, ils réalisent vite que la recette n'est pas aussi miraculeuse qu'ils l'avaient souhaitée… • Compte tenu de l'expérience que les enseignants ont acquise et de leur assurance face au contenu des programmes, ils y accorderont plus ou moins de temps. Une chose est certaine : ce niveau de planification ne devrait pas être escamoté.

FIGURE 5.1 | LES ÉLÉMENTS DE LA PLANIFICATION À COURT TERME

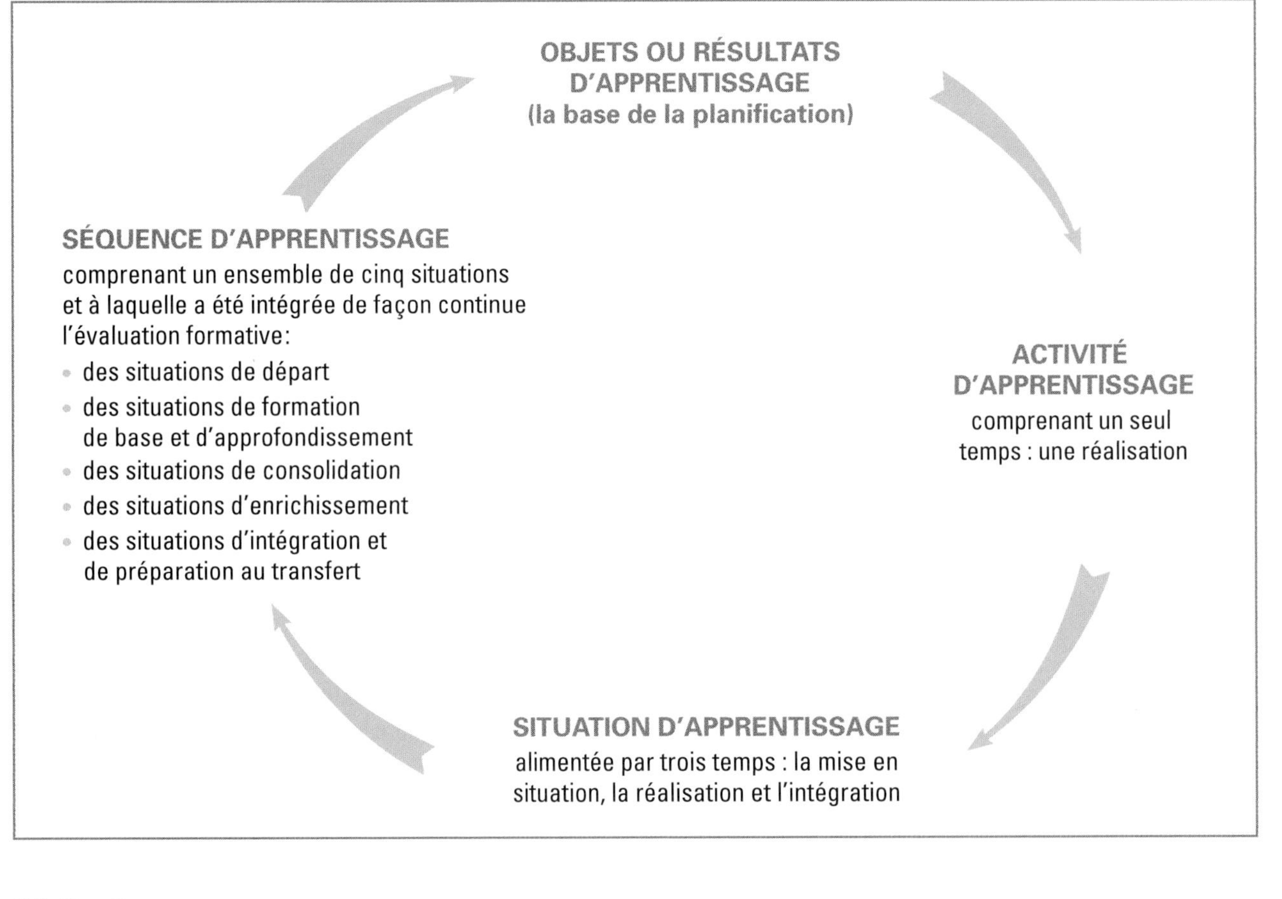

Les situations d'apprentissage Les situations d'apprentissage constituent le cadre éducatif dans lequel l'enseignant place l'élève pour réaliser ses apprentissages. Elles doivent donc contenir tous les éléments nécessaires dont l'élève aura besoin pour vivre le processus de la « re-création » du savoir, une source d'enrichissement de son histoire personnelle.

Chaque situation d'apprentissage se déroule en trois temps. Le tableau 5.2, page 298, présente les rôles de l'enseignant et ceux de l'élève pour chacun des temps de la situation d'apprentissage.

Les séquences d'apprentissage Une séquence d'apprentissage peut être définie comme le regroupement d'un ensemble de situations d'apprentissage pour permettre à un élève de s'approprier un ou plusieurs objets d'apprentissage. Différents types de situations sont orchestrés pour favoriser la construction du savoir de l'élève. À cette intention, l'évaluation formative et la régulation font partie intégrante de ce que vivra l'élève. Elles font passer l'apprenant de situations de départ à :

- des situations de formation de base et d'approfondissement ;
- des situations de consolidation ;
- des situations d'enrichissement ;
- des situations d'intégration et de préparation au transfert.

Le tableau 5.3, page 299, résume chacun de ces types de situations d'apprentissage.

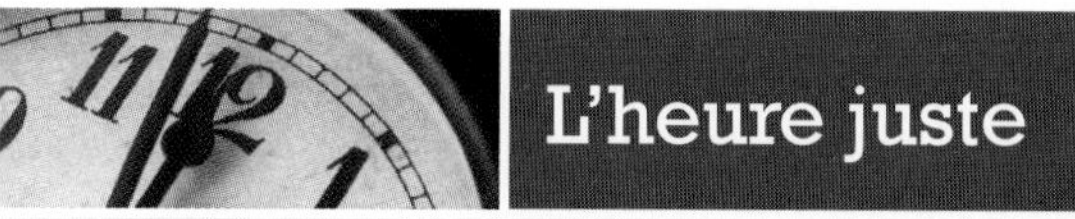

L'heure juste

Il est dommage que la phase d'intégration et de préparation au transfert soit si souvent reléguée dans l'ombre. Pour des raisons de productivité liées à la surcharge du programme et au manque de temps disponible pour couvrir cette phase, le praticien se sent bousculé, et souvent il aborde un nouvel objet ou résultat d'apprentissage sans avoir fixé des points d'ancrage chez l'élève.

En agissant ainsi, l'enseignant ne s'aperçoit pas de ce qu'il manque et de ce qu'il fait manquer à l'apprenant. Autant pour l'élève que pour lui-même, cette étape est la plus profitable de la séquence d'apprentissage, car elle permet à l'apprenant d'atteindre le stade de la généralisation. Ainsi, ce type de situation garantit une économie de temps et d'énergie pour le lendemain, puisqu'il éloigne la perspective d'oublier ce qu'on vient d'apprendre et de devoir tout recommencer. Il s'agit du passage d'une connaissance à une autre, d'un contexte à un autre, que ce soit dans le cas d'un apprentissage, d'une tâche à réaliser ou d'un problème à résoudre.

TABLEAU 5.2 LES RÔLES DE L'ENSEIGNANT ET DE L'ÉLÈVE SELON LES TEMPS DE LA SITUATION D'APPRENTISSAGE

TEMPS	RÔLES DE L'ENSEIGNANT	RÔLES DE L'ÉLÈVE
1. Préparation	• Il fait référence aux situations d'apprentissage précédentes et active les connaissances antérieures. • Il provoque un questionnement qui engendre un déséquilibre : le conflit cognitif. • Il invite l'élève à participer à la réalisation d'un défi en lui présentant l'objet d'apprentissage de même que son utilité. • Il annonce le résultat escompté et précise la séquence privilégiée. • Il formule des consignes et suggère différents modes de fonctionnement.	• Il se rappelle les situations d'apprentissage qu'il a déjà vécues. • Il définit et précise pour lui-même les buts à atteindre. • Il constate que ses habiletés ou ses connaissances ne suffisent peut-être pas pour résoudre le problème. • Il choisit individuellement ou avec ses pairs des stratégies pour atteindre les résultats espérés, à partir des consignes reçues.
2. Réalisation	• Il devient le médiateur entre l'élève et la situation d'apprentissage : il guide, propose, questionne. • Il permet à l'élève d'objectiver son action. • Il fait des suggestions, donne les informations qu'il juge hors d'atteinte pour l'apprenant. • Il utilise une approche communicative centrée sur des consignes de type inductif ou de type déductif. • Il incite l'élève à poursuivre ou à reprendre certaines tâches en proposant diverses démarches et stratégies. • Il observe et soutient plus intensément l'élève qui présente des problèmes particuliers. • En un mot, il facilite le traitement du contenu d'apprentissage.	• Il réalise la tâche avec les moyens à sa disposition. • Il recherche l'information nécessaire. • Il organise et évalue l'information et se fait une idée des actions à accomplir. • Il trouve l'information en exploitant les ressources de son environnement. • Il peut devenir lui-même une ressource pour d'autres élèves dans la même situation. • Il traite à sa façon le contenu d'apprentissage.
3. Intégration	• Il suscite chez l'élève un retour sur la situation d'apprentissage. Il favorise de cette manière l'objectivation, étape essentielle pour que l'apprenant prenne conscience du degré de développement de ses compétences, de ses habiletés ou de ses attitudes ainsi que du processus qu'il a vécu. • Il oriente la réflexion de l'élève sur la signification de la situation d'apprentissage, sur son cheminement, son fonctionnement, son degré de satisfaction. • Il met en évidence les améliorations qui peuvent être apportées dans une prochaine situation. • Il favorise la régulation du vécu de l'expérience d'apprentissage.	• Il prend conscience du développement de ses compétences, de ses habiletés ou de ses attitudes. • Il découvre son besoin de posséder certaines connaissances, de développer certaines habiletés ou de modifier certaines attitudes pour la réalisation de tâches semblables. • Il apprécie son degré de compétence à accomplir certaines actions. Plus globalement, il peut se prononcer sur son vécu dans la situation d'apprentissage. • Il communique son degré de satisfaction sans crainte de représailles, puisqu'il bénéficie du droit à l'erreur et du privilège de pouvoir se reprendre.

Source : Inspiré de Jacques Tardif (1992). *Pour un enseignement stratégique. L'apport de la psychologie cognitive*, Montréal, Éditions Logiques.

TABLEAU 5.3 | LES TYPES DE SITUATIONS COMPOSANT UNE SÉQUENCE D'APPRENTISSAGE

TYPES DE SITUATIONS D'APPRENTISSAGE	PRÉCISIONS
Situations de départ	Elles permettent à l'élève d'avoir un premier contact avec l'objet ou le résultat d'apprentissage. Elles suscitent habituellement la motivation chez l'apprenant.
Situations de formation de base et d'approfondissement	Elles permettent à l'élève de s'approprier réellement l'objet ou le résultat d'apprentissage. L'apprenant en explore les diverses composantes tout en réutilisant ses acquis antérieurs.
Situations de consolidation	Elles s'adressent à l'élève qui n'a pas atteint avec satisfaction l'objet ou le résultat d'apprentissage, même après avoir effectué les situations d'approfondissement prévues. Elles lui procurent une seconde occasion de revenir sur ses apprentissages pour les renforcer. Elles sont donc conçues à l'intention des élèves présentant des besoins particuliers.
Situations d'enrichissement	Elles visent le réinvestissement ou le dépassement. Elles alimentent la soif d'apprendre qui habite certains enfants ou adolescents ayant atteint les objets ou résultats d'apprentissage prescrits. Elles s'adressent à ceux qui veulent en savoir plus, qui veulent raffiner leur habileté ou développer d'autres aspects de leur profil d'apprenant.
Situations d'intégration et de préparation au transfert	Ce sont des situations que l'enseignant propose aux élèves pour s'assurer que les nouveaux acquis seront durables et transférables.

Les situations d'évaluation formative Les situations d'évaluation formative intégrées au processus d'apprentissage permettent à l'enseignant de mesurer l'efficacité de ses interventions et d'évaluer le degré d'aisance de l'élève dans le développement de sa compétence. A-t-il atteint l'objet ou le résultat d'apprentissage ciblé ? Les situations d'évaluation formative constituent une étape cruciale du processus d'apprentissage ; elles provoquent de fréquents moments de régulation. Vécue dans la perspective qu'elle contribue à la construction des savoirs, l'évaluation formative devrait occuper une place de choix parmi les interventions à privilégier. En fait, il n'y a jamais assez d'occasions dans le quotidien pour favoriser la réussite optimale des élèves.

Les activités d'apprentissage Elles ne comportent qu'un seul temps, la réalisation. Cependant, ces activités situées hors contexte n'ont pas de valeur pédagogique en soi, à moins qu'elles ne fassent partie d'une situation d'apprentissage. En dehors de ce cadre, elles risquent de donner lieu à une pédagogie de l'activité à tout prix, centrée sur le fait d'occuper les élèves plutôt que sur la poursuite d'objectifs précis. Cela dit, il ne faut pas être puriste au point de bannir les activités d'apprentissage de notre pédagogie. Certains contextes peuvent justifier qu'un enseignant y ait recours :

- l'apport d'activités « cinq minutes », dans une perspective de prévention sur le plan disciplinaire, afin de meubler de courtes périodes où les élèves seraient laissés à eux-mêmes, ayant terminé ce qu'on attendait d'eux ;

- la présence d'activités d'apprentissage pour donner vie à un tableau d'enrichissement;
- l'utilisation d'activités d'apprentissage de la part d'un enseignant qui assume à l'improviste une courte période de suppléance sans avoir reçu aucun indice de planification de la part du titulaire de la classe;
- le recours à des activités d'apprentissage pour alimenter des ateliers d'apprentissage planifiés en fonction d'une séquence.

La planification à long terme

La planification à long terme peut paraître complexe. Elle est plus souvent pratiquée par des enseignants qui possèdent une bonne maîtrise du curriculum ainsi qu'une certaine expérience à se projeter dans le temps pour prévoir et planifier. Elle se révèle passionnante lorsque tous les éléments des divers modèles de planification sont bien maîtrisés. Elle peut prendre forme selon trois modèles: l'approche thématique, le centre d'intérêt ou le projet d'apprentissage.

L'approche thématique Avec cette approche, la motivation des élèves est centrée sur un sujet particulier. Le thème est choisi en fonction des goûts, des champs d'intérêt ou des préoccupations des élèves et il est exploité pendant une période donnée. Les différentes disciplines font référence à ce même fil conducteur, sans exiger toutefois qu'on ait intégré les disciplines ou les apprentissages.

Pour visualiser ce modèle de planification à long terme, pensons à des élèves qui travailleraient autour de la thématique de la Saint-Valentin, par exemple. Le lundi, ils lisent un texte sur l'origine de cette fête; le mercredi, ils rédigent un court message pour une personne qui leur est chère, et le vendredi, ils fabriquent un cœur en papier sculpté pour leur filleul de lecture. De prime abord, on pourrait croire qu'il y aura intégration de disciplines ou d'apprentissages dans le vécu de ces activités. Eh bien, non! Chacune d'elles est vécue de façon isolée dans le temps, à l'intérieur de périodes bien définies. De plus, aucun objet ou résultat d'apprentissage n'est commun aux trois activités. Les élèves vivent ces trois tâches de manière compartimentée sans avoir la possibilité de percevoir des relations entre ce qu'ils vivent ou apprennent, le seul lien étant le thème de la Saint-Valentin.

Pour qu'il y ait intégration d'apprentissage à l'intérieur d'une même discipline, soit le français dans le cas présent, il faut absolument que les élèves perçoivent des liens dans la séquence d'apprentissage qu'ils sont en train de vivre. Une même intention pédagogique se reflète dans les tâches à accomplir, des objets ou résultats d'apprentissage communs sont récurrents en lecture, en écriture et en communication verbale. Et l'enseignant ajuste sa procédure en conséquence... À 9 heures, il annonce aux élèves qu'ils doivent préparer un message d'amitié à l'intention de leur correspondant scolaire. Pour ce faire, les élèves commencent par lire un texte, question de provoquer chez eux un fourmillement d'idées, rédigent par la suite leur court texte et enregistrent leur production afin de réaliser une vidéo collective qui sera expédiée aux correspondants. Ainsi, ces trois activités d'apprentissage sont soudées par une interdépendance dans l'intention qui justifie leur raison d'être. Dans ce dernier contexte, l'enseignant va plus loin que l'approche thématique : il marche davantage sur le terrain du projet d'apprentissage.

Le centre d'intérêt Le centre d'intérêt est une technique de planification qui fait converger, vers une connaissance ou un domaine de l'activité humaine, toutes les tâches d'apprentissage de l'élève. Il est élaboré par des enseignants qui connaissent les champs d'intérêt des élèves de tel niveau d'âge et maîtrisent également les contenus théoriques des programmes d'études. L'élève ne participe pas à sa création. Le centre d'intérêt suppose une démarche de résolution de problèmes réalistes ou fantaisistes. Comme il facilite le décloisonnement des disciplines, il peut mener à l'intradisciplinarité (liens faits à l'intérieur d'une même discipline) ou l'interdisciplinarité (liens faits entre deux disciplines ou plus).

Pour se donner une représentation mentale de ce que sont les centres d'intérêt, rappelons-nous le fonctionnement de certaines classes par enseignement modulaire. Pour actualiser l'orientation qu'elles avaient prise en vue de soutenir des adolescents qui n'aimaient pas l'école et qui éprouvaient d'importantes difficultés d'apprentissage, un certain nombre de commissions scolaires avaient conçu des modules en lien avec les champs d'intérêt de ces jeunes. Parfois, lorsque les ressources du milieu n'étaient pas suffisantes pour réaliser un tel chantier, les responsables du secteur de l'adaptation scolaire achetaient du matériel didactique auprès d'éditeurs qui s'étaient spécialisés dans ce domaine.

Cette modalité de travail permettait à l'élève d'aller à son rythme à partir d'activités greffées sur des champs d'intérêt supposément stimulants pour telle catégorie d'apprenants. Mais en aucun cas leur participation n'était sollicitée pour créer les centres d'intérêt qui constituaient pourtant leur nourriture quotidienne. Si les apprenants avaient été partie prenante dans l'émergence de séquences d'activités, on aurait dû dire qu'ils étaient en train de bâtir un projet d'apprentissage plutôt qu'un centre d'intérêt. Dans la planification d'un projet, la participation des élèves est requise, tandis que les centres d'intérêt sont construits par un intervenant ou une équipe d'adultes.

Ainsi, dans une classe fonctionnant à partir de centres d'intérêt, des élèves travaillaient sur la thématique de la bicyclette pendant trois semaines en visitant tour à tour les principales matières qui étaient au programme. Contrairement à l'approche thématique, les élèves retrouvaient des liens entre les activités qu'ils vivaient. Cette séquence constituait un module, et quand celui-ci était terminé, les élèves en entreprenaient un nouveau. Assez souvent, on mettait l'étiquette d'enseignement individualisé sur cette façon de fonctionner, et on croyait parfois qu'on était en train de différencier les apprentissages.

Le projet d'apprentissage Le projet d'apprentissage peut être vécu individuellement, en équipe ou collectivement. Il découle lui aussi des champs d'intérêt des élèves ou des expériences de vie puisées dans leur environnement immédiat. Il s'inscrit dans le cadre d'une éducation centrée sur le milieu de l'enfant ou de l'adolescent. Il suppose une démarche de résolution de problèmes réels et débouche non seulement sur l'intégration des disciplines, mais surtout sur l'établissement de liens entre les objets d'apprentissage et les processus mentaux. Ce modèle facilite le développement des compétences, tout en créant des contextes d'apprentissage intradisciplinaires, interdisciplinaires et, plus encore, transdisciplinaires (liens qui se situent au-delà des disciplines, établis entre les processus mentaux).

Pour démarrer un projet d'apprentissage, l'enseignant doit pouvoir répondre aux cinq questions suivantes :

1. Que veut-on faire ? (la tâche)
2. Pourquoi veut-on le faire ? (les objets ou résultats d'apprentissage)
3. Comment va-t-on le faire ? (la démarche, la procédure)
4. Quel en est le calendrier ? (l'échéancier)
5. Comment va-t-on l'évaluer ? (les critères d'évaluation et les modalités de celle-ci)

La figure 5.2 résume les trois modèles de la planification à long terme.

FIGURE 5.2 | TROIS MODÈLES DE PLANIFICATION À LONG TERME

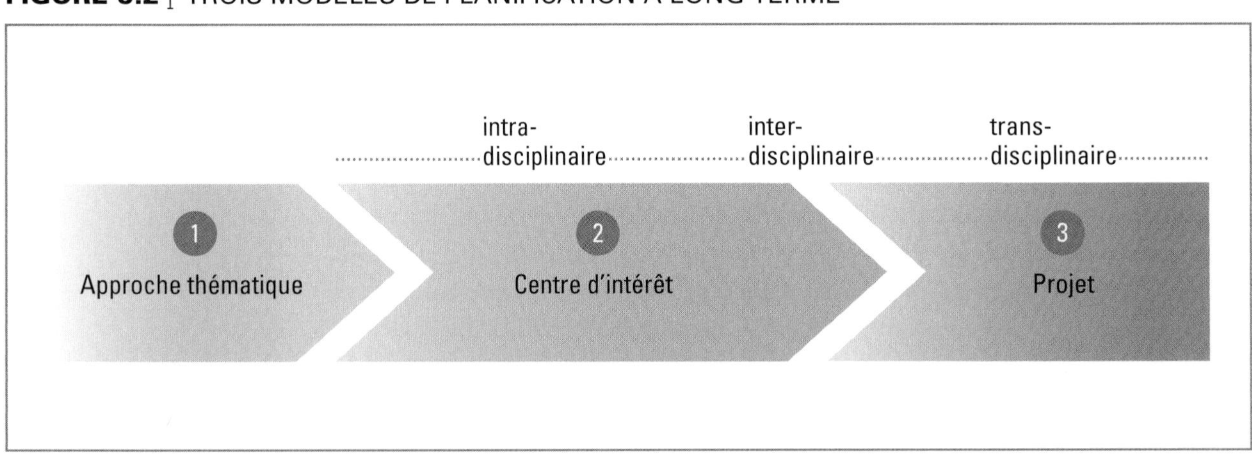

Zone de discussion

Planifiez, au sein de votre école ou de votre équipe de travail, un chantier pédagogique de discussion autour des trois modèles de planification à long terme présentés dans la figure 5.2. Objectivez votre vécu, partagez vos visions afin de développer un langage commun quand viendra le temps pour vous de parler de l'approche thématique, du centre d'intérêt, du projet intradisciplinaire, du projet interdisciplinaire ainsi que du projet transdisciplinaire. Poussez le défi en accolant des exemples concrets à ces différents modèles de planification.

Deuxième compétence : la capacité de prendre en charge une animation pédagogique

L'approche communicative

L'animation pédagogique peut être définie comme une « intervention au sein d'un groupe afin de susciter et de maintenir la participation optimale de chacun des membres à leurs apprentissages » (Legendre, 2005, p. 79). Cette animation suppose une communication entre deux personnes, l'enseignant et l'élève. La plupart des programmes d'études contemporains privilégient une approche communicative. On peut penser que, avec cette approche, le non-verbal revêt autant d'importance que le verbal.

Dans le processus de communication, chacun des intervenants a ses propres rôles à jouer. Mais pour qu'il y ait vraiment communication entre les personnes, il faut que le processus fonctionne de façon circulaire : chacun est tour à tour émetteur et récepteur. Voilà un principe qui ne doit jamais être oublié dans l'animation des situations d'apprentissage.

L'approche communicative entraîne des actions liées aux différentes étapes de la démarche d'apprentissage. Que ce soit dans l'avant, le pendant ou l'après, l'enseignant et l'élève feront des gestes particuliers et adopteront des attitudes privilégiées (*voir tableau 5.4, p. 304*).

Par ailleurs, l'approche communicative permet à l'enseignant de vivre l'animation pédagogique indispensable pour que la médiation et l'objectivation puissent être accessibles à l'élève. La figure 5.3, page 305, situe les divers concepts rattachés à l'approche communicative.

TABLEAU 5.4 UNE DÉMARCHE D'ANIMATION PÉDAGOGIQUE POUR ACCOMPAGNER L'APPRENANT DANS LA CONSTRUCTION DE SON SAVOIR

PROTAGONISTE	AVANT Préparation à l'apprentissage	PENDANT Réalisation de la situation d'apprentissage	APRÈS Application et transfert des connaissances
Rôles de l'enseignant Émetteur ↕ Récepteur	*L'enseignant mobilise l'apprenant en se souciant des préliminaires pédagogiques.* • Présente la tâche et les objets d'apprentissage • Survole le matériel • Dirige l'attention et suscite l'intérêt • Pique la curiosité • Pose des questions saisissantes • Fait un rappel du vécu par rapport à la situation d'apprentissage précédente en amenant les élèves à activer leurs connaissances antérieures	*L'enseignant facilite l'expérience d'apprentissage que vit l'élève.* • Pose des questions précises • Apporte des suggestions • Encourage, félicite • Aide les élèves à reconnaître leurs difficultés • Propose des éléments d'information et en facilite le traitement • Favorise les interactions • Stimule certains élèves • Vérifie la compréhension • Aide l'élève à utiliser ses connaissances, le supporte dans l'intégration et l'assimilation de ses connaissances	*L'enseignant soutient l'élève dans la régulation de son expérience d'apprentissage.* • Guide l'élève dans son objectivation • Organise les connaissances en schémas ou en synthèse écrite • Aide l'élève à dégager des conclusions • Évalue les apprentissages de façon formative • Amène l'élève à réguler son processus • Donne des rétroactions à l'élève sous forme de forces et de défis • Facilite le transfert et l'extension des connaissances en faisant une proposition de pistes de régulation
Rôles de l'élève	• Anticipe • Réagit • Communique ses hésitations • Formule ses propres questions sur la situation d'apprentissage • Détermine le matériel dont il a besoin • Se donne une démarche	• Observe et interroge l'environnement • Analyse • Décrit, imagine • Formule des hypothèses • Anticipe des solutions • Réalise la tâche d'apprentissage • Utilise des stratégies dans la réalisation de sa tâche	• Décode ce qu'il a appris • Décrit ce qu'il a vécu • Précise les points sur lesquels il désire recevoir des commentaires • Pratique l'autorégulation pour se donner des défis pour un nouvel apprentissage

Source : Adapté de Jacques Tardif (1992). *Pour un enseignement stratégique. L'apport de la psychologie cognitive*, Montréal, Éditions Logiques.

FIGURE 5.3 L'APPROCHE COMMUNICATIVE EN CLASSE

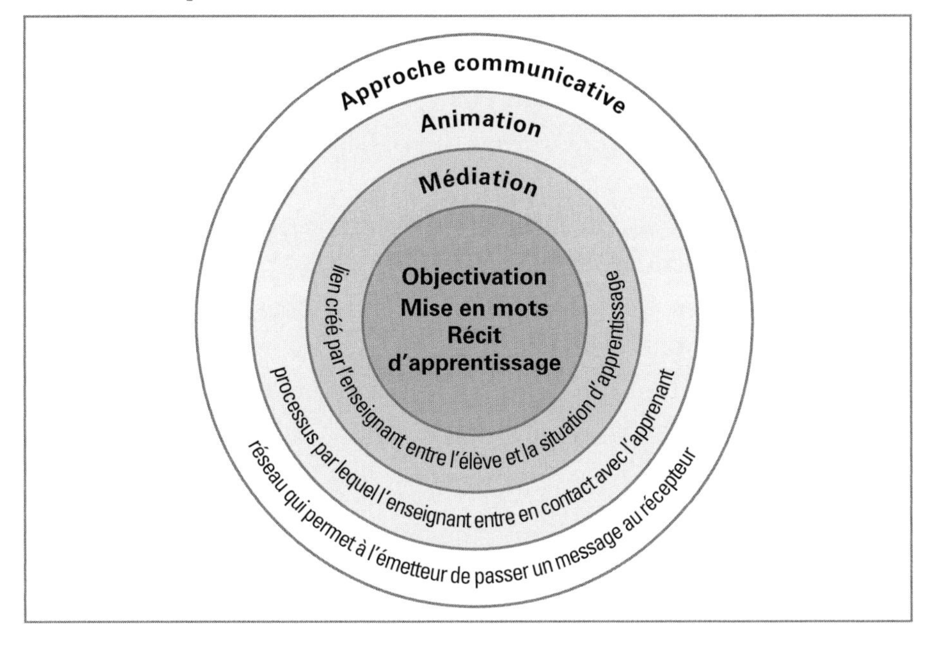

Zone de discussion

Après avoir pris connaissance des divers concepts exposés dans la figure 5.3, tentez de vous donner une vision commune de l'approche communicative en classe en mettant en place un chantier pédagogique de discussion avec des collègues. Soupesez les concepts suivants : l'objectivation, la médiation, l'animation et l'approche communicative de manière à saisir les interrelations qui existent entre eux.

Les facteurs de réussite de la communication Au-delà des étapes de la démarche d'enseignement-apprentissage, la réussite de la communication dépend d'un certain nombre de facteurs. Lors d'une conférence[1] à laquelle j'ai assisté, le grand communicateur québécois Pierre Bourgault a dressé une liste fort pertinente des conditions qui, selon lui, sont indispensables pour maintenir l'attention d'une classe. À l'heure où plusieurs enseignants se sentent dépassés par l'attrait qu'exercent sur leurs élèves les ordinateurs, les jeux vidéo et la télévision à haute définition ou à trois dimensions, cette liste mérite d'être prise en considération :

- *Maîtriser sa langue.* L'aisance et l'efficacité en dépendent.
- *Avoir quelque chose à dire.* Au-delà du manuel et du programme se trouve un être humain.
- *Savoir ce qu'est la communication orale.* Elle implique des éléments d'authenticité : plaisir, émotion, affection, passion, etc.

1. Conférence prononcée le 16 février 1989 à l'école Calixa-Lavallée (Montréal).

- *Aimer ceux et celles à qui l'on parle.* Aimer leur capacité d'évoluer, leurs doutes, leur enthousiasme.
- *Être soi-même.* Ne pas tenter de ressembler aux jeunes, de parler comme eux, de penser comme eux.
- *Ne pas avoir peur de «faire sérieux».* La rigueur n'est pas facile à acquérir, il faut le reconnaître.
- *Rire et faire rire.* C'est un élément important de la communication. On rit d'eux et ils rient de nous.
- *Les laisser parler.* La supériorité de la parole sur la télévision et le cinéma, c'est la rétroaction, le dialogue.
- *Travailler debout.* La communication, c'est aussi une question de gestuelle.
- *Se donner la liberté de parole.* Pas n'importe où, pas n'importe comment, pas n'importe quand, mais tout peut se dire. Avoir le courage de ses opinions et de ses valeurs.

Les obstacles à la communication Malgré les efforts qu'une personne peut faire pour respecter les conditions indispensables à la communication, il arrive parfois que celle-ci ne soit pas efficace. Quelles en sont les raisons ? Le thérapeute américain Thomas Gordon (1981) a suggéré une liste d'obstacles au processus de communication, que je résume ci-dessous :

- *En donnant des ordres :* «Je ne veux pas savoir ce que tu faisais l'année dernière ; fais ce que je te dis.»
- *En menaçant :* «Si tu continues de cette façon, tu vas voir ce qui arrivera.»
- *En donnant des conseils ou des solutions toutes faites :* «Oublie ça. Tu devrais plutôt regarder les choses comme ça...»
- *En faisant la morale :* «Un bon élève travaille jusqu'à ce qu'il arrive au résultat. Le travail n'a jamais fait mourir personne.»
- *En tentant de persuader :* «Essaie de comprendre que ton camarade d'équipe ne peut pas tout faire. Ne vois-tu pas que c'est la réalité ?»
- *En jugeant, en critiquant :* «Tu n'as aucun sens des responsabilités.»
- *En complimentant :* «Je sais que tu es un élève capable et motivé, c'est pourquoi je me permets de te dire ça.»
- *En culpabilisant, en faisant honte :* «On croirait entendre une petite fille de cinq ans... Ta réponse est la plus farfelue que j'aie entendue ; c'est une blague, j'espère.»
- *En interprétant, en analysant :* «Je pense que tu n'as pas le goût de faire ça, aujourd'hui, parce que tu es de mauvaise humeur à cause du retard de ton autobus, ce matin.»
- *En rassurant, en consolant :* «Tu vas voir, ça va aller mieux après les vacances de Noël.»
- *En jouant au détective :* «Qui t'a mis cette idée en tête ? Depuis quand penses-tu comme ça ?»
- *En faisant de l'ironie :* «Ah, monsieur sait tout !»

Cette liste permet d'observer que les obstacles à la communication relèvent de cinq types de réactions :

1. *Chercher à apporter des solutions,* qu'on le fasse en ordonnant, en menaçant, en moralisant, en conseillant ou en argumentant.
2. *Porter des jugements,* soit en blâmant, en ridiculisant ou en posant un diagnostic.
3. *Opérer des réductions du message,* soit en complimentant, soit en rassurant.
4. *Questionner ou se conduire comme un enquêteur.*
5. *Éviter quelque chose de déplaisant ou d'insécurisant* dans le message en faisant dévier la communication.

Tous ces comportements ont pour effet de rompre le processus de communication. Les enfants et les adolescents y sont aussi sensibles, sinon plus, que les adultes. Ils réagissent en se taisant, en se détournant, en se butant, en fuyant.

La communication non verbale L'enseignant n'est pas toujours conscient du fait que, dans son animation, la communication non verbale revêt autant d'importance que la communication verbale. Sa posture, ses gestes, les expressions de son visage peuvent avoir autant d'effets que des paroles positives ou négatives. Bien plus, tous ces éléments ont le pouvoir de démentir une affirmation. L'enseignant déçu d'une piètre performance d'un élève pourra chercher à masquer sa déception par une plaisanterie, mais son visage exprimera ce qu'il ressent et l'élève ne sera pas dupe. De même, l'enseignant retranché derrière son bureau aura beau jurer qu'il est ouvert à la communication, personne ne s'y trompera.

L'heure juste

La communication est le principal outil de travail d'un enseignant. Comment peut-on parvenir à passer efficacement plusieurs messages à des élèves, jour après jour, si l'on n'est pas sensible à la qualité de sa communication ? L'enseignant a donc tout intérêt à surveiller les facteurs inhérents à la transmission de la parole lorsqu'il s'exprime. Que ce soit le volume de sa voix, la fluidité de ses propos, son débit, sa diction, son ton, tous ces éléments entrent en ligne de compte (*voir fiche 5.2a, p. 466*).

Supposons qu'un observateur circule dans les corridors d'une école. Il pourra certainement distinguer les communicateurs habiles de ceux qui ont plus de difficulté à faire passer un message. Cette personne sera attirée par la performance de certains enseignants. Par exemple, il peut s'agir de commentaires historiques exprimés avec tant d'expression par un enseignant que les élèves boivent littéralement ses paroles ; l'explication des différentes étapes d'une tâche d'apprentissage présentée avec un enthousiasme qui ne laisse personne indifférent ; ou encore une invitation à s'investir dans un projet personnel par des propos convaincants mettant en évidence tous les gains qui y sont rattachés.

Par contre, cet observateur entendra aussi des propos qui sont pour lui des exemples de choses à ne pas faire : un enseignant qui crie, un autre qui murmure devant le groupe, un autre encore qui lit d'une voix monocorde les extraits d'un livre. Il se dira alors qu'il ne voudrait pas être à la place des élèves.

L'enseignant doit développer l'harmonie entre son corps et sa parole. Il doit pouvoir jouer de son corps, le mettre au service de son but, comme le fait un athlète ou un acteur. Surtout, il doit prendre conscience du fait qu'il n'est pas le seul pour qui la communication est importante. Sa façon de bouger, de se déplacer dans la classe est importante pour les élèves visuels et sensibles à l'environnement. Le ton de sa voix et le dynamisme de son débit sont des facteurs qui entrent en jeu dans l'apprentissage des auditifs en particulier, mais aussi pour l'ensemble du groupe-classe.

Il existe divers moyens d'améliorer sa présence en classe : enregistrer ou filmer une séquence d'animation, demander l'avis de collègues ou de ses élèves, suivre des cours de communication, de théâtre, de pose de voix, de chant, faire de la danse, etc. L'enseignant se donnera ainsi des atouts pour accomplir un travail d'animation qui se doit d'être performant.

En tant que formatrice d'enseignants, il m'est arrivé de penser à l'ajout de quelques cours de communication à l'intérieur d'un programme de formation initiale à l'intention des enseignants. C'est un domaine qui mérite notre attention.

Troisième compétence : la capacité de s'exercer à la médiation

Le rôle de médiateur est d'autant plus important qu'il doit permettre le passage de l'élève de la dépendance à la pratique guidée, et de la pratique guidée à l'interdépendance dans l'apprentissage. À ce sujet, je me suis longuement intéressée aux propos de Jacques Tardif (1992, p. 309 et 310), sur lesquels je m'appuie pour aborder cette troisième compétence. Tardif décrit la médiation comme le lien créé par l'enseignant entre l'élève et les situations d'apprentissage. Avant de laisser l'élève se lancer dans une nouvelle tâche, l'enseignant doit :

- l'inciter à interpréter les exigences de la tâche et accorder une attention particulière aux perceptions que l'élève a de sa compétence ;
- discuter avec lui de sa perception de ses chances de réussite et des facteurs qui peuvent le mener au succès ;
- l'inciter à se rappeler les connaissances déjà acquises et qui peuvent être mises au service de la tâche ;
- l'aider à prévoir les difficultés et à planifier des solutions.

Au moment de la réalisation de la tâche, l'enseignant devra :

- observer les stratégies cognitives et métacognitives utilisées par l'élève et rendre explicites leur efficacité et leur caractère économique ;
- formuler clairement les critères d'évaluation ;
- refléter à l'élève ses points forts et ses points faibles ;
- faire les suggestions appropriées pour faciliter les corrections, permettre à l'élève de développer de nouvelles connaissances déclaratives, conditionnelles et procédurales, et contribuer au transfert des connaissances.

Le travail de médiation est sans cesse à modeler. Il se précise selon les connaissances antérieures de l'élève, son niveau d'autonomie dans l'apprentissage, sa motivation et les difficultés propres à la tâche elle-même. Il revient à l'enseignant de comprendre à quel moment l'élève a besoin d'une intervention minimale et de la présence de l'enseignant dans son environnement immédiat. Tout comme Tardif, je vous invite à prendre conscience du fait que d'autres élèves peuvent faire le travail de médiation d'une manière très efficace.

Quatrième compétence : la capacité de faire objectiver le vécu des apprentissages

Qu'est-ce que l'objectivation ?

On ne peut nier que l'objectivation des apprentissages prend une place de plus en plus grande dans la réflexion et la pratique des intervenants en éducation. C'est heureux qu'il en soit ainsi. L'objectivation acquiert enfin ses lettres de noblesse. Malheureusement, tous les enseignants ne partagent pas le bien-fondé de cette vision et préfèrent prendre une autre tangente. Certains tombent dans le piège d'une dérive, où l'on prétend que plus on évalue l'élève, plus celui-ci accédera au transfert rapidement. En fait, c'est l'objectivation qui pèse lourd dans la balance lorsque l'enseignant vise le transfert des apprentissages.

Pourtant, l'objectivation d'un vécu n'est pas un phénomène nouveau, c'est l'une des activités courantes de tout être humain. Vous allez chez le médecin, il vous demande de verbaliser ce qui ne va pas, vous commencez à faire une objectivation. Vous racontez les malaises que vous avez ressentis ces derniers jours, vous réfléchissez sur ce qui s'est passé et vous extrayez de ce vécu des détails significatifs. Vous en faites une chaîne à partir de laquelle le médecin posera un diagnostic, c'est-à-dire fera une évaluation, et proposera un traitement. Ensemble vous réinvestissez un élément nouveau dans votre vécu. Pendant le traitement, vous en observez les effets. Quand vous retournerez chez le médecin, vous ferez de nouveau une objectivation en précisant les bienfaits du traitement.

Comment intégrer l'objectivation à ses pratiques quotidiennes ?

De façon générale, on peut définir l'objectivation comme une façon de raconter son vécu ou le vécu d'autres personnes et de dresser son propre constat. Avec l'élève, il s'agira de faire un retour sur le vécu de ses apprentissages, afin de se situer par rapport à la démarche suivie et à l'appropriation des objets ou des résultats d'apprentissage. On peut définir cet acte comme un « processus de rétroaction par lequel le Sujet prend conscience du degré de réussite de ses apprentissages, effectue le bilan de ses actif et passif, se fixe de nouveaux objectifs et détermine les moyens pour apprendre davantage » (Legendre, 2005, p. 961).

Pourquoi faire de l'objectivation ?

Face à des programmes axés sur le développement des compétences, l'enseignant se trouve dans l'obligation :

- de placer l'élève en situation de pratique par rapport à des compétences à développer;
- de l'aider à réfléchir sur son action, cette réflexion étant aussi importante que la pratique elle-même pour l'acquisition d'une connaissance ou le développement d'une compétence.

L'heure juste

L'importance attribuée à l'objectivation est justifiée par la conviction que, tant qu'un élève ne peut refaire le chemin qui l'a mené à la connaissance ou à la compétence et nommer ce qu'il a appris ou développé, il n'a pas réellement appris ou développé sa compétence.

La démarche articulée autour d'une séquence d'apprentissage ayant pour but de développer des compétences inclut la mise en projet, l'objectivation du vécu et la construction de connaissances; elle s'oppose à la démarche traditionnelle visant l'acquisition de connaissances. Celle-ci est plutôt centrée sur l'enseignement de contenus notionnels, l'application de connaissances dans des exercices et la correction de ceux-ci pour vérifier si la connaissance est maîtrisée.

Lorsqu'on se penche sur le processus de formation d'un concept, l'importance de l'objectivation est mise en évidence. Voyons les six étapes suivantes vécues par l'élève (adapté de Woodruff, 1964, p. 81 à 99):

1. Je me trouve devant un problème, un défi, une tâche.
2. Je manipule, j'explore, j'observe.
3. Je me pose des questions et je fais des liens.
4. Je comprends, mais pour moi tout seul.
5. Je comprends assez le problème, le défi ou la tâche pour l'expliquer à une autre personne.
6. Je comprends tellement que je me sers de ma connaissance ou de ma compétence tout le temps et que je la transfère dans les situations que je vis.

Si, comme c'est trop souvent le cas en classe, l'enseignant ne fait pas vivre une objectivation à l'élève, le processus s'arrête à l'étape 4, c'est-à-dire à l'étape du concept intuitif. Il manque alors deux étapes dans la construction du savoir pour que la connaissance ou la compétence soit durable et transférable.

En conséquence, l'objectivation, faite de façon dirigée et non pas seulement intuitive, est le meilleur moyen pour l'enseignant de mesurer la force des acquis. Elle seule peut lui permettre de faire une évaluation formative interactive et engendrer la régulation.

Qui doit faire une objectivation ?

La réponse est simple : l'enseignant et les élèves engagés dans le processus d'apprentissage ont un objet d'objectivation qui leur est propre. L'enseignant objective son enseignement et sa démarche d'enseignement, tandis que l'élève objective sa démarche d'apprentissage et son apprentissage. L'objectivation est donc une tâche qui appartient à la fois à l'enseignant et aux élèves engagés dans le processus d'apprentissage, et chacun doit la vivre sur son propre terrain.

L'heure juste

Dans l'animation de l'objectivation, la tâche de l'enseignant est délicate. Non seulement il ne doit pas empêcher l'apprenant de faire une objectivation, mais il doit guider celle-ci et la favoriser, sans présumer des conclusions de l'élève. Il est parfois tentant de vivre l'objectivation à la place de l'élève.

Comme l'enseignant anticipe ce que l'élève dira, il a l'impression qu'il gagnera du temps s'il prend lui-même la parole. Il y voit certains avantages : il s'exprimera plus clairement que l'élève, il entendra seulement ce qu'il veut bien entendre et sera conforté dans son rôle d'enseignant. En réalité, ces « bonnes raisons » peuvent cacher un désir de prouver que l'enseignement a porté des fruits. Elles traduisent aussi une insécurité chez l'enseignant qui adopte cette attitude ; il préfère pour l'instant faire l'autruche en se plaçant la tête dans le sable afin de fuir la réalité. Pourtant, celle-ci le rattrapera un de ces jours…

Le fait pour l'enseignant de se substituer à l'élève n'est jamais profitable en matière de pédagogie. Devant les piètres résultats de ce dernier, l'enseignant risque d'avoir une mauvaise surprise au moment de l'évaluation, ou bien il ressentira le besoin de faire des évaluations à tout moment parce qu'il ignore où en sont les élèves dans leur apprentissage.

Quand doit-on recourir à l'objectivation ?

Ici encore la réponse est claire : on doit recourir à l'objectivation à toutes les étapes du processus d'apprentissage.

- *Avant l'apprentissage :* Il est important pour la personne qui fait face à un nouveau problème de prendre du recul pour analyser la situation, de fouiller dans son baluchon d'expériences antérieures, d'analyser le vécu d'autres personnes et d'exprimer sa perception du problème.
- *Pendant l'apprentissage :* Dans le feu de l'action, il est nécessaire pour l'intervenant et l'apprenant de prendre de nouveau du recul pour regarder chacun sa démarche, découvrir ses difficultés, remettre en question les ressources qui ont été utilisées, observer comment d'autres vivent la même situation, exprimer son vécu dans cette situation.
- *Après l'apprentissage :* Il s'agit maintenant de faire le bilan de l'expérience : raconter sa démarche, découvrir les stratégies efficaces, exprimer ses découvertes, formuler les questions qui persistent, exprimer son vécu.

Que doit-on objectiver ?

Puisqu'il existe dans les programmes trois niveaux d'objets ou de résultats d'apprentissage, qui contribuent au développement d'une compétence, l'objectivation doit donc se faire sur :

- le savoir : les connaissances, les découvertes ;
- le savoir-faire : les habiletés, les démarches, les stratégies, les procédures ;
- le savoir-être : les attitudes, les comportements, les sentiments, les opinions, les convictions.

Dans le processus enseignement-apprentissage, les connaissances sont plus facilement perceptibles que les habiletés ou les attitudes. Mais sans l'objectivation, il y a gros à parier que les habiletés ou les attitudes n'atteindront pas le niveau de développement auquel l'enfant ou l'adolescent a droit.

La figure 5.4, page suivante, présente quelques questions à adresser à l'élève pour favoriser l'objectivation au cours des trois étapes du processus d'apprentissage et en tenant compte des trois types de savoirs mentionnés précédemment.

Comment peut-on animer une objectivation ?

On peut faire vivre aux élèves une objectivation collectivement, en sous-groupe, en équipe de trois ou quatre élèves, en dyade ou individuellement.

Plusieurs moyens sont bons pour faire vivre une objectivation. On peut notamment le faire par :

- la parole, à travers l'expression orale ou une rencontre ;
- l'écriture, à travers un récit ou l'expression libre ;
- le dessin ou l'expression plastique ;
- le mime ou le jeu de rôles ;
- des outils structurés comme les fiches de rétroaction ou les grilles.

La forme d'objectivation choisie dépend de la nature de l'apprentissage, de la complexité du processus d'apprentissage, de l'âge des apprenants, de leur degré d'habileté à objectiver, du climat de la classe et des états d'âme des élèves.

FIGURE 5.4 | DES QUESTIONS POUR FAVORISER L'OBJECTIVATION CHEZ L'ÉLÈVE

AVANT L'APPRENTISSAGE

- Que sais-tu de ce sujet?
- Que penses-tu connaître de cette réalité?
- As-tu déjà entendu parler de ce problème?
- As-tu déjà vu des choses qui te font penser à cette question?
- Connais-tu des personnes qui ont vécu des expériences semblables?
- As-tu déjà été dans une situation similaire?

PENDANT L'APPRENTISSAGE

- Comment se déroulent tes apprentissages?
- As-tu besoin d'aide?
- Comprends-tu la situation ou le problème?
- Es-tu capable de me dire ce que tu comprends?
- Qu'est-ce que tu ne comprends pas?
- En quoi puis-je t'aider?

ÉLÈVE

APRÈS L'APPRENTISSAGE

Sur le plan du savoir

- Dis-moi ce que tu as appris.
- Explique-moi ce que signifie tel mot, tel symbole ou tel tableau.
- Nomme-moi des façons d'utiliser ou d'appliquer tes découvertes.
- Parle-moi de ce que tu as compris des découvertes des autres.
- Raconte-moi comment tu pourrais présenter et expliquer tes découvertes à d'autres élèves.

Sur le plan du savoir-faire

- Dis-moi ce que tu comprends du problème ou de la situation.
- Reformule dans tes propres mots ce que je t'ai dit ou ce que quelqu'un d'autre t'a dit.
- Énumère-moi les étapes que tu as suivies pour arriver à une solution.
- Retrace les difficultés auxquelles tu as eu à faire face.
- Raconte-moi ce qui a facilité ta démarche.
- Explique-moi de quelle façon tu as utilisé tel outil, telle information.
- Comment as-tu su que ton résultat était bon ou que ta réalisation était réussie?
- Quels sont les outils qui t'ont aidé? Quelles personnes as-tu consultées?

Sur le plan du savoir-être

- Raconte-moi comment tu t'es senti en vivant cette démarche.
- Quel était ton état d'âme lorsque les autres t'aidaient?
- Comment as-tu établi le contact avec les autres élèves?
- Parle-moi de l'expérience que tu as vécue seul, en équipe ou en grand groupe.
- Quelle est la raison pour laquelle tu as travaillé seul? en équipe?
- Confie-moi comment tu t'es senti pendant l'apprentissage: as-tu été écouté? compris? accepté? respecté?
- Raconte-moi ce qui est arrivé quand tu as fait tel geste ou parlé de telle façon.
- Dis-moi ce que tu as apporté à l'équipe, à la classe.
- Quelle a été ton attitude lorsque tu as reçu et assumé les responsabilités que d'autres élèves t'ont confiées?
- Confie-moi ce qui t'a fait peur ou t'a découragé.
- Que ressens-tu à l'intérieur de toi lorsque tu communiques quelque chose à quelqu'un?
- Que penses-tu du comportement des élèves qui ont travaillé avec toi?

Cinquième compétence : la capacité d'évaluer les apprentissages

L'enseignant qui s'efforce d'être cohérent dans sa démarche pédagogique ne peut faire sa planification sans regarder en même temps l'autre bout de la chaîne de l'apprentissage : l'évaluation. En étant proactif, il s'assure d'atteindre ses buts et de mesurer les éléments appropriés.

Puisque l'évaluation représente une compétence professionnelle tout aussi importante que la planification, l'enseignant doit prendre le temps :

- de la définir ;
- de saisir ses fonctions ;
- de décrire ses étapes ;
- de distinguer les types d'évaluations ;
- de déterminer des conditions de réussite pour que l'évaluation joue son véritable rôle ;
- de préciser les écueils qui guettent l'évaluateur.

L'heure juste

L'évaluation a toujours été un sujet important dans les débats tenus au sein des milieux scolaires. Il faut reconnaître qu'encore aujourd'hui elle demeure la préoccupation majeure des enseignants, qui doivent évaluer maintenant le développement de compétences disciplinaires et transversales.

Habitués depuis plusieurs années à gérer l'évaluation par rapport aux connaissances et aux habiletés, les enseignants doivent se rallier autour d'un nouveau paradigme, celui de l'évaluation au service de l'apprentissage. Au lieu « d'enseigner pour évaluer », ceux-ci doivent apprendre à « évaluer pour mieux enseigner » ; cela suppose forcément qu'ils maîtrisent à la perfection les étapes du processus d'apprentissage étant donné que l'évaluation y est intégrée.

Même si les enseignants reconnaissent le bien-fondé de la politique ministérielle concernant l'évaluation, cela ne diminue pas les craintes et les doutes qui les assaillent quand vient le temps pour eux de penser à « évaluer autrement ». On n'a qu'à songer à la démarche d'évaluation elle-même, aux échelons de compétences, aux stratégies de collecte et de consignation d'informations, à la mise en place du portfolio d'apprentissage, à la communication des résultats aux parents, à l'obligation d'utiliser un bulletin uniforme. La bouchée est grosse... et les modèles novateurs en matière d'évaluation se font plutôt rares.

Étant donné que les nouvelles représentations mentales en matière d'évaluation sont plus ou moins en place, il est difficile pour un praticien de renoncer aux pratiques évaluatives qui ont jalonné son parcours scolaire d'élève et de jeune enseignant.

La nature de l'évaluation

Personnellement, je crois que l'évaluation pédagogique est un processus visant à juger de la situation d'un élève dans certains domaines de son développement, en vue de prendre les meilleures décisions possible relativement à son cheminement ultérieur.

Selon *Le Petit Larousse* (2007, p. 439), l'évaluation dans le domaine de l'enseignement consiste en « une mesure à l'aide de critères déterminés des acquis d'un élève, de la valeur d'un enseignement ».

De son côté, le *Dictionnaire actuel de l'éducation* (Legendre, 2005, p. 639) définit l'évaluation des apprentissages comme étant le «processus qui consiste à recueillir, analyser et interpréter les données relatives à la réalisation des objectifs proposés dans les programmes d'études, au développement général de l'élève, en vue de prendre des décisions pédagogiques et administratives plus éclairées».

En plus de se pencher sur une définition, le ministère de l'Éducation du Québec (2004, p. 29) précise les deux fonctions de l'évaluation: l'aide à l'apprentissage et la reconnaissance des compétences.

Pour s'assurer que l'évaluation des apprentissages soit vraiment au service de l'élève, le Ministère définit aussi les orientations à partir desquelles celle-ci doit se vivre. Je m'attarderai à citer seulement les directives qui sont de nature à faciliter la gestion des apprentissages AVEC les élèves (MEQ, 2004, p. 14 à 18):

- L'évaluation en cours de formation doit être intégrée à la dynamique des apprentissages de l'élève;
- L'évaluation des apprentissages doit reposer sur le jugement professionnel de l'enseignant;
- L'évaluation des apprentissages doit s'effectuer dans le respect des différences;
- L'évaluation des apprentissages doit être en conformité avec les programmes par compétences et l'esprit qui les sous-tend;
- L'évaluation des apprentissages doit favoriser le rôle actif de l'élève dans les activités d'évaluation en cours d'apprentissage, augmentant ainsi sa responsabilisation.

À partir de l'information recueillie ci-dessus, nous pouvons dégager certaines observations susceptibles de nous centrer sur l'essence même de l'évaluation:

- L'évaluation est utile autant à l'apprenant qu'à l'enseignant, puisque chacun vit parallèlement un processus qui est perfectible.
- L'évaluation constitue un processus en soi que l'on peut disséquer en étapes précises.
- Dans toute évaluation, un jugement doit être posé.
- Les constats faits doivent déboucher sur une prise de décision, une régulation du processus d'apprentissage et/ou du processus d'enseignement.

La démarche d'évaluation

La démarche d'évaluation comprend quatre étapes qui correspondent aux moments de l'évaluation.

1. *Avant l'évaluation (la planification):* À la première étape, l'enseignant précise son intention, ses objets d'évaluation, ses critères d'évaluation, le seuil de réussite attendu. Il élabore ou choisit la situation d'apprentissage destinée aux élèves évalués.

2. *Pendant l'évaluation (la prise d'information et son interprétation) :* À la deuxième étape, l'enseignant va chercher l'information dont il a besoin pour porter un jugement. Mais avant de pouvoir porter ce jugement, il interprète les données recueillies en s'assurant de leur pertinence. Ainsi, les données doivent posséder les caractéristiques suivantes :
   - Elles doivent être les plus signifiantes possible.
   - Elles doivent être représentatives du temps écoulé pendant toute la séquence d'apprentissage et ne pas correspondre seulement aux acquis des dernières semaines ; bref, l'évaluateur doit se soucier de la temporalité.
   - Elles doivent être à la fois suffisantes et diversifiées afin de permettre de porter un jugement global sur le développement de la compétence que l'on désire évaluer. (Caron, 2003, p. 325)
3. *Pendant l'évaluation (le jugement) :* Bien qu'il constitue en soi une étape du processus d'évaluation, le jugement apparaît en filigrane tout au long de l'évaluation. Parfois informel, il ne demeure pas moins la toile de fond de l'ensemble de tout ce processus. Mais à la troisième étape de l'évaluation, lorsque vient le temps pour l'évaluateur de rendre compte des apprentissages et de prendre des décisions pédagogiques ou administratives, le jugement formel s'impose. Il s'exerce alors au regard de ce qui a été vécu précédemment, soit la prise d'information suivie de son interprétation.
4. *Après l'évaluation (la décision-action) :* À cette étape, en situation d'aide à l'apprentissage, la décision qui en découle se traduit par une action de régulation de la démarche pédagogique ou d'apprentissage. L'enseignant peut alors envisager des interventions de consolidation, d'intégration ou de remédiation. En plus d'être l'étape des actions à faire, c'est le moment de communiquer les résultats aux évalués et à leurs parents.

   En situation de reconnaissance des compétences, les décisions ont un caractère formel et elles peuvent entraîner des conséquences importantes pour les élèves dans la poursuite de leur plan de formation.

Comment gérer l'évaluation formative au quotidien ?

Une application de la démarche d'évaluation au quotidien L'enseignant désireux de visualiser une application de la démarche d'évaluation dans son quotidien peut se référer aux informations suivantes. Dans un premier temps, il a accès non seulement aux étapes de la démarche d'évaluation, mais aussi à l'instrumentation dont il peut se servir pour mieux l'opérationnaliser (*voir tableau 5.5, p. 317*).

Dans un second temps, il peut puiser des moyens de collecte d'informations dans deux banques d'outils classés selon leur nature et selon l'habileté qu'ils sollicitent. La première banque regroupe des outils gérés uniquement par l'enseignant tandis que la seconde présente des dispositifs gérés en partenariat avec l'élève (*voir tableaux 5.6 et 5.7, p. 317* et *318*). Voilà de quoi rassurer un évaluateur !

TABLEAU 5.5 | L'ACTUALISATION DE LA DÉMARCHE D'ÉVALUATION

ÉTAPE	OUTILLAGE DISPONIBLE
1. La planification	Programme de formation ou programme d'études, programmes disciplinaires
2. La collecte d'informations	Banque d'outils de collecte d'informations
3. L'interprétation des données recueillies	Échelons de compétence, indicateurs de comportement, grille d'évaluation critériée
4. Le jugement et la consignation	Journal de bord alimenté de feuilles de route diverses à l'intention de l'enseignant, dossier anecdotique appelé aussi rapport, arbre des compétences, portfolios d'apprentissage, rapport de stage dans le cas d'un vécu de décloisonnements à l'externe
5. La communication des résultats en fonction des décisions-actions	Bulletin, portfolio, conférence dirigée par l'élève

TABLEAU 5.6 | DES OUTILS DE COLLECTE D'INFORMATIONS CLASSÉS SELON LEUR NATURE

Gestion par l'enseignant

DISCUSSION	ANALYSE	INVENTAIRE	CONSULTATION	TÂCHES D'ÉVALUATION
• Entrevue avec l'élève pour un entretien méthodologique • Discussion en petits groupes avec les élèves • Discussion avec toute la classe	• Analyse des réponses des élèves • Analyse des méprises • Analyse des productions d'élèves • Analyse des cartes sémantiques élaborées par les élèves • Analyse des portfolios d'élèves • Analyse des blasons des élèves (arbre des compétences personnelles)	• Inventaires d'habiletés • Inventaires d'opinions • Sondage sur les champs d'intérêt • Inventaire des travaux faits à la maison • Inventaire des connaissances ou l'arbre des compétences de tous les élèves	• Consultation du passeport de lecture des élèves • Consultation des bilans d'apprentissage • Consultation des différents tableaux d'inscription et de contrôle à la disposition des élèves, élaborés en tant qu'outils pour gérer le temps • Consultation du répertoire de projets personnels des élèves • Notes dans les journaux de bord ou dans les portfolios • Grilles d'observation pour apprécier une production ou pour comprendre le comportement d'un élève par rapport à une tâche	• Tâches d'évaluation orales ou écrites • Tâches d'évaluation kinesthésiques vécues au sein d'un atelier ou d'un centre d'apprentissage avec observation directe de la part de l'enseignant • Utilisation d'échelles de niveaux de compétence pour faciliter l'interprétation de l'information et porter un jugement sur le développement ou le degré d'acquisition d'une compétence • Évaluation de fin de cycle

TABLEAU 5.7 DES OUTILS DE COLLECTE D'INFORMATIONS CLASSÉS SELON L'HABILETÉ SOLLICITÉE

Gestion en partenariat avec les élèves

OBJECTIVATION	SYNTHÈSE	ÉVALUATION	COMMUNICATION
• Liste de vérification pour rappeler les étapes d'une démarche ou d'une procédure • Grille d'objectivation pour vérifier l'application des exigences dans une production écrite • Grille d'objectivation pour vérifier l'application des règles de communication dans un exposé devant un public • Réflexion autour de pièces témoins pouvant alimenter le portfolio	• Carte sémantique • Rédaction thématique • Synthèse d'un contenu, d'un projet ou d'un apprentissage • Reformulation des contenus	• Sélection et justification des pièces témoins déposées dans le portfolio • Fiche d'autoévaluation mise à la disposition de l'élève • Grille d'évaluation descriptive à des fins de coévaluation	• Pauses méthodologiques impliquant tous les élèves d'un même groupe dans une discussion sur une problématique spéciale, avec observation de la part de l'enseignant. *Exemple :* « Comment procédons-nous quand nous sommes vraiment capables de faire telle chose ? »

Les types d'évaluations

Même si le processus d'évaluation amène toujours l'évaluateur à porter un jugement sur un résultat obtenu, il n'en demeure pas moins que cette prise de position aura été influencée par l'intention qui l'habitait au point de départ. La question « Pourquoi est-ce que je désire évaluer les élèves ? » représente le pivot de tout acte évaluatif. Elle détermine par conséquent le type d'évaluation. En fait, cette question oblige l'enseignant à établir des nuances importantes entre l'évaluation diagnostique, l'évaluation formative régulatrice et l'évaluation certificative. Ces trois types d'évaluations jouent des rôles différents parce qu'ils se situent à des étapes différentes du processus d'enseignement-apprentissage et débouchent sur des décisions différentes. Pour mieux les distinguer, nous les situerons en fonction d'une séquence d'apprentissage, terme utilisé ici pour désigner un cycle, un cours, un module. Le lecteur ne devra pas confondre le présent contexte avec celui qui a été utilisé au moment de la planification des apprentissages.

L'évaluation diagnostique (au commencement d'une séquence d'apprentissage) Un jugement qui donne un aperçu des préalables qui permettront de visualiser le niveau de compétence en début d'apprentissage est une évaluation diagnostique. En matière d'évaluation des savoirs et des savoir-faire, l'évaluation diagnostique met en évidence le savoir initial d'un apprenant au début d'une période donnée, que ce soit une année, un module, un cycle, ou un cours, par exemple. Ce savoir initial peut varier d'un élève à l'autre en fonction de la rétention, des oublis, de la capacité de compréhension et de mémorisation ou des apports extérieurs à l'enseignement. Partant des acquis et des lacunes d'un élève, cette forme d'évaluation est appliquée afin de permettre à l'enseignant de mesurer les progrès des élèves, d'ajuster le dispositif d'enseignement et d'apprentissage en fonction des caractéristiques des apprenants et de mettre en place des activités d'apprentissage différenciées.

Appliquée au domaine de l'enseignement primaire et secondaire, l'évaluation diagnostique sera utilisée très peu souvent, puisque l'on prône dans les écoles une évaluation régulatrice intégrée au processus d'apprentissage. Toutefois, l'évaluation diagnostique pourrait être pertinente dans certains contextes où l'enseignant se doute de la présence d'écarts très grands dans les profils ou les parcours des élèves. En recourant à ce type d'évaluation, l'accompagnateur vient valider en quelque sorte ce qu'il a cru saisir par l'écoute et l'observation. Bien sûr, l'objectif ultime pour lui est de réguler le processus d'apprentissage ou d'enseignement par la différenciation.

Dans les deux exemples qui suivent, la différenciation s'appuie sur un test diagnostique plutôt que sur un processus d'accompagnement; elle est appelée alors «différenciation mécanique». Celle-ci se distingue de la différenciation régulatrice, avec laquelle l'enseignant aurait constaté des écarts de profils ou de parcours pendant que ses élèves étaient en apprentissage. À la suite de cela, il aurait décidé d'intervenir en planifiant une séance de différenciation planifiée.

Ainsi, l'enseignant d'un groupe-classe pourrait décider de recourir à des sous-groupes d'apprentissage momentanés en lecture afin de rejoindre simultanément les élèves qui commencent à découvrir de nouvelles stratégies et ceux qui sont au stade de raffiner leur processus en travaillant sur la lecture expressive et créatrice. Pour en arriver là, il aurait eu recours à un test diagnostique.

De la même manière, trois enseignants d'anglais d'un cycle d'apprentissage au secondaire pourraient convenir de faire éclater leurs groupes de base afin de démarrer des projets spécifiques autour de l'anglais, langue seconde. Cette décision serait justifiée par des besoins diversifiés: des élèves qui sont capables de converser, des élèves qui communiquent avec des structures de phrases incomplètes et des élèves qui parviennent à se faire comprendre seulement à l'aide de mots ou de gestes. Pour prendre une telle décision, l'équipe-cycle aurait utilisé des tests diagnostiques.

L'évaluation formative régulatrice (en cours d'apprentissage) Un jugement provisoire en cours d'apprentissage est une évaluation formative. Elle a pour but d'améliorer, de corriger ou de réguler le cheminement de l'apprentissage. L'évaluation formative régulatrice représente donc:

- un levier pour la réussite de tous les élèves;
- une intervention pour aider l'élève à développer son plein potentiel;
- une perspective de réussite sans diminuer les exigences.

Bref, l'évaluation formative régulatrice existe d'abord pour aider l'élève à apprendre. Elle s'intéresse surtout à la nature de l'écart constaté pour apprécier le progrès accompli par l'élève, comprendre la nature des difficultés éprouvées et y remédier. Pour mieux saisir la spécificité de l'évaluation formative, examinons de plus près ses caractéristiques :

- Elle est orientée vers une action pédagogique immédiate.
- Elle vise à assurer une progression constante des apprentissages, par l'entremise d'activités régulatrices, de renforcement ou d'enrichissement.
- Elle peut s'appuyer efficacement sur l'autoévaluation et contribue à renseigner l'élève sur ses forces et ses faiblesses.
- Les données recueillies permettent d'établir le profil d'apprentissage de l'élève. Ces données ne peuvent cependant pas être accumulées à des fins de notation. Chaque fois que l'enseignant prend une photo de la performance d'un élève, il doit se rappeler que celui-ci est en période d'apprentissage et qu'il a droit à l'erreur.
- Les appréciations de l'enseignant doivent reposer sur des observations précises et systématiques. Mais il n'y a aucun inconvénient à inclure dans le processus formatif la coévaluation et l'autoévaluation des élèves.
- L'évaluation formative a pour effet d'amener l'enseignant à intervenir auprès d'un élève ou d'un groupe, ou encore à réviser sa pratique pédagogique.
- Elle est interactive et régulatrice, et elle relève de la responsabilité de l'enseignant même si l'élève est mis à contribution.

L'évaluation certificative (vers la fin d'une séquence d'apprentissage) L'évaluation certificative, appelée aussi évaluation sommative, est un jugement définitif qui met un terme à une séquence d'apprentissage. Elle s'inscrit dans l'idée de devoir rendre compte du développement des compétences aux fins du bilan et de la sanction des études ; elle s'intéresse à la mesure de l'écart entre le résultat attendu et le résultat obtenu. Elle a lieu généralement en fin d'apprentissage et aboutit à un classement, à une sélection ou à une certification. La formule habituelle des examens de fin d'étape ressemble étrangement à une forme d'évaluation sommative, même si l'enseignant qui le fait passer déclare être porteur d'une intention formative. Regardons les particularités de l'évaluation sommative :

- Elle se situe à la fin d'une série d'apprentissages.
- Elle vise à porter un jugement sur le degré de réalisation des apprentissages d'un programme ou d'une partie terminale d'un programme, en se basant sur des données pertinentes.
- Elle débouche sur une prise de décision importante : le passage dans une classe supérieure, la sanction d'un programme d'études, l'orientation de l'élève, etc.
- Pour porter un jugement, l'enseignant peut considérer les performances observées au cours de l'apprentissage ou à la fin d'un apprentissage.

- Le jugement doit faire état de la compétence de l'élève au terme de la période d'apprentissage prévue : l'étape, l'année scolaire. L'évaluation sommative revêt donc une grande importance pour l'élève. Elle détermine son degré de maîtrise en relation avec les objets ou les résultats d'apprentissage du programme. Elle lui ouvre le passage à une classe supérieure.
- La responsabilité de l'évaluation sommative est partagée entre l'école, la commission scolaire et le ministère de l'Éducation.

Des conditions de réussite dont l'évaluateur doit tenir compte

Il est bon de se rappeler certaines règles à respecter dans l'évaluation des apprentissages :

- Avant d'entreprendre un processus d'évaluation, l'enseignant doit se poser quatre questions stratégiques :
    1. *Qu'est-ce que je veux évaluer, au juste ? (le « quoi ? »)* Normalement, l'évaluation des apprentissages doit porter sur les objets ou les résultats d'apprentissage en vue desquels l'élève est appelé à travailler quotidiennement.
    2. *Pourquoi est-ce que je veux faire une évaluation ?* Pour faire état des acquis préalables, pour m'assurer de la pertinence de la planification effectuée, pour améliorer l'apprentissage et l'enseignement, pour voir si les conditions environnantes favorisent l'apprentissage, pour faciliter l'interaction élève-enseignant, pour vérifier le degré d'atteinte d'un ou plusieurs objets ou résultats d'apprentissage, etc.
    3. *Comment vais-je faire une évaluation ?* Il existe divers instruments qui facilitent l'évaluation. Selon la nature des décisions à prendre, l'enseignant choisit l'instrument qui convient et interprète les résultats ainsi obtenus de façon critériée ou normative. On ne saurait trop inviter les enseignants à varier leurs outils de collecte d'informations.
    4. *Quand vais-je faire une évaluation ?* L'évaluation formative peut s'effectuer avant, pendant ou après l'apprentissage.
- L'enseignant se rappelle qu'évaluer un apprentissage consiste à vérifier jusqu'à quel point l'élève est capable de faire des transferts, c'est-à-dire d'appliquer ses nouvelles compétences à une situation semblable.
- Il s'assure que la situation d'évaluation ne comporte ni pièges ni surprises.
- Il propose à l'élève de vivre dans l'évaluation les mêmes types de tâches qu'il a rencontrés dans l'apprentissage.
- Il surveille le degré de difficulté d'une tâche évaluative en se disant que celui-ci ne devrait jamais être plus élevé que celui des situations d'apprentissage.
- Il communique à l'élève le niveau minimal exigé pour que la tâche soit considérée comme réussie.

- Il considère toute situation d'évaluation comme une situation d'apprentissage. Dans ce contexte, les erreurs sont informatives; elles continuent de contribuer à l'apprentissage.

Le bulletin, un outil pour communiquer les résultats

Le bulletin n'est pas l'évaluation en soi. Il est un miroir qui reflète à l'élève son propre développement et un moyen de transmission d'informations aux parents. L'élève devrait être le premier destinataire du bulletin. Cette rencontre autour du carnet scolaire entre l'enseignant et l'élève est d'une réelle importance pour la prise de conscience de ce qui se passe dans l'apprentissage. Par la suite, l'élève devrait pouvoir présenter son bulletin à ses parents, avec l'aide de son enseignant.

Pour pousser plus loin l'exploration et la réflexion sur les moyens de communiquer les résultats des apprentissages aux parents, voir *Apprivoiser les différences*, p. 357 à 383.

En complément à cet outil de communication qu'est le bulletin, l'enseignant peut se donner d'autres moyens, tels que l'utilisation du portfolio d'apprentissage et de la conférence dirigée par l'élève.

L'heure juste

Parmi les sujets les plus délicats à aborder avec les parents se trouve celui de l'évaluation. Quand on en parle, on a l'impression de marcher sur des œufs. Pour les parents, la question de l'évaluation est souvent source d'inquiétude: comme ils n'en comprennent pas nécessairement bien tous les rouages, ils craignent qu'une évaluation pédagogique renouvelée puisse nuire aux résultats de leur enfant. La situation prend vite la tournure d'une polémique lorsque certains médias mettent l'accent sur ces craintes formulées et les « dangers » que cela pourrait sous-tendre, plutôt que de proposer une analyse plus nuancée. Ils prennent le prétexte de vouloir mieux informer la population; malheureusement, ce n'est pas toujours le cas. Les personnes qui n'appartiennent pas au monde de l'éducation ne voient peut-être pas tous les aspects de la situation. Le fait de sortir quelques concepts clés du cadre global de l'apprentissage et de l'évaluation constitue un réel danger et entraîne très souvent des dérives qui peuvent être lourdes de conséquences pour l'évolution d'un système scolaire et d'une société.

Même le monde politique ne peut résister aux soubresauts que peut engendrer la perspective d'implanter un nouveau programme, de nouvelles formes d'évaluation et une structure de bulletin cohérente avec les objets d'apprentissage prescrits par les instances ministérielles. Devant une opinion publique qui se manifeste à contre-courant de ce qui est imposé, comment faire pour que les autorités tiennent le cap sur les orientations éducatives votées? Quand les pressions et les contestations deviennent trop importantes, les dirigeants ou les administrateurs baissent les bras et font marche arrière.

Quant aux enseignants, l'évaluation devient rapidement un bouc-émissaire derrière lequel on peut se retrancher pour éviter de changer des pratiques rassurantes. Dès que l'on parle du développement de compétences transversales ou de différenciation des apprentissages, la question ultime qui surgit est, bien sûr, celle de la problématique de l'évaluation pédagogique. Pourtant, ce n'est peut-être pas la première question qu'il faut se poser lorsqu'on se trouve dans une phase d'innovation et de renouveau. Avant de parler d'évaluation, il faudrait peut-être songer aux apprentissages... Ainsi, il y aurait sans doute moins d'élèves qui seraient soumis à des évaluations alors qu'ils n'ont pas encore acquis ce que l'enseignant est en train de mesurer.

Le spectre de l'évaluation est une réalité que l'on utilise même pour tenter de maintenir la motivation scolaire des élèves. Combien de fois a-t-on attribué des points de mérite à des élèves au regard de la remise ponctuelle de leurs travaux, de leur qualité d'écriture ou de la propreté de leurs travaux? Combien de fois aussi a-t-on utilisé l'évaluation comme un renforcement disciplinaire? Faire passer un examen le vendredi après-midi, à la dernière période de la journée, n'est sûrement pas une stratégie pour favoriser la réussite des élèves...

Enfin, il faut rappeler que la dérive la plus fréquente est de confondre l'évaluation formative et l'évaluation sommative. Trop souvent l'enseignant croit faire une évaluation formative alors qu'il intervient exactement comme s'il était dans un contexte d'évaluation sommative.

Pallier les dérives en matière d'évaluation formative

L'évaluation formative est au cœur même du processus d'apprentissage. C'est ce qui la caractérise. Elle débouche nécessairement sur des mesures de régulation. À la suite de ce type d'évaluation, différentes options sont à la portée de l'enseignant : revoir son scénario d'enseignement, gérer les différences de profils ou de parcours en sous-groupes d'apprentissage, enrichir ou élargir la situation d'apprentissage sur le plan de la complexité, prévoir des situations d'intégration ou de préparation au transfert.

Dans de nombreux cas, l'évaluation formative se limite à l'utilisation et à la correction de tâches évaluatives. Cette façon de faire traduit un manque d'assurance des enseignants en regard du jugement professionnel qu'ils sont capables de poser :

- Certains enseignants ont perdu confiance en leur propre jugement.
- Ils sentent le besoin de justifier leur jugement auprès des parents par des batteries de tests et d'examens.
- Ils n'utilisent pas suffisamment d'instruments de consignation régulière, comme la feuille de route ou le journal de bord, qui sont pourtant des outils précieux dans la gestion de l'évaluation formative. Cette lacune les empêche de justifier leur point de vue auprès de parents qui désireraient absolument avoir des preuves rattachées au jugement qui a été rendu.

Sixième compétence : la capacité de réguler les apprentissages et d'assurer leur transfert

La régulation des apprentissages

Le *Projet de politique d'évaluation des apprentissages* (MEQ, 2000) définissait la régulation comme étant le procédé d'évaluation qui consiste pour l'élève ou l'enseignant à ajuster les actions afin que l'apprentissage puisse progresser. Auparavant, on parlait plutôt de réajustement ou de réinvestissement.

Le concept de « régulation » est fort utile pour aborder une situation d'apprentissage. Il permet de concevoir l'apprentissage comme un système et d'intervenir simultanément sur les aspects social, cognitif et relationnel.

En réalité, de la même manière que l'évaluation formative, la régulation doit s'exercer tout au long du processus d'apprentissage si l'on veut favoriser le développement des compétences et le transfert des apprentissages. L'élève et l'enseignant sont invités à faire de la régulation, chacun à leur niveau. Peu d'élèves sont intéressés à faire du surplace. Dans plusieurs situations, l'apprenant se fixe un objectif plus difficile à atteindre la prochaine fois. Il est typiquement humain de ne pas se contenter de ce que l'on a et de vouloir améliorer son sort. Pourquoi ne pas profiter de ce réflexe afin d'aller plus loin avec l'élève ?

Pour apprivoiser la régulation et la différenciation, ce moment de l'apprentissage est moins insécurisant que celui de l'avant et du pendant, et pour cause. Dans l'après-apprentissage, les données à considérer sont déjà connues par l'enseignant. Les faits et les constats étant là, il y a moins d'imprévus à gérer.

De plus, c'est dans la régulation que se révèlent la stabilité et la profondeur de l'apprentissage. L'élève qui est capable de réutiliser ses compétences dans un nouveau champ, pour qui cette réutilisation est facile, voire spontanée, a complété le processus d'apprentissage.

Or, actuellement, dans les classes, l'étape de la régulation n'apparaît pas clairement, même à la fin d'un apprentissage. La régulation s'avère trop souvent globale, non différenciée, où l'enseignant ajuste surtout le matériel au groupe plutôt qu'à l'individu. Le réinvestissement se pratique alors collectivement, sous forme de correction d'examens. Tous les élèves sont convoqués à la révision, peu importe leur degré d'aisance ou de maîtrise. Cette lacune consistant à être « indifférent aux différences » est souvent tributaire de l'absence de structures organisationnelles au sein d'un groupe ou d'une classe. Dommage ! Celles-ci pourraient ouvrir la porte à la différenciation des apprentissages…

Après une évaluation formative, l'enseignant n'a pas le choix de faire une régulation pour tenir compte des différences observées. Il se trouve face à des déficiences à combler qui ne sont pas les mêmes pour tout le monde. Il est en présence d'élèves qui ont tout à fait réussi leur apprentissage. Comment gérer ces différences alors que le gestionnaire de la classe ou du groupe ne veut pas rompre momentanément avec l'enseignement frontal et collectif ? Comment pallier les inégalités de parcours si l'on ne devient pas un adepte de la différenciation pédagogique ?

Plusieurs enseignants m'ont dit : « Je voudrais bien tenir compte des différences, mais je ne sais pas comment m'y prendre. » Ou encore : « J'ai déjà fait quelques tentatives dans ce sens, et cela n'a pas fonctionné. » La plupart du temps, cette incapacité de tenir compte des différences des élèves était liée au manque d'outillage pour le faire. Il y a toujours une première fois à toute initiative…

Avec le temps, pourquoi ne pas faire appel à un menu ouvert qui déboucherait sur l'animation de deux sous-groupes d'apprentissage ? Pourquoi ne pas introduire un tableau d'enrichissement pour encadrer les élèves qui ont rarement besoin d'une clinique ? Pourquoi ne pas recourir à des ateliers de consolidation et d'approfondissement pour approfondir des concepts de base ? Pourquoi ne pas mettre en place un centre d'exploration et d'expérimentation pour mobiliser des élèves kinesthésiques ? Les possibilités sont nombreuses, et peu importe les choix effectués, chacun d'eux contribuera à changer le panorama de l'évaluation formative et de son associée, la régulation !

Le transfert des apprentissages

Au fait, est-on familiarisé avec le concept de « transfert » ? Le transfert n'est pas un fantasme pédagogique ; il existe vraiment. Mais on se heurte à la difficulté de le vivre soi-même comme apprenant et d'aider un élève à le vivre. Il est en quelque sorte la pierre angulaire de la re-création du savoir dont parle Gérard Artaud (1987, p. 17), du savoir en construction publié par Britt-Mari Barth (1993) et du transfert des apprentissages largement diffusé par Jacques Tardif (1992). Ces trois auteurs parlent du transfert, même s'ils utilisent des mots différents pour exposer leur cadre théorique. Les deux prochaines sections vont permettre de mieux le définir, le reconnaître et l'appliquer.

Reconnaître le transfert Le transfert pourrait être défini comme étant l'activation et l'application de connaissances antérieures dans de nouvelles situations. Les nouvelles situations dont on parle concernent la résolution de problèmes ou la réalisation de tâches complexes.

Le transfert suppose donc le passage d'une connaissance à une autre, d'un contexte à un autre, que cela porte sur un apprentissage, sur une tâche à réaliser ou sur un problème à résoudre.

Le transfert se vit soit verticalement, soit horizontalement. Il est vertical quand la connaissance contribue directement à l'acquisition d'une autre connaissance. Il est horizontal quand une généralisation s'effectue d'une situation à une autre de même complexité.

De la théorie à la pratique Le transfert n'est pas quelque chose de spontané. Il serait illusoire de tenir pour acquis qu'il se fait tout seul. Au contraire, il doit être pris en main, ce qui signifie qu'il doit être enseigné et appris.

Comment amener les élèves à réinvestir leurs connaissances par eux-mêmes ?

Les données qui précèdent nous amènent à formuler quelques principes pédagogiques pouvant faciliter le transfert des compétences chez l'élève :

- L'enseignant montre à l'apprenant comment les différents problèmes qu'il tente de résoudre se ressemblent.

- En présence de problèmes comparables, l'enseignant dirige l'attention de l'apprenant vers les données de base et non vers des données superficielles ou de surface.
- L'apprenant est familiarisé avec le domaine de connaissances auquel appartiennent les problèmes à résoudre.
- L'enseignant présente des exemples et des contre-exemples, et les accompagne de règles, idéalement formulées par l'apprenant luimême.
- L'apprentissage se produit dans un contexte social, comme l'enseignement réciproque ou l'apprentissage coopératif, où les justifications, les principes et les explications sont socialement générés, discutés et liés entre eux. (Adapté de Tardif, 1992)

L'heure juste

«Mes élèves n'étaient pas préparés à ce type d'examen!» Tout enseignant a déjà expliqué de cette manière des résultats jugés insatisfaisants à la suite d'une évaluation administrée par une autorité extérieure. De fait, les élèves se retrouvent souvent dans le même type de situation d'apprentissage. Ils deviennent experts dans ce genre de situation. Mais face à d'autres situations, problèmes, défis ou contextes différents de ceux auxquels ils ont été habitués, ils perdent tous leurs moyens et n'arrivent pas à faire le transfert de leurs acquis.

Pour favoriser le transfert dans le contexte de la gestion de classe participative, l'enseignant doit profiter des activités d'intégration et de préparation au transfert pour présenter à l'élève des situations nouvelles. Il ne faut surtout pas attendre à l'étape de l'évaluation pour placer les apprenants devant le défi du transfert. Il est déjà trop tard, puisqu'à ce moment-là l'élève ne parviendra pas à transférer ses apprentissages et sera pénalisé, n'ayant pas réussi à résoudre le problème auquel il était confronté. Celui-ci doit avoir vécu des situations de transfert tout au long de son apprentissage. L'apprenant doit côtoyer la compétence à développer et ses sous-composantes dans différents contextes qui l'amèneront à généraliser: une loi, une règle, un principe. Sur un terrain mouvant, l'enfant ou l'adolescent sera nécessairement dans l'obligation de se remettre en question et d'élaborer de nouvelles démarches de recherche ou de résolution de problèmes. Spécialiste d'un instrument, l'élève deviendra « homme-orchestre », capable de jouer de nombreux instruments. Il acquerra une liberté plus grande, des habiletés plus diversifiées et il sera prêt à affronter l'évaluation.

On ne peut favoriser le transfert que dans le cadre de véritables séquences ou projets d'apprentissage. Là où l'enseignant ne présente que des séries d'activités sans liens entre elles, le risque est grand que l'apprentissage soit aléatoire et que le transfert ne se réalise pas. Là où les activités d'apprentissage ne sont pas distinctes des activités d'évaluation, là où le droit à l'erreur est interdit sous prétexte que tout doit être évalué, le transfert est impossible.

Pour que le transfert puisse avoir lieu, l'enseignant doit faire preuve de rigueur intellectuelle, d'ouverture aux différences, de liberté dans le choix des moyens, de courage pour prendre des risques et d'un souci de développer des compétences dans de nouveaux contextes.

3 Le choix des outils

5.1 Un défi de taille : une grille de planification ouverte aux différences

Une grille de planification à trois dimensions

Contexte et utilité

Depuis les 30 dernières années, l'école a mis beaucoup l'accent sur l'importance de la planification de l'enseignement. On a commencé par insister sur la planification à long terme, c'est-à-dire la planification qui couvre chacune des étapes d'une année scolaire ; on a même parlé de planification stratégique.

Dans certaines commissions scolaires, à cette intention, on a mis en place des chantiers pédagogiques visant à développer chez les enseignants l'habileté à planifier ; cette stratégie a certainement permis une meilleure appropriation des contenus de programmes. C'était aussi un excellent moyen de sensibiliser les pédagogues à l'importance de toucher tous les objectifs prescriptifs d'un programme, ces derniers figurant obligatoirement dans la répartition de chacune des étapes prévues au calendrier scolaire. On a également abordé avec eux l'importance de faire une planification à court terme, c'est-à-dire dans l'immédiat ; assez souvent, cette dernière forme de planification était associée à l'appellation « préparation de classe » (*voir tableau 5.8, p. 328*).

www

Les fiches reproductibles mentionnées dans cette section peuvent être consultées en format réduit aux pages 406 à 483. Elles sont offertes en format lettre (8,5 po × 11 po), sous forme de fichiers PDF et Word, sur le site Web http://quand-revient-septembre2.cheneliere.ca. L'enseignant qui a acheté cet ouvrage peut les importer sur son ordinateur, les modifier selon ses besoins et les imprimer.

Avec l'arrivée du programme de formation de l'école québécoise ainsi que des nouveaux programmes d'études, le discours a changé. On parle maintenant de la compétence à organiser et à animer des séquences et des situations d'apprentissage. Un changement majeur…

Au lieu de se préoccuper uniquement de la planification de l'enseignement, les enseignants sont maintenant invités à se tourner du côté de la planification des apprentissages. En premier lieu, on prône la richesse des séquences d'apprentissage pour s'assurer que l'apprenant et l'accompagnateur saisissent bien les liens existant entre les diverses étapes inhérentes au développement d'une compétence. Bien sûr qu'on insiste également sur la nécessité de créer des situations d'apprentissage complexes, des SAE, c'est-à-dire des situations d'apprentissage et d'évaluation, ou tout simplement des situations d'apprentissage. Le message est clair : les enseignants doivent planifier des situations signifiantes et mobilisatrices. Personne n'est dispensé de cette obligation, pas même les praticiens expérimentés…

Remettre les pendules à l'heure

Malgré une assurance en ce qui a trait aux contenus, l'enseignant ne peut escamoter la planification au profit de l'improvisation. Bien que nous vivions à l'ère des technologies modernes, la planification revêt toujours la même importance malgré le fait que nous puissions l'élaborer virtuellement. Plus encore, aujourd'hui, elle se veut davantage exigeante, réclamant même que l'enseignant se préoccupe de nouvelles dimensions concernant la prise en compte des différences. Un défi de taille attend donc chaque praticien : offrir des situations larges et ouvertes aux élèves afin de pouvoir tenir compte des divers profils et parcours d'apprentissage. Et si c'était un premier pas vers la différenciation ?

TABLEAU 5.8 UNE GRILLE DE PLANIFICATION À TROIS DIMENSIONS

L'ANIMATION DES TROIS TEMPS DE LA SITUATION	LE RESPECT DES RYTHMES D'APPRENTISSAGE	LE RESPECT DES STYLES D'APPRENTISSAGE
Comment vais-je préparer les élèves à l'apprentissage ? (la mise en situation)	Comment vais-je tenir compte des élèves au rythme rapide ? (une tâche enrichie au regard de la complexité du processus ou du contenu)	Comment vais-je tenir compte des élèves présentant une préférence auditive ? (En recourant à l'information : apprendre en écoutant.)
Comment vais-je soutenir l'apprentissage des élèves ? (la réalisation)	Comment vais-je tenir compte des élèves au rythme moyen ? (une tâche standard)	Comment vais-je tenir compte des élèves présentant une préférence visuelle ? (En recourant à la démonstration : apprendre en regardant.)
Comment vais-je favoriser l'intégration des apprentissages ? (les prises de conscience et la régulation)	Comment vais-je tenir compte des élèves présentant une lenteur à conceptualiser ? (une tâche adaptée par l'accommodation de processus ou de contenus)	Comment vais-je tenir compte des élèves présentant une préférence kinesthésique ? (En recourant à l'expérience : apprendre en faisant.)

Pistes d'utilisation

1. Ciblez un objet ou un résultat d'apprentissage qui vous cause bien des soucis en tant qu'enseignant et que vous considérez comme complexe à manipuler et à saisir par plusieurs de vos élèves.
2. Précisez s'il s'agit d'un objet d'apprentissage qui touche une attitude, une habileté, une compétence, une technique ou un contenu notionnel.
3. Déterminez la situation d'apprentissage que vous désirez proposer à vos élèves.
4. Précisez de quelle façon sera vécue chacune des étapes de cette situation d'apprentissage.
5. Ayez en tête la possibilité de pouvoir faire appel à différents groupes de travail à chacune des étapes de la démarche d'apprentissage : le travail collectif, en équipe, en dyade, individuel.
6. Planifiez une tâche enrichie pour les élèves au rythme rapide et préparez une tâche adaptée pour les élèves présentant des besoins particuliers.
7. Trouvez des stratégies d'intervention qui permettront aux élèves de percevoir et d'aborder différemment la situation d'apprentissage. Prévoyez alors trois portes d'entrée : par information, par démonstration ou par expérience.

5.2 La communication, c'est ma force !

Des indices de performance pour mieux communiquer

Contexte et utilité

Même si l'habileté à communiquer fait partie du référentiel des compétences professionnelles à développer, cela ne veut pas dire que chaque enseignant excelle en communication. Cela ne signifie pas, non plus, qu'il est facile pour un intervenant de cerner son image de communicateur. Instinctivement, il est toujours tentant de déclarer que l'on est un expert en communication, mais qu'en est-il, au juste, dans les faits ? À moins d'être observé et évalué par une personne compétente dans ce domaine, il est difficile de déceler seul ses forces et ses faiblesses, surtout si l'on ne peut compter sur la moindre rétroaction. Malgré la complexité du processus et le manque de ressources, il est possible pour un enseignant d'améliorer la qualité de sa communication…

Comme c'est le cas pour toute compétence que l'on désire développer et évaluer, il est nécessaire de décortiquer la compétence en objets d'apprentissage. Dans le cas présent, il est opportun de se poser la question suivante: « Dans la vie de tous les jours, comment puis-je reconnaître qu'en tant qu'enseignant je suis un bon communicateur ? » La réponse à cette interrogation vous permettra de relever un certain nombre de comportements observables et mesurables qui vous guideront tout au long de votre processus d'amélioration continue. Ainsi, ce sera plus facile pour vous de porter un jugement objectif sur les performances que vous aurez observées. Le présent outil peut vous servir de toile de fond pour élaborer ou transformer un projet de développement en communication.

Remettre les pendules à l'heure

Qu'on le veuille ou non, un enseignant est avant tout un animateur, un médiateur, un motivateur. Certes, dans le cas présent, ces rôles s'exercent dans un contexte pédagogique, mais ils nécessitent les mêmes qualités de base que pour des personnes œuvrant dans d'autres secteurs de la société.

L'enseignant doit exercer ses capacités de communicateur à de multiples occasions à l'intérieur d'un cours ou d'une journée de classe. Que ce soit pour établir des contacts avec ses élèves, démarrer une mise en situation, donner des explications ou des consignes, guider l'objectivation des élèves, faire des synthèses, tout est prétexte à la parole, à l'échange, à la communication.

La communication n'est-elle pas le véhicule idéal pour transporter la connaissance ? Même le fait qu'un enseignant détienne un doctorat en mathématiques ne garantit pas qu'il réussira à toucher chaque apprenant. Si sa communication n'est pas authentique et orientée vers les besoins du récepteur, le « prétendu » contenu ne passera pas, et les mots employés ne seront que du gazouillis à l'oreille de l'apprenant, puisque ceux-ci risquent d'être dépouillés de toute signifiance.

Après toutes ces années consacrées au monde de l'enseignement, il m'apparaît nécessaire de sensibiliser ceux et celles qui font carrière actuellement en éducation à l'importance de surveiller la qualité de leur communication. Je suis profondément habitée par la conviction que le premier outil d'un pédagogue est sa personnalité, avec tout ce que cela comporte : l'accueil, l'écoute, la facilité à créer des liens, le souci de partager la parole, la capacité de vulgariser, l'art de raconter, la rigueur à synthétiser, etc.

Pistes d'utilisation

1. Élaborez votre propre cadre de référence sur la compétence à communiquer ou adaptez un cadre actuel répondant à vos besoins. Insérez à l'intérieur de celui-ci les descriptifs d'attitudes ou d'habiletés requises en matière de communication; ils vous serviront d'indicateurs de performance.
2. À l'aide de ces balises, décelez vos forces et vos faiblesses avant de vous donner un plan d'action, question de bien connaître votre situation de départ (*voir fiche 5.2a, p. 466*).
3. Puis, en vous laissant guider par votre intuition et votre expérience, ciblez les indicateurs sur lesquels vous aimeriez vous pencher au cours de la présente année; cet exercice vous permettra de visualiser la situation souhaitée.
4. À partir des faiblesses découvertes, choisissez un aspect qui vous semble prioritaire. Travaillez sur ce point aussi longtemps que vous ne trouverez pas la situation satisfaisante.
5. Si vous vous sentez suffisamment en confiance avec vos élèves ou vos collègues, partagez avec eux les pas que vous avez franchis pour relever le défi que vous vous étiez donné; mentionnez-leur que vous aimeriez recevoir une appréciation de votre performance.
6. Quand vous aurez atteint le résultat espéré, donnez-vous un deuxième objectif de développement en matière de communication. Continuez ainsi tout au long de l'année et, pourquoi pas, tout au long de votre carrière…

Un aide-mémoire pour vivre l'objectivation avec les élèves

5.3 L'objectivation, une priorité de tous les jours

Contexte et utilité

Un des éléments qui pourrait aider les enseignants à resituer la place de l'évaluation formative à l'intérieur du processus d'apprentissage est sans contredit l'objectivation. Rappelons-nous que, grâce à l'objectivation, l'élève peut jeter un regard d'introspection sur ce qu'il a déjà vécu, ce qu'il vit présentement et ce qu'il vivra ultérieurement. Celle-ci est non seulement le cœur de l'apprentissage, elle est aussi le fil conducteur qui mène à la régulation et à l'intégration des apprentissages.

L'objectivation doit prendre la place qui lui revient, car elle a souvent été négligée au détriment d'une évaluation abusive. Il faut trouver du temps en classe pour faire régulièrement de l'objectivation avec les élèves, et ce, de multiples façons. Pour y parvenir, l'enseignant doit diversifier les cibles d'objectivation, les moments pédagogiques pour vivre celle-ci, de même que les modalités pour faire verbaliser de manière explicite le vécu des apprentissages. C'est le prix à payer pour que les élèves ne soient pas seulement des consommateurs d'activités, mais des êtres en devenir, très conscients de ce qu'ils vivent. Pourquoi ne pas faire de l'objectivation une priorité de tous les jours?

Pistes d'utilisation

1. Chaque semaine, donnez-vous une cible d'objectivation : une attitude, une habileté, une connaissance, un processus, une démarche, une banque de stratégies, etc.
2. Déterminez des façons différentes d'amener les élèves à faire de l'objectivation : collectivement, en équipe de trois ou de quatre, en dyade ou individuellement.
3. Répertoriez également des outils d'expression disponibles pour vivre l'objectivation : oralement, par écrit, par le dessin, par l'expression dramatique ou par un outil structuré.
4. Jouez avec les différentes façons d'animer l'objectivation afin de rompre la monotonie et de développer chez les élèves le goût et l'habitude de mettre des mots sur ce qu'ils vivent.
5. Faites alterner l'utilisation des cibles d'objectivation en fonction de l'objet ou du résultat d'apprentissage visé ; variez également les moments pédagogiques pour vivre ce temps fort de l'apprentissage.
6. Faites un lien entre la cible retenue et l'outil utilisé de manière à diversifier vos dispositifs en fonction de votre intention pédagogique.
7. Proposez aux élèves diverses stratégies pour qu'ils puissent faire de l'objectivation seuls ou entre eux, sans l'intervention directe de l'enseignant.

Remettre les pendules à l'heure

L'enseignant désireux d'obtenir de l'information pour mieux réguler ses interventions peut recourir à l'objectivation au lieu de s'en tenir uniquement à l'évaluation. Pourquoi celui-ci s'abstient-il de le faire ? Diverses raisons justifient ce choix pédagogique.

Faire de l'objectivation : voilà une étape laborieuse qui gruge bien du temps dans la grille horaire ! En plus, les élèves ne possèdent pas nécessairement le vocabulaire pour exprimer convenablement ce qu'ils vivent; une collecte d'informations pauvres en est souvent la conséquence malgré le fait que l'enseignant y ait consacré temps et énergie. Sans parler du fait que ce sont toujours les mêmes élèves qui s'expriment ; les autres qui ne le font pas sont des spectateurs ou deviennent des éléments dérangeants pour le reste du groupe. Finalement, cette période d'animation collective autour de l'objectivation engendre des problèmes d'indiscipline et de démotivation lorsqu'elle se prolonge.

Pour changer sa vision des choses, l'enseignant doit explorer diverses possibilités : tout d'abord, plus les élèves auront la possibilité de faire de l'objectivation en classe, plus ils deviendront habiles dans ce domaine. De là l'importance de recourir à plusieurs modalités pour vivre ce temps de l'objectivation ; le présent outil est d'ailleurs orienté vers la diversification des contextes d'objectivation. Le lecteur trouvera un peu plus loin le tableau 5.9 ; il s'avère un excellent aide-mémoire pour l'enseignant qui désire faire de l'objectivation sa priorité de tous les jours.

Pour pallier le manque de vocabulaire des élèves, il est stratégique d'élaborer des référentiels visuels pour qu'ils s'y réfèrent quand vient le temps de mettre des mots sur ce qu'ils ont vécu, ce qu'ils vivent ou ce qu'ils vivront. Ainsi, il est plus facile pour eux de repérer les compétences développées durant le mois, de se situer face à une étape d'une démarche qu'ils n'arrivent pas à maîtriser totalement, de découvrir leurs forces et leurs défis pour une période donnée.

Finalement, comme l'objectivation est intégrée au processus d'apprentissage, au même titre que l'évaluation formative, il serait maladroit pour un

5

enseignant de lui réserver une plage fixe à l'intérieur d'un horaire quotidien. Non... on ne fait pas de l'objectivation tous les matins à neuf heures, pas plus qu'on ne le fait à la fin de chaque cours.

On fera plutôt de l'objectivation au regard de la séquence d'apprentissage que les élèves sont en train de vivre. Parfois, on s'y adonnera au début d'une période de travail ou d'enseignement parce qu'on est en train de préparer les élèves à l'apprentissage en activant leurs connaissances antérieures. D'autres fois, on fera de l'objectivation en plein milieu d'un apprentissage parce que l'enseignant s'aperçoit que les élèves éprouvent des difficultés qu'il n'arrive pas à déceler seulement par l'observation. Quelquefois, les élèves feront de l'objectivation à la fin d'une période pour nommer les apprentissages qu'ils ont réalisés à l'intérieur du projet collectif qui est sur le point de se terminer.

Les occasions sont nombreuses pour vivre l'objectivation. À nous de faire des choix en relation avec les enjeux qui ont cours dans la classe.

TABLEAU 5.9 | UN AIDE-MÉMOIRE POUR ANIMER L'OBJECTIVATION

1. Pourquoi placer les élèves en contexte d'objectivation ?	L'approche constructiviste demande à l'enseignant non seulement de placer l'élève en projet d'apprentissage, mais aussi de le rendre conscient du processus qu'il vit. D'où l'importance pour un accompagnateur pédagogique d'accorder une place de choix à la métacognition dans la construction des apprentissages des élèves.
2. Que peut-on faire objectiver ?	On peut faire objectiver : • le savoir-être : une attitude ou un comportement ; • le savoir : un contenu notionnel, une technique ; • le savoir-faire : une habileté, une compétence ; • le soutien au savoir-faire : une démarche, une procédure, des stratégies.
3. Quand peut-on faire de l'objectivation ?	On peut faire de l'objectivation : • au début d'un apprentissage ; • pendant un apprentissage ; • à la fin d'un apprentissage ; • après une évaluation.
4. À quels regroupements peut-on recourir lorsqu'on anime des moments d'objectivation en partenariat avec les élèves ?	On peut utiliser : • le grand groupe ; • des sous-groupes d'apprentissage ; • des équipes de travail ou des équipes coopératives ; • des dyades d'entraide ; • un cadre individuel.
5. Quelles sont les modalités d'objectivation qui contribueraient à diversifier les façons de faire au fil des jours ?	• Un questionnement verbal vécu en grand groupe : l'enseignant déclenche l'objectivation par une question et les élèves répondent à tour de rôle ; • Une objectivation collective orientée vers des référentiels visuels (*voir outil 5.4, p. 333*) ; • Une objectivation individuelle soutenue par le carnet d'apprentissage (*voir outil 5.5, p. 334*) ; • Une objectivation individuelle alimentée par des billets d'entrée et de sortie (*voir outil 5.6, p. 335*) ; • Une objectivation individuelle encadrée par un outil structuré : la grille d'objectivation ou descriptive (*voir outil 5.7, p. 336*) ; • Une objectivation en équipe de quatre à partir de cartons-étiquettes (*voir outil 5.8, p. 337*) ; • Une objectivation en équipe de deux soutenue par le cube à objectiver (*voir outil 5.9, p. 338*).

5.4 Apprivoiser l'objectivation dans un contexte collectif

Des référents visuels pour orienter l'objectivation

Contexte et utilité

Sans aucun doute, cette façon de faire objectiver les élèves est de loin la plus simple, parce qu'elle se déroule collectivement et qu'en plus elle porte sur des aspects généraux. Elle a quand même sa place en classe pourvu qu'elle soit enrichie par d'autres modalités d'objectivation. L'enseignant peut toujours l'utiliser lorsqu'il souhaite que ses élèves se familiarisent avec l'objectivation, ou encore lorsqu'il désire dresser des bilans collectifs ou pallier un manque de temps à la fin d'une période d'enseignement.

Pistes d'utilisation

1. Au début de chaque semaine ou chaque mois, préparez trois pancartes collectives (*voir fiche 5.4a, p. 466*). Voici comment les intituler :
   - « Nous avons appris » (au regard des connaissances, des contenus notionnels);
   - « Nous avons développé » (au regard des habiletés, des compétences) ;
   - « Nous avons amélioré » (au regard des attitudes, des comportements).
2. Avec les élèves déterminez une cible d'objectivation au début de la semaine :
   - les connaissances, les contenus notionnels ;
   - les habiletés, les compétences ;
   - les attitudes, les comportements.
3. Tout au long de la semaine, invitez les élèves à objectiver en fonction de la cible choisie. Supposons que le choix s'est arrêté sur les contenus notionnels… Dès qu'un élève est conscient qu'il vient d'apprendre quelque chose de nouveau, il le dit à voix haute. Vérifiez alors auprès des autres élèves si cet apprentissage est partagé ou non. Si la réponse est affirmative, inscrivez cet apprentissage nouveau sur la pancarte « Nous avons appris » ; vous aurez compris qu'il s'agit d'une liste ouverte.

   Il est évident que, préalablement, vous aurez pris soin de verbaliser aux apprenants l'objet ou le résultat d'apprentissage qui justifiait la tenue de telle activité d'apprentissage. Sinon, les élèves ne posséderont pas les mots adéquats pour nommer ce qu'ils vivent.
4. À la fin de la semaine, faites le bilan des apprentissages en procédant à la rétrospective des données qui figurent sur le référentiel collectif.
5. À partir de la pancarte « Nous avons appris », chaque élève nomme une force qu'il possède, c'est-à-dire un apprentissage complètement maîtrisé.
6. Incitez également chaque élève à cibler un défi personnel qu'il désire relever au cours de la prochaine semaine. Celui-ci peut être noté dans l'agenda ou écrit sur un carton-étiquette qui sera déposé bien à la vue

de l'élève sur son pupitre. Pour les plus jeunes, le fait de visualiser la formulation d'un défi ou l'illustration de ce dernier constitue un rappel pour parvenir à atteindre l'objectif qu'il s'est donné.

7. Au fur et à mesure que les élèves deviennent familiarisés avec cette façon de faire, vous pouvez ouvrir l'objectivation à plus d'une pancarte : deux, et même trois. Vous pouvez aussi adapter cette procédure en lui donnant un usage individuel. Chaque élève de la classe est invité à travailler quotidiennement en regard de son propre référent visuel où il retrouve les trois sections suivantes : « J'ai appris », « J'ai développé », « J'ai amélioré ». Il note lui-même ses objectivations personnelles de façon à dresser un bilan pour une période donnée.

   Il est sûr que l'âge des élèves est toujours à considérer lorsque vient le temps de privilégier une modalité d'objectivation plutôt qu'une autre.

Une objectivation individuelle soutenue par le carnet d'apprentissage

5.5 Parle-moi de toi et de tes apprentissages

Contexte et utilité

Le carnet d'apprentissage est en quelque sorte un cahier personnel, un genre de journal de bord dans lequel l'élève a le loisir de raconter l'histoire de ses apprentissages en classe. À l'aide de cet outil, il peut objectiver et réguler ses pratiques de manière autonome. Le carnet d'apprentissage non seulement aide l'apprenant à réaliser des prises de conscience, mais il lui permet aussi de s'exprimer par l'écriture ou le dessin à partir d'un questionnement pédagogique assumé par l'enseignant. Ici, il faudra bien sûr tenir compte de l'âge des apprenants et de leur degré d'aisance à objectiver.

Dans l'optique d'une objectivation vécue sans guidance, il serait stratégique de prévoir à l'intention des élèves une banque contenant des pistes d'objectivation (*voir fiche 5.5a, p. 467*) ; ceux-ci pourraient s'y référer pour retracer la cible imposée par l'enseignant. Cette **liste de questions numérotées** pourrait être collée à l'intérieur de la page couverture du carnet d'apprentissage. Ainsi, une certaine journée, un enseignant pourrait dire à ses élèves : « Prenez votre carnet d'apprentissage et faites une objectivation à l'aide de la question 5. »

Occasionnellement, les élèves pourraient décider par eux-mêmes de la piste qu'ils désirent développer.

Pistes d'utilisation

1. Il est évident que le carnet d'apprentissage est un outil prévu à l'intention de l'élève pour qu'il laisse des traces de ses apprentissages. Il a été conçu dans la perspective de favoriser des moments d'objectivation personnelle chez les élèves plutôt que de contribuer à développer

leurs compétences orthographiques. Il serait mal à propos de biaiser les intentions.

2. Les parents devraient être informés de l'existence de cet outil, même si ce dernier sera utilisé davantage en salle de classe qu'à la maison.
3. Il n'est pas toujours nécessaire que l'enseignant lise ce que l'élève a écrit dans le carnet d'apprentissage, selon la cible d'objectivation retenue. Par exemple, avant le début d'un apprentissage, il serait pertinent pour un enseignant de prendre connaissance des acquis de ses élèves avant de démarrer un projet d'apprentissage. Ainsi, la régulation de son intervention serait plus facile : doit-il maintenir ce qu'il a prévu, ralentir la séquence ou l'accélérer ?
4. La réflexion laissée par l'élève dans son carnet d'apprentissage ouvre la porte à une objectivation vécue en dyade ou en équipe de partage de trois ou quatre élèves. Dans ce contexte, le principal avantage est que tous les apprenants arrivent dans leur équipe avec des idées, des opinions, chacun s'étant efforcé de faire préalablement une objectivation personnelle. Il y a de quoi enrichir la portée des discussions entre camarades !
5. Il va de soi que le titulaire du groupe d'élèves est l'initiateur du carnet d'apprentissage. Par contre, il serait souhaitable que d'autres intervenants puissent profiter de la richesse de cet outil : l'orthopédagogue, l'enseignant-ressource, un enseignant-spécialiste. Pour que la mise en commun du carnet d'apprentissage soit profitable, il faut s'assurer que tous ces intervenants partagent la même vision pédagogique concernant la nature et l'utilisation de ce dispositif.
6. Dans le cadre des décloisonnements à l'externe vécus au sein d'une équipe-cycle ou d'une communauté d'apprenants professionnels, le carnet d'apprentissage peut contribuer à fournir des informations nécessaires pour établir une continuité et une cohérence malgré le fait que les élèves travaillent occasionnellement avec d'autres enseignants.
7. Cette situation peut se transposer au secondaire. Des enseignants donnant des cours aux mêmes groupes d'élèves pourraient mettre en place un seul carnet d'apprentissage qui serait exploité dans chacune des disciplines. L'important est que les intervenants veuillent voir l'élève s'engager dans ses apprentissages et saisissent la nature et le rôle de l'outil dont il est question.

Voir *Quand revient septembre*, volume 2, p. 241 à 249.

5

5.6 Sais-tu pourquoi tu es assis devant moi ce matin ?

Une objectivation individuelle alimentée par des billets d'entrée et de sortie

Contexte et utilité

Dans la perspective d'un enseignement assumé par des enseignants-spécialistes, comme au secondaire, les billets d'entrée et de sortie sont une stratégie économique et efficace. À partir d'une question cible

déterminée par l'enseignant, les élèves remplissent un billet d'objectivation au début ou à la fin d'une période d'enseignement.

Théoriquement, les élèves devraient remplir leur billet d'entrée avant le début du cours et le présenter à l'enseignant pour y être admis, question de se motiver à faire preuve de ponctualité et d'assiduité à leurs cours et d'acquérir des intentions d'écoute active! Dans les faits, la plupart des élèves réclament du temps au début de la période pour remplir leur billet. Peu importe le moment choisi, cette stratégie vise à les mobiliser pour qu'ils dirigent leur attention sur ce qu'ils vont apprendre ou à les amener à réfléchir sur ce qu'ils ont appris ; sans compter que ce dispositif peut apporter à l'enseignant des renseignements pertinents sur les apprentissages réalisés par les élèves qui sont sous sa responsabilité. (Caron, 2003, p. 316)

Pistes d'utilisation

1. Préparez une banque de questions pour alimenter l'objectivation des élèves. Voici des exemples :
   - Pistes d'écriture pour l'entrée dans le cours :
     - Les questions auxquelles les élèves n'ont pas eu de réponse lors du dernier cours ;
     - Un commentaire décrivant où ils en sont dans leurs apprentissages ;
     - Une phrase résumant ce qu'ils attendent du cours qui commence ;
     - Une description de leur état d'âme, de leur prédisposition à participer à la période qui s'amorce.
   - Pistes d'écriture pour la sortie, à la fin du cours :
     - La notion la plus importante qu'ils ont apprise pendant le cours ;
     - Une question à laquelle ils n'ont pas eu de réponse ;
     - Le moment le plus intéressant du cours ;
     - Le moment le plus pénible de la période.
2. Prévoyez également des bandelettes de papier qui serviront à rédiger les billets d'entrée et de sortie.
3. Déposez une boîte ou un panier sur une table pour que les élèves y laissent tomber leurs billets d'entrée ou de sortie.

Une objectivation individuelle encadrée par une grille descriptive

5.7 Et si tu prenais une photo de ton parcours...

Contexte et utilité

L'objectivation d'un processus ou d'une démarche représente un défi plus grand pour l'élève, souvent préoccupé par le résultat, que ce soit la recherche d'une bonne réponse ou la réalisation d'une production. Pourtant, le chemin que l'élève a parcouru pour résoudre un problème est aussi important que la réponse elle-même.

Cette objectivation ne peut se traiter collectivement, puisqu'elle suppose un entretien méthodologique entre l'apprenant et l'accompagnateur. Comme il y a de nombreux élèves à rencontrer individuellement, et comme l'enseignant manque de temps pour tenir les suivis personnalisés qu'il voudrait, il vaut la peine que les pédagogues s'intéressent aux grilles d'objectivation.

Ces grilles descriptives permettent aux élèves de prendre du recul pour *survoler le processus* qu'ils ont vécu, que ce soit sur le plan des attitudes, des habiletés ou des compétences. À l'aide des points de repère offerts, ils revivent, étape par étape, la trajectoire par laquelle ils sont passés. Cet outil peut être utilisé dans divers contextes : pour réviser la mise en place des exigences d'écriture d'une production écrite, pour vérifier les éléments de contenu d'une recherche, pour situer un degré d'aisance au regard d'une étape rattachée à une démarche, etc. Les quatre exemples de grilles d'objectivation des fiches 5.7a à 5.7d, pages 368 et 369, offrent au lecteur un éclairage supplémentaire.

Pistes d'utilisation

1. Précisez d'abord votre cible d'objectivation. Est-ce un processus qui fait appel à des attitudes ? à des connaissances ? à des habiletés ? à l'ensemble des trois savoirs ?
2. Déterminez aussi le contexte qui justifie l'utilisation de la grille d'objectivation :
   - Pourquoi ai-je l'intention d'utiliser telle grille d'objectivation ?
   - Quand vais-je l'utiliser : au début de l'apprentissage ? pendant l'apprentissage ? après l'apprentissage ?
3. Construisez une grille d'objectivation ou adaptez une grille existante de manière qu'elle corresponde à l'intention pédagogique que vous poursuivez.

5.8 Assis à une même table pour parler de nos apprentissages

Des cartons-étiquettes pour objectiver au sein d'une équipe coopérative

Contexte et utilité

Comme les élèves sont appelés à travailler de plus en plus en équipes coopératives, il est tout à fait approprié de recourir à ce mode de regroupement pour leur permettre de discuter de ce qu'ils ont vécu ensemble. L'intention première est de les amener non pas à comparer les réponses obtenues, mais à mettre en parallèle les chemins différents qu'ils ont empruntés et à partager ainsi les stratégies qui les ont bien servis. Ce moment de partage peut s'avérer très fructueux, puisqu'on attire alors l'attention des élèves sur le processus plutôt que sur la bonne réponse. Outre ce bénéfice, on les conduit également à faire de l'enseignement réciproque, puisqu'ils auront à se présenter mutuellement des stratégies et à les expliciter.

Pistes d'utilisation

1. Prévoyez la formation d'équipes de quatre élèves pour ce genre d'objectivation.
2. Pour permettre aux élèves de faire de l'objectivation sans guidance, utilisez la stratégie du «jeu des phrases à compléter». Chacun des élèves pige un carton-étiquette et, à tour de rôle, ils font de l'objectivation en complétant la phrase qui apparaît sous leurs yeux (*voir fiche 5.8a, p. 469*).
3. À cette intention, préparez des séries de cartons-étiquettes sur lesquels on trouvera des messages à compléter. Chaque équipe doit avoir accès à la série complète de cartons. S'il y a six équipes dans la classe, vous devez prévoir six séries. Dans l'exemple ci-dessous, chaque série inclut 15 cartons.
4. Préparez des cartons-étiquettes en fonction :
   - du savoir (5 cartons pour les connaissances),
   - du savoir-être (5 cartons pour les attitudes),
   - du savoir-faire (5 cartons pour les habiletés ou les compétences).
5. Jouez avec les couleurs pour la reconnaissance et le rangement des cartons-étiquettes.

   Exemple : La couleur jaune pourrait désigner les connaissances, le rose pour les attitudes et le vert pour les habiletés ou les compétences.
6. Pour vivre une objectivation avec les élèves, vous pouvez vous servir d'une seule catégorie de cartons-étiquettes ou des trois, si vous désirez hausser le degré de difficulté de l'activité.

   Exemple : Aujourd'hui, nous faisons de l'objectivation avec les cartons jaunes ; demain, nous en ferons avec les verts tandis que vendredi, nous utiliserons les trois couleurs.
7. Comme ces cartons doivent être réutilisés, il est préférable de les plastifier.
8. Suggérez même à des élèves rapides de fabriquer les cartons-étiquettes, pendant des périodes réservées aux projets personnels ou aux activités d'enrichissement.

Une objectivation amorcée par le cube à objectiver

5.9 Je vais te raconter l'histoire de mes apprentissages

Contexte et utilité

L'initiation à la collaboration en classe commence très souvent par l'utilisation et l'expérimentation des dyades d'entraide. Cette structure est moins complexe à gérer que celle des équipes de travail, mais elle véhicule quand même la valeur de la coopération. Lorsque les élèves ont vécu une tâche d'apprentissage en s'entraidant, permettez-leur de prendre du recul en faisant de l'objectivation avec le cube à objectiver.

Pistes d'utilisation

1. À partir d'une boîte en carton ayant la forme d'un cube, fabriquez l'outil d'objectivation dont il est question. Recouvrez cette boîte de papier de couleur et collez des pictogrammes ou des phrases à compléter sur chacune des six faces.
2. Vous pouvez fabriquer un seul cube qui touchera à la fois le savoir, le savoir-être et le savoir-faire, comme vous pouvez opter pour la construction de trois cubes qui toucheront respectivement les connaissances, les attitudes et les habiletés.
3. Au moment de l'objectivation, chaque élève lance le cube par terre et fait de l'objectivation à partir du pictogramme ou de la phrase qui apparaît sous ses yeux; l'autre élève de la dyade écoute ce que le premier exprime, et l'on fait alterner les rôles.
4. Cet outil d'objectivation convient surtout à des élèves du préscolaire ou du 1er cycle du primaire. Les élèves kinesthésiques prennent un plaisir fou à faire de l'objectivation en manipulant le «précieux» objet.

Après s'être outillé pour l'objectivation, il est tout à fait légitime qu'un enseignant veuille le faire pour l'évaluation formative régulatrice. Dans un contexte où l'on met l'accent sur une évaluation intégrée à l'apprentissage, il va de soi que l'apprenant participe à ce processus. Les outils 5.10 et 5.11 explorent des moyens qui sont complémentaires aux tâches d'évaluation écrite, utilisées abondamment auprès des élèves. Oui, il est possible de vivre l'évaluation autrement en plaçant l'enfant ou l'adolescent au premier plan à travers l'utilisation des grilles d'autoévaluation et du portfolio d'apprentissage. Et si les gains étaient plus importants qu'on ne le croit?

5.10 Quand les élèves participent à l'évaluation de leurs apprentissages

Des grilles pour autoévaluer ses apprentissages

Contexte et utilité

Comme nous venons de parler de l'objectivation (*voir outils 5.3 à 5.9, p. 330 à 339*), je veux m'assurer que le lecteur saisit bien la nuance entre l'objectivation et l'autoévaluation pour éviter qu'il se fourvoie dans l'utilisation de ces dernières.

Quoique différents l'un de l'autre, ces processus ont intérêt à être vécus par l'apprenant, car ils sont à la fois interdépendants et complémentaires dans la construction de son savoir. Tous les deux sont des atouts qu'il importe de prendre en considération lorsqu'on travaille dans la perspective du développement des compétences.

Dans l'objectivation, l'élève jette un regard d'introspection sur ce qu'il vient de vivre. Il examine son parcours d'apprenant d'un œil neutre, sous un angle objectif. Il verbalise son vécu en s'en tenant uniquement aux faits; il met en mots son expérience d'apprentissage. Il devient conscient

de celle-ci, sans nécessairement avoir l'obligation de porter un jugement sur son processus ou sa production.

Dans l'autoévaluation, l'élève soupèse cette prise de conscience à l'aide d'une échelle d'appréciation; il porte un jugement sur lui-même à travers un apprentissage qu'il vient de faire. Cette phase d'autoévaluation l'amène à réinvestir ses compétences dans une nouvelle expérience de vie.

L'autoévaluation ne saurait être efficace si elle est vécue dans un cadre aléatoire ou imprécis; au contraire, elle doit s'articuler autour d'une structure permettant à l'apprenant d'évaluer tantôt ses connaissances, tantôt ses attitudes, tantôt ses habiletés, tantôt ses compétences.

Les fiches 5.10a à 5.10f proposent des exemples de grilles d'autoévaluation adaptables à des élèves de niveaux différents:

- Grille d'autoévaluation des comportements (*voir fiche 5.10a, p. 470)*;
- Grille d'autoévaluation du sens de l'effort (*voir fiche 5.10b, p. 470*);
- Grille d'autoévaluation d'un contenu notionnel (*voir fiche 5.10c, p. 471*);
- Grille d'autoévaluation du savoir-être et du savoir-faire intégrée à un fonctionnement d'ateliers-carrousels (*voir fiche 5.10d, p. 471*);
- Grille d'autoévaluation du développement d'une habileté ou d'une compétence (*voir fiche 5.10e, p. 472*);
- Grille d'autoévaluation des trois savoirs (*voir fiche 5.10f, p. 472*).

Comment habiliter les élèves à s'autoévaluer?

Avant de commencer l'exploration des exemples de grilles, j'aimerais apporter quelques précisions pour bonifier l'autoévaluation vécue dans un fonctionnement d'ateliers-carrousels et celle liée au développement des habiletés ou des compétences:

- *En ateliers-carrousels:* Avant de quitter un atelier, l'élève autoévalue sa performance en colorant, sur la fiche 5.10d, le pictogramme qui correspond à ce qu'il pense de sa production. Le vendredi, quand il a complété ses cinq ateliers, il se réfère aux autoévaluations qu'il a faites pour se donner un défi d'apprentissage pour la prochaine semaine.

  Parallèlement à cette démarche vécue par les élèves, l'enseignant prévoit des mesures de remédiation en fonction des forces et des faiblesses qui se dégagent des formulaires d'autoévaluation. La prochaine fois, l'enseignant pourrait décider d'offrir des ateliers-arbres en lien avec les cibles d'apprentissage sur lesquelles les élèves ont travaillé. Dans ce type d'ateliers, l'élève aura des choix à faire en relation avec les différents défis offerts par l'enseignant. Il doit être capable d'aller au-devant de l'adulte pour s'inscrire à un atelier de manière autonome au lieu d'attendre d'être convoqué par son enseignant dans tel sous-groupe d'apprentissage.

  Pour aider un élève à déterminer son vrai besoin ainsi que la meilleure forme de soutien dont il pourrait bénéficier, l'accompagnateur doit emprunter obligatoirement la voie de l'objectivation et de l'autoévaluation. Ainsi, l'apprenant devient réellement conscient de ses acquis et de ses faiblesses, et il est capable de choisir le dispositif qui lui convient le mieux pour aller plus loin.

- *Le développement des habiletés ou des compétences:* Au début d'un module ou d'une l'étape, l'élève reçoit une fiche d'autoévaluation. Au fur et à mesure que l'enseignant verbalise les objets d'apprentissage, l'élève les inscrit sur sa grille cumulative. À un moment déterminé par l'enseignant, l'élève s'autoévalue au regard d'une première cible. Selon le résultat obtenu, il s'attaque à une autre cible ou bénéficie d'une seconde chance pour tenter de s'approprier un objet ou un résultat d'apprentissage nouveau. Il a également la possibilité de s'autoévaluer une autre fois, question de confirmer s'il est prêt ou non à être évalué par son enseignant.

Pistes d'utilisation

1. Choisissez le niveau d'objets ou de résultats d'apprentissage sur lesquels vous désirez engager les élèves dans l'autoévaluation:
   - le savoir: les connaissances, les contenus notionnels;
   - le savoir-être: les comportements, les attitudes;
   - le savoir-faire: les habiletés, les compétences.
2. Élaborez une grille d'autoévaluation au regard de la cible que vous avez retenue. Préoccupez-vous de fournir un cadre de référence précis à l'élève:
   - une cible d'évaluation formulée clairement qui décrit un comportement observable et mesurable (première condition de réussite);
   - une échelle d'appréciation simple, à quelques paliers de préférence, facile à interpréter; il serait pertinent d'utiliser la même échelle pendant une période donnée afin que l'élève se familiarise avec celle-ci (deuxième condition de réussite).
3. Pour que la phase d'autoévaluation ne devienne pas trop lourde à l'usage, variez vos façons de faire:
   - L'apprenant utilise un objet symbolique. *Exemple:* Les élèves utilisent trois petits fanions pour indiquer leur degré d'aisance dans l'exécution d'une tâche. Le fanion vert indique que tout va bien, le jaune signale le besoin d'un léger coup de pouce tandis que le rouge manifeste une situation d'urgence pour éviter de faire naufrage.
   - L'apprenant utilise des pictogrammes, des lettres ou des chiffres qu'il insère dans la page d'un travail qu'il vient de terminer et qui a été corrigée.

   Pour que cette façon de faire soit efficace, il est important que l'entente établie entre les élèves et l'enseignant soit connue, affichée ou consignée quelque part afin d'éviter toute confusion chez l'élève. Ainsi, dans une classe, un élève pourrait inscrire la cote « C » sur son cahier personnel, tandis que, dans une autre classe, l'élève

dessinerait un feu jaune pour un résultat semblable. Question de convention tout simplement!

- L'apprenant utilise une grille d'autoévaluation et porte un jugement à partir de l'échelle d'appréciation qui a été adoptée.

4. Donnez le temps nécessaire aux élèves pour qu'ils puissent s'autoévaluer. N'intervenez pas au cours de cette étape, même si votre jugement ne correspond pas à celui de l'élève (troisième condition de réussite).
5. Permettez à l'élève de comparer son jugement avec celui d'une autre personne: son enseignant, le conseiller de sa dyade d'entraide, un camarade de son choix. C'est ainsi que l'apprenant apprendra à se réajuster, au besoin (quatrième condition de réussite).
6. Conservez les fiches d'autoévaluation dans le portfolio de l'élève et acheminez-les aux parents à la fin de l'étape. Pour faciliter la classification et le repérage de ces pièces-témoins, vous pouvez même photocopier les fiches d'autoévaluation sur du papier de couleurs différentes. *Exemple:* L'autoévaluation des connaissances ou des contenus notionnels sur du papier jaune; celle des attitudes ou des comportements sur du papier rose; et les habiletés ou les compétences sur du papier vert.

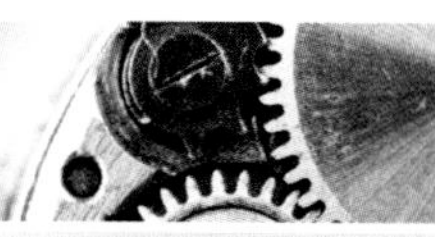

Remettre les pendules à l'heure

Exercer son jugement critique est une compétence très pertinente à développer chez l'élève surtout lorsque l'enseignant aspire à le voir devenir autonome. Chaque fois qu'un élève s'autoévalue, il est placé justement dans un contexte développemental. Voilà une dimension à ne pas perdre de vue!

Il est faux de prétendre que les enfants et les adolescents ne sont pas capables de s'autoévaluer. Pour apprendre à être critique face à soi-même, l'élève doit s'y exercer plusieurs fois. Plus ce dernier sera placé en situation de le faire, plus il deviendra apte à le faire correctement. Bien sûr que cela exige de part et d'autre de la prise de risques et de la persévérance…

Pour que l'élève puisse développer la compétence de l'évaluation, l'accompagnateur doit le guider au même titre qu'il le fait pour les autres apprentissages. L'adulte doit établir des balises avant de propulser l'apprenant dans cette aventure. Justement, pendant la rédaction des pistes d'utilisation de l'autoévaluation, j'ai fait mention des quatre aspects à considérer en vue d'une autoévaluation réussie (*voir pistes d'utilisation 2, 4 et 5*).

J'aimerais réagir par rapport à une dérive qui guette le praticien dans la gestion de l'autoévaluation dans le quotidien. Il ne faudrait pas que ce processus ne se vive que par rapport à des comportements et, en plus, seulement quand ça va mal dans la classe. Il faut donner plus d'envergure à l'autoévaluation, car les élèves viennent d'abord à l'école pour apprendre et se développer.

En dernier lieu, il faut se rappeler que tous les enfants ou adolescents ne parviendront pas à s'autoévaluer avec la même efficacité dans un même laps de temps. Ici comme ailleurs, les différences existent… Vouloir nier les écarts au point de départ, c'est un peu faire mourir l'œuf dans sa coquille. Somme toute, de nombreux élèves sont capables de s'évaluer seuls. Certains réclameront une légère guidance tandis que quelques-uns auront besoin d'accompagnement tout au long du processus. N'est-ce pas là le profil habituel qu'on observe à l'égard de la plupart des apprentissages?

5.11 Remettre en question la routine des devoirs et des leçons : une nécessité urgente

Des balises pour situer le rôle des devoirs et des leçons dans le développement de l'élève

Contexte et utilité

Les devoirs et les leçons interpellent plus que jamais les enseignants, les élèves et les parents. C'est un sujet qui soulève même des polémiques. L'école doit revisiter cet aspect de la formation des élèves. Les devoirs et les leçons doivent s'adapter aux récentes dimensions de la culture, aux nouvelles orientations des programmes, aux réalités familiales modernes ainsi qu'aux contraintes d'horaires que vivent autant les élèves en dehors des heures de classe que leurs parents. Et cette réflexion ne peut s'effectuer sans un partenariat avec l'élève, l'enseignant et le parent… Faisons place à l'innovation dans ce domaine !

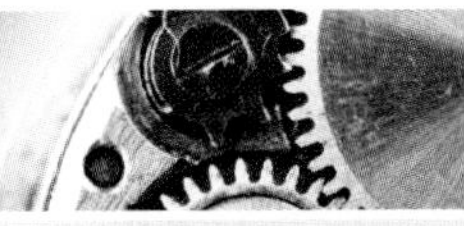

Remettre les pendules à l'heure

Ce n'est pas tant la pertinence de donner des devoirs et des leçons que l'on doit remettre en cause que la nature des tâches proposées ainsi que le mode de gestion utilisé pour encadrer ces derniers. L'école étant toujours un lieu d'éducation et de croissance, elle doit se souvenir que le travail personnel à la maison peut contribuer à développer diverses facettes de la personnalité du jeune. Aussi longtemps que l'on restera accroché uniquement aux devoirs purement scolaires, on sera déçu des résultats qui découlent de l'obligation de donner des devoirs et des leçons.

D'ailleurs, de nombreuses recherches viennent prouver que le recours aux devoirs et aux leçons n'est pas nécessairement un facteur qui influe sur les résultats scolaires. D'autres effets bénéfiques y sont rattachés, et ceux-ci s'inscrivent davantage dans la foulée du développement des compétences transversales et de l'épanouissement des divers talents des élèves.

Pour changer notre vision des devoirs et des leçons, il est urgent d'interroger et de valider toutes les raisons qui justifient la présence des travaux personnels à la maison. « Pourquoi doit-on donner des devoirs et des leçons ? » s'avère le nœud du problème, et les réponses fournies devraient nous permettre d'orienter le choix des tâches à suggérer. Ce débat de fond devrait être tenu non seulement par les enseignants, mais aussi par les élèves et les parents. Cette triple concertation nous permettrait alors d'établir une politique réaliste concernant les devoirs et les leçons qui tiendrait compte des caractéristiques de l'univers scolaire et familial dans lequel vivent nos élèves.

Pistes d'utilisation

1. Cernez votre portrait de classe en vous posant les questions suivantes au sujet des devoirs et des leçons :
   - Pourquoi faut-il donner des devoirs et des leçons ?
   - C'est quoi, au juste, un devoir qui est profitable à l'élève ?

- Comment doit-on gérer le travail personnel à la maison ?
- Quand a-t-on intérêt à donner des devoirs ?

2. Discutez de ces questions avec vos élèves.
3. Au cours de la soirée d'information aux parents, placez ce questionnement à l'ordre du jour.
4. Établissez avec les élèves un coffre à outils pour les soutenir dans la réalisation des travaux personnels à la maison et pour guider leurs parents.
5. Introduisez la notion de travaux avec un échéancier.
6. Offrez une variété de devoirs et de leçons au cours d'une même étape.
7. Encouragez les projets personnels, les recherches, les initiatives, et même les devoirs développementaux. Voici une banque de suggestions de devoirs développementaux (Caron, 1997, p. 221) :
   - Recherche à partir d'un livre de bibliothèque ;
   - Fabrication de machines simples ;
   - Construction de mobiles à partir de solides géométriques ;
   - Création de mots croisés ou de mots mystères ;
   - Conception de bandes dessinées avec messages ;
   - Correspondance personnelle ;
   - Confection de cartes de vœux ;
   - Lecture d'un journal ou d'une revue ;
   - Partie de Scrabble avec un membre de sa famille ;
   - Visionnement d'une émission de télévision dans une langue différente de sa langue maternelle ;
   - Création d'une recette pour cuisiner un mets ;
   - Récit, résumé, critique d'un film ou d'un livre à effectuer ;
   - Invention d'un jeu-questionnaire ;
   - Création de matériel pour l'enseignant : matériel de manipulation, mots-étiquettes, référentiels visuels ;
   - Composition d'un poème ;
   - Invention de problèmes écrits ;
   - Activité manuelle : artisanat, bricolage, peinture, etc. ;
   - Utilisation de logiciels ouverts en informatique ;
   - Projet personnel ;
   - Investissement dans sa collection de timbres ;
   - Pratique d'un instrument de musique ;
   - Participation à un concours proposé au sein de son école ;
   - Enquête sur un sujet précis.
8. Transformez progressivement les modalités de gestion des devoirs et des leçons.

9. Définissez les niveaux de responsabilités des différents partenaires par rapport aux devoirs :
   - ce qui relève de l'enseignant (*voir point 10 ci-dessous*) ;
   - ce qui appartient à l'élève (*voir fiche 5.11a, p. 473*) ;
   - ce qui incombe aux parents (*voir fiche 5.11b, p. 473*).
10. Dressez la liste des interventions les plus appropriées pour accompagner efficacement vos élèves dans la prise en charge de leurs devoirs et leçons :
    - En faisant la lecture des consignes.
    - En donnant les explications nécessaires.
    - En apportant des exemples qui parlent aux élèves.
    - En faisant des liens avec un autre devoir que les élèves ont déjà réalisé.
    - En suggérant une procédure adéquate pour la réalisation du devoir.
    - En posant des questions de compréhension par rapport à la tâche proposée.
    - En transférant le modèle vécu en classe à celui qui est proposé à l'intérieur du cadre familial.
    - En faisant l'inventaire des ressources dont les élèves disposent à la maison.
    - En réalisant devant eux des schémas organisateurs, des tableaux de synthèse.
    - En formulant des questions sur le contenu disciplinaire à étudier.
    - En faisant appel à des analogies et à des parallèles connus.
    - En faisant une synthèse des points essentiels rattachés au contenu à étudier.
    - En élaborant un coffre à outils contenant des démarches et des stratégies d'apprentissage.
    - En aidant les élèves à estimer le temps à consacrer à chaque tâche et en les guidant dans la planification de leur horaire d'étude.
    - En les conseillant sur le choix d'un lieu d'étude approprié.
11. Amenez les élèves à autoévaluer le contexte de leur travail à la maison (*voir fiche 5.11c, p. 474*).
12. Informez les parents dès que l'élève néglige ses devoirs et ses leçons (*voir fiche 5.11d, p. 474*).

Orienter la prise de décisions en matière de devoirs et de leçons

Voici quelques balises pour éclairer les décisions de l'enseignant en matière de devoirs et leçons :

1. Avant de proposer aux élèves un travail personnel à la maison, il peut être pertinent pour l'enseignant de cerner le *motif* qui justifie la *nature*

du travail proposé. Ces deux aspects amènent le pédagogue à approfondir et soupeser les buts souhaités par la pratique des devoirs :

- Favoriser la construction du savoir dans le sens de l'accroissement de connaissances par la poursuite des apprentissages amorcés en classe.
- Promouvoir l'acquisition de stratégies d'étude et d'entraînement au travail personnel tout en stimulant le sens de l'effort.
- Développer l'autonomie au sens large du terme en prenant en compte les attitudes et les habiletés qu'elle sous-tend : la planification, la prévision, l'évaluation et la prise de décision.
- Éveiller la curiosité intellectuelle des élèves.
- Élargir les horizons des élèves au regard du monde qu'ils habitent.
- Leur permettre d'accéder à de nouveaux champs de connaissances.
- Augmenter leurs possibilités d'obtenir de meilleurs résultats scolaires.

2. Si les enseignants veulent rentabiliser le travail personnel à la maison, ils doivent avoir la rigueur intellectuelle de situer la pratique des devoirs et des leçons dans le cadre d'une séquence d'apprentissage. Autrement, ils risquent de courir après l'efficacité, de s'activer dans tous les sens, de s'égarer à gauche et à droite, sans arriver à aucune destination précise.

   À titre d'information, je me permets de vous rappeler les composantes d'une séquence d'apprentissage en vous mentionnant que l'évaluation formative régulatrice y a été intégrée : une situation de départ ; des situations de formation de base ; des situations de consolidation ; des situations d'approfondissement et de récupération ; des situations d'intégration et d'enrichissement. Les situations de formation de base et d'évaluation circonscrite sont le lot de l'enseignant ; en aucun moment, on ne devrait tenter de déléguer cette responsabilité aux parents.

Comment gérer avec les élèves les travaux personnels à la maison dans un contexte participatif et responsabilisant ?

3. La notion d'échéancier est à véhiculer et à adopter, et ce, pour tous les niveaux du primaire, puisque les élèves du secondaire vivent déjà quotidiennement avec cette forme de travail échelonnée sur un cycle de plusieurs jours. La référence à une grille horaire oblige les élèves à faire preuve de prévision et de planification afin de gérer efficacement leur temps. Quand l'adolescent arrive en 1re secondaire, qu'il n'a jamais géré son temps à partir d'échéanciers et qu'il se retrouve devant la perspective d'un cycle de neuf jours, le choc culturel est fort pour lui et pour son entourage familial…
4. La perspective d'une banque de devoirs peut même être considérée. Elle pourrait alors être élaborée à partir de diverses catégories de travaux :
   - des devoirs obligatoires ;
   - des devoirs facultatifs ;
   - des devoirs à caractère scolaire ;
   - des devoirs développementaux à caractère culturel, artistique, manuel, etc. (*voir p. 344*)
5. Les devoirs obligatoires devraient être porteurs de liens très étroits entre les défis personnels que doit se donner un élève pour aller plus loin, pour réinvestir ses apprentissages. Dans cette perspective, il

est déconseillé d'utiliser les devoirs et les leçons comme punition ou récompense. On brise alors leur véritable sens, soit l'élément intégrant inscrit au cœur d'une séquence d'apprentissage.

6. Quant aux devoirs facultatifs, l'idée du «projet personnel» peut être véhiculée grandement. Tout en partant des champs d'intérêt, des besoins et des préoccupations de l'élève, le projet personnel agit directement sur sa motivation et son goût d'y travailler. Il s'ensuit que l'enseignant n'est pas obligé de talonner l'élève pour l'inciter à réaliser ce qui a été demandé et pour le forcer à remettre son travail à temps.
7. Toutes les fois que c'est possible, l'enseignant utilisera différentes formes de corrections pour effectuer un retour sur les devoirs : l'autocorrection, la correction en dyade, la correction en équipe, la correction collective, etc. Il évitera d'utiliser seulement la correction individuelle faite par lui-même, car cette pratique alourdit énormément sa charge de travail et l'empêche d'être davantage disponible pour des activités de planification et des séances de lecture lui permettant d'être à jour pédagogiquement.
8. Dans cette optique, voici une suggestion : au début de la journée, l'enseignant peut prévoir, au menu du jour, une période de 10 minutes pour que les élèves puissent faire un retour en dyades sur leurs devoirs et leurs leçons. Pour ceux-ci, c'est le moment privilégié pour faire des lectures à voix haute, pour se donner des mots de vocabulaire en dictée, pour s'exercer à leurs tables d'addition et de multiplication, pour comparer le rapport établi entre deux époques historiques, pour discuter du rapport de la dernière expérience faite au laboratoire de chimie.
9. Il est de bon augure pour un enseignant d'établir des règlements de classe et des conséquences quant à l'encadrement des devoirs. Si la tâche a été déclarée obligatoire, l'enseignant se doit de définir avec les élèves des mécanismes d'application pour vérifier si cette dernière a été faite ou non. S'il s'avérait que l'exigence n'a pas été respectée, il lui faudrait appliquer les conséquences qui ont été prévues. Autrement, non seulement l'intervenant perdrait toute forme de crédibilité, mais la présence même des devoirs dans la vie des élèves aussi…
10. L'enseignant ne doit pas avoir peur de prendre du temps en classe pour objectiver la pratique des devoirs et des leçons. Il est alors important pour lui de diversifier les cibles d'objectivation : «Ce que j'aime le plus. Ce qui me déplaît. Ce que je trouve facile. Ce que je trouve difficile. Ce qui pourrait m'aider. Ce que je voudrais suggérer comme pistes de travail à la maison», etc.
11. Le fait d'élaborer avec les élèves un coffre à outils peut contribuer à installer leur engagement et leur persévérance face à la réalisation de leurs devoirs. Ces derniers ont besoin d'outils pour apprendre, pour se souvenir, pour travailler. Très souvent, à la maison, ils vont rester bloqués sur le «comment faire ?». Une solution intéressante pour pallier cette situation démotivante consiste à élaborer avec eux des

démarches, des procédures et des stratégies d'apprentissage dans le cadre du développement de leurs compétences d'ordre méthodologique et à s'organiser pour laisser des traces visuelles auprès d'eux.

Zone de discussion

À partir des diverses problématiques soulevées par la gestion des devoirs et des leçons dans votre milieu, tentez de dégager des orientations communes qui viendront étoffer la politique interne que votre école se donnera après avoir tenu des chantiers pédagogiques de discussion avec chacun des partenaires : les enseignants, les élèves et les parents.

1. De nos jours, l'école est-elle encore tenue de donner des devoirs et des leçons aux élèves ?
2. Si oui, que doit-on donner comme tâches personnelles à la maison ?
3. Pourquoi doit-on conserver et encourager cette pratique ?
4. La formule du devoir obligatoire chaque soir est-elle dépassée ? Doit-on plutôt introduire la notion d'échéances ?
5. Comment inciter les élèves à faire leurs devoirs ?
6. Comment gérer la correction des devoirs ?
7. Que fait-on avec les élèves qui ne font pas leurs devoirs ?

Remettre les pendules à l'heure

Le fait de se référer à une séquence d'apprentissage peut guider l'enseignant vers une meilleure sélection de tâches personnelles à faire réaliser par les élèves à la maison :

- Ainsi, l'enseignant proposera de préférence comme devoirs des tâches de consolidation ou d'enrichissement.
- Il pourra même suggérer aux élèves certaines tâches de formation de base à la condition toutefois qu'il y ait eu préalablement des pratiques guidées.
- Des situations préparatoires à un nouvel apprentissage, dites « exploratoires », pourront être utilisées également dans le but de recueillir un minimum de matériel ou d'information avant de s'engager dans un nouveau projet d'apprentissage.

Une chose est claire : il n'appartient vraiment pas aux parents d'enseigner des notions nouvelles à la place des enseignants, ce qui remet en cause la pratique de donner des tâches de formation de base et d'approfondissement comme devoirs, ou encore d'obliger des élèves à terminer des exercices amorcés en classe, sans avoir situé les objets ou résultats d'apprentissage qu'ils visaient au regard d'une séquence d'apprentissage.

En fait, il existe plusieurs types de devoirs intéressants à l'intention des élèves : les devoirs servant de préparation au prochain cours, les devoirs permettant de compléter une notion déjà vue, les devoirs faisant appel à la créativité des élèves, les activités ouvertes construites en fonction du développement d'habiletés supérieures et, enfin, les devoirs sollicitant les champs d'intérêt personnels ou les formes d'intelligence prédominantes des élèves.

5.12 Le portfolio d'apprentissage ! Un outil de responsabilisation

Des pistes pour rentabiliser l'utilisation du portfolio avec les élèves

Contexte et utilité

La promotion du portfolio d'apprentissage n'est plus tellement à faire : il est bien connu par une forte majorité d'enseignants. Je me contenterai donc d'en présenter l'essentiel à l'intention de ceux qui ne sont pas encore familiarisés avec cet outil de responsabilisation. De plus, je m'adresserai aux enseignants plus expérimentés dans l'utilisation du portfolio en insistant sur certaines dérives que j'ai été à même de constater en milieu scolaire. Une belle occasion de réajuster son tir !

L'essentiel au sujet du portfolio

Le portfolio d'apprentissage est un outil qui permet de conserver et d'organiser les réalisations des élèves dans un contexte de pratique réflexive ; il ne doit pas être confondu avec un dossier d'archives ou un recueil de réalisations. Il n'est pas un simple contenant dans lequel l'élève empile des travaux pour les présenter à ses parents à la fin d'une étape. Penser ainsi, c'est le réduire à sa plus simple expression !

Le portfolio d'apprentissage donne de nombreuses informations sur la capacité de l'élève de mobiliser des ressources pour apprendre et de réfléchir de façon critique sur son processus d'apprentissage. Cette collection significative et intégrée des travaux de l'élève illustre son parcours d'apprentissage à partir de ses efforts, de ses progrès, de ses réussites et de ses difficultés. Les réalisations dans un ou plusieurs domaines qui sont déposées dans le portfolio servent de prétexte à l'enseignant et à l'élève pour faire le point afin de déterminer les forces et les défis qui jalonneront une autre séquence de son parcours d'apprentissage.

Si le portfolio d'apprentissage est utilisé dans un contexte pédagogique et métacognitif, celui d'ailleurs pour lequel il a été créé, il présente alors plusieurs avantages (Caron, 2008, p. 145) :

- Cet outil-support permet à l'enseignant de placer l'élève en situation d'objectivation, d'autoévaluation et d'autorégulation, suscitant chez lui une pratique réflexive.
- Il fait aussi partie des dispositifs les plus susceptibles de favoriser la participation de l'élève à l'évaluation de ses apprentissages.
- Il responsabilise l'élève dans ses apprentissages, ce qui influe assurément sur son degré d'autonomie.
- Comme il présente des renseignements liés aux efforts et aux progrès de l'élève, il contribue à développer l'estime de soi et la motivation scolaire.
- Dans une perspective de développement de compétences, il donne à l'enseignant des informations privilégiées que d'autres instruments d'évaluation ne peuvent transmettre.
- Il constitue un excellent moyen de communication entre l'enseignant, l'élève et les parents.

Voir aussi *Quand revient septembre*, volume 2, p. 231.

Remettre les pendules à l'heure

Le portfolio est un concept plus complexe à saisir que ne le sont les grilles d'autoévaluation. La dimension de la complexité devrait peser dans la balance et influer sur le choix que font certains enseignants lorsqu'ils déterminent leurs pistes de développement professionnel. Parfois, il est sage et réaliste de se diriger vers une avenue plus modeste afin de se placer en situation de réussite autant du côté de l'apprenant que de l'intervenant. Dans la complexité, il peut s'avérer difficile pour un enseignant d'éviter des dérives qui dénaturent complètement un dispositif jusqu'à l'amputer de sa valeur première. C'est particulièrement le cas du portfolio d'apprentissage.

Je suis forcée de l'admettre : introduire un portfolio en classe suppose chez l'enseignant et les élèves un amalgame d'attitudes, de connaissances et d'habiletés. On ne peut en maîtriser tous les aspects d'un seul coup ; il est préférable d'échelonner son expérimentation sur quelques années avant d'être pleinement en possession de ce moyen. Durant l'étape de rodage, l'enseignant doit être particulièrement vigilant pour ne pas dévier de l'intention pédagogique sous-jacente à ce dispositif ; autrement, l'utilisateur risque fort de s'éloigner de l'apprentissage et de la métacognition.

Faire de la régulation autour de dérives importantes

Pour aider les enseignants à réguler leurs pratiques pédagogiques par rapport au portfolio d'apprentissage, j'aimerais maintenant fournir des éléments de clarification au regard des trois interrogations suivantes :

- La confusion qui existe, d'une part, entre le recueil de réalisations, le dossier d'archives et, d'autre part, le portfolio d'apprentissage. Comment distinguer la fonction de ces dispositifs afin de ne pas les confondre et les utiliser à bon escient ?
- Les voies contradictoires utilisées pour déposer des pièces-témoins dans le portfolio d'apprentissage. Comment trouver le juste équilibre entre un laxisme qui laisse toute l'initiative aux élèves et une directivité excessive qui prive ces derniers de toute forme d'autonomie ?
- La dénaturation du véritable rôle du portfolio d'apprentissage. Comment harmoniser tout le processus d'objectivation et d'autorégulation à la gestion de cet outil de collecte et de consignation d'informations dans le quotidien ?

Je propose donc quatre moyens susceptibles d'améliorer l'utilisation du portfolio d'apprentissage :

1. Des points de repère pour transformer un recueil de réalisations, un dossier d'archives en portfolio d'apprentissage (*voir fiche 5.12a, p. 475*).
2. Une fiche d'objectivation pour encadrer la gestion du portfolio en classe (*voir fiche 5.12b, p. 475*).
3. Des critères de sélection à considérer avec les élèves (*voir fiche 5.12c, p. 476*).
4. Une fiche d'objectivation pour étayer la sélection des pièces-témoins (*voir fiche 5.12d, p. 476*).

5.13 Tenir compte des rythmes d'apprentissage : une nécessité ou une obligation ?

Des gestes pour s'initier à la différenciation des rythmes d'apprentissage

Contexte et utilité

De façon générale, dans les classes, l'enseignement s'adresse à la moyenne des élèves. Et ce sont toujours les extrêmes de la clientèle qui causent bien des soucis au gestionnaire de la classe : les élèves doués et les élèves ayant des problèmes particuliers.

En fait, les écarts dans les rythmes d'apprentissage sautent rapidement aux yeux de l'enseignant, qui rêve assez souvent d'une classe parfaitement homogène. Les rythmes d'apprentissage constituant la différence la plus apparente dans une classe, leur prise en compte s'avère aussi la plus dérangeante. Elle s'inscrit au cœur même du déroulement de chaque activité d'apprentissage prévue à l'intérieur d'une grille horaire.

Malgré le fait que tous les élèves entreprennent un plan de travail uniforme en début de semaine, l'enseignant ne tarde pas à s'apercevoir que les apprenants cheminent à une vitesse très différente les uns des autres. Il est forcé d'admettre qu'il sera quasi impossible que tous soient rendus à la même destination le vendredi après-midi. Tout un dilemme, n'est-ce pas ? L'enseignant n'est pas aveugle, il constate... Mais quelques minutes, quelques heures, quelques jours plus tard, il s'évertue toujours pour trouver une solution à l'inégalité. Voilà pourquoi les écarts de rythmes d'apprentissage sont souvent la cause qui justifie une première tentative de différenciation !

Même si l'enseignant est davantage outillé pour gérer les élèves ayant un rythme moyen, les apprenants des autres catégories méritent qu'on s'attarde à eux et qu'on trouve des solutions pour les rejoindre vraiment dans leur processus d'apprentissage. Apprivoiser les différences – c'est-à-dire les voir, les accepter, les respecter –, représente un premier pas de différenciation pour les enseignants. En tenir compte dans le quotidien constitue le second défi des praticiens pour les prochaines décennies.

Comment tenir compte des différents rythmes d'apprentissage des élèves ?

L'encadré de la page 352 propose une banque de stratégies qui aident l'enseignant à tenir compte des rythmes d'apprentissage. Toujours dans le même ordre d'idée, l'outil 5.14 (*p. 354*) décrira l'encadrement à donner au projet personnel pour que celui-ci devienne une avenue intéressante en enrichissement de même qu'une activité d'apprentissage autogérée par l'élève.

Pistes d'utilisation

1. À la fin de la première étape de l'année, dressez le profil de votre classe ou de votre groupe de base en matière de rythme d'apprentissage face à une discipline donnée : les élèves au rythme rapide, au rythme moyen, au rythme lent.
2. Consultez la banque de stratégies ci-après pour décoder les moyens que vous avez utilisés jusqu'à maintenant dans votre classe ou dans votre groupe de base par rapport aux rythmes d'apprentissage.

3. Ciblez un dispositif pour rejoindre les élèves démontrant une rapidité à conceptualiser et à transférer leurs apprentissages. Avec un défi à leur mesure, les élèves dits «rapides» vont moins solliciter votre guidance. Vous allez alors récupérer du temps de disponibilité que vous pourrez consacrer à ceux qui réclament un accompagnement particulier.
4. Ciblez un autre moyen qui vous permettra d'apporter des accommodations au processus d'apprentissage des élèves qui ont besoin de plus de temps et de soutien pour apprendre.
5. Profitez d'un moment où le menu du cours ou de la journée est ouvert pour expérimenter ces deux stratégies avec l'ensemble de vos élèves.
6. Dès qu'il y a intégration de ces outils dans vos habitudes pédagogiques, redémarrez votre processus d'innovation en ajoutant de nouvelles stratégies de différenciation à votre pratique habituelle.

Une banque de stratégies pour tenir compte des rythmes d'apprentissage

Pour vous guider dans le choix de nouvelles stratégies de différenciation, voici une banque dans laquelle vous pouvez puiser des idées. Vous êtes invité également à l'enrichir à partir de vos expériences personnelles et de celles de vos collègues.

- Donnez des défis supplémentaires aux élèves rapides en offrant un enrichissement parallèle à la tâche standard que vous avez proposée à l'ensemble du groupe. Exemple: Pendant que les élèves et vous travaillez sur les arêtes et les sommets des polygones, demandez aux élèves rapides de construire une maison en carton à l'aide de trois solides différents. Invitez-les à découvrir la somme des arêtes et des sommets que l'on trouvera à l'intérieur de leur construction géométrique.
- Pour les élèves présentant un rythme plus lent à s'approprier un nouvel objet d'apprentissage, adaptez la tâche initiale, soit sur le plan de la longueur ou sur celui de la complexité.
- Variez les seuils de réussite lorsque les élèves travaillent sur des situations de formation de base; vous pouvez même envisager un seuil de réussite personnel en fonction du rythme de l'élève.
- Ajustez les échéanciers en fonction de la vitesse d'apprentissage des élèves. Donnez plus de temps dans certains cas, surtout si vous savez qu'il y a possibilité de réussite pour l'élève concerné et qu'en plus vous ne pouvez proposer une tâche d'apprentissage adaptée.
- Structurez un centre d'enrichissement dans la classe afin d'offrir un enrichissement complémentaire à ce qui est abordé collectivement. Installez dans cet espace un tableau d'enrichissement non thématique pour débuter. Par la suite, vous pourrez planifier un tableau d'enrichissement thématique.
- Établissez, pour une période donnée, un atelier de consolidation sur un objet ou un résultat d'apprentissage précis. Le partenariat avec l'orthopédagogue ou l'enseignant de soutien peut vous permettre de le faire avec plus d'aisance.
- Utilisez les compétences des élèves rapides pour créer du matériel ou animer de petites cliniques, une occasion pour eux de fournir des explications adaptées aux besoins de leurs camarades dans un contexte de travail réduit.
- Enseignez par sous-groupes d'apprentissage lorsque vous ouvrez le menu. Commencez par deux sous-groupes. Augmentez graduellement le nombre de sous-groupes au fur et à mesure que les élèves apprennent à travailler de manière autonome et que, vous aussi, vous apprenez à gérer simultanément diverses tâches d'apprentissage.
- Offrez une banque de devoirs.
- Utilisez les manuels scolaires et les cahiers d'exercices avec plus de souplesse. Toutes les pages d'un manuel et toutes les questions d'un exercice ne sont pas d'égale importance. Les élèves ne sont pas tous tenus de réaliser entièrement le travail qui a été planifié par un concepteur de matériel didactique.
- Repensez la formule des corrections collectives d'examens pour l'ensemble de vos élèves et

vivez plutôt avec certains apprenants des cliniques obligatoires, conçues pour ceux qui n'ont pas atteint leur seuil de réussite. D'un autre côté, proposez l'avenue des projets personnels à ceux qui n'ont pas besoin de réviser des contenus qu'ils maîtrisent déjà.

- Offrez des cliniques avec inscription, des périodes « Rendez-vous » aux élèves afin qu'ils adhèrent eux-mêmes aux périodes d'explications.
- Ayez du matériel de manipulation en permanence dans la classe et offrez aux élèves la possibilité de s'en servir en tout temps, selon les besoins de chacun.
- Introduisez un bureau d'autocorrection dans le local pour éviter les pertes de temps.
- Créez des dyades d'entraide dans la classe, basées sur un partage de compétences différentes.

Remettre les pendules à l'heure

Quand un enseignant commence à s'intéresser à la gestion des rythmes d'apprentissage, il doit s'assurer qu'il saisit bien la différence entre le travail dit « occupationnel » pouvant occuper gentiment des élèves pendant un certain moment et « l'enrichissement authentique ». Autrement, cela ne vaut pas la peine qu'un praticien mobilise temps et énergie pour concevoir et proposer des tâches d'enrichissement à ses élèves.

Pour l'enseignant qui désire s'investir sur ce plan, s'occuper des élèves rapides ne doit pas se limiter à l'assignation de tâches pour être libéré d'eux et avoir l'esprit tranquille, le temps de faire autre chose. La tâche en question doit amener les apprenants plus loin dans leur développement. En effet, il peut s'agir de les faire travailler sur des processus mentaux supérieurs, de les inciter à développer des compétences transversales qui semblent plus faibles chez eux ou encore de leur permettre d'apprivoiser des formes d'intelligence qu'ils ne sont pas portés à solliciter instinctivement.

Dans ce sens, voici deux types d'enrichissements à privilégier pour nourrir substantiellement des élèves rapides :

1. L'enrichissement parallèle, qui présente un lien direct avec l'apprentissage qui se vit présentement en classe. Plus concrètement, cela veut dire augmenter la complexité de la tâche initiale.

   Exemple : Demander à des élèves de composer des questions de compréhension de lecture à partir de la production écrite qu'ils viennent de rédiger.

2. L'enrichissement complémentaire, qui ne traite pas nécessairement de l'objet ou du résultat d'apprentissage en cours (compétence ou contenu notionnel), mais qui est additionnel par rapport au développement de l'élève. Ce type de perfectionnement amène l'apprenant à dépasser les sentiers des disciplines pour aller plus loin, à travailler sur des facettes particulières de sa personnalité. Cela veut dire orienter les élèves rapides vers le projet personnel ou le tableau d'enrichissement. Plus les élèves rapides seront porteurs de défis stimulants, plus l'enseignant sera en mesure d'accorder une guidance soutenue à des élèves présentant des problèmes spécifiques.

Et pour clore cette rubrique, voici un aspect plus terre à terre rattaché à la préoccupation de l'enrichissement. La mise en place de cette mesure de différenciation dans une classe ou un groupe de base est une merveilleuse façon d'être proactif ; en agissant ainsi, l'enseignant prévient les problèmes d'indiscipline. L'expérience vous a sans doute appris que des élèves inactifs dans une classe trouvent toujours le tour de s'occuper eux-mêmes. Malheureusement pour le gestionnaire du groupe, les enfants ou les adolescents ne choisissent pas tout le temps les meilleurs moyens pour le faire. L'expérience a dû vous apprendre également que les élèves présentant des problèmes de comportement importants sont assez souvent très doués et possèdent un profil de leadership. Pourquoi alors ne pas canaliser toutes leurs énergies dans un créneau positif ?

5.14 J'ai fini... Puis-je travailler sur mon projet personnel ?

Contexte et utilité

Tout au long de ce chapitre, il m'est arrivé à maintes reprises de faire allusion aux projets personnels, sans jamais en définir le cadre d'utilisation. Même que je me suis surprise à manifester un certain enthousiasme à l'égard de ce dispositif. Je sais également que ce dernier peut produire le même effet chez les praticiens, toujours en quête de moyens nouveaux pour stimuler leurs élèves. Un emballement excessif peut ébranler l'objectivité nécessaire à l'exploitation maximale des projets personnels ; leur expérimentation en classe peut s'avérer alors une aventure pénible et décevante. Si l'enseignant ne comprend pas vraiment le rôle que ceux-ci doivent jouer et s'il n'en a pas défini les modalités opérationnelles avec ses élèves, les résultats obtenus ne seront pas à la hauteur des attentes.

Cet outil traite donc de deux aspects :

1. Pourquoi s'intéresser aux projets personnels ?
2. Comment piloter ces derniers ?

En raison de sa grande ouverture, le projet personnel comporte de nombreux bénéfices :

- Il appartient à la famille des dispositifs pouvant contribuer à pallier les inégalités de parcours d'apprentissage des élèves.
- Il permet de rejoindre le profil d'apprentissage de chaque élève.
- Il représente une avenue intéressante pour nourrir substantiellement des élèves qui sont en facilité d'apprentissage.
- Il constitue un complément à la démarche du projet collectif vécue dans une classe.
- Il devient une source de motivation très grande pour l'élève de rythme lent qui se voit offrir l'occasion de travailler en fonction de ses champs d'intérêt et de son style d'apprentissage.
- Il procure l'occasion de développer la compétence transversale « savoir mener un projet à terme » de façon naturelle et signifiante.
- Il est une solution de rechange au traditionnel devoir scolaire portant uniquement sur les disciplines.
- Il fournit l'occasion aux enseignants d'apprivoiser la différenciation des contenus, des processus et des productions.

Pistes d'utilisation

Étant donné que le projet personnel permet de nombreuses possibilités, il peut être aussi la source de plusieurs difficultés d'encadrement. Voici des pistes pour guider les premiers pas des enseignants qui aimeraient bien ajouter ce moyen à leur répertoire d'outils. Comme pour tout autre apprentissage, souciez-vous d'abord des trois temps qui entourent le déroulement d'un projet personnel : l'avant, le pendant et l'après.

L'avant-projet

1. Commencez par décoder les champs d'intérêt personnels et collectifs de vos élèves en matière d'enrichissement afin d'élaborer avec eux une banque de projets personnels (*voir fiche 5.14a, p. 477*).
2. Élaborez une grille de planification simple ou complexe, selon l'âge des élèves, pour que ceux-ci apprennent à «penser» leur projet. À cette intention, considérez les dimensions du «quoi», du «pourquoi», du «comment» et du «quand». (*Voir fiche 5.14b, p. 477, pour les élèves du préscolaire et du premier cycle du primaire et fiche 5.14c, p. 478, pour les autres élèves du primaire et du premier cycle du secondaire.*)

« Pendant » que le projet se vit

3. Concevez un schéma illustrant les différentes étapes que les élèves doivent traverser s'ils veulent mener à terme le projet qu'ils ont entrepris. Traduisez ce dernier en un référentiel personnel pour que chaque élève puisse s'y référer constamment.

   Pensez à simplifier le nombre d'étapes selon l'âge des élèves. Pour les élèves plus jeunes, concevez une boussole indiquant les quatre points cardinaux (*voir fiche 5.14d, p. 478*) :

   - au nord : «Quoi ?»
   - à l'est : «Pourquoi ?»
   - au sud : «Comment ?»
   - à l'ouest : «Quand ?»

   Pour les élèves plus vieux, reportez-vous à la fiche 5.14e, page 479.

4. Pour le démarrage d'un premier projet personnel, modélisez la démarche en la vivant avec l'ensemble de vos élèves. À l'aide du schéma présentant la globalité du processus (*fiches 5.14d ou 5.14e*), enseignez explicitement chacune des étapes de la démarche afin que les apprenants puissent se l'approprier. Ainsi, lorsque ceux-ci auront à entreprendre un projet personnel sans votre guidance, ils sauront «quoi faire» et éviteront de se diriger vers des sentiers qui les éloigneront du but principal.

   Remarquez d'ailleurs que, lors de cette période de modélisation, ce sera le seul moment où tous vos élèves travailleront en même temps sur leur projet personnel, puisque ce dispositif est conçu avant tout pour vous aider à tenir compte des rythmes d'apprentissage.

L'après-projet

5. Mettez à la disposition de vos élèves des pistes d'objectivation au regard de leur projet personnel. Le fait de prendre du recul et de revoir la démarche qu'ils ont vécue enrichira le contenu de leur présentation et les préparera à entreprendre un nouveau projet dans une perspective d'amélioration continue (*voir fiche 5.14f, p. 479*).
6. Proposez une liste de moyens d'expression à vos élèves afin de diversifier les formes de présentation au sein de votre groupe de base. En même temps, vous ouvrirez la porte à la différenciation des productions (*voir fiche 5.14g, p. 480*).

7. Relevez différents contextes de présentation afin de ne pas alourdir le climat de la classe par une surcharge de présentations collectives (*voir fiche 5.14h, p. 480*).
8. Invitez les élèves à élaborer un répertoire de projets personnels où ils pourront consigner par écrit l'essentiel de chacun des projets personnels vécus ; cette mesure les aidera aussi à diversifier leurs sujets. Ce répertoire représente une pièce intéressante à déposer dans le portfolio d'apprentissage de l'élève (*voir fiche 5.14i, p. 481*).
9. Après chacune des présentations, amenez les élèves à se donner de la rétroaction en échangeant tout simplement des forces et des défis qu'ils auront perçus. L'enseignant n'a pas à corriger le travail d'enrichissement dans tous les détails, puisque celui-ci constitue une extension du curriculum et une occasion d'amener l'élève au-delà du programme.
10. Préparez un prototype de fiche de réinvestissement à l'égard du vécu des projets personnels. Ce canevas de réflexion permettra aux élèves de faire le point sur leur trajectoire et de fermer ainsi la boucle de leurs apprentissages avant d'entreprendre autre chose. Toutes ces réflexions tenues autour de leur projet personnel feront qu'ils apprendront progressivement à mener à terme un projet personnel avec succès. Même qu'il ne serait pas étonnant que certains élèves n'aient plus besoin de se référer à la banque de suggestions pour déterminer le sujet de leur prochain projet (*voir fiche 5.14j, p. 481*).

Remettre les pendules à l'heure

Il est tentant de penser que le concept de « projet personnel » est synonyme de liberté totale et d'autonomie assumée. En fait, plus un dispositif est large et ouvert, plus il réclame des structures pour baliser les pas des élèves qui l'utilisent. Cela suppose que, préalablement à l'action, l'enseignant a mené des interventions à la fois structurées et non structurantes pour que l'apprenant ne s'égare pas en cours de route. Encore une fois, rappelons-nous le merveilleux projet de vie : « Donnez des racines aux élèves, mais ne pas oublier aussi de leur donner des ailes. » Le cadre mis en place doit être assez souple pour que l'élève puisse exercer des choix à l'intérieur de celui-ci et développer ainsi sa capacité de gérer un projet personnel.

Il est tentant aussi de croire que seuls les élèves doués auront accès au privilège du projet personnel. Au contraire, chaque élève devrait avoir un projet personnel en chantier, puisque ce moyen fait partie des contextes développementaux qu'un enseignant doit privilégier lorsqu'il se centre sur le développement global de ses élèves. Afin que certains apprenants fonctionnant à un rythme de travail plus lent dans la classe aient la possibilité de consacrer du temps à leur projet personnel, l'enseignant aura recours à des mesures d'adaptation et de modification à l'égard des tâches dites « obligatoires ».

Finalement, il est aussi tentant de s'imaginer qu'il serait bénéfique de prévoir à l'horaire une période de projets personnels, où chaque élève travaillerait à son rythme sur ce genre de travail. En allant dans cette direction, l'enseignant fait marche arrière, puisqu'il retourne sur le terrain des ressemblances, où tout le monde doit faire la même chose en même temps. Le projet personnel est un levier rassurant pour aider l'enseignant à gérer des inégalités de parcours.

5.15 Reconnaître les styles d'apprentissage : une corde de plus à son arc !

Des stratégies pour rejoindre l'élève selon son style d'apprentissage

Contexte et utilité

Une approche centrée sur l'apprenant signifie que l'enseignant se préoccupe des profils d'apprentissage afin de mieux intervenir. Les principales composantes d'un profil sont le champ d'intérêt, la motivation à apprendre et à travailler, le besoin de guidance, le mode d'expression privilégié, le rythme et le style d'apprentissage.

On parle abondamment des styles d'apprentissage dans les milieux scolaires. Les modèles dans ce domaine sont variés et ils véhiculent différents cadres de catégorisation, allant du plus simple au plus complexe. Parmi les modèles plus accessibles pour un enseignant désireux de se familiariser avec ce courant de pensée, on trouve la gestion mentale et la programmation neurolinguistique (PNL).

Ces références sont fort intéressantes pour un pédagogue, puisqu'elles s'intéressent aux représentations mentales de l'apprenant et à sa façon privilégiée de découvrir les réalités qui l'entourent. Toute personne utilise ses sens pour se représenter le monde. Nos sens sont vraiment des « portes ouvertes » sur les réalités extérieures. Voilà pourquoi la gestion mentale et la PNL accordent une grande importance aux différentes voies pour percevoir la réalité : certains apprenants « voient » la réalité, d'autres l'« entendent », tandis qu'un certain nombre d'élèves la « ressentent ». À cet égard, ces modèles utilisent le langage des systèmes sensoriels visuel, auditif et kinesthésique.

Au fil des ans, diverses recherches sur le fonctionnement du cerveau et les différentes théories de l'apprentissage ont alimenté la réflexion des enseignants en proposant différentes façons d'envisager les styles d'apprentissage. Pour n'en nommer que quelques-unes, mentionnons la théorie des intelligences multiples de Howard Gardner, celle des préférences cérébrales de Ned Herrmann, et celle des quatre styles de David Kolb.

Une chose essentielle se dégage de toutes ces découvertes : l'élève a un style d'apprentissage qui lui est propre et qu'il utilise dans toutes les sphères de sa vie. Pour apprendre, son cerveau privilégie spontanément une « porte » pour laisser entrer les connaissances. Connaître le mode d'apprentissage de chaque élève et amener celui-ci à en prendre conscience lui-même est un facteur de réussite non négligeable.

Comme de nombreux auteurs se sont intéressés à cette réalité de l'apprentissage, les grilles de classification sont multiples, le vocabulaire est varié. Par contre, un fil conducteur se dégage de toute cette instrumentation cognitive : il existe des stratégies d'accès à l'information ainsi que des stratégies de traitement de l'information qui diffèrent selon chaque apprenant. Après avoir apprivoisé quelques-uns de ces modèles, l'enseignant pourra établir des liens entre ceux-ci pour en arriver à mettre au point un modèle intégrateur, susceptible d'influencer les interventions qu'il fera.

Remettre les pendules à l'heure

Lorsqu'un enseignant s'intéresse aux styles d'apprentissage, il est important que l'investissement qu'il fait porte des fruits. Le temps est si précieux...

Tout d'abord, au cours de l'étape où l'enseignant tente de découvrir les styles d'apprentissage de ses élèves, il est indispensable qu'il associe étroitement les apprenants à cette démarche. En travaillant dans cette orientation, l'enseignant fait d'une pierre deux coups : chaque élève découvre son style et devient conscient de sa façon d'apprendre, tandis que l'accompagnateur peut dégager des éléments cognitifs du profil de son groupe-classe. Les élèves adorent vivre cette expérience de connaissance de soi, à la condition toutefois que l'enseignant prenne le soin de choisir un cadre de présentation des styles qui soit à leur portée.

Une fois cette étape passée, l'enseignant doit faire preuve de vigilance pour ne pas cristalliser les différences de styles d'apprentissage qu'il a perçues. Il serait dangereux d'emprisonner les élèves à l'intérieur de leur style prédominant. Certes, les apprenants ont des portes d'entrée préférées où ils se sentent plus à l'aise pour percevoir la réalité, mais ils doivent aussi fréquenter d'autres terrains inconnus pour devenir « pluriels » eux aussi dans leur mouvement pour aborder la réalité. Ils doivent apprendre à jouer avec les différents styles selon le contexte d'apprentissage qui se présente à eux.

L'enseignant sera attentif également à ne pas abuser de regroupements orientés vers les styles d'apprentissage prédominants. Même si, d'emblée, cette façon de faire plaît aux élèves, elle n'est pas nécessairement profitable à long terme. Les écarts entre les styles d'apprentissage se creuseront davantage alors que des associations d'élèves basées sur des complémentarités de styles peuvent être des plus riches : un élève expliquant à l'autre à partir de ses mots, de ses représentations et de ses expériences de vie.

Quand un enseignant s'engage dans l'avenue de la connaissance de ses élèves, il doit aller jusqu'au bout du processus ; il doit réinvestir les données qu'il a recueillies et ne pas se contenter de les inscrire dans son journal de bord et les ranger par la suite dans un classeur. Autrement, comment justifier ce décodage de styles si dans le quotidien de l'enseignement et des apprentissages l'enseignant n'en tient pas compte ? Pourquoi prendre la peine de découvrir des portes d'entrée privilégiées si ce n'est pas pour emprunter des voies qui y mènent? Connaître les styles d'apprentissage de ses élèves est une chose ; se servir de cette donnée pour mieux accompagner les élèves en est une autre. L'étape qui vient après le diagnostic est la plus importante et la plus exigeante, puisqu'elle sous-tend non seulement des interventions adéquates, mais aussi des retombées importantes. Les occasions d'en tirer parti sont fort nombreuses.

Pistes d'utilisation

1. À l'aide d'un cadre de référence qui vous est familier, essayez de déterminer votre propre style d'apprentissage, puisqu'il influence grandement votre style d'enseignement.
2. Sensibilisez vos élèves aux différentes façons d'apprendre. Amenez-les à se questionner et à s'observer quand ils apprennent afin qu'ils puissent prendre conscience de leur style d'apprentissage prédominant. Voici un exemple de cadre de référence pouvant être utile pour initier les élèves aux styles d'apprentissage :
   - Les *visuels* apprennent en regardant : ils ont besoin de supports visuels, d'exemples concrets. Par exemple, le fait de dessiner une consigne ou même de l'écrire au tableau après l'avoir donnée oralement aide grandement ces élèves à comprendre la tâche à faire. Ils ont besoin de se référer à des images qu'ils voient ou qu'ils imaginent dans leur tête. L'utilisation de cartes référentielles, de réseaux

de concepts, de schémas organisateurs et de procéduriers facilite l'exécution des différentes étapes qui sont incluses dans leur tâche d'apprentissage.

- Les *auditifs* apprennent en écoutant: ils décodent facilement ce que vous demandez verbalement, ils ont très peu besoin de supports visuels. L'image ou le schéma se forme vite dans leur tête. On reconnaît facilement ces élèves: ce sont ceux qui font autre chose lorsque vous donnez les consignes et qui, lorsque vous leur demandez de redire les consignes données, vous les récitent presque mot pour mot.
- Les *kinesthésiques* apprennent en faisant: ils ont besoin de ressentir, de faire, de manipuler, d'expérimenter. De nombreux élèves éprouvant des besoins particuliers utilisent cette porte d'entrée pour apprendre. C'est pourquoi l'étape de la manipulation est si importante pour ce type d'apprenant. Il faut absolument que l'enseignant prévoie dans l'aménagement physique de la classe un centre d'exploration et de manipulation qui saura les rejoindre pour combler leur besoin d'apprendre en faisant.

3. Intéressez-vous au langage utilisé par les élèves quand ils parlent de leur façon d'apprendre, quand ils se posent des questions ou quand ils se retrouvent en plein processus d'apprentissage. Leurs propos dévoilent parfois des indices qui viennent confirmer ce que vous aviez tout simplement anticipé.

Voir aussi *Quand revient septembre*, volume 2, page 264. Vous y trouverez des exemples de prédicats (mots de vocabulaire) qui, selon la programmation neurolinguistique, aident à décoder les styles d'apprentissage.

4. Vous pouvez aussi créer un référentiel visuel qui rappellera constamment aux élèves les différentes façons de percevoir la réalité (*voir fiche 5.15a, p. 482*). Voici des suggestions en ce sens (Caron, 1997, p. 265):
   - Cherchez dans un magazine trois photographies d'enfants ou d'adolescents qui entrent en contact avec la réalité de façons différentes.
   - Découpez-les, collez-les sur un carton et écrivez au bas de chaque photographie: «J'apprends en regardant.» «J'apprends en écoutant.» «J'apprends en faisant.»
   - Invitez les élèves à s'identifier à une photographie quand ils apprennent ou quand ils ont terminé leur apprentissage. Soyez sensible aux commentaires des élèves en classe.
   - De temps à autre, parlez aux élèves du quatrième référentiel qui s'est ajouté aux trois premiers. Intitulé «J'apprends en combinant les trois», celui-ci représente pour eux un idéal à atteindre. Grâce à cette façon plurielle de percevoir la réalité, les élèves seront davantage en mesure de s'adapter aux différents contextes d'apprentissage auxquels ils seront confrontés.

5. Au cours de vos rencontres avec les parents, parlez-leur des styles d'apprentissage. Demandez-leur d'observer attentivement leur enfant ou leur adolescent à la maison lorsque celui-ci fait face à une situation nouvelle ou à un enseignement nouveau en dehors du contexte scolaire. Quelle est sa réaction première? Comment a-t-il l'habitude de résoudre ses problèmes? Invitez-les à en discuter avec leur enfant pour que celui-ci puisse en témoigner à l'école.

Comment découvrir les particularités des profils et des parcours d'apprentissage des élèves ?

6. À la fin d'un apprentissage, objectivez le processus que vous avez vécu avec les élèves (*voir outil 5.7, p. 336*). Cela les amènera à regarder de plus près leur démarche et leurs stratégies. Ainsi, ils seront davantage capables de nommer ce qui s'est passé et de préciser les ressources qui les ont particulièrement aidés.
7. Si vous le désirez, vous pouvez utiliser des questionnaires écrits pour venir confirmer la reconnaissance des différents styles d'apprentissage de vos élèves. Faites preuve de prudence pour ne pas catégoriser vos élèves trop rapidement; ce genre de test ne présente aucune garantie d'infaillibilité.
8. Après quelques mois d'observation et de recherche au sujet des styles d'apprentissage, dressez le portrait de votre classe. Communiquez les résultats à vos élèves pour que ceux-ci voient la complémentarité de styles qui existe entre eux.
9. Faites votre bilan personnel des moyens déjà utilisés en classe pour rejoindre vos trois types d'élèves : les visuels, les auditifs et les kinesthésiques. Comparez ce bilan avec les suggestions de stratégies générales pour tenir compte des styles d'apprentissage (*voir encadré, page suivante*). Ciblez un moyen nouveau que vous avez le goût d'expérimenter. Utilisez la stratégie privilégiée, objectivez votre vécu et ciblez ensuite une seconde priorité.
10. Consultez aussi la banque de stratégies particulières pour devenir habile à rejoindre vos élèves selon leurs différentes portes d'entrée dans la vie de tous les jours (*voir tableau 5.10, p. 362*).
11. Acquérez le réflexe pédagogique de penser « pluriel » plutôt que « singulier ». Chaque jour, demandez-vous si vous êtes suffisamment préparé pour intervenir de sorte que vos élèves puissent *voir* des traces (images, tableaux, schémas, etc.), *entendre* des messages et *faire* des expériences de vie.
12. Amenez également vos élèves à acquérir ce réflexe en différenciant les productions. Chaque fois que c'est possible pour vous, offrez-leur des choix d'outils d'expression qui font appel autant à leurs yeux qu'à leurs oreilles ou à leurs mains (*voir tableau 5.11, p. 363*).

Une banque de stratégies générales pour tenir compte des styles d'apprentissage

- Dans votre planification à court terme, tenez compte des trois portes d'entrée des apprenants : regarder, écouter, faire. Posez-vous toujours les trois questions suivantes avant de vous présenter devant les élèves : « Quel élément visuel vais-je leur montrer ? Que vais-je dire d'essentiel à mes élèves ? Comment vais-je les placer en situation d'expérimentation ? »
- Planifiez des mises en situation variées pour mobiliser les différentes portes d'entrée des élèves. Un type visuel prendra plaisir à observer un objet-vedette, un auditif appréciera les discussions tandis qu'un kinesthésique s'intéressera particulièrement à l'expérience ou à la démonstration qui se déroule sous ses yeux.
- Amenez les élèves à faire une objectivation de différentes façons tout au long de l'apprentissage. Par exemple, l'élève visuel appréciera l'objectivation à l'aide de dessins ou de pictogrammes ; l'élève auditif aimera faire une objectivation à l'aide de cartons-étiquettes contenant des phrases à compléter ; quant à l'élève kinesthésique, il se sentira privilégié de mettre des mots sur son apprentissage à l'aide d'un cube à objectivation.
- Chaque fois que vient le temps de présenter une nouvelle stratégie d'apprentissage aux élèves, ayez recours aux trois portes d'entrée pour que les élèves la retiennent : l'illustrer, la nommer ou la dessiner, la faire mimer par des élèves.
- Établissez des banques de stratégies d'apprentissage avec les élèves ; assurez-vous que ces dernières sont « plurielles », c'est-à-dire qu'elles rejoignent les différentes portes d'entrée des élèves. Par exemple, dans le contexte de la résolution d'un problème, l'élève visuel prendra le temps de surligner avec deux couleurs différentes les données importantes du problème et celles qu'il juge inutiles. Pendant ce temps, un élève auditif lira son problème à voix haute ou demandera à un élève de lui lire deux fois le problème à résoudre. Quant au kinesthésique, il se préoccupera de mimer le problème ou de se le représenter avec des réglettes, des billes ou des sous.
- Utilisez l'évocation, l'un des gestes mentaux de base de la gestion mentale. Placez les élèves en projet d'évocation dans leur tête afin de faire des des représentations visuelles (voir des images) et représentations auditives (entendre des sons). Notons qu'en gestion mentale on ne tient pas compte du style kinesthésique, puisque celui-ci s'apparente au style visuel.
- Suggérez des moyens variés d'actualiser une même réalisation. Diversifiez les outils d'expression pour ouvrir la voie à la différenciation des productions. Certains outils sont à tendance visuelle (l'album, l'affiche), d'autres à tendance auditive (le monologue) et un certain nombre à tendance kinesthésique (le sketch, la sculpture, le modelage).
- Prévoyez une aire de rassemblement pour les élèves qui ressentent le besoin de se retrouver à proximité de leur enseignant au moment des explications.
- Utilisez différents réseaux de travail, comme la dyade d'entraide, le tutorat, les équipes de travail et les groupes coopératifs. Le jumelage peut être fait de manière à utiliser les différents styles d'apprentissage des élèves. On pourrait former des dyades d'entraide à partir du critère de la complémentarité des portes d'entrée.
- Faites reformuler par l'apprenant une tâche ou un mandat de deux façons différentes : globalement ou par étapes. L'élève auditif s'accommode généralement bien d'une approche simultanée tandis que certains visuels sont portés à réclamer une approche séquentielle.
- Présentez les consignes de façons différentes pour vous assurer que chaque élève a bien compris : écrire la consigne, la dire et, finalement, permettre aux élèves de se regrouper deux à deux pour reformuler la consigne et discuter afin de vérifier de part et d'autre leur degré de compréhension.

5

Voir aussi la liste de stratégies pour diversifier les mises en situation dans *Apprivoiser les différences*, p. 284.

TABLEAU 5.10 DES STRATÉGIES PARTICULIÈRES POUR REJOINDRE LES DIFFÉRENTS STYLES D'APPRENTISSAGE

POUR LES VISUELS	POUR LES AUDITIFS	POUR LES KINESTHÉSIQUES
« J'apprends en regardant. » « Je vois des images dans ma tête. Je retrouve les images que j'ai vues. » • Accueillir les élèves avec un beau sourire en leur disant : « Bonjour. » • Permettre aux élèves de dessiner les consignes. • Écrire au tableau les objets ou les résultats d'apprentissage. • Diriger son attention sur ce type d'élèves lorsqu'on leur parle. • Inviter les élèves à regarder le menu du cours ou de la journée. • Afficher des référentiels visuels dans la classe. • Quand le contexte s'y prête, se servir de déguisements, de costumes pour présenter un objet ou un résultat d'apprentissage important. • Être à l'écoute d'une phrase-secours que les élèves visuels disent souvent : « Montre-moi comment faire, donne-moi un exemple, j'aurais besoin d'un modèle. » • Choisir des mots ayant une portée affective pour s'adresser à des élèves visuels : « Je *vois* que tu éprouves des difficultés. » • Être attentif à la place que certains élèves visuels voudront occuper dans le local : en plein centre de la classe pour être certains de bien voir le spectacle.	« J'apprends en écoutant. » « Je me parle dans ma tête. » « Je retrouve ce que j'ai entendu. » • Accueillir les élèves en prononçant leur prénom : « Bonjour, Benoît. » • Permettre aux élèves de lire les consignes à voix haute et de les reformuler à d'autres élèves. • Surveiller son ton de voix et son débit lorsqu'on s'adresse aux élèves afin de mettre de l'expression dans ses propos. • Faire connaître les objets ou les résultats d'apprentissage verbalement. • Lire le menu du cours ou de la journée en compagnie des élèves. • Offrir diverses sources de référence dans la classe : des livres, des revues, des journaux, des dictionnaires, différents outils porteurs d'informations complémentaires. • Avoir recours à des effets sonores pour présenter un objet ou un résultat d'apprentissage important. • Être à l'écoute d'une phrase-secours que les élèves auditifs répètent souvent : « Dis-moi quoi faire. » • Choisir des mots ayant une portée affective pour s'adresser à des élèves auditifs : « *Dis*-moi tes difficultés, je t'*écoute*. » • Être attentif à la place que certains élèves auditifs voudront occuper dans le local : se placer très souvent vers l'arrière de la classe.	« J'apprends en faisant. » « Je construis des images dans ma tête. » « Je me vois en mouvement. » • Accueillir les élèves en s'intéressant à leur vécu : « Bonjour, tu as changé ta coupe de cheveux. » • Permettre aux élèves de mimer les consignes ou de faire des démonstrations. • Se déplacer dans la classe quand on anime ; circuler parmi les élèves pour s'approcher de leur pupitre ; certains d'entre eux aiment que leur enseignant se trouve à proximité de leur espace vital. • Amener les élèves à s'exprimer deux à deux devant un nouvel objet ou résultat d'apprentissage. • Donner l'occasion aux élèves de reconnaître leur état d'âme lorsqu'on leur présente le menu du cours ou de la journée. • Mettre en place dans la classe du matériel d'exploration et de manipulation. • Utiliser le jeu et l'ordinateur comme moyens d'apprentissage. • Être à l'écoute d'une phrase-secours que les élèves kinesthésiques prononcent souvent : « Laisse-moi faire pour l'instant, tu m'aideras plus tard lorsque j'en aurai besoin. » • Choisir des mots ayant une portée affective pour s'adresser à des élèves kinesthésiques : Je *sens* que ce n'est pas facile pour toi. » • Être attentif à la place que certains élèves kinesthésiques voudront occuper : sur les côtés, en avant.

TABLEAU 5.11 | UNE BANQUE D'OUTILS D'EXPRESSION LIÉS AUX STYLES D'APPRENTISSAGE

POUR LES VISUELS	POUR LES AUDITIFS	POUR LES KINESTHÉSIQUES	POUR TOUCHER PLUS D'UN STYLE
Outils pour rejoindre les yeux: • Affiche • Album • Séquence d'images numériques • Livre • Création d'une bande dessinée • Diaporama électronique	Outils pour solliciter les oreilles: • Message publicitaire • Miniconférence • Bande sonore • Chanson • Interview	Outils pour faire appel aux mains: • Modelage • Maquette • Bricolage • Jeu éducatif à manipuler • Invention de tours de magie • Création d'expériences scientifiques	Outils ouverts à plus d'une porte d'entrée: • Conception et présentation d'un sketch ou d'un spectacle de marionnettes • Montage et diffusion d'un dessin animé • Production et diffusion d'un texte, d'un conte ou d'un poème • Création d'un jeu éducatif • Présentation de livres-vedettes avec costumes et déguisements • Utilisation du tableau blanc interactif

La théorie des intelligences multiples: une autre façon de considérer les styles d'apprentissage

Les enseignants qui désirent travailler avec un modèle d'analyse plus élaboré peuvent se tourner du côté de la théorie des intelligences multiples. Ce modèle cognitif a été mis au point dans les années 1980 par le psychologue Howard Gardner, de l'Université Harvard. Selon ce chercheur, chacune des huit intelligences qu'il a retenues possède une histoire évolutionniste, son propre système de symboles et une localisation spécifique dans le cerveau humain.

- L'intelligence verbale et linguistique est responsable de la production du langage et de toutes les possibilités complexes qui en découlent: la narration d'histoires, le raisonnement abstrait, la structuration conceptuelle et l'écriture. Elle place les apprenants dans le contexte d'apprendre «en écoutant».
- L'intelligence logicomathématique est le plus souvent associée à la pensée scientifique, au raisonnement déductif et à la résolution de problèmes.
- L'intelligence spatiale et visuelle est liée aux arts visuels, à la navigation et à la cartographie de même qu'aux jeux comme les échecs. La vue et la capacité de former des images mentales sont des éléments clés de cette forme d'intelligence. Elle répond au besoin des gens qui désirent apprendre «en regardant».
- L'intelligence corporelle et kinesthésique est la capacité d'utiliser son corps pour exprimer une émotion (par la danse ou par le langage corporel), pour jouer ou pour inventer. Cette forme d'intelligence facilite le vécu d'expériences manuelles concrètes, sollicite la motricité fine et globale et permet aux personnes d'apprendre «en faisant».

5

- L'intelligence musicale et rythmique comprend, entre autres, la capacité de reconnaître et d'utiliser des structures rythmiques et tonales ainsi que la sensibilité aux bruits ambiants, à la voix humaine et aux instruments de musique. Encore une fois, la capacité d'écouter est à l'avant-plan.
- L'intelligence interpersonnelle comprend l'attitude à communiquer par des moyens verbaux et non verbaux, à travailler en coopération et à observer les humeurs, les caractères et les intentions des autres.
- L'intelligence intrapersonnelle est rattachée à la connaissance de soi, de ses sentiments, de son processus de pensée et de son cheminement spirituel. Ce type d'intelligence comprend la capacité de se livrer à une réflexion personnelle, de se sentir entier et indivisible, de parvenir à des niveaux de conscience plus élevés, de rêver du possible et de l'actualiser.
- L'intelligence naturaliste — la dernière forme d'intelligence à avoir été intégrée au cadre théorique de Gardner — est alimentée et influencée par les éléments de la nature, de la faune et de la flore. Les personnes habitées par cette forme d'intelligence sont non seulement capables d'observer les réalités environnementales, mais aussi préoccupées par la dimension écologique de leur milieu de vie et de travail.

De nombreux ouvrages sont à la disposition des enseignants qui désirent approfondir cette théorie des intelligences multiples. Pour n'en nommer que quelques-uns publiés par Chenelière Éducation :

- *Les intelligences multiples dès la maternelle*, de Francine Gélinas et Manon Roussel ;
- *Les intelligences multiples*, de Bruce Campbell ;
- *Les intelligences multiples au cœur de l'enseignement et de l'apprentissage*, de Linda Campbell, Bruce Campbell et Dee Dickinson.

Finalement, la théorie des intelligences multiples lance des messages fort pertinents pour les parents et les enseignants :

1. Il n'y a pas un type d'intelligence meilleur qu'un autre.
2. Chaque personne possède ces huit formes d'intelligence à des degrés différents, et grâce à elles, les humains accomplissent la plupart de leurs fonctions à cause d'une interaction complexe de plusieurs d'entre elles.
3. Il est de l'intérêt de tout être humain de développer ces diverses formes d'intelligence afin d'être à l'aise dans les divers contextes de vie et d'apprentissage qui se présentent.

Somme toute, le message le plus important à véhiculer auprès des enfants et des adolescents que nous accompagnons est d'affirmer qu'il existe plusieurs façons d'« être intelligent », alors que pendant de nombreuses années l'école a fait surtout la promotion des intelligences linguistique et logico-mathématique. Il s'agit là d'un discours novateur qu'il fait bon entendre.

PENDANT L'EXPÉRIMENTATION

Vous trouverez dans l'introduction, aux pages 29 à 31, les éléments de réflexion et l'instrumentation nécessaires pour vivre les trois étapes suivantes :

4 L'expérimentation

5 L'objectivation

6 La régulation

APRÈS L'EXPÉRIMENTATION

Pour vous aider à faire le point sur le défi que vous venez de relever concernant la gestion des apprentissages avec les élèves, reportez-vous dans l'introduction aux pages 31 et 32. Vous y trouverez les éléments de réflexion nécessaires pour faire les étapes suivantes :

7 L'évaluation

8 Le réinvestissement dans un autre défi

Vous y découvrirez aussi des instruments pour accomplir ces dernières étapes de votre parcours.

Je retiens

Dans une classe, en même temps qu'un enseignant enseigne, un élève apprend ; chacun des deux partenaires vit parallèlement un processus. Pour obtenir des résultats probants, le pédagogue se soucie d'arrimer son processus d'enseignement à celui de l'apprenant afin de mieux l'accompagner.

Gérer les apprentissages AVEC l'élève suppose donc que ce dernier contribue de manière importante à la construction de son savoir. En plus de prendre la place qui lui revient dans la classe, l'enseignant se soucie de créer l'espace nécessaire pour que chaque apprenant puisse vivre pleinement la trajectoire de son évolution. Comment s'assurer que ce dernier a l'espace suffisant pour le faire ? L'apprenant est partie prenante de son processus lorsqu'il est en pleine action au moment de la résolution d'un problème ou d'une situation complexe, et lorsqu'il fait le point pour objectiver et réguler le parcours qu'il vit, qu'il vivra ou qu'il a vécu.

- Pour amener l'élève à s'engager dans ses apprentissages et à se responsabiliser, l'enseignant utilise des interventions stratégiques ; il élabore aussi en partenariat avec lui un outillage pour lui assurer de la contrôlabilité dans ses tâches d'apprentissage.
- La gestion des apprentissages AVEC l'élève exige, chez l'enseignant, le développement et l'harmonisation de compétences professionnelles. La réussite de l'élève dépend en grande partie de l'exercice de ces habiletés.
- La gestion des apprentissages n'est pas une mince affaire, mais elle vaut son pesant d'or. Elle n'est pas une question de mode, de goût ou d'humeur. Elle suppose toutefois que son maître d'œuvre fasse des choix pédagogiques et les assume.
- Agir en enseignant responsable, c'est mettre tout en action pour que la planification, l'animation, la médiation, l'objectivation, l'évaluation, la régulation et le transfert favorisent le développement de l'élève. Ce processus se reflétera dans le parcours professionnel de l'enseignant, puisque ce dernier est aussi en phase d'apprentissage d'un nouveau métier. Aussi, la formation de l'enseignant en gestion des apprentissages n'est-elle jamais tout à fait terminée. L'enseignant doit constamment objectiver ses pratiques et réinvestir ses compétences dans de nouvelles situations pour être sûr d'être lui-même allé au bout de son processus de perfectionnement.

Un enseignant agit d'abord comme animateur ; il est l'âme d'un groupe et chaque élève puise à même ce groupe les éléments nécessaires à sa propre croissance.

*Pierre-Yves Boily**

* Conférencier, formateur et auteur de plusieurs essais, dont *Le plaisir d'enseigner*.

J'AIMERAIS SAVOIR…

- Comment gérer un groupe d'élèves dans un contexte de suppléance à court terme ?
- Comment gérer une classe dans un contexte de suppléance à long terme ?
- Comment gérer une classe dans un contexte de temps partagé ?
- Comment gérer un groupe de base dans un contexte de partenariat entre un titulaire de classe et une personne-ressource ?
- Comment gérer une classe au secondaire dans un contexte de titulariat ?
- Comment gérer une classe dans un contexte de partenariat et de décloisonnement avec d'autres collègues pour intervenir au sein de groupes reconstitués ?

CHAPITRE 6

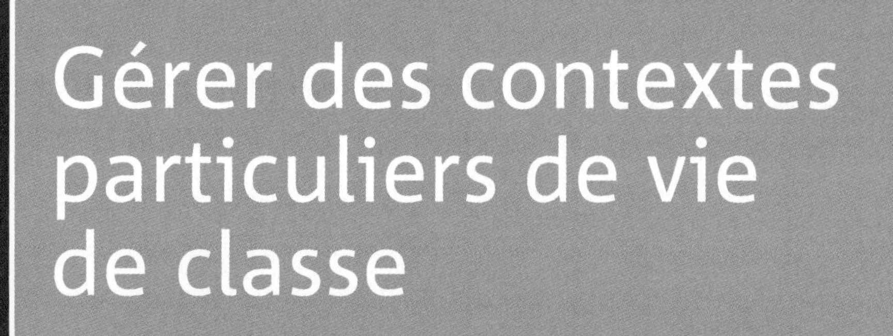

Gérer des contextes particuliers de vie de classe

J'ai rédigé ce chapitre pour répondre aux besoins formulés, lors de mes sessions de formation, par les enseignants qui vivent des contextes particuliers de vie de classe. Malgré la présence des cinq chapitres précédents qui leur sont certes utiles, certaines dimensions sur le plan de la gestion méritent d'être développées à leur intention. Dans les faits, ces professionnels sont contraints d'intervenir sur des aspects spécifiques pour tirer parti de la situation d'enseignement à laquelle ils font face. Je saisis donc l'occasion qui m'est offerte pour les épauler dans l'action en proposant des démarches, des procédures et des stratégies applicables dans six contextes de vie de classe :

1. La suppléance à court terme ;
2. La suppléance à long terme ;
3. Le temps partagé ;
4. Le partenariat avec une personne-ressource pour animer des sous-groupes d'apprentissage à l'intérieur d'un groupe de base ;
5. Le titulariat au secondaire ;
6. Le partenariat et le décloisonnement avec d'autres collègues pour intervenir au sein de groupes reconstitués.

Voir aussi :

- La gestion des groupes multiâges et des classes multiprogrammes dans *Quand revient septembre,* volume 2, p. 423 à 430, et dans *Apprivoiser les différences,* p. 439 à 442.
- La gestion de divers groupes de base par un enseignant-spécialiste dans *Quand revient septembre,* volume 2, p. 418 à 422.

Pour chaque contexte abordé dans les pages suivantes, je ciblerai, au moyen du diagramme de Venn qui nous est maintenant familier, les principales composantes qui y sont liées. Ce repère visuel vous aidera à bien cerner les dimensions qui nécessitent davantage d'investissement.

Remettre les pendules à l'heure

Orienter ses interventions à l'aide des composantes de la vie de la classe

Les quatre composantes de la gestion de classe constituent une boussole que l'enseignant doit garder à l'œil, et ce, peu importent l'ordre d'enseignement, le niveau et la discipline en cause. Ce cadre de référence, qui est composé du climat, du contenu, de l'organisation de la classe et de la gestion des apprentissages, contribue à orienter ses interventions. Selon les contextes, le gestionnaire d'une classe ou de divers groupes d'élèves devra insister davantage sur l'une ou l'autre des composantes.

Disons au point de départ que la préoccupation pour le « contenu » doit toujours être là, au centre des interventions, puisque, vous comme moi, nous avons choisi la voie de l'enseignement. Certes, cette composante du « contenu » est omniprésente dans tous les contextes, car elle est au cœur du mandat de tout enseignant : accompagner les élèves sur la route du savoir.

Quant aux trois autres composantes, elles occupent des espaces variables au regard des besoins inhérents à la gestion de chaque contexte traité. Ainsi, un enseignant qui fait de la suppléance à court terme devra insister sur le climat et l'organisation de la classe. Très souvent, le suppléant consacrera son énergie à assurer le contrôle du groupe ; son objectif premier n'est pas d'aborder plusieurs contenus notionnels dans un court laps de temps. Par contre, le suppléant à long terme devra investir des énergies sur l'organisation de la classe et la gestion des apprentissages. Comme il se retrouve avec les mêmes élèves pour un certain temps, il porte la responsabilité de favoriser le plus possible leur développement.

La présentation d'outillage liée à chacun des contextes

6.1 Pour une période, pour une journée : me voilà !

Un contexte de suppléance à court terme

Contexte et utilité

Pour parler le même langage tout au long de l'exploration de cet outil et du suivant, entendons-nous d'abord sur une définition concernant la suppléance. Un enseignant suppléant est une personne embauchée à la leçon ou à la journée pour remplacer un enseignant régulier. On peut faire appel à ses services pour quelques heures ou une journée dans différents milieux scolaires; il peut être appelé aussi à enseigner durant un certain nombre de journées consécutives au sein d'un même groupe d'élèves ou de groupes différents d'une même école.

Trop souvent, les élèves envisagent une journée de remplacement de manière relaxe, s'imaginant même qu'ils pourront s'amuser à satiété. Ils considèrent alors les suppléants comme de simples gardiens d'enfants ou surveillants d'adolescents. Dès les cinq premières minutes où le suppléant se trouve en présence des élèves, il doit tenter coûte que coûte de se tailler une place dans la classe. Il lui faut non seulement inspirer de la crédibilité, mais aussi établir rapidement une relation de confiance avec les élèves. Voilà un défi de taille !

Lorsque le suppléant arrive dans une classe qu'il ne connaît pas, il est susceptible de faire face aux conditions difficiles suivantes auxquelles il devra s'adapter le plus vite possible :

- L'enseignant titulaire n'a laissé aucun indice de planification.
- Le suppléant ne peut compter sur aucune balise disciplinaire intégrée au fonctionnement quotidien.
- L'organisation de la classe est déficiente.
- Le climat ne lui apparaît pas au beau fixe.
- Le suppléant ne peut recourir aux ressources des personnes de son entourage.
- La planification laissée par l'enseignant est trop volumineuse, compte tenu du temps de présence du suppléant en classe.

La figure 6.1, page 370, permet de bien cerner les composantes de la gestion de classe qui nécessitent davantage d'investissement dans un contexte de suppléance à court terme et sur lesquelles le suppléant doit intervenir prioritairement.

FIGURE 6.1 LES COMPOSANTES PRIORITAIRES EN CONTEXTE DE SUPPLÉANCE À COURT TERME

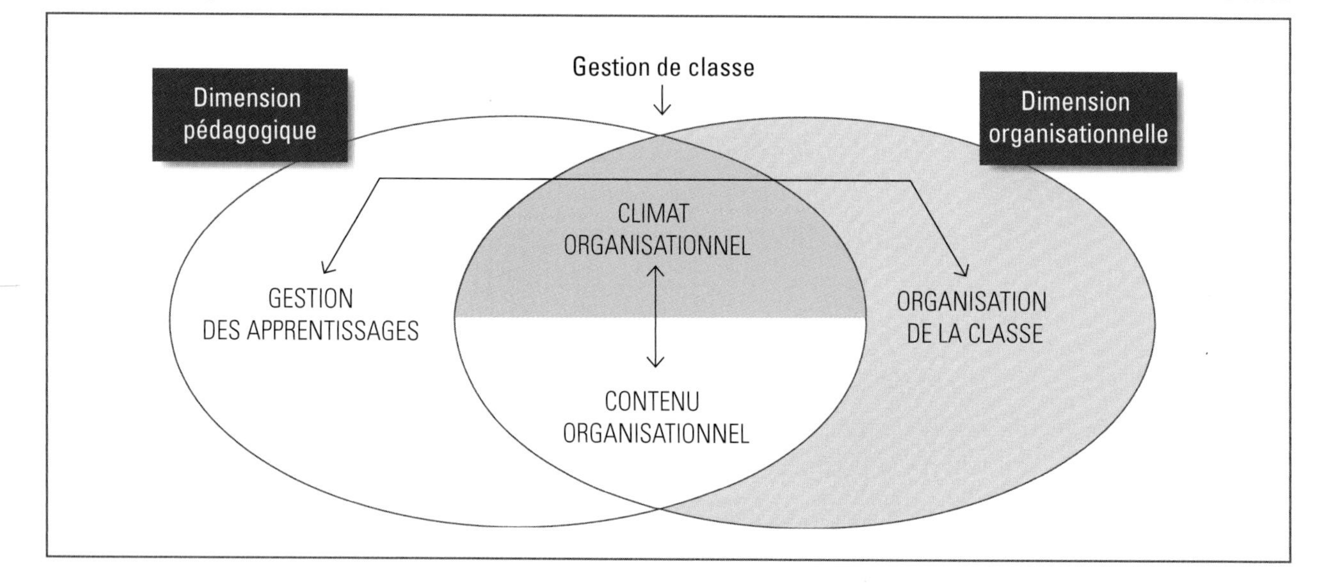

Des interventions et des stratégies à mettre en place

Avant le début du cours ou de la journée : des indices de fonctionnement à repérer

Dès votre arrivée en classe, vous pouvez faire différentes actions afin de prendre connaissance du contexte de la classe :

- Arrivez une bonne trentaine de minutes avant le début de votre période de remplacement pour apprivoiser les lieux ainsi que les personnes qui travaillent autour de vous.
- Prenez le temps de circuler dans le local pour en examiner la disposition et l'organisation ; repérez les éléments auxquels vous pouvez faire référence.
- Regardez la liste d'élèves ; essayez de mémoriser le nom de cinq élèves, car cela pourra vous servir une fois que vous serez dans le feu de l'action.
- Si le titulaire vous a laissé la planification de la journée, écrivez le menu au tableau avant que les élèves arrivent dans le local.
- S'il y a des cahiers d'élèves sur le bureau du titulaire, feuilletez-les, puisqu'ils pourront vous fournir des traces sur ce qui s'est vécu récemment dans ce groupe ou dans cette classe.
- En attendant l'arrivée des élèves dans le local, méditez sur la devise des suppléants : *Soyez préparé, clarifiez vos attentes quant à la conduite des élèves, prenez rapidement le groupe en main et gardez les élèves occupés.* (Stanley, 1991, p. 84 à 88)

Au début du cours ou de la journée : des interventions sur le climat

Une fois que les élèves sont arrivés dans la classe, vous pouvez faire différentes interventions pour briser la glace :

- Pensez à une façon rapide et originale de vous présenter. Tenez compte de l'âge des élèves dans le choix de votre stratégie de présentation. Les activités intitulées « La conférence de presse », « Les objets mystérieux » et « Le jeu des rébus » sont de bonnes idées à exploiter en contexte de courte suppléance. Vous pouvez aussi consulter le chapitre 1 pour découvrir d'autres suggestions (*voir p. 64 à 66*) :

- *La conférence de presse :* Les élèves sont des journalistes. À tour de rôle, ils ont le droit de vous poser cinq questions afin de mieux vous connaître.
- *Les objets mystérieux :* Déposez dans un sac opaque trois objets qui ont un lien avec vos loisirs, vos passions, vos goûts. Pour chacun des objets, vous donnez un premier indice et les élèves ont trois chances pour découvrir le nom de l'objet. S'ils ne le trouvent pas eux-mêmes, vous sortez l'objet et le présentez aux élèves.
- *Le jeu des rébus :* Faites deviner votre prénom ou votre nom par les élèves en leur proposant un rébus (ou une charade si vous n'êtes pas doué en dessin). Par exemple, pour le prénom Julie : un jus (Ju), un lit (lie).

• Utilisez une façon dynamique et originale de prendre les présences des élèves ou de faire connaissance avec eux.

  Suggestions :

  - Servez-vous d'une liste de questions préétablies pour entrer en contact avec chacun des élèves au cours de votre temps de présence en classe. Vous pouvez y aller par blocs de six ou sept noms à la fois pour éviter que cette activité s'étire indûment. Ainsi, vous pourriez dire : « Quel est ton sport préféré, Félix ? » « Marie, quelle est la couleur que tu portes le plus souvent ? » « Josée, quelle est la discipline que tu préfères en classe ? » « Justin, as-tu un chanteur préféré ? » « Sébastien, quelle est ton idole dans le domaine sportif ? »
  - Au moment de prendre les présences, interpellez cinq élèves et confiez-leur une petite responsabilité pour l'avant-midi. Faites la même chose pour l'après-midi.

• Vérifiez avec les élèves s'il y a des procédures de fonctionnement ou des règles de vie établies dans la classe ou dans le groupe. Si oui, faites-en un rappel. Si non, précisez vos attentes à l'égard des élèves. Faites preuve de clarté, traduisez vos demandes en comportements observables.

  Exemples : « Je m'attends à ce que vous leviez la main avant de prendre la parole. » « Je m'attends à ce que vous travailliez sans perdre de temps et sans déranger les autres. »

• Établissez une procédure pour obtenir le silence lorsque vous désirerez vous adresser au groupe-classe. Vous pouvez utiliser des moyens très simples pourvu que les élèves s'engagent autant que vous-même à l'égard de cette formule de rappel.

  Exemples :

  - Comptez à voix haute jusqu'à quatre avec les élèves ; ainsi, vous dites : « Un », les élèves disent : « Deux », et ainsi de suite, en alternance.
  - Faites l'inverse en faisant le décompte jusqu'à zéro.

- Utilisez un proverbe qui aura été écrit préalablement au tableau. Par exemple, vous dites : « *La parole est d'argent…* » et les élèves ajoutent : « *… mais le silence est d'or.* » Puis ils restent en silence.
- Dites : « SILENCE ! » Et les élèves répondent : « Silencio ! »
- Lancez un mot découpé en syllabes ou un nom composé. Ainsi, dites : « Cerf-… » et les élèves répondent : « … volant. »

Pendant la journée : des stratégies pour entretenir la qualité du climat

- Quand les élèves sont moins attentifs ou moins centrés sur leurs tâches, proposez-leur de courtes activités de transition pour alléger le climat. Vous pouvez :
  - lire une légende, une allégorie, une histoire ;
  - chanter avec eux un refrain qui leur plaît bien ;
  - discuter d'un sujet d'actualité ;
  - parler pendant quelques minutes de la vie à l'extérieur de l'école.
- Servez-vous de différentes techniques d'intervention qui se veulent préventives afin de ne pas ternir la qualité du climat :
  - Gardez tous les élèves occupés en tout temps.
  - Renforcez les comportements appropriés en leur accordant de l'attention et en adressant des félicitations.
  - N'hésitez pas à mettre en place le « Club des bravos ». Réservez un espace sur le tableau principal pour dessiner un grand cercle. Apposez juste à côté l'intitulé le « Club des bravos ». Dès qu'un élève présente une attitude coopérative ou affiche une bonne performance, inscrivez son nom à l'intérieur du cercle prévu à cette intention.

Pendant la journée : des stratégies pour organiser la classe

Parallèlement au climat de la classe, le suppléant doit se préoccuper de l'aspect organisationnel, non seulement au début de la période ou de la journée, mais tout au long du déroulement de celle-ci :

- Attendez d'avoir l'attention du groupe avant de parler.
- Parlez brièvement et simplement.
- Donnez des consignes claires.
- Prévoyez tout l'outillage nécessaire entre chacune des activités.
- Distribuez le matériel de façon ordonnée.
- Laissez aux élèves le temps dont ils ont besoin pour s'organiser avant de les lancer dans un nouveau travail.
- Ne laissez pas le groupe sans surveillance.
- Si la discipline vous cause des difficultés, évitez de placer les élèves en équipes de travail ; groupez-les en dyades tout au plus.

Pendant la journée : des stratégies pour gérer les apprentissages

- Demandez aux élèves d'objectiver leur vécu des dernières journées afin que vous puissiez saisir où ils sont rendus exactement.

Pistes de questionnement: «Qu'avez-vous appris de nouveau hier?» «Quelle est la plus belle activité que vous avez vécue depuis une semaine?» «Qu'est-ce que vous étiez censés apprendre aujourd'hui?»

- Permettez-vous d'introduire dans le menu une activité que vous avez préparée vous-même; cela contribuera à vous donner de l'assurance.
- Si le profil motivationnel du groupe ne vous semble pas favorable, placez cette activité en début de journée. Comme celle-ci sera probablement différente de ce que les élèves ont l'habitude de vivre, ils accepteront sans doute de se mobiliser plus facilement autour de l'inédit, de la nouveauté. De plus, elle est de votre crû, les élèves feront peut-être des efforts pour répondre à vos attentes afin de faire preuve d'empathie à votre égard.
- Lisez le menu de la période ou de la journée avec les élèves.
- Engagez-les le plus rapidement possible dans des situations d'apprentissage.
- Si ce travail doit être révisé et apprécié, faites-en la correction avec les élèves; autrement, ils déduiront qu'il s'agissait d'une activité purement «occupationnelle».

À la fin de la journée: se soucier de certaines mesures pour assurer la transition

Lorsque la journée de suppléance s'achève, il reste encore quelques actions à accomplir:

- Faites le bilan de la journée avec les élèves. Donnez-leur une force et un défi de groupe. Mentionnez-leur que cette rétroaction sera divulguée à l'enseignant dans votre rapport de la journée. Si vous avez suffisamment confiance en vous, invitez les élèves à vous donner une force et un défi comme suppléant.
- Faites la correction des travaux que l'enseignant vous a demandé d'effectuer.
- Laissez la classe en ordre.
- Préparez un rapport de la journée que vous laisserez à l'enseignant (*voir fiche 6.1a, p. 482*).

Une trousse de suppléance à construire

Lorsque vos services ne sont pas sollicités dans une école, profitez de ce temps pour vous construire une trousse de suppléance. Pour vous aider à considérer les différents éléments qui pourraient alimenter cette trousse, voici quelques suggestions relativement aux quatre composantes de la vie d'une classe:

- *Au regard du climat:* un livre d'allégories, des pictogrammes pour décoder les états d'âme, un répertoire d'expressions intitulé «Des façons différentes de dire "bravo" à un élève», etc.
- *Au regard du contenu:* le programme de formation en vigueur, le ou les programmes d'études concernant les groupes d'élèves où vous êtes appelé à intervenir le plus souvent, des activités d'apprentissage

classées par niveau que vous pourriez utiliser dans le cas où aucune planification n'aurait été laissée, etc.

- *Au regard de l'organisation de la classe:* une banque d'activités «cinq minutes» (*voir chapitre 4, p. 220*), un jeu de cartes ou des petits cartons de couleur pour vous aider à former des équipes de courte durée selon le critère du hasard, etc.
- *Au regard de la gestion des apprentissages:* un recueil de légendes, un album des fables de La Fontaine, quelques livres de littérature jeunesse qui font fureur auprès des jeunes, des jeux-questionnaires, des mots-mystères, des mots croisés, des énigmes sudokus, quelques journaux récents, quelques revues, etc.

Un contexte de suppléance à long terme

6.2 Chausser les souliers d'un autre et rester soi-même

Contexte et utilité

Lorsque l'enseignant se voit proposer des contrats de suppléance à long terme, il se rapproche de plus en plus du jour où il deviendra, à son tour, titulaire d'un groupe ou spécialiste d'une discipline donnée. Les avantages rattachés à ce statut de travail sont plus grands que ceux de la suppléance à court terme, mais les responsabilités s'avèrent également plus importantes.

De plus, la suppléance risque de se vivre différemment selon que l'enseignant choisit ce mode de fonctionnement pour des raisons d'ordre personnel. Il y a des personnes qui préfèrent travailler à temps partiel et qui en sont parfaitement heureuses, tandis que d'autres acceptent la fonction d'enseignant suppléant en attendant d'obtenir un poste régulier à temps plein. Dans le premier cas, les attentes sont totalement comblées tandis que dans le second cas, l'enseignant reste sur son appétit, il accepte la situation en attendant de trouver mieux. Si cette condition de statut précaire perdure, sa façon de vivre le quotidien et d'envisager l'avenir pourrait affecter sa motivation et son engagement.

Peu importent les raisons qui justifient ce choix, le suppléant à court ou à long terme doit être conscient du fait que, lorsqu'il accepte de jouer ce rôle, il retire un certain nombre de bénéfices bien qu'il ne jouisse pas d'une sécurité d'emploi. Si je semble surtout rattacher les gains à la longue suppléance, c'est que, dans un contexte de sécurité où la marge de manœuvre est plus importante, l'enseignant qui n'est pas envahi par la survie du quotidien est nécessairement plus dégagé et disponible pour profiter pleinement des expériences professionnelles suivantes:

- Il acquiert de l'expérience, découvre de nouvelles écoles, démontre aux directions d'école les capacités de suppléant qu'il possède.
- Il observe des classes et des environnements divers: des modèles de gestion de classe différents et des types d'organisations d'école porteurs de projets d'établissement variés.
- Il jouit d'un contexte favorable où il peut exercer sa créativité et ses compétences.

- Il profite d'occasions d'expérimenter des stratégies pédagogiques susceptibles d'alimenter un dossier de ressources ou un portfolio professionnel.
- Il découvre plusieurs moyens d'émulation pour susciter et cultiver la motivation scolaire des élèves.

Remettre les pendules à l'heure

Il est donc important que le suppléant prenne sa place dans la classe, qu'il y « fasse son nid » tout en ne bousculant pas les habitudes scolaires qui y étaient installées avant son arrivée. Le titre du présent outil illustre bien le sens de mes propos : « Chausser les souliers d'un autre et rester soi-même. » Comment établir une continuité entre ce qui se vivait hier et ce qui va se vivre à partir d'aujourd'hui ? Comment apporter sa couleur personnelle tout en tenant compte du processus d'adaptation des élèves ?

Une suppléance à long terme porte en soi l'obligation de rendre des comptes à qui de droit ; le suppléant doit être redevable des responsabilités et des engagements qu'il prend au moment où il accepte un poste. Pour lui, le défi ne consiste pas seulement à maintenir l'ordre parmi les élèves pendant une période ou une journée. Ce défi est davantage orienté vers un cheminement quotidien où l'enseignant doit amener chaque élève à bon port sur le plan des apprentissages, exactement comme les parents l'auraient exigé si le titulaire de la classe ne s'était pas absenté.

Les problématiques liées à la suppléance à long terme

En plus des problématiques énumérées dans l'outil 6.1, les difficultés supplémentaires suivantes peuvent se présenter dans le cas de la suppléance à long terme :

- Il y a absence de rencontre entre le titulaire de classe et le suppléant, où ceux-ci pourraient discuter de questions de fond concernant la vie de la classe et la gestion des apprentissages des élèves.
- Il existe un conflit de valeurs éducatives ou de croyances pédagogiques qui s'est dessiné au moment des premiers contacts entre le titulaire et le remplaçant.
- Il se présente d'importantes difficultés pour organiser et vivre dans le milieu une rencontre de transition avec les parents des élèves, une fois que le suppléant est en place.
- Lorsque la suppléance à long terme survient dans la seconde partie de l'année scolaire (de janvier à juin, par exemple), il est plus difficile de modifier les façons de faire, qui sont bien ancrées. En effet, certains enfants ou adolescents éprouvent des difficultés à oublier leur « vrai prof », avant de faire pleinement confiance à celui ou à celle qui vient prendre la place d'une personne avec qui ils entretenaient de bonnes relations.

La figure 6.2, page suivante, permet de bien cerner les composantes de la gestion de classe qui nécessitent davantage d'investissement dans un contexte de suppléance à long terme et sur lesquelles le suppléant doit intervenir prioritairement.

Réfléchir à son profil de suppléant

Dans les chapitres précédents, vous avez pu suivre une démarche de lecture articulée autour des attitudes, des connaissances et des interventions. Comme la suppléance à long terme s'avère une tâche exigeante, voire ingrate parfois, l'enseignant suppléant doit absolument réfléchir à son profil afin de déterminer s'il possède les habiletés nécessaires pour accomplir ce travail. Je suggère donc une grille d'introspection afin d'aider le suppléant à réfléchir sur soi (*voir p. 376*).

6

FIGURE 6.2 | LES COMPOSANTES PRIORITAIRES EN CONTEXTE DE SUPPLÉANCE À LONG TERME

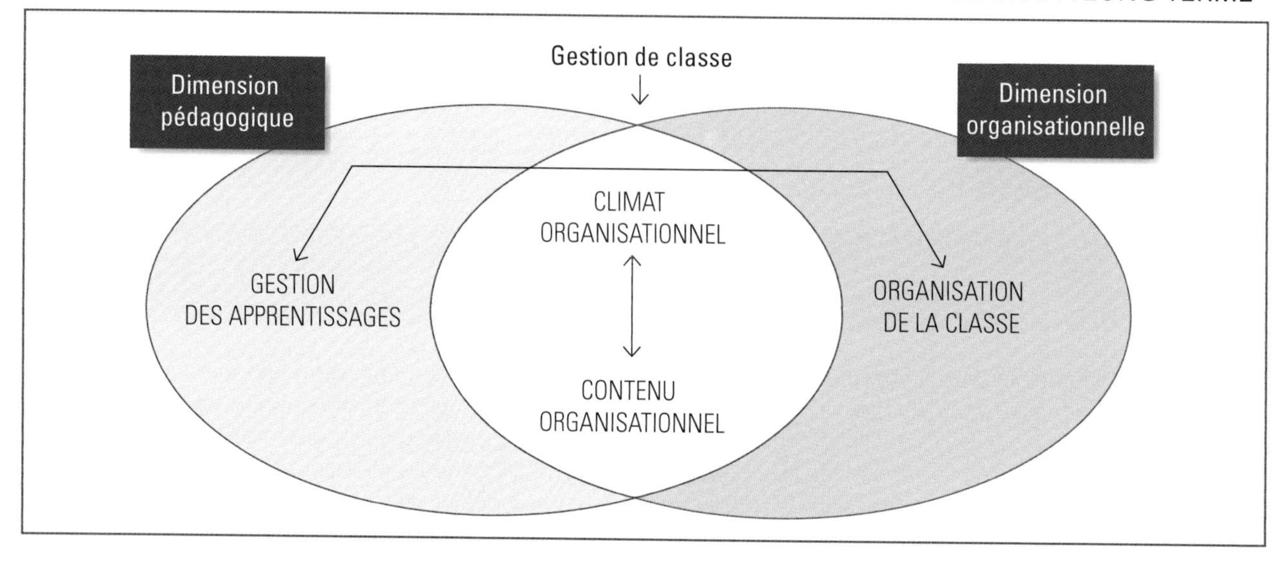

Auto-analyse de son profil de suppléant

	oui	non
a) Suis-je capable de créer un climat joyeux et détendu dans la classe ?		
b) Suis-je capable de maintenir l'ordre et le calme ?		
c) Suis-je capable de stimuler l'initiative et l'originalité chez les élèves ?		
d) Suis-je habile à gérer les problèmes de discipline ?		
e) Suis-je capable d'encourager les bonnes habitudes de travail chez les élèves ?		
f) Suis-je capable de remarquer les différents besoins et les différentes habiletés chez les élèves ?		
g) Suis-je capable d'accorder mon attention de façon équitable à l'égard de chaque élève de la classe ?		
h) Suis-je capable d'inspirer assez confiance aux élèves pour qu'ils viennent spontanément vers moi lorsqu'ils ont besoin d'information ?		
i) Suis-je capable de capter l'attention des élèves lorsque je m'adresse à eux ?		
j) Suis-je capable de soutenir la motivation des élèves, par la mise en place d'un outillage adéquat, lorsqu'ils accomplissent leurs tâches ?		
k) Suis-je capable de tenir compte des recommandations que m'a laissées l'enseignant avant de s'absenter ?		
l) Suis-je capable d'effectuer les démarches nécessaires pour communiquer avec l'enseignant que je remplace ?		

m) Qu'est-ce que je constate ? Quelles dimensions de ma gestion de classe aurais-je intérêt à améliorer ?

____

____

____

____

Planifier et documenter la rencontre avec l'enseignant que vous allez remplacer

Au cours de cette rencontre, pensez à aborder les points suivants :

1. Le fonctionnement général :
   - Au sein de la commission scolaire ou de l'école, existe-t-il un cahier préparé à l'intention des suppléants ?
   - Si non, tentez d'obtenir de l'information concernant la classe ou la discipline dont vous prendrez la responsabilité en posant des questions sur les sujets suivants : la grille-horaire, la vérification des présences, les règlements et l'horaire des surveillances, la liste des élèves, le plan des places des élèves dans le local-classe, les informations concernant les périodes de spécialités, une fiche santé faisant état de problèmes particuliers éprouvés par certains élèves, les défis rattachés à des élèves demandant un accompagnement spécial, etc.
   - Renseignez-vous également sur certains aspects touchant la vie de l'école : le code de vie, un plan des lieux, le projet d'établissement, les règles d'exercice en cas d'incendie, les modalités du système de transport, etc.
2. Le climat :
   - Abordez la question du climat afin de découvrir si des règles de vie, des procédures et des mécanismes d'application ont été établis dans la classe. Vérifiez s'il n'y aurait pas des élèves rejetés, intimidés, voire taxés, à l'intérieur du groupe.
   - Parlez de la motivation des élèves : la motivation intrinsèque est-elle valorisée ? Si non, quels moyens d'émulation sont utilisés présentement avec les élèves ?
3. La gestion des apprentissages :
   - Discutez du programme et des apprentissages des élèves. Vous est-il possible de consulter la planification de la dernière étape ? Quels résultats d'apprentissage sont complètement intégrés par les élèves ? Quels objets d'apprentissage sont en voie d'acquisition ? Quels sont les aspects qui n'ont pas été touchés ?
   - Abordez également l'évaluation des apprentissages. Est-elle vécue en fonction de critères ? Les jugements sont-ils exprimés par des notes ou des commentaires ? Pour en savoir davantage, informez-vous si l'enseignant possède un journal de bord où sont consignées les données entourant les apprentissages des élèves. Dans la même veine, vérifiez si les élèves ont un portfolio d'apprentissage.
   - Renseignez-vous sur la façon dont sont gérés les devoirs et les leçons.
4. L'organisation de la classe :
   - Sur le plan de l'organisation de la classe, qu'en est-il de l'entraide et de la coopération ? Les élèves travaillent-ils en dyades ? en équipes ? Ont-ils accès à de l'enrichissement ? à des ordinateurs ?

– Avec quels professionnels de l'éducation êtes-vous susceptible de travailler ? Avec les titulaires de votre équipe-cycle ? l'orthopédagogue ? l'éducateur spécialisé ? l'orthophoniste ? le psychologue ? l'infirmière ?

Préparer et organiser votre venue dans la classe

Avant de commencer votre remplacement dans la classe, il serait dans votre intérêt de considérer les aspects suivants :

- À partir des réponses que vous avez obtenues auprès de l'enseignant titulaire et du projet éducatif que vous voulez développer dans votre classe ou autour de votre discipline, précisez les éléments que vous allez conserver du fonctionnement antérieur. Faites une liste des éléments que vous aimeriez introduire comme nouveautés dans la classe. Laissez mûrir ces données pendant quelques jours.
- Prenez le temps de rencontrer votre groupe avant de prendre des décisions finales. Après avoir côtoyé les élèves, vous serez plus en mesure de valider ce qui doit être fait.
- Planifiez votre entrée en classe en survolant les chapitres 1 et 2 du présent ouvrage. Vous y trouverez différentes stratégies pour vous présenter, établir des contacts avec les élèves, susciter leur motivation et favoriser leur participation.
- Dès les premiers instants où vous vous retrouvez en classe, n'oubliez pas d'être empathique à l'égard des élèves. Mettez-vous dans leur peau : pour eux, vous êtes peut-être un intrus, car leur véritable enseignant est parti, parfois dans de tristes circonstances. Rappelez-vous que ces élèves peuvent vivre une forme de deuil et qu'ils adopteront diverses réactions selon les étapes qu'ils traverseront, allant par exemple de la colère au marchandage, voire à l'humeur dépressive. Avec de la patience et de l'amour, ils sauront bien se ranger de votre côté.
- Au fur et à mesure que vous vivez dans votre nouveau milieu, tentez de repérer un enseignant qui pourrait agir en quelque sorte comme un conseiller pour vous. Allez vers cette personne pour lui demander si elle accepterait de vous accompagner dans votre mandat de suppléance. De cette manière, vous ne seriez plus seul. Comme il s'agit d'un collègue, vous pourriez vous ouvrir à lui sans courir le risque d'être jugé.

Établir un partenariat avec les parents

Suivant le moment de l'année où vous entreprenez votre suppléance, les moyens de contact avec les parents seront différents :

- Si vous arrivez au début de l'année scolaire, vous êtes soumis aux mêmes exigences que les autres titulaires, c'est-à-dire planifier et animer une soirée d'information aux parents. Vous pourrez consulter l'outil 2.8, « Redécouvrir les soirées d'information aux parents », à la page 116.
- Si vous commencez votre suppléance en cours d'année, vous devez penser également à tenir une soirée d'information, car, dans les faits, on

sait que des parents bien informés sont disposés à collaborer, tandis que des parents mal informés peuvent manifester de la résistance ou de l'opposition. Optez pour le modèle de rencontre qui vous convient le mieux.

Pour vous guider, voici différentes façons de faire :

- Si votre projet de suppléance est prévu longtemps à l'avance, demandez la permission à l'enseignant titulaire de participer à sa soirée d'information du début de l'année. Selon l'accueil et l'ouverture que l'enseignant vous manifestera, décidez si vous vivrez cette soirée au complet ou en partie.
- Lorsqu'un premier contact avec les parents a été établi en début d'année, limitez-vous à leur faire parvenir une lettre à votre arrivée dans l'école. Ce message les préviendra du début de votre suppléance et les informera des ajustements que vous comptez faire dans la classe.
- Par contre, si aucune démarche n'a été entreprise dans ce sens, invitez les parents à venir vous rencontrer dans la classe un soir donné afin de discuter avec eux.
- Si vous êtes versé dans les technologies de l'information et des communications, préparez un enregistrement numérique que vous enverrez par courriel dans les familles. Vous pouvez aussi placer sur le site Internet de l'école une courte vidéo de présentation de même que quelques plages d'information à l'intention des parents.

• À la fin de l'année, au mois de juin, en complicité avec les élèves, organisez une soirée « Célébration des apprentissages » afin de démontrer aux parents que les services offerts par un suppléant sont tout aussi valables que ceux d'un enseignant régulier.

6.3 Partager le temps, mais aussi le projet éducatif de la classe

Un contexte de temps partagé

Contexte et utilité

La formule du travail à temps partagé est de plus en plus présente en milieu scolaire. Pour des raisons personnelles, plusieurs enseignants expriment aux directions des écoles leur volonté de travailler à mi-temps. À la suite de ces demandes, divers modèles organisationnels sont mis en place : le partage d'une journée, d'une semaine ou d'un cycle de travail, voire des étapes d'une année scolaire. Sur ce plan, les gestionnaires des écoles prennent généralement en compte les désirs des enseignants afin de mettre sur pied une structure de travail qui convienne le plus possible au duo d'enseignants associés qui assure le titulariat d'un même groupe d'élèves. Voilà un côté de la médaille.

Si l'on se tourne du côté des élèves, comment s'accommodent-ils d'un tel arrangement professionnel dans la vie de tous les jours ? De prime abord, il peut être emballant pour certains enfants ou adolescents de penser que, pendant une année, ils auront la chance d'avoir deux enseignants qui les soutiendront dans leurs apprentissages. À différents égards, ces

élèves n'ont pas tort. En effet, deux têtes valent mieux qu'une. Le fait de bénéficier de deux profils différents d'enseignants devrait permettre à des apprenants d'être davantage rejoints dans leur façon d'être, leurs champs d'intérêt et leur style d'apprentissage.

Tout en reconnaissant la valeur et le bien-fondé de cette forme d'organisation de travail, est-il possible d'améliorer ce fonctionnement ? Est-il pertinent de croire que les élèves et les enseignants peuvent tirer le meilleur parti de la situation du temps partagé ?

Remettre les pendules à l'heure

Au fil des ans, l'expérience nous a démontré que la gestion du temps partagé ne se vit pas toujours dans un contexte pédagogique limpide. Il est souvent difficile pour des élèves du préscolaire et du primaire de naviguer en eaux troubles, et pour cause. Entre adultes, on ne prend pas toujours le temps de préciser tous les éléments du cadre de travail articulé autour de ce temps partagé. On prend encore moins le temps de le définir avec les élèves au moment où la formule du temps partagé est effective. Chemin faisant, chaque enseignant met sa touche personnelle dans les interventions qu'il fait ; c'est d'ailleurs un droit qui ne doit pas être remis en cause. Par contre, lorsque deux enseignants se trouvent en situation de partenariat, ils ont l'obligation professionnelle de se pencher sur les dimensions de la continuité, de la cohérence et de la concertation dans les apprentissages des élèves. La réussite scolaire de ces derniers en dépend.

Que se passe-t-il si l'on se tourne du côté de la direction de l'école ? Celle-ci doit arrimer tant bien que mal les demandes qui sont sur son bureau avec les ressources humaines dont elle dispose, les règles syndicales en vigueur et les contraintes organisationnelles du régime pédagogique et de la grille prescriptive concernant les disciplines. Le critère de l'affinité pédagogique est loin d'être le premier paramètre considéré au moment de l'affectation des postes. Et pourtant, s'il l'était, les élèves et les enseignants en seraient les premiers bénéficiaires !

Les problématiques liées au temps partagé

Le temps partagé peut entraîner différents problèmes dont l'enseignant doit être conscient :

- Il peut y avoir un conflit de valeurs entre les deux enseignants concernant le développement de l'autonomie, de la responsabilisation et de la coopération chez les élèves.
- Il n'existera peut-être pas de projet éducatif de classe partagé et assumé par les deux parties.
- Un déchirement est susceptible d'être provoqué par la répartition des disciplines entre les deux enseignants associés. De la négociation, des compromis et des renoncements sont à envisager de part et d'autre.
- Les élèves et les parents feront inévitablement des comparaisons entre les deux enseignants.
- La compétition risque de s'installer entre les deux enseignants si l'un d'eux détient une plus grande cote de popularité auprès des élèves.

- Le manque de concertation sur les stratégies à élaborer pour responsabiliser les élèves dans leurs apprentissages peut créer de l'ambiguïté chez les élèves et les parents.
- Il peut y avoir une absence de gestes visibles témoignant d'un réel partenariat entre les deux titulaires auprès des élèves et des parents.
- Un malaise peut être causé par un aménagement physique qui ne cadre pas avec le modèle d'enseignement utilisé par chacun des titulaires du groupe.

La figure 6.3 permet de bien cerner les composantes de la gestion de classe qui réclament davantage d'investissement dans un contexte de temps partagé et sur lesquelles l'enseignant associé doit intervenir prioritairement. Elles sont également utiles pour situer la nature des problématiques qui se présentent.

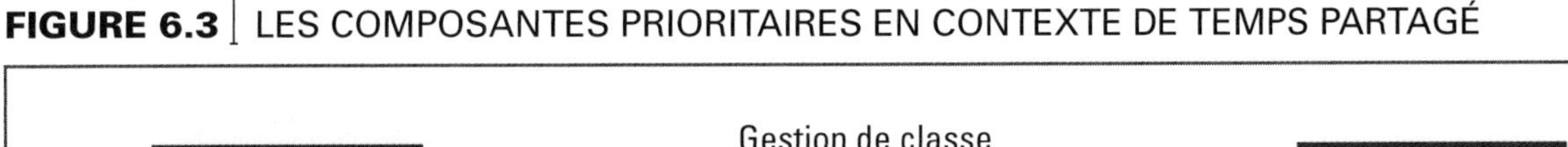

FIGURE 6.3 | LES COMPOSANTES PRIORITAIRES EN CONTEXTE DE TEMPS PARTAGÉ

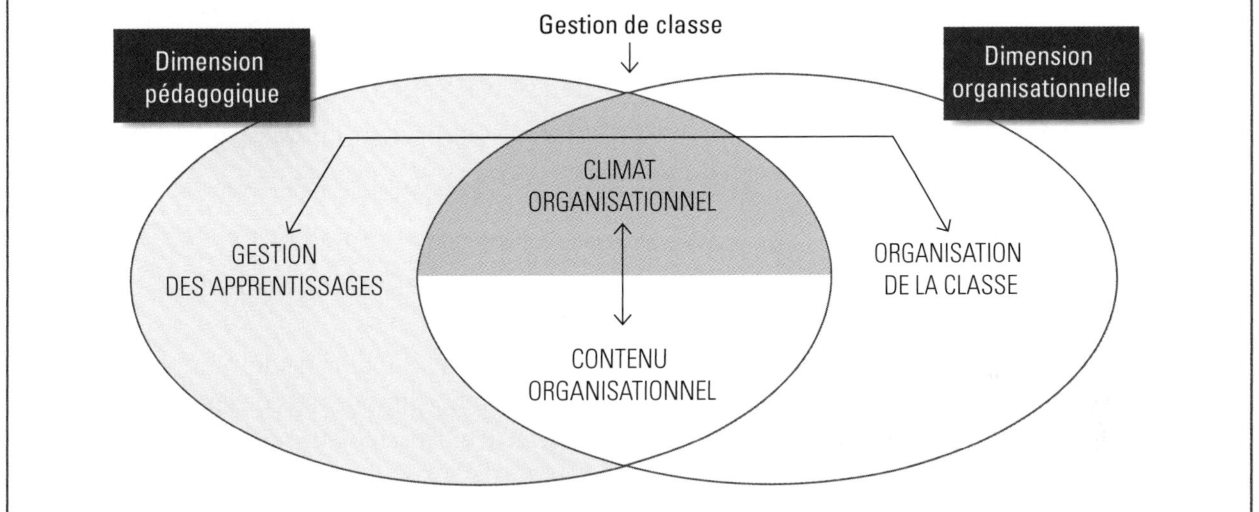

Affirmer sa complicité en début d'année

Comme le dit la pensée ci-contre, les enseignants associés doivent livrer un message clair, dépourvu d'ambiguïté, selon lequel ils sont de réels partenaires :

« Tu m'enseignes plus par ce que tu es et ce que tu fais que par ce que tu dis. »

- Le premier geste à faire, de toute évidence, consiste pour les deux enseignants à établir un climat de complicité pour accueillir les élèves en début d'année et définir ensemble les modalités générales du fonctionnement de la classe.
- Le second geste porte sur la planification concertée du contenu et de l'animation de la soirée d'information aux parents. Pour ces derniers, le fait de voir une équipe d'enseignants devant eux les rassurera et éloignera les doutes et le scepticisme.

Pour aider les enseignants associés à gérer ces deux aspects qui sont de l'ordre du climat, je vous invite à consulter l'outil 2.1, page 98, qui propose des stratégies pour créer un climat de classe motivant.

Tenter d'établir des consensus

Après avoir pris le temps de connaître de part et d'autre les élèves, les enseignants associés se rencontrent pour tenter de dégager des domaines de consensus. L'idée du projet éducatif de classe peut alors prendre naissance. Il n'est pas nécessaire d'arriver à l'unanimité autour de toutes les cibles de développement retenues, mais il est sûrement possible de faire émerger des objets de partenariat communs.

Les deux enseignants devraient avoir une discussion franche autour des points suivants :

- Nos éléments de convergence en matière de discipline ;
- Notre perception et nos interventions en matière de motivation scolaire ;
- Nos valeurs et nos croyances à propos de l'éducation et de l'apprentissage ;
- Notre cadre de travail en ce qui concerne le développement des compétences d'ordre intellectuel et d'ordre méthodologique ;
- Notre ligne directrice concernant le travail des élèves à la maison ;
- Notre cadre d'organisation du portfolio ou du dossier d'apprentissage : rôle, contenu, critères de sélection, fiche de justification ;
- Notre vision de l'engagement des parents en classe ;
- Nos exigences pour le vécu des dyades d'entraide et des équipes coopératives.

Faire preuve d'alliance aux moments importants dans la vie des élèves

Une fois l'année démarrée, les deux enseignants ne doivent pas trop s'éloigner l'un de l'autre. À certains moments importants de leur vie scolaire, les élèves apprécieront le fait que les deux enseignants soient côte à côte. À titre d'exemple, voici quelques-uns de ces instants de complicité professionnelle :

- À la remise des bulletins ;
- Au cours de la planification d'un plan d'intervention ;
- Pendant un événement important dans la classe ou dans l'école : la fête de Noël, le carnaval de l'école, la sortie éducative de fin d'année ;
- À l'occasion d'un événement éprouvant : le décès d'un membre de la famille d'un élève, la maladie grave d'un élève, etc. ;
- Au cours du classement des élèves en fin d'année ;
- Pendant une prise de décision importante concernant un élève qui est susceptible de prendre plus de temps pour terminer son cycle d'apprentissage ;
- Au cours de la « Célébration des apprentissages » avec les élèves et les parents en juin.

Se créer une obligation mutuelle de faire régulièrement le point ensemble

Si l'on insiste tant en classe pour que les élèves objectivent le vécu de leur parcours d'apprentissage, c'est que cette démarche est capitale dans la construction de leurs savoirs. La situation est identique pour les deux enseignants qui pilotent le même groupe d'élèves, mais dans des espaces-temps différents. Pour que le climat demeure favorable et pour que chaque élève progresse le plus possible, les deux associés doivent s'imposer des temps de partage et de régulation.

À chacune des étapes de l'année, le duo d'enseignants échange des perceptions et des points de vue sur des sujets jugés essentiels, tels que ceux-ci :

- Le profil motivationnel de chaque élève ;
- L'ajustement du cadre disciplinaire ;
- L'espace occupé par chaque enseignant dans la classe en ce qui a trait au rangement et à l'affichage ;
- Les attentes des parents ;
- Le choix de compétences transversales à privilégier sur le plan du développement ;
- La gestion des outils communs qui ont été établis avec les élèves : coffre à outils, carnet d'apprentissage, portfolio d'apprentissage, etc. ;
- La modification de l'aménagement physique au regard de l'émergence de nouveaux besoins ;
- Le repérage des élèves fragiles, risquant de décrocher du système ;
- La possibilité de construire conjointement un tableau d'enrichissement dans la classe.

Dresser un bilan du fonctionnement à la fin de l'année

Pour tout contexte d'enseignement et d'éducation, il est essentiel de dresser un bilan afin de dégager des perspectives pour l'année qui vient. Cela est encore plus vrai si le modèle de temps partagé est appelé à se maintenir au sein d'un cycle ou d'une école. Il est tout à fait naturel que la structure mise en place évolue avec le temps et à la lumière de l'expérience acquise. Il existe de nombreux cadres d'objectivation et d'évaluation dans ce domaine. Je me contenterai de vous suggérer le canevas suivant.

À partir du modèle de partenariat que vous avez établi ensemble cette année et à partir des quatre composantes de la gestion de classe (*voir introduction, p. 15*), répondez aux questions présentées au tableau 6.1, page suivante (*voir aussi fiche 6.3a, p. 483*).

Si vous êtes à l'aise avec les pistes de discussion du tableau 6.1, vous pouvez les utiliser avec vos élèves et leurs parents. Plus vous associez votre entourage à votre projet de temps partagé, plus vous courez la chance que celui-ci vous apporte de nombreuses satisfactions et gratifications professionnelles, en plus de répondre au style de vie qui vous convient.

TABLEAU 6.1 | LE BILAN DE NOTRE FONCTIONNEMENT EN TEMPS PARTAGÉ

ÉLÉMENTS DE RÉFLEXION	CLIMAT ORGANISATIONNEL	CONTENU ORGANISATIONNEL	ORGANISATION DE LA CLASSE	GESTION DES APPRENTISSAGES
Quels sont les éléments satisfaisants que nous aimerions conserver ?				
Quels sont les éléments importants que nous voudrions améliorer ?				
Quels sont les éléments irritants ou dérangeants que nous désirons écarter de notre fonctionnement ?				
Quels sont les éléments nouveaux que nous aimerions développer pour l'an prochain ?				

Intervenir dans un groupe de base en partenariat avec une personne-ressource

6.4 Maintenant, je ne suis plus seul, ma porte est grande ouverte…

Contexte et utilité

Dans la guidance des élèves à risque au sein des écoles, une nouvelle stratégie d'intervention s'est dessinée : la nécessité de travailler en équipe multidisciplinaire. Les directions des services éducatifs et des écoles incitent les équipes de professionnels à mobiliser, à partager leurs compétences et leur expertise afin de les mettre à la disposition des enseignants aux prises avec des problèmes complexes en salle de classe. Ainsi, le partenariat s'inscrit automatiquement dans les voies que prendront les enseignants pour venir en aide à des élèves qui présentent des besoins particuliers. En effet, l'orthopédagogue, l'enseignant d'appui, l'éducateur spécialisé, le psychologue, l'orthophoniste et le psychoéducateur sont invités à travailler en étroite collaboration avec les titulaires de classe, alors qu'ils étaient habitués à intervenir dans des contextes individuels. Depuis une dizaine d'années, ce message a été lancé dans les écoles. Il a aussi été entendu par les praticiens, et il ne reste qu'à voir s'il a fait l'unanimité dans les milieux et s'il a teinté de nouvelles pratiques de partenariat…

Comme le véritable changement ne peut se déverrouiller que de l'intérieur et qu'il ne peut être décrété par aucun document officiel, vous vous doutez bien que les réponses à l'appel du partenariat se sont fait entendre avec des sons de cloche très différents.

Heureusement, un certain nombre d'enseignants titulaires et d'orthopédagogues étaient prêts à sortir des sentiers battus pour établir le véritable partenariat tant réclamé. Si le présent outil ne vise pas à convaincre les irréductibles, il a pour but d'alimenter des personnes qui sont disposées à prendre ce risque que représente la collégialité au service des apprentissages. Au sein d'un tandem pédagogique formé pour mieux aider l'élève, le titulaire s'appuiera sur l'orthopédagogue qui est un spécialiste de l'apprentissage, tandis que l'orthopédagogue misera énormément sur la capacité du titulaire à gérer l'organisation d'une classe. Quel beau complément !

Remettre les pendules à l'heure

Les enseignants ainsi que les directions d'école concernés par les services de soutien aux élèves attendent des professionnels un engagement qui dépasse largement l'étape du diagnostic. Dans cette optique, la tendance à intervenir directement auprès des élèves présentant des besoins particuliers s'est intensifiée, détrônant ainsi l'ancienne formule du dénombrement flottant où l'on retirait les élèves de leur classe pour intervenir individuellement ou en petits groupes dans un local réservé à cette fin. L'alliance de travail entre les enseignants et les responsables des mesures d'appui n'est plus une option, elle devient une obligation.

Ce virage sur le plan des mesures d'aide produit de l'insécurité chez les divers intervenants ; celle-ci se traduit différemment selon la personnalité et le leadership des personnes ayant à vivre le changement demandé. L'indifférence, l'enthousiasme, la peur, la prudence, la colère, la frustration et le désistement sont autant de réactions possibles aux changements introduits. Il n'est facile pour personne de faire un deuil, de concevoir des modèles nouveaux et de coopérer avec d'autres adultes quand on n'a pas développé soi-même cette compétence transversale.

Voilà pourquoi on trouve dans les milieux scolaires différents modèles d'intervention qui se rapprochent plus ou moins de l'orientation première, soit celle d'intervenir en partenariat directement auprès de l'élève en salle de classe. C'est ainsi que l'on voit :

- des orthopédagogues qui travaillent différemment selon la culture des écoles ;
- des élèves qui sont encore retirés de leur classe de manière récurrente ;
- des interventions floues ou intuitives d'orthopédagogues en salle de classe, à la demande expresse d'enseignants dépassés par les événements ;
- des enseignants d'appui qui ont développé une formule mixte, basée sur le dénombrement flottant et l'intervention directe en classe ;
- des orthopédagogues qui unissent leurs forces à celles des titulaires pour planifier et vivre la différenciation pédagogique directement dans la classe.

Malgré la diversité dans tous ces actes de soutien, la bonne volonté des gens est au rendez-vous ; l'accent est surtout mis sur les services que l'élève est en droit de recevoir, peu importe la formule utilisée. Il nous reste à espérer qu'avec le temps un plus grand nombre d'enseignants et de professionnels acceptera le travail en partenariat et placera ses compétences au service de la différenciation des processus d'apprentissage des élèves.

Les problématiques liées au partenariat avec une personne-ressource

Ce virage du partenariat ne peut se vivre sans difficulté. Pour prévenir les mauvaises expériences, vous devez être conscient des problématiques qui risquent de survenir en cours d'expérimentation :

- Une «fausse» alliance de travail entre un titulaire et un orthopédagogue imposée par la direction d'une école ;
- Une absence de planification pédagogique entourant une intervention partagée en classe, les deux parties ayant misé sur l'intuition ou la spontanéité ;
- La crainte de l'orthopédagogue de se retrouver dans une classe où il doit intervenir davantage en fonction du climat que du contenu ;
- Une intervention vécue dans une classe ou au sein d'un groupe de base lorsque le menu est fermé ; dans cette situation, le professionnel n'arrive pas à trouver la place qu'il devrait occuper ;
- La non-utilisation d'une séquence d'apprentissage afin de situer le domaine où chacun des partenaires interviendra auprès des élèves : la formation de base, la consolidation, l'approfondissement, la récupération, l'enrichissement ;
- Le manque de clarification au sein de l'école sur les formes de soutien à l'élève au regard des champs de responsabilités spécifiques et complémentaires ; par exemple, la consolidation relève de l'enseignant régulier, la rééducation appartient au spécialiste de l'apprentissage tandis que la prise en compte des profils et des parcours des élèves peut être assumée par le duo enseignant-orthopédagogue qui fait ses premiers pas dans les sentiers de la différenciation ;
- La volonté d'uniformiser le modèle d'intervention de l'orthopédagogue dans toutes les classes d'un même établissement scolaire ;
- Le désir de bloquer toutes les plages d'intervention de l'orthopédagogue en début d'année afin de s'assurer que la ressource sera rentable au maximum. Il s'ensuit donc un manque de flexibilité qui ferme la porte à l'évaluation régulatrice et à la mise en place de la différenciation pédagogique.

La figure 6.4, page suivante, permet de bien cerner les composantes de la gestion de classe qui réclament davantage d'investissement dans un contexte de partenariat avec une personne-ressource et sur lesquelles le titulaire et la ressource devront intervenir prioritairement.

FIGURE 6.4 LES COMPOSANTES PRIORITAIRES EN CONTEXTE DE PARTENARIAT AVEC UNE PERSONNE-RESSOURCE

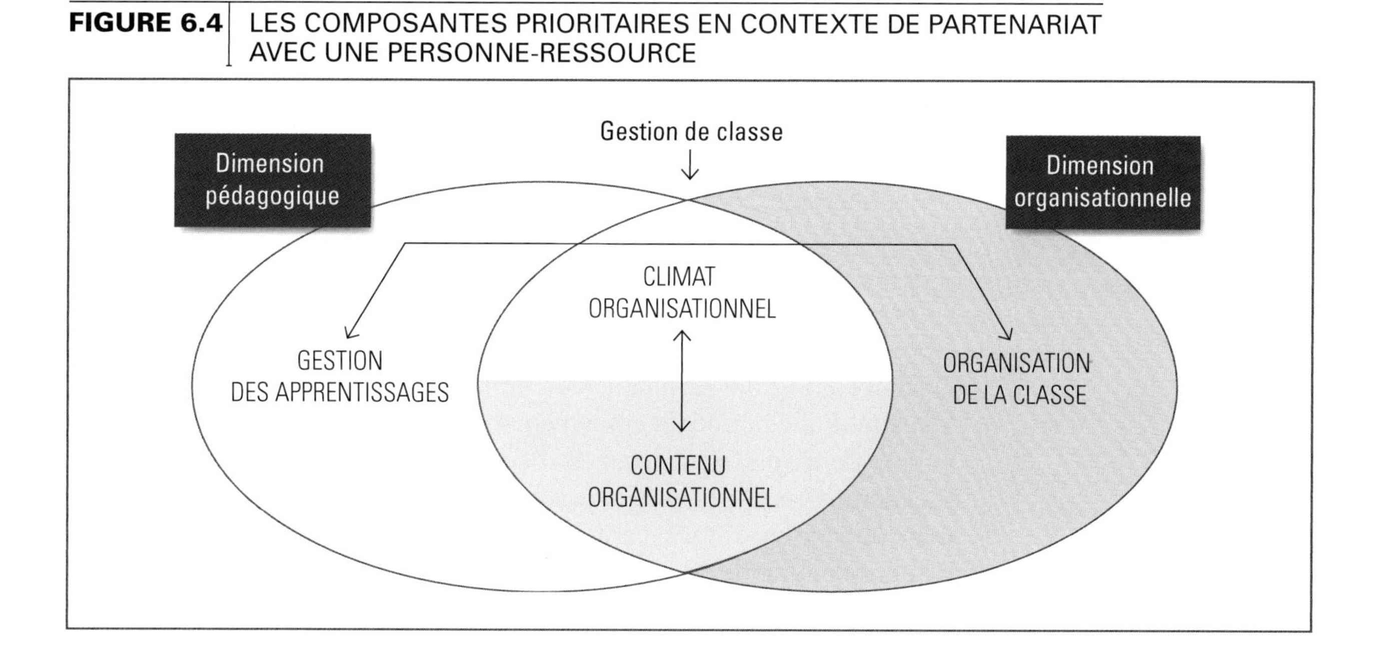

Des façons d'apprivoiser le partenariat

Il existe différents moyens d'aborder le partenariat afin qu'il soit le plus fructueux possible :

- Quand le titulaire ne se sent pas prêt à travailler en coopération avec l'orthopédagogue à l'intérieur de la classe, il peut tout de même :
  - se soucier de réinvestir un outil pédagogique mis au point avec un élève lors de sa consultation auprès de l'orthopédagogue ;
  - utiliser les compétences de l'orthopédagogue pour planifier et animer un atelier à l'intention des parents afin qu'ils soient outillés pour offrir un meilleur accompagnement dans les devoirs et les leçons ;
  - introduire dans la classe un atelier de remédiation conçu par l'orthopédagogue relativement à un besoin récurrent en lecture, en écriture ou en mathématiques.
- Quand le titulaire accepte la présence de l'orthopédagogue dans la classe, mais seulement dans un contexte collectif, il peut :
  - inviter l'orthopédagogue à démarrer avec lui un coffre à outils à l'intention des élèves, ce qui constitue un renfort important, puisque cet intervenant est un spécialiste des processus, des démarches et des stratégies d'apprentissage ;
  - solliciter l'aide de l'orthopédagogue pour aider les élèves à identifier leur style d'apprentissage ou leurs formes d'intelligence prédominantes ;
  - demander à l'orthopédagogue d'animer avec lui une activité ayant pour but de consolider avec les apprenants des démarches d'apprentissage fondamentales, comme la démarche de résolution de problèmes, la démarche scientifique et la démarche de recherche ;

– s'adjoindre l'orthopédagogue au cours de la période consacrée à la gestion du portfolio afin de soutenir le processus d'objectivation et d'autorégulation de certains élèves pendant qu'ils sélectionnent leurs pièces-témoins : les guider dans l'utilisation des critères de sélection, de la fiche de justification et du classement des pièces à l'intérieur des bonnes rubriques.

Vivre un véritable partenariat en partageant les rôles et les responsabilités

Après avoir apprivoisé certaines formes de travail collégial, le titulaire et l'orthopédagogue sont maintenant prêts à faire le grand saut. Ils ouvriront le menu d'une période d'enseignement afin d'exercer leurs compétences auprès de divers sous-groupes d'apprentissage. Ce projet devrait être fonctionnel, puisque les deux parties se sont occupées d'installer quelques matériaux de base avant d'amorcer le processus de la différenciation. Voici d'autres conditions de réussite à mettre en place lorsqu'on veut établir un partenariat authentique autour d'une intervention planifiée en classe :

- L'enseignant titulaire accepte de plein gré qu'un autre adulte intervienne avec lui dans la classe.
- L'orthopédagogue ou l'enseignant d'appui se porte volontaire pour expérimenter des façons plus inhabituelles et probablement plus menaçantes d'intervenir, un groupe étant plus difficile à encadrer qu'un élève.
- Les deux personnes sont prêtes à gérer un menu ouvert pour une période donnée.
- L'enseignant titulaire a précisé le cadre disciplinaire de sa classe à l'orthopédagogue pour que celui-ci en connaisse les grandes lignes et puisse en tirer profit.
- Les deux alliés ont planifié ensemble le déroulement d'une séance de différenciation. Par exemple, ils ont exploré trois avenues possibles – les contenus, les processus et les productions – pour convenir finalement que, cette fois-ci, ils tenteront de réduire des écarts entre les contenus en lecture.
- Les deux partenaires se pencheront également sur les structures organisationnelles les plus pertinentes pour remplacer l'enseignement frontal et le travail collectif à l'aide du tableau 6.2, page suivante (*voir aussi fiche 6.4a, p. 483*).

Pour aller davantage en profondeur, ils pourront se référer au chapitre 4, qui traite de l'organisation de la classe.

Le choix des structures organisationnelles

Les structures constituent l'organisation de toute classe. Il est important de passer au peigne fin les quatre catégories de structures – soit les structures pour gérer le temps, les groupes de travail, l'aménagement physique et les ressources – afin de découvrir celles qui conviendront le mieux au contexte d'apprentissage dans lequel se retrouveront les élèves. Même si la planification pédagogique a été des plus minutieuses, il ne faut pas commettre l'erreur d'escamoter l'étape de la planification organisationnelle.

TABLEAU 6.2 | LES STRUCTURES ORGANISATIONNELLES

STRUCTURES POSSIBLES	CHOIX DES STRUCTURES
Pour gérer le temps	En plus du menu ouvert, aurons-nous besoin d'un plan de travail ? d'un tableau d'enrichissement ? d'un tableau de programmation ? d'ateliers-arbres ? d'ateliers-carrousels ? de centres d'apprentissage ?
Pour gérer les groupes de travail	Aurons-nous besoin de dyades d'entraide ? d'un tutorat ? d'équipes de travail ? d'équipes coopératives ? de sous-groupes d'apprentissage ?
Pour gérer l'aménagement physique	Aurons-nous besoin du centre de lecture ? du centre d'informatique ? du centre d'autocorrection ? Devrons-nous modifier l'aménagement actuel afin de récupérer de l'espace pour insérer les structures essentielles au vécu du projet ?
Pour gérer les ressources	Aurons-nous besoin de livres de littérature jeunesse ? de fiches de lecture ? de mots-étiquettes ? de logiciels sur les stratégies ? de revues pour enfants ? d'activités « cinq minutes » ? de jeux de lecture ?

Un exemple de mise en place des structures organisationnelles

Après discussion, les deux associés optent pour un outillage qui se configure ainsi : pour rallier les divers parcours scolaires des élèves, il y aura quatre ateliers-arbres ou, si vous préférez, quatre sous-groupes d'apprentissage momentanés portant sur des besoins différents : le goût de lire, le décodage de base, la consolidation de stratégies de lecture et l'expression plastique à partir de lectures personnelles :

Voir aussi *Apprivoiser les différences*, p. 492 et 493.

- Le premier sous-groupe d'élèves aura accès au centre de lecture offrant à la fois livres-vedettes et fantaisies de lecture. Les élèves travaillent individuellement et l'on recourt aux services d'un élève-tuteur de 6e année. Cet élève se préoccupera :
  - de présenter les livres-vedettes ;
  - de guider les élèves dans la sélection de leur livre ;
  - de s'assurer que chaque élève lit son livre avant d'entreprendre la fantaisie de lecture de son choix ;
  - d'accompagner chaque élève dans la réalisation du défi qu'il a choisi.
- Le deuxième sous-groupe d'élèves vivra une clinique convoquée animée par l'orthopédagogue. Les élèves y manipuleront des cartons-étiquettes et des jeux de lecture.
- Le troisième sous-groupe d'élèves travaillera dans une structure d'ateliers-carrousels comprenant trois stations d'ordinateur. À partir de logiciels différents, chaque élève consolidera les diverses stratégies de lecture. Le titulaire amènera les élèves à faire une objectivation et une autoévaluation chaque fois qu'ils changeront d'ateliers.
- Le quatrième sous-groupe d'élèves travaillera sans guidance au tableau d'enrichissement. Sur ce dernier, les élèves retrouveront deux tâches en lien avec l'exploitation de lectures signifiantes qu'ils ont faites récemment. Ils pourront s'exprimer par différentes techniques d'arts plastiques : le fusain, le pastel, le papier sculpté et le modelage.

Un contexte de titulariat au secondaire

6.5 Le titulariat, une mesure essentielle à privilégier

Contexte et utilité

Les changements amorcés avec le programme québécois de formation au secondaire orientent les interventions des enseignants vers une approche pédagogique où l'élève joue le rôle d'acteur principal dans le développement de ses compétences. La manière de partager le pouvoir et les responsabilités avec l'apprenant, à l'intérieur de structures définies conjointement, demeure donc une question de fond. Comment faire AVEC l'élève alors qu'on est plutôt habitué à faire « à la place de » l'élève ?

La réalisation d'une telle innovation dirige obligatoirement l'apprenant vers la mutation de son métier d'élève, et l'intervenant, vers un métier d'enseignant renouvelé. Souvent, le premier réflexe du praticien est de chercher à en faire plus, alors qu'il oublie justement de « faire autrement ». Souvent aussi, le praticien cherche à changer des structures seulement dans son propre territoire, alors que l'école bloque ce genre d'initiative en maintenant des structures organisationnelles inadéquates utilisées par la collectivité : la durée des périodes, l'attribution des locaux, le style d'encadrement des élèves, etc.

Quant aux possibilités de « faire autrement », l'enseignant peut trouver des avenues plus stratégiques que d'autres : un passage du primaire au secondaire plus harmonieux, la formation de groupes stables, l'implantation du titulariat, la durée des périodes d'enseignement, l'appartenance à un groupe de base, la concertation dans le développement de compétences transversales pour un groupe d'âge donné ou un groupe d'apprentissage, le coenseignement (le *team teaching*), le partenariat autour de l'approche par projet, etc.

Pour un meilleur accompagnement des élèves de 1re et 2e année du secondaire, l'outil 6.5 propose de mettre sur pied au sein d'une école une organisation scolaire fondée sur la formation de groupes stables sous la responsabilité de titulaires de classe.

Remettre les pendules à l'heure

Un tel projet d'innovation axé sur la formule du titulariat commence véritablement au moment où la direction de l'école reçoit l'assentiment d'un certain nombre d'enseignants pour établir ce type d'organisation. Les enseignants titulaires doivent alors être nourris et accompagnés tout au long de la mise en place de l'expérimentation. Il est faux de prétendre que la motivation des intervenants est suffisante pour mener ce projet à bon port. Dans de nombreux cas, les enseignants du secondaire n'ont pas suffisamment de représentation mentale du rôle d'un titulaire et possèdent peu d'expérience en ce qui concerne la gestion d'une classe, avec toutes les dimensions que celle-ci implique de même que la gestion des divers groupes de travail. Certes, ils peuvent compter sur une formation pointue concernant l'appropriation de leur discipline, mais qu'en est-il du reste ?

Selon le rôle que l'école veut donner à ses enseignants titulaires, elle doit prévoir des cheminements différents ; ils doivent s'harmoniser en fonction des choix qu'elle fera. Si celle-ci désire implanter le titulariat dans son milieu pour suivre pas à pas les rendements scolaires des élèves afin d'apporter des suivis individuels à chacun, le cheminement sera centré sur l'aspect cognitif. Et sur le plan de la gestion de la classe, ce sont les composantes du contenu et des apprentissages qui seront scrutées à la loupe par le titulaire du groupe.

Par contre, si l'école souhaite travailler dans une perspective plus globale, s'intéressant alors à harmoniser le vécu primaire-secondaire, à mettre en place une organisation pour que de jeunes adolescents développe une appartenance à un groupe donné, à miser sur le développement des compétences transversales des apprenants, à développer un outillage approprié pour responsabiliser les élèves dans leurs apprentissages, le parcours emprunté sera fort différent de ce qui a été décrit précédemment. Et le titulaire du groupe devra s'intéresser non seulement au contenu, mais aussi à d'autres éléments de la gestion de classe, comme la motivation, l'autodiscipline, les structures pour gérer les groupes de travail, l'aménagement physique d'un local de même que l'outillage à développer pour que l'apprenant s'investisse dans la gestion de ses apprentissages.

Mettre sur pied une formule de titulariat suppose que les instigateurs appuient leur projet sur de solides bases pédagogiques. Ils se laisseront guidés par le « pourquoi » et le « quoi » entourant la mise en place de ce dernier, et ne dirigeront pas toute leur attention sur des aspects techniques et organisationnels, comme le « comment » et le « quand ». C'est l'intention qui fera foi de tout...

Les problématiques liées au titulariat au secondaire

Voici quelques obstacles à un titulariat efficace au secondaire :

- Le choix du titulaire se fait de manière intuitive, sans que la direction de l'établissement fasse allusion à un profil souhaitable. Pourtant, la capacité de guider des adolescents sur le plan affectif de même que la capacité à encadrer et à animer un groupe-classe sont des critères importants à considérer.
- La formule du titulariat est confondue avec celle du tutorat.
- Faute d'informations et d'exemples, l'enseignant titulaire fait du sur-place dans l'exercice de son nouveau rôle, de sorte que les élèves ne profitent pas pleinement de cette mesure. Très souvent, le nouveau titulaire n'a jamais eu l'occasion de voir un autre enseignant remplir ce rôle au quotidien.
- Mis à part la petite tape sur l'épaule donnée en signe d'encouragement, l'enseignant titulaire est propulsé dans sa nouvelle fonction sans avoir reçu un minimum de formation.
- L'exercice du titulariat se limite à des interventions axées sur l'encadrement des élèves et il se vit exclusivement dans un contexte individuel.
- L'enseignant titulaire ne dispose pas de temps dans la grille-horaire pour travailler sur des processus, des démarches et des stratégies d'ordre transversal auprès de son groupe de base. Ici, ce type d'intervention se ferait dans un contexte collectif.
- La description des tâches du titulaire est vague, si bien que ce manque d'encadrement permet à l'enseignant de faire à peu près tout ce qu'il veut.

- La mise en commun des expériences de titulariat au sein de différentes écoles est omise, de sorte que le modèle mis en place au sein d'une commission scolaire n'évolue pas au fil du temps.
- À la fin de l'année scolaire, les personnes concernées escamotent les étapes du bilan concernant le vécu du titulariat ainsi que les perspectives à envisager ; par conséquent, année après année, les titulaires répètent les mêmes erreurs en perpétuant des habitudes sur le plan du fonctionnement.

La figure 6.5 permet de bien cerner les composantes de la gestion de classe qui réclament davantage d'investissement dans un contexte de titulariat au secondaire et sur lesquelles le titulaire doit intervenir prioritairement.

FIGURE 6.5 LES COMPOSANTES PRIORITAIRES EN CONTEXTE DE TITULARIAT AU SECONDAIRE

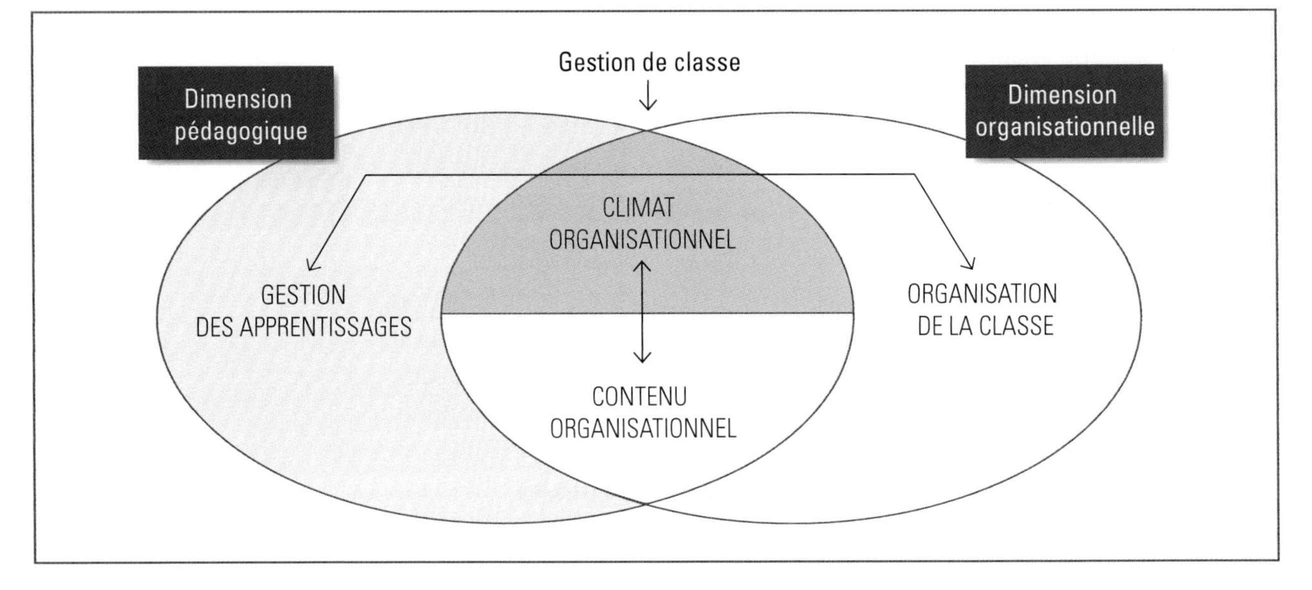

Comprendre le sens du titulariat

Selon la définition courante, un titulaire est une personne qui occupe une charge, une fonction pour laquelle elle a été choisie ou nommée. Si l'on applique cette définition au contexte scolaire, un titulaire :

- assume la responsabilité d'un groupe d'élèves ;
- enseigne deux ou trois disciplines ;
- assure la communication entre l'élève, les autres enseignants, la direction de l'école et les autres professionnels ;
- favorise la communication avec les parents ;
- soutient et valorise l'élève dans son parcours d'apprentissage.

Comprendre les enjeux du titulariat

La présence du titulariat au 1er cycle du secondaire se justifie par plusieurs arguments. De façon générale, on peut regrouper ces arguments sous quatre volets, tous porteurs de gains importants :

1. *Les gains rattachés à l'amélioration du climat de l'école:* Certaines écoles qui éprouvaient des problèmes aigus d'indiscipline, d'absentéisme et de décrochage ont constaté une nette amélioration à la suite de l'implantation du titulariat. Des élèves ont même avoué qu'ils avaient résisté à l'attrait du décrochage grâce à cette mesure. D'autres ont admis qu'ils étaient revenus à leur école de quartier alors qu'ils s'étaient dirigés vers une autre école.
2. *Les gains rattachés à la motivation du personnel enseignant:* Le défi suscité par le titulariat contribue à engendrer une plus grande motivation professionnelle chez les personnes qui acceptent de relever un tel défi. Certains enseignants y voient un moyen de diversifier leurs tâches et d'exercer davantage leur créativité. La routine et la lassitude font alors place à un désir de mobilisation parce que les avantages retirés sont plus importants que les inconvénients. Les titulaires constatent avec plaisir certains gains, comme le fait de mieux connaître leurs élèves, d'établir avec eux des relations privilégiées et d'expérimenter des approches pédagogiques plus satisfaisantes. Cela n'est-il pas suffisant pour leur faire oublier le surcroît de travail associé à l'enseignement d'un plus grand nombre de disciplines?
3. *Les gains rattachés à l'attitude positive des parents:* Comme les parents se préoccupent beaucoup de l'encadrement apporté aux élèves qui arrivent au secondaire dans une grande école, la formule du titulariat les rassure et contribue même à redorer l'image de l'école. Dans certains cas, des parents ont révisé leur intention d'inscrire leur adolescent à une école privée. Dans d'autres cas, le taux de participation des parents aux réunions a augmenté.
4. *Les gains rattachés au bien-être des élèves:* L'arrivée au secondaire se vit plus facilement grâce à la mise en place du titulariat. En septembre, l'adolescent n'a alors pas à vivre le choc culturel du passage d'un seul titulaire de classe au primaire à une dizaine d'intervenants différents au secondaire.

Certains gains plus spécifiques liés au titulariat méritent aussi d'être mentionnés:

- Le titulariat assure un meilleur suivi de l'élève non seulement dans le développement de ses compétences, mais aussi dans l'ensemble de son vécu à l'école.
- Il permet aux élèves d'éprouver un sentiment d'appartenance à un groupe de base.
- Il offre aux jeunes l'occasion de s'identifier à un adulte et le privilège de pouvoir s'y référer en tout temps.
- Il fournit l'occasion à un enseignant d'examiner de près les parcours des élèves, ce qui lui permettra d'intervenir de manière préventive.
- Il désigne un premier répondant auprès des parents, des autres enseignants et des membres de l'équipe multidisciplinaire, qui offrira des mesures de soutien à des élèves présentant des problèmes particuliers.

Préparer l'implantation du titulariat dans un cycle d'apprentissage

Il n'existe pas de formule magique pour implanter le titulariat au sein d'une école. Les directions d'établissement doivent connaître les conditions gagnantes à mettre en place avant de demander aux enseignants de plonger dans l'inconnu. En voici quelques-unes :

- Il est indispensable de susciter des moments d'échange sur la formule du titulariat dans l'équipe d'enseignants. Ceux-ci doivent pouvoir partager leurs réflexions sur ce mode organisationnel avant de passer à l'action. Autrement, il faudra oublier le rêve que cette implantation puisse se dérouler de façon harmonieuse.
- Il faut adopter une approche globale pour démontrer aux intervenants que le titulariat fait partie du projet d'établissement et du plan de réussite éducative au même titre que tous les autres éléments qui figurent sur ces documents. Il ne s'agit pas d'un projet déconnecté du quotidien qui vise à privilégier les intérêts d'une personne plutôt que ceux d'une autre.
- Il importe d'accepter de réviser la charge de travail du personnel enseignant de façon que le titulaire puisse passer au moins le tiers de son temps avec son groupe de base. Il faut prévoir du temps d'encadrement hors matière pour lui permettre de faire un suivi personnalisé tout en animant la classe. Plus encore, il faut faire preuve d'équité dans l'attribution des tâches pour ne pas surcharger un enseignant motivé.
- Il est essentiel de clarifier les rôles et les responsabilités du personnel afin que chaque intervenant apporte sa contribution à la réussite éducative des élèves. À la lumière des conventions de travail, la direction de l'école doit faire preuve de rigueur et de vigilance pour que ces rôles soient non seulement acceptés, mais aussi mis en œuvre dans la vie de tous les jours. Pour des cas litigieux, celle-ci peut toujours se référer à la direction des ressources humaines de sa commission scolaire.
- Il faut consacrer un certain temps à la formation de groupes stables d'élèves : les titulaires doivent établir des critères de formation, constituer des groupes et informer les autres enseignants de la composition de ces groupes.
- Il faut prévoir des mesures de soutien pour les titulaires et se soucier d'en diversifier les modalités : des activités de perfectionnement, des visites de classes, des groupes d'objectivation, des ouvrages de référence, des dyades d'entraide pour échanger sur ses visions respectives, le visionnement de vidéos, etc.

Implanter le titulariat en prévoyant divers modes d'intervention

L'enseignant titulaire partagera son temps de manière à privilégier divers modes d'intervention :

- Assurer un suivi personnalisé à chacun de ses élèves au moins trois fois par an pour se tenir au courant de leurs parcours d'apprentissage et déterminer la forme de remédiation dont ils ont besoin : de la consolidation, de la récupération ou de l'enrichissement.

- Tenir des activités d'animation collective pour responsabiliser les élèves dans leurs apprentissages et mettre au point avec eux un outillage cognitif : carnet d'apprentissage, coffre à outils et portfolio d'apprentissage.
- Planifier et vivre un projet collectif avec ses élèves au moins une fois par étape afin de leur faire éprouver un sentiment d'appartenance, de contextualiser des apprentissages transversaux et de les placer en situation d'exercer leurs capacités de s'entraider et de coopérer.
- Se charger de la remise des bulletins et dégager avec les élèves des forces et des défis.
- Établir des contacts réguliers avec les parents des élèves pour leur communiquer non seulement les mauvaises nouvelles, mais aussi les bonnes.
- Servir d'agent de liaison auprès des autres enseignants et de la direction de l'établissement.
- Effectuer les démarches nécessaires pour que les mesures d'appui demandées soient données le plus rapidement possible aux élèves présentant des problèmes particuliers.

Vivre le titulariat au jour le jour

Même si certaines fonctions du titulariat ne changent pas tout au long de l'année, il faut mentionner que, selon les temps forts que les élèves vivront, le titulaire sera appelé à intervenir d'une manière différente.

En début d'année, sur le plan du climat

- Le titulaire accueille ses élèves à leur première journée à l'école et vit les activités suivantes avec eux : le décodage des attentes, la détermination des champs d'intérêt personnels et collectifs, l'élaboration de procédures de fonctionnement, la mise en place d'un encadrement disciplinaire, etc.
- Il expose aux élèves de façon originale les disciplines qu'il enseignera.
- Il amène les élèves à faire connaissance entre eux et aide le groupe à structurer son identité : nom du groupe, décoration du local-classe, chanson-thème, écusson, mosaïque, journal.
- Il met en place un conseil de classe ou de coopération.

Pour alimenter ce processus d'accueil, je vous invite à consulter le chapitre 2.

En début d'année, sur le plan technique

- Le titulaire transmet aux élèves ses coordonnées personnelles pour qu'ils puissent le joindre en tout temps à l'école : où et quand il sera disponible.
- Il voit à ce que chaque élève ait son casier.
- Il visite l'école avec ses élèves.

- Il explique brièvement les règlements de l'école.
- Il présente aux élèves l'agenda scolaire et leur montre comment s'en servir.
- Il décrit l'organisation pédagogique : promotion par discipline à la fin d'un cycle d'apprentissage, titre des cours, système de crédits, etc.

Pendant l'année scolaire, sur le plan de la gestion des apprentissages

- À chacune des étapes de l'année, l'enseignant titulaire dresse le profil motivationnel de son groupe à l'aide de la grille de Paul Hersey afin de déterminer des stratégies d'intervention propres à chaque catégorie d'élèves (*voir chapitre 2, p. 87*).
- L'enseignant titulaire intervient au sujet du développement des compétences d'ordre méthodologique et met au point, de concert avec les autres enseignants, un coffre à outils multidisciplinaire.
- Il aide les élèves à découvrir leur profil d'apprentissage et il en communique les résultats aux collègues que ces données cognitives pourraient intéresser.
- Il met en place des dispositifs qui amèneront les élèves à être conscients de ce qu'ils vivent en classe : le carnet d'apprentissage pour objectiver leur vécu, les grilles d'autoévaluation pour repérer leurs acquis et déterminer leurs besoins de soutien.
- Il initie les élèves à la gestion d'un projet personnel et d'un portfolio d'apprentissage afin de promouvoir l'autonomie intellectuelle.
- Il offre sa collaboration aux autres enseignants pour créer éventuellement un tableau d'enrichissement multidisciplinaire.

Le titulariat au premier cycle du secondaire est une formule gagnante à privilégier, alors pourquoi s'en passer ? Grâce à des fonctionnements différents dans les milieux francophones secondaires de certaines provinces canadiennes, cette mesure a fait ses preuves depuis plusieurs années. Elle permet justement de mettre en place un cycle de transition qui procure de grands biens à de jeunes adolescents à la recherche d'identité et de sécurité.

Un contexte de partenariat avec des collègues pour intervenir au sein de groupes reconstitués

6.6 Quand les murs de la classe s'écroulent, la collégialité s'impose…

Contexte et utilité

L'arrivée de programmes de formation centrés sur le développement des compétences à l'intérieur de cycles d'apprentissage pluriannuels a fait ressortir la nécessité de mettre sur pied des équipes de travail collégial au sein des écoles. Le même message a été livré lorsque des milieux scolaires se sont mobilisés autour de la réussite des élèves en incitant leur personnel à travailler en communautés d'apprenants professionnels.

Bien sûr, le noyau de la classe ou du groupe de base demeurera toujours une réalité signifiante à laquelle enseignants et élèves se référeront. Il est vital autant pour un apprenant que pour un intervenant de tisser une appartenance à une structure sociale rassurante. Il ne saurait être question de remettre en cause cette sphère du développement des enfants ou des adolescents.

Par contre, on ne peut pas parler de travail en collégialité sans envisager la perspective du partage de compétences à l'extérieur du territoire de la classe pour mieux tenir compte des profils et des parcours des apprenants. Échanger des élèves dans le cadre de décloisonnements à l'externe et de groupes reconstitués suppose que les praticiens apprivoisent une nouvelle réalité, celle de la gestion interclasses. Lorsqu'il est question de gestion de classe, on est en terrain connu, mais pour ce qui est de la gestion interclasses, tout est à apprivoiser et à développer.

Le présent outil a pour but de circonscrire les paramètres de la gestion interclasses tout en proposant des démarches, des stratégies et des procédures pour que les décloisonnements soient vécus le plus positivement possible. Sinon, ceux-ci risquent d'être une source de conflits professionnels, une occasion de charges supplémentaires, ainsi qu'une série de déceptions et de frustrations.

Pour aller plus loin, voir aussi :

- *Différencier au quotidien,* p. 253 à 282 ;
- *Apprivoiser les différences,* p. 523 à 548.

Remettre les pendules à l'heure

Chaque enseignant est familiarisé avec la gestion quotidienne de sa classe ou de son groupe de base. Par contre, quand les enseignants se trouvent devant un éventuel projet de décloisonnement à l'externe, ils se rendent compte rapidement qu'il est primordial de se soucier d'une autre dimension qui leur permettra cette fois-ci de favoriser la progression maximale des apprenants dans le cadre de groupes reconstitués.

Pour les enseignants concernés, la décision de décloisonner et de mettre à profit l'ensemble de leurs compétences auprès des élèves est motivée par un désir de tenir compte d'écarts importants dans les profils et les parcours des apprenants. Devant cet état des faits, ils reconnaissent la nécessité de recourir à la différenciation à l'extérieur de la classe... Comme dans le cas de la différenciation à l'intérieur de la classe, cette autre forme de différenciation supporte mal la gratuité et l'improvisation. Avant de se lancer dans l'aventure du décloisonnement à l'externe, les enseignants doivent se soucier de quelques facteurs de base qui rendront plus agréables et plus efficaces les premières expérimentations :

- Commencer par un décloisonnement d'envergure restreinte quant au nombre de groupes en cause et quant à la durée du projet.
- Offrir aux acteurs des groupes concernés l'occasion d'établir des rapports humains plus étroits avant de se projeter dans l'action.
- Faire une planification à la fois rigoureuse et souple.
- Planifier à l'horaire des rencontres de concertation.
- Prévoir dans le scénario de différenciation la façon dont se fera l'évaluation des apprentissages.

Forts de ces premiers conseils, les enseignants auront l'occasion d'étoffer leurs projets de différenciation à l'externe en parcourant le présent outil.

Les problématiques liées au décloisonnement

Faire équipe avec des collègues soulève parfois certaines difficultés :

- Les adultes concernés par le décloisonnement ne sont pas sur la même longueur d'onde sur le plan des exigences disciplinaires.
- L'intention pédagogique rattachée au décloisonnement n'est pas assez précise.
- Les élèves sont toujours regroupés en fonction des rythmes d'apprentissage ; en misant toujours sur ce type de regroupement, au lieu de réduire les écarts, les enseignants contribuent à les élargir.
- Les adultes concernés par le décloisonnement n'ont pas prévu de mécanismes pour évaluer la progression des apprentissages des élèves.
- Les enseignants n'ont pas établi de consensus au regard de l'accompagnement pédagogique des élèves ; ils n'ont pas précisé et partagé les démarches et les stratégies d'ordre intellectuel et d'ordre méthodologique qu'ils comptent privilégier.
- Les enseignants ne maîtrisent pas certains éléments du cadre conceptuel de la différenciation :
  - Qu'est-ce qu'on peut différencier ? Les contenus, les processus, les productions.
  - Quand peut-on faire de la différenciation ? Au début d'un apprentissage, pendant un apprentissage, après un apprentissage, après une évaluation circonscrite.
- L'objet ou le résultat d'apprentissage ciblé est trop réduit ; il s'ensuit que le contexte d'apprentissage est fermé et pauvre. C'est à se demander si tout ce chambardement qu'on s'est imposé de part et d'autre était vraiment pertinent.
- Les enseignants n'ont pas prévu de structures qui leur permettront de tenir compte des différences, une fois que les regroupements auront été faits. Les déplacements d'élèves dans les corridors ne garantissent pas qu'il y aura effectivement une différenciation au sein des divers sous-groupes d'apprentissage.

La figure 6.6, page suivante, permet de bien cerner les composantes de la gestion de classe qui réclament davantage d'investissement dans un contexte de partenariat avec des collègues pour intervenir au sein de groupes reconstitués et sur lesquelles l'équipe collégiale doit intervenir prioritairement.

S'approprier le concept de « gestion interclasses »

J'ai déjà défini la gestion interclasses (*voir introduction, p. 5*). Je me permets ici une formulation plus succincte : je la considère comme l'ensemble des pratiques éducatives retenues par un groupe d'enseignants afin de favoriser la progression maximale des apprenants dans le cadre du recours à des groupes reconstitués et de décloisonnement à l'externe.

FIGURE 6.6 LES COMPOSANTES PRIORITAIRES EN CONTEXTE DE PARTENARIAT AVEC DES COLLÈGUES

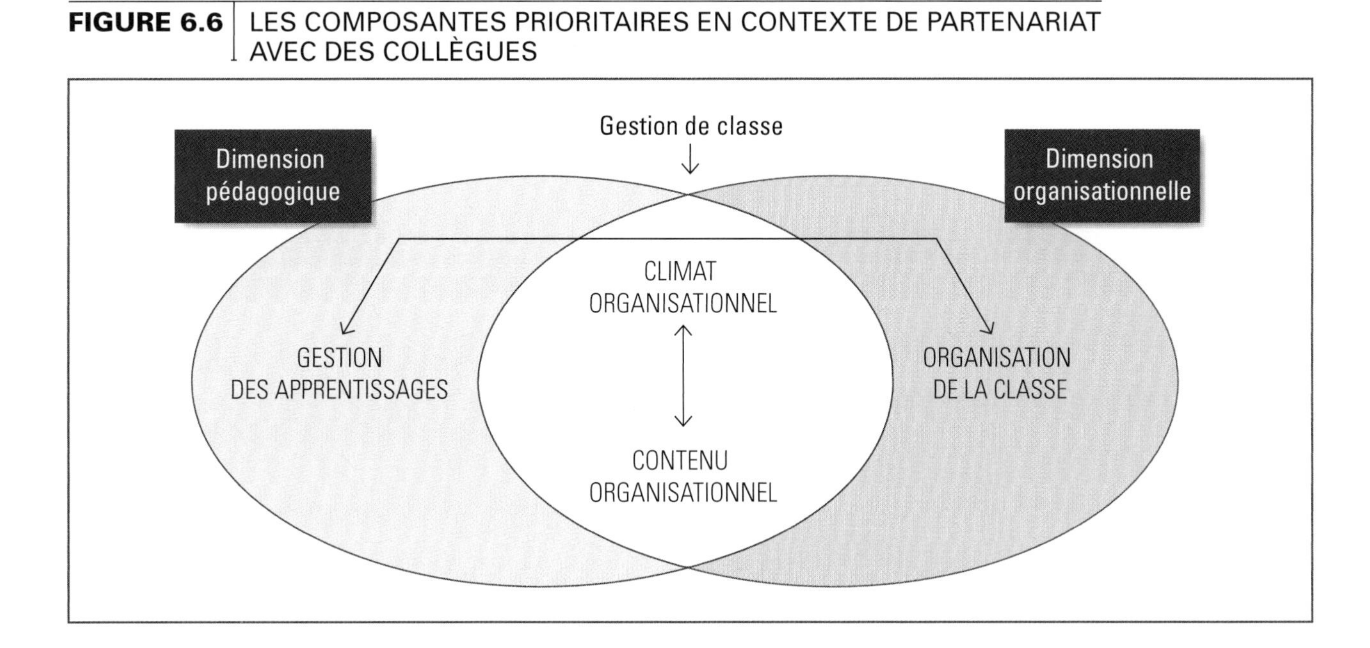

La gestion interclasses concerne donc toute décision relative au climat, à la gestion des comportements, à l'organisation de la classe et à la gestion des apprentissages. Dans le contexte de ce mode de gestion, on ne trouve pas qu'une seule vision du développement de l'élève. Il y a place à l'échange de points de vue, au partage d'expériences, et même au recours à la négociation afin de prendre les meilleures décisions pour les élèves, le confort personnel des adultes devenant un objectif secondaire. Évidemment, à l'intérieur d'un même projet de décloisonnement, toutes les composantes de la gestion de classe ne sont pas considérées avec la même intensité ; les aspects retenus relèvent des praticiens en cause.

La coopération entre les membres d'une équipe-cycle ou d'une communauté d'apprenants s'exerce tantôt dans des situations où l'on collabore sans faire de décloisonnement, tantôt dans d'autres situations où l'on fait du décloisonnement en coopérant.

Dans le contexte où l'on doit coopérer pour pouvoir faire du décloisonnement, les enseignants concernés par le projet prennent le temps nécessaire pour créer des liens affectifs et relationnels non seulement entre eux, mais aussi avec les élèves des divers groupes de base.

Planifier le décloisonnement avec soin

Comme pour tout apprentissage, les intervenants doivent se pencher sur la gestion du contenu organisationnel de même que sur celle des apprentissages. À cela s'ajoutent les dimensions du climat à créer et de l'organisation à prévoir. La grille des pages suivantes (*voir aussi fiches 6.6a et 6.6b, sur le site Web*) vient soutenir cette réflexion.

Grille de planification pédagogique

1. Y a-t-il une intention pédagogique derrière notre projet de différenciation à l'externe ? Si oui, quelle est-elle ? Les élèves connaissent-ils cette intention ?

____

____

____

2. Pourquoi voulons-nous faire de la différenciation ?

   ☐ Pour tenir compte des parcours scolaires

   ☐ Pour tenir compte des profils d'apprentissage

   ☐ Pour tenir compte des deux

3. Quels éléments du profil des élèves motivent ce décloisonnement et donnent une couleur au type de regroupement que nous désirons privilégier?

   ☐ Les champs d'intérêt

   ☐ Les rythmes d'apprentissage

   ☐ Les styles d'apprentissage

   ☐ Les formes d'intelligence

   ☐ L'approche simultanée ou séquentielle

   ☐ L'approche analytique ou synthétique

   ☐ Les modes de pensée

   ☐ Les stratégies

   ☐ Les champs d'intérêt masculins ou féminins

   ☐ Autre élément ____________________

4. Dans cette expérience de décloisonnement que nous voulons vivre, sur quelle cible d'apprentissage désirons-nous travailler ?

   ☐ Sur les compétences transversales

   ☐ Sur les compétences disciplinaires

   ☐ Sur ces deux types de compétences

   ☐ Sur les savoirs essentiels

   ☐ Sur une autre cible

5. Que comptons-nous différencier ?

   ☐ Les structures

   ☐ Les contenus

   ☐ Les processus

   ☐ Les productions

6. À quelle étape de l'apprentissage désirons-nous différencier ?

- ☐ Au début d'un apprentissage
- ☐ Pendant l'apprentissage
- ☐ Après l'apprentissage
- ☐ Après une évaluation formative

7. Pour alimenter notre projet de décloisonnement, sur quoi les élèves travailleront-ils ?

- ☐ Sur une tâche complexe
- ☐ Sur une situation problématique
- ☐ Sur un projet collectif
- ☐ Sur un projet d'équipe
- ☐ Sur une activité ouverte
- ☐ Sur un projet personnel

Grille de planification organisationnelle

1. Combien de temps va durer ce décloisonnement ? ______________________________

2. Que comptons-nous utiliser sur le plan de l'organisation des groupes de travail ? (*Voir chapitre 4.*)

- ☐ Des dyades d'entraide
- ☐ Le tutorat
- ☐ Des équipes de travail
- ☐ Des équipes coopératives
- ☐ Des sous-groupes d'apprentissage

3. Sur le plan de l'organisation du temps, avons-nous l'intention d'utiliser l'un des dispositifs suivants ?

- ☐ Les ateliers-arbres (*Voir* Apprivoiser les différences, *p. 492 et 493.*)
- ☐ Les ateliers-carrousels (*Voir* Apprivoiser les différences, *p. 493 et 494.*)
- ☐ Une clinique de remédiation
- ☐ Le tableau de programmation
- ☐ Le tableau d'enrichissement
- ☐ Les ateliers-organigrammes (*Voir* Apprivoiser les différences, *p. 498 à 500.*)
- ☐ Le plan de travail à plages ouvertes
- ☐ Autre dispositif

4. Sur le plan de l'espace, de quels locaux aurons-nous besoin ? Quel aménagement serait le plus fonctionnel ?

____

____

____

____

5. Sur le plan des ressources matérielles, que prévoyons-nous utiliser ?

- ☐ Des livres de littérature jeunesse
- ☐ Des ordinateurs
- ☐ Du matériel de manipulation
- ☐ Du matériel scientifique
- ☐ Des revues et des journaux
- ☐ D'autre matériel

6. Avons-nous partagé les responsabilités entre nous ? Est-ce que les mandats sont suffisamment clairs pour que nous puissions amorcer notre projet de décloisonnement ?

____

____

____

____

Des exemples de concertation pour dégager des consensus essentiels

L'encadré suivant présente trois exemples de concertation et de collégialité pouvant relever de la gestion interclasses. En regardant de plus près ces exemples, l'enseignant découvrira assez rapidement qu'il y a une certaine similitude entre la gestion de classe et la gestion interclasses sur le plan des quatre composantes à considérer : le climat, le contenu, l'organisation de la classe et la gestion des apprentissages. Par contre, c'est dans l'exercice de la compétence à gérer des groupes de base ou des groupes reconstitués que des nuances s'imposent. En effet, ce qui distingue l'une de l'autre, c'est le fait que la gestion de classe s'exerce individuellement et qu'elle concerne un seul groupe d'élèves. Quant à la gestion interclasses, elle s'organise autour de deux, trois ou quatre groupes d'élèves et elle fait appel à des consensus professionnels établis autour de la réussite des élèves. Ces accords ne peuvent s'opérer seulement si les personnes en cause sont imprégnées d'une forme de solidarité qui les amène à coopérer et à se concerter. À ce moment-là, il y a vraiment lieu de parler de collégialité vécue au sein d'une communauté d'apprenants professionnels.

Exemples de décloisonnement à l'extérieur de la classe

Premier exemple

Un projet de décloisonnement en fonction des champs d'intérêt masculins et féminins au sein de quatre classes de 3e année du primaire

Huit types de projets personnels ont été présentés afin de constituer des sous-groupes de champs d'intérêt. La modélisation des étapes associées au projet personnel sera vécue à l'intérieur de chaque sous-groupe. L'accent sera mis sur le développement de la compétence transversale «mettre en œuvre sa pensée créatrice».

Voici les outils ayant fait l'objet de consensus dans la perspective d'une **gestion interclasses**:

1. Une charte de coopération a été construite et validée avec les élèves touchés par ce projet de décloisonnement. Cette charte, qui encadre certains comportements jugés essentiels à la réussite d'un projet personnel, se formule ainsi:

> Pendant la durée de notre projet de décloisonnement, nous nous engageons à:
> - explorer différentes possibilités de réalisation;
> - faire preuve d'autonomie dans notre processus de création;
> - accorder de l'importance à la qualité de notre produit fini;
> - mener à terme la réalisation entreprise.

2. Une grille d'observation a été conçue pour que les enseignants puissent évaluer les composantes de la compétence transversale «mettre en œuvre sa pensée créatrice».

   Voici les comportements qui seront observés:

> - L'élève sait préparer et organiser les étapes liées à son projet de création.
> - Il explore différentes possibilités de réalisation.
> - Il va jusqu'au bout de son projet de création.
> - Il évalue la démarche empruntée pour produire sa réalisation.

3. Une grille d'autoévaluation a été élaborée pour permettre à chaque élève d'évaluer sa réalisation:

> - Ma réalisation est différente de celle des autres élèves: ☐ oui ☐ non
> - Voici ce qui est original dans ma création: ______________________
> - Voici un élément dont je suis particulièrement fier: ______________________
> - J'ai accordé de l'importance à la qualité de ma production: ☐ oui ☐ non
> - Voici un point à améliorer dans mon projet de création: ______________________

Deuxième exemple

Un projet de décloisonnement en fonction de la compétence à lire au sein de trois classes composant les deux premiers cycles du primaire

Les besoins repérés ont conduit à la constitution de quatre sous-groupes d'apprentissage momentanés. Cette expérience se vivra donc en fonction de sous-groupes de stratégies et elle se déroulera à raison d'une période de 60 minutes pendant 6 semaines. L'orthopédagogue de l'école sera partie prenante de ce projet et travaillera en partenariat avec les trois titulaires de classe.

Voici les stratégies de lecture qui seront explorées à l'intérieur de chacun de ces sous-groupes:

- *Sous-groupe 1, décodage de base en lecture:* stratégies d'identification des mots (décoder en contexte, par analyse et synthèse, les mots nouveaux rencontrés à l'écrit).
- *Sous-groupe 2, stratégies simples de lecture:* survoler le texte pour anticiper son contenu; anticiper la suite à partir de ce qui précède.
- *Sous-groupe 3, stratégies complexes de lecture:* planifier sa manière d'aborder le texte; regrouper des éléments d'information éloignés les uns des autres.
- *Sous-groupe 4, lecture à voix haute:* utiliser les indices relatifs à la ponctuation; surmonter des obstacles de compréhension par la poursuite de sa lecture, des retours en arrière, la relecture d'un mot, d'une phrase ou d'un paragraphe.

Voici les outils ayant fait l'objet de consensus dans la perspective d'une **gestion interclasses**:

•••>

- L'utilisation de dyades d'entraide a été prévue pour les périodes de décloisonnement. Les enseignants désirent même élaborer un référentiel visuel avec les élèves pour leur rappeler comment ils peuvent aider l'autre membre de la dyade à apprendre à lire à l'intérieur de chaque contexte.
- Des stratégies diversifiées pour la compréhension de la lecture feront l'objet d'un enseignement à l'intérieur des sous-groupes qui en auront besoin. La liste de ces stratégies sera intégrée au coffre à outils des élèves.
- Un menu d'enrichissement commun a été planifié pour nourrir les écarts de rythmes des élèves qui se présenteront à l'intérieur de chaque sous-groupe. Comme il s'agit d'un projet axé sur l'apprentissage de la lecture, les enseignants se sont concentrés sur des pistes concernant l'exploitation du livre. Quatre pistes sont offertes aux élèves :

> – Je lis pour m'informer.
> – Je lis pour me construire des repères culturels.
> – Je lis pour découvrir des univers littéraires.
> – Je lis pour fonder une appréciation critique.

Troisième exemple

Un projet de décloisonnement entre trois classes du 1er cycle du secondaire pour vivre la consolidation en communication orale, anglais langue seconde

Ce projet peut aussi être vécu pendant la révision de contenus ou de mécanismes de remédiation à la suite d'une situation d'apprentissage et d'évaluation (SAE). Trois sous-groupes de rythmes au regard du développement de la compétence à communiquer oralement ont été créés : les novices, les intermédiaires et les expérimentés. Ce projet est étalé sur 2 périodes de 75 minutes à chaque cycle de 9 jours.

Voici les outils ayant fait l'objet de consensus dans la perspective d'une **gestion interclasses** :

- Le recours à des équipes coopératives est prévu afin de fournir aux élèves plus d'occasions de s'exprimer en anglais. À cette intention, une procédure pour travailler en équipe a été élaborée afin de rentabiliser cette forme d'apprentissage coopératif :

> – J'attends mon tour pour parler.
> – J'écoute le camarade qui parle.
> – Je soutiens, au besoin, un autre élève lorsqu'il s'exprime.
> – J'accepte d'être aidé lorsque je prends la parole.
> – Je joue le rôle dont je suis porteur au sein de mon équipe.
> – Je respecte les rôles joués par les autres élèves de mon équipe.

- Des rôles ont été attribués aux élèves. Ainsi, on trouvera au sein de chaque équipe un gardien de la parole, un gardien du temps, un gardien de la tâche et un expert pour indiquer des pistes d'amélioration.
- Une objectivation écrite à l'aide du carnet d'apprentissage est prévue à la fin de chaque période de consolidation. Les pistes suivantes seront proposées aux élèves pour susciter un questionnement pédagogique :

> – Le vocabulaire que j'ai amélioré au cours de cette période ;
> – La structure de phrase que j'ai travaillée au cours de cette période ;
> – Les points que j'aurais intérêt à travailler la prochaine fois ;
> – La difficulté la plus grande que j'éprouve encore.

Je retiens

Pour gérer des contextes de vie de classe bien particuliers, l'enseignant doit être doublement équipé : maîtriser les rudiments de la gestion de classe et développer des interventions et des stratégies qui tiennent compte du contexte d'enseignement dans lequel il se trouve.

- L'enseignant qui fait de la suppléance à court terme est placé dans une situation de travail fort exigeante. En plus d'être un spécialiste de la pédagogie, il doit posséder certaines attitudes essentielles qui lui permettront de bien tirer son épingle du jeu : être capable de s'adapter rapidement à de nouvelles situations, vivre quotidiennement avec le stress que crée l'insécurité du lendemain et réagir froidement aux imprévus qui se dressent dans l'exercice de ses fonctions.
- L'enseignant qui joue le rôle de suppléant à long terme doit se souvenir que la formule du partenariat est sa clé de succès. Se soucier du vécu du collègue qui était là hier ou qui sera en poste demain, développer une approche participative avec les élèves et devenir partenaire avec les parents de ses élèves, voilà de quoi marquer des points...
- Le suppléant à court ou à long terme doit prendre sa formation continue en main. Comme il risque d'être fréquemment sur la sellette dans les classes alors que des activités de perfectionnement se vivront dans les écoles, il ne pourra profiter de ces heures précieuses qui lui permettraient de maintenir à jour son acte pédagogique. Celui qui n'avance pas recule bien vite...
- Les enseignants qui optent pour un travail à temps partagé doivent se soucier du projet éducatif qui prévaudra dans la classe, qu'il soit tacite ou officiel. Il y a des éléments de convergence qui ne peuvent être ignorés lorsque deux adultes unissent leurs efforts pour favoriser la réussite éducative d'un même groupe d'apprenants. Le fait d'intervenir auprès des élèves dans des espaces-temps différents ne dispense pas les enseignants de cette obligation professionnelle.
- Chaque fois qu'un enseignant ouvre la porte de sa classe à une personne-ressource qui vient le seconder, il doit s'assurer que cette rencontre a été suffisamment planifiée et que le menu de la période est ouvert afin de profiter des compétences de l'autre pour tenir compte des différences des élèves. Sinon, le temps risque d'être gaspillé et la motivation à coopérer peut s'effriter.
- Pour vivre une formule de titulariat profitable au premier cycle du secondaire, les enseignants concernés auraient intérêt à visiter des classes du troisième cycle du primaire, surtout s'ils n'ont jamais été appelés à travailler dans cet ordre d'enseignement. Ainsi, la transition primaire-secondaire se vivrait dans les deux sens : il est aussi important pour un titulaire du secondaire de vivre une journée au primaire que pour un groupe de finissants du primaire d'aller passer une journée dans l'école secondaire qu'ils fréquenteront en septembre prochain.
- Les décloisonnements à l'externe seront rentables dans la mesure où ils auront été préparés. L'identification de la cible justifiant cette mesure, l'établissement de consensus professionnels autour du processus apprentissage-enseignement de même que la planification d'un scénario de différenciation à l'externe constituent les ingrédients de base dont les enseignants devraient se soucier avant que les élèves ne commencent à circuler dans les corridors de l'école.

Les fiches reproductibles en format réduit

Les fiches reproductibles mentionnées dans les chapitres de cet ouvrage sont offertes en format lettre (8,5 po × 11 po), sous forme de fichiers PDF et Word, sur le site Web http://quand-revient-septembre2.cheneliere.ca.

Grâce au code d'activation qui lui a été fourni, l'enseignant qui a acheté cet ouvrage peut les importer sur son ordinateur, les modifier selon ses besoins et les imprimer pour son usage personnel et uniquement pour répondre aux besoins de ses élèves.

Pour en donner un avant-goût, la première page de chacune des fiches est présentée en format réduit dans la section suivante; cela permet notamment une consultation rapide avant l'impression. Par ailleurs, le nombre exact de pages que compte chaque fiche est indiqué sous son modèle réduit.

Nom: ______ Date: ______

FICHE 1.1a

Attentes des élèves exprimées sous forme de contrat de comportement

Qu'est-ce qu'un enseignant idéal?

C'est une personne qui:

1. est juste avec tous les élèves, sans avoir de préférence, sans faire de passe-droit, et sans faire de discrimination non plus.
2. possède le sens de l'humour, est capable de faire des blagues et de détendre le climat de la classe.
3. est sévère seulement quand c'est nécessaire.
4. est disponible en classe pour donner un coup de main à ses élèves.
5. fait apprendre beaucoup de choses à ses élèves.
6. permet que le silence ne soit pas parfait quand ses élèves travaillent individuellement en classe.
7. prend tout le temps nécessaire pour expliquer avec calme, et répète au besoin.
8. donne le bon exemple à ses élèves.
9. adresse des remarques personnelles aux élèves concernés au lieu de sermonner toute la classe.
10. essaie le plus possible d'être franche avec ses élèves.
11. tolère les erreurs sans dramatiser.
12. laisse de la liberté à ses élèves pour qu'ils puissent se prendre en main.
13. formule des consignes claires avant de proposer un travail.
14. explique toujours pourquoi les élèves méritent une punition ou une récompense.
15. accepte des délais dans la remise des travaux des élèves en tenant compte de l'échéancier et du niveau de difficulté des tâches.

2e ET 3e CYCLES DU PRIMAIRE
 J. Caron, *Quand revient septembre*, 2e édition

(Cette fiche compte 2 pages)

Nom : Date :

FICHE 1.1b

Attentes de l'enseignant exprimées sous forme de contrat de comportement

Qu'est-ce qu'un élève idéal ?

C'est un élève qui :

1. fournit des efforts pour comprendre, pour faire ce qui est demandé.
2. respecte les autres et utilise un langage approprié pour leur parler.
3. se prend en main et s'occupe de ses affaires.
4. se met rapidement à l'ouvrage, travaille sans perdre de temps et évite de déranger les autres.
5. est autonome, peut fonctionner sans la présence constante de l'enseignant à ses côtés.
6. fait preuve d'une bonne conduite avec les spécialistes et les suppléants.
7. reçoit une remarque méritée, sans bouder ou piquer une petite crise.
8. participe activement à la vie de la classe.
9. respecte les règles de vie que le groupe s'est données.
10. s'exprime correctement en classe lorsque c'est requis, soit en équipe, soit en grand groupe.
11. écoute attentivement la personne qui parle, que ce soit son enseignant, un camarade ou un invité.
12. attend son tour pour prendre la parole.
13. est pacifique, ne fait pas exprès de chercher la chicane, la violence.
14. reste calme tout en étant capable de faire des blagues de temps à autre.
15. s'efforce d'être discret, évite le bavardage inutile.
16. se soucie de l'ordre, range bien ses travaux et ses effets personnels.

2e ET 3e CYCLES DU PRIMAIRE

 J. Caron, *Quand revient septembre*, 2e édition

(Cette fiche compte 2 pages)

Nom : Date :

FICHE 1.2a

Tableau des forces pour mon enseignant

1. Au regard du climat	2. Au regard du contenu
Tu es juste avec tout le monde.	Tu as la patience de recommencer tes explications quand un élève ne comprend pas.
Tu possèdes le sens de l'humour.	Tu connais bien ton contenu.
Tu es de bonne humeur, tu as le sourire facile.	Tu es capable d'expliquer des choses compliquées dans des mots simples.
Tu es capable d'expliquer le pourquoi d'une punition ou d'une récompense.	Tu enseignes ta matière de façon intéressante.
Tu nous montres le bon exemple.	Tu nous prépares bien à nos évaluations.
Tu es capable d'accepter nos idées, même si elles sont différentes des tiennes.	Tu expliques toujours les consignes avant de nous mettre à l'ouvrage.
Tu nous donnes le goût de travailler.	
Tu sembles aimer ce que tu fais.	
Tu es à notre écoute.	
Tu nous parles de la vraie vie.	
Tu nous respectes.	
Tu nous rappelles à l'ordre sans te fâcher.	
Tu nous donnes des félicitations, des valorisations.	
Tu t'intéresses à notre vie personnelle.	
Tu communiques bien avec nos parents.	

2e ET 3e CYCLES DU PRIMAIRE, 1er CYCLE DU SECONDAIRE

 J. Caron, *Quand revient septembre*, 2e édition

(Cette fiche compte 2 pages)

FICHE 1.3a

Suggestions d'accueil pour le quotidien

BIENVENUE! JE SUIS CONTENT DE T'AVOIR POUR ÉLÈVE

Au début de chaque journée, prenez le temps d'accueillir vos élèves. Faites-le aussi au début de certains cours. Voici une liste de différentes modalités desquelles vous inspirer.

1. Inviter les élèves à exprimer leurs états d'âme.
2. Lire une allégorie au groupe.
3. Faire entendre une pièce de musique instrumentale.
4. Discuter avec les élèves d'un fait d'actualité qui les intéresse particulièrement.
5. Raconter une légende ayant un lien avec leur coin de pays.
6. Proposer quelques devinettes.
7. Chanter avec les élèves un refrain qui leur plaît bien.
8. Promouvoir un livre-vedette.
9. Faire jouer une chanson populaire en tête du palmarès.
10. Laisser les élèves s'exprimer sur leur vécu personnel au retour d'un congé ou d'une fin de semaine.
11. Écouter le téléjournal préparé par un élève de la classe.
12. Lire un extrait de livre aux élèves de manière à susciter chez eux le désir de le lire au complet.
13. Faire connaître des proverbes que les élèves pourront lier à leur vécu.
14. Utiliser des rébus pour faire découvrir de nouveaux mots ou des phrases.
15. Soumettre quelques petits problèmes amusants où la logique entre en jeu.
16. Permettre à des élèves en dyades de discuter d'un sujet pendant cinq minutes. Par exemple, le métier ou la profession qu'ils désirent exercer plus tard.
17. Remettre une fable aux élèves et la lire avec eux. Discuter de la morale qui s'en dégage.
18. Inviter un élève à réciter un poème.
19. Vivre une séance de visualisation ou une activité de relaxation avec les élèves.
20. Afficher un message écrit par la mascotte ou le personnage-complice que les élèves se sont donné en début d'année. Les inviter à le lire individuellement.

(Cette fiche compte 1 page)

Nom: ______________________ Date: ____________

FICHE 1.2b

Tableau des défis pour mon enseignant

1. Au regard du climat	2. Au regard du contenu
Tu prends beaucoup de temps à nous pardonner nos étourderies, nos maladresses.	Tu utilises des mots trop compliqués dans tes explications.
Tu fais des remarques personnelles à un élève en particulier devant tout le groupe.	Tu parles trop fort.
À la moindre contrariété, tu perds rapidement ta bonne humeur.	Tu t'exprimes toujours sur le même ton.
Tu n'es pas assez sévère avec les élèves indisciplinés.	Tu ne donnes pas assez d'explications.
Tu n'as pas le temps de nous parler personnellement et de regarder nos travaux.	Tu te fâches quand on ne saisit pas tout de suite ce que tu veux dire.
Tu n'es pas toujours juste envers nous.	Tu nous parles parfois comme si on était des bébés.
À l'occasion, tu ridiculises certains élèves sous prétexte d'avoir le sens de l'humour.	Tu ne prends pas le temps de vérifier si on comprend avant de passer à autre chose.
Tu changes souvent tes exigences en cours de route.	Tu sembles stressé par les examens.
Tu n'appliques pas les conséquences prévues.	Tu veux nous imposer la vitesse du programme.
Tu ne tiens pas tes promesses.	
Tu es porté à voir surtout nos faiblesses.	
Tu n'es pas dans notre local pour nous accueillir le matin, le midi ou au début d'une période.	
Tu nous prêtes parfois des intentions qu'on n'a pas.	

2e ET 3e CYCLES DU PRIMAIRE, 1er CYCLE DU SECONDAIRE

(Cette fiche compte 2 pages)

Nom : ______ Date : ______

FICHE 1.5b

Inventaire de champs d'intérêt personnels

MA FAMILLE

1. Dans ma famille, il y a ______ personnes (nombre).
2. Je te les présente (noms et âges) : ______
3. Je suis :
   - ☐ un enfant unique
   - ☐ le plus jeune
   - ☐ le plus âgé
   - ☐ autre particularité
4. Je te nomme deux ou trois personnes de mon entourage avec qui je me sens bien : ______

MES CHAMPS D'INTÉRÊT

5. Je te parle d'activités qui m'intéressent beaucoup : ______

   J'en dessine une :

6. Je te parle d'un endroit où j'aime me retrouver : ______

   Je le dessine :

1er CYCLE DU PRIMAIRE
 J. Caron, *Quand revient septembre*, 2e édition

(Cette fiche compte 2 pages)

Nom : ______ Date : ______

FICHE 1.5a

Je me présente

MA PHOTO

Je m'appelle : ______

Dans ma famille, il y a : ______

Mes camarades sont : ______

Mon activité préférée : ______

- à la maison : ______
- à l'école : ______

Mon sport préféré : ______

Ma vedette préférée : ______

Mon livre préféré : ______

Ma chanson ou comptine préférée : ______

Mon animal préféré : ______

Je collectionne : ______

Ce que j'aimerais vivre à l'école : ______

Source : Kathleen Dunnigan (1994). Matériel d'animation pour le Centre de formation Jacqueline Caron inc.

PRÉSCOLAIRE ET 1er CYCLE DU PRIMAIRE
 J. Caron, *Quand revient septembre*, 2e édition

(Cette fiche compte 1 page)

Nom: ______ Date: ______

FICHE 1.5d

Sujets qui m'intéressent dans ma vie personnelle

1. Quel est ton jeu préféré (sport) lorsque tu es en groupe ? ______
2. Quand tu es seul, à quoi occupes-tu tes loisirs ? ______
3. Qui est ton ami préféré ? ______
4. Quelles sont tes deux émissions de télévision favorites ? ______
5. De quoi parles-tu le plus souvent avec tes amis ? ______
6. Les personnes que tu admires le plus font-elles (réponds oui ou non et ajoute le nom des personnes) :
   a) du sport ? ______
   b) de la musique ? ______
   c) des romans ? ______
   d) du cinéma ? ______
   e) de la recherche scientifique ? ______
   f) de la chanson ? ______
   g) autre occupation ? ______
7. Aimes-tu voyager ? ☐ oui ☐ non

   Quels endroits as-tu déjà visités ? ______

   Vers quelles destinations nouvelles aimerais-tu aller ? ______
8. Collectionnes-tu certains objets ou souvenirs ? Si oui, lesquels ? ______
9. Quand tu songes à ton avenir, quels métiers aimerais-tu exercer plus tard ?
   1. ______
   2. ______
   3. ______

3e CYCLE DU PRIMAIRE ET 1er CYCLE DU SECONDAIRE

(Cette fiche compte 2 pages)

Nom: ______ Date: ______

FICHE 1.5c

Inventaire de champs d'intérêt

1. Mon animal préféré est ______ parce que ______
2. Mon sport préféré est : ______
3. Mon mets préféré est : ______
4. Mon jeu préféré est : ______
5. Ma saison préférée est ______ parce que ______
6. Quand j'ai du temps libre, je ______
7. Lorsqu'il pleut et que je ne peux pas jouer dehors, je m'occupe à ______
8. Mon émission de télévision préférée est : ______
9. Mon style de musique préféré ou ma chanson préférée est : ______
10. Le jour de la semaine que j'aime le plus est ______ parce que ______
11. Le personnage que j'admire le plus est ______ parce que ______
12. Lorsque je serai grand, je serai ______ parce que ______
13. Voici trois rêves que j'aimerais réaliser :
    1. ______
    2. ______
    3. ______

2e CYCLE DU PRIMAIRE

(Cette fiche compte 3 pages)

Nom: ____________ Date: ____________

FICHE 1.5e

Sujets qui m'intéressent dans ma vie scolaire

1. **1.** Quelle est ta discipline préférée en classe ? ____________

   Peux-tu me dire pourquoi ? ____________

2. Quelle est la discipline que tu aimes le moins ? ____________

   Peux-tu me dire pourquoi ? ____________

3. Qu'est-ce que tu aimerais apprendre cette année à l'école ?

   1. ____________
   2. ____________
   3. ____________

4. Quels sont les projets ou les activités que tu aimerais réaliser ?

   a) Activités de courte durée ____________

   b) Projets de durée plus longue ____________

5. Quels genres de livres choisis-tu à la bibliothèque ? (Indique tes choix par ordre de préférence.)

   ☐ Livres d'aventures ☐ Livres de recherches

   ☐ Bandes dessinées ☐ Albums (beaucoup d'images, peu d'écriture)

   ☐ Livres de science-fiction

6. Comment aimerais-tu occuper tes moments libres quand tu as terminé ton travail en classe ?

   1. ____________
   2. ____________
   3. ____________

3e CYCLE DU PRIMAIRE ET 1er CYCLE DU SECONDAIRE

 J. Caron, *Quand revient septembre*, 2e édition

(Cette fiche compte 2 pages)

Date: ____________

FICHE 1.5f

Portrait de classe : une grille de compilation des champs d'intérêt des élèves

Nom	Activité préférée à la maison	Activité préférée à l'école	Sport	Vedette	Livre	Animal
1.						
2.						
3.						
4.						
5.						
6.						
7.						
8.						
9.						
10.						

 J. Caron, *Quand revient septembre*, 2e édition

(Cette fiche compte 2 pages)

Nom: ____________________ Date: ____________

FICHE 1.6b

Des mots pour le dire

À partir de la banque de sentiments ci-dessous, complète les phrases qui traduisent ce que tu ressens dans les diverses occasions décrites.

heureux, surpris, furieux, triste, soulagé, nerveux, affectueux, déçu, ennuyé, indifférent, effrayé, fâché, compréhensif, maussade, décidé, optimiste, pessimiste, coupable, satisfait, seul, rejeté, indécis, prudent, gêné, agressif, curieux, désolé, choqué, obstiné, découragé, espiègle, songeur, intéressé, incompris, choyé, colérique, amoureux, fatigué, énergique, inquiet, jaloux, indécis, motivé, passionné, stressé, détendu, rêveur, en compétition, sur une autre planète

1. Quand je me lève le matin, je me sens ____________
2. Quand j'arrive à l'école, je suis toujours ____________
3. Pendant mes cours, je suis la plupart du temps ____________
4. Dans ma famille, par rapport à d'autres adolescents, je me sens ____________
5. Lorsque je me retrouve avec mes camarades, je suis ____________
6. Quand je pense à mon avenir, je suis ____________
7. Lorsque je m'adresse à mes enseignants, je suis ____________
8. Les fins de semaine, je suis ____________
9. Pendant la remise de mon bulletin, je me sens ____________
10. Quand j'écoute de la musique, je suis ____________
11. Quand on m'annonce des périodes d'examens, je suis ____________
12. Lorsque je peux relever des défis à ma mesure, je suis ____________
13. Quand je pratique un sport ou une activité physique, je suis ____________

2e ET 3e CYCLES DU PRIMAIRE
 J. Caron, *Quand revient septembre*, 2e édition

(Cette fiche compte 2 pages)

Nom: ____________________ Date: ____________

FICHE 1.6a

Des cartes-sentiments pour parler de moi

Je suis joyeuse	OU	Je suis triste
Je suis inquiet	OU	Je suis rassuré
Je suis en colère	OU	Je suis de bonne humeur
Je suis calme	OU	Je suis nerveux
Je suis patient	OU	Je suis impatient
Je suis confiante	OU	Je suis méfiante
Je suis intéressé	OU	Je suis indifférent
Je suis attentive	OU	Je suis rêveuse
Je suis timide	OU	Je suis à l'aise avec les autres
Je suis frustrée	OU	Je suis épanouie
J'aime	OU	Je n'aime pas

PRÉSCOLAIRE ET 1er CYCLE DU PRIMAIRE
 J. Caron, *Quand revient septembre*, 2e édition

(Cette fiche compte 1 page)

Nom: ____________________ Date: ____________

FICHE 1.6d

Perception de son état d'âme au regard de son métier d'élève

Utilise la classification suivante pour repérer ta façon de réagir lorsque c'est le temps de te mettre en projet d'apprentissage.

Suis-je:

- ☐ un visiteur?
- ☐ un plaignard?
- ☐ un acheteur?

Consulte les descriptions suivantes pour justifier le choix que tu feras:

1. **Un visiteur:** Un élève qui n'est pas motivé par la tâche proposée ou qui n'est pas conscient des difficultés qu'il aurait intérêt à surmonter. L'élève est en classe parce que c'est obligatoire d'y être, et que quelqu'un lui a dit d'y aller (soit un parent, un enseignant ou une autorité quelconque).

   Attitudes de sa part: L'élève n'a aucune attente ni aucun désir d'engagement ou de changement; il considère qu'il n'est pas nécessaire de participer ou encore qu'il n'a tout simplement pas de besoins ni de problèmes. Pire encore, il ne reconnaît pas que la tâche proposée soit porteuse de gains intéressants pour lui.

2. **Un plaignard:** Un élève qui éprouve des besoins et des difficultés, mais qui n'a pas encore le désir de se mobiliser. Il est convaincu qu'il n'a pas de pouvoir dans la présente situation. Il n'a aucun désir de fournir des efforts pour renverser celle-ci. Il se complaît alors dans les lamentations du présent, espérant qu'un jour tout lui tombera du ciel sans qu'il ait eu à s'investir.

   Attitudes de sa part: L'élève manifeste de la passivité, de l'indifférence; il utilise souvent la formulation: «Oui, mais...»

3. **Un acheteur:** Un élève qui est conscient du fait qu'il y a des enjeux intéressants rattachés à la tâche suggérée. De plus, la plupart du temps, il se rend compte des difficultés qui l'empêchent présentement d'aller plus loin. Comme l'élève est prêt à faire des gestes pour améliorer sa situation, il embarque rapidement dans ce qui est proposé. On pourrait dire de cet élève qu'il est habituellement en mouvement, qu'il a le courage des commencements et des recommencements.

   Attitudes de sa part: L'élève manifeste de l'ouverture face au changement, s'intéresse aux idées nouvelles, est optimiste face à ce qui l'attend et fait preuve d'engagement dans l'immédiat.

1er CYCLE DU SECONDAIRE

 J. Caron, *Quand revient septembre*, 2e édition

(Cette fiche compte 1 page)

Nom: ____________________ Date: ____________

FICHE 1.6c

Appréciation de son estime de soi au regard de sa vie, de ses projets et de son métier d'élève

À l'aide de la grille suivante, tente de trouver la catégorie de réactions où tu te situes le plus souvent. Auparavant, penche-toi sur chacun des indicateurs pour situer ton comportement afin d'appuyer ton évaluation sur des faits réels.

Pour te faciliter le travail, voici des indicateurs de comportements observables et mesurables:

1. Être gagnant, se comporter en *dauphin*, c'est être en *expression* de soi. Concrètement, cela veut dire:
   - Être en confiance
   - Se trouver bon dans son métier d'élève
   - Se sentir fort pour vaincre les difficultés
   - Être sûr de soi malgré l'opinion négative des autres élèves
   - Être « en vie », en énergie, en passion
   - Voir l'avenir de façon positive et optimiste
   - Être capable de s'engager et de prendre des risques

2. Être perdant, se comporter en *requin*, c'est être en *oppression*. Concrètement, cela veut dire:
   - Être en souffrance
   - Se trouver terne, se déprécier, ne pas avoir une belle image de soi
   - Envier les autres au point d'égratigner leur image pour embellir la sienne
   - Avoir le réflexe de critiquer, d'accuser, de rejeter tout ce qui est nouveau
   - Être en réaction à tout ce qui ne vient pas de soi
   - Tenter de freiner les initiatives de ses camarades de peur d'être mal jugé si l'on ne fait pas la même chose qu'eux
   - Dépenser ses énergies à empêcher les autres d'avancer plutôt que de se mobiliser soi-même

1er CYCLE DU SECONDAIRE

 J. Caron, *Quand revient septembre*, 2e édition

(Cette fiche compte 2 pages)

Nom: ______________________ Date: ______________

FICHE 1.7a

Procédure de débrouillardise (exemple A)

Quand j'ai besoin d'aide dans la classe, que ce soit pour une information, une explication ou un besoin matériel, je dois essayer de me débrouiller par moi-même. Voici des étapes que je peux franchir :

1. Je me sers d'abord de ma tête.
2. Je recours à mon coffre à outils.
3. J'utilise les instruments qui sont à ma disposition dans la classe.
4. Je sollicite l'aide de mon conseiller (ma dyade d'entraide).
5. Je consulte le mini-enseignant (l'élève qui seconde l'enseignant).
6. Je demande des explications à mon enseignant.

(Cette fiche compte 1 page)

FICHE 1.6e

Le type de communication à privilégier avec le visiteur, le plaignard et l'acheteur

Pour les personnes ayant la responsabilité d'accompagner des élèves visiteurs, plaignards ou acheteurs (*voir fiche 1.6d*), voici un aperçu du type de communication à privilégier :

Avec le visiteur

L'enseignant se préoccupe des forces de l'élève, met l'accent sur ses points forts, donne des rétroactions positives dès qu'un premier pas est franchi.

Avec le plaignard

L'enseignant l'aide à découvrir ses forces actuelles, s'intéresse à ses réussites antérieures, lui fait exprimer la difficulté qu'il souhaiterait voir disparaître de son quotidien, met l'accent sur les gains qu'il pourrait retirer d'une problématique en particulier s'il décidait de se mobiliser pour l'éliminer.

Avec l'acheteur

L'enseignant l'aide à mettre en ordre de priorité les défis qu'il désire relever, l'épaule dans la recherche de solutions, de ressources et de moyens. Il lui offre du soutien sur le terrain pour l'accompagner dans l'expérimentation et la transformation de ses pratiques afin que son engagement ne s'effrite pas sous le poids de ses ambitions, mais se vive plutôt à long terme à partir de petits pas constructifs.

Source : D'après la programmation neurolinguistique (PNL).

(Cette fiche compte 1 page)

FICHE 2.1a

Trente stratégies pour créer un climat de classe motivant

En regard des attitudes ou des interventions proposées, notez en marge un plus (+) ou un moins (−) pour indiquer si la stratégie correspond à une force ou à une faiblesse sur le plan de votre personnalité ou de vos interventions en classe.

Voici des attitudes créatrices d'harmonie et de motivation dans une classe ou un groupe de base :

1. L'authenticité.
2. Une image de soi positive et gagnante.
3. La bonne humeur et le sourire.
4. Le sens de l'humour.
5. L'écoute des élèves et la sensibilité à ce qu'ils vivent : problèmes personnels, conflits, états d'âme, fatigue, etc.
6. Le dynamisme dans la façon d'enseigner.
7. Le respect, la compréhension et l'acceptation des erreurs des élèves.
8. Le goût de prendre du temps pour trouver avec les élèves des moyens pour résoudre ou amoindrir leurs difficultés.
9. Une philosophie de gestion empreinte de souplesse et de rigueur : savoir fixer des limites, donner de la corde, mais la tenir lorsque c'est nécessaire. Autrement dit, fournir aux élèves une structure d'encadrement à l'intérieur de laquelle ils peuvent exercer une certaine liberté.
10. La patience.

Voici des interventions susceptibles d'influer sur l'ambiance éducative de la classe :

11. Se réserver un temps en début d'année pour décoder les attentes des élèves de même que pour communiquer celles de l'enseignant.
12. Introduire une autoévaluation ponctuelle des attitudes et des comportements dans la classe.
13. Privilégier des moments pour planifier et vivre avec les élèves des activités parascolaires à caractère éducatif, sportif ou culturel.
14. Faire preuve d'attentions délicates pour souligner les anniversaires des élèves.

(Cette fiche compte 2 pages)

Nom : ______________________ Date : ____________

FICHE 1.7b

Procédure de débrouillardise (exemple B)

Lorsque je travaille seul, j'utilise les ressources suivantes :

1. Je compte d'abord sur moi.
   - ☐ Je lis et relis mes consignes.
   - ☐ Je réfléchis.
   - ☐ Je trouve des idées.
   - ☐ Je détecte mes erreurs.
2. J'utilise les ressources matérielles qui sont à ma disposition.
   - ☐ Je me réfère aux outils collectifs disponibles dans la classe : livres de référence, matériel de manipulation, atlas, référentiels visuels, ordinateur, etc.
   - ☐ Je me sers de mon équipement de base : dictionnaire, grammaire, lexique mathématique, banque de mots, etc.
   - ☐ Je consulte mon coffre à outils pour repérer mes démarches et mes stratégies.
3. Je peux aussi utiliser les compétences de mes camarades.
   - ☐ Je m'adresse à un autre élève pour me dépanner.
   - ☐ Je travaille avec ma dyade d'entraide.
   - ☐ Je fais appel au service d'un élève-tuteur qui joue le rôle du mini-enseignant dans la classe.
4. Je m'adresse à mon enseignant pour :
   - ☐ demander les explications nécessaires ;
   - ☐ recevoir une rétroaction sur le travail fait ;
   - ☐ bénéficier de pistes de consolidation ou d'enrichissement.

3e CYCLE DU PRIMAIRE ET 1er CYCLE DU SECONDAIRE

(Cette fiche compte 1 page)

Nom: ______________________ Date: ______________

FICHE 2.3a

Questionnaire-échange sur la motivation scolaire (exemple A)

Faits observables	Oui	Non	Je ne sais pas
1. Mon enseignant me met au courant de ce que je dois apprendre et il m'explique aussi pourquoi je dois faire tel travail.			
2. Je sais comment m'y prendre pour faire mes travaux en classe.			
3. Je peux prendre ma place facilement dans la classe : j'ai des responsabilités et j'ai l'occasion d'apporter des remarques et des suggestions.			
4. Je reçois des commentaires intéressants et valorisants de la part de mon enseignant.			
5. Le climat est agréable dans ma classe.			
6. J'aime mon enseignant et mes relations sont faciles avec lui.			
7. Je me sens en situation de réussite lorsque je réalise mes tâches d'apprentissage.			
8. Mon enseignant m'accorde le temps nécessaire pour terminer mes travaux en classe.			
9. Mon enseignant me propose des défis intéressants qui me motivent.			
10. Dans ma classe, je me sens souvent seul avec mes difficultés.			
11. Les journées en classe se vivent toujours de la même façon, elles manquent de nouveautés.			
12. Mon enseignant tient compte de mon vécu : mes champs d'intérêt, mes besoins, mes états d'âme, mes préoccupations.			
13. J'aime venir à l'école parce que c'est vraiment un endroit où je peux apprendre de nouvelles choses.			

14. Je nomme mes disciplines préférées et j'explique mes choix : ______________________

____

15. Je nomme les disciplines que j'aime plus ou moins et je justifie mon point de vue :

____

PRIMAIRE

(Cette fiche compte 1 page)

Nom: ______________________ Date: ______________

FICHE 2.3b

Questionnaire-échange sur la motivation scolaire (exemple B)

Faits observables	Oui	Non	Je ne sais pas
1. Est-ce que j'aime mon enseignant ?			
2. Est-ce que ma relation est facile avec lui ?			
3. Mes parents m'encouragent-ils à venir à l'école ?			
4. Le climat est-il agréable dans ma classe ?			
5. Dans mon groupe de base, est-ce que je me sens seul avec mes difficultés ?			
6. Est-ce que je pense que le groupe-classe m'accepte ?			
7. Est-ce que je peux prendre ma place dans le groupe-classe, c'est-à-dire avoir des responsabilités et pouvoir apporter des remarques et des suggestions ?			
8. Est-ce que je reçois des commentaires intéressants et valorisants de la part de mon enseignant ou de mes pairs ?			
9. Tient-on compte de mon vécu : de mes champs d'intérêt, de mes besoins, de mes états d'âme, de mes préoccupations ?			
10. Est-ce que je suis influençable ?			
11. Est-ce que j'exerce un pouvoir d'influence sur les autres ?			
12. Est-ce que j'ai peur de donner mon opinion, de poser des questions ?			
13. Est-ce que j'ai un bon comportement en classe ?			
14. Suis-je sensible à ce que les autres pensent de moi ?			
15. Est-ce important de réussir pour moi ?			

SECONDAIRE

(Cette fiche compte 3 pages)

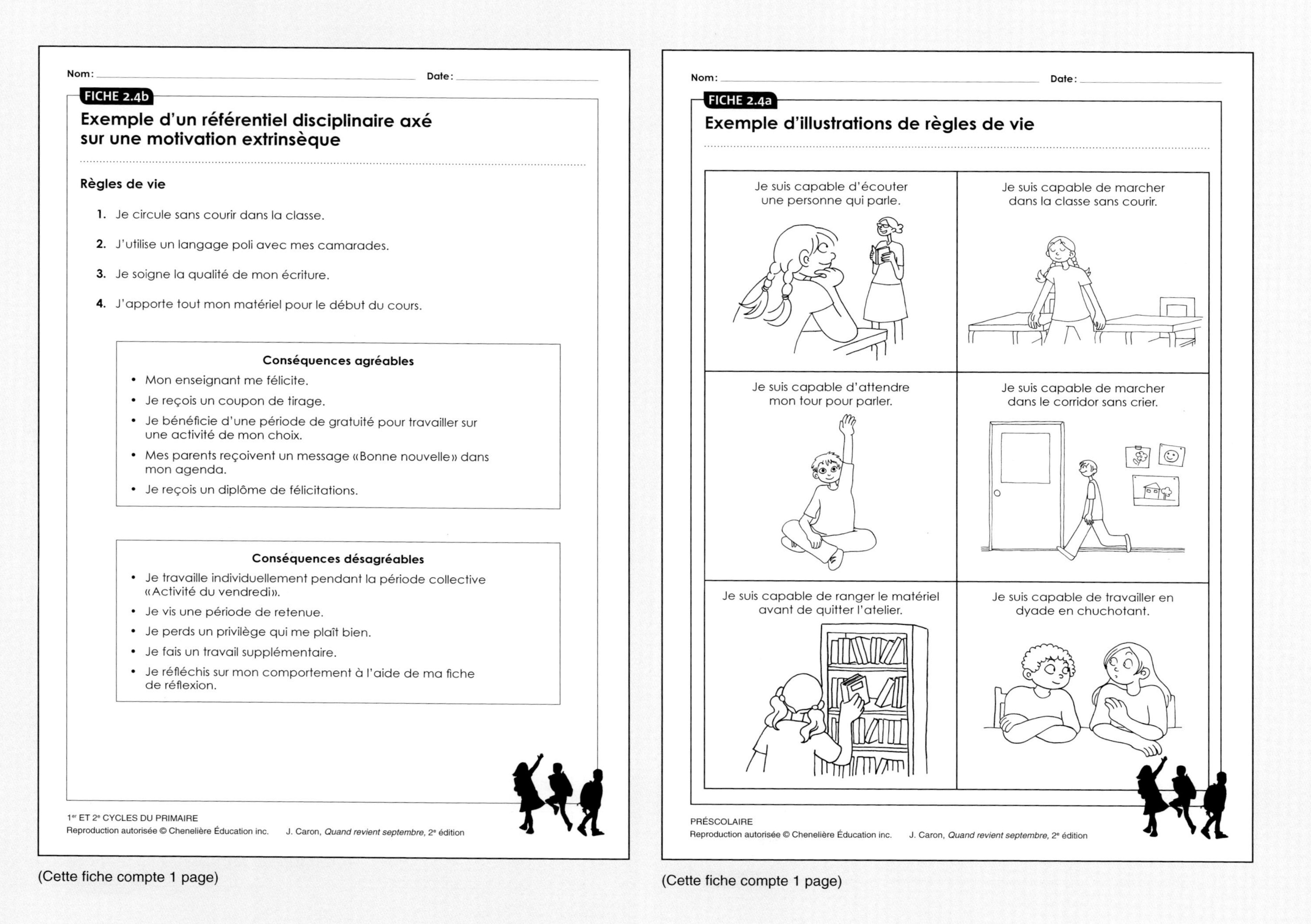

Nom : Date :

FICHE 2.4b

Exemple d'un référentiel disciplinaire axé sur une motivation extrinsèque

Règles de vie

1. Je circule sans courir dans la classe.
2. J'utilise un langage poli avec mes camarades.
3. Je soigne la qualité de mon écriture.
4. J'apporte tout mon matériel pour le début du cours.

Conséquences agréables

- Mon enseignant me félicite.
- Je reçois un coupon de tirage.
- Je bénéficie d'une période de gratuité pour travailler sur une activité de mon choix.
- Mes parents reçoivent un message «Bonne nouvelle» dans mon agenda.
- Je reçois un diplôme de félicitations.

Conséquences désagréables

- Je travaille individuellement pendant la période collective «Activité du vendredi».
- Je vis une période de retenue.
- Je perds un privilège qui me plaît bien.
- Je fais un travail supplémentaire.
- Je réfléchis sur mon comportement à l'aide de ma fiche de réflexion.

1er ET 2e CYCLES DU PRIMAIRE

 J. Caron, *Quand revient septembre*, 2e édition

(Cette fiche compte 1 page)

Nom : Date :

FICHE 2.4a

Exemple d'illustrations de règles de vie

Je suis capable d'écouter une personne qui parle.	Je suis capable de marcher dans la classe sans courir.
Je suis capable d'attendre mon tour pour parler.	Je suis capable de marcher dans le corridor sans crier.
Je suis capable de ranger le matériel avant de quitter l'atelier.	Je suis capable de travailler en dyade en chuchotant.

PRÉSCOLAIRE

 J. Caron, *Quand revient septembre*, 2e édition

(Cette fiche compte 1 page)

FICHE 2.4d

Modèle de référentiel disciplinaire : le tableau d'harmonie

Volet 1 : Un bon enseignant, c'est...

Faire exprimer par les élèves ce qu'ils attendent de leur enseignant (les valeurs des élèves).

Afficher ce référentiel dans la classe et inviter les élèves à l'utiliser au besoin afin de rappeler à leur enseignant les souhaits qu'ils ont émis en début d'année.

Volet 2 : Un bon élève, c'est...

Faire décoder par les élèves ce que l'enseignant attend d'eux. Compléter, s'il y a lieu.

Afficher ce référentiel dans la classe et inviter les élèves à l'utiliser au besoin afin de se rappeler mutuellement les attentes.

Volet 3 : Règles de vie

Pour être heureux et apprendre dans la classe, je dois observer certaines règles de vie.

Exemples de règles de vie :

- Je parle à voix basse lorsque je travaille en équipe.
- J'écoute chaque personne qui prend la parole dans ma classe.
- Je surveille la propreté dans mes travaux et mes cahiers.
- Je respecte la procédure de l'entrée en classe du matin.
- Je prends mon rang en silence.
- Je travaille sans déranger les autres.
- Je respecte les autres dans mes paroles.

3e CYCLE DU PRIMAIRE ET 1er CYCLE DU SECONDAIRE

(Cette fiche compte 2 pages)

Nom : __________ Date : __________

FICHE 2.4c

Exemple d'un référentiel disciplinaire axé sur une motivation intrinsèque

Règles de vie	Conséquences heureuses qui relèvent du cœur	Conséquences logiques (réparations) en lien direct avec la nature du geste fait
1. Je marche dans la classe.	Je suis heureux, et en plus, j'évite les accidents.	Je refais le trajet en marchant.
2. J'attends mon tour pour parler.	J'éprouve de la fierté, tous les élèves ont entendu mon message.	Je parle le dernier à la causerie.
3. Je range le matériel utilisé dans l'atelier.	Mes amis sont heureux de travailler dans un atelier bien rangé.	Je fais du rangement avant de prendre ma collation ou de sortir en récréation.
4. Je surveille la qualité de mon écriture.	Mon cahier est propre et mon enseignant me lit facilement.	Après un avertissement, je recommence mon travail.
5. Je respecte l'échéancier de mes travaux.	Je suis ponctuel et je connais des réussites.	Je termine mes travaux à une période déterminée par mon enseignant.
6. Je respecte les autres dans mes paroles.	J'ai beaucoup d'amis et je passe de bons moments en leur compagnie.	Je demande pardon à l'élève que j'ai blessé et je lui trouve deux qualités.
7. Je suis à l'ordre dans mon casier ou mon pupitre.	Je retrouve facilement mes effets scolaires et je récupère du temps que je consacre à d'autres activités.	Je dois ranger mon casier ou mon pupitre avant d'aller en récréation.

PRÉSCOLAIRE ET 1er CYCLE DU PRIMAIRE

(Cette fiche compte 1 page)

Nom: ______________________ Date: ______________

FICHE 2.4f

Exemple de référentiel disciplinaire : une charte des droits et devoirs

Je suis chanceux d'avoir un élève comme toi. Nous vivons ensemble dans la classe depuis quelques jours déjà. J'espère que tu te sens bien et que tu as l'impression d'être vraiment chez toi.

Tu as des droits que moi, l'adulte, je vais essayer de respecter tout au long de l'année. Mais tu n'es pas le seul élève de ce groupe ou de cette classe. Nous formons une grande famille de __________ personnes. Chaque élève, tout comme toi d'ailleurs, a le droit de travailler, d'apprendre, de progresser et de s'épanouir tout en se sentant à l'aise au sein du groupe. Voilà pourquoi il est pertinent d'élaborer une charte des droits et devoirs pour que notre projet de communauté d'apprenants s'actualise. En effet, à chaque droit que tu possèdes se rattache un devoir que tu dois assumer.

C'est un objectif de vie que nous allons tenter de réaliser ensemble cette année à l'intérieur de notre projet éducatif de classe. Si chacun vit avec cette préoccupation en tête, il n'y a pas de doute que nous ferons une véritable réussite de notre année scolaire.

NOS DROITS ET NOS DEVOIRS

1. J'ai droit au respect.

Par conséquent, je dois respecter aussi les autres.

Donc, chaque jour:

Devoir 1 : J'appelle les autres par leur nom véritable.

Devoir 2 : Je surveille mon langage et mes manières lorsque j'adresse la parole à une autre personne.

Devoir 3 : J'évite la violence physique autant dans la cour de récréation que dans mes déplacements dans l'école.

3e CYCLE DU PRIMAIRE ET 1er CYCLE DU SECONDAIRE

(Cette fiche compte 3 pages)

Nom: ______________________ Date: ______________

FICHE 2.4e

Exemple de référentiel disciplinaire : le tableau des couleurs

Règles de vie de niveau « Blanc »

- [ ] 1. Je me mets au travail dès que mon enseignant me le demande.
- [ ] 2. J'écoute attentivement les explications.
- [ ] 3. Je travaille calmement sans déranger les autres.

J'ai le **privilège** de visiter le centre d'enrichissement pendant 15 minutes.

Règles de vie de niveau « Jaune »

- [ ] 1. Je défais mon sac.
- [ ] 2. J'apporte les messages et le courrier à la maison ou à l'école.
- [ ] 3. Je range mon matériel.
- [ ] 4. Je maintiens mon pupitre ou mon casier en ordre.
- [ ] 5. J'attache mes souliers et je les garde dans mes pieds.

J'ai le **privilège** d'aller au centre d'expression une fois par semaine.

Règles de vie de niveau « Bleu »

- [ ] 1. Je demande le droit de parole avant de m'exprimer.
- [ ] 2. Je garde la place qu'on m'a assignée pendant les rassemblements collectifs.
- [ ] 3. Je participe aux discussions collectives en donnant mon point de vue.
- [ ] 4. Je suis tolérant envers les opinions des autres.
- [ ] 5. Je respecte les camarades au jeu.

J'ai le **privilège** d'animer un groupe.

PRIMAIRE

(Cette fiche compte 3 pages)

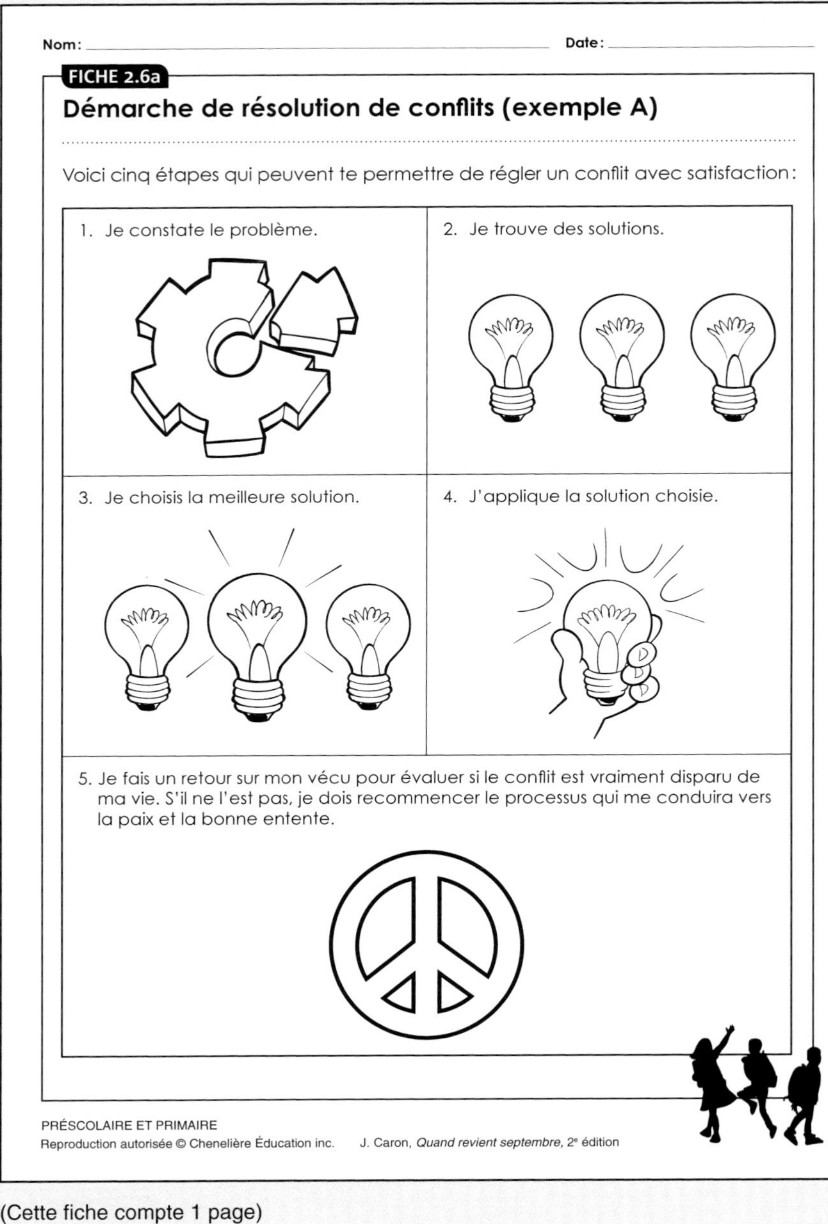

Nom : ______________________ Date : ______________

FICHE 2.6a

Démarche de résolution de conflits (exemple A)

Voici cinq étapes qui peuvent te permettre de régler un conflit avec satisfaction :

1. Je constate le problème.
2. Je trouve des solutions.
3. Je choisis la meilleure solution.
4. J'applique la solution choisie.
5. Je fais un retour sur mon vécu pour évaluer si le conflit est vraiment disparu de ma vie. S'il ne l'est pas, je dois recommencer le processus qui me conduira vers la paix et la bonne entente.

PRÉSCOLAIRE ET PRIMAIRE

 J. Caron, *Quand revient septembre*, 2e édition

(Cette fiche compte 1 page)

Nom : ______________________ Date : ______________

Fiche 2.4g

Exemple de référentiel disciplinaire : la définition de rôles respectifs

RÔLES DE L'ÉLÈVE	RÔLES DE L'ENSEIGNANT
1. Faire preuve d'écoute active pendant les explications données durant un cours.	1. Enseigner les objets ou résultats d'apprentissage du programme d'études.
2. Suivre les consignes et les procédures proposées pour réaliser une tâche d'apprentissage.	2. Vulgariser, illustrer les concepts par des exemples concrets.
3. Respecter les règlements de l'école qui relèvent de la gestion de l'enseignant.	3. Varier les façons d'apprendre ainsi que les situations d'apprentissage.
4. Faire le travail demandé dans les délais prévus.	4. Faire respecter les règlements de la classe et de l'école.
5. Poser des questions, et ce, dans un langage correct.	5. Donner des rétroactions positives aux élèves.
6. Soigner ses travaux : l'orthographe, la structure, la mise en page et la propreté.	6. Proposer des défis accessibles et motivants.
7. Circuler calmement pendant les déplacements.	7. Communiquer régulièrement aux élèves le résultat de leurs évaluations autant sur le plan des apprentissages que sur celui des comportements.
8. Autoévaluer régulièrement et sérieusement ses comportements et ses apprentissages.	8. Être à l'écoute des besoins pédagogiques des élèves.
9. Apporter le matériel nécessaire aux cours : livres, crayons et autres effets demandés.	9. Créer un climat détendu en classe.
10. Éviter les pertes de temps en classe.	10. Préparer ses cours de façon rigoureuse.
11. Faire preuve de coopération pendant les travaux d'équipe.	11. Communiquer sa matière aux élèves de façon intéressante.

Source : Diane Modery (1994). Matériel d'animation pour le Centre de formation Jacqueline Caron inc.

1er CYCLE DU SECONDAIRE

 J. Caron, *Quand revient septembre*, 2e édition

(Cette fiche compte 1 page)

Nom: ______________________ Date: ____________

FICHE 2.6c

Banque de stratégies de résolution de conflits (exemple A)

- Je demande qu'on me laisse seul pendant 5 minutes pour me calmer.
- Je vais dans un coin tranquille pour régler mon conflit.
- J'écoute l'autre attentivement, sans riposter.
- Je m'explique avec calme.
- Je dis ce que je n'ai pas aimé dans le comportement de l'autre.
- Je m'excuse ou je demande des excuses.
- Je dis la vérité, j'avoue mes torts.
- J'arrête mon mauvais comportement et je redeviens ami avec mon camarade.
- Je dis ce que je pourrais faire pour réparer mon erreur.
- Je partage le matériel et les tâches.
- Je suggère de recourir au hasard pour décider du partage des tâches ou du matériel.

PRÉSCOLAIRE ET 1er CYCLE DU PRIMAIRE

(Cette fiche compte 1 page)

Nom: ______________________ Date: ____________

FICHE 2.6b

Démarche de résolution de conflits (exemple B)

1. Je cherche la cause qui est à l'origine du conflit.
2. J'écoute la version de l'autre personne qui est impliquée dans le différend que je vis.
3. J'explique sincèrement mon point de vue.
4. Nous analysons sérieusement les opinions qui ont été émises.
5. D'un commun accord, nous choisissons de quelle façon nous allons régler le conflit.
6. Nous appliquons la décision finale qui a été prise en nous souvenant que l'on doit respecter les droits des autres sans pour autant renier les siens.

SECONDAIRE

(Cette fiche compte 1 page)

Nom : ______

FICHE 2.7a

Fiche de réflexion (exemple A)

Date d'utilisation : ______

Objet de la réflexion : ______

Outil d'expression utilisé :

- ☐ la parole
- ☐ le dessin
- ☐ la référence à des pictogrammes
- ☐ l'utilisation de mots-étiquettes

Je nomme ou je dessine ce que j'ai fait.

Je dis s'il s'agissait d'un bon ou d'un mauvais comportement.

Bon comportement	Mauvais comportement

Je décide de réparer ce que j'ai fait en m'engageant à…

Signature d'un parent ou d'un responsable de l'encadrement de l'enfant : ______

Signature de l'élève : ______

PRÉSCOLAIRE

(Cette fiche compte 1 page)

Nom : ______ Date : ______

FICHE 2.6d

Banque de stratégies de résolution de conflits (exemple B)

	Stratégies
	1. L'écoute Je prends le temps d'écouter l'autre et de comprendre son message.
JE	2. Le message au «je» J'utilise le mot «je» au lieu d'employer le «tu» pour exprimer ce que je ressens.
	3. Les excuses Je reconnais mes torts. Je m'excuse ou je demande à l'autre de m'excuser selon la gravité de mon acte.
	4. L'alternance Je demande que l'on tire au sort pour établir qui sera le premier à jouir du privilège dont il est question.
	5. L'abandon Je laisse tomber une situation conflictuelle que je juge bénigne ou que je crois impossible à régler.

3e CYCLE DU PRIMAIRE ET 1er CYCLE DU SECONDAIRE

(Cette fiche compte 2 pages)

Nom: ____________ Date: ____________

FICHE 2.7c

Cadre de référence pour élaborer un texte de réflexion

Je te propose de rédiger un texte de réflexion pour explorer toutes les facettes du comportement que tu dois améliorer. Différentes pistes de réflexion te sont suggérées ci-dessous pour guider ton processus d'écriture.

Étape 1 : Je réfléchis sur mon comportement à l'aide des pistes suivantes :

- La description de ce que j'ai fait (le quoi ?).
- Les raisons qui justifient ce geste (le pourquoi ?).
- Les émotions que j'ai ressenties (le comment affectif).
- Le message à décoder derrière le comportement inapproprié (le comment cognitif).
- Les façons possibles de réparer le geste posé (le comment comportemental).
- L'échéancier pour agir et réparer (le quand ?).

Étape 2 : Je rédige mon texte.

Étape 3 : Je conçois mon plan d'action et j'y ajoute des commentaires personnels, si je le désire.

PLAN D'ACTION PERSONNEL

a) Pour réparer mon erreur, j'accomplirai le geste suivant : ____________

b) Je ferai ce geste à l'intention de : ____________

c) Voici les étapes que je vivrai pour faire ce que j'ai décidé : ____________

d) Voici le moment que j'ai choisi pour réparer mon geste : ____________

e) Commentaires personnels : ____________

SECONDAIRE

 J. Caron, *Quand revient septembre*, 2e édition

(Cette fiche compte 1 page)

Nom: ____________

FICHE 2.7b

Fiche de réflexion (exemple B)

Date d'utilisation : ____________

Objet de la réflexion : ____________

Outil d'expression utilisé :

- ☐ la parole
- ☐ l'écriture
- ☐ le dessin

1. Je nomme ce que j'ai fait.

2. J'explique ce que j'ai fait.

3. Je tente de reconnaître comment je me sens.

☐ Je suis triste.	☐ Je suis indifférent.
☐ Je suis gêné.	☐ Je me sens à l'aise.
☐ Je suis déçu.	☐ Je suis en colère.
☐ Je me sens coupable.	☐ Je suis frustré.

4. Je réparerai mon geste de la façon suivante :

PRIMAIRE

 J. Caron, *Quand revient septembre*, 2e édition

(Cette fiche compte 1 page)

FICHE 2.7d

Exemple de contrat pour l'amélioration de comportements

Nom de l'élève : *Amélie Brisebois*

Objectif visé : *Améliorer mes attitudes et mes habiletés sociales lorsque je travaille en coopération avec mes camarades*

Début du contrat : *lundi prochain, le 8 octobre*

Fin du contrat : *mercredi 31 octobre*

Partenaire dans le contrat : *mon enseignante Justine Vaillancourt*

Exigences du contrat pour la partie concernant l'élève

Pour les trois prochaines semaines, moi, *Amélie Brisebois*, je m'engage :

- à surveiller mon ton de voix lorsque je m'exprime dans une équipe de travail ;
- à utiliser l'humour avec discernement ;
- à écouter les autres élèves quand ils parlent ;
- à exprimer poliment mon désaccord ;
- à donner mon point de vue quand vient mon tour ;
- à respecter les rôles qui ont été assignés dans mon équipe : le gardien de la parole, du temps, du matériel et de la tâche.

Signature de l'élève : *Amélie Brisebois*

Exigences du contrat pour la partie concernant l'enseignante

De mon côté, moi, *Justine Vaillancourt*, je m'engage à t'épauler dans la poursuite de ton contrat par des gestes préventifs :

- en te faisant deux rappels à l'ordre avant d'appliquer une conséquence désagréable ;
- en te jumelant avec un élève qui est déjà capable de travailler en équipe pour qu'il puisse te faire penser à ce que tu dois faire ;
- en te fournissant un référentiel sur lequel seront inscrits les six défis de ton contrat ;
- en t'assignant un rôle dans lequel tu te sens à l'aise au sein de ton équipe ;
- en ne t'obligeant pas à travailler avec des élèves que tu ne peux pas supporter pour l'instant.

(Cette fiche compte 2 pages)

Nom : ______________________ Date : ______________

FICHE 2.7e

Canevas pour élaborer un plan d'action

MON PLAN D'ACTION

1. **Phase de la réflexion**

   Qu'est-ce que j'ai fait ?

   ____

   ____

   S'agissait-il d'un comportement responsable ? Pourquoi ?

   ____

   ____

   Qu'est-ce que cela m'a apporté ?

   ____

   ____

   Pourquoi ce que j'ai fait n'est-il pas acceptable ?

   ____

   ____

   Mon comportement inacceptable était-il centré uniquement sur mes besoins personnels ? ☐ oui ☐ non

   En agissant ainsi, ai-je lésé les droits des autres ? ☐ oui ☐ non

   En agissant ainsi, ai-je nui à la protection de l'environnement ? ☐ oui ☐ non

2. **Phase de l'engagement**

   Je réfléchis aux conséquences logiques qui sont en lien avec le geste que j'ai fait.

   ____

   ____

   ____

SECONDAIRE

(Cette fiche compte 2 pages)

Nom: ______ Date: ______

FICHE 2.7f

Autoévaluation de mon comportement (exemple A)

Comment je me perçois ?

Pour chaque énoncé, complète le visage en ajoutant la bouche qui illustre le mieux ce que tu penses de ton comportement. Réfère-toi à la légende suivante :

Légende :

presque toujours — quelquefois — rarement

J'accepte de partager le matériel et les jeux avec les autres.

Je demande à mon enseignant la permission d'utiliser du matériel appartenant à la classe.

Je choisis seul mes activités.

Je travaille proprement dans mes cahiers.

J'écoute les consignes et les explications.

Je travaille sans déranger mes camarades.

Je range tout ce que je prends.

PRÉSCOLAIRE ET 1er CYCLE DU PRIMAIRE

(Cette fiche compte 1 page)

Nom: ______

FICHE 2.7g

Autoévaluation de mon comportement (à la fin d'une semaine)

Semaine du: ______

Échelle d'appréciation : A = J'ai respecté la règle de vie. B = Je me suis oublié quelquefois. C = J'éprouve des difficultés dans ce domaine.

Règles de vie	Mon évaluation			Celle de mon enseignant		
1. Je suis propre dans mes travaux.	A	B	C	A	B	C
2. Je respecte les échéances.	A	B	C	A	B	C
3. Je travaille sans perdre de temps.	A	B	C	A	B	C
4. Je participe à la vie de la classe.	A	B	C	A	B	C
5. Je travaille sans déranger les autres.	A	B	C	A	B	C
6. J'adopte un langage respectueux avec mes camarades et mon enseignant.	A	B	C	A	B	C
7. Je surveille mes attitudes et mes gestes envers les autres.	A	B	C	A	B	C
8. Je prends soin de mon matériel scolaire.	A	B	C	A	B	C

Commentaires de l'élève : ______

Commentaires de l'enseignant : ______

Commentaires du parent : ______

Signature de l'autorité parentale : ______

3e CYCLE DU PRIMAIRE ET 1er CYCLE DU SECONDAIRE

(Cette fiche compte 1 page)

Nom: ______________________ Date: __________

FICHE 2.7i

Autoévaluation du rôle de l'élève au regard de la définition des rôles respectifs

Échelle d'appréciation:

A = souvent B = quelquefois C = rarement

Indicateurs de comportements	Étape 1	Étape 2	Étape 3
1. J'ai fait preuve d'écoute active au moment des explications durant les cours.			
2. J'ai respecté les consignes et les procédures proposées pour réaliser mes tâches d'apprentissage.			
3. J'ai obéi aux règlements de l'école qui relèvent de la gestion de l'enseignant.			
4. J'ai fait le travail demandé dans les délais prévus.			
5. J'ai posé des questions, et ce, dans un langage correct.			
6. J'ai soigné mes travaux: l'orthographe, la structure, la mise en page et la propreté.			
7. J'ai circulé calmement pendant les déplacements.			
8. J'ai évalué régulièrement mes comportements et mes apprentissages.			
9. J'ai apporté le matériel nécessaire aux cours: mes livres, mes crayons et mes autres effets personnels.			
10. J'ai évité les pertes de temps en classe.			
11. J'ai fait preuve de coopération pendant les travaux d'équipe.			

Source: D'après Diane Modery (1994). Matériel d'animation pour le Centre de formation Jacqueline Caron inc.

1er CYCLE DU SECONDAIRE

(Cette fiche compte 1 page)

Nom: ______________________ Date: __________

FICHE 2.7h

Autoévaluation de mon comportement (à la fin d'un mois ou d'une étape)

Échelle d'appréciation:

ROUGE Mon enseignant a dû intervenir. Je ne peux continuer ainsi. J'éprouve de sérieuses difficultés et j'ai besoin d'aide et de soutien.

JAUNE J'ai éprouvé quelques difficultés. Je dois me reprendre, car je m'oublie de temps à autre.

VERT Je peux continuer ainsi. Tout va bien pour moi!

Au sujet de mes habitudes de travail:

◯ **1.** J'ai surveillé la qualité de mon écriture de même que la mise en page de mes travaux.

◯ **2.** J'ai travaillé sans perdre de temps et sans déranger les autres.

◯ **3.** J'ai été ordonné dans mon bureau et mes effets scolaires.

◯ **4.** Je suis allé au terme de mon travail et j'ai respecté mes échéances.

◯ **5.** J'ai occupé mes moments libres de façon sérieuse.

◯ **6.** J'ai participé aux travaux d'équipe en tenant compte des modalités qui ont été définies dans la classe.

◯ **7.** J'ai planifié mon travail chaque jour.

◯ **8.** Je me suis évalué chaque semaine.

2e ET 3e CYCLES DU PRIMAIRE

(Cette fiche compte 2 pages)

FICHE 2.8b

Soirée d'information aux parents : exemple d'ordre du jour

Les sujets ne sont pas nécessairement placés par ordre chronologique ou d'importance. Il est du ressort de l'enseignant de les orchestrer à sa façon.

Sujets à traiter	Notes personnelles
1. Présentation du portfolio affectif	
2. Projet éducatif de classe (valeurs, croyances, objectifs)	
3. Philosophie du nouveau programme de formation en lien avec le vécu de la classe	
4. Attentes des parents face à l'école	
Attentes des parents face à l'enseignant	
5. Attentes de l'enseignant face aux parents (exploration de différentes formes de collaboration avec l'enseignant et proposition de modalités d'engagement au sein de la classe*)	
6. Développement d'une culture des différences alimentée par les profils et les parcours d'apprentissage des élèves	
7. Fonctionnement de la vie de la classe	

*À cet effet, il serait intéressant pour vous de consulter la référence suivante : Jacqueline Caron (2003). *Apprivoiser les différences*, Les Éditions de la Chenelière, Montréal, p. 481.

(Cette fiche compte 2 pages)

FICHE 2.8a

Modèle de lettre d'invitation aux parents

_______________, le _______________
(lieu) (date)

Aux parents des (nom de la classe) _______________,

Bonjour ! Voilà déjà plus d'un mois que je vis en classe avec votre enfant... Ensemble, nous avons aménagé la classe, planifié des projets, établi notre référentiel disciplinaire, réalisé divers apprentissages, etc.

Vous voulez sûrement recevoir de l'information sur notre vécu scolaire. Voilà pourquoi je suis heureux de vous inviter à notre réunion d'information qui aura lieu le _______________ (date), à _______________ (heure).

Au cours de cette rencontre de parents, je vous ferai part de mes valeurs en éducation, de mes objectifs pédagogiques, de mon approche axée sur la participation et la responsabilisation, de mes exigences, de notre fonctionnement quotidien, etc. De plus, nous verrons comment vous, parents, pouvez suivre et appuyer votre enfant dans son cheminement à l'école.

Ce sera la seule réunion d'information que je tiendrai au cours de l'année. La présence de chacun de vous m'apparaît très importante. De nouveau, je réitère mon invitation, et je compte sur vous.

Au plaisir de vous voir !

Signature de l'enseignant : _______________

.... *À détacher, à remplir et à retourner à l'école* ....

Je serai présent à cette rencontre ☐ oui ☐ non

Voici des points que j'aimerais que vous abordiez au cours de la réunion : _______________

____

____

Signature du parent : _______________

(Cette fiche compte 1 page)

FICHE 2.8c

Soirée d'information : décodage des états d'âme des parents

En tant que parent, vous êtes invité à cocher trois ou quatre éléments de la liste suivante qui correspondent aux sentiments et aux impressions que la rencontre d'information a suscités chez vous.

☐ Intrigué	☐ Épuisé	☐ Attentif
☐ Intimidé	☐ Négatif	☐ Soutenu
☐ Perplexe	☐ Satisfait	☐ Ravi
☐ Étonné	☐ Surpris	☐ Privilégié
☐ Dynamisé	☐ Hésitant	☐ Positif
☐ Motivé	☐ Confiant	☐ Curieux
☐ Sur la défensive	☐ Ennuyé	☐ Enthousiaste
☐ Déçu	☐ Déterminé	☐ Emballé
☐ Gagnant	☐ Frustré	☐ Sceptique
☐ Content	☐ Indifférent	☐ Encouragé
☐ Inquiet	☐ Heureux	☐ Optimiste

Commentaires : ______________________________

____

____

____

(Cette fiche compte 1 page)

FICHE 2.8d

Soirée d'information : évaluation par les parents

Les questions ci-dessous visent à vous aider à évaluer notre rencontre d'information. Vous n'êtes pas obligé de tenir compte de toutes les questions. Choisissez celles qui vous semblent les plus pertinentes.

Vous pouvez me remettre ce questionnaire rempli à la fin de la rencontre ou le retourner à l'école au cours des prochains jours.

1. Qu'est-ce que je pense de la formule de réunion vécue ce soir ? ______________________________

   ____

   ____

2. Quels sont les points traités qui m'éclairent le plus dans mon rôle de parent-accompagnateur de mon enfant dans son parcours scolaire ? ______________________________

   ____

   ____

3. Quels sont les messages les plus importants que je retiens ? ______________________________

   ____

   ____

4. Quels points ne sont pas encore clairs pour moi ? ______________________________

   ____

   ____

5. Y a-t-il des sujets qui n'ont pas été abordés au cours de cette réunion et que je considère comme très importants ? ☐ oui ☐ non

   Si oui, lesquels ? ______________________________

   ____

   ____

   Commentaires personnels : ______________________________

   ____

   ____

(Cette fiche compte 1 page)

FICHE 2.8f

Comment aider son enfant ou son adolescent à réussir ?

Pour aider son enfant ou son adolescent à vivre du succès en classe, un parent peut utiliser les quatre « E » de la réussite, soit quatre stratégies commençant par la lettre « E » :

1. l'**E**ncouragement **2.** l'**E**ngagement **3.** l'**E**ncadrement **4.** l'**E**xtension

Encouragement	Engagement
a) S'intéresser à ce que fait l'enfant. b) Le soutenir par un bon mot. c) Prendre le temps de l'aider. d) Le féliciter pour des travaux dans lesquels il s'est engagé. e) Afficher dans la maison les travaux dignes de mention, ceux qui témoignent de ses efforts. f) Lui écrire des messages. g) Parler avec lui de l'école, de ses activités, de ses problèmes, de ses amis.	a) Être présent auprès de l'enfant au moment des devoirs et des leçons. b) Faire preuve d'écoute et de sensibilité à l'égard de son vécu scolaire. c) Le soutenir dans ses demandes d'aide. d) Assister aux réunions qui le concernent. e) S'intéresser à la présentation de son portfolio d'apprentissage. f) Aller chercher le bulletin scolaire et en discuter avec son enfant.
Encadrement	**Extension**
a) Ajuster ses exigences en fonction du rythme de l'enfant. b) Verbaliser des attentes positives, claires et précises à son égard. c) Contrôler ses heures de sommeil. d) Surveiller la valeur nutritive de ses repas. e) Convenir avec l'enfant d'un horaire de travail à moments fixes. f) Établir des règles disciplinaires ainsi que des conséquences qui seront appliquées. g) Maintenir un juste équilibre entre les heures consacrées au travail scolaire, aux activités physiques et à la télévision. h) Prévoir un endroit tranquille, sans télévision et sans va-et-vient excessif pour la période réservée au travail personnel à la maison.	a) Lui donner des responsabilités propres à développer ses compétences transversales à la maison. b) Le soutenir dans les projets personnels qu'il se donne et être attentif pour établir alors des liens avec ses champs d'intérêt, son style d'apprentissage ou ses formes d'intelligence prédominantes. c) Élargir les connaissances de l'enfant en intervenant en fonction de sa curiosité intellectuelle et de son ouverture sur le monde. Se référer à une banque de devoirs développementaux remise par l'enseignant : la lecture de menus, de cartes routières, la correspondance scolaire, la discussion sur des sujets d'actualité, etc. Pour visualiser des exemples de devoirs développementaux, consulter l'outil 5.11 (*voir p. 343*) qui porte sur la gestion des devoirs et des leçons.

Source : Michel Chassé (1992). Matériel d'animation pour le Centre de formation Jacqueline Caron inc.

(Cette fiche compte 1 page)

FICHE 2.8e

Attentes de l'enseignant à l'égard des parents

Je m'attends à ce que les parents de mes élèves s'engagent, et cela, sur différents plans. Personnellement, je me permets de vous présenter trois paliers d'engagement…

1. **Comme parents accompagnateurs de leur enfant,** j'aimerais que ceux-ci :
   - s'informent régulièrement auprès de l'enseignant sur ce que leur enfant vit dans sa classe ou son groupe de base ;
   - soient positifs face à l'école, face à l'enseignant, face aux activités et aux projets vécus ;
   - restent en contact avec l'enseignant ;
   - regardent régulièrement les travaux et les cahiers de leur enfant ;
   - aident leur enfant à planifier son temps et son travail, s'il y a lieu ;
   - lisent les évaluations remises à leur enfant, discutent avec lui et prennent le temps de noter une remarque, un commentaire ;
   - aident leur enfant dans la réalisation de certains travaux, s'il en éprouve le besoin, bien entendu, comme la mémorisation de tables d'addition et de multiplication, les lectures à haute voix, la mémorisation de poèmes ou la préparation de fiches-dictées.
2. **Comme personnes-ressources,** j'aimerais que les parents m'aident occasionnellement :
   - à faire lire les élèves à voix haute, une fois par semaine ;
   - à leur faire réciter des poèmes, de temps à autre ;
   - à animer des ateliers en classe, tels que les suivants : cuisine, théâtre, menuiserie, mécanique, artisanat, peinture, expériences scientifiques ;
   - à venir bricoler avec les élèves des cadeaux pour Noël, pour la fête des Mères, etc. ;
   - à participer au financement des activités culturelles et sportives, si cela s'avère nécessaire, en cours d'année ;
   - à venir répéter des chants avec les élèves ;
   - à accompagner les élèves dans les sorties culturelles et sportives ;
   - à organiser certaines fêtes, en collaboration avec les élèves, comme Noël ou l'Halloween ;
   - à donner de l'information aux élèves sur des sujets qu'ils ont approfondis dans le cadre de projets personnels ou de recherches qu'ils ont menées ;
   - à fournir de la documentation aux élèves sur l'histoire, la géographie, les arts, l'actualité, et ce, au moyen de livres d'occasion, de revues, de journaux, de photographies numériques, de dépliants touristiques, etc.
3. **Comme membres d'un comité de classe,** j'aimerais que les parents travaillent à mes côtés pour contribuer à rendre l'environnement de la classe plus riche et plus dynamique.

   Ce comité de classe est indépendant du comité de parents ou du conseil d'établissement de l'école et il se réunit trois ou quatre fois par an. Il est composé de l'enseignant, de trois membres du conseil de coopération et des parents qui acceptent d'y participer. Son mandat sera à déterminer avec les nouveaux membres, au cours de la première rencontre. Il y sera sûrement question de projets qui tiennent à cœur aux élèves ainsi que de l'intégration des parents à la vie scolaire.

(Cette fiche compte 1 page)

FICHE 2.8h

Message de félicitations à l'intention des parents

Aux parents de : ____________________

Groupe : ____________________

Date : ____________________

Chers parents,

La présente est pour vous informer que votre enfant mérite qu'on lui adresse un « message de félicitations » parce qu'il a démontré une ou plusieurs qualités remarquables au travail, parce qu'il a respecté les règles de vie en classe.

Par ses paroles, votre enfant :

- ☐ est encourageant à l'égard de ses camarades qui éprouvent des difficultés
- ☐ s'explique calmement quand il vit une situation tendue
- ☐ exprime verbalement sa part de responsabilité quand il commet des erreurs
- ☐ utilise un langage poli et courtois à l'égard de son entourage

Par ses gestes, votre enfant :

- ☐ coopère avec ses camarades lorsqu'il travaille en équipe
- ☐ essaie de s'entendre avec les autres même s'il ne partage pas nécessairement le même point de vue qu'eux
- ☐ présente volontairement des excuses sincères lorsqu'il blesse une autre personne par des paroles désobligeantes
- ☐ démontre des efforts constants même devant les obstacles rencontrés dans des tâches d'apprentissage plus difficiles
- ☐ est capable de régler un conflit de façon harmonieuse et pacifique

Par ses attitudes, votre enfant :

- ☐ est à l'écoute des autres et fait preuve d'empathie à leur égard
- ☐ accepte les différences des autres
- ☐ fait preuve de patience à l'égard de compagnons qui réclament son aide

Une telle « note de félicitations » mérite un encouragement de votre part afin de valoriser le cheminement de votre enfant. Afin de lui exprimer votre satisfaction, je vous invite à écrire un commentaire à son intention.

Je vous remercie de votre attention et de votre collaboration.

Élève : ____________________

Enseignant : ____________________

Signature des parents : ____________________

Commentaires : ____________________

Source : D'après Louise Martin, psychoéducatrice, École Le Rucher, Mascouche.

(Cette fiche compte 1 page)

FICHE 2.8g

Billet d'avertissement à l'intention des parents

École : ____________________

Date : ____________________

Bonjour,

La présente est pour vous avertir que votre enfant, ____________________, éprouve présentement certaines difficultés en classe. Les comportements inappropriés qu'il manifeste depuis un certain temps pourraient se décrire ainsi :

- ☐ bavarde beaucoup trop
- ☐ dérange très souvent les autres
- ☐ circule sans raison valable dans la classe
- ☐ perd son temps lorsqu'il se retrouve en période de travail individuel
- ☐ fait montre de désordre et de malpropreté dans ses travaux, ses affaires personnelles et son pupitre
- ☐ accumule du retard dans ses travaux chaque semaine
- ☐ manque de sérieux pendant les cours des spécialistes
- ☐ ne travaille pas suffisamment à la maison

Autres raisons : ____________________

Par l'envoi de ce billet, je veux vous mettre immédiatement au courant de la situation, afin d'éviter des conséquences plus fâcheuses. Je désire également vous signaler que votre enfant aurait sans doute besoin d'un suivi et d'un soutien plus grands à la maison. J'ai besoin que vous épauliez davantage votre enfant pour que nous puissions, ensemble, le conduire aussi loin qu'il peut aller. Je suis persuadé que vous saurez m'apporter votre collaboration. Je vous en remercie.

Enseignant : ____________________

Signature de l'élève : ____________________

Signature du parent : ____________________

(Cette fiche compte 1 page)

FICHE 2.8i

Certificat de bonne conduite

Semaine du : ______________________

Chers parents,

Il me fait plaisir de vous faire savoir que je suis très satisfait de ______________________ sur son ou ses bons comportements en classe :

BRAVO!

- ☐ Prête attention aux explications
- ☐ Fait preuve d'un grand intérêt en classe
- ☐ Travaille avec effort et application
- ☐ Démontre des attitudes positives
- ☐ Manifeste un sens des responsabilités
- ☐ Soigne ses travaux
- ☐ Respecte ses échéanciers
- ☐ A progressé nettement

Autres comportements possibles : ______________________

____

____

Signature de l'enseignant : ______________________

 J. Caron, *Quand revient septembre*, 2e édition

(Cette fiche compte 1 page)

FICHE 3.1a

Le «quoi ?» ou le «comment ?» (Mes valeurs et croyances en éducation)

Beaucoup d'enseignants se préoccupent tellement d'enseigner les contenus qu'ils oublient de s'interroger sur ce que sont réellement l'éducation, l'apprentissage et l'enseignement. Voulez-vous savoir où vous situez vos interventions pédagogiques par rapport aux grandes finalités de l'éducation et de l'enseignement, c'est-à-dire le développement de l'être humain ? Répondez spontanément à ces quelques questions.

	Oui	Non
1. Est-ce que j'enseigne aux élèves ce dont ils auront besoin pour s'adapter à la société dans laquelle ils vivront, une fois adultes ?	☐	☐
2. Est-ce que j'enseigne aux élèves comment apprendre ?	☐	☐
3. Est-ce que j'enseigne aux élèves comment résoudre leurs problèmes personnels et interpersonnels ?	☐	☐
4. Est-ce que j'enseigne aux élèves qu'ils peuvent réussir dans la vie et être créateurs dans ce qu'ils désirent ?	☐	☐
5. Est-ce que j'enseigne aux élèves comment faire des choix et être critiques par rapport à ce que la société propose ?	☐	☐
6. Est-ce que j'enseigne aux élèves la motivation ?	☐	☐
7. Est-ce que j'enseigne aux élèves le goût d'apprendre, la curiosité intellectuelle et l'ouverture sur le monde ?	☐	☐
8. Est-ce que j'enseigne à la personne dans sa globalité ?	☐	☐
9. Est-ce que j'enseigne aux élèves le sens de l'effort et la rigueur intellectuelle ?	☐	☐
10. Est-ce que j'enseigne aux élèves le respect des différences ?	☐	☐
11. Est-ce que j'enseigne aux élèves les procédures, les démarches et les stratégies d'apprentissage ?	☐	☐
12. Est-ce que j'enseigne aux élèves comment se connaître, connaître les autres et connaître leur environnement ?	☐	☐

Selon vos réponses, vous pouvez voir si vous êtes centré sur le «quoi ?», sur le «comment ?» ou sur les deux.

Clé d'interprétation

Les questions 1, 4, 6, 7, 9 et 10 portent sur le «quoi ?».

Les questions 2, 3, 5, 8, 11 et 12 portent sur le «comment ?».

 J. Caron, *Quand revient septembre*, 2e édition

(Cette fiche compte 1 page)

FICHE 3.1b

Quelle est la couleur de ma pédagogie ? (Mon type de pédagogie)

Le tableau 3.5, page 144, intitulé « Quatre façons de concevoir le rôle d'un enseignant », décrit brièvement les pédagogies encyclopédique, fermée, libre et ouverte. Après avoir consulté ce tableau, identifiez le type de pédagogie avec lequel vous vous sentez le plus à l'aise.

Légende :

La pédagogie encyclopédique (1) La pédagogie libre (3)

La pédagogie fermée (2) La pédagogie ouverte (4)

1. Je me reconnais bien dans le type 1 2 3 4 (encercler)
2. Je pense qu'habituellement je pratique une pédagogie dite ______
3. On dirait que j'ai aussi tendance à pratiquer une pédagogie dite ______
4. D'après ce que je connais du programme de formation, les concepteurs ont privilégié une pédagogie dite ______
5. La pédagogie que je pratique est-elle en harmonie avec la conception de l'apprentissage que je tente de privilégier auprès de mes élèves ?
   Totalement En partie Pas du tout (encercler)
6. Voici ce que j'en conclus : ______

 J. Caron, *Quand revient septembre*, 2e édition

(Cette fiche compte 1 page)

FICHE 3.1c

Pleins feux sur mon processus de découverte habituel (Ma conception de l'apprentissage)

1. Au regard des situations d'apprentissage que je propose généralement aux élèves, quel est mon processus de découverte habituel ?
2. Qu'est-ce que je préfère comme processus de découverte ? Pourquoi ?
3. Comment pourrais-je formuler ma conception de l'apprentissage ?
4. Qu'est-ce que je remarque quand je compare ma conception de l'apprentissage avec celle des élèves, celle d'autres pédagogues ou encore celle des chercheurs ?
5. Existe-t-il des contradictions entre ma conception de l'apprentissage et celle qui est privilégiée dans le programme d'études dont je suis responsable ? Si oui, comment vais-je réduire cet écart ?

 J. Caron, *Quand revient septembre*, 2e édition

(Cette fiche compte 1 page)

FICHE 3.2a

Mon projet éducatif de classe

Comme j'œuvre dans un système d'éducation, il m'apparaît essentiel en début d'année de reconnaître les valeurs et les croyances qui motivent mon agir pédagogique.

Il est important aussi pour moi de décoder les attentes de mes partenaires, de préciser à mon tour mes attentes, de déterminer mes objectifs professionnels et d'élaborer mon plan d'action.

Nom : ______

Groupe-classe ou discipline enseignée : ______

Date : ______

1. Les valeurs que j'aimerais véhiculer au sein de ma classe ou de mes groupes sont :

2. Les croyances qui m'animent sur le plan de l'éducation et de la pédagogie sont :

3. Les objectifs professionnels que je désire atteindre avec mes élèves cette année
   - Les objectifs liés au développement des compétences transversales sont :

 J. Caron, *Quand revient septembre*, 2e édition

(Cette fiche compte 3 pages)

FICHE 3.1d

Quel est mon profil d'enseignant ? (Mon style d'enseignement)

Répondez le plus spontanément possible aux questions suivantes.

Ensuite, comparez vos réponses avec celles qui sont suggérées dans la grille d'interprétation qui suit le questionnaire.

Tirez une conclusion en décodant votre style d'enseignement.

1. Comment percevez-vous votre rôle d'enseignant ?

2. Qu'est-ce qui vous préoccupe le plus dans votre classe ou dans vos groupes de base ?

3. Quel est le geste prioritaire que vous faites toujours en début d'année ?

4. Avant le démarrage d'une journée ou d'une période, quelles sont vos attentes à l'égard du climat ?

5. Comment tenez-vous compte des rythmes d'apprentissage de vos élèves ?

 J. Caron, *Quand revient septembre*, 2e édition

(Cette fiche compte 9 pages)

FICHE 3.3a

Banque de stratégies pour susciter la motivation scolaire d'un élève

Pour amener un élève à s'engager dans l'amélioration de ses comportements :

- Inviter l'élève à exprimer son opinion au moment de l'élaboration du référentiel disciplinaire de la classe : au regard des règles de vie, des conséquences agréables, des conséquences désagréables, de la liste de réparations.
- Lui demander d'autoévaluer ses comportements.
- Le guider dans la découverte de l'une de ses forces et d'un défi à relever pour une période donnée.
- Lui fournir des occasions de voir comment ses pairs le perçoivent dans des contextes de coévaluation.
- Vivre avec lui au moins trois rencontres-entrevues orientées vers la présentation du portfolio, la remise du bulletin et la découverte de forces et de défis.

Pour amener un élève à s'engager dans ses apprentissages :

- Verbaliser à l'élève les objets ou résultats d'apprentissage à l'aide de termes qui lui sont accessibles.
- L'aider à objectiver l'histoire de ses apprentissages grâce à des pistes de réflexion pertinentes.
- Traduire à son intention des consignes tantôt verbales, tantôt écrites.
- Planifier avec lui l'échéancier de ses tâches pour les travaux s'étalant sur une période plus longue ; prévoir des moments précis intercalés dans le temps pour vérifier la façon dont l'élève organise son temps.
- Introduire dans la classe la formule de l'autocorrection pour certains travaux ne présentant qu'une seule bonne réponse.
- Utiliser le plan de travail collectif ou personnel afin de donner à l'élève une vision globale des tâches à exécuter.
- Offrir à l'élève la possibilité de gérer des périodes de travail personnel en classe par l'entremise d'un tableau d'enrichissement ou de programmation, ou encore d'un répertoire d'ateliers.
- Animer l'agenda de façon à permettre à l'élève de développer une meilleure gestion de cet outil.
- Mettre au point avec l'élève des démarches et des stratégies d'apprentissage.
- Élaborer avec lui un coffre à outils pour le soutenir dans son savoir-apprendre.
- Lui permettre de découvrir sa porte d'entrée pour apprendre.
- L'informer des différentes étapes qu'il traverse chaque fois qu'il apprend quelque chose de nouveau.

Pour amener un élève à s'engager dans l'évaluation de ses apprentissages :

- Faire connaître à l'élève les objets d'évaluation.
- Lui formuler clairement les critères d'évaluation.
- Préciser avec lui les seuils de réussite.
- Lui donner des outils d'autoévaluation.
- Utiliser la coévaluation.
- L'amener à réguler ses apprentissages pour qu'il découvre un objet de réinvestissement, une force et un défi de la journée, de la semaine ou de l'étape.

(Cette fiche compte 1 page)

FICHE 3.2b

Mon plan d'action

Je détermine les démarches, les procédures et les stratégies que je vais mettre en place pour atteindre les objectifs définis précédemment.

Objectifs poursuivis	Démarches, procédures et stratégies utilisées	Échéancier	Ressources nécessaires	Objectivation et évaluation à prévoir

(Cette fiche compte 1 page)

Nom: ______________________ Date: ______________

FICHE 3.4b

Démarche pour stimuler l'estime de soi et l'engagement face à une tâche

1. Je regarde la tâche qui est devant moi et je me pose la question suivante : «Qu'est-ce qu'on me demande de faire ?»

2. Je prends conscience de mon état d'âme devant cette tâche :
   - Je suis calme, j'ai confiance que ça va bien aller.
   - Je suis nerveux, je me sens hésitant.

3. Je pense à toutes les ressources qui pourraient me soutenir dans la réalisation de cette tâche :
   - ce que je connais déjà ;
   - ce que je sais faire ;
   - les outils dont je dispose actuellement.

4. Je repense à ce que j'ai fait hier, la semaine dernière :
   - Cette tâche ressemble-t-elle à une autre tâche que j'ai déjà vue ?
   - Est-ce que j'ai déjà réussi une tâche pareille à celle qui est devant moi ?

5. Je m'encourage en me faisant des petits compliments :
   - Je suis capable !
   - Je vais y arriver !
   - Je sais que je peux le faire !
   - Je sens que ça va bien aller !
   - Tout va bien pour l'instant, alors je commence mon travail !

Source : D'après Conseil des ministres de l'Éducation du Canada (2008). *Guide pédagogique. Stratégies en lecture et écriture*, Projet pancanadien de français langue première, Les Éditions de la Chenelière, Montréal, p. 397.

1er CYCLE DU PRIMAIRE

 J. Caron, *Quand revient septembre*, 2e édition

(Cette fiche compte 1 page)

Nom: ______________________ Date: ______________

FICHE 3.4a

Démarche pour s'initer à la recherche

1. Je choisis l'animal qui m'intéresse.

2. Je dessine ou je raconte deux choses que je connais déjà de cet animal.

3. Je dessine ou je nomme une chose nouvelle que j'aimerais connaître de cet animal.

4. Je cherche une réponse à ma question à l'aide des moyens suivants : dans un livre, à la télévision, en discutant avec un membre de ma famille.

5. Je dessine ou je raconte ce que je viens d'apprendre.

6. Je partage mon apprentissage avec un camarade qui s'intéresse lui aussi à l'animal que j'ai choisi.

PRÉSCOLAIRE

 J. Caron, *Quand revient septembre*, 2e édition

(Cette fiche compte 1 page)

Nom: ______________________ Date: ____________

FICHE 3.4d

Démarche pour développer la persévérance dans une tâche

1. Quand je constate que je suis distrait ou que je perds mon temps, je me sers de ma «boussole» pour m'orienter vers le point cardinal qui m'indiquerait l'état dans lequel je me retrouve.

Quoi ?
N
Comment ? O
E Pourquoi ?
S
Avec quoi ?

2. Je regarde vers le nord: j'observe le «quoi?» et je me demande si je comprends bien ce que j'ai à faire.

   Si ce n'est pas le cas, je peux:
   - relire les consignes;
   - reformuler la tâche dans mes mots;
   - valider ma compréhension auprès d'un camarade;
   - demander l'aide d'un pair ou de mon enseignant.

3. Je regarde à l'est: j'observe le «pourquoi?» et je me demande si cette tâche est utile et intéressante pour moi.

   Si ce n'est pas le cas, je peux faire des choix en fonction de mes buts et de mes champs d'intérêt au regard du sujet, des personnages ou des mots.

4. Je regarde vers le sud: j'observe le «avec quoi?» et je vérifie si je possède toutes les ressources nécessaires pour continuer d'avancer.

   Si ce n'est pas le cas, je peux:
   - activer mes connaissances antérieures;
   - consulter mon coffre à outils ou mon cahier aide-mémoire;
   - rassembler mon équipement, comme mon lexique, mon dictionnaire ou ma grammaire.

3e CYCLE DU PRIMAIRE

(Cette fiche compte 2 pages)

Nom: ______________________ Date: ____________

FICHE 3.4c

Démarche pour travailler individuellement de façon efficace

1. Je comprends ce que j'ai à faire. Je relis les consignes de ma tâche (le «quoi faire?»).
2. Je m'assure que j'ai tous les outils nécessaires autour de moi avant de démarrer mon travail (le «avec quoi?»).
3. Je décide du chemin que je vais prendre pour y arriver (le «comment?»). Je vérifie si je connais:
   - la démarche;
   - la procédure;
   - les stratégies.
4. Je planifie ce que je dois faire et je ne perds pas de temps afin de respecter mon échéancier (le «quand?»).
5. J'accomplis ma tâche de mon mieux.
6. Si j'éprouve des difficultés, je consulte d'abord mon coffre à outils, puis mon conseiller et, finalement, mon enseignant.
7. Je vérifie ce que je viens de faire au fur et à mesure que j'avance.
8. Je jette un dernier coup d'œil sur mon résultat final.
9. Je m'autocorrige, s'il y a lieu, ou je remets mon travail à mon enseignant.
10. Je m'autoévalue à l'aide de l'échelle d'appréciation avec laquelle je suis familiarisé.

2e CYCLE DU PRIMAIRE

(Cette fiche compte 1 page)

Nom: ______________________ Date: ____________

FICHE 3.4f

Procédure pour réussir à écrire son prénom et son nom

1. J'écris dans les trottoirs.

2. Je regarde le modèle et je fais le bon tracé.

3. Je pose une main sur la feuille pour qu'elle ne bouge pas, et j'écris avec l'autre main.

4. Si je fais une erreur, j'efface comme mon enseignant me l'a montré.

5. Je montre ma feuille à mon enseignant.

PRÉSCOLAIRE

(Cette fiche compte 1 page)

Nom: ______________________ Date: ____________

FICHE 3.4e

Démarche pour faire une recherche

Pour réaliser une recherche, j'utilise la démarche suivante :

1. Je choisis un sujet de recherche qui m'intéresse.
2. J'écris tout ce que je sais sur ce sujet.
3. Je formule de 5 à 10 questions que je me pose sur le sujet. Pour alimenter mon questionnement, je peux même demander à d'autres élèves ce qu'ils voudraient connaître eux aussi sur ce sujet.
4. Je cherche de l'information sur le sujet, soit dans les livres, dans les revues, dans les journaux, dans les moteurs de recherche sur Internet, à la télévision, auprès de personnes que je pourrais interroger.
5. Je réponds aux questions que je me posais en résumant dans mes mots les informations trouvées. Je fais des phrases complètes et j'utilise un vocabulaire que je comprends.
6. Je trouve des illustrations complétant les informations que j'ai retenues.
7. Je copie ma recherche au propre. Si j'ai la possibilité de le faire, je peux utiliser le traitement de texte.
8. Je soigne ma présentation sur papier: la mise en page, la calligraphie, la propreté, la disposition de mes informations.
9. Je conçois ma page couverture.
10. Je n'oublie pas de rédiger ma table des matières et ma bibliographie.
11. Je présente ma recherche par un moyen d'expression de mon choix. À cette intention, je consulte la banque qui est proposée dans mon coffre à outils.

1ᵉʳ CYCLE DU SECONDAIRE

(Cette fiche compte 1 page)

Nom : ______________________ Date : ______________

FICHE 3.4h

Procédure pour obtenir de l'aide lorsque j'éprouve des difficultés à réaliser une tâche

1. Est-ce que j'ai compris les consignes données pour la tâche ? Est-ce que je suis capable :
   - de reformuler les consignes dans mes propres mots ?
   - de décrire le produit final ?
   - de préciser les étapes que je dois suivre ?
   - d'énumérer les ressources dont j'ai besoin ?

2. J'explique dans mes mots ce qui ne va pas :
   - Je ne comprends pas parce que ______________________

     ____
   - J'ai besoin d'aide pour ______________________

     ____

3. Je désire poser ma question :
   - à un autre élève de la classe ;
   - à mon conseiller ;
   - à mon enseignant ;
   - à mes parents ;
   - à une autre personne.

4. J'exprime si je suis satisfait de la réponse qu'on m'a donnée :
   - Si oui, je continue ma tâche.
   - Si non, je formule une nouvelle question.

2e CYCLE DU PRIMAIRE

 J. Caron, *Quand revient septembre*, 2e édition

(Cette fiche compte 1 page)

Nom : ______________________ Date : ______________

FICHE 3.4g

Procédure pour réaliser une copie parfaite

1. Je me concentre pour ne pas me laisser distraire par les autres élèves.
2. Je lis le texte en entier.
3. Je relis la première phrase.
4. Je ferme les yeux. J'essaie de voir cette phrase dans ma tête ou encore de l'entendre.
5. Je relis le mot à copier.
6. Je compte les lettres dans le mot à copier.
7. Je copie le mot et je vérifie le mot copié.
8. Je compte le nombre de mots dans la phrase.
9. Je copie la phrase et je vérifie la phrase copiée.
10. Je copie ainsi tout le texte.
11. Quand j'ai terminé la copie de mon texte, je le relis du début à la fin. Je peux même faire le contraire en commençant par la fin de mon texte.
12. Je remets ma copie à mon conseiller afin qu'il vérifie si j'ai fait des erreurs ou non.
13. Si oui, je corrige les fautes oubliées et, par la suite, je remets ma copie à mon enseignant.

Source : D'après Muriel Brousseau-Deschamps (1992). Matériel d'animation pour le Centre de formation Jacqueline Caron inc.

1er CYCLE DU PRIMAIRE

 J. Caron, *Quand revient septembre*, 2e édition

(Cette fiche compte 1 page)

Nom: ______ Date: ______

FICHE 3.4j

Procédure pour apprendre à exprimer son opinion

1. Je lis le texte qui m'a été proposé ou j'écoute la communication orale d'une autre personne.

2. Je dégage l'essentiel de l'idée exprimée par écrit ou verbalement.

3. Je prends position face au message transmis, aux valeurs exprimées, aux croyances énoncées.

4. a) J'accepte ou je rejette cette opinion.

   b) Je partage un certain nombre d'idées avec la personne qui s'est exprimée.

5. Je justifie ma position à l'aide d'un argument basé sur mon vécu d'adolescent.

6. J'échange mon point de vue avec un autre élève qui a lu le même texte que moi ou qui a entendu le même discours.

1er CYCLE DU SECONDAIRE

(Cette fiche compte 1 page)

Nom: ______ Date: ______

FICHE 3.4i

Procédure pour accomplir ses devoirs à la maison de manière satisfaisante

1. Je pense d'abord à mon coin travail:
   - Je choisis un endroit calme, où il n'y a pas trop de bruit ou de circulation autour de moi.
   - Je vérifie si j'ai suffisamment d'espace pour travailler aisément. Je prends le temps de désencombrer ma table de travail, au besoin.
   - Je jette un coup d'œil à la température ambiante. Je peux même aérer la pièce, si je juge que c'est nécessaire.
   - Je prends l'habitude de toujours faire mes devoirs au même endroit.
2. Je fais l'inventaire de mes outils et je sors ceux dont j'aurai besoin ce soir: mon coffre à outils, mon cahier aide-mémoire, ma grammaire, mon dictionnaire, mon lexique, etc.
3. Je réfléchis aux méthodes de travail que je vais me donner:
   - Vais-je commencer par la tâche que j'aime le plus faire? Vais-je prendre celle qui m'apparaît plus difficile?
   - Devrais-je utiliser un marqueur pour souligner les éléments importants de mon texte, de mes questions ou de mes problèmes?
4. Je me donne des moyens pour étudier «mes leçons»:
   - Est-ce que je devrais m'inventer des trucs pour mémoriser mes leçons? Exemple: le mot «toujours» prend toujours un «s».
   - Aurais-je besoin de me faire des résumés pour retenir ce qui est important?
   - Devrais-je répéter à voix haute les renseignements à mémoriser?
   - Serait-il préférable que je réécrive les informations que je dois retenir?
5. Si je ne comprends pas suffisamment ce que je dois faire, je ne panique pas. Je m'arrête et j'essaie les stratégies suivantes:
   - Je tente de revoir ou de réentendre mon enseignant lorsqu'il donnait les explications concernant les devoirs et les leçons.
   - Je pense à un travail que j'ai déjà fait et qui ressemble au devoir que je dois compléter. Comment avais-je procédé pour le réussir?
   - Je joue à l'enseignant avec mes parents. Je leur explique dans mes mots ce que j'ai compris des explications données en classe. Je leur demande par la suite de m'expliquer ce que je n'arrive pas à comprendre par moi-même.

3e CYCLE DU PRIMAIRE

(Cette fiche compte 1 page)

Nom: ____________________ Date: ____________

FICHE 3.4l

Banque de stratégies pour m'aider à me concentrer sur ce que j'ai à faire

- Dès le début des explications ou de la tâche, je sors tout le matériel dont j'ai besoin.
- Je m'installe convenablement, je me tiens bien.
- J'écoute attentivement les consignes avant de me mettre au travail.
- Je prends le temps de relire la consigne avant de commencer ma tâche.
- Je pose des questions lorsque je ne comprends pas.
- Je surveille le ton de ma voix lorsque je consulte le compagnon de ma dyade de dépannage.
- Je prends le temps de réviser mon travail avant de le remettre à mon enseignant.

1er CYCLE DU PRIMAIRE

(Cette fiche compte 1 page)

Nom: ____________________ Date: ____________

FICHE 3.4k

Banque de stratégies pour résoudre des conflits

- J'écoute ce que l'autre veut me dire.
- Je m'excuse auprès de mon camarade.
- Je lui demande de me pardonner mon mauvais comportement.
- Je reçois les excuses de l'autre et je discute gentiment avec lui.
- Je lui dis des paroles gentilles.
- Je décide que ce sera chacun son tour
  de faire ____________________
  ou d'avoir ____________________
- J'exprime mon état d'âme en commençant ma phrase par «Je».
  ____
- J'essaie de faire rire mon camarade pour lui changer les idées.
- Je décide qu'on se parlera demain lorsqu'on sera tous les deux de bonne humeur.
- Je fais un dessin pour lui expliquer que je désire faire mieux.

PRÉSCOLAIRE

(Cette fiche compte 1 page)

Nom: ______________________ Date: ______________

FICHE 3.4n

Banque de stratégies pour réussir une situation d'évaluation

- La veille de l'évaluation, je me couche tôt pour faire le plein d'énergie.
- Le matin de l'évaluation, je prends un bon déjeuner afin d'être en forme.
- À partir du moment où je reçois ma tâche d'évaluation, je garde le silence et je me concentre sur ce que j'ai à faire.
- Tout au long de ma tâche, je respire profondément et je gère mon stress du mieux que je peux.
- Je lis attentivement les questions et, si c'est nécessaire, je les relis plus d'une fois.
- Je contrôle mon impulsivité quand vient le temps de répondre.
- Je fais ce que je sais en premier.
- Je passe ensuite aux questions plus difficiles.
- Devant une difficulté, je me parle positivement.
- Même si je ne suis pas sûr de moi, je réponds à toutes les questions.
- Je révise mes consignes et mon travail avant de déposer ma copie.

3e CYCLE DU PRIMAIRE

(Cette fiche compte 1 page)

Nom: ______________________ Date: ______________

FICHE 3.4m

Banque de stratégies pour aider un autre élève à réaliser une tâche d'apprentissage

- Je lui lis les consignes.
- Je lui explique chaque consigne avec mes mots.
- Je l'aide à manipuler du matériel.
- Je lui donne un coup de main pour chercher dans le dictionnaire.
- Je le seconde pour repérer une démarche ou une stratégie dans son coffre à outils.
- Je fais des dessins pour l'aider à comprendre un problème.
- Je le questionne pour savoir ce qu'il ne comprend pas.
- Je favorise le repérage de ses erreurs.
- Je l'encourage tout au long de son travail en soulignant ses bons coups.
- Je lui fais penser à réviser son travail.

2e CYCLE DU PRIMAIRE

(Cette fiche compte 1 page)

Nom: ______________________ Date: ______________

FICHE 3.5a

Démarche pour réaliser une expérience scientifique

1. J'observe ce qui est devant moi.
2. Je dis à l'avance ce qui va se produire dans mon expérience.
3. Je fais mon expérience.
4. Je regarde ce qui s'est produit.
5. Je mets des mots sur ce que je vois.
6. Je raconte aux autres l'histoire de mon expérience.

Je vois...

PRÉSCOLAIRE

(Cette fiche compte 1 page)

Nom: ______________________ Date: ______________

FICHE 3.4o

Banque de stratégies pour participer activement à une équipe de travail

- Je partage avec les autres mes idées et mes réponses.
- Je joue le rôle qui m'a été assigné au sein de l'équipe.
- J'encourage chaque membre de mon équipe.
- Je reconnais que mes coéquipiers peuvent penser différemment de moi.
- Je tiens compte des rôles que mes camarades exercent au sein de mon équipe.
- Je suis capable d'avouer que je ne comprends pas ce qu'on est en train de dire ou de faire.
- Je suis prêt à apporter de l'aide à des membres de mon équipe si jamais ces derniers en ont besoin.
- Je me porte volontaire pour partager les responsabilités lorsque mon équipe travaille sur une tâche de production.
- Je suis capable de me rallier à la majorité lorsque vient le temps de faire un consensus autour d'une tâche de discussion.
- Je nomme les membres de mon équipe par leur prénom et je fais preuve de respect à leur égard.

1er CYCLE DU SECONDAIRE

(Cette fiche compte 1 page)

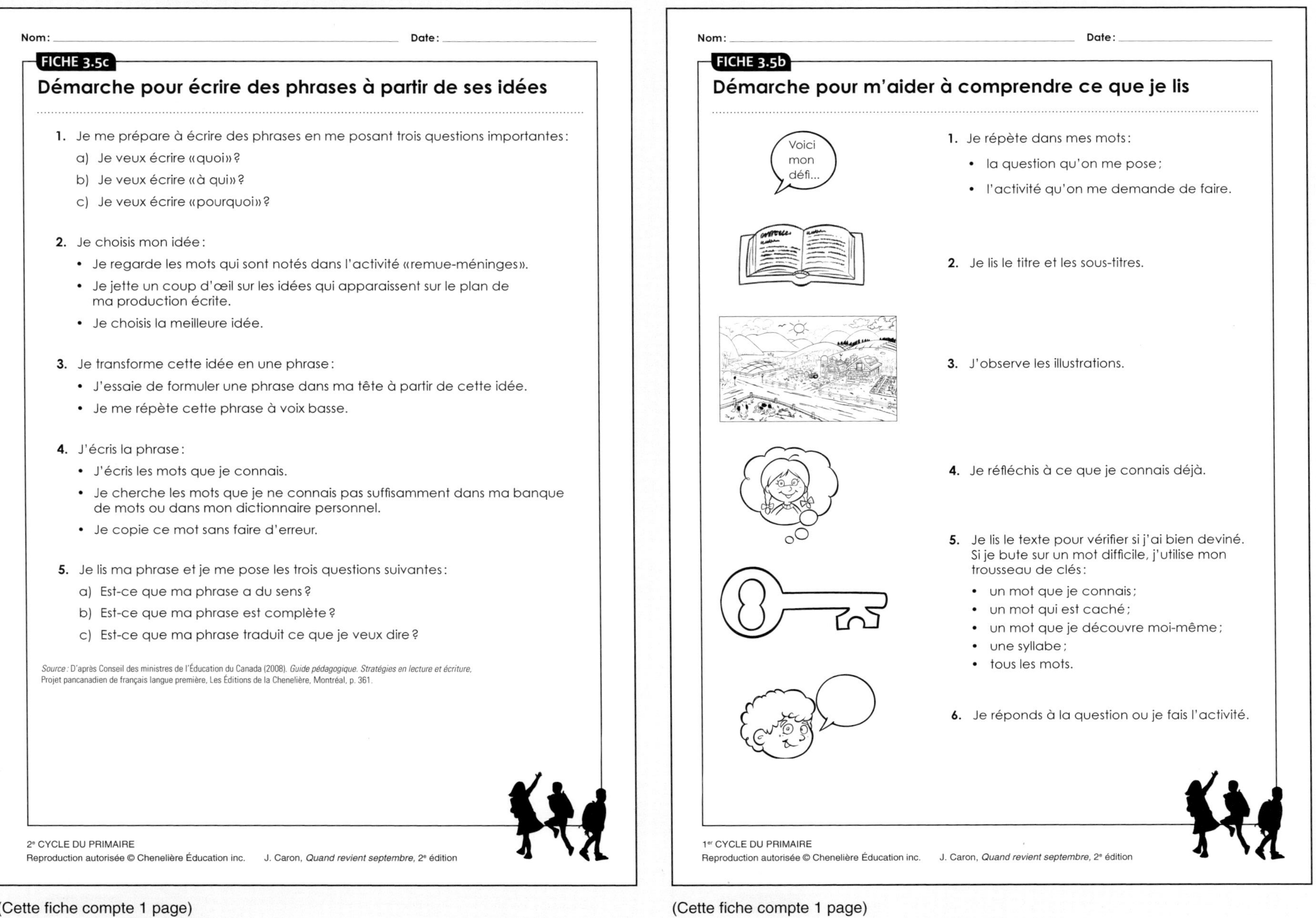

Nom: ______________________ Date: ____________

FICHE 3.5c

Démarche pour écrire des phrases à partir de ses idées

1. Je me prépare à écrire des phrases en me posant trois questions importantes :
   a) Je veux écrire «quoi» ?
   b) Je veux écrire «à qui» ?
   c) Je veux écrire «pourquoi» ?

2. Je choisis mon idée :
   - Je regarde les mots qui sont notés dans l'activité «remue-méninges».
   - Je jette un coup d'œil sur les idées qui apparaissent sur le plan de ma production écrite.
   - Je choisis la meilleure idée.

3. Je transforme cette idée en une phrase :
   - J'essaie de formuler une phrase dans ma tête à partir de cette idée.
   - Je me répète cette phrase à voix basse.

4. J'écris la phrase :
   - J'écris les mots que je connais.
   - Je cherche les mots que je ne connais pas suffisamment dans ma banque de mots ou dans mon dictionnaire personnel.
   - Je copie ce mot sans faire d'erreur.

5. Je lis ma phrase et je me pose les trois questions suivantes :
   a) Est-ce que ma phrase a du sens ?
   b) Est-ce que ma phrase est complète ?
   c) Est-ce que ma phrase traduit ce que je veux dire ?

Source : D'après Conseil des ministres de l'Éducation du Canada (2008). *Guide pédagogique. Stratégies en lecture et écriture*, Projet pancanadien de français langue première, Les Éditions de la Chenelière, Montréal, p. 361.

2e CYCLE DU PRIMAIRE

 J. Caron, *Quand revient septembre*, 2e édition

(Cette fiche compte 1 page)

Nom: ______________________ Date: ____________

FICHE 3.5b

Démarche pour m'aider à comprendre ce que je lis

1. Je répète dans mes mots :
   - la question qu'on me pose ;
   - l'activité qu'on me demande de faire.

2. Je lis le titre et les sous-titres.

3. J'observe les illustrations.

4. Je réfléchis à ce que je connais déjà.

5. Je lis le texte pour vérifier si j'ai bien deviné. Si je bute sur un mot difficile, j'utilise mon trousseau de clés :
   - un mot que je connais ;
   - un mot qui est caché ;
   - un mot que je découvre moi-même ;
   - une syllabe ;
   - tous les mots.

6. Je réponds à la question ou je fais l'activité.

1er CYCLE DU PRIMAIRE

 J. Caron, *Quand revient septembre*, 2e édition

(Cette fiche compte 1 page)

Nom: ______________________ Date: ______________

FICHE 3.5e

Démarche pour vérifier la cohérence d'un texte

1. Je m'assure de la présence d'un fil conducteur à l'intérieur de mon texte.

   À cette intention, je me demande si les informations sont reprises d'une phrase à l'autre, exprimées par d'autres mots.

2. Je vérifie la progression de mes idées tout au long de mon texte.

   À cette intention, j'examine si les nouvelles informations qui s'ajoutent graduellement au texte sont toujours liées au thème du départ.

3. Je me penche sur l'absence de contradictions internes.

   À cette intention, je cherche si aucune information ne vient contredire ce qui a déjà été écrit.

4. Je survole mon texte pour m'assurer qu'il y a vraiment absence de contradiction externe.

   À cette intention, je surveille l'infiltration d'informations fausses ou incongrues à l'intérieur de mon texte.

Source : D'après Conseil des ministres de l'Éducation du Canada (2008). *Guide pédagogique. Stratégies en lecture et écriture*, Projet pancanadien de français langue première, Les Éditions de la Chenelière, Montréal, p. 418.

1er CYCLE DU SECONDAIRE

(Cette fiche compte 1 page)

Nom: ______________________ Date: ______________

FICHE 3.5d

Démarche pour rédiger le plan d'une production écrite

1. Je détermine mon objectif d'écriture :
   - Je m'adresse à qui ? Qui est mon interlocuteur ?
   - Je veux parler de quoi ? Quel est mon sujet d'écriture ?
   - Pourquoi je veux écrire ? Quelle est mon intention d'écriture ?
2. Je détermine, à partir de mon intention d'écriture, ce que mon écrit doit forcément contenir :
   - Est-ce que j'exprimerai mes goûts, mes opinions, mes sentiments ? Oui, s'il s'agit d'un texte expressif.
   - Est-ce que je devrai utiliser des consignes, des directives, des arguments ? Oui, s'il s'agit d'un texte incitatif.
   - Est-ce que je donnerai des informations, des explications ? Oui, s'il s'agit d'un texte informatif.
   - Est-ce que j'emploierai des jeux de mots, de la magie, du beau, du merveilleux, de l'invraisemblable ? Oui, s'il s'agit d'un texte ludique ou poétique.
3. Je sélectionne mes renseignements, mes consignes, mes opinions et mes idées :
   - Ai-je suffisamment de renseignements et d'opinions ?
   - Mes informations et mes arguments sont-ils précis et pertinents ?
   - Ai-je donné des directives et des renseignements inutiles, superflus ?
4. J'ordonne mes paragraphes pour que mon texte soit cohérent :
   - Y a-t-il un ordre logique dans mes idées ?
   - Y a-t-il un ordre chronologique dans le déroulement des actions ?
   - Y a-t-il des liens entre mes paragraphes : introduction, développement, conclusion ?
   - Y a-t-il des mots-liens pour enchaîner mes idées ?
   - Y a-t-il des indices de temps et de lieu pour aider le lecteur à se situer ?
5. Je respecte les conventions établies pour chaque type d'écriture :
   - la lettre ;
   - la carte postale ;
   - une bande dessinée ;
   - un poème ;
   - etc.

Source : D'après Lise Bernard (1987). *Systèmes-écriture*, Boucherville, Graficor.

3e CYCLE DU PRIMAIRE

(Cette fiche compte 1 page)

Nom: ______ Date: ______

FICHE 3.5g

Procédure pour utiliser l'ordinateur

1. Je m'inscris à un projet offert dans le centre d'apprentissage Ordino.
2. Je mets l'appareil en marche.
3. Je choisis le logiciel qui correspond à mon projet.
4. Je réalise la tâche.
5. J'enregistre mon travail et je l'imprime, si cela est nécessaire.
6. Je ferme le logiciel et je le range dans le coffret.
7. J'éteins l'appareil.
8. J'indique ma présence sur le relevé des utilisateurs.

1er CYCLE DU PRIMAIRE

(Cette fiche compte 1 page)

Nom: ______ Date: ______

FICHE 3.5f

Procédure pour résoudre un défi dans un atelier

1. Je joue au détective pour comprendre mon problème.
2. Je me sers d'au moins deux sens pour bien jouer mon rôle de détective : je regarde, je touche, j'écoute, je sens, je goûte.
3. Je prends le temps d'être architecte pour inventer trois ou quatre solutions.
4. Je deviens menuisier lorsque je réalise ma tâche.
5. Je me transforme en juge pour évaluer le résultat de mon travail : j'ai réussi ou je n'ai pas réussi.

PRÉSCOLAIRE

(Cette fiche compte 1 page)

Nom : ____________ Date : ____________

FICHE 3.5i

Procédure pour se donner une intention de lecture

1. J'active mes connaissances antérieures :
   - Je sais ce que je lis.
   - Je sais pourquoi je le lis.
   - Je sais ce que je devrai faire à la suite de ma lecture.
2. Je cherche des indices du sujet :
   - Je lis le titre, les sous-titres, les intertitres.
   - J'observe les illustrations et je lis les légendes.
   - Je constate que c'est un texte qui parle de…
3. Je cherche des indices de la structure du texte :
   - Je lis les organisateurs textuels au début des paragraphes ou des sections.
   - Je constate que c'est un texte qui respecte la structure textuelle.
4. Je continue d'activer mes connaissances antérieures en écrivant ce que je pense connaître :
   - sur le sujet ;
   - sur la structure du texte.
5. J'anticipe ce que je vais apprendre en lisant ce texte.

Source : D'après Conseil des ministres de l'Éducation du Canada (2008). *Guide pédagogique. Stratégies en lecture et écriture*, Projet pancanadien de français langue première, Les Éditions de la Chenelière, Montréal, p. 398.

3e CYCLE DU PRIMAIRE

(Cette fiche compte 1 page)

Nom : ____________ Date : ____________

FICHE 3.5h

Procédure de consignation d'une résolution de problème

1. Je m'assure que mes dessins et mes diagrammes sont clairs.
2. J'écris tous les calculs que j'ai faits :
   - ceux que j'ai faits dans ma tête ;
   - ceux que j'ai faits sur papier.
3. Je numérote les étapes de ma résolution de problème.
4. J'indique clairement ma réponse, je la mets en évidence.
5. Pour plus de précision, j'écris un court texte.

2e CYCLE DU PRIMAIRE

(Cette fiche compte 1 page)

Nom: ______________________ Date: ______________

FICHE 3.5k

Banque de stratégies pour découvrir mon état d'âme

- Je peux nommer spontanément mon état d'âme, sans aucune aide.
- Je peux dessiner comment je me sens.

Je suis joyeux	Je suis en colère	Je suis inquiet

- Je peux me référer à la galerie des sentiments affichée dans ma classe.

JOYEUX

- Je peux me servir du cube géant des émotions.
- Je peux utiliser une marionnette et la faire parler à ma place.
- Je peux confier ce que je ressens au personnage-complice de ma classe.

PRÉSCOLAIRE

 J. Caron, *Quand revient septembre*, 2e édition

(Cette fiche compte 1 page)

Nom: ______________________ Date: ______________

FICHE 3.5j

Procédure pour réussir une communication orale

1. Je suis fidèle au plan qui m'a été proposé:
   - J'annonce le sujet.
   - J'informe les élèves de la classe de mon intention de communication.
   - Je conclus par un commentaire personnel.
2. Je m'exprime pour que mes propos soient faciles à suivre et à comprendre:
   - Je mets de l'ordre dans mes idées.
   - Je ne me répète pas inutilement.
3. Je choisis des mots précis et variés pour bien informer mes interlocuteurs.
4. Pour rendre ma communication plus vivante et pour garder l'intérêt de mon auditoire:
   - Je regarde les personnes à qui je m'adresse.
   - Je surveille le ton de ma voix pour qu'il soit assez fort.
   - Je me soucie de bien articuler les mots que je prononce.
   - Je mets de l'intonation dans mes propos selon les émotions que je veux traduire.
   - Au besoin, je fais des gestes et des mimiques pour renforcer le message de ma communication orale.
   - Je peux utiliser des supports visuels: objet, dessin, marionnette, pancarte, déguisement, etc.

1er CYCLE DU SECONDAIRE

 J. Caron, *Quand revient septembre*, 2e édition

(Cette fiche compte 1 page)

Nom: ______________________ Date: ______________

FICHE 3.5m

Banque de stratégies pour comprendre un problème

STRATÉGIES VISUELLES

- J'encercle les mots importants dans l'énoncé du problème.
- Je raye les mots inutiles dans l'énoncé du problème.
- Je regarde les exemples ou les images de la mise en situation du problème.
- Je fais un plan pour résoudre mon problème.
- Je ferme mes yeux et je tente de visualiser le problème dans ma tête.

STRATÉGIES AUDITIVES

- Je lis mon problème deux fois.
- Je lis mon problème à voix haute.
- Je me fais lire mon problème par une autre personne.
- Je redis le problème dans mes mots.

STRATÉGIES KINESTHÉSIQUES

- Je dessine mon problème.
- Je manipule les données du problème avec du matériel.
- Je mime mon problème.
- J'encercle le point d'interrogation et je trouve le sens de la tâche à exécuter.

STRATÉGIES GÉNÉRALES

- Je mets des quantités plus petites.
- Je démêle ce que je connais et ce que je ne connais pas.
- Je compare mon problème avec d'autres que j'ai déjà faits.
- Je trouve des liens entre les divers morceaux du problème.
- J'élabore quelques hypothèses de solution.
- Pour chaque hypothèse trouvée, je réfléchis aux conséquences de mon choix.
- Je planifie les étapes pour résoudre mon problème.

2e CYCLE DU PRIMAIRE
 J. Caron, *Quand revient septembre*, 2e édition

(Cette fiche compte 1 page)

Nom: ______________________ Date: ______________

FICHE 3.5l

Banque de stratégies pour mémoriser l'orthographe des mots

STRATÉGIES VISUELLES

- Je regarde le mot.
- Je photographie le mot en m'imaginant que je le place sur un écran d'ordinateur.
- Je ferme les yeux et je dis les lettres du mot que je vois sur mon écran.
- J'observe les particularités du mot.
- Je fais des liens avec un mot-référent apparaissant dans la banque de mots de mon coffre à outils.
- J'associe le mot avec un autre mot de la même famille.
- Je compare le mot avec un autre mot ayant une graphie semblable.

STRATÉGIES AUDITIVES

- J'épelle le mot dans ma tête.
- J'épelle le mot à voix haute.
- J'épelle le mot à partir de l'image que j'ai dans ma tête.
- Je demande à une autre personne de me faire épeler le mot.

STRATÉGIES KINESTHÉSIQUES

- Je copie le mot dans mon cahier.
- Je copie le mot à l'ordinateur.
- Je trace le mot dans l'espace avec ma main.
- Je sépare le mot en syllabes.
- Je nomme les lettres en les écrivant.
- Mon camarade me dicte le mot et je vérifie par la suite si je l'ai écrit correctement.

STRATÉGIES GÉNÉRALES

- Je trouve la grosse difficulté qui est cachée dans ce mot.
- Je me donne un truc pour ne pas faire d'erreur.
- Si je commets une erreur, je choisis une autre stratégie et je m'essaie de nouveau.

1er CYCLE DU PRIMAIRE
 J. Caron, *Quand revient septembre*, 2e édition

(Cette fiche compte 1 page)

Nom: ______________________ Date: ____________

FICHE 3.5o

Banque de stratégies pour améliorer la construction syntaxique des phrases

PAR L'EFFACEMENT

- J'évite des répétitions.
- J'allège une phrase trop lourde.
- Je repère les constituants obligatoires et facultatifs d'un groupe de mots ou d'une phrase.
- Je trouve le noyau du groupe sujet pour faciliter les accords.

PAR LE DÉPLACEMENT

- Je varie la structure des phrases.
- Je distingue le complément d'un verbe du complément d'une phrase.

PAR LE REMPLACEMENT

- J'évite les répétitions.
- J'allège une phrase.
- J'intègre des mots de vocabulaire plus précis.
- Je trouve à quelle classe appartient un mot afin de faciliter les accords.

PAR L'ADDITION

- J'ajoute des précisions.
- J'enrichis une phrase.
- Je transforme une phrase affirmative en phrase interrogative, négative ou exclamative.

PAR L'ENCADREMENT

- Je repère le sujet de la phrase (c'est ... qui).
- Je repère un groupe complément (c'est ... que).

Sources : D'après Suzanne Chénard, Ghislaine Desjardins et Diane L'Écuyer (1998). *Grammaire au secondaire 100 %*, Laval, Éditions Grand Duc, HRW.
D'après Suzanne-G. Chartrand, Denis Aubin, Raymond Blain et Claude Simard (1999). *Grammaire pédagogique du français d'aujourd'hui*, Boucherville, Graficor.

1er CYCLE DU SECONDAIRE
 J. Caron, *Quand revient septembre*, 2e édition

(Cette fiche compte 1 page)

Nom: ______________________ Date: ____________

FICHE 3.5n

Banque de stratégies pour effectuer efficacement une révision de texte

PARTIE A :
le «quoi» réviser

- Le choix de mes idées;
- Le nombre d'idées présentées;
- La suite logique de mes idées;
- L'organisation de mes idées en paragraphes;
- Le choix des mots;
- La structure de mes phrases;
- L'orthographe des mots;
- Les accords grammaticaux: du nom, de l'adjectif qualificatif, du verbe, du participe passé;
- Les signes de ponctuation.

PARTIE B :
le «comment» réviser

- Je lis attentivement mon texte.
- Je lis mon texte à voix haute.
- Je lis mon texte à tête reposée.
- Je fais ma révision avec l'aide d'un pair.
- J'effectue ma révision sous la guidance de mon enseignant.
- Je fais réviser mon texte par un pair.
- Nous faisons une révision en équipe.
- Nous faisons une révision collective.
- Je révise mon texte à la lumière des commentaires émis par le destinataire de mon écrit.

Source : D'après Conseil des ministres de l'Éducation du Canada (2008). *Guide pédagogique. Stratégies en lecture et écriture*, Projet pancanadien de français langue première, Les Éditions de la Chenelière, Montréal, p. 368.

3e CYCLE DU PRIMAIRE
 J. Caron, *Quand revient septembre*, 2e édition

(Cette fiche compte 1 page)

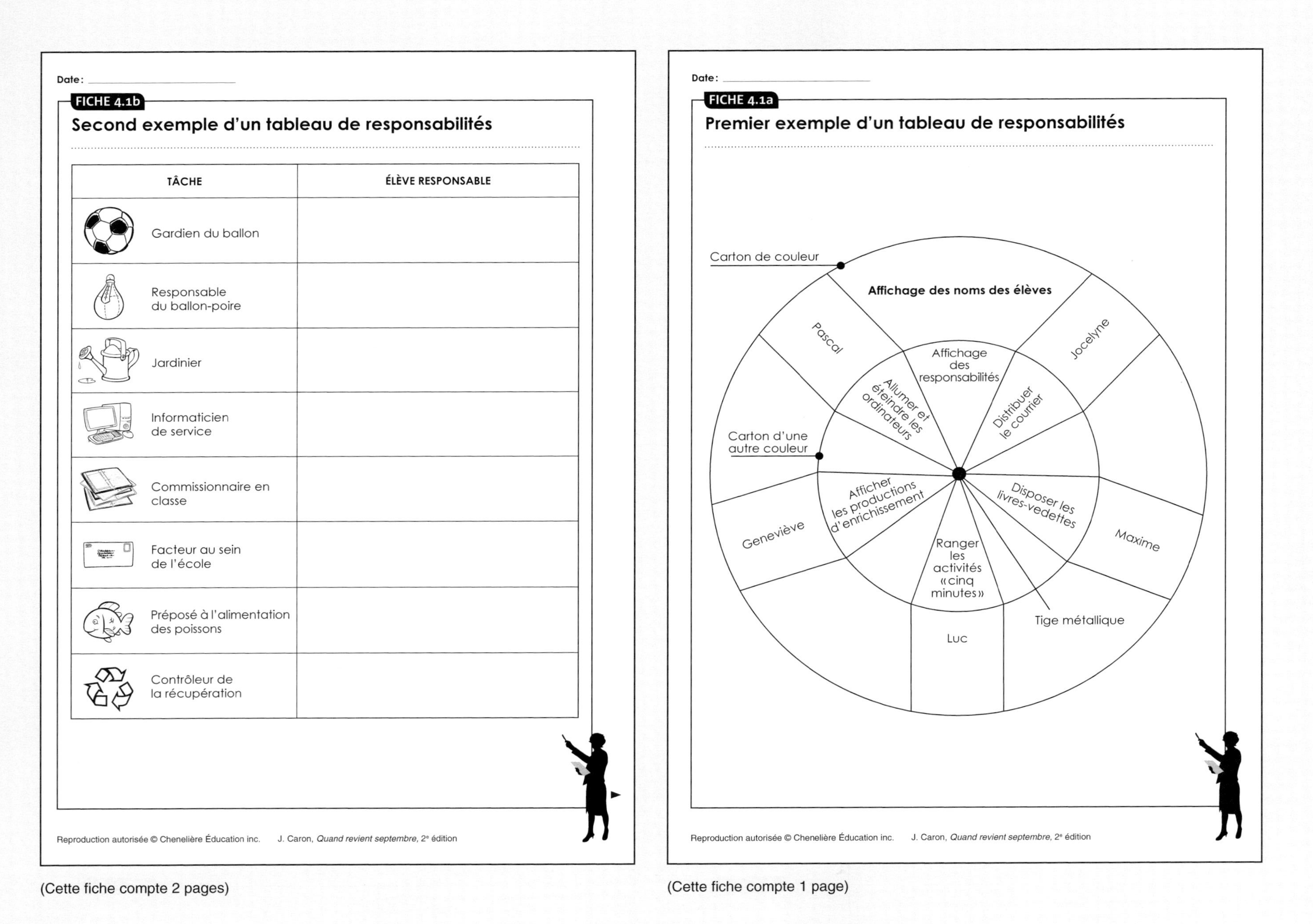

Date : ____________

FICHE 4.1b

Second exemple d'un tableau de responsabilités

TÂCHE	ÉLÈVE RESPONSABLE
Gardien du ballon	
Responsable du ballon-poire	
Jardinier	
Informaticien de service	
Commissionnaire en classe	
Facteur au sein de l'école	
Préposé à l'alimentation des poissons	
Contrôleur de la récupération	

(Cette fiche compte 2 pages)

Date : ____________

FICHE 4.1a

Premier exemple d'un tableau de responsabilités

(Cette fiche compte 1 page)

Nom: ______ Date: ______

FICHE 4.2b

J'aide un autre élève à apprendre (exemple B d'un référentiel visuel)

1. Au début d'une situation d'apprentissage :
   - Je lui lis une consigne.
   - Je lui explique une consigne avec mes mots.
   - Je lui fais un dessin pour illustrer la consigne, si c'est possible.
   - Je lui dis ce que j'ai compris d'une consigne verbale entendue.
   - Je l'aide à trouver des idées.
   - Je lui demande ce qu'il sait déjà du sujet ou ce qu'il pense en savoir.
   - Je l'amène à formuler ce qu'il voudrait savoir de ce sujet.
   - Je le fais parler pour découvrir la difficulté qu'il éprouve.
   - J'écoute ses états d'âme.
2. Pendant une situation d'apprentissage :
   - Je le fais réfléchir avec des questions.
   - Je l'aide à chercher dans le dictionnaire.
   - Je l'invite à manipuler du matériel.
   - Je l'aide à repérer une démarche ou une stratégie dans son coffre à outils.
   - Je le renvoie à des outils collectifs mis à la disposition des élèves dans la classe.
   - Je lui explique un problème.
   - Je lui donne des mots ou des phrases en dictée.
   - Je le fais lire et lui indique des pistes pour s'améliorer.
   - Je le soutiens dans la mémorisation de mots ou de concepts.
   - Je reconnais les efforts qu'il fait et je l'encourage.
   - Je l'amène à me confier ses difficultés en cours de route.

3e CYCLE DU PRIMAIRE ET 1er CYCLE DU SECONDAIRE

(Cette fiche compte 2 pages)

Nom: ______ Date: ______

FICHE 4.2a

J'aide un autre élève à apprendre (exemple A d'un référentiel visuel)

- Je lui lis une consigne.
- Je lui explique la consigne dans mes mots.
- Je lui dis ce que j'ai compris de la consigne verbale que je viens d'entendre.
- Je le fais réfléchir avec mes questions.
- Je l'aide à manipuler du matériel.
- Je lui demande de me décrire sa difficulté.
- Je l'aide à trouver son erreur.
- Je l'aide à dire ce qu'il sait ou ne sait pas.
- Je le félicite pour ses réussites, je l'encourage.
- Je l'aide à chercher dans le dictionnaire.
- Je l'aide à repérer une démarche ou une stratégie dans son coffre à outils.
- Je lui explique un problème.
- J'écoute son état d'âme.
- Je fais un retour avec lui sur son vécu de la fin de semaine.
- Je lui donne des mots ou des phrases en dictée.
- J'écoute la lecture qu'il me fait et je lui raconte dans mes mots ce que j'en ai compris.
- J'écoute la présentation de son projet personnel et je lui donne une force et un défi.
- Je lui demande sa leçon.
- Je fais le point avec lui le vendredi sur le vécu de sa semaine.
- J'assiste à la présentation de son portfolio et je lui verbalise une force et un défi.

1er ET 2e CYCLES DU PRIMAIRE

(Cette fiche compte 1 page)

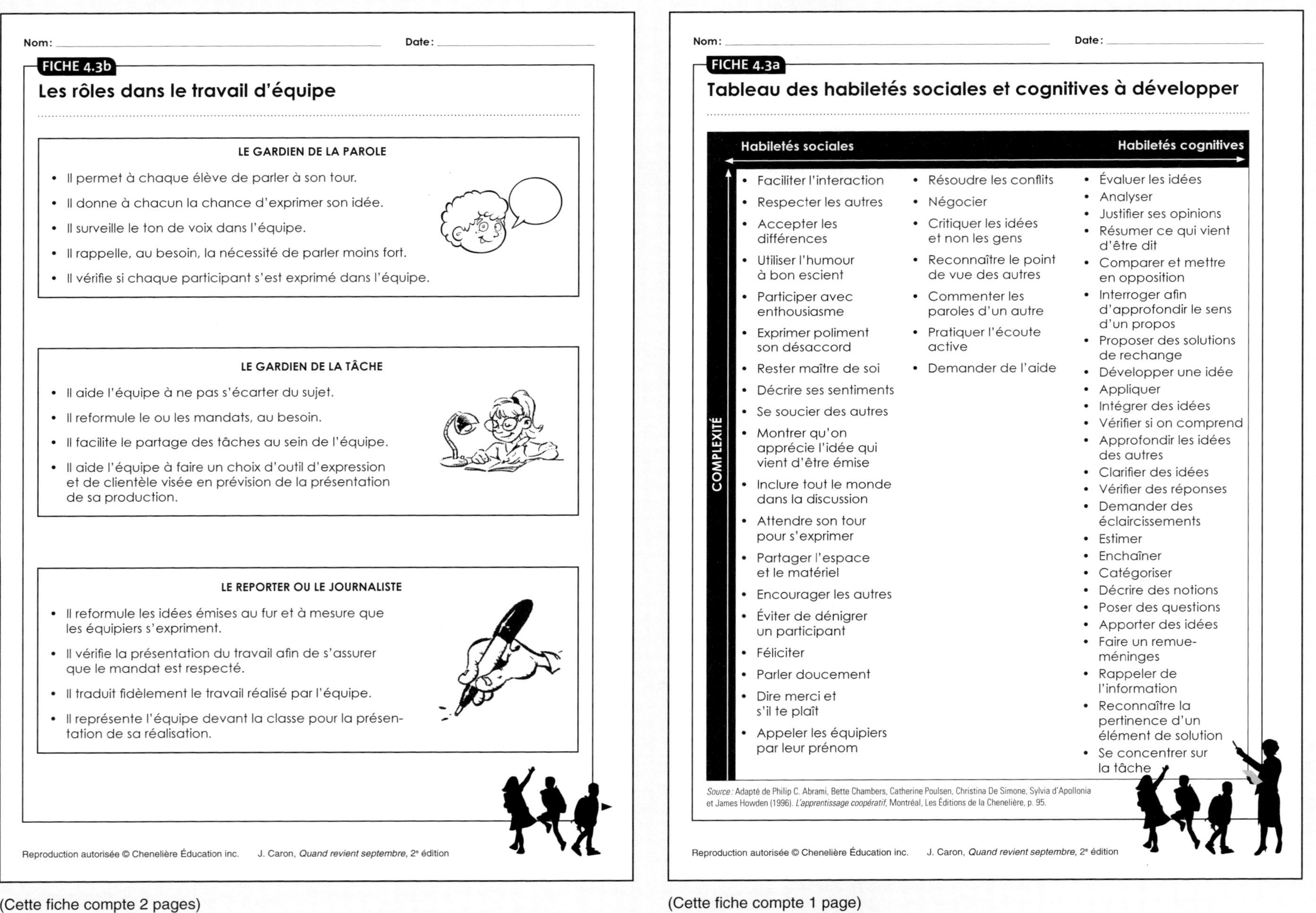

Nom : ______________________ Date : ______________

FICHE 4.3b

Les rôles dans le travail d'équipe

LE GARDIEN DE LA PAROLE

- Il permet à chaque élève de parler à son tour.
- Il donne à chacun la chance d'exprimer son idée.
- Il surveille le ton de voix dans l'équipe.
- Il rappelle, au besoin, la nécessité de parler moins fort.
- Il vérifie si chaque participant s'est exprimé dans l'équipe.

LE GARDIEN DE LA TÂCHE

- Il aide l'équipe à ne pas s'écarter du sujet.
- Il reformule le ou les mandats, au besoin.
- Il facilite le partage des tâches au sein de l'équipe.
- Il aide l'équipe à faire un choix d'outil d'expression et de clientèle visée en prévision de la présentation de sa production.

LE REPORTER OU LE JOURNALISTE

- Il reformule les idées émises au fur et à mesure que les équipiers s'expriment.
- Il vérifie la présentation du travail afin de s'assurer que le mandat est respecté.
- Il traduit fidèlement le travail réalisé par l'équipe.
- Il représente l'équipe devant la classe pour la présentation de sa réalisation.

(Cette fiche compte 2 pages)

Nom : ______________________ Date : ______________

FICHE 4.3a

Tableau des habiletés sociales et cognitives à développer

Habiletés sociales ← → Habiletés cognitives

COMPLEXITÉ ↑

Habiletés sociales

- Faciliter l'interaction
- Respecter les autres
- Accepter les différences
- Utiliser l'humour à bon escient
- Participer avec enthousiasme
- Exprimer poliment son désaccord
- Rester maître de soi
- Décrire ses sentiments
- Se soucier des autres
- Montrer qu'on apprécie l'idée qui vient d'être émise
- Inclure tout le monde dans la discussion
- Attendre son tour pour s'exprimer
- Partager l'espace et le matériel
- Encourager les autres
- Éviter de dénigrer un participant
- Féliciter
- Parler doucement
- Dire merci et s'il te plaît
- Appeler les équipiers par leur prénom

- Résoudre les conflits
- Négocier
- Critiquer les idées et non les gens
- Reconnaître le point de vue des autres
- Commenter les paroles d'un autre
- Pratiquer l'écoute active
- Demander de l'aide

Habiletés cognitives

- Évaluer les idées
- Analyser
- Justifier ses opinions
- Résumer ce qui vient d'être dit
- Comparer et mettre en opposition
- Interroger afin d'approfondir le sens d'un propos
- Proposer des solutions de rechange
- Développer une idée
- Appliquer
- Intégrer des idées
- Vérifier si on comprend
- Approfondir les idées des autres
- Clarifier des idées
- Vérifier des réponses
- Demander des éclaircissements
- Estimer
- Enchaîner
- Catégoriser
- Décrire des notions
- Poser des questions
- Apporter des idées
- Faire un remue-méninges
- Rappeler de l'information
- Reconnaître la pertinence d'un élément de solution
- Se concentrer sur la tâche

Source : Adapté de Philip C. Abrami, Bette Chambers, Catherine Poulsen, Christina De Simone, Sylvia d'Apollonia et James Howden (1996). *L'apprentissage coopératif*, Montréal, Les Éditions de la Chenelière, p. 95.

(Cette fiche compte 1 page)

Nom: ______________________ Date: ______________

FICHE 4.3d

Feuille de route pour un travail d'équipe à long terme

1. Titre de la production: ______________________
2. Nom des participants de l'équipe: ______________________
3. Habileté sociale privilégiée dans les travaux d'équipe: ______________________
4. Habileté cognitive privilégiée dans les travaux d'équipe: ______________________
5. Date du début de la production: ______________________
6. Date de la fin de la production: ______________________
7. Nombre de périodes prévues pour la production: ______________________
8. Compilation des périodes: chaque fois que votre équipe planifie une période pour travailler sur la réalisation prévue, elle laisse des traces du temps employé en indiquant un X à l'intérieur de chaque rectangle mis à votre disposition.

Période 1	Période 2	Période 3	Période 4

Période 5	Période 6	Période 7	Période 8

(Cette fiche compte 2 pages)

Nom: ______________________ Date: ______________

FICHE 4.3c

Encadrement disciplinaire du travail d'équipe

Règles de vie pour le travail d'équipe ou coopératif

1. Je reste centré sur le sujet ou la tâche.
2. Je surveille le ton de ma voix.
3. Je fais part de mes idées aux autres.
4. J'accepte les idées de mes compagnons d'équipe.
5. Je partage les tâches au sein de mon équipe.
6. Je respecte les rôles tenus par chaque membre de mon équipe.

Conséquences de la non-application

1. Mon enseignant m'avertit deux fois.
2. Je m'isole du groupe pour réfléchir à mon comportement à l'aide d'une fiche de réflexion.
3. Je suis retiré de l'équipe et je dois exécuter la même tâche que celle de l'équipe à laquelle j'appartenais.

(Cette fiche compte 1 page)

Nom: ____________________ Date: ____________

FICHE 4.3f

Feuille d'évaluation d'un travail d'équipe

Évalue ton travail d'équipe ou coopératif.

Noms des membres de l'équipe: ____________________

Coche les énoncés qui te concernent:

- [ ] **1.** J'ai écouté les autres lorsqu'ils parlaient.
- [ ] **2.** J'ai fait connaître mes idées et j'ai donné des renseignements.
- [ ] **3.** J'ai demandé aux autres d'exprimer leurs idées.
- [ ] **4.** J'ai partagé le matériel et les fournitures.
- [ ] **5.** J'ai demandé de l'aide à l'équipe quand j'en ai eu besoin.
- [ ] **6.** J'ai aidé quelqu'un dans mon équipe.
- [ ] **7.** J'ai joué mon rôle dans l'équipe.
- [ ] **8.** J'ai respecté le rôle joué par les autres.
- [ ] **9.** J'ai félicité quelqu'un dans l'équipe.
- [ ] **10.** J'ai surveillé le ton de ma voix.
- [ ] **11.** J'ai toujours été centré sur le sujet de discussion ou sur le mandat de la tâche.
- [ ] **12.** J'ai accepté de partager les tâches au sein de mon équipe.

Source: Adapté de Susan Schwartz et Mindy Pollishuke (1992). *Construire une classe axée sur l'enfant*, Montréal, Les Éditions de la Chenelière, p. 116.

(Cette fiche compte 1 page)

Nom: ____________________ Date: ____________

FICHE 4.3e

Fiche d'objectivation du travail d'équipe

1. Titre de l'activité: ____________________
2. Membres de l'équipe: ____________________
3. Quels sentiments avez-vous éprouvés après la lecture du mandat de votre tâche d'équipe? ____________________
4. Quelles connaissances avez-vous touchées en faisant cette activité? ____________________
5. Quelles habiletés ou compétences avez-vous développées en réalisant cette tâche d'équipe? ____________________
6. Comment s'est déroulée la communication au sein de votre équipe?
   - Qui a parlé le plus? Pourquoi? ____________________
   - Qui a parlé le moins? Pourquoi? ____________________
   - Avez-vous éprouvé des difficultés à vous entendre, à vous écouter, à vous comprendre, à prendre une décision? Quelles sont ces difficultés? ____________________
7. Quels points aimeriez-vous améliorer si vous aviez la possibilité de revivre cette activité? ____________________

(Cette fiche compte 1 page)

FICHE 4.7a

Canevas de planification pour élaborer un tableau d'enrichissement

ASPECTS À CONSIDÉRER	MES CHOIX OU MES COMMENTAIRES
Sur le plan pédagogique	
• Un tableau disciplinaire ou un tableau multidisciplinaire ?	
• Un tableau thématique ou un tableau non thématique ?	
• Un tableau mobile dans le temps ou un tableau fixe avec un échéancier ?	
• Le nombre d'activités qui sera inscrit sur le tableau d'enrichissement.	
• Des titres d'activités créateurs, motivants.	
• De la variété dans le choix des disciplines.	
• De la variété dans le choix des habiletés à développer. Sont-elles de niveau supérieur ?	
• De la variété dans les volets privilégiés du développement de la personne.	
• Des tâches tenant compte des champs d'intérêt des élèves.	
• La contribution des élèves dans l'élaboration du tableau d'enrichissement.	

(Cette fiche compte 2 pages)

Nom: ______________ Date: ______________

FICHE 4.6a

Procédure d'autocorrection

Étape 1 : Je demande l'autorisation de me corriger.

Étape 2 : Je me corrige de mon mieux.

Étape 3 : Je communique mes résultats à mon enseignant.

Étape 4 : Je me demande pourquoi j'ai réussi ou non.

Étape 5 : Je m'inscris à une clinique, au besoin.

Conséquence agréable : Je deviens de plus en plus responsable de mes apprentissages.

Conséquence désagréable : Je perds le privilège de me corriger moi-même pour quelques jours.

(Cette fiche compte 1 page)

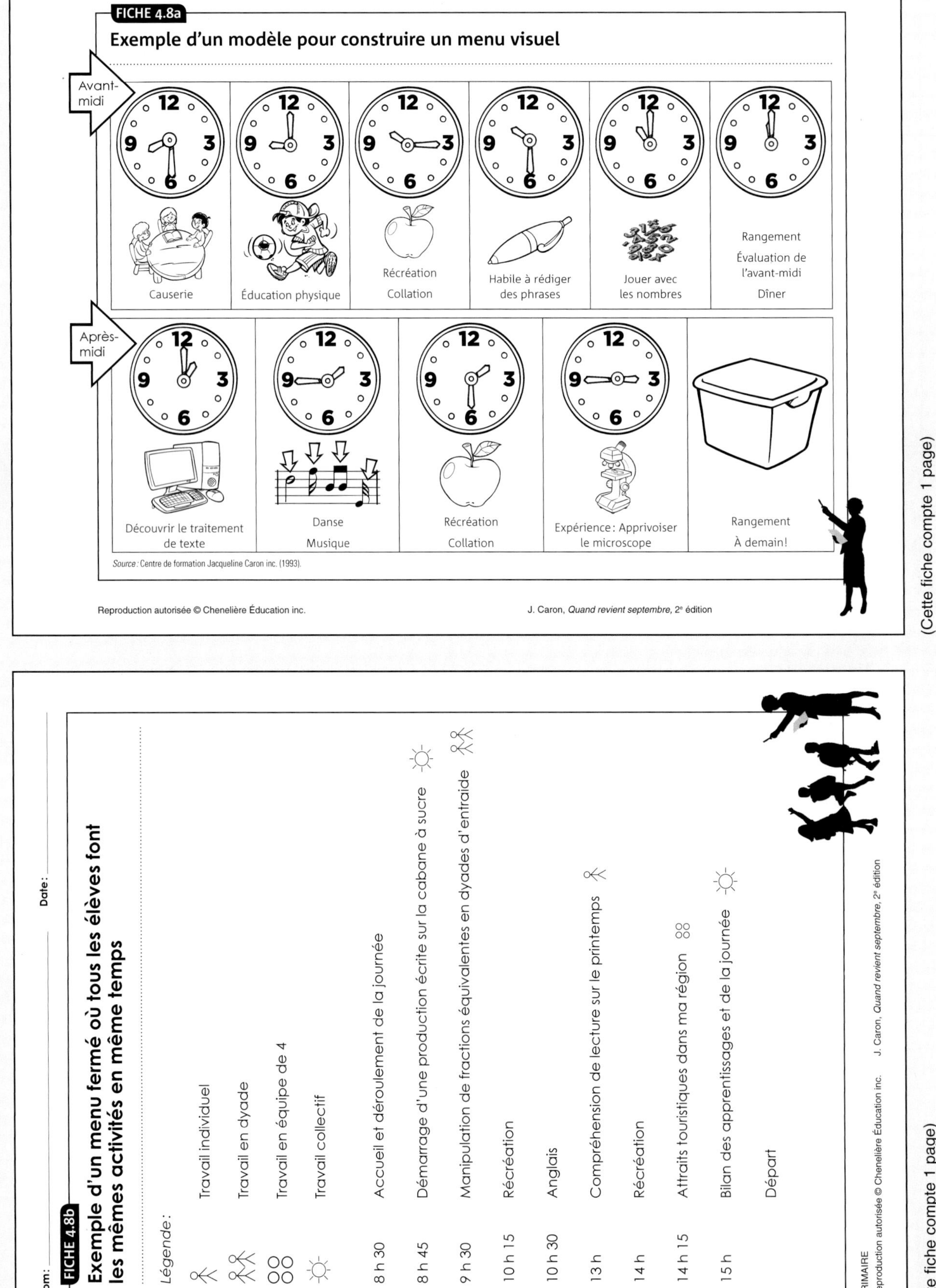

FICHE 4.8a

Exemple d'un modèle pour construire un menu visuel

Source : Centre de formation Jacqueline Caron inc. (1993).

 J. Caron, *Quand revient septembre*, 2e édition

(Cette fiche compte 1 page)

FICHE 4.8b

Nom : ______________ Date : ______________

Exemple d'un menu fermé où tous les élèves font les mêmes activités en même temps

Légende :

- Travail individuel
- Travail en dyade
- Travail en équipe de 4
- Travail collectif

8 h 30	Accueil et déroulement de la journée
8 h 45	Démarrage d'une production écrite sur la cabane à sucre
9 h 30	Manipulation de fractions équivalentes en dyades d'entraide
10 h 15	Récréation
10 h 30	Anglais
13 h	Compréhension de lecture sur le printemps
14 h	Récréation
14 h 15	Attraits touristiques dans ma région
15 h	Bilan des apprentissages et de la journée
	Départ

PRIMAIRE
 J. Caron, *Quand revient septembre*, 2e édition

(Cette fiche compte 1 page)

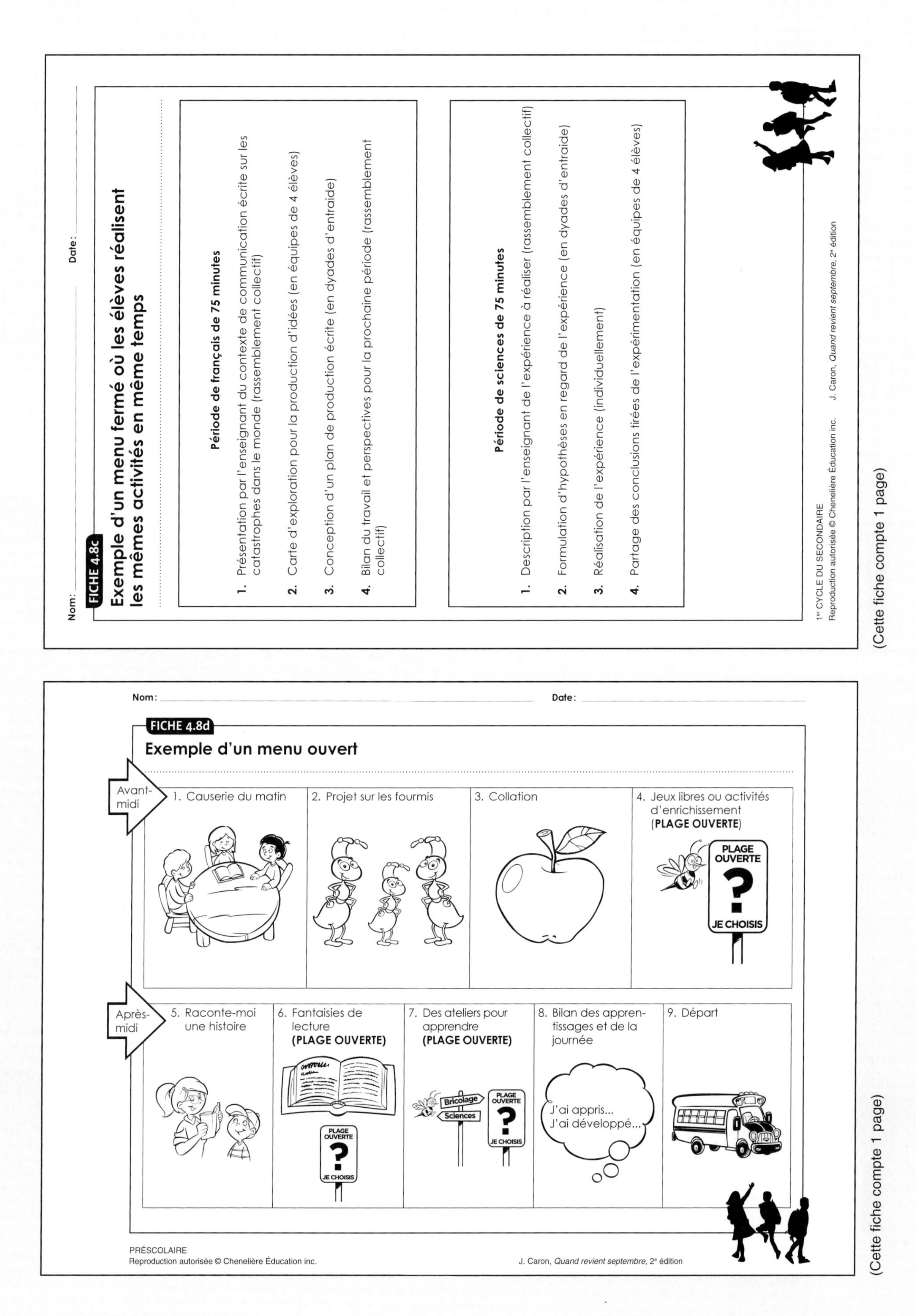

Nom: Date:

FICHE 4.8c

Exemple d'un menu fermé où les élèves réalisent les mêmes activités en même temps

Période de français de 75 minutes

1. Présentation par l'enseignant du contexte de communication écrite sur les catastrophes dans le monde (rassemblement collectif)
2. Carte d'exploration pour la production d'idées (en équipes de 4 élèves)
3. Conception d'un plan de production écrite (en dyades d'entraide)
4. Bilan du travail et perspectives pour la prochaine période (rassemblement collectif)

Période de sciences de 75 minutes

1. Description par l'enseignant de l'expérience à réaliser (rassemblement collectif)
2. Formulation d'hypothèses en regard de l'expérience (en dyades d'entraide)
3. Réalisation de l'expérience (individuellement)
4. Partage des conclusions tirées de l'expérimentation (en équipes de 4 élèves)

1er CYCLE DU SECONDAIRE
Reproduction autorisée © Chenelière Éducation inc. J. Caron, *Quand revient septembre*, 2e édition

(Cette fiche compte 1 page)

Nom: Date:

FICHE 4.8d

Exemple d'un menu ouvert

Avant-midi

1. Causerie du matin	2. Projet sur les fourmis	3. Collation	4. Jeux libres ou activités d'enrichissement **(PLAGE OUVERTE)**

Après-midi

5. Raconte-moi une histoire	6. Fantaisies de lecture **(PLAGE OUVERTE)**	7. Des ateliers pour apprendre **(PLAGE OUVERTE)**	8. Bilan des apprentissages et de la journée	9. Départ

PRÉSCOLAIRE
Reproduction autorisée © Chenelière Éducation inc. J. Caron, *Quand revient septembre*, 2e édition

(Cette fiche compte 1 page)

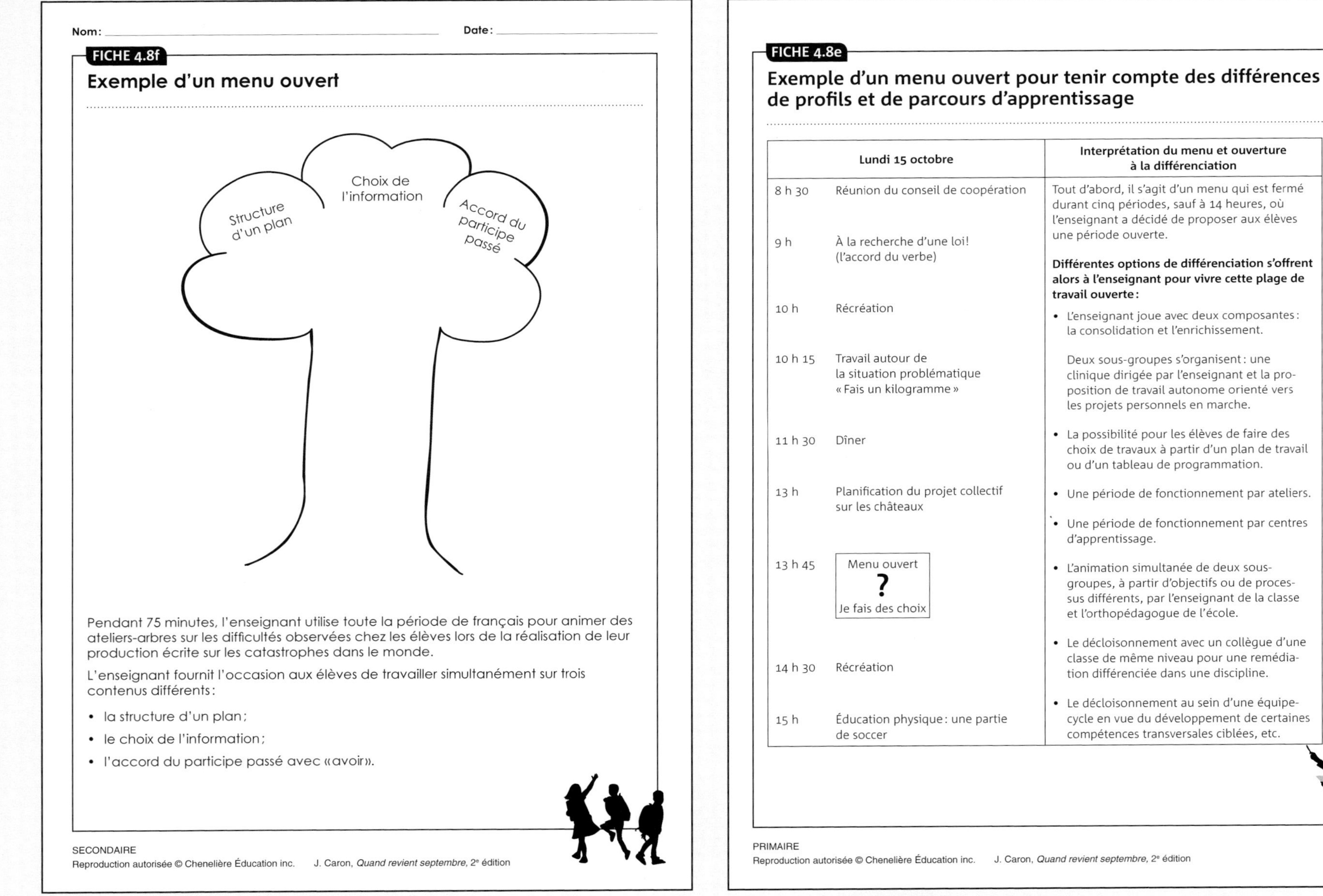

Nom: ______________________ Date: ______________

FICHE 4.8f

Exemple d'un menu ouvert

Pendant 75 minutes, l'enseignant utilise toute la période de français pour animer des ateliers-arbres sur les difficultés observées chez les élèves lors de la réalisation de leur production écrite sur les catastrophes dans le monde.

L'enseignant fournit l'occasion aux élèves de travailler simultanément sur trois contenus différents:

- la structure d'un plan;
- le choix de l'information;
- l'accord du participe passé avec «avoir».

SECONDAIRE

 J. Caron, *Quand revient septembre*, 2e édition

(Cette fiche compte 1 page)

FICHE 4.8e

Exemple d'un menu ouvert pour tenir compte des différences de profils et de parcours d'apprentissage

	Lundi 15 octobre	Interprétation du menu et ouverture à la différenciation
8 h 30	Réunion du conseil de coopération	Tout d'abord, il s'agit d'un menu qui est fermé durant cinq périodes, sauf à 14 heures, où l'enseignant a décidé de proposer aux élèves une période ouverte. **Différentes options de différenciation s'offrent alors à l'enseignant pour vivre cette plage de travail ouverte:** • L'enseignant joue avec deux composantes: la consolidation et l'enrichissement. Deux sous-groupes s'organisent: une clinique dirigée par l'enseignant et la proposition de travail autonome orienté vers les projets personnels en marche. • La possibilité pour les élèves de faire des choix de travaux à partir d'un plan de travail ou d'un tableau de programmation. • Une période de fonctionnement par ateliers. • Une période de fonctionnement par centres d'apprentissage. • L'animation simultanée de deux sous-groupes, à partir d'objectifs ou de processus différents, par l'enseignant de la classe et l'orthopédagogue de l'école. • Le décloisonnement avec un collègue d'une classe de même niveau pour une remédiation différenciée dans une discipline. • Le décloisonnement au sein d'une équipe-cycle en vue du développement de certaines compétences transversales ciblées, etc.
9 h	À la recherche d'une loi! (l'accord du verbe)	
10 h	Récréation	
10 h 15	Travail autour de la situation problématique « Fais un kilogramme »	
11 h 30	Dîner	
13 h	Planification du projet collectif sur les châteaux	
13 h 45	Menu ouvert ? Je fais des choix	
14 h 30	Récréation	
15 h	Éducation physique: une partie de soccer	

PRIMAIRE

 J. Caron, *Quand revient septembre*, 2e édition

(Cette fiche compte 1 page)

Nom: ______________________ Date: __________

FICHE 4.8g

Plan de travail hebdomadaire à plages fermées

Légende :

Travail individuel

Travail en dyade

Travail en équipe de 4

Travail collectif

Le symbole ? t'indique que tu ne peux pas réaliser cette tâche d'apprentissage pour l'instant. Tu dois attendre jusqu'à ce que la situation de départ soit vécue collectivement avant d'y avoir accès.

?	Production écrite sur «les vacances»	
	Résolution de problèmes, manuel de mathématiques, pages 42 à 48	
?	Enquête sur les moyens de transport	
	Compréhension de lecture • Texte sur «les vacances»	
	Sciences humaines • Travail de recherche sur «les provinces du Canada», à finaliser	
?	Productions d'arts plastiques «Mon sport préféré»	
	Texte d'intériorisation au regard du développement personnel et social • «Les joies de la réconciliation»	

PRIMAIRE

(Cette fiche compte 1 page)

FICHE 4.8h

Plan de travail hebdomadaire à plages ouvertes

Plage ouverte	**Diversification pour les champs d'intérêt :** Production écrite sur **les plaisirs de l'hiver ou la magie de Noël**	**Différenciation des contenus :** **3 ou 5 exigences d'écriture**	**Différenciation des processus par des supports différents :** **Banque de mots, dyades d'entraide, logiciel de correction**	
Plage fermée	Compréhension de lecture sur la magie de Noël			
Plage ouverte	Production d'arts plastiques sur la magie de Noël	**Choix de thèmes d'inspiration** **Choix entre trois techniques connues : la gouache, le pastel, le fusain**		
Plage fermée	Résolution de problèmes, manuel de mathématiques, pages 42 à 48			
Plage ouverte	Univers social : projet sur la diversité des sociétés et de leur territoire	**Choix entre trois sociétés** **Choix entre 3 supports différents : Livres documentaires, Internet, émissions télévisées**		
Plage ouverte	Situations-problèmes d'ordre scientifique et technologique	**Différenciation dans les processus d'accompagnement**		
Plage fermée	Texte d'intériorisation au regard du développement personnel et social sur « les joies du partage à Noël »			

PRIMAIRE

(Cette fiche compte 1 page)

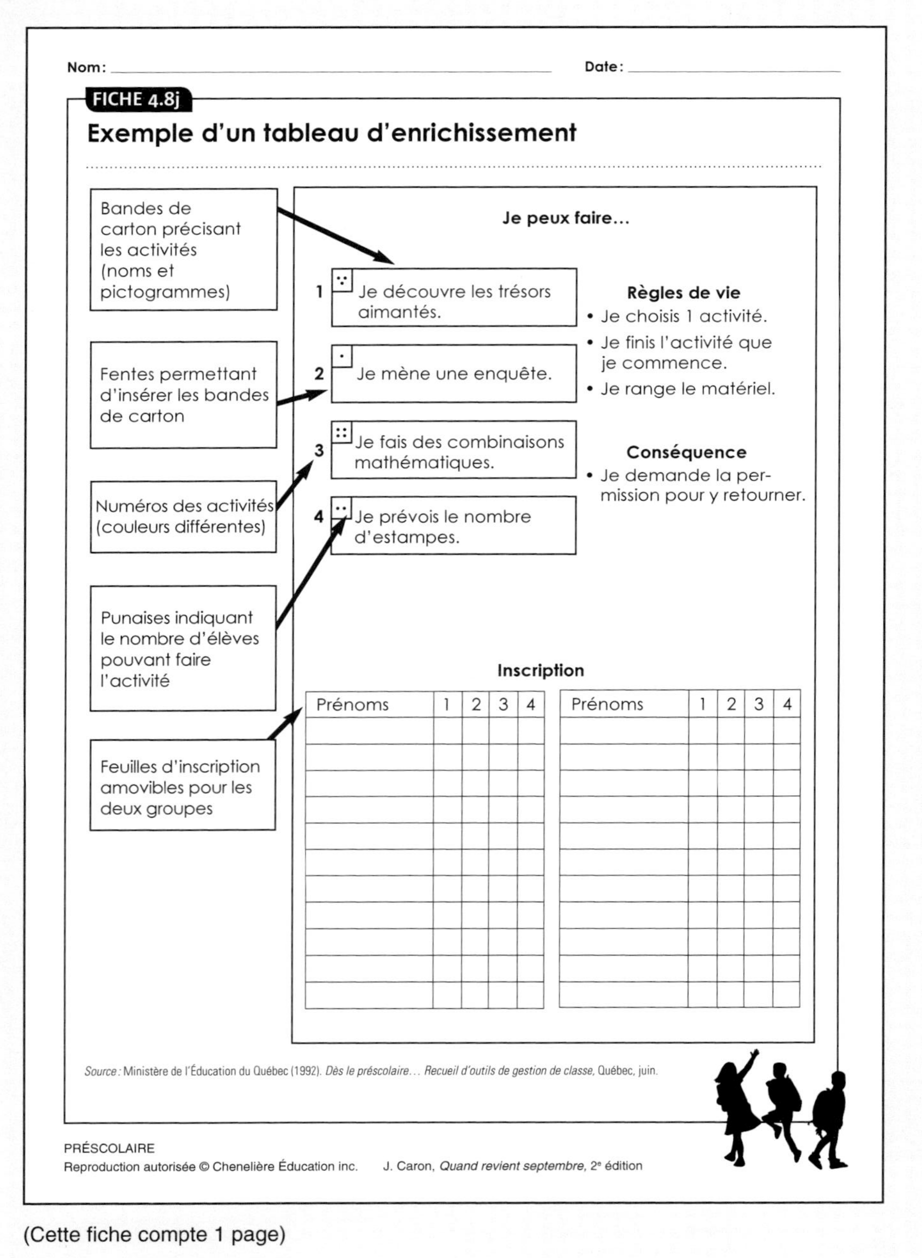

Nom: ______________________ Date: ______________

FICHE 4.8j

Exemple d'un tableau d'enrichissement

Je peux faire…

1. Je découvre les trésors aimantés.
2. Je mène une enquête.
3. Je fais des combinaisons mathématiques.
4. Je prévois le nombre d'estampes.

Règles de vie

- Je choisis 1 activité.
- Je finis l'activité que je commence.
- Je range le matériel.

Conséquence

- Je demande la permission pour y retourner.

Inscription

Prénoms	1	2	3	4

Prénoms	1	2	3	4

Source: Ministère de l'Éducation du Québec (1992). *Dès le préscolaire… Recueil d'outils de gestion de classe*, Québec, juin.

PRÉSCOLAIRE

(Cette fiche compte 1 page)

FICHE 4.8i

Exemple d'un plan de travail en mutation vers la différenciation

Axé sur la gestion des ressemblances	Axé sur l'ouverture aux différences
Production écrite sur « les vacances » : • longueur : 100 mots ; • complexité d'écriture : 5 critères à respecter	Production écrite sur « les vacances » : • longueur : de 50 à 100 mots ; • complexité d'écriture : de 3 à 5 critères à respecter
Résolution de problèmes, manuel de mathématiques, pages 42 à 46	Résolution de problèmes dans le manuel de mathématiques, pages 42 à 48 ; obligation de réaliser les exercices de deux pages seulement (43 et 45) et possibilité de travailler en dyades d'entraide
Enquête sur les moyens de transport suivants : automobile, train, avion et paquebot Présentation de l'enquête avec un histogramme	Enquête sur les moyens de transport avec la possibilité pour l'élève de choisir lui-même les quatre moyens de transport qui l'intéressent ainsi que l'outil d'expression de son choix pour présenter ses résultats.
Compréhension de lecture sur le texte « Des vacances au Québec », questions 1 à 20	Compréhension de lecture sur le texte « Des vacances au Québec », questions 1 à 20 Attention! Les numéros 14 à 17 sont facultatifs.
Production d'arts plastiques sur « la pêche à la truite »	Production d'arts plastiques sur « mon sport d'été préféré » Piste d'enrichissement : invitation à rédiger un texte pour le journal de la classe, section « Nos vacances »
Recherche sur les oiseaux habitant notre région durant l'été en respectant les 6 étapes de la démarche proposée	Recherche sur les oiseaux du Québec en accordant une grande importance à l'étape « Ce que j'ai découvert ou appris » Piste d'enrichissement : possibilité de construire un jeu de reconnaissance associatif à partir de photos et de noms d'oiseaux
Sciences humaines : bilan des apprentissages à faire au regard de l'étude du Québec sur les aspects physique, économique et touristique	Sciences humaines : bilan des apprentissages à faire au regard de l'étude du Québec sur l'un des trois aspects (physique, économique et touristique) que l'on maîtrise le mieux. Piste d'enrichissement : invitation à dresser un parallèle entre le Québec et une autre province du Canada

PRIMAIRE

(Cette fiche compte 1 page)

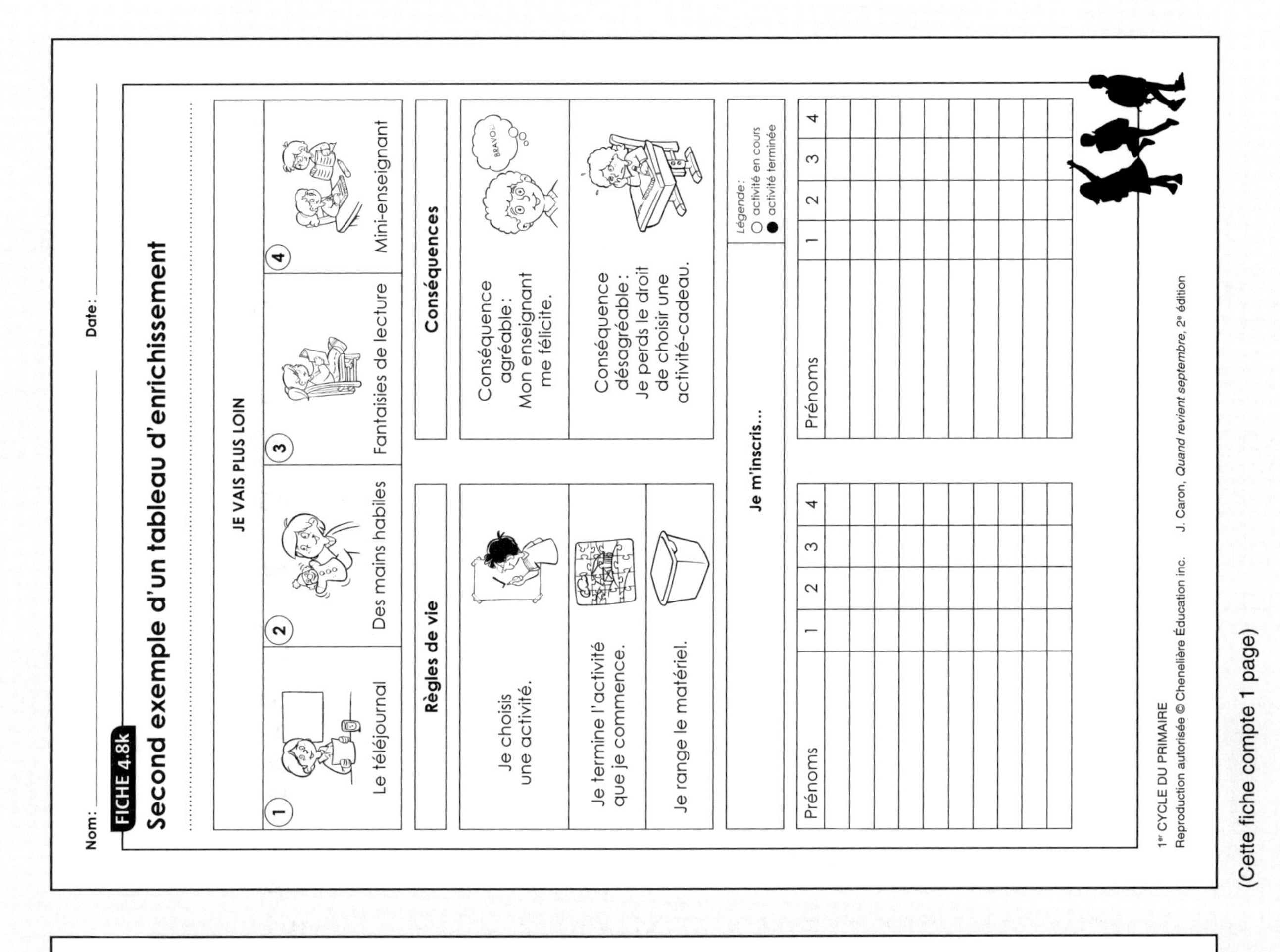
Nom: Date:

FICHE 4.8k

Second exemple d'un tableau d'enrichissement

JE VAIS PLUS LOIN

1	2	3	4
Le téléjournal	Des mains habiles	Fantaisies de lecture	Mini-enseignant

Règles de vie
Je choisis une activité.
Je termine l'activité que je commence.
Je range le matériel.

Conséquences
Conséquence agréable: Mon enseignant me félicite.
Conséquence désagréable: Je perds le droit de choisir une activité-cadeau.

Je m'inscris...

Légende:
○ activité en cours
● activité terminée

Prénoms	1	2	3	4

Prénoms	1	2	3	4

(Cette fiche compte 1 page)

Nom: Date:

FICHE 4.8l

Exemple d'un tableau de programmation construit en fonction de la prise en compte des rythmes d'apprentissage

Tâches individuelles	Tâches d'équipe	Tâches collectives
* Lettre au bureau d'information touristique de ma région * Travail sur les coordonnées, manuel de mathématiques, pages 44 à 50 * Observation au microscope	* Travail coopératif sur les provinces maritimes Support: manuel de sciences humaines, pages 23 à 27 * Compréhension de texte sur le cinéma, questions 1 à 10	* Mise en situation de la production écrite * Retour sur le travail coopératif et émergence d'une synthèse sur les provinces maritimes
** Visite à l'atelier de mesures	** Clinique sur l'accord du sujet avec le verbe ** Travail en sous-groupe sur la consolidation du périmètre et de l'aire à l'ordinateur	** Outillage à développer au regard de la démarche de recherche
❤ Carte d'invitation pour la matinée musicale ❤ Traitement de texte à apprivoiser	❤ Expo-sciences ❤ Construction d'un village de formes	❤ Murale sur les planètes ❤ Journal des finissants

Légende:

* Tâche de formation de base obligatoire pour tous les élèves.
** Tâche de consolidation ou de remédiation semi-obligatoire pour certains élèves.
❤ Tâche d'enrichissement facultative.

Ce tableau de programmation contient un certain nombre de tâches fermées (orientées vers une seule bonne réponse). Quelques tâches sont ouvertes et axées sur le développement d'habiletés supérieures. La richesse d'un tableau de programmation est déterminée par l'ouverture des tâches sélectionnées et par la différenciation des contenus, des processus, des productions et des structures utilisées.

(Cette fiche compte 1 page)

Nom : ______________ Date : ______________

FICHE 4.8n

Exemple d'une vitrine des ateliers

TABLEAU D'ATELIERS

Trace un crochet dans la case correspondant à l'activité que tu dois réaliser.

Mes ateliers	Lundi (Lune)	Mardi (Martien)	Mercredi (Mer)	Jeudi (Jeu)	Vendredi (Vent)
Je fabrique un animal-vedette de mon livre préféré avec de la pâte à modeler					
Je dessine et peinture ma maison					
Je découvre des instru-ments de musique					
Je présente mon livre préféré avec une marionnette					

PRÉSCOLAIRE

(Cette fiche compte 2 pages)

Nom : ______________ Date : ______________

FICHE 4.8m

Tableau de programmation alimenté par des activités d'apprentissage extraites d'un projet collectif

UNE EXPOSITION SUR LA VIE DES AMÉRINDIENS

Types de tâches	Tâches individuelles	Tâches d'équipe	Tâches collectives
Tâches obligatoires	• Lecture d'un conte amérindien • Élaboration d'un texte descriptif sur les Amérindiens • Décodage des apprentissages à l'aide du carnet d'apprentissage	• Recherche d'infor-mations sur les différents aspects du mode de vie des Algonquins et des Iroquois (en dyades) • Échange de renseignements par thème de recherche (en équipe de quatre)	• Discussion sur le conte lu • Préparation de l'exposition (aménagement des lieux) • Accueil et animation de l'exposition • Retour sur l'exposi-tion pour objectiver les apprentissages faits et les réussites vécues
Tâches facultatives	• Conception d'une carte d'invitation pour la tenue de l'exposition • Audition de pièces de musique et de chants folkloriques aux fins de sélection • Création d'un conte amérindien	• Création d'une production visuelle (lignes du temps, masques, totems, tipis, canots d'écorce, calumets de paix) pour créer une ambiance amérindienne • Préparation d'une entrevue en vue d'accueillir dans la classe un membre de la communauté huronne • Parallèle entre les modes de vie huron et iroquois	

L'enseignant qui apprécie fonctionner par projets d'apprentissage avec ses élèves peut introduire un tableau de programmation dans sa classe. Ce sera d'ailleurs un excellent moyen pour lui de diminuer le nombre de périodes d'animation collective. Grâce aux propositions de travail individuelles et coopératives apparaissant dans le tableau de programmation, les élèves pourront emprunter des voies différentes pour travailler en fonction de leurs champs d'intérêt, de leur rythme et de leur style d'apprentissage. De cette manière, ils poursuivront leurs apprentissages tout en ne perdant pas de vue le sujet qui mobilise toute la classe.

PRIMAIRE

(Cette fiche compte 1 page)

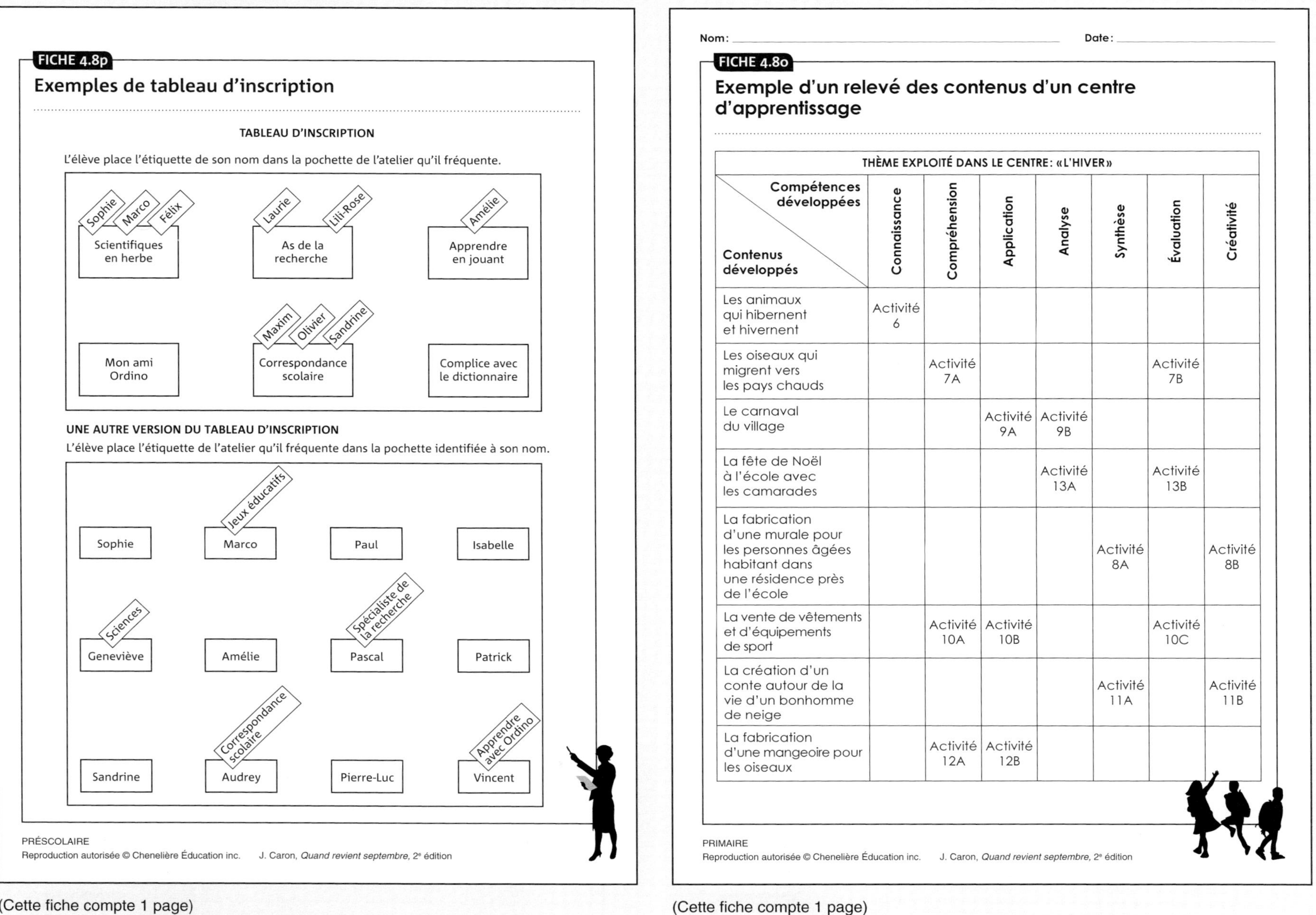

FICHE 4.8p

Exemples de tableau d'inscription

TABLEAU D'INSCRIPTION

L'élève place l'étiquette de son nom dans la pochette de l'atelier qu'il fréquente.

UNE AUTRE VERSION DU TABLEAU D'INSCRIPTION

L'élève place l'étiquette de l'atelier qu'il fréquente dans la pochette identifiée à son nom.

PRÉSCOLAIRE

(Cette fiche compte 1 page)

Nom: ______________ Date: ______________

FICHE 4.8o

Exemple d'un relevé des contenus d'un centre d'apprentissage

THÈME EXPLOITÉ DANS LE CENTRE: «L'HIVER»

Contenus développés / Compétences développées	Connaissance	Compréhension	Application	Analyse	Synthèse	Évaluation	Créativité
Les animaux qui hibernent et hivernent	Activité 6						
Les oiseaux qui migrent vers les pays chauds		Activité 7A				Activité 7B	
Le carnaval du village			Activité 9A	Activité 9B			
La fête de Noël à l'école avec les camarades				Activité 13A		Activité 13B	
La fabrication d'une murale pour les personnes âgées habitant dans une résidence près de l'école					Activité 8A		Activité 8B
La vente de vêtements et d'équipements de sport		Activité 10A	Activité 10B			Activité 10C	
La création d'un conte autour de la vie d'un bonhomme de neige					Activité 11A		Activité 11B
La fabrication d'une mangeoire pour les oiseaux		Activité 12A	Activité 12B				

PRIMAIRE

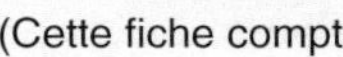

(Cette fiche compte 1 page)

Nom: ____________________ Date: ____________________

FICHE 4.8r

Exemple d'une grille de planification quotidienne étalée sur une semaine

Chaque matin, planifie ton travail en indiquant le nom des activités que tu réaliseras individuellement en fonction de ton plan de travail. Indique aussi le nom des tâches d'équipe que tu vivras au sein des ateliers.

Moment de la journée	17 mai	18 mai	19 mai	20 mai	21 mai
9 h	**COLLECTIF** Expression orale Présentation de projets personnels				
10 h 30	**Récréation**				
10 h 45 11 h 45	**ATELIERS**				
13 h 15	**ATELIERS**				
14 h 15	**ATELIERS**				
15 h	**COLLECTIF**				
15 h 30	**TRAVAIL INDIVIDUEL**				

Cette grille de planification a été élaborée au regard d'un tableau de programmation et d'un fonctionnement par ateliers. Ce genre de grille est conçu de façon à encadrer le vécu des élèves qui partagent leur temps entre deux types de fonctionnement : une approche tantôt collective, tantôt individuelle ainsi qu'un fonctionnement par sous-groupes.

PRIMAIRE

(Cette fiche compte 1 page)

Nom: ____________________ Date: ____________________

FICHE 4.8q

Exemple d'un relevé des utilisateurs d'un centre

Coche le numéro correspondant à l'activité que tu viens de réaliser.

Noms	Date	Activités réalisées											
		1	2	3	4	5	6	7	8	9	10	11	12

PRIMAIRE

(Cette fiche compte 1 page)

FICHE 4a

Grille de planification pour la gestion du travail d'équipe ou coopératif

SUR LE PLAN DE L'ENCADREMENT	CHOIX FAITS
• Ai-je besoin de recourir à des dyades de dépannage ? à des dyades d'entraide ? à des équipes de travail ? à des équipes coopératives ? à des sous-groupes d'apprentissage momentanés ? • Ai-je rappelé aux élèves l'importance de se distribuer des rôles au sein de chaque équipe ? Les élèves connaissent-ils les gestes qu'ils doivent faire pour exercer adéquatement les rôles qu'ils joueront ? • Ai-je élaboré dans la classe des règles de vie et des conséquences d'application pour la gestion des différents groupes de travail ?	
SUR LE PLAN DE LA TÂCHE	
• La tâche demandée aux élèves est-elle une tâche d'équipe ? Est-elle plutôt une tâche coopérative ? Est-elle une activité à court terme ? à long terme ? • L'aménagement de l'espace ainsi que les conditions matérielles permettent-ils aux élèves de vivre efficacement l'entraide et la coopération ? • Les élèves connaissent-ils les objets ou résultats d'apprentissage rattachés à cette tâche ou les buts de cette activité ? • La définition de la tâche est-elle claire ? Les consignes sont-elles suffisamment précises ? Les élèves sont-ils au courant de l'utilité (le pourquoi et le quand) de cette tâche ? • Les élèves ont-ils besoin d'être soutenus dans leur parcours ? Ai-je prévu une démarche, une procédure ou des stratégies pour épauler les élèves dans la réalisation de cette tâche ?	

(Cette fiche compte 2 pages)

Nom: ____________ Date: ____________

FICHE 4.8s

Exemple d'une feuille de route au regard d'un éventail de tâches offertes au sein d'une même structure

Dans la colonne « Activités à réaliser », indique le nom des activités que tu dois réaliser dans des ateliers ou dans le centre d'apprentissage cette semaine.

Au fur et à mesure que tu termines une activité, écris O.K. dans la colonne « Activités réalisées ».

Une fois que tu as présenté ton travail à ton enseignant, invite-le à placer ses initiales dans la colonne « Réalisations vues par l'enseignant ».

Ateliers ou centres d'apprentissage	Activités à réaliser	Activités réalisées	Réalisations vues par l'enseignant
Jeux de lecture			
Des phrases à découvrir			
Défis mathématiques			
Des productions d'arts plastiques			
Exploration d'une région du Québec en sciences humaines			
Mon ami Ordino			
Jeux électroniques			
Expert en sciences			
Le coin des chercheurs			
Centre de lecture			
Pratiques de calligraphie			
Jeux éducatifs			
Centre d'écoute et d'expression			
Centre de manipulation et d'exploration			
Projet personnel			

Cet outil de gestion du temps peut être géré individuellement à partir d'un plan de travail personnel. Il présuppose la présence de plus d'une activité d'apprentissage à l'intérieur d'ateliers ou de centres d'apprentissage qui sont intégrés au plan de travail. Plusieurs invitations à apprendre se présentent donc à l'élève. Pour ne pas s'égarer dans la poursuite de ses objectifs personnels, l'apprenant doit laisser des traces de ses réalisations chaque fois qu'il a terminé sa fréquentation d'un atelier ou d'un centre de son choix.

PRIMAIRE

(Cette fiche compte 1 page)

FICHE 5.4a

Référentiel pour objectiver collectivement

PANCARTE 1

Nous avons appris :

PANCARTE 2

Nous avons développé :

PANCARTE 3

Nous avons amélioré :

PRIMAIRE ET 1er CYCLE DU SECONDAIRE

 J. Caron, *Quand revient septembre*, 2e édition

(Cette fiche compte 1 page)

FICHE 5.2a

Mon portrait de communicateur

À partir des descripteurs concernant vos attitudes et vos habiletés de communicateur, indiquez vos forces et vos faiblesses à l'aide de l'échelle de réponses suggérée.

MES ATTITUDES	Oui	Pas toujours	Non
• Je suis en contact avec mes émotions, je sais reconnaître ce que je vis : la joie, la colère, la déception, la frustration, etc.	☐	☐	☐
• J'accepte assez facilement les opinions des autres, sans me sentir menacé au point d'abandonner mon point de vue.	☐	☐	☐
• Je crois en ce que je suis, en ce que je dis et en ce que je fais.	☐	☐	☐
• Je sais rire de moi-même et j'accepte que l'on se moque de moi gentiment.	☐	☐	☐
• Je suis capable d'être spontané et disponible dans mes conversations.	☐	☐	☐
• Je sais exprimer mes émotions et recevoir l'expression de sentiments venant des autres.	☐	☐	☐
• J'ai conscience de ce que mon corps manifeste : la peur, la colère, la joie, etc.	☐	☐	☐
• J'ai le souci de faire preuve d'écoute et de sensibilité à l'égard d'un élève, même si je suis fatigué.	☐	☐	☐
• Je dis toujours la vérité, sans nécessairement tout dire ; je suis sensible à la discrétion professionnelle.	☐	☐	☐
• Les élèves savent qu'ils peuvent compter sur mon écoute en tout temps.	☐	☐	☐
MES HABILETÉS			
• Je m'exprime clairement et je suis capable de mesurer ce que je suis et ce que je vis.	☐	☐	☐
• Je sais communiquer mon enthousiasme et ma passion à mes élèves.	☐	☐	☐
• J'utilise l'humour pour désamorcer des situations difficiles en classe.	☐	☐	☐

 J. Caron, *Quand revient septembre*, 2e édition

(Cette fiche compte 2 pages)

Nom : ______________________ Date : ______________

FICHE 5.7a

Grille pour objectiver le vécu d'un travail autonome

Revois la façon dont tu as travaillé lorsque tu as réalisé une tâche sans la guidance de ton enseignant. Réfléchis sur ton vécu à l'aide des pistes suivantes. Réponds dans les colonnes prévues à cette intention.

RETOUR SUR LE TRAVAIL AUTONOME

	Oui	Non
• Ai-je utilisé tous mes outils de travail ?	☐	☐
• Ai-je essayé de comprendre toutes les consignes par moi-même ?	☐	☐
• Me suis-je mis au travail tout de suite après avoir planifié ma période de travail ou ma journée ?	☐	☐
• Ai-je demandé des conseils au besoin ?	☐	☐
• Ai-je surveillé mon ton de voix lorsque j'ai eu à parler avec un autre élève ?	☐	☐
• Ai-je respecté les autres élèves qui étaient concentrés sur leurs travaux ?	☐	☐
• Me suis-je déplacé calmement dans la classe quand c'était nécessaire de le faire ?	☐	☐
• Ai-je accepté d'aider les autres élèves ?	☐	☐
• Ai-je soigné mes travaux autant dans l'écriture que dans leur présentation ?	☐	☐
• Ai-je rangé mon matériel après l'avoir utilisé ou à la suite de la visite d'un atelier ?	☐	☐
• Ai-je fourni tous les efforts dont j'étais capable ?	☐	☐

(Cette fiche compte 1 page)

Nom : ______________________ Date : ______________

FICHE 5.5a

Banque de questions pour objectiver

Au début de l'apprentissage, je suis capable de mettre des mots sur :

1. ce que je sais déjà ;
2. ce que je pense savoir ;
3. ce que je veux savoir.

Pendant que je suis en train d'apprendre, je suis capable de nommer :

4. ce que je comprends très bien ;
5. ce que je ne comprends pas assez ;
6. ce que je ne comprends pas du tout ;
7. les difficultés que j'éprouve ;
8. les joies que je connais ;
9. l'état d'âme dans lequel je me trouve.

À la fin d'une tâche d'apprentissage, d'une résolution de problème ou d'un projet, je suis capable de nommer :

10. ce que je viens d'apprendre ;
11. ce que j'ai développé comme habileté ou compétence.

À la fin d'une tâche d'apprentissage, d'une résolution de problème ou d'un projet, je suis capable de raconter :

12. les étapes (la démarche) que j'ai vécues pour arriver au résultat ;
13. les stratégies (les trucs) que j'ai utilisées pour réussir ma tâche ;
14. ce que j'ai aimé ;
15. ce que je n'ai pas aimé.

Quand je pense à une future tâche d'apprentissage, je suis capable de dire :

16. ce que je désire améliorer.

(Cette fiche compte 1 page)

Nom: ______________________ Date: __________

FICHE 5.7c

Grille pour objectiver le processus du développement d'une habileté, d'une compétence

Après avoir travaillé à développer une habileté ou une compétence, je m'arrête pour faire le point et je raconte aux autres ce que j'ai vécu.

SUR LE PLAN INTELLECTUEL

- Qu'est-ce que j'ai observé ? ______________________
- Quelle était ma question de départ ? ______________________
- Comment ai-je fait pour comprendre cette question ? ______________________
- Quels liens ai-je faits avec ce que je savais déjà ? ______________________
- Ai-je déterminé, énuméré les connaissances que je possédais déjà ? ______________________
- Est-ce que j'avais plusieurs solutions en tête ? ______________________
- Ai-je comparé mes solutions ? ______________________
- Comment ai-je sélectionné mes données ? ______________________
- Comment ai-je procédé pour choisir la meilleure solution ? ______________________

3e CYCLE DU PRIMAIRE ET 1er CYCLE DU SECONDAIRE

(Cette fiche compte 2 pages)

Nom: ______________________ Date: __________

FICHE 5.7b

Grille pour objectiver le degré d'appropriation de la démarche scientifique

Tu viens de vivre une expérience scientifique. Prends le temps de faire un retour sur les étapes que tu as traversées. À l'aide des pistes de réflexion suivantes, indique tes forces et tes faiblesses dans les colonnes prévues à cette intention.

LES ÉTAPES DE LA DÉMARCHE SCIENTIFIQUE

	Oui	Non
1. Ai-je pris le temps d'observer le matériel qui était devant moi avant d'expérimenter quoi que ce soit ?	☐	☐
2. Ai-je formulé des hypothèses avant d'entreprendre mon expérience ?	☐	☐
3. Ai-je réalisé toutes les étapes de mon expérience à partir de la procédure que j'avais sous les yeux ?	☐	☐
4. Ai-je tiré des conclusions à partir du résultat que j'ai obtenu ?	☐	☐
5. Ai-je préparé mon rapport d'expérience pour résumer les choses importantes que je désirais communiquer aux autres ?	☐	☐
6. Ai-je présenté le fruit de mes découvertes à mes camarades ?	☐	☐

2e ET 3e CYCLES DU PRIMAIRE, 1er CYCLE DU SECONDAIRE

(Cette fiche compte 1 page)

Nom: ____________________ Date: __________

FICHE 5.8a

Vivre une objectivation en complétant des phrases

Voici des suggestions pour construire des phrases à compléter que tu pourras utiliser pour objectiver le travail que tu auras fait en dyades ou en équipes.

Au regard des connaissances:

- J'ai appris...
- Je sais maintenant...
- Je ne comprends pas encore assez...
- Je comprends très bien...
- Je ne comprends pas du tout...

Au regard des attitudes:

- J'ai aimé... parce que...
- Je n'ai pas aimé... parce que...
- Je suis déçu de moi parce que...
- Je ne veux plus... parce que...
- Je suis fier de moi parce que...

Au regard des habiletés ou des compétences:

- J'ai réussi à...
- J'ai été capable de faire... avec l'aide de...
- J'ai trouvé facile...
- J'ai trouvé difficile...
- Mon prochain défi sera...

PRIMAIRE

 J. Caron, *Quand revient septembre*, 2e édition

(Cette fiche compte 1 page)

Nom: ____________________ Date: __________

FICHE 5.7d

Grille pour objectiver le vécu d'une tâche d'apprentissage

Dans le but d'exercer un contrôle sur une tâche d'apprentissage, tu dois savoir:

- à quelle étape de la tâche tu réussis;
- à quelle étape de la tâche tu ne réussis pas;
- pourquoi tu ne réussis pas.

1. Nomme les difficultés que tu as éprouvées en faisant ton travail. Sois précis dans ta réponse. Tu peux parler de la formulation des questions, du genre de questions posées (faisant appel à la déduction, à la justification, par exemple), de l'accès aux volumes et aux notes qui t'étaient disponibles pour trouver des informations, etc.

____

____

____

2. Est-ce que les questions concernant la tâche étaient faciles, moyennement faciles, difficiles? Justifie ta réponse.

____

____

____

3. Précise ce qui t'a aidé le plus pour faire ton travail.

____

____

____

1er CYCLE DU SECONDAIRE

 J. Caron, *Quand revient septembre*, 2e édition

(Cette fiche compte 3 pages)

Nom: ______________________ Date: ______________________

FICHE 5.10a

Grille d'autoévaluation des comportements

Pour chaque règle de vie, colorie le feu de circulation de la couleur correspondant au degré de respect des règles de vie ciblées. Sers-toi de l'échelle d'appréciation proposée pour évaluer chacun de tes comportements.

Échelle d'appréciation:

VERT — J'ai toujours respecté la règle de vie.

JAUNE — J'ai oublié une ou deux fois de respecter la règle de vie.

ROUGE — J'ai de la difficulté à respecter la règle de vie.

Règles de vie	Date:	Date:	Date:	Date:	Date:	Date:
1. Je circule en marchant dans la classe.	◯	◯	◯	◯	◯	◯
2. Dès mon arrivée dans le local, je consulte le menu du cours ou de la journée.	◯	◯	◯	◯	◯	◯
3. En attendant le début du cours, je prépare mes outils de travail.	◯	◯	◯	◯	◯	◯
4. Je garde le silence même si j'ai terminé mon travail.	◯	◯	◯	◯	◯	◯
5. Je range ma table et ma chaise à la fin d'une activité.	◯	◯	◯	◯	◯	◯
6. Je soigne la qualité de mon écriture.	◯	◯	◯	◯	◯	◯

Commentaire de l'enseignant: ☐ Je suis d'accord avec toi.

☐ Je ne suis pas d'accord et j'aimerais en discuter avec toi.

Source: D'après un modèle de l'école Notre-Dame Duberger, de la commission scolaire de la Capitale.

PRIMAIRE

J. Caron, *Quand revient septembre*, 2e édition

(Cette fiche compte 1 page)

Nom: ______________________ Date: ______________________

FICHE 5.10b

Grille d'autoévaluation du sens de l'effort

Attitude ciblée: Fournir des efforts dans la réalisation d'une tâche d'apprentissage.

Évalue les efforts que tu as faits en entourant l'un des énoncés de l'échelle d'appréciation ci-dessous.

Échelle d'appréciation:

J'ai fourni des efforts constants et j'ai réussi ma tâche.

J'ai arrêté de fournir des efforts en cours de route.

Je n'ai même pas essayé de fournir un effort.

Point de vue de l'enseignant

☐ Je suis d'accord avec toi.

☐ Je ne suis pas d'accord avec toi. Je trouve que tu t'es évalué:

☐ trop sévèrement;

☐ pas assez sévèrement.

PRIMAIRE

J. Caron, *Quand revient septembre*, 2e édition

(Cette fiche compte 1 page)

Nom: ______________________ Date: ______________

FICHE 5.10c

Grille d'autoévaluation d'un contenu notionnel

Contenu notionnel: ______________________

Colorie ou encercle le pictogramme qui correspond à ton degré de maîtrise de la notion que tu désirais apprendre.

Échelle d'appréciation:

Je le maîtrise parfaitement.

Je le maîtrise un peu.

Je ne le maîtrise pas encore.

Voici deux actions que je pourrais faire pour mieux maîtriser ce contenu:

____

____

Point de vue de l'enseignant

☐ Je suis d'accord avec toi.

☐ Je ne suis pas d'accord avec toi.

PRIMAIRE

 J. Caron, *Quand revient septembre*, 2e édition

(Cette fiche compte 1 page)

Nom: ______________________ Date: ______________

FICHE 5.10d

Grille d'autoévaluation du savoir-être et du savoir-faire dans des ateliers-carrousels

Pour chaque atelier, entoure le dessin de ton choix afin d'indiquer l'appréciation de ton savoir-être et de ton savoir-faire. Regarde bien les 2 échelles d'appréciation avant de porter ton jugement.

Échelle d'appréciation liée au savoir-être:

- Cet atelier m'a beaucoup intéressé.
- Cet atelier m'a intéressé un peu.
- Je n'ai pas aimé cet atelier.

Échelle d'appréciation liée au savoir-faire:

- J'ai été capable de faire ma tâche tout seul.
- J'ai été capable de faire ma tâche avec de l'aide.
- Je n'ai pas été capable de faire ma tâche, même si j'ai reçu de l'aide.

Atelier	Savoir-être	Savoir-faire
Atelier de construction Je dessine mon plan.		
Atelier de peinture Je peins la campagne de Juliette.		

PRÉSCOLAIRE ET 1er CYCLE DU PRIMAIRE

 J. Caron, *Quand revient septembre*, 2e édition

(Cette fiche compte 2 pages)

Nom: ______________ Date: ______________

FICHE 5.10e

Grille d'autoévaluation du développement des habiletés ou des compétences

Autoévaluation des apprentissages pour un module ou une étape

Discipline: ______________ Période: ______________

Au fur et à mesure que tu apprends quelque chose de nouveau, écris l'objet d'apprentissage que tu t'es approprié. Autoévalue ta performance en te servant de l'échelle d'appréciation proposée.

Échelle d'appréciation:

- VERT — Je suis capable de réussir seul.
- JAUNE — J'ai besoin d'aide.
- ROUGE — J'éprouve des difficultés.

Liste des objets ou des résultats d'apprentissage	Autoévaluation	Date de la prochaine pratique	Seconde autoévaluation
1. ______	○	1. ______	○
2. ______	○	2. ______	○
3. ______	○	3. ______	○
4. ______	○	4. ______	○
5. ______	○	5. ______	○

(Cette fiche compte 1 page)

Nom: ______________ Date: ______________

FICHE 5.10f

Grille d'autoévaluation des trois savoirs

Discipline: ______________

SAVOIR

Contenu notionnel: ______________

1. Je le sais parfaitement.
   - ☐ Mon avis
   - ☐ L'avis de mon enseignant
2. Je le sais moyennement.
   - ☐ Mon avis
   - ☐ L'avis de mon enseignant
3. Je le sais un peu.
   - ☐ Mon avis
   - ☐ L'avis de mon enseignant

Je veux réinvestir ainsi ce contenu notionnel: ______________

SAVOIR-FAIRE

Habileté ou compétence: ______________

1. J'ai été capable de faire sans difficulté la tâche demandée.
   - ☐ Mon avis
   - ☐ L'avis de mon enseignant
2. J'ai réussi la tâche demandée avec de l'aide.
   - ☐ Mon avis
   - ☐ L'avis de mon enseignant
3. J'ai éprouvé de la difficulté à réussir la tâche demandée et j'ai besoin d'une aide supplémentaire.
   - ☐ Mon avis
   - ☐ L'avis de mon enseignant

Je veux réinvestir ainsi cette habileté ou cette compétence: ______________

SAVOIR-ÊTRE

Attitude: ______________

1. J'ai été réceptif et coopératif, en tout temps, dans cette tâche.
   - ☐ Mon avis
   - ☐ L'avis de mon enseignant
2. J'ai été réceptif et coopératif, de temps en temps, dans cette tâche.
   - ☐ Mon avis
   - ☐ L'avis de mon enseignant
3. Je n'ai pas été du tout réceptif et coopératif dans cette tâche.
   - ☐ Mon avis
   - ☐ L'avis de mon enseignant

Je veux réinvestir ainsi cette attitude: ______________

Source: D'après le modèle de Lucie Côté, Thérèse Saint-Amand et Nelson Michaud, école secondaire de la commission scolaire des Monts et Marées.

(Cette fiche compte 1 page)

FICHE 5.11b

Devoirs et leçons : une responsabilité partagée avec les parents

En tant que parent, vous vous interrogez peut-être sur le type d'accompagnement qui s'avérera le plus efficace dans la réalisation des devoirs et des leçons de votre enfant ou adolescent. Vous pouvez aider votre jeune de l'une ou plusieurs manières suivantes. À vous de choisir…

- ☐ En planifiant l'horaire d'étude avec l'enfant ou l'adolescent.
- ☐ En déterminant avec lui un lieu d'étude approprié.
- ☐ En l'encourageant dans ce qu'il fait, en le valorisant, en lui donnant des forces et des défis.
- ☐ En le laissant seul pour travailler, pendant une période donnée, afin de ne pas succomber à la tentation de faire le travail à sa place.
- ☐ En intervenant directement, selon ses besoins et les circonstances.
- ☐ En s'informant de son vécu scolaire et en lui demandant de faire un résumé de son plan de travail à la maison.
- ☐ En regardant ses cahiers et ses travaux et en écrivant un commentaire positif.
- ☐ En mettant à sa disposition des ressources telles qu'un dictionnaire, un atlas, un globe terrestre, des revues ou des journaux.
- ☐ En créant dans la maison un climat propice aux études.
- ☐ En offrant son aide pour écouter une lecture, demander une leçon, critiquer une production écrite, donner des pistes pour démarrer une activité.
- ☐ En guidant l'enfant ou l'adolescent dans la réalisation de son projet personnel.
- ☐ En étant disponible pour l'accompagner dans la réalisation d'un devoir à caractère développemental : une partie d'échecs, une discussion sur un thème d'actualité, la préparation d'une recette, la résolution de mots croisés, la lecture du journal quotidien, le visionnement d'une émission à une chaîne de télévision anglaise (*voir p. 344*).
- ☐ En prenant connaissance de son carnet d'apprentissage et en y rédigeant un court rapport sur le devoir développemental qui a été réalisé à la maison sous la guidance des parents.
- ☐ En s'intéressant au contenu de son portfolio d'apprentissage.
- ☐ En parlant avec lui de sa porte d'entrée pour apprendre ou de ses formes d'intelligence prédominantes.

(Cette fiche compte 1 page)

Nom : ______________ Date : ______________

FICHE 5.11a

Devoirs et leçons : une responsabilité partagée avec l'élève

1. Comment puis-je travailler efficacement sur mes devoirs et mes leçons ?
   ____
   ____
   ____

2. Pour bénéficier d'un environnement propice à l'apprentissage :
   - ☐ Je me fixe un horaire régulier.
   - ☐ Je me trouve un endroit calme.
   - ☐ J'organise le matériel dont j'ai besoin.
   - ☐ Je m'assure d'un bon éclairage.

3. Je détermine les facteurs qui me permettront d'étudier efficacement :
   - ☐ Je vois les notions nouvelles au fur et à mesure.
   - ☐ J'étudie peu à la fois, mais souvent.
   - ☐ Je mémorise des connaissances en utilisant des portes d'entrée différentes : visuelle, auditive et kinesthésique.
   - ☐ Je révise même des notions déjà vues.
   - ☐ Je gradue mes difficultés.
   - ☐ Je me fais interroger au hasard par une personne de mon entourage.

2e ET 3e CYCLES DU PRIMAIRE

(Cette fiche compte 1 page)

FICHE 5.11d

Exemples de note aux parents

NOTE AUX PARENTS

Date : ____________________

Chers parents,

Je considère qu'il est important de vous informer que ____________________ n'a pas remis un travail à domicile qui était obligatoire.

Il s'agit :

- ☐ D'un projet personnel
- ☐ D'une recherche
- ☐ D'un texte
- ☐ D'une chasse aux fautes
- ☐ De résolutions de problèmes
- ☐ D'une activité ouverte
- ☐ D'un rapport d'expérience scientifique
- ☐ D'un atelier de géométrie
- ☐ D'un travail exploratoire sur un sujet précis
- ☐ D'une autre tâche : ____________________

Signature du parent : ____________________

NOTE AUX PARENTS

Groupe de : ____________________ Date : ____________________

Chers parents,

Je trouve qu'il est important de vous signaler que je suis insatisfait des efforts de ____________________ au regard de la gestion de ses travaux à domicile.

- ☐ Il n'a pas remis un travail à temps. ____________________
- ☐ Il n'a pas encore commencé un travail obligatoire. ____________________
- ☐ Il n'a pas complété un travail obligatoire. ____________________
- ☐ Il n'a pas recommencé un travail qui était à reprendre. ____________________

Signature du parent : ____________________

(Cette fiche compte 1 page)

Nom : ____________________ Date : ____________________

FICHE 5.11c

Grille d'autoévaluation : Je suis capable de gérer mes devoirs et mes leçons

Sur le plan physique, je me soucie d'être en forme :	Oui	Non
1. Je dors 11 ou 12 heures chaque nuit.	☐	☐
2. Je mange 3 bons repas par jour.	☐	☐
3. Je prends des collations nourrissantes.	☐	☐
4. Je joue dehors tous les jours.	☐	☐
5. Je me divertis de différentes façons.	☐	☐
Sur le plan de l'organisation matérielle, je me préoccupe d'organiser mon environnement :		
6. Je m'installe à une table ou à un pupitre.	☐	☐
7. Je m'assois sur une chaise droite.	☐	☐
8. Je rassemble tous les outils nécessaires autour de moi.	☐	☐
9. Je travaille dans le calme et le silence.	☐	☐
Sur le plan de la gestion de mon temps, je sais planifier mon horaire :		
10. J'installe la routine des devoirs et des leçons tous les jours à la même heure.	☐	☐
11. Je travaille au moins le nombre de minutes établi par mon enseignant en fonction de mon niveau d'apprentissage.	☐	☐

2e ET 3e CYCLES DU PRIMAIRE, 1er CYCLE DU SECONDAIRE

(Cette fiche compte 2 pages)

FICHE 5.12b

Fiche d'objectivation pour encadrer la gestion du portfolio en classe

J'objective mon processus d'accompagnement de l'élève dans la gestion du portfolio en classe à l'aide des six pistes suivantes et de l'échelle d'appréciation proposée à cette intention :

	J'interviens dans ce sens	Je n'interviens pas encore dans ce sens	Je n'ai jamais pensé à cet aspect
1. Les éléments qui peuvent alimenter un portfolio sont de nature différente. L'enseignant se souciera de la variété des éléments pouvant y être déposés afin de constituer une source de référence qui soit la plus riche possible, et cela, pour le bénéfice des élèves et des parents.	☐	☐	☐
2. Le choix des pièces-témoins peut être fait en vertu de divers facteurs. Pour mieux percevoir l'importance à accorder à tous ces éléments, l'enseignant se demandera quelles sont les pièces obligatoires, semi-obligatoires ou facultatives qui seront déposées dans le portfolio de l'élève. Exemple : Un enseignant pourrait décider que, le plan d'action préparé avec l'élève et ses parents à la dernière remise de bulletins ainsi qu'une carte sémantique et un travail non réussi doivent figurer obligatoirement dans le portfolio de tous les élèves pour la prochaine période. Par contre, certains élèves pourraient être invités à joindre des réalisations témoignant de leurs progrès et de leurs efforts, tandis que le profil d'apprentissage, le relevé des projets personnels, le passeport de lecture et bien d'autres éléments demeureraient des choix à la discrétion des élèves.	☐	☐	☐
3. Les situations de réflexion et d'analyse entourant la présentation du portfolio peuvent se vivre différemment par l'élève lui-même, entre pairs, avec l'enseignant, avec les parents.	☐	☐	☐
4. Les interventions à faire auprès de l'apprenant en phase d'appropriation du portfolio peuvent revêtir plusieurs formes. Pour permettre aux élèves de développer la compétence qui consiste à sélectionner judicieusement leurs réalisations, l'enseignant doit intervenir différemment auprès d'eux : • modeler devant eux le processus de sélection (leur démontrer les étapes par lesquelles ils doivent passer pour en arriver à faire un bon choix) ; • donner des exemples de contenus, de réalisations, de pièces pertinentes à sélectionner ;	☐	☐	☐

(Cette fiche compte 2 pages)

FICHE 5.12a

Points de repère pour transformer un recueil de réalisations en un portfolio d'apprentissage

J'établis des nuances en me positionnant face aux caractéristiques d'un recueil de réalisations, d'un dossier d'archives et d'un portfolio d'apprentissage. À cette intention, je coche les éléments qui correspondent aux paramètres de mes expérimentations actuelles.

Un recueil de réalisations ou un dossier d'archives	Un portfolio d'apprentissage
☐ Le recueil de réalisations est géré dans un contexte de ressemblances : tous les élèves déposent les mêmes pièces au même moment.	☐ Le portfolio est au service des différences que l'on trouve dans les divers parcours d'apprentissage des élèves et des pièces-témoins différentes y sont déposées progressivement.
☐ Les réalisations sont insérées dans une enveloppe, une pochette ou un contenant quelconque sans aucun système de repérage ou de classification.	☐ Le portfolio est construit à partir d'une architecture qui permet à l'élève et à ses parents de s'y retrouver facilement.
☐ Toutes les productions du même type y sont déposées.	☐ Le portfolio est sélectif : certaines pièces seront choisies, d'autres pas.
☐ L'enseignant pilote lui-même la sélection des travaux.	☐ Des critères de sélection sont trouvés avec les élèves pour en constituer un référentiel. Ceux-ci s'y reportent au moment du choix des pièces-témoins.
☐ Au moment du dépôt des pièces, la décision est prise par l'enseignant et elle est justifiée oralement avec les élèves.	☐ Chaque pièce-témoin déposée dans le portfolio est accompagnée d'une justification écrite ou symbolique sous la forme d'une fiche ou d'un coupon prévu à cet effet.
☐ Le recueil de travaux est présenté aux parents par les élèves sans qu'il y ait nécessairement une démarche ou une pratique pour préparer ceux-ci à le faire adéquatement.	☐ Le portfolio est présenté en classe aux parents par les élèves dans le cadre d'une conférence dirigée par l'élève. Il le fait à partir d'une procédure comportant trois temps : ce que je dois faire avant la conférence, pendant la conférence et après la conférence.

(Cette fiche compte 2 pages)

Nom: ______________________ Date: ______________

FICHE 5.12c

Banque de critères de sélection en regard du portfolio d'apprentissage

Au moment de la sélection des pièces-témoins qui alimenteront le portfolio d'apprentissage, je me sers de cette banque de critères. J'indique moi-même un critère de sélection ou j'invite les élèves à choisir un critère qui justifie le choix qu'ils ont fait.

- Un travail dont je suis fier.
- Un travail qui indique que j'ai progressé.
- Un travail pour lequel j'ai réussi à relever un défi.
- Un travail où j'ai éprouvé des difficultés que j'ai surmontées.
- Un travail où je me suis heurté à des difficultés insurmontables.
- Un travail que j'ai commencé mais qui a été abandonné en cours de route à cause d'une baisse de motivation.
- Un travail qui illustre mes intérêts.
- Un travail qui a fait appel à une forme d'intelligence prédominante chez moi.
- Un travail qui a sollicité une forme d'intelligence que j'ai tenté de développer.
- Un travail qui a été réalisé en coopération avec d'autres élèves.
- Un travail qui indique le chemin que j'ai parcouru pour arriver à ce résultat.
- Un travail qui témoigne des difficultés sur lesquelles je désire travailler à nouveau.
- Un travail indiquant que j'ai réinvesti ou transféré un de mes savoirs.
- Un travail que j'ai créé pour aider un autre élève à apprendre.
- Un travail que j'ai produit pour aider mon enseignant dans sa tâche.
- Un travail qui a été ou sera diffusé auprès des autres élèves de l'école.
- Autres critères: ______________________

PRIMAIRE ET 1er CYCLE DU SECONDAIRE

 J. Caron, *Quand revient septembre*, 2e édition

(Cette fiche compte 1 page)

FICHE 5.12d

Exemples de fiches de sélection

Exemple 1	Exemple 2	Exemple 3
Nom de l'élève: ______ Date: ______ Discipline: ______ Compétence: ______	Nom de l'élève: ______ Date: ______ Discipline: ______ Compétence: ______	Nom de l'élève: ______ Date: ______ Discipline: ______ Compétence: ______
Voici des points de repère pour m'aider à dire pourquoi je choisis ce travail. J'encercle le pictogramme qui représente ce que je pense. • Un travail dont je suis fier. • Un travail que j'ai réalisé avec un autre élève. • Un travail qui révèle mes progrès. • Un travail qui fait connaître mes champs d'intérêt. • Un travail où j'ai éprouvé des difficultés. • Un travail que j'ai abandonné en cours de route.	J'ai choisi cette pièce parce que ______ ______ ______ Maintenant, je me propose de ______ ______ ______	J'ai choisi cette pièce parce qu'elle démontre ______ ______ J'aimerais que vous remarquiez comment j'ai ______ ______ Voici quelque chose de nouveau ou de différent que j'ai appris en faisant ce travail: ______ ______ Maintenant, je me propose de ______ ______

 J. Caron, *Quand revient septembre*, 2e édition

(Cette fiche compte 1 page)

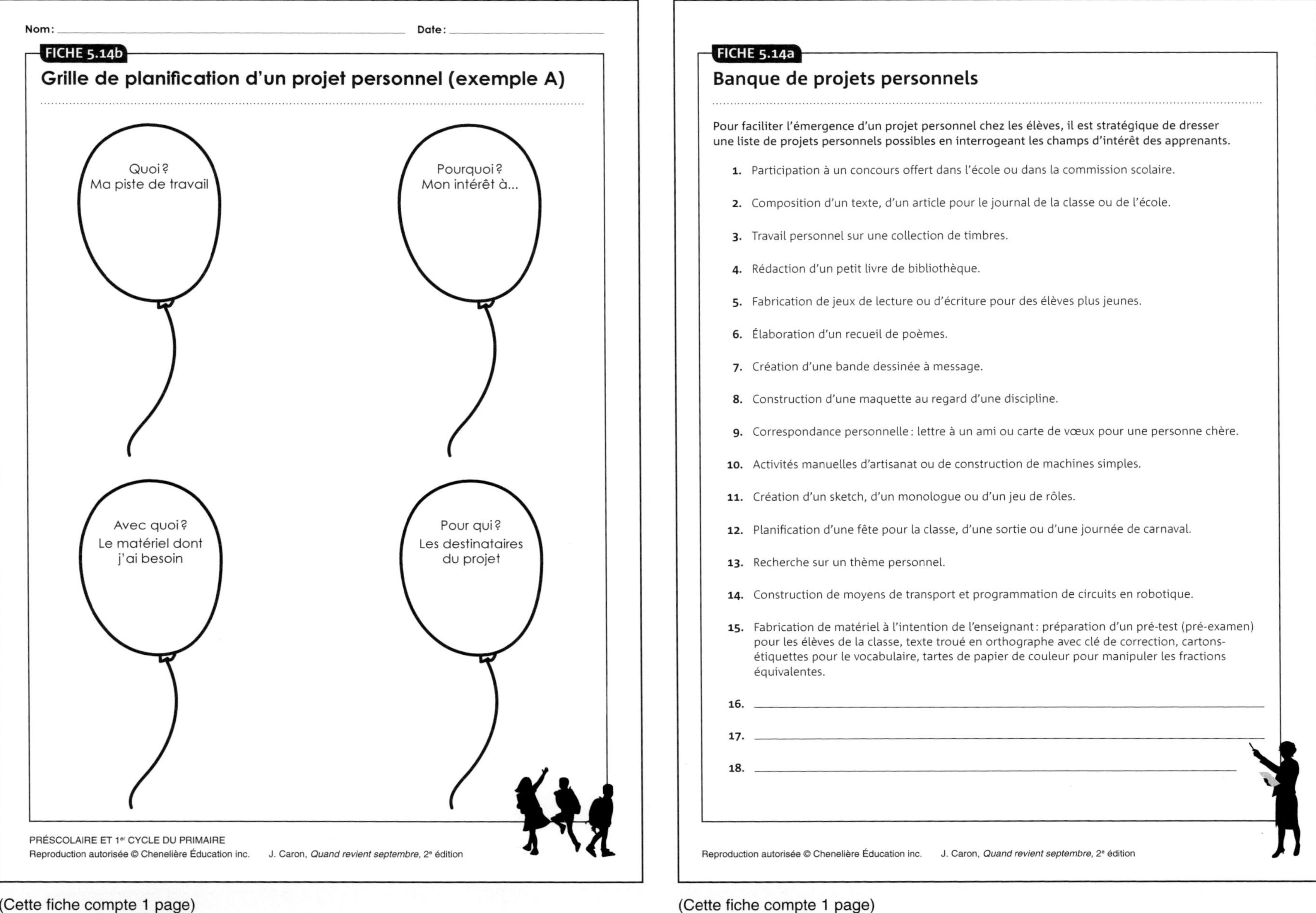

Nom : ______________________ Date : ______________

FICHE 5.14b

Grille de planification d'un projet personnel (exemple A)

(Cette fiche compte 1 page)

FICHE 5.14a

Banque de projets personnels

Pour faciliter l'émergence d'un projet personnel chez les élèves, il est stratégique de dresser une liste de projets personnels possibles en interrogeant les champs d'intérêt des apprenants.

1. Participation à un concours offert dans l'école ou dans la commission scolaire.
2. Composition d'un texte, d'un article pour le journal de la classe ou de l'école.
3. Travail personnel sur une collection de timbres.
4. Rédaction d'un petit livre de bibliothèque.
5. Fabrication de jeux de lecture ou d'écriture pour des élèves plus jeunes.
6. Élaboration d'un recueil de poèmes.
7. Création d'une bande dessinée à message.
8. Construction d'une maquette au regard d'une discipline.
9. Correspondance personnelle : lettre à un ami ou carte de vœux pour une personne chère.
10. Activités manuelles d'artisanat ou de construction de machines simples.
11. Création d'un sketch, d'un monologue ou d'un jeu de rôles.
12. Planification d'une fête pour la classe, d'une sortie ou d'une journée de carnaval.
13. Recherche sur un thème personnel.
14. Construction de moyens de transport et programmation de circuits en robotique.
15. Fabrication de matériel à l'intention de l'enseignant : préparation d'un pré-test (pré-examen) pour les élèves de la classe, texte troué en orthographe avec clé de correction, cartons-étiquettes pour le vocabulaire, tartes de papier de couleur pour manipuler les fractions équivalentes.
16. ______________________
17. ______________________
18. ______________________

(Cette fiche compte 1 page)

Nom : ______________________ Date : ______________

FICHE 5.14d

Ma boussole pour mener à terme mon projet

J'utilise ma boussole pour m'orienter dans le déroulement de mon projet personnel. Je visite :

1. le nord ;
2. l'est ;
3. le sud ;
4. et finalement, l'ouest.

Quoi ?
Ma piste de travail

Nord

Quand ?
Le début et la fin de mon projet

Pourquoi ?
Mon intérêt à...

Ouest

Est

Sud

Comment ?
Les ressources à ma disposition

(Cette fiche compte 1 page)

FICHE 5.14c

Grille de planification d'un projet personnel

Nom de l'élève : ______________________

Titre du projet : ______________________

Date de départ : ______________________

Date d'arrivée : ______________________

Description du projet (Quoi ?) ______________________

Objectifs du projet (Pourquoi ?) ______________________

À qui s'adresse le projet ? ______________________

Matériel et documentation nécessaires (Comment ?) ______________________

Encadrement du projet dans le temps (Quand ?) ______________________

(Cette fiche compte 1 page)

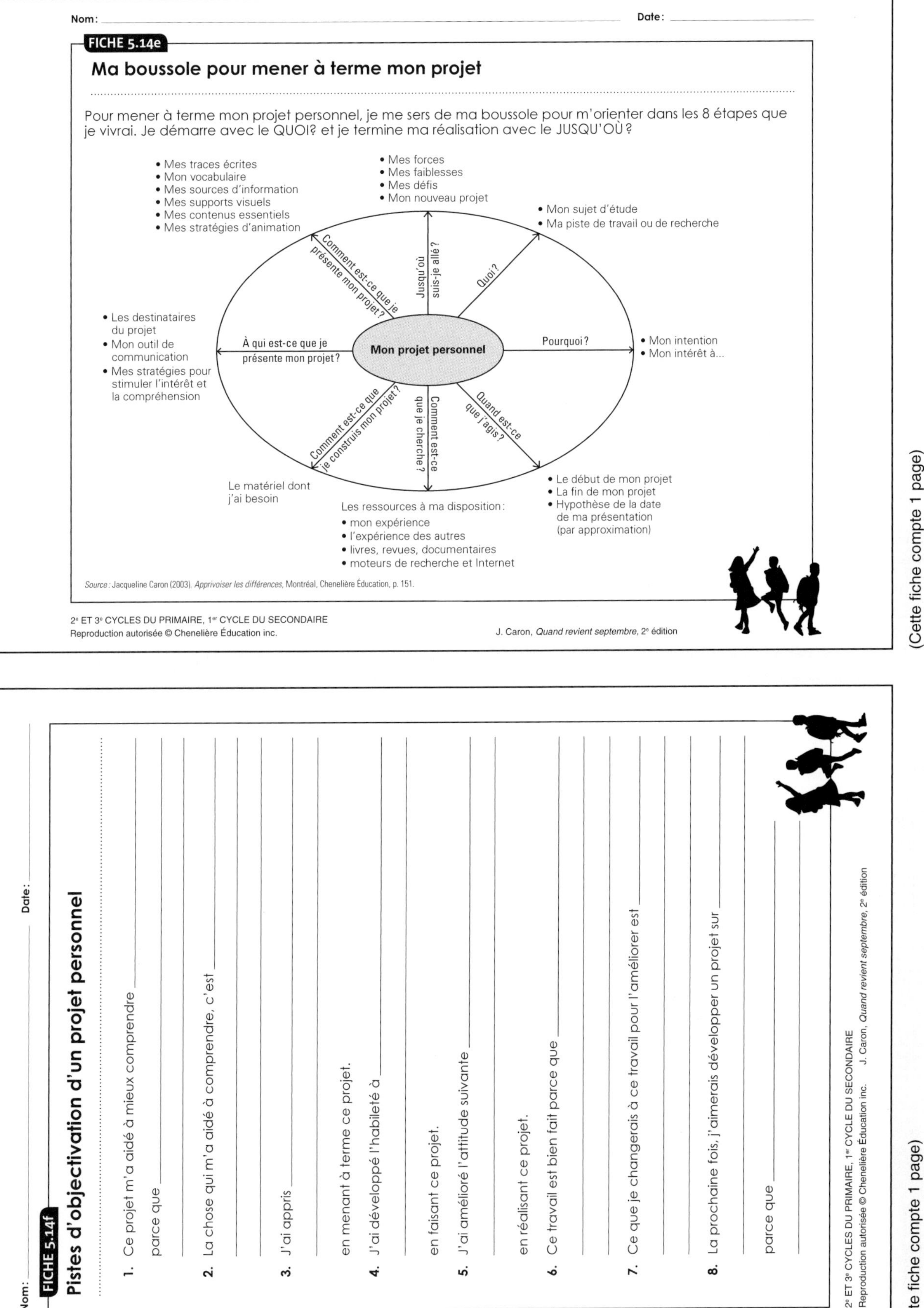

Nom : ______________________ Date : ______________

FICHE 5.14e

Ma boussole pour mener à terme mon projet

Pour mener à terme mon projet personnel, je me sers de ma boussole pour m'orienter dans les 8 étapes que je vivrai. Je démarre avec le QUOI? et je termine ma réalisation avec le JUSQU'OÙ?

Source : Jacqueline Caron (2003). *Apprivoiser les différences*, Montréal, Chenelière Éducation, p. 151.

2e ET 3e CYCLES DU PRIMAIRE, 1er CYCLE DU SECONDAIRE
Reproduction autorisée © Chenelière Éducation inc. J. Caron, *Quand revient septembre*, 2e édition

(Cette fiche compte 1 page)

Nom : ______________________ Date : ______________

FICHE 5.14f

Pistes d'objectivation d'un projet personnel

1. Ce projet m'a aidé à mieux comprendre ______________________
   parce que ______________________
2. La chose qui m'a aidé à comprendre, c'est ______________________
3. J'ai appris ______________________
   en menant à terme ce projet.
4. J'ai développé l'habileté à ______________________
   en faisant ce projet.
5. J'ai amélioré l'attitude suivante ______________________
   en réalisant ce projet.
6. Ce travail est bien fait parce que ______________________
7. Ce que je changerais à ce travail pour l'améliorer est ______________________
8. La prochaine fois, j'aimerais développer un projet sur ______________________
   parce que ______________________

2e ET 3e CYCLES DU PRIMAIRE, 1er CYCLE DU SECONDAIRE
Reproduction autorisée © Chenelière Éducation inc. J. Caron, *Quand revient septembre*, 2e édition

(Cette fiche compte 1 page)

Nom: ______________________ Date: ____________

FICHE 5.14h

Liste des destinataires pour la présentation d'un projet personnel

L'élève ou l'équipe peut présenter sa réalisation à diverses personnes :

1. Au groupe-classe
2. À une autre classe
3. À une équipe intéressée
4. À l'enseignant
5. À des élèves inscrits à la présentation
6. À l'orthopédagogue de l'école
7. À la direction de l'école
8. À des parents
9. En exposition, dans la classe ou dans l'école : à la bibliothèque, dans le hall d'entrée, dans un corridor, sur un tableau d'affichage
10. Au conseiller de la dyade d'entraide
11. À un autre enseignant de l'école
12. À un élève tuteur d'une autre classe
13. ______________________
14. ______________________
15. ______________________

PRIMAIRE ET 1er CYCLE DU SECONDAIRE

(Cette fiche compte 1 page)

Nom: ______________________ Date: ____________

FICHE 5.14g

Moyens d'expression pour présenter un projet personnel

L'élève ou l'équipe trouve des solutions aux problèmes que pose un projet d'apprentissage et rend compte de ses découvertes par l'entremise d'une production communiquée aux autres. Divers moyens d'expression sont possibles.

Outils	1re étape		2e étape		3e étape	
	oui	non	oui	non	oui	non
Sketch	☐	☐	☐	☐	☐	☐
Livre	☐	☐	☐	☐	☐	☐
Marionnette	☐	☐	☐	☐	☐	☐
Bande dessinée	☐	☐	☐	☐	☐	☐
Bricolage	☐	☐	☐	☐	☐	☐
Affiche	☐	☐	☐	☐	☐	☐
Maquette	☐	☐	☐	☐	☐	☐
Texte	☐	☐	☐	☐	☐	☐
Poème	☐	☐	☐	☐	☐	☐
Modelage	☐	☐	☐	☐	☐	☐
Chanson	☐	☐	☐	☐	☐	☐
Interview	☐	☐	☐	☐	☐	☐
Photographies numériques	☐	☐	☐	☐	☐	☐
Vidéo	☐	☐	☐	☐	☐	☐
Album	☐	☐	☐	☐	☐	☐

(Cette fiche compte 2 pages)

Nom : ______________________ Date : ______________

FICHE 5.14i

Répertoire de projets personnels

Chaque fois que je termine un projet personnel, je laisse des traces de celui-ci en remplissant les 6 colonnes de cette fiche. Ainsi, avec le temps, je me constitue un répertoire de projets personnels.

Nom du projet	Durée	Outil d'expression utilisé	Destinataires du projet	Apprentissages réalisés (défi relevé ou compétence développée)	Appréciation globale

(Cette fiche compte 1 page)

Nom : ______________________ Date : ______________

FICHE 5.14j

Réinvestissement d'un projet personnel

1. Titre du projet : ______________________
2. Responsable du projet : ______________________
3. Quelle est la force de ta production que tu pourrais transférer dans le vécu d'un autre projet ? ______________________
4. Que peux-tu faire pour améliorer ta réalisation actuelle ? ______________________
5. Comment peux-tu aller plus loin ? ______________________
6. Qu'est-ce que tu souhaiterais faire ? ______________________
7. Qu'est-ce que tu vas faire ? ______________________
8. Quel est ton prochain défi ? ______________________
9. Quel est ton nouveau projet ? ______________________

(Cette fiche compte 1 page)

FICHE 6.1a

Rapport de suppléance

Renseignements généraux

Date du remplacement : ____

Classe ou groupe visé par le remplacement : ____

Élèves absents : ____

Messages reçus : ____

Nom du suppléant : ____

Numéro de téléphone pour me joindre : ____

Courriel pour me joindre : ____

Appréciation générale

Force du groupe : ____

Défi suggéré au groupe : ____

Voici l'appréciation du vécu de ma suppléance auprès de vos élèves :

10
9
8
7
6
5
4
3
2
1

Appréciation du climat

Commentaires : ____

Mise à jour du travail fait par les élèves

Les travaux suivants ont été corrigés avec les élèves : ____

Les travaux suivants ont été terminés et corrigés : ____

Les travaux suivants ne sont pas terminés : ____

Commentaires : ____

Merci d'avoir fait appel à mes services !

(Cette fiche compte 1 page)

Nom : ____ Date : ____

FICHE 5.15a

Référentiel pour reconnaître sa porte d'entrée pour apprendre

Ma porte d'entrée pour apprendre est...

1. J'apprends en regardant, par l'observation ou la démonstration. « Montre-moi quoi faire et comment faire. »

2. J'apprends en écoutant, par le langage ou en me faisant dire : « Dis-moi quoi faire et comment faire. »

3. J'apprends en faisant des choses, par l'action ou par l'expérience. « Laisse-moi faire. Tu m'aideras si... »

4. « J'apprends en combinant les trois portes d'entrée. »

Source : D'après Frank Smith (1979). *La compréhension et l'apprentissage*, Montréal, Éditions HRW.

PRIMAIRE

(Cette fiche compte 1 page)

FICHE 6.3a

Bilan de notre fonctionnement en temps partagé

Éléments de réflexion	Climat organisationnel	Contenu organisationnel	Organisation de la classe	Gestion des apprentissages
Quels sont les éléments satisfaisants que nous aimerions conserver ?				
Quels sont les éléments importants que nous voudrions améliorer ?				
Quels sont les éléments irritants ou dérangeants que nous désirons écarter de notre fonctionnement ?				
Quels sont les éléments nouveaux que nous aimerions développer pour l'an prochain ?				

 J. Caron, *Quand revient septembre*, 2e édition

(Cette fiche compte 1 page)

FICHE 6.4a

Structures organisationnelles dans un contexte de partenariat

Structures possibles	Choix des structures	Oui	Non
Pour gérer le temps	En plus du menu ouvert, aurons-nous besoin :		
	• d'un plan de travail ?	☐	☐
	• d'un tableau d'enrichissement ?	☐	☐
	• d'un tableau de programmation ?	☐	☐
	• d'ateliers-arbres ?	☐	☐
	• d'ateliers-carrousels ?	☐	☐
	• de centres d'apprentissage ?	☐	☐
Pour gérer les groupes de travail	Aurons-nous besoin :		
	• de dyades d'entraide ?	☐	☐
	• d'un tutorat ?	☐	☐
	• d'équipes de travail ?	☐	☐
	• d'équipes coopératives ?	☐	☐
	• de sous-groupes d'apprentissage ?	☐	☐
Pour gérer l'aménagement physique	Aurons-nous besoin :		
	• du centre de lecture ?	☐	☐
	• du centre d'informatique ?	☐	☐
	• du centre d'autocorrection ?	☐	☐
	Devrons-nous modifier l'aménagement actuel afin de récupérer de l'espace pour insérer les structures essentielles au vécu du projet ?	☐	☐

 J. Caron, *Quand revient septembre*, 2e édition

(Cette fiche compte 2 pages)

Conclusion

Il ne suffit pas de savoir, il faut appliquer ; il ne suffit pas de vouloir, il faut agir.

Goethe

Construire un modèle participatif : un projet dynamisant !

Mettre en place une gestion de classe participative dans sa classe ou dans ses groupes de base est un projet à la fois emballant et exigeant. Il suscite des énergies nouvelles, mais il requiert aussi du temps, des efforts et de la persévérance.

Mon histoire personnelle peut en témoigner... Après avoir consacré 50 ans à la cause de l'éducation, il me plaît parfois de me remémorer toutes les étapes qui m'ont conduite jusqu'à vous. Je me souviens de la jeune maîtresse d'école bien fébrile qui accueillait ses élèves dans la cour de récréation chaque fois que septembre revenait. Je me souviens aussi de l'institutrice qui rêvait de marcher dans les traces de Célestin Freinet et de Claude Paquette. Comment ne pas me souvenir également de mes premiers pas à la direction d'une école, tentant maladroitement de mettre sur pied un modèle de gestion participative au sein de mon établissement scolaire ! Je me souviens surtout de la journée où la femme que j'étais alors a décidé d'abandonner la sécurité de son emploi pour partir à l'aventure comme consultante dans les écoles et les commissions scolaires. J'étais bien naïve de penser, alors, que moi toute seule, je parviendrais à changer le panorama de l'éducation.

Un parcours bien rempli

À travers tous les souvenirs qui ont parsemé le chemin de ma carrière, permettez-moi d'en partager deux qui me rappellent des moments impérissables. Je n'ai jamais oublié l'engouement provoqué par la présentation de mon premier atelier sur la gestion de classe participative à Montréal, en novembre 1988. Et que dire de la réception à bras ouverts qu'a connue mon ouvrage *Quand revient septembre* en 1994 ! Depuis tout ce temps, bien des choses ont changé autour de moi... À ma grande surprise, au moment où je signe la conclusion de la deuxième édition de ce guide, je m'aperçois que, de l'intérieur, je n'ai pas changé... J'ai vieilli comme tout le monde, mais mon cœur bat toujours au rythme de la participation, de la coopération, de l'autonomie et de la responsabilisation.

Mon projet de croissance personnelle a d'abord été une affaire de cœur avant de devenir un plan de développement professionnel. Je m'y suis engagée avec toute l'ardeur de mes 30 ans parce que j'étais habitée par des convictions profondes. La qualité de ma relation avec mes élèves, le souci d'un développement optimal pour chacun d'eux ainsi que leur épanouissement me tenaient à cœur. Devant l'ampleur du défi qui se profilait devant moi, ma première réaction a été de me dire que, pour venir à bout des choses difficiles, il fallait d'abord les croire possibles.

Malgré cette ardeur, cette fougue qui m'incitait à me dépasser, les obstacles ne m'ont pas épargnée. J'ai vécu des doutes, des peurs, des difficultés. Des critiques négatives sont parfois venues assombrir ma route et ralentir mes élans. Mais, plus fortes que tout, la passion et la détermination m'ont forcée à continuer le parcours que j'avais entrepris. J'étais engagée dans un projet qui me stimulait au plus haut point, prête à revoir mes valeurs, à interroger mes attitudes, à reconsidérer mes habitudes et ma pratique quotidienne. Mon «vouloir» soutenait constamment ce désir de changement bien ancré dans mon for intérieur. C'était d'ailleurs le meilleur antidote dont je pouvais bénéficier…

Si le cœur occupait une grande place dans le processus que j'avais amorcé, ma tête n'était pas absente pour autant. Pour mieux comprendre les objectifs que je m'étais donnés, je me suis informée, j'ai lu, j'ai discuté avec des collègues, j'ai demandé des conseils, j'ai sollicité des avis et j'ai participé à des congrès d'enseignants. Étant visuelle de nature, j'ai même tenu à visiter des classes de différentes «couleurs pédagogiques» afin de me représenter mentalement le modèle qui me conviendrait le mieux et qui répondrait aussi aux attentes que je m'étais fixées. En somme, je me suis établi un scénario de perfectionnement continu et personnalisé. Je n'ai rien négligé pour acquérir les connaissances théoriques et pratiques dont j'avais besoin. J'étais propulsée par le désir de recréer mon «savoir» au regard des interventions pédagogiques que je devais faire. Chemin faisant, en ouvrant mes horizons, je me suis donné du pouvoir afin de développer et d'expérimenter un nouveau «savoir-faire».

Malgré l'expérience que je possédais à l'époque, j'ai accepté pendant plusieurs années d'être en apprentissage au même titre que mes élèves. Je ne pouvais plus d'un seul coup contrôler toutes les nouvelles données que je découvrais. J'ai donc vécu dans un climat de travail où les essais et les erreurs avaient leur place autant pour moi que pour les élèves. Certes, j'y ai connu l'insécurité, mais aussi cette joie du cœur qui naît avec la découverte, la complicité des enfants et la satisfaction de la réussite. Progressivement, mon leadership est devenu plus confiant. De nouvelles facettes de mon potentiel et de celui de mes élèves m'ont été révélées. Je me suis vue capable de relever le défi de laisser plus de place à l'apprenant dans ma classe. Eh oui, j'étais rassurée, je pouvais partager le pouvoir avec les élèves sans perdre le contrôle du groupe!

Des compagnons de route inspirants

Tout au long de ce cheminement, j'ai ressenti le besoin d'être accompagnée pédagogiquement, dans ma classe, dans mon école et dans ma commission scolaire. J'ai eu la chance de rencontrer des personnes-ressources qui m'ont aidée à objectiver et à réguler la qualité de mes interventions pédagogiques. J'ai côtoyé des directions d'école qui m'ont manifesté leur confiance et m'ont laissé la marge de manœuvre nécessaire pour que je puisse façonner mon «agir pédagogique». Ces gestionnaires, qui n'avaient pas totalement délaissé la pédagogie, ont accepté d'être répondants des risques que je prenais. Comment aurais-je pu aller plus loin si cette condition de base ne m'avait pas été assurée? Ils ont accueilli positivement mon style de gestion de classe qui était assez inhabituel pour le temps, surtout lorsqu'on enseigne en sixième année et qu'on a le mandat de préparer adéquatement les élèves pour le secondaire. Ils n'ont pas hésité à endosser le sérieux et l'efficacité de la nouvelle pédagogie que je tentais d'articuler. Mon cheminement et mes choix pédagogiques ont aussi été reconnus par un directeur des services éducatifs qui prônait dans les années 1970 l'ouverture au changement et l'innovation pédagogique. Que demander de plus ! J'avais le vent dans les voiles… Et je peux dire aujourd'hui, avec du recul, que ces appuis y sont pour beaucoup dans l'évolution de mes convictions qui m'a amenée par la suite à témoigner du modèle participatif au Québec, au Canada francophone ainsi que dans des milieux européens, tels la Suisse, la Belgique et le Luxembourg.

Après une vingtaine d'années inoubliables dans l'enseignement, j'ai voulu sortir des limites de ma classe et de mon école pour soutenir des enseignants qui désiraient articuler une gestion de classe participative. C'est ainsi que, depuis 25 ans, j'ai rencontré des centaines et des centaines de praticiens qui aspiraient à « faire autrement ». J'ai senti chez eux un désir profond d'améliorer leurs compétences professionnelles, plus spécifiquement au regard de la gestion de classe et de la prise en compte de l'hétérogénéité des élèves.

À partir des nombreuses observations que j'ai faites, je suis en mesure d'affirmer que plusieurs enseignants veulent élaborer un modèle participatif, responsabilisant, différencié et collégial. Malheureusement, ils ne savent pas toujours comment s'y prendre, ils ignorent souvent le premier geste à accomplir pour faire en sorte que l'élève occupe sa vraie place dans la classe. En lien avec cette méconnaissance des outils à mettre au point, j'ai senti parfois une image négative d'eux-mêmes, un manque de confiance en leur professionnalisme, des doutes face à l'appui des parents et à la compréhension de la société en général. En fait, cette insécurité est compréhensible, il n'y a plus rien d'acquis ; tout change très vite dans le monde où nous vivons.

Enseigner et éduquer aujourd'hui

Le profil des élèves s'est modifié énormément depuis 20 ans. C'est tout un défi pour l'école de s'adapter aux enfants et aux adolescents d'aujourd'hui, d'aller les chercher là où ils sont, de trouver de nouvelles avenues pour les rejoindre et de les accompagner dans leur cheminement. Parallèlement à cette mutation de la clientèle, les programmes d'études ont changé aussi. Ils mettent tous l'accent sur le développement des compétences dans un contexte où l'élève est l'artisan de son processus d'apprentissage.

À cela s'ajoute une autre pression : les attentes des parents et de la société sont de plus en plus grandes. À un moment où la famille tremble sur ses bases, à un moment où la représentation de la famille n'est plus à sens unique, la population s'attend à ce que l'école prenne le relais. On lui demande d'être à la fois gardienne et formatrice, éveilleuse de talents et stimulatrice de hautes performances. Pourtant, les ressources matérielles, financières et humaines, elles, n'ont pas suivi. Le temps de classe n'est pas plus long et les praticiens doivent faire mieux avec de moins en moins de moyens.

Ce message paradoxal envoyé par la société est déstabilisant pour l'enseignant, voire démotivant. Comment accomplir autant avec si peu de soutien et de considération? Bon nombre d'enseignants se sentent impuissants. Ils en viennent à se questionner sur le rôle qu'ils peuvent jouer auprès des jeunes, ils sentent qu'on sous-estime leur apport réel à la société et l'ampleur de leur tâche. A-t-on oublié que c'est dans la classe d'aujourd'hui que commence la formation des citoyens de demain? Certes, des pas notables ont été faits au cours des décennies pour permettre l'accès à l'instruction à un plus grand nombre de personnes et pour favoriser leurs apprentissages. Il n'en demeure pas moins que les besoins de l'école d'aujourd'hui nécessitent des investissements beaucoup plus importants que ceux qui sont actuellement octroyés. C'est une erreur de tenter de le nier en jouant à l'autruche lorsqu'on se complait à élaborer des plans et des stratégies pour l'avenir sans explorer ce qui pourrait être fait dans l'immédiat.

Je crois également que ce n'est pas en faisant annuellement la promotion d'un palmarès des écoles d'une province qu'on améliore la perception que les gens ont du milieu scolaire, qu'on stimule les parents à s'y investir, qu'on encourage des enseignants à s'engager pleinement dans la réussite de leurs élèves et qu'on motive des jeunes à s'y dépasser. De telles initiatives nourrissent bien des débats, c'est vrai, mais ceux-ci génèrent très peu de solutions et font même ombrage aux initiatives prises dans les milieux éducatifs qui tentent de renouveler leurs pratiques pédagogiques. Si notre société vise la réussite pour tous les élèves, il serait souhaitable qu'elle effectue des choix cohérents avec cet objectif ultime. On ne peut malheureusement pas affirmer que ce soit toujours le cas. Personnellement, je continue de croire que revaloriser la profession d'enseignant serait un bon début pour redonner à l'éducation la place qu'elle devrait avoir au sein de l'évolution d'une société.

Quant à moi, je trouve que les enseignants font preuve d'une grande force morale lorsqu'ils arrivent à dépasser les préjugés entretenus à l'égard du milieu scolaire et les jugements de valeur qui les assaillent. Il y aurait de quoi éteindre les plus grandes ambitions. Au contraire, la très grande majorité des enseignants continuent de croire à l'importance du travail qu'ils font et se laissent porter par l'idéal qui les habite et les nourrit. Ils arrivent à transcender le fait que leur milieu de travail n'est pas toujours gratifiant, qu'ils reçoivent peu de rétroactions positives, que les contraintes administratives sont lourdes et que les structures sont parfois déshumanisantes.

Quand l'environnement est plus ou moins stimulant pour eux, les enseignants n'ont pas d'autre choix pour se nourrir intérieurement que de se centrer sur leur classe, sur leurs élèves. Cette préoccupation dynamisante entretient leur flamme du métier: ils conservent ainsi leur motivation et maintiennent leur quête d'une amélioration continue. Plus les obstacles sont nombreux autour d'un enseignant, plus celui-ci doit s'abreuver à l'essentiel de sa profession. Établir une approche centrée sur l'élève n'est pas seulement un choix pédagogique, c'est aussi une option humaine qui crée de la vie, du mouvement, du dynamisme en soi et autour de soi. Il y a 18 ans, lorsque j'ai conçu *Quand revient septembre*, j'avais cette vision. Au cours de la dernière année, lorsque j'ai procédé à sa mise à jour, je me suis laissé guider par cette même vision autant dans le remodelage du contenu que dans l'enrichissement des outils.

L'enseignant désireux de construire un modèle participatif dans sa classe ou dans ses groupes de base doit absolument se tourner du côté de ses partenaires : les élèves et les parents. Sans eux, l'approche participative n'existe pas... Du côté des élèves, je pense avoir dit ce qui devait être dit, je pense avoir fait ce qui devait être fait.

Par contre, du côté des parents, il y a des pas à franchir... Si l'enseignant veut être cohérent avec le modèle participatif, il lui faut lancer des ponts vers les parents. S'il ne le fait pas, ceux-ci continueront de s'éloigner encore plus de l'école et le fossé s'élargira de plus en plus entre eux. Pour dépasser les peurs qui existent des deux côtés, pour donner un lieu d'expression aux critiques et aux attentes réciproques, pour mettre un nouveau « comment collaborer » dans les relations famille-école... Pour toutes ces raisons, il faut proposer aux parents une forme de partenariat qui dépasse les mots et les conventions. Bien sûr que l'enseignant doit sortir des sentiers battus pour inventer de nouvelles façons de communiquer avec les parents, créer un type de relations égalitaires avec eux, expérimenter des modalités d'information inédites et leur proposer de nouveaux mécanismes d'engagement. En s'appuyant sur le modèle participatif qui règne dans sa classe, l'enseignant s'accoudera sur un cadre solide lui permettant de prolonger la participation en dehors des murs de sa classe. Si ce n'est pas fait, l'éducation risque d'être bancale.

Finalement, je dirais que le modèle participatif est une excellente avenue pour rassembler et unifier des forces autour d'un même projet, celui de l'épanouissement des élèves dans les écoles et la formation de citoyens engagés et responsables. Ce projet de société peut nous permettre d'atteindre ce dont nous rêvons tous et qui est bien exprimé dans cette parole de l'ex-juge Andrée Ruffo : « L'éducation ne se mesure pas en notes de passage, en examens objectifs ou en diplômes. Il nous faut voir au-delà des diplômes pour concevoir l'éducation comme un processus d'apprentissage global qui enrichit l'humain dans sa quête de lui-même. »

En vous confiant ce guide, je désire vous rappeler encore une fois que tout est possible quand on est habité par la passion d'accueillir l'enfant ou l'adolescent tel qu'il est, de l'accompagner en alimentant son désir de découvrir, de l'inciter à relever des défis et à se dépasser. Mais il faut pour cela que l'adulte accepte de partager, avec l'élève, son propre plaisir d'apprendre à travers son plaisir d'enseigner.

Je souhaite ardemment que *Quand revient septembre* contribue à nourrir votre expérience, qu'il soutienne l'enthousiasme de vos débuts et qu'il soit un moteur pour de nouveaux départs. Je me permets, en toute complicité, de vous chuchoter à l'oreille que l'important n'est pas d'être un prof idéal, mais bien d'être *un prof avec un idéal...*

Enseigner, une passion raffinée...

On résiste quelquefois à celui qui impose, rarement à celui qui inspire.

Lamartine

Même après avoir révisé plus de 500 pages, même après avoir fait état des concepts théoriques les plus fondamentaux, même après avoir conçu et modifié un certain nombre d'outils axés sur la participation et la responsabilisation des apprenants, je ressens le besoin, avant de clore notre rendez-vous pédagogique, de vous léguer un **message de vie** qui fut fort important dans mon parcours d'éducatrice: «Enseigner, une passion raffinée.» Cette conviction m'a habitée pendant de nombreuses années et elle m'a stimulée à relever plusieurs défis.

À l'occasion de la deuxième édition de *Quand revient septembre*, j'éprouve le besoin de **donner ce message au suivant**. J'ose espérer que cet idéal sur le plan professionnel contribuera à entretenir la flamme de votre passion pour l'éducation et qu'il vous invitera aussi à raffiner tout au long de votre carrière les interventions que vous ferez en enseignement...

- Enseigner est une passion raffinée **SI** l'élève est véritablement accueilli en classe, s'il s'y sent vivant, s'il se développe avec un sentiment de compétence et s'il apprend à gérer sa vie.
- Enseigner est une passion raffinée **SI** l'enseignant développe l'humanité de l'élève: sa capacité de sécréter du sens, sa compréhension du monde, sa volonté d'avoir une histoire, sa compassion, son courage pour être vrai et son ambition de devenir un être responsable.
- Enseigner est une passion raffinée **SI** l'élève, dans sa vie scolaire, découvre la saveur, le goût et le sens des choses.
- Enseigner est une passion raffinée **SI** l'élève est mis en relation avec la beauté des créations humaines.

- Enseigner est une passion raffinée SI, au contact de son enseignant, l'élève se rend compte que sa légende personnelle s'inscrit dans une aventure infinie.
- Enseigner est une passion raffinée SI l'enseignant s'intéresse avant tout au processus d'apprentissage des élèves, qu'il accompagne la construction des savoirs en tenant compte des profils et des parcours scolaires des apprenants.
- Enseigner est une passion raffinée SI, sous la guidance de l'enseignant, l'élève accède à des enseignements qui lui donnent une clé d'interprétation de lui-même et une grille de compréhension de la vie.
- Enseigner est une passion raffinée SI l'élève apprend de son maître les habiletés fondamentales que sont la quête du sens, la recherche des causes, l'analyse, la synthèse et l'invention de solutions adéquates.

Enseigner, une passion raffinée… Est-ce possible? Sans doute, mais quel défi par les temps qui courent! Cependant, l'espoir est toujours permis, à portée de la main et du cœur… Tant et aussi longtemps qu'il y aura dans les écoles des enseignants inspirants, nous pourrons dire de l'enseignement qu'il est une passion raffinée.

Des enseignants inspirants pour leurs élèves…

Des enseignants inspirants pour les parents de leurs élèves…

Des enseignants inspirants pour leur communauté culturelle…

Des enseignants inspirants pour la société…

Être ou devenir inspirant… est le leitmotiv qui permettra aux enseignants de demeurer unis et forts pour assumer leur destin.

Jacqueline Caron
Saint-Augustin-de-Desmaures (Québec)
14 février 2012

Bibliographie

ABRAMI, Philip C., et autres (1996). *L'apprentissage coopératif,* Montréal, Les Éditions de la Chenelière.

ANGERS, Pierre, et Colette BOUCHARD (1984). *La mise en œuvre du projet d'intégration,* Montréal, Bellarmin, coll. « L'activité éducative : Une théorie, une pratique ».

ARCHAMBAULT, Jean, et Chantale RICHER (2007). *Une école pour apprendre,* Montréal, Chenelière Éducation.

ARCHAMBAULT, Jean, et Monique DOYON (1986). *Du feed-back pour apprendre. Comment aider l'élève à obtenir plus de feed-back pédagogique ?,* Montréal, CECM.

ARCHAMBAULT, Jean, et Nicole PILON (1985). *Mais qu'est-ce qui peut bien démotiver l'élève ? Un guide de motivation à l'intention des écoles primaires,* Montréal, CECM.

ARCHAMBAULT, Jean, et Roch CHOUINARD (1996). *Vers une gestion éducative de la classe,* Boucherville, Gaëtan Morin Éditeur.

ARCHAMBAULT, Jean, et Roch CHOUINARD (2009). *Vers une gestion éducative de la classe,* 3e éd., Montréal, Gaëtan Morin Éditeur.

ARTAUD, Gérard (1981). « Savoir d'expérience et savoir théorique : Pour une méthodologie de l'enseignement basée sur l'ouverture à l'expérience », *Revue des sciences de l'éducation,* vol. 7, no 1, p. 135-151. [En ligne], http ://id.erudit.org/iderudit/900321ar (Page consultée le 15 janvier 2012).

ARTAUD, Gérard (1985). *L'intervention éducative,* Ottawa, Éditions de l'Université d'Ottawa.

ARTAUD, Gérard (1987). « La re-création du savoir », *Pédagogiques,* vol. 7, no 1, p. 17.

AUDY, Pierre, François RUPH, et Mario RICHARD (1993). « La prévention des échecs et des abandons scolaires par l'actualisation du potentiel intellectuel (API) », *Revue québécoise de psychologie,* vol. 14, no 1, p. 151-189.

BARTH, Britt-Mari (1993). *Le savoir en construction,* Paris, Éditions Retz.

BÉGIN, Christian (1992). *Devenir efficace dans ses études,* Montréal, Beauchemin, coll. « Agora ».

BERGERON, Andrée, et autres (1985). *L'aménagement de la classe en pédagogie ouverte,* cahier no 6, Victoriaville, NHP, coll. « Outils pour une pédagogie ouverte ».

BERNARD, Lise (1987). *Systèmes-écriture,* Boucherville, Graficor.

BOILY, Pierre-Yves (1990). *Le plaisir d'enseigner,* Montréal, Stanké.

BOURGET, Denis (1985). *La théorie des talents multiples dans une pédagogie ouverte,* cahier no 12, Victoriaville, NHP, coll. « Outils pour une pédagogie ouverte ».

BRUNER, Jerome S. (1965). *The process of education,* Cambridge (Massachusetts), Harvard University Press.

BRUNER, Jerome S. (2008). *L'éducation, entrée dans la culture : Les problèmes de l'école à la lumière de la psychologie culturelle,* Paris, Éditions Retz, coll. « Petit Forum ».

CARON Jacqueline, et Ernestine LEPAGE (1985). *Vers un apprentissage authentique de la mathématique,* cahier no 10, Victoriaville, NHP, coll. « Outils pour une pédagogie ouverte ».

CARON, Jacqueline (1997). *Quand revient septembre (Volume 2) : Recueil d'outils organisationnels,* Montréal, Les Éditions de la Chenelière.

CARON, Jacqueline (2003). *Apprivoiser les différences : Cadre d'expérimentation avec points de repère et outils-support,* Montréal, Les Éditions de la Chenelière.

CARON, Jacqueline (2008). *Différencier au quotidien : Guide sur la différenciation des apprentissages et la gestion des cycles,* Montréal, Chenelière Éducation.

CHARTRAND, Suzanne-G., et autres (1999). *Grammaire pédagogique du français d'aujourd'hui,* Boucherville, Graficor.

CHÉNARD, Suzanne, Ghislaine DESJARDINS, et Diane L'ÉCUYER (1998). *Grammaire au secondaire 100 %,* Laval, Éditions Grand Duc, HRW.

CIF (équipe du) (1977). *Activités ouvertes d'apprentissage,* cahier no 4, Victoriaville, NHP, coll. « Outils pour une pédagogie ouverte ».

CLARKE, Judy, Susan EADIE, et Ron WIDEMAN (1992). *Apprenons ensemble : L'apprentissage coopératif en groupes restreints,* Montréal, Les Éditions de la Chenelière.

CONSEIL DES MINISTRES DE L'ÉDUCATION DU CANADA (2008). *Guide pédagogique : Stratégies en lecture et écriture, Projet pancanadien de français langue première,* Montréal, Les Éditions de la Chenelière.

CONSEIL SUPÉRIEUR DE L'ÉDUCATION (1989). *Les enfants du primaire,* avis au ministre de l'Éducation, Québec, Direction des communications du Conseil supérieur de l'éducation.

CONSEIL SUPÉRIEUR DE L'ÉDUCATION (1991). *Une pédagogie pour demain à l'école primaire,* Québec, Direction des communications du Conseil supérieur de l'éducation. [En ligne], www.cse.gouv.qc.ca/fichiers/documents/publications/Avis/50-0381.pdf (Page consultée le 15 janvier 2012).

CONSEIL SUPÉRIEUR DE L'ÉDUCATION (1995). *Pour une gestion de classe plus dynamique au secondaire,* Québec, Direction des communications du Conseil supérieur de l'éducation. [En ligne], www.cse.gouv.qc.ca/fichiers/documents/publications/Avis/50-0402 pdf (Page consultée le 15 janvier 2012).

CONSEIL SUPÉRIEUR DE L'ÉDUCATION (2009). *Une école secondaire qui s'adapte aux besoins des jeunes pour soutenir leur réussite,* Québec, Direction des communications du Conseil supérieur de l'éducation.

DE LA GARANDERIE, Antoine, et Geneviève CATTAN (1988). *Tous les enfants peuvent réussir,* Paris, Éditions Centurion.

DOYLE, Walter (1986). « Classroom organization and management », dans M.C. WITTROCK (dir.), *Handbook on Research on Teaching,* 3e éd., New York, Macmillan.

DOYON, Cyril, et Raynald JUNEAU (1991). *Faire participer l'élève à l'évaluation de ses apprentissages,* Montréal, Beauchemin, coll. « Agora ».

DREW, Naomi (2011). *Grandir ensemble : Activités pour enseigner des habiletés de résolution de conflits,* Montréal, Chenelière Éducation.

ÉQUIPE PROVINCIALE D'INTERVENANTES AU PRÉSCOLAIRE (1992). *Dès le préscolaire… Recueil d'outils de gestion de classe,* Québec, Ministère de l'Éducation, Direction générale des programmes.

FEUERSTEIN, Reuven (1979). *The Dynamic Assessment on Retarded Performers : The Learning Potential Assessment Device,* Theory, Instrument and Techniques, Baltimore,U.P.P.

GAGNÉ, Robert Mills (1985). *The Conditions of learning,* 4e éd., New York, Holt, Rinehart and Winston.

GORDON, Thomas (1981). *Enseignants efficaces : Enseigner et être soi-même,* Montréal, Éditions du Jour coll. « Actualisation ».

HERSEY, Paul (1984). *The Situational Leader,* Escondido (Californie), Center for Leadership Studies.

HOEBEN, Stéphane, Paul-Marie LEROY, et Patrick REUTER (2010). *Miser sur les différences : être gagnants,* Namur (Belgique), Éditions D2H.

HOWDEN, Jim et Huguette MARTIN (1997). *La coopération au fil des jours,* Montréal, Les Éditions de la Chenelière.

HUARD, Conrad (septembre 1985). « Un essai d'objectivation d'un intervenant en milieu scolaire », *Instantanés mathématiques.*

JAMAER, Christine, et Joseph STORDEUR (2006). *Osez l'apprentissage... à l'école,* Bruxelles, Éditions de Boeck.

JASMIN, Danielle (1994). *Le conseil de coopération,* Montréal, Les Éditions de la Chenelière.

LABORATOIRE DE RECHERCHE INNOVATION-FORMATION-ÉDUCATION. [En ligne], www.unige.ch/fapse/life/publ-livres.html (Page consultée le 17 février 2012).

LEGAULT, Jean-Pierre (1993). *La gestion disciplinaire de la classe,* Montréal, Éditions Logiques.

LEGENDRE, Renald (2005). *Dictionnaire actuel de l'éducation,* 3e éd., Montréal, Guérin, Paris, ESKA, coll. « Éducation 2000 ».

LEPAGE, Ernestine (1984). *La formation des concepts en mathématiques : De la théorie à la pratique,* Rimouski, Greme, coll. « L'Une », monographie no 21 déposée au département des sciences de l'éducation de l'UQAR.

LORTIE-PAQUETTE, Michelyne (2002). *Deux cents activités ouvertes d'apprentissage pour l'école primaire,* Victoriaville, Contreforts.

LYNCH, Dudley, et Paul L. KORDIS (1994). *La stratégie du dauphin,* Montréal, Les Éditions de l'Homme.

MEIRIEU, Philippe (1991). *Apprendre... Oui, mais comment,* 8e éd., Lyon, ESF, coll. « Pédagogies ».

MEIRIEU, Philippe (2004). *L'école, mode d'emploi,* 14e éd., Issy-les-Moulineaux, ESF éditeur.

MEIRIEU, Philippe. Penser et agir la classe. [En ligne], www.meirieu.com/Articles/laclasse.pdf (Page consultée le 17 février 2012).

MINISTÈRE DE L'ÉDUCATION DU QUÉBEC (2000). *Projet de politique d'évaluation des apprentissages,* Québec.

MINISTÈRE DE L'ÉDUCATION DU QUÉBEC (2001a). *Programme de formation de l'école québécoise. Éducation préscolaire et primaire,* Québec, Éditeur officiel.

MINISTÈRE DE L'ÉDUCATION DU QUÉBEC, conception et rédaction : Marielle Anne Martinet, Danielle Raymond et Clermont Gauthier (2001b). *La formation à l'enseignement : Les orientations, les compétences professionnelles,* Québec, Service des publications. [En ligne], www.mels.gouv.qc.ca/dftps/interieur/pdf/formation_ens.pdf (Page consultée le 15 janvier 2012).

NAULT, Thérèse (1994). *L'enseignant et la gestion de la classe : Comment se donner la liberté d'enseigner,* Montréal, Éditions Logiques.

NAULT, Thérèse (2008). *L'enseignant et la gestion de la classe : Comment se donner la liberté d'enseigner,* 2e éd., Montréal, CEC.

PAQUETTE, Claude (1976). *Vers une pratique de la pédagogique ouverte,* Victoriaville, NHP.

PAQUETTE, Claude (1992). *Pédagogie ouverte et interactive* (2 tomes : 1. *L'approche ;* 2. *Démarches et outils),* Montréal, Québec/Amérique.

PAUL, Maela (2003). *Ce qu'accompagner veut dire,* thèse délivrée par le Conservatoire National des Arts et Métiers des Pays de la Loire, Nantes, France. [En ligne], www.transversalis.fr/pdf/Maela%20PAUL.pdf (Page consultée le 15 janvier 2012).

PÉBREL, Christiane (dir.) (1993). *La gestion mentale à l'école : Concept et fiches pratiques,* Paris, Éditions Retz.

PERRENOUD, Philippe (1999). « De la gestion de classe à l'organisation de travail dans un cycle d'apprentissage », *Revue des Sciences de l'éducation,* vol. XXV, no 3.

PERRENOUD, Philippe (1999). *Dix nouvelles compétences pour enseigner : Invitation au voyage,* Paris, ESF.

PERRENOUD, Philippe (2003). « Un état des lieux : À quels problèmes le système éducatif est-il confronté aujourd'hui ? », *Éducation et management,* no 24.

POLLISHUKE, Mindy, et Susan SCHWARTZ (1992). *Construire une classe axée sur l'enfant,* Montréal, Les Éditions de la Chenelière.

PROVENCHER, Gérard (1982). « Les styles d'enseignement : Ce qu'en disent les recherches », *Vie Pédagogique,* no 17, p. 4-7.

RAYNAL, Françoise, et Alain RIEUNIER (1997). *Pédagogie : Dictionnaire des concepts clés,* Paris, ESF.

REY, Bernard (1998). *Faire la classe à l'école élémentaire,* Paris, ESF éditeur.

ROBERTS, Sylvia M., et Eunice Z. PRUITT (2010). *Les communautés d'apprentissage professionnelles,* Montréal, Chenelière Éducation.

SAINT-ONGE, Michel (1992). *Moi j'enseigne, mais eux apprennent-ils ?,* Montréal, Beauchemin, coll. « Agora ».

SANFORD, Julie P., Edmund T. EMMER, et B.S. CLEMENTS (1983). « Improving classroom management », *Educational Leadership,* vol. 40, no 7.

SCHWARTZ, Susan, et Mindy POLLISHUKE (1992). *Construire une classe axée sur l'enfant,* Montréal, Les Éditions de la Chenelière.

SILVER, Harvey F., Robert J. HANSON, et Richard W. STRONG (1980). *Teaching Style Inventory,* Moorestown (New Jersey), Hanson Silver Strong and Associates Inc.

SMITH, Frank (1979). *La compréhension et l'apprentissage,* Montréal, Éditions HRW.

STANLEY, S. (1991). *Substitute teachers can manage their classrooms effectively.*

STERNBERG, Robert J. (1986). *Intelligence Applied. Understanding and Increasing your Intelligence Skills,* New York, Harcourt Brance Jovanovitch.

TARDIF, Jacques (1992). *Pour un enseignement stratégique. L'apport de la psychologie cognitive,* Montréal, Éditions Logiques.

TARDIF, Jacques (1993). « L'évaluation des apprentissages », dans René HYON (dir.) *Réflexions, nouvelles tendances et formation,* Sherbrooke Université de Sherbrooke, p. 27-56.

TARDIF, Jacques (1999). *Le transfert des apprentissages,* Montréal, Éditions Logiques.

TARDIF, Jacques (2006). *L'évaluation des compétences : Documenter le parcours de développement,* Montréal, Chenelière Éducation.

Vers le pacifique : la résolution de conflits au primaire, programme publié par l'Institut Pacifique.

VIAU, Rolland (1994). *La motivation en contexte scolaire,* Montréal, Éditions du Renouveau Pédagogique inc.

WANG, Margaret, Geneva HAERTEL, et Herbert WALBERG (septembre-octobre 1994). « Qu'est-ce qui aide l'élève à apprendre ? », *Vie pédagogique,* no 90.

WOODRUFF, Asahel D. (janvier 1964). « The use of concepts in teaching and learning », *NEA Journal,* p. 81-99.